Second Edition

요로생식기감염

UROGENITAL TRACT INFECTION
and INFLAMMATION

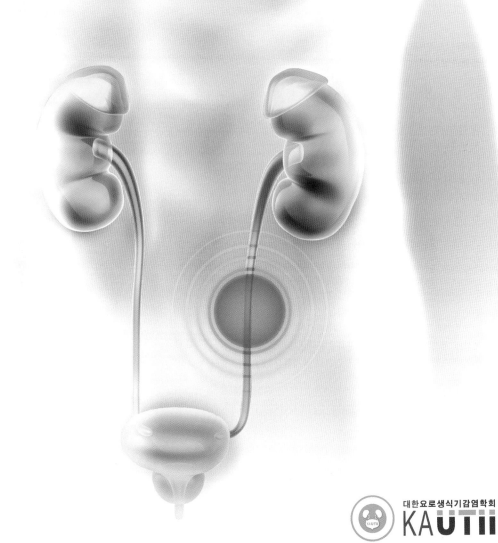

대한요로생식기감염학회
KA**UTii**

제2판

요로생식기감염
UROGENITAL TRACT INFECTION and INFLAMMATION

둘째판 1쇄 인쇄 | 2022년 4월 22일
둘째판 1쇄 발행 | 2022년 4월 29일

지 은 이 대한요로생식기감염학회
발 행 인 장주연
출 판 기 획 이성재
책 임 편 집 강미연
표지디자인 김재욱
편집디자인 최선호
일 러 스 트 군자출판사
발 행 처 군자출판사
　　　　　등록 제4-139호(1991.6.24.)
　　　　　(10881) 파주출판단지 경기도 파주시 회동길 338(서패동 474-1)
　　　　　Tel. (031) 943-1888 Fax. (031) 955-9545
　　　　　홈페이지 | www.koonja.co.kr

ISBN 979-11-5955-875-7
정가 60,000원

Second Edition

요로생식기감염

UROGENITAL TRACT INFECTION
and INFLAMMATION

발간사

대한요로생식기감염학회는 1999년 6월 11일 요로감염연구회(Korean Urinary Tract Infection Study Group; KUSG)로 출발하였고, 이후 2003년 3월 대한비뇨기과학회의 정식 인가를 받아 '대한요로생식기감염학회(Korean Association of Urogenital Tract Infection and Inflammation)'로 창립되어 본격적인 활동을 시작하였습니다.

소변의 생성, 이동 및 저장과 배뇨를 담당하는 요로기관은 구조적으로 생식기관과 밀접하게 위치하여 요로생식기감염의 양상은 매우 다양한 특성을 보이고 있습니다. 요로생식기감염은 매우 흔한 질병이고, 발생과 증상 그리고 합병증은 연령과 성별에 따라 매우 다양합니다. 특히 지속적으로 증가하는 항생제 내성률 때문에 전세계적인 문제로 대두되었고, 정확한 진단과 치료가 늦어지면 환자의 생명을 잃을 수 있는 심각한 질병이기 때문에 새롭고 전문적인 지식이 항상 요구됩니다.

대한요로생식기감염학회는 2013년 4월 15일 요로생식기감염 분야의 기초와 임상 전반을 체계적으로 정리하여 실제 진료 현장에서 활용할 수 있는 '요로생식기감염' 초판 교과서를 발간하였습니다. 매일 매일 발전하는 학문의 특성과 보다 더 완성되고 최신 경향의 지식이 담긴 교과서에 대한 열망으로 지난 2년여 동안 유래없는 COVID-19 사태 속에서도 연구와 진료로 심신이 힘든 상황이지만 여러 선생님들의 노력으로 '요로생식기감염' 제2판 교과서를 완성하게 되었습니다. 요로생식기감염 분야의 최신 지견을 체계적으로 망라한 이 교과서가 요로생식기감염 분야에 관심이 있거나 종사하고 있는 모든 연구자와 의료진에게 유용한 지침서가 되기를 희망합니다.

이 책의 발간을 위해 많은 노력을 기울여 주신 모든 집필자들의 노고에 깊은 감사를 드립니다. 아울러 교과서 편집 과정의 처음부터 끝까지 헌신적인 노고를 아끼지 않으신 이정우 교수와 군자출판사 임직원 여러분께도 진심으로 감사의 말씀을 드립니다.

대한요로생식기감염학회 회장 **김태형**

중증급성호흡기증후군*SARS*, 신종플루, 중동호흡기증후군*MERS*, 그리고 지난 2년여 전부터 지금까지도 유행하고 있는 COVID-19까지 5~6년을 주기로 나타나 우리의 삶에 지대한 영향을 주고 있는 호흡기 바이러스 때문에 감염성 질환에 대한 우리 사회와 의학계의 관심이 무척 뜨겁습니다. 요로생식기감염 분야도 새로운 지식과 기술들이 홍수처럼 쏟아져 나오는 현대사회에 맞춰 끊임없이 발전해 나가고 있습니다.

대한요로생식기감염학회는 2001년 '요로감염-성전파성 질환 및 하부요로감염'에 이어 2005년 '요로감염II-상부요로감염 및 병원성 요로감염' 교과서를 발간하였고, 마침내 2013년 요로생식기감염에 관한 기초 분야 및 제반 질환에 관한 임상 지식뿐만 아니라 실제 진료 현장에서 활용할 수 있는 여러 술기와 진료지침을 중점적으로 집대성하여 '요로생식기감염' 초판 교과서를 발간하였습니다. 나날이 기존 항생제에 대한 내성이 증가하는 세균들처럼 변화무쌍하게 발전하는 의학의 특성에 맞춰 요로생식기감염 분야에 새로운 지침서 역할을 할 수 있는 교과서 편찬의 필요성이 대두되었고, 이에 지난 1년 6개월여 기간 동안 대한요로생식기감염학회 김태형 회장님을 비롯하여 모든 편찬 위원들과 집필자들의 헌신적인 노력으로 '요로생식기감염' 제2판 교과서를 완성하게 되었습니다.

이번 제2판 교과서는 요로생식기감염 분야의 최신 지견들을 업데이트하기 위한 부단한 노력을 하였고, 그 완성도를 극대화하기 위해 국내 최고 전문가 교수님들을 모셔 집필을 의뢰하였습니다. 이번 '요로생식기감염' 제2판 교과서가 요로생식기감염성 질환을 연구하고 진료하는 선생님들에게 지침서가 되어, 이 질환으로 고통받는 수많은 환자들의 효과적인 관리와 치료에 도움이 될 수 있기를 희망합니다. 향후 이 교과서가 지속적으로 개정되어 요로생식기감염 분야에 대한 독보적인 교과서로 자리매김 할 수 있기를 기원합니다.

이 교과서의 발간을 위해 아낌없는 지원을 해 주신 대한요로생식기감염학회 김태형 회장님께 감사를 드립니다. 또한 연구와 진료로 바쁜 와중에도 '요로생식기감염' 제2판 교과서의 완성에 헌신해 주신 모든 편찬 위원 및 집필진께도 깊은 감사의 뜻을 전합니다.

대한요로생식기감염학회 간행이사 및 편찬위원장 **이정우**

집필진

편찬위원회

편찬위원장　　이정우(경희의대)

편찬위원

방우진(한림의대)　　　　　　정재민(부산의대)

배상락(가톨릭의대)　　　　　정　홍(건국의대)

유구한(경희의대)　　　　　　조　석(인제의대)

유달산(울산의대)　　　　　　조영삼(성균관의대)

유상준(서울의대)　　　　　　조인래(인제의대)

이광우(순천향의대)　　　　　조인창(국립경찰병원)

이소연(한양의대)　　　　　　최현섭(가톨릭의대)

이주용(연세의대)

집필진

강동혁(인하의대)　　　　　　김연주(대구가톨릭의대)

강태욱(연세연주의대)　　　　김영호(순천향의대)

기은영(가톨릭의대)　　　　　김용준(충북의대)

김광택(가천의대)　　　　　　김웅빈(순천향의대)

김두상(순천향의대)　　　　　김종근(한림의대)

김상운(연세의대)　　　　　　김준석(광주기독병원)

김양균(경희의대)　　　　　　김태형(중앙의대)

민승기(골드만비뇨의학과)

박성찬(울산의대)

배상락(가톨릭의대)

배재현(고려의대)

송기학(충남의대)

송기현(강원의대)

송재연(가톨릭의대)

신주현(충남의대)

양승옥(중앙보훈병원)

양희조(순천향의대)

이선주(경희의대)

이승주(가톨릭의대)

이원철(한림의대)

이정우(경희의대)

이정원(이화의대)

이준녕(경북의대)

이천우(울산의대)

임동훈(조선의대)

장인호(중앙의대)

전병조(고려의대)

정경진(가천의대)

정승일(전남의대)

정재흥(연세원주의대)

정해도(원광의대)

정현진(대구가톨릭의대)

조성태(한림의대)

최귀복(국립경찰병원)

최세영(중앙의대)

최승권(서울의료원)

최정혁(경희의대)

최중원(가톨릭의대)

최진봉(가톨릭의대)

최 훈(고려의대)

허정식(제주의대)

목 차

Chapter
01

요로감염의 병인

배상락, 정승일, 임동훈, 허정식

I 개요

　요로감염은 요로를 구성하는 신장, 요관, 방광, 요도 및 전립선 등에 미생물이 침범함으로 인하여 염증 유발과 균 증식에 의한 세균뇨와 이에 대한 인체의 면역 반응 등에 의한 농뇨 및 발열 등 다양한 증상을 초래하는 질환이다. 임상양상에서 무증상 세균뇨에서부터 요로패혈증 *urosepsis*에 이르기 까지 매우 다양하다. 흔하게 발생하는 세균 감염 중 하나인 요로감염은 대부분 대장균*Escherichia coli* 같은 장내세균이 원인이다.

　요로감염은 숙주와 요로감염원 병원체*Uropathogen* 사이의 상호관계에 의해서 발생하게 된다. 요로감염 유발과 진행 과정에서 중요한 역할을 하는 것은 세균의 독성인자와 숙주의 방어 인자들이 관여하는 숙주와 병원체의 상호작용이다. 요로감염이 일어나는 부위와 그 정도는 세균 독성과 숙주의 방어작용 중 보다 우세한 역할에 의해 결정된다.

　요로병원체는 다양한 독성인자들을 가지고 있다. 독성인자들의 발현은 서로 다른 성장 조건에 반응하며 감염 부위와 진행 시기에 따라 조절된다. 숙주와 병원체의 상호작용에 관여하는 초기 독성인자들 중 부착소는 요로상피에 세균이 부착하는 것을 촉진할 뿐만 아니라 미생물과 요로상피세포 사이의 신호전달에도 관여한다. 편모는 요로계 내에서 세균의 운동성을 촉진하며, 상피세포에 부착하고 침입하는 역할을 한다. 피막이나 지질다당류 같은 독성인자는 숙주의 면역체계에 대항하여 세균을 보호한다. 독소는 상피세포를 파괴하여 영양소를 배출하며, 숙주의 방어작용으로부터 세균을 보호하고, 병원체와 숙주 사이의 신호전달에 관여한다. 숙주는 선천성 면역체계에 의해 병원체의 독성인자에 대해 효과적으로 반응한다.

요로계는 선천면역이 작동하여 병원체에 대해 방어작용을 하며 정상적인 무균 상태를 유지한다. 병원체 침입에 대하여 저항하는 숙주에서는 세균뇨가 일시적으로 나타나며 요류, 디펜신 같은 점막 살균분자 및 이동된 염증세포들이 감염을 완전히 제거한다. 그러나 지속적인 감염의 경우 선천면역에서 적응면역으로 점진적으로 전환하면서 더욱 복잡한 숙주 방어작용이 관여한다. 이는 선천면역반응과 요로병원체에 대한 방어작용을 유발하는 데 필수적인 Toll 유사 수용체 같은 수용체와 신호전달 경로에 의하여 조절된다. 숙주의 선천면역반응은 방광염과 무증상 세균뇨에서 놀랍게도 매우 낮지만, 급성신우신염과 요로패혈증urosepsis에서는 과도한 선천면역반응이 나타나 신장흉터를 일으킬 수 있다. 케모카인 수용체도 중성구를 이동시켜 조직 염증반응을 조절하는 데 중요한 역할을 한다. 현재는 유전적 요인들이 숙주 반응의 정도와 형태에 영향을 미쳐 궁극적으로 감염의 위치나 정도에 영향을 미친다는 사실이 명백하게 밝혀졌다.

요로병원성 대장균이, 초기 감염을 촉진하고 상피세포 내에 침입하는 데 관여하는 NFκB(핵인자nuclear factor κB) 의존성 신호전달 경로를 억제시켜 요로상피세포의 염증반응을 조절한다고 알려지고 있다. 요로병원성 대장균은 요로상피 내에 침입하여 재발성 요로감염을 일으킬 수 있는 세포 내 저장소를 만든다. 요로상피세포의 표면에 부착하는 요로병원성 대장균은 요로상피의 단백 키나아제인 phosphoinositide 3-키나아제를 활성화하고 세포 골격 재구성을 유도하여 세균 침입이 용이하게 한다. 염증반응의 조절과 요로병원성 대장균의 침입은 FimH-유도에 의한 요로상피세포의 세포자멸사apoptosis와 동시에 발생한다. 따라서 급성 감염과 연관된 염증반응과 더불어 세균과 요로상피 사이의 복잡한 초기 상호작용이 요로감염의 발병 기전에 필수적인 다양한 숙주 반응을 일으킨다.

대식세포, 수지상세포와 다른 항원 전달 세포들은 침입하는 병원체에 대항하여 조화로운 염증반응과 면역반응을 일으킨다. 이러한 면역반응에는 선천면역과 적응면역이 관여한다. 선천면역은 큰포식세포, 다형핵백혈구, 자연살해세포 및 보체계가 관여한다. 적응면역은 B 림프구와 T 림프구로 구성된다. 이러한 면역반응은 요로병원체를 요로상피세포와 함께 탈락시키고, 점액으로 포획하며, 소변을 통해 간헐적으로 씻어냄으로써 보강된다. Tamm-Horsfall 단백은 분비성 IgA를 분비할 뿐 아니라 직접적인 항세균 작용과 면역세포의 활성화 작용을 할 수 있으므로 숙주의 방어작용에 중요한 역할을 한다.

요로생식기 감염에서 균막biofilm은 여러 단계로 형성된다. 먼저 조건막이 침착하고, 이어 미생물이 부착하며, 마지막으로 균막 구조를 형성한다. 균막 내에 존재하는 세균은 항균제로 부터 보호된다. 균막은 폴리도뇨관Foley catheter 같은 이물질의 표면을 덮는 데 중요한 역할을 한다. 최근 자료에 의하면 균막은 방광상피세포 내에서도 형성될 수 있다. 이를 세포 내 세균 군집소라고 한다. 세포 내의 세균 군집소에 있는 세균은 방광 내에 만성적 휴지기의 저장소를 형성하여 수개월 동안 발견되지 않고 잠복하여 지내며, 추후 세균의 재증식을 일으켜 재발성 요로감염을 일으킨다.

요약하면, 숙주와 세균의 상호작용은 다양하고 꾸준하게 발전하고 있으며, 이처럼 복잡한 상호작용에 관한 지속적인 연구와 이해가 요로감염을 진단하여 치료하고 예방하는 데 필수적이다.

II 요로감염의 원인균과 독성인자

요로감염의 원인이 되는 병원체는 매우 다양하다. 일반적으로 요로감염의 원인균은 환자 자신의 대변균 무리 중에서 요도를 타고 방광으로 올라가며, 심지어 요관과 신장까지 올라간다. 가장 흔한 원인균은 대장균이다. 지역사회에서 발생하는 단순 급성요로감염의 80% 이상이 대장균 때문에 발생한다. 요로감염의 원인이 되는 대장균인 요로병원성 대장균은 병독성과 관련된 인자들로 인해 병독성이 없는 대변의 대장균과 구분된다.

프로테우스Proteus종과 클레브시엘라Klebsiella종을 포함한 여러 그람음성균들은 요소분해효소 발현에 의해 요로결석과 종종 연관된다. 클레브시엘라종과 슈도모나스Pseudomonas종은 여러 항생제에 내성을 보이는 경향이 있는데, 이들은 병원 내 요로감염의 주요 원인균이다. 시트로박터Citrobacter종, 엔테로박터Enterobacter종, 세라시아Serratia종 뿐만 아니라(표 1-1) 장구균Enterococcus종, 포도구균Staphylococcus종 등 그람양성균도 병원 내 요로감염의 중요한 원인이다. 부생성포도구균Staphylococcus saprophyticus은 외래로 방문한 젊은 여성에서 중요한 원인균이다. 배양이 어려운 혐기성 균주들은 통상적인 배양에서는 자라지 않아 검출되는 경우가 드물지만, 이들의 역할에 관하여 더 많은 연구가 필요하다.

최근 보다 발전된 소변 배양기술과 Next generation Sequencing에 의하여 microbiome의 발견되면서 새로운 균들이 확인되기도 하였다. 비뇨기계통의 악성 종양환자에서의 Aerococcus urinae나 면역 저하자에서의 Raoultella planticola 등이 새로이 확인된 요로감염의 원

표 1-1　주요 요로감염원의 특징

요로감염원	특징
대장균Escherichia coli	가장 흔한 원인균
프로테우스미라빌리스Proteus mirabilis	요로결석 형성과 관련됨
클레브시엘라 Klebsiella, 엔테로박터Enterobacter 세라시아Serratia, 시트로박터Citrobacter 슈도모나스Pseudomonas spp.	복합 요로감염, 병원 내 요로감염에 흔하고 내성균주들이 많음
부생성포도구균Staphylococcus saprophyticus	젊은 여성에서 흔함
황색포도구균Staphylococcus aureus	면역저하 환자, 세균혈증 환자 카테터 관련 감염과 연관됨
표피포도구균Staphylococcus epidermidis	카테터 관련 감염에 연관됨
장구균Enterococcus spp.	신장이식을 받은 환자에서 심한 요로감염을 보이는 증례가 있음
칸디다Candida spp.	광범위 항생제를 사용한 환자나 면역이 저하된 경우 드물게 원인균이 될 수 있음

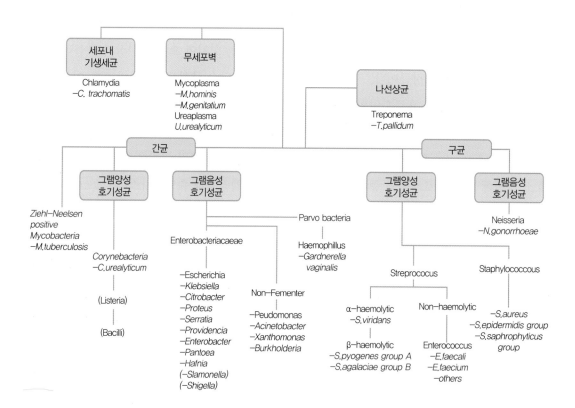

그림 1-1　유럽비뇨기과학회 가이드라인

인균들이다.

진균에 의해 발생하는 요로감염의 빈도는 꾸준히 증가하고 있다. 칸디다종은 가장 흔한 진균성 요로감염의 원인균으로, 그중 칸디다알비칸스*Candida albicans*가 가장 흔하지만 비 알비칸스 칸디다도 호발한다. 진균에 의한 요로감염은 항생제 치료를 받았던 면역저하 환자에서 자주 발생한다. 요로감염을 유발하는 원인균을 그림으로 나타내면 다음과 같다(그림 1-1).

1. 요로감염 미생물의 독성인자

미생물에 의한 감염은 미생물이 정상적인 숙주의 방어를 이겨내기 때문에 발생한다. 질병을 일으키는 요로감염균의 능력은 그들의 속과 종만으로 결정되는 것이 아니며, 병원성에서 기인하는 병독성 등도 중요한 요소이다. 병독성에는 특정 균주에서 질환의 중증도를 결정하는 여러 독성 요소들이 있는데, 각각의 독성 요소는 감염의 특정 단계에서만 중요하게 작용한다(표 1-2).

2. 부착소

요로감염은 보통 요로상피세포 표면에 존재하는 수용체와 결합하는 세균의 부착소로 인해 시작된다. 부착소는 모양에 따라 섬모 부착소와 비섬모 부착소로 구분된다. 섬모가 세포 표면에서 튀어나온 모양인 것에 반해 비섬모 부착소는 바깥 세포막 그 자체에 위치한다(그림 1-2). 모든 요로병원성 대장균의 80% 정도는 신우신염 관련 섬모를 발현하는데, 이는 신장 세포의 세포막에 고정되어 있는 글리코스핑고리피드 성분의 구형연속체와 결합한다. 1형 섬모는 대부분 대장균, 요로병원성 대장균, 공생균에서 발현되는데, 요로의 집락 형성에 가장 중요한 요소이다. 또 다른 부착소 FimH는 숙주 세포로의 침투를 매개하고 세포 내 균막 형성에도 관여하며, S/F1C 섬모는 시알산*sialic acid*을 함유하는 수용체와 결합한다. S/F1C 섬모는 신장에서만 활성화되는데, 소변 내의 풍부한 단백질의 대부분을 차지하는 Tamm-Horsfall 단백에 결합할 수 있다. 즉, THP가 대장균의 S/F1C 섬모에 부착하는 리간드로서 작용할 수 있기 때문에, 소변에 존재하는 세균 수를 감소시키게 된다. 요로병원성 대장균은 10개 이상의 섬모를 발현하는데, 다른 부착소의 역할은 아직 상세히 밝혀지지 않았다.

다른 요로감염균들도 섬모와 비섬모 부착소들을 발현한다(표 1-2). 3형 섬모는 실험적으로 숙주의 여러 세포와의 부착을 매개하지만, 이들이 부착하는 수용체는 아직까지 밝혀지지 않았다. 요로병원성 대장균은 흔히 요로감염 시 숙주 세포 내에 기생 위치를 만드는데, 폐렴간

표 1-2 원인 미생물의 병독 인자

원인 미생물	병독 인자
대장균 *E. coli*	Fimbriae/adhesins (type 1-, type 3-, P-fimbriae, S-adhesin family, Afa/Dr adhesin family, curli) Toxins (α-Hemolysin, CNF1) Autotransporter adhesins (Ag43, UpaG) Iron acquisition systems (enterobactin, aerobactin, yersiniabactin, salmochelin, Iha, Haem receptors Hma, ChuA) Capsule Flagella Extracellular polysaccarides (cellulose, PGA)
프로테우스미라빌리스 *Proteus mirabilis*	Fimbriae/adhesins (MR/P, PMF, ATF, NAF, UCA, MR/K) Toxin (HpmA hemolysin) Autotransporter agglutinin and cytotoxin (Pta) Capsule Urease Flagella Metalloproteases Iron acquisition (Amino acid deaminases)
폐렴간균 *Klebsiella pneumoniae*	Fimbriae/adhesins [type 1, type 3(MR/K] Capsule O antigen Iron acquisition systems (enterobactin, aerobactin) Urease
녹농균 *Pseudomonas aeruginosa*	Adhesins/fimbriae Exotoxins (e.g.,hemolysin) Phospholipase C Protease Elastase Pyochelin
장구균 *Enterococcus*	Adhesins Toxin (Cytolysin)
부생성포도구균 *Staphylococcus Saprophyticus*	Adhesins (Surface associated protein Ssp, lipoteichoic acid, hemagglutinin/fibronectin binding protein UafA, collagen binding Sdrl, lipase Ssp, aautolysin Aas) Surface hydrophobicity Toxin (Hemolysin) Extracellular slime Urease
황색포도구균 *Staphylococcus aureus*	Biofilm formation (PIA, Aap) Toxins Protease MrpF Iron acquisition systems (Isd, staphylobactin) MSCRAMMs (fibronectin binding protein, laminin binding protein, elastin binding protein, clumping factor)
표피포도구균 *Staphylococcus epidermidis*	Biofilm formation Toxins
시트로박터종 *Citrobacter spp.*	Fimbriae/adhesin (type 1 fimbriae, type 3 fimbriae) Outer membrane proteins (OmpA) Capsule (Vi)
세라시아마르센스 *Serratia marscens*	Lipopolysaccharide MR (Mannose-resistant) and MS (mannose-sensitive) fimbriae Chitinse, lipase, chloroperoxidase, extracellular protein HasA
칸디다종 *Candida spp.*	Adhesins [ALS (Agglutinin-like sequence genes), Hwp 1] Dimorphism, hyphae formation Asparty1 proteinase (SAPs) LIPs (Lipase), PLB (Phopholipase) Iron-binding capacity Metabolic adaptation Resistance to phagocytosis

균Klebsiella pneumoniae 역시 세포 내 저장소를 만들 수 있다. 하지만 폐렴간균은 요로병원성 대장균보다 세포 내 균막과 같은 군집 형성을 적게 하므로 방광에서 낮은 농도로 검출된다. 이러한 차이는 부분적으로는 1형 섬모 발현의 차이에서 기인한다. 균의 외막에 위치한 비정형 외막 관련 구조물로 되어 있는 비섬모 부착소도 요로상피세포와의 부착을 매개한다. 비섬모 부착소 중 Afa 비섬모와 Dr 부착소는 요로병원성 대장균에서 발현된다. Dr 부착소는 세균이 다형핵백혈구에 부착되도록 하여 죽는 세균의 비율을 낮추는 역할을 한다. Afa/Dr 부착소는 기저막세포의 특정 단백질에만 부착하는 특징을 보이는데, 세균이 숙주세포의 지질이중막에 있는 특정 세포막 수용체를 인지하는 능력은 숙주 세포 속으로 들어가는 현상과 관련 있다.

요로감염에서 그람음성균과 관련된 부착소의 역할은 그동안 많이 알려졌으나 그람양성균의 부착소에 대해서는 잘 알려지지 않았다. 요로감염을 일으키는 황색포도구균Staphylococcus aureus에서 미생물 표면 성분 인식 부착기질분자라고 불리는 부착소가 발견되었다. 부생성포도구균은 요-부착 요소 A라고 불리는 세포벽에 고정된 혈구응집소를 발현하는데, 요-부착 요소 A는 요로 내 진핵세포와의 부착을 매개한다. 또한 부생성포도구균이 방광암 세포주 내로 들어가는 현상이 관찰되었기 때문에 재발성 방광염과의 관련성도 연구되었다. 장구균이 숙주 세포에 부착하는 성질은 응집 물질인 페로몬 유도 표면 단백질이 매개하는 것으로 추정되는데, 이 단백질은 진핵세포 표면과의 부착과, 장세포 내로 들어가는 과정에서 중요한 역할을 한다. 페로몬 외에 혈청 역시 응집 물질의 발현을 유도할 수 있다. 칸디다알비칸스의 부착소는 포유류에서 여러 가지 세포 외 기질 단백질과 결합한다.

3. 균막 형성

일반적으로 균막 형성은 카테터 관련 감염에서 중요한 역할을 한다. 최근 대장균에 의해 발생하는 재발성 요로감염에서 균막이 차지하는 역할이 자세히 연구되었다. 콜라닉산colanic acid과 다른 캡슐 물질을 포함한 세포 표면 연관 다당류, 셀룰로스뿐만 아니라 여러 섬모 부착소, 항원 43 등이 대장균의 균막 형성에 기여한다. 이러한 요소들은 균막을 형성한다고 알려진 여러 그람음성 요로감염균에서도 균막 형성을 돕는다. 특히 병원성 황색포도구균과 표피포도구균Staphylococcus epidermidis은 이물질에서 균막을 형성할 수 있다. 균막 형성에서 비특이성 요소인 표면전하와 소수성이 초기의 부착을 매개하며, 특이성 요소인 세포 외 기질 단백질과 상호작용하는 세포벽 연관 테이코산teichoic acids과 단백질도 다당류 세포 내 부착소와 함께 균막 형성에 중요한 역할을 한다.

4. 철 결합체 시스템

철분 이온은 요로에서 성공적인 집락화를 위해 반드시 필요하다. 하지만 인간과 같은 숙주에서는 대부분의 철분이 헴*heme*이라는 효율적인 시스템에 저장되어 운반되기 때문에 요로와 같은 조직 내 철분의 농도는 매우 낮다. 따라서 세균은 숙주 환경 내의 철분 부족을 극복하기 위해 숙주의 헴과 경쟁적으로 철분을 획득하는 철 결합체를 세균 내에서 만들어 세균 밖으로 분비한 후 이를 다시 흡수하여 이용한다. 대장균도 여러 철 결합체를 발현한다. 엔테로박틴*enterobactin*은 병원성과 비병원성 대장균에 의해 발현되고, 에어로박틴*aerobactin*은 요로감염균과 장외 병원성 대장균에서 발현된다. 일반적으로 요로병원성 대장균은 다중 철 결합체 시스템을 발현하는데, 그 예로 엔테로박틴, 에어로박틴 등이 있다.

두 가지 헴 수용체인 Hma와 ChuA는 현재 연구가 진행되고 있다. 철 결합체가 철분과 결합한 후 다시 세균 내로 들어올 때 이를 받아들이는 수용체는 두 가지 기능을 하는 것으로 생각된다. Iha는 실험적 방광염 모델에서 대장균에 의한 요로감염에서 독성물질 중 하나임이 확인되었다. Iha는 철 결합체와의 부착이 강화된 형태인 catecholate 철 결합체 수용체를 대표한다. 살모케린*salmochelin* 철 결합체 수용체인 IroN은 철 결합체 수용체 기능뿐만 아니라 요로병원성 대장균에 의한 요로상피로의 침입을 촉진하는 기능도 가지고 있다. 이러한 철 결합체 시스템은 클레브시엘라종과 같은 또 다른 그람음성균에서도 발견된다. 흥미로운 사실은 프로테우스미라빌리스*Proteus mirabilis*는 일반적으로 철 결합체를 발현하지 않는다는 것이다. 그람양성균의 철분 획득에 관해서는 알려진 것이 거의 없다. 칸디다는 헤민과 헤모글로빈을 철분의 원천으로 활용할 수 있다.

5. 독소

요로감염균 침입은 때때로 요로상피의 손상과 염증 작용으로 인한 발열을 수반하는데, 세균의 독소가 이러한 과정에 관여한다. α-융혈소는 요로병원성 대장균 분리균의 약 50% 정도에서 발현되며 요로감염 환자들에서 임상적 증세를 심하게 만드는데, 숙주 세포에 구멍*pore*을 뚫어 세포 용해를 초래하며, 이로 인하여 숙주 세포 내의 철분과 영양분이 나와 이를 획득할 수 있도록 만든다. α-융혈소의 농도가 세포 용해를 일으키지 못하는 정도일 때는, 숙주 세포주기의 진행과 대·소낭 운송 및 생존, 염증 신호 기전에서 핵심적 역할을 수행하는 세린/트레오닌 키나아제*Akt serine/threonine kinase Akt*가 불활성화된다. 그 결과 숙주의 세포자멸사 및 염증 신호 기전이 자극을 받고, 포식세포에 의한 주화성과 세균 제거가 방해받게 된다.

약 30%의 요로병원성 대장균은 세포독성 괴사성 요소 1을 분비하는데, 이는 Rho GTPases 를 활성화시킬 수 있다. Rho GTPases 활성화는 액틴 스트레스 섬유, 세포질 돌기, 사상위족, 세포막 주름 유발, 염증성 신호통로 조정 등을 통해 진핵세포의 기능에 많은 영향을 미친다. 실험적으로 CNF1이 요로병원성 대장균의 독성 요소 중 하나로 증명되었는데, 방광상피세포 의 세포자멸사를 촉진하여 조직으로부터 상피를 박리시키기 때문에 인근 조직으로의 접근성 을 높이게 되며 결국 요로 내에서 세균이 확산되고 지속된다.

다른 요로감염균도 독성인자를 발현한다. 프로테우스미라빌리스는 프로테아제*proteases*뿐 만 아니라 용혈소 HpmA를 발현한다. 녹농균*Pseudomonas aeruginosa*은 elastase, phos-pholipase, pyochelin과 용혈소 등을 발현한다. 황색포도구균 역시 다양한 독소를 발현하지 만 요로감염에 미치는 영향은 정확히 알려지지 않았다. 칸디다알비칸스는 독성과 침투성을 촉진하는 phospholipases와 aspartyl proteinases를 분비할 수 있는데, 최소 9가지 종류의 aspartyl proteinase가 칸디다종에서 발견되었다.

6. 자가운송자

많은 그람음성균이 분비하는 자가운송 단백질은 부착소나 독소 등의 여러 작용을 나타낸다. 항원 43은 대장균의 대표적인 자가운송 단백질로서 자가집합과 균막 형성을 통하여 대장균 표 현형의 변이 과정에 중요한 역할을 한다. 항원 43은 대장균이 대식세포에 섭취된 후에도 그 안 에서 존속할 수 있도록 돕는다. 변형된 항원 43은 대장균이 요로 내에서 장기간 존속하는 것 과 관련 있다. 또한 항원 43은 방광상피세포뿐만 아니라 세포 외 기질 단백질에도 결합할 수 있는 부착소 기능도 약하게 가지고 있다. 요로병원성 대장균이 분비하는 다양한 자가운송자에 는 액포성 자가운송자 독소, 분비성 자가운송자 독소 등이 있다. 액포성 자가운송자 독소와 분 비성 자가운송자 독소는 숙주 세포의 다양한 세포 용해를 유발할 수 있다. 실험적으로도 분비 성 자가운송자 독소가 발현되면 세균이 효과적으로 신장손상을 유발하는 현상이 관찰되었다.

최근에는 프로테우스 독소 응집소가 프로테우스미라빌리스에서 발견되었는데, 이는 프로테 우스미라빌리스 감염으로 알칼리화된 요로에서 최적으로 발현되는 새로운 자가운송자이다. 향후 요로병원성 대장균에 의해 분비되는 다른 자가운송자와 다른 그람음성균에서의 역할에 대한 추가 연구가 필요하다.

7. 지질다당류

O 항원은 세균 세포막의 지질다당질*lipopolysaccharide* 성분에 당류 10~25개가 반복되어 고정된 구조이며, 요로병원성 대장균 가운데 항원 O1, O2, O4, O6, O7, O8, O16, O18, O25, O50, O75의 발현 빈도는 매우 높은 반면 항원 K와 H는 덜 알려져 있다. 지질다당류는 HlyA가 숙주 세포의 세포막을 목표로 잡는 데 도움을 주는 등 다른 독성 요소들과 상호작용을 하고, 숙주 면역체계로부터 세균을 보호하는 역할을 한다. 다른 그람음성균도 지질다당류 구조를 발현하는데, 그람양성균은 여러 층의 펩티도클리칸에 의해 특징지어진다. 진균류는 세포 표면에 β-(1, 3)-글루칸이 있으며 그 작용은 잘 알려지지 않았다.

8. 피막

많은 요로감염균은 다당류 피막을 생산하는데, 이는 숙주의 보체 시스템과 포식세포에 대항하여 세균을 보호함으로써 혈청에 대한 저항력을 높여 발병 기전에서 중요한 역할을 한다. 또한 K1 피막과 같은 특정 피막은 숙주의 구조와 비슷하기 때문에 세균에 대한 숙주의 면역반응을 감소시킬 수 있다. 대장균은 80개 이상의 피막을 발현한다. K1 피막은 2, 8-linked sialic acid residues 구조이며, 신경세포 부착 분자와 구조가 비슷하다.

9. 편모

요로병원성 대장균 발병 기전에서 편모가 하는 역할이 더욱 분명해지고 있다. 최근 밝혀진 바에 의하면 이들은 요로병원성 대장균이 방광으로부터 신장으로 올라가는 것을 촉진하고, 숙주 내에서 확산과 신장 세포 내로의 침투를 돕는다. 다른 그람음성균 편모의 기능도 비슷한 것으로 여겨진다.

10. 요소분해효소 생산

프로테우스미라빌리스의 주요 독성 요소 중 하나인 요소분해효소는 요소를 이산화탄소와 암모니아로 가수분해한다. 암모니아가 발생하면 숙주 내에 알칼리성 환경이 만들어지고, 이때 소변에 녹아 있는 이온이 침전되어 요로결석이 만들어진다. 요소분해효소는 폐렴간균과 부생성포도구균에서도 분비될 수 있다.

11. 대사와 다른 특징들

대사와 다른 특징들은 인체의 정상적인 대사 과정이 세균에 의한 요로감염 과정에 영향을 준다는 측면에서 최근 활발히 연구되는 분야이다. 방광 내에서 성장을 촉진할 수 있는 대사적 특징들은 최근 주로 대장균에서 연구되었다. D-세린serine은 포유류의 소변에서 배설되는 가장 흔한 아미노산 중 하나이다. D-세린의 대사는 방광염을 일으키는 데 적합한 특징을 보여준다. 하지만 D-세린이 고농도로 존재하면 세균이 자라지 못하는 환경이 될 수도 있다. 대부분의 요로병원성 대장균은 D-세린 활용에 대해 단 하나의 오페론만을 가지고 있다.

칸디다는 스스로의 형태를 크게 변화시킬 수 있으며, 이를 통하여 효모나 균사 둘 중 하나의 형태로 성장할 수 있다. 이처럼 다른 형태로 전환하는 능력은 칸디다의 병원성과 관련 있지만, 요로감염 발병에 있어 그 중요성은 정확히 연구된 바가 없다. 장소에 따라 유전자 발현과 대사를 적합하게 조절하는 능력은 칸디다의 요로병원성을 높이는 요소이다.

Ⅲ 요로감염에 대한 면역, 유전 그리고 감수성

요로감염의 증상은 매우 다양하며, 감염균의 종류와 숙주의 세균 감염 방어기전에 의해 좌우된다. 요로계는 정상적으로는 무균 상태가 유지되는데, 이는 선천면역이 작동하여 항미생물 방어작용이 나타나기 때문이다. 하지만 요로계의 감염이 지속되면 숙주의 선천면역이 특수면역으로 점진적으로 전환되면서 더욱 복잡한 방어기전이 관여한다.

요로감염의 병인 기전은 병원성 세균이 처음 조직에 부착함으로써 시작된다. 이후 여러 복잡한 단계를 거쳐 최종적으로 숙주의 방어기전에 의하여 세균이 제거되거나 혹은 만성화된다. 요로감염의 초기 과정에서는 선천면역반응이 요로계의 세균 방어기전을 조절한다. 지금까지 세포실험, 동물모델 및 요로감염 환자 등의 다양한 요로계 감염에 관한 연구를 통하여 병원성 세균이 선천면역을 활성화하는 과정 및 숙주 방어를 증강 또는 약화시키는 데 영향을 미치는 중요한 기능들이 밝혀졌다. 이처럼 다양한 요로감염에 관한 연구를 통해 요로감염에 취약한 인체 결함 외에 잘 알려지지 않았던 분자생물학적인 다양한 필수적 요소들에 대한 정보가 밝혀졌다. 즉, 어떠한 숙주의 유전적 결함이 사람 혹은 동물 모두에서 요로감염의 감수성을 증가시키는 것이 확인되었고, 숙주의 일부 유전자 변이가 요로감염의 감수성에 영향을 미치는 것도 알려졌다.

이 글에서는 요로감염에 관한 선천면역의 두 가지 측면에 대해 기술했다. 첫 번째로, 어떤 분자생물학적 상호작용이 선천면역을 활성화하는지를 세균 병인 요소에 대한 수용체와 Toll 유사 수용체를 중심으로 기술했다. 두 번째로, 요로계에서 세균을 제거하는 선천면역의 세부 기전에 대해 다루었다. 구체적으로 케모카인 수용체들에 따라 어떻게 선천면역이 달라지는지, 그리고 케모카인 수용체의 기능이 정상적이지 않을 때 어떠한 비뇨기계의 병리학적 소견이 유발되는지를 서술하였다. 또한 몇 가지 실험모델을 통해 무증상 세균뇨를 고의적으로 유발시켰을 때 발생하는 결과를 기술했다.

1. 감염에 대한 선천면역반응을 활성화하는 분자생물학적 상호작용

Toll 유사 수용체는 감염이 있음을 인지하는 중요한 감지자이며 다양한 숙주의 면역 방어를 조절한다. 이들은 소위 어댑터 단백질이 관여하는 다양한 일련의 복합 반응을 통해, 그리고 감염된 세포에서 어떤 염증 매개 물질을 만들어낼지 결정하는 전사인자를 통해 면역 신호를 감지하고 조절한다. Toll 유사 수용체 신호를 통해 염증반응 전 단계의 반응이 유발되는데, 이는 감염된 부위에서 국소적으로 면역세포의 활성을 조절하며, 나아가 시토카인, 인터페론, 케모카인을 분비하여 감염 부위로 염증 면역세포들이 이동하도록 한다. 이러한 Toll 유사 수용체가 관여하는 면역반응은 결국 요로계에서 조직의 손상과 숙주의 면역방어라는 양 측면을 잘 중재하며 면역반응의 정도를 조절한다.

요로계의 점막과 요로상피에서는 세균의 독성인자를 인지하는 숙주의 수용체와 그 면역 신호를 담당하는 Toll 유사 수용체가 감염에 대해 활발히 반응한다(그림 1-3). 대부분의 병원성 세균에서 발현되는 세균의 병인인자는 곧 요로상피세포 수용체에 결합하는 리간드로 작용하며, 리간드가 결합된 상피세포 수용체는 생화학적 변화를 초래하여 숙주에게 감염의 위험성을 알리게 된다. 병원성 세균에 존재하는 P와 1형 섬모는 몇 가지 당을 인지하며 숙주의 세포 수용체에 결합하게 되고, 이어서 Toll 유사 수용체 4에 의한 면역 신호를 촉발한다. 예를 들어, 요로계의 병원성 세균은 P 섬모를 이용하여 글리코스핑고리피드 세포 수용체과 결합하게 되고, 이러한 결합은 Toll 유사 수용체 4 신호, 선천면역반응 유전자의 발현, 그리고 IL-6, IL-8, TNF와 같은 면역 매개 인자의 생산을 활성화시킨다. 한편 무증상 병원성 세균의 경우는 상기의 면역반응이 매우 빈약하여 염증 전 단계의 면역반응이 활성화되지 않고 오히려 억제된다. 이렇듯 면역반응이 일어나지 않는 무반응성은 숙주의 선천면역반응이 지속적으로 활성되는 것을 막고 숙주와 세균 간의 공생 관계를 허용하게 되어 상주균이 되도록 하며, 무증상 세균뇨와 같은 방어적 조건이 되는 데 필수적이다(그림 1-4).

2. 요로계 감염의 감수성에 미치는 선천면역의 다양성과 유전자적 고찰

이상의 면역학적 지식을 배경으로, Toll 유사 수용체 4가 없는 경우 요로감염에 대한 염증 반응이 일어나지 않는 현상을 이해할 수 있을 것이다. 무증상 세균뇨는 독력이 낮은 세균 혹은 숙주의 면역반응을 억제할 수 있는 세균에 의한 감염의 결과일 수 있다. 무증상 세균뇨는 또한 숙주의 선천면역반응이 억제된 경우에도 발생한다. 쥐 생체실험 연구에서, Toll 유사 수용체 4 수용체가 결여되었거나 Toll 유사 수용체 신호 영역이 정상적으로 기능하지 못하는 쥐에서는 염증반응과 병원성 세균의 제거가 지연되고, 요로감염의 증상과 조직손상이 발생하지 않았다. 이러한 결과를 통해 요로계 면역의 무반응성으로 인하여 요로계의 점막이 손상받지 않음을 알 수 있다(그림 1-2).

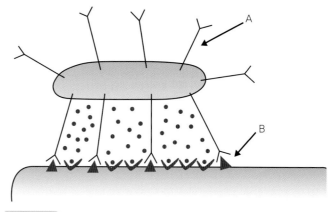

그림 1-2 세균의 부착
섬모의 부착소(A)가 요로상피세포 표면 수용체와의 결합(B)에 관여한다.

또한 최근에는 요로계 감염이 없으며 신우신염을 앓고 있는 소아 대조군에 비해 무증상 세균뇨를 보이는 소아에서 낮은 RNA 수치가 나타나 Toll 유사 수용체 4의 기능이 억제되는 것을 확인할 수 있었다. 이전에 증상을 보인 세균 감염 이후에 수반되는 무증상 세균뇨를 보인 소아의 경우도 중간 정도의 Toll 유사 수용체 4 발현을 나타냈다. DNA 염기서열을 검사해보면 해당 환자군에서는 Tir 도메인의 돌연변이는 확인되지 않았으며, Toll 유사 수용체 4 유전자의 돌연변이와 관련된 질환은 없었다. 무증상 세균뇨에서 Toll 유사 수용체 4 발현이 감소되는 기전은 아직 밝혀지지 않았으나, 인간의 비뇨기계 질환과 관련성이 높기 때문에 기전 또한 밝혀져야 할 것이다(그림 1-3).

3. 케모카인 수용체에 의한 세균 제거와 신장흉터 조절

케모카인과 그 수용체들은 다양한 체내 세포들의 이동을 조정한다. 이들은 특히 면역세포들이 손상받은 조직으로 동원되는 데 필수적이다. 전형적인 케모카인 중 하나인 CXCL8(인터

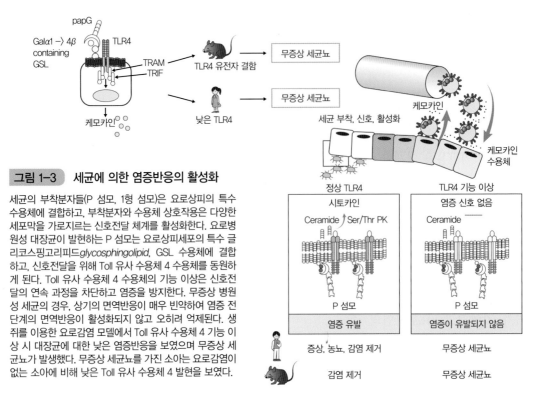

그림 1-3 **세균에 의한 염증반응의 활성화**

세균의 부착분자들(P 섬모, 1형 섬모)은 요로상피의 특수 수용체에 결합하고, 부착분자와 수용체 상호작용은 다양한 세포막을 가로지르는 신호전달 체계를 활성화한다. 요로병원성 대장균이 발현하는 P 섬모는 요로상피세포의 특수 글리코스핑고리피드glycosphingolipid, GSL 수용체에 결합하고, 신호전달을 위해 Toll 유사 수용체 4 수용체를 동원하게 된다. Toll 유사 수용체 4 수용체의 기능 이상은 신호전달의 연속 과정을 차단하고 염증을 방지한다. 무증상 병원성 세균의 경우, 상기의 면역반응이 매우 빈약하여 염증 전 단계의 면역반응이 활성화되지 않고 오히려 억제된다. 생쥐를 이용한 요로감염 모델에서 Toll 유사 수용체 4 기능 이상 시 대장균에 대한 낮은 염증반응을 보였으며 무증상 세균뇨가 발생했다. 무증상 세균뇨를 가진 소아는 요로감염이 없는 소아에 비해 낮은 Toll 유사 수용체 4 발현을 보였다.

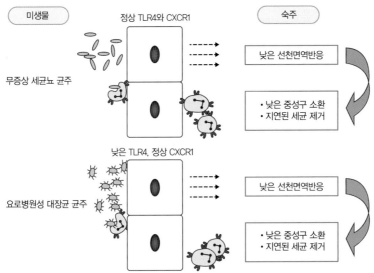

그림 1-4 **무증상 세균뇨**

선천면역반응에서 TLRs는 병원성이 있는 대장균을 방어하는 데 매우 중요하다. 숙주가 무증상 세균뇨를 보이는 경우, 오히려 Toll 유사 수용체 4 면역반응이 저조한 것이 요로감염으로부터 보호하는 역할을 하는 것으로 보이기도 한다. 무증상 병원성 세균의 경우, TLRs 관련 면역반응이 매우 빈약하여 염증 전 단계의 면역반응이 활성화되지 않고 오히려 억제된다. 이렇듯 면역반응이 일어나지 않는 무반응성은 숙주의 선천면역반응이 지속적으로 활성화되는 것을 막고 숙주와 세균 간의 공생 관계를 허용하여 상재균이 되도록 하며, 무증상 세균뇨와 같은 상황을 초래한다.

루킨*interleukin-8*)은 면역세포인 중성구의 이동 및 활성과 관련 있다. 감염된 요로상피세포는 여러 케모카인을 생산하여 30분 이내에 혈액으로부터 점막으로 염증세포들을 이동시킨다. 이후 중성구가 상피 경계를 넘어 소변으로 나가고, 요로감염의 전형적인 증상인 농뇨를 나타낸다(그림 1-5). 일련의 반응에서는 CXCL8에 대한 수용체인 CXCR1이 감염된 요로상피와 중성구의 표면에 발현되어 조직으로부터 중성구가 빠져 나오고, 증상이 있는 요로계 감염이 있는 환자에서 농뇨가 나타난다.

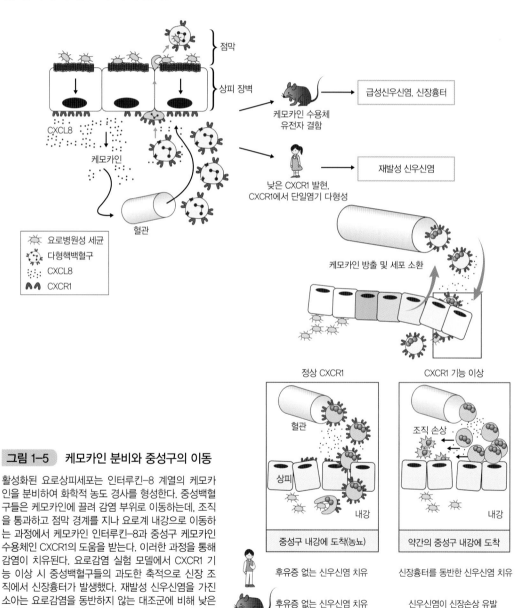

그림 1-5 케모카인 분비와 중성구의 이동

활성화된 요로상피세포는 인터루킨-8 계열의 케모카인을 분비하여 화학적 농도 경사를 형성한다. 중성백혈구들은 케모카인에 끌려 감염 부위로 이동하는데, 조직을 통과하고 점막 경계를 지나 요로계 내강으로 이동하는 과정에서 케모카인 인터루킨-8과 중성구 케모카인 수용체인 CXCR1의 도움을 받는다. 이러한 과정을 통해 감염이 치유된다. 요로감염 실험 모델에서 CXCR1 기능 이상 시 중성백혈구들의 과도한 축적으로 신장 조직에서 신장흉터가 발생했다. 재발성 신우신염을 가진 소아는 요로감염을 동반하지 않는 대조군에 비해 낮은 CXCR1 발현을 보였다.

쥐를 이용한 요로감염 연구의 경우, 케모카인 수용체 결함이 있는 쥐에서는 감염된 신장으로 중성구가 이동하지 않았으나, 케모카인 수용체 유전자가 제거된 쥐에서는 세균뇨가 있는 급성 신우신염이 발생했다. 조직학적으로는 요로상피 하방으로 중성구가 축적되었으며, 생존한 쥐에서 나중에 신장흉터가 발생하였다. 이러한 실험의 결과인 중성구 축적과 신장흉터 현상으로 볼 때, 신장감염에서 중성구와 케모카인 수용체의 중요성을 알 수 있다(그림 1-4).

CXCR1은 요로감염 질환에 대한 감수성과 밀접하다. 증상이 있는 요로감염 환자의 경우 비뇨기계의 CXCL8 발현 수준과 중성구 숫자 사이에 큰 관련이 있다. CXCR1 발현 수준은 인종에 따라 다양하다. 신우신염에 걸리기 쉬운 소아는 요로감염이 없는 대조군에 비해 CXCR1 발현 수준이 더 낮다. CXCR1 유전자는 5가지 종류의 돌연변이가 발견되었는데, 이는 요로감염의 감수성을 결정하는 최초의 유전적 근거일 것이다. 3세대에 걸친 가족 연구에서 급성신우신염의 발생빈도는 신우신염에 걸리기 쉬운 환아가 있는 가족에서 높았다. 게다가 급성신우신염에 걸리기 쉬운 소아의 CXCR1 발현이 대조군인 정상 소아와 성인에 비해 더 낮았다. 이러한 요로계 감염의 유전적 경향은 가족에 따라 열성으로 혹은 우성으로 유전됨을 알 수 있다. 이상의 CXCR1 유전자 염기서열의 다양성과 가족 연구는 급성신우신염에 대한 감수성과 낮은 CXCR1 발현이 유전된다는 것을 뒷받침한다.

4. 향후 진단과 치료 방법에 대한 고찰

1) 진단적 접근

지금까지의 연구 결과들을 감안할 때 비뇨기계의 변이와 요로감염의 병력 판단은 유전적 분석을 통해 보완할 수 있으리라 예상된다. 유전적인 분석의 목표는 반복되는 신우신염과 신장 흉터의 위험성이 증가할 수 있는, 즉 CXCR1 발현이 저하되어 비정상적인 염증반응을 보이는 환자를 확인하는 것이다. 더불어, 무증상 세균뇨 환자에서 Toll 유사 수용체 4 정량화를 통해 신우신염과 신장흉터로 이행될 위험 가능성이 높은 환자와 항생제 치료가 필요 없는 환자를 감별할 수 있을 것이다.

이상적으로는 이런 분석에 병원성 세균의 P 섬모와 같은 단일 인자 혹은 유전자 분석을 사용한 병원성 세균의 병인 인자를 포함시켜야 한다. 그럼으로써 감염 세균의 병원성이 있는지, 그리고 환자가 감염에 대해 효과적으로 반응하는지를 위험성 판단표에 따라 평가할 수 있을 것이다.

2) 치료적 접근─요로감염 감수성 환자에서 의도적인 세균뇨 유발을 통한 치료

몇몇 연구자들은 무증상 세균뇨가 반복되는 요로감염을 막을 수 있음을 관찰하였다. 감염된 개인에서 한 균주의 세균이 존재하면 더 병인성이 강한 세균에 의한 초감염을 막을 수도 있다. 그러므로 치료에 반응하지 않는 반복적인 요로감염 환자에서 의도적으로 비병원성 대장균을 이용하여 예방적 세균뇨를 만드는 연구가 시도되었다. 여러 차례의 연구에서 이 접근법이 타당한지를 확인하였으며, 세균뇨 유발을 조절하는 기전과, 비병원성 대장균을 접종한 후 며칠 동안 선천면역이 유도되는지를 분석했다. 이러한 연구 결과에 따르면, 의도적으로 세균뇨를 유발하는 시도는 치료에 반응하지 않는 반복 요로감염 환자를 치료하는 데 가치가 있다고 여겨진다.

치료적 접근 연구에 사용되는 비병원성 대장균은 무증상 세균뇨의 대표적 세균인 대장균 83972 균주로서, 별다른 부작용이 없이 3년간 무증상 세균뇨가 있었던 여성에서 처음 분리되었으며, 해당 균주를 재발된 요로감염 환자의 방광에 의도적으로 접종하여 지속적인 무증상 세균뇨를 유발시켰다. 대장균 83972 균주는 섬모와 알려진 O와 K 표면 항원이 결손되었으며, fim, pap, uca, foc와 유사한 부착소 유전자군이 존재한다. 하지만 체내 배양 후 혹은 인체 비뇨기계에서 분리한 후 관찰하면 이 균들에서 섬모와 부착분자가 발현되지 않는다.

세균 접종의 프로토콜은 병인 인자가 세균뇨의 유발과 비뇨기계의 선천면역반응에 영향을 미치는 것을 증명하는 데도 유용하다. 예를 들어, 환자에게 섬모가 없는 무증상 세균뇨 대장균 83972 균주 혹은 P 섬모를 발현하게 조작한 동일 균주를 각각 접종하였다. P 섬모가 있는 변형 균주의 경우 무증상 세균뇨 균주를 접종한 환자에 비해 좀 더 빠르게 세균뇨가 유발되었으며, 더 강한 면역반응이 유발되었다. PapG 부착소가 결손된 돌연변이 균주를 사용한 연구에서는 부착 분자와 그 수용체 간의 특이한 결합에 대한 염증반응이 관여함을 보여주고 있다.

또한 세균의 1형 섬모가 인체 비뇨기계에서 미치는 영향을 관찰한 실험이 있다. 대장균 83972는 fim 유전자 결손으로 인해 1형 섬모를 발현하지 못한다. 따라서 1형 섬모를 발현시키기 위해 fim 유전자를 주입하여 얻은 변형 균주를 만들어서 얻은 1형 섬모가 있는 균주, 그리고 1형 섬모가 없는 대장균 83972 균주를 사용하여 인체 비뇨기계 감염에 있어 1형 섬모의 유무가 어떤 영향을 미치는지 확인하였다. P 섬모 연구와는 달리, 1형 섬모가 있는 균주는 해당 섬모가 없는 균주에 비해 세균뇨를 더 유발하지 못했다. 또한 1형 섬모가 있는 균주는 대장균 83972보다 강한 면역반응을 촉발하지 않았다. 이 결과들을 통해, 인체 비뇨기계에서 P 섬모와 1형 섬모 간에 기능적으로 중요한 차이가 있음을 알 수 있다. 더불어 1형 섬모의 기능적 측면에서 볼 때 사람과 설치류의 비뇨기계의 실험적 모델에도 큰 차이가 있는 것으로 생각된다.

5. 결론

특정 질환에 걸리기 쉬운 감수성은 해당 감염에 대한 선천면역을 조절하는 유전적 기전의 영향을 받는다. 이러한 유전적 결정 인자에는 서로 다른 선천면역반응을 조절하는 Toll 유사 수용체 4와 CXCR1 유전자가 포함된다. 향후에는 비뇨기계 감염과 면역에 관한 분자학적 지식이, 요로감염이 쉽게 일어나는 개인을 확인하고 적절한 치료 방법을 선택하기 위해 필요한 진단과 치료에서 고려의 대상이 되고 또한 접목되기를 희망한다.

Ⅳ 요로병원성 대장균의 구조에 의한 숙주 반응의 유도와 조절

요로병원성 대장균이 요로감염을 일으키는 단계는 크게 여섯 단계로 이루어지게 된다.
1) 요도뿐만 아니라 요도주변 및 질 조직에서의 요로병원성 대장균의 집락화
2) 방광 내강 및 소변 내로의 상행감염

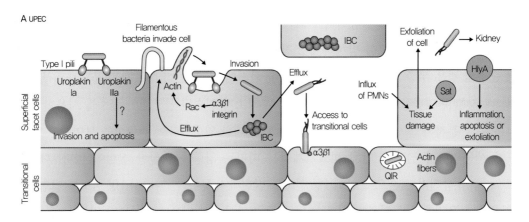

그림 1-6 요로병원성 대장균이 요로감염을 일으키는 단계에 대한 모식도

요로병원성 대장균은 1형 선모(pili)를 통해 요로상피에 부착하게 되고, 수용체 유로플라킨 Ⅰa와 Ⅲa와 결합한다.: 이 결합은 아직 확인되지 않은 신호전달 체계(? 표시로 표시)를 자극하게 되고, 그로 인하여 침투와 세포자살이 일어나게 된다. 1형 선모가 α3β1와 결합하게 되는 것 또한 세균이 표층의 면세포(Facet cell)내로 이동하게 하여 세포내 세균 군락(intercellular bacterial communities, IBCs)이나 포드(pod)를 형성하게 한다. 보다 많은 요로병원성 대장균의 침입을 위하여 요로상피의 탈락은 아래에 존재하는 전환상피를 노출시키고, 세균은 이들 세포 내에 quiescent intracellular reservoirs(QIRs)를 형성하여 후에 재발성 감염을 초래하게 된다.

• 출처: Croxen MA, Finlay BB. Molecular mechanisms of Escherichia coli pathogenicity. Nat Rev Microbiol 8:26-38, 2010

3) 표면 요로상피에 부착 및 방광 상피세포 방어 기전과의 상호작용

4) 균막 정교화

5) 침입하고 방광의 세포내 세균 군집(Intracellular Bacterial Communities, IBCs)을 복제
   함으로써 비활성형태의 세포내 저장소를 형성하고, 요로상피 아래에 휴면상태로 존재

6) 일부에서 패혈증의 고위험을 동반한 신장의 군집화 와 숙주 조직 손상

이들 중에서 요로상피 수준에서 발생하는 과정들을 살펴보면 다음과 같은 반응들을 통해 감염이 일어나게 된다.

1. 요로상피의 염증반응

요로감염은 인간에서 매우 흔한 감염성 질환으로, 주로 요로병원성 대장균에 의해 발생한다. 요로감염 시 요로상피에서는 시토카인이 생성, 축적되며, 이는 백혈구를 유입시키고 농뇨를 발생시킨다. 그러나 최근 여러 연구들을 살펴보면, 예전엔 생각하지 못했던 복잡한 숙주-병원체 간의 상호작용이 있음을 알 수 있다.

병원체에 대한 기본 염증반응은 병원체와 그와 관련된 분자들을 인식하는 수용체에서 시작된다. Toll 유사 수용체는 Toll로 불리는 초파리 단백질과 동종 단백질로써, 여러 유형의 세포들이 발현하는 세포 표면 및 엔도솜의 수용기이다. Toll 유사 수용체가 활성화되어 발생하는 신호들은 전사인자들을 활성화시켜 시토카인, 효소, 기타 활성화 포식세포 및 가지세포들의 항미생물 기능에 관여하는 단백질의 발현을 자극하는데, 대표적인 전사인자로 NFκB가 있다. 인터루킨-6과 인터루킨-8은 NFκB에 의존적인 유전자이며, 요로병원성 대장균에 의한 요로감염 시 이러한 요소들이 국지적으로 분비되어 소변에서 상승되는 특징을 보인다. 이런 연구결과를 토대로 요로병원성 대장균이 요로상피의 염증반응을 조절함을 알 수 있다.

요로병원성 대장균의 분리주인 NU14는 NFκB 전사 활성도를 평가하여 숙주-병원체 상호작용에 대한 시험관 내 모델로 이용되어왔다. 급성 요로감염에서 보이는 활발한 염증반응과는 달리, NU14는 불멸화 인간 요로상피세포 배양에서 NFκB 유도작용을 억제한다. 이런 억제반응은 요로상피의 NFκB 활성도가 지질다당질 또는 종양괴사인자-α와 함께 자극을 받아 발생한다.

요로병원성 대장균에 의한 염증 조절 반응의 분자학적 기전을 연구하기 위해 시행된 유전학적 선별검사로 NU14와 균주 UTI89에서 염증반응 조절에 대한 돌연변이 결손을 확인하였는데, 염증반응의 조절을 폐지시키는 돌연변이는 지질다당류와 펩티드글리칸 생합성 유전자

를 포함하여 세포 표면 구조를 위한 생합성 활성도를 부호화하는 유전자자리에 위치했다. 이와 유사하게 외막 단백질 OmpA도 NU14와 높은 동종성을 보이는 신생아 수막염 대장균 균주 RS218를 통한 NFκB 억제작용이 필요하다는 것이 확인되었다. 이 유전자들은 요로병원성 대장균에서 발견되며, 이 유전자들의 생산물들은 다른 인자들과 함께 병원체 관련 분자형들을 변형시켜 정상적인 숙주 감시 기전을 피한다. 앞에서 기술한 것처럼 요로병원성 대장균은 다양한 기전들을 이용하여 요로상피의 염증반응을 조절한다.

2. 칼슘 반응 유도

칼슘은 생물학에서 가장 흔한 2차 전달물질로 알려져 있다. Klumpp 등은 세포질 내 칼슘 농도의 증가와 요로병원성 대장균-유도 세포자멸사가 관련 있다고 처음 보고하였다. 이 연구에서, 요로병원성 대장균의 분리주인 NU14와 함께 인간 불멸화 요로상피 배양의 시험관 내 감염 후 5시간 동안 칼슘의 상승이 발생하였고, 요로병원성 대장균에 의해 유도된 칼슘이 1형 섬모 부착소인 FimH의 발현에 매우 의존적이라는 점이 확인되었다. Song 등은 플라스미드plasmid에서 1형 섬모를 부호화하는 K12 실험실 균주와 요로상피암세포를 결합하여 Toll 유사 수용체 4의 활성이 순차적으로 칼슘, cAMP, 그리고 인터루킨-6의 분비를 촉진하는 cAMP 반응용소-반응 단백 매개 전사반응을 유도하는 것을 확인했다. 일시적인 칼슘 농도 증가는 정제된 지질다당류에 의해 일부에서 발생하는 것처럼 보이지만, 비교적 온전한 세균에서 시행된 연구에서는 추가적인 숙주-병원체 상호작용이 칼슘 반응을 조절하는 것으로 제시되기도 한다.

최근 연구에서는 요로병원성 대장균-유도 칼슘 반응의 다른 기전이 밝혀졌으며, 동시에 요로병원성 대장균의 병인론에서 유로플라킨uroplakin III의 새로운 신호전달 역할이 확인되었다. 유로플라킨 단백질은 Wu 등의 연구에서 확인되었는데, 요로상피 표면 우산세포에서 복합체로 크게 발현된다. 방광에서 유로플라킨의 신호전달 역할은 이전에 알려지지 않았으나, Wu와 Zhou 등의 연구들에서 유로플라킨 Ia가 FimH에 대한 방광수용체인 것으로 확인되었다. Thumbikat 등은 정제된 FimH 단백질을 불멸화 요로상피세포에 응용하면 일시적으로 칼슘을 유도하며, 이것은 세포 내외 칼슘 저장소에 의존적임을 확인하였다. 그러나 이러한 반응이 Toll 유사 수용체 4에서 시작하는 대신 FimH에 의해 유도된 경우는 유로플라킨에 매우 의존적이며, 뚜렷한 세포 내 영역을 가지고 있는 유로플라킨 III만이 잠재적으로 세포 내 신호전달을 진행할 수 있다.

3. 요로상피 반응과 세균의 침입

상당한 기간 동안 요로병원체 병원소가 위장관과 질에 존재한다고 이해되어왔다. 그러나 Hultgren 등은 요로상피 또한 세균의 잠재적 병원소가 될 수 있음을 증명했다. 시험관 내 모델과 쥐의 요로감염 모델에서 요로병원성 대장균은 요로상피를 침입하고, 안정적인 세포 내 군집을 형성하며, 이러한 약물 저항 세포 내 군집은 쥐에서 재발성 세균뇨를 일으킨다. 탈락된 인간 요로상피세포에서도 유사한 세포 내 요로병원성 대장균 군집들이 관찰되는 것과 폐렴간균 또한 세포 내 군집을 형성할 수 있다는 것은, 요로상피가 여러 요로병원체들로 인한 재발성 요로감염의 잠재적인 병원소가 될 수 있음을 뒷받침한다. 또한 방광에서 감염의 재발이 높은 이유와 항생제에 내성을 보이는 핵심적인 이유로 상피 내 QIR의 형성이 연관되어 있을 것으로 보고 있는 의견이 있다. 이는 특성 상황에서 세포자연사가 숙주의 면역 반응이라기 보다는 세균의 공격 방법의 한 가지가 될 수 있다는 의견을 제시하기도 한다. 따라서 요로상피의 세균 침입에 필요한 과정을 이해할 필요가 있다.

여러 계통에서 폭넓게 연구된 세균의 침입은 전형적으로 세포골격계 재형성을 수반한다. 이와 유사하게 요로병원성 대장균에 의한 요로상피세포 침입에서도 엑틴 중합작용이 필요하다고 알려져 있다. 세균 침입은 1형 섬모 부착소인 FimH에 의존적이고 phosphoinositide 3-키나아제 활성화와 세포골격계의 재형성에 중요한 매개인자들인 Rho GTPases RhoA, Cdc42, Rac1뿐만 아니라 국소적 부착 활성물질과도 연관 있다. Abraham 등은 Toll 유사 수용체 4 신호전달이 요로병원성 대장균의 침입을 억제한다고 제시했다. 또한 Adenylate cyclase 3를 자극하면 cAMP가 축적되고, cAMP-의존성 단백질 활성효소 A가 Rac1을 억제하여 결국 세포 침입을 감소시키는 것이 확인되었다.

유로플라킨 복합체들이 FimH와 상호작용하여 요로병원성 대장균의 수용체로 작용한다 하더라도, 인테그린이 세균 침입의 매개체로서 중심적 역할을 하는 것으로 보인다. Eto 등은 암종 세포에서 UTI89 또는 섬모 실험 균주의 부착이 인테그린 β1과 α3와 함께 국소화되었으며, 이러한 인테그린에 대한 항체가 침입을 억제한다고 보고했다. β1 인테그린 인산화 부위의 변이는 결국 β1이 결핍된 섬유모세포에서 침입을 현저히 감소시켰으며, Src와 국소 부착 활성효소의 억제 또한 침입을 억제했다. 이러한 결과들은 시험관 내에서 인테그린이 요로병원성 대장균의 침입에 중요한 매개체라는 것을 제시한다. 그러나 일부 온전한 방광에서 첨부 표면을 가로질러 결합하고 있는 요로병원성 대장균의 경우 요로상피 우산세포 기저 측면 부위에 인테그린이 제한된 것을 받아들이기에는 아직까지 자료가 부족하다.

최근에는 요로병원성 대장균 침입에 있어서 인테그린과 Toll 유사 수용체 4 신호전달의 역할과 함께 유로플라킨 III 또한 중요한 매개 인자로 알려지고 있다. 따라서 요로병원성 대장균의 요로상피세포 침입이 요로감염 병인론의 주요 요소로 부각되고 있다. 이 기초과학 연구들은 치료적 중재를 위한 새로운 목표를 제시하고 있다.

4. 요로상피의 세포자멸사

Mulvey 등이 시행한 요로감염 쥐 모델의 전자현미경적 분석을 살펴보면, 요로병원성 대장균의 침입과 더불어 NU14가 우산세포가 없는 표층 부위에 병변을 일으킨다는 점을 알 수 있다. 세포자멸사의 특징적인 DNA 분절을 확인한 결과, NU14에 의해 유도된 요로상피 병변은 FimH에 의존적이면서 우산세포 탈락을 발생시키는 세포자멸사의 신속한 유도작용에 기인한 것임이 확인되었다. 게다가 세포자멸사 억제제를 함께 점안하면 NU14의 방광 내 집락 형성을 증가시키는데, 이는 요로병원성 대장균에 의해 유도된 세포자멸사가 표층 요로상피를 탈락시켜 병원체를 제거하는 숙주 방어기전임을 나타낸다.

요로병원성 대장균 유도 요로상피 세포자멸사에 대한 생화학적 이해는 병원체 상호작용에 관한 시험관 내 모델로 인해 용이해졌다. Mysorekar 등은 쥐의 요로감염 모델과 유사한 역동학을 갖는 NU14에 대한 반응에서 FimH 의존적 세포자멸사가 발생했다고 밝혔고, 요로감염 병인론에 대한 주요 초기 현상을 연구하기 위한 시험관 내 모델의 유용성을 증명했다. 이러한 모델은 NU14가 세포자멸사 신호전달 연쇄반응의 개시와 수행에 중심이 되는 여러 caspase(-caspase 2, 3, 8)와 단백분해효소들을 활성화시킴을 보여주었다. 특정 억제 인자들은 이런 caspase들의 연관성을 확인시켜주었고, caspase들과 함께 입력된 세포자멸사 신호를 미토콘드리아의 증폭과 연결시키는 caspase 9 또한 연관되어 있음을 보여주었다. 요로병원성 대장균에 의해 유도된 세포자멸사에서 미토콘드리아가 담당하는 잠재적 역할처럼, Bcl-XL의 과발현은 caspase 3의 활성을 저해했고, NU14는 미토콘드리아의 전위, 세포질 내 시토크롬 c의 축적, 그리고 미토콘드리아의 막전위 소실을 유도했다. 이러한 결과는 외인성과 내인성 세포자멸사 연쇄반응이 미토콘드리아의 불안정화에 이은 caspase 3의 활성화보다 상류 단계에 있음을 보여준다. 결론적으로, 이런 모든 과정은 기능적 FimH를 갖는 NU14에 의해 개시되거나, 정제된 FimC, FimH에 의해 유도될 수 있다. FimH는 주요 요로병원성 대장균 부착소뿐만 아니라 세포자멸사를 촉진하는 계류 독소로 작용하여 요로감염의 병인에도 영향을 미친다.

이러한 결과들은 요로감염에서 세포자멸사의 역할을 밝혀주었으나, 요로상피의 세포자멸사를 개시시키는 세포막 근위부의 과정은 아직 밝혀지지 않았다. Thumbikat 등은 불멸화 요로상피에서 NU14에 의해 유도된 세포자멸사가 유로플라킨 III 발현의 유전자적 폐기에 의해 상당히 감소되었음을 관찰했으며, CK2가 유로플라킨 III 신호전달에 중요한 매개 인자임을 확인했다. 또한 요로상피의 CK2 발현에 대한 유전자적 타격이 NU14에 의해 유도된 세포자멸사를 방해하는 것을 확인했다. 따라서 유로플라킨 III 신호전달은 요로병원성 대장균 유도 세포자멸사와 요로병원성 대장균의 요로상피 침입을 모두 매개하는 상호 배타적 작용을 한다고 볼 수 있다.

5. 요로상피의 전환

쥐와 사람의 요로상피는 여러 상피조직 중 수개월 가량의 매우 느린 전환을 보인다. 요로병원성 대장균에 의해 손상된 요로상피의 세포자멸사에서는 요로상피 재생을 통해 정상 방광기능에 중요한 요로상피 투과장벽이 재건되는 과정이 필요하다. 쥐의 요로감염에서 나타나는 요로상피 세포자멸사의 초기 전자현미경적 특징은 신속한 요로상피 분화에 있었다. 관찰에 의하면, 우산세포가 없는 요로상피 병변은 4시간 이내에 발생한 감염의 증거가 되며, 병변은 점진적으로 덜 분화된 요로상피세포들로 채워져 수일 내로 성숙되고 잘 분화된 요로상피로 재구성되었다. 쥐의 요로상피 재생에 관한 유전자적 발현을 관찰한 연구에서, NU14 감염은 골 형태형성 단백 4 신호전달 경로의 억제와 관련있으며, 이러한 억제반응은 기능적 1형 섬모를 발현하는 NU14에 매우 의존적임이 밝혀졌다. 골 형태형성 단백 4 억제는 Wn5a 신호전달을 감소시켜 결국 증식과 분화와 관련된 요로상피 표지자의 탈억제 반응을 일으킨다. 상피세포 분화에 중요한 촉진제인 Delta-like 1은 감염 이후 최대 3.5시간 이내에 발현되었고, 이러한 점은 생체 내외 실험에서 세포자멸사의 역동학과 일치하였다. Delta-like 1의 발현은 요로병원성 대장균에 의한 손상이 복구되는 시간인 발현 후 7일 이내에 대부분 사라진다. 이러한 현상은 요로상피세포의 증식과 분화를 빠르게 유도하여 비교적 느린 요로상피의 전환을 가속화시키고, 결국 정상 요로상피의 완전성을 보존시킨다. Mysorekar 등이 보고한 감염에 관한 상피재생과 골 형태형성 단백 4 신호전달 연구를 살펴보면, 요로병원성 대장균과 관련된 염증반응은 요로상피 재생을 매개하는 요로상피 줄기세포의 활성화에 중요한 역할을 하며, 골 형태형성 단백 4가 중요한 조절자로 작용했다.

유로플라킨 III는 요로상피세포 분화의 최종 분화 표지자이다. 앞에서 살펴봤듯이 유로플라킨 III는 요로병원성 대장균 유도 세포자멸사에서 중요한 역할을 담당한다. 불멸화 요로상피

배양에서 혈청에 의해 유도된 분화는 유로플라킨 등의 여러 요로상피 분화 표자자들이 증가되어 발현하는 것과 상관관계가 있었다. 실험관 내에서 분화가 증가되는 것과 함께, 요로상피 배양도 NU14 유도 세포자연사에 더욱 민감하게 반응했다. 이 같은 요로상피 분화에 의해 촉진된 세포자연사는 유로플라킨 III 발현이 제한된 배양에서는 발생하지 않았다. 이를 바탕으로, 표층 요로상피의 선택적 미란은 쥐의 온전한 요로상피와 비교하여 NU14 유도 세포자멸사에 덜 민감하다는 것을 알 수 있다. 따라서 정상 요로상피의 분화 과정은 요로감염 동안 요로상피 세포자멸사의 조정자인 유로플라킨 III의 발현에 의해 요로상피가 요로병원성 대장균 유도 세포자연사에 민감하게 반응하도록 한다.

V 비뇨기계 면역

비뇨기계의 세균 감염은 인체 다른 부위의 세균 감염 병인론과 같다. 즉, 비뇨기계 세포에 부착하여 숙주에서 집락화가 일어나고, 부착한 세균은 숙주 세포 내로 침투하여 독소를 생산하거나 숙주 세포조직을 침범하여 결국 병을 일으킨다. 실제 비뇨기계의 방광과 대부분의 요도는 소변의 세척 능력과 산도 때문에 무균 상태가 유지된다. 비뇨기계에서 초기에 작동하는 면역반응은 점막에 생성된 항체로 세균의 부착을 중화하여 집락화를 막는다. 즉, 세균의 부착에 관여하는 부착소에 대한 항체는 숙주세포에 대한 세균의 집락화를 막음으로써 비뇨기계 세균 감염을 차단하는 매우 중요한 역할을 한다. 그러나 숙주에 침투하지 못하고 정상적으로 숙주에 존재하는 정상세균무리와 달리 병원성 세균은 다양한 기전을 통하여 비뇨기계에 집락화하고 숙주의 점막 장벽을 파괴하여 병을 일으킨다. 병원성 세균이 비뇨기계 점막 표면의 세포에서 발현되는 다양한 수용체에 부착하면, 체내에서는 이 병원성 세균이 숙주의 것이 아닌 이물질임을 인식하는 면역세포를 통해 일련의 면역반응을 시작한다.

1. 비뇨기계 선천면역

비뇨기계의 면역반응은 선천면역과 적응면역으로 구성된다. 이들은 긴밀히 상호 관계하지만, 다음과 같은 각각의 특징이 있어 구분된다. 선천면역은 특정 병원성 세균에만 반응하지 않는다. 즉, 특이성이 없으며 비뇨기계에 병원성 세균이 재차 침입하더라도 과거에 침입한 세균으로 기억하지 못하기 때문에 해당 병원성 세균에 대한 면역반응이 증폭되거나 면역 대응 시간이 짧아지지 않는다. 반면, 적응면역은 선천면역과 달리 특정 병원성 세균을 인지할 수 있다. 숙주에 침입했던 세균을 기억할 수 있기 때문에, 재차 침입당하면 면역 대응 속도가 처음에 비해 빠르고 면역반응 또한 증폭된다.

비뇨기계의 선천면역은 대식세포, 수지상세포와 같은 항원 전달 세포 외에 다핵백혈구, 자연살해세포가 담당한다. 이러한 면역세포는 특이성이나 기억 능력이 없으므로 동일한 세균이 재차 침입하더라도 이에 대응하는 면역반응이 빨라지거나 증폭되지 않는다. 선천면역을 담당하는 면역세포는 모두 골수에서 기원한다. 대식세포는 세균이 침입하면 포식작용을 통해 죽이며, 항원 전달 세포 기능을 한다. 대식세포는 혈액 내에서는 단핵세포, 간에서는 쿠퍼세포, 뇌에서는 소신경교세포, 신장에서는 중교세포, 관절낭에서는 관절액세포, 뼈에서는 파골세포라는 서로 다른 이름으로 불린다. 대식세포가 체내의 다양한 장소에서 포식작용을 하는 면역 네트워크를 단핵 식세포계라고 한다. 수지상세포는 특히 항원에 존재하는 항원결정인자와 같은 면역반응을 유발하는 최소 단위인 항원 단백질 조각을 T세포에 전달하는 항원 전달 세포로서 탁월한 기능을 수행한다. 수지상세포는 항원 전달 능력이 매우 뛰어난 면역세포이며, 존재하는 장소에 따라 랑게르한스세포, 간질 수지상세포, 수지간 수지상세포, 순환 수지상세포 등으로 불린다. 랑게르한스세포는 피부, 구강, 인후, 식도, 상기도, 요도, 여성 생식기와 같은 중첩 상피세포에 주로 존재하는 수지상세포를 말한다. 이 세포는 편평상피세포에 침입이 가능한 바이러스, 세균, 기생충과 같은 병원체의 항원결정인자를 T세포에 전달하는 기능을 한다. 인체의 병원체가 빈번히 침입하는 장소에 랑게르한스세포가 존재하는 이유는 병원체인 항원을 잡는 능력과, 항원을 공정하여 항원결정인자 단백질을 T세포에 전달하는 능력이 뛰어나기 때문이다.

비뇨기계 선천면역을 담당하는 또 하나의 세포인 자연살해세포는 혈액과 림프에 존재하며, 암세포와 바이러스에 감염된 세포를 파괴한다. 자연살해세포가 큰 과립성 백혈구로 감염된 세포의 표면에서 발현되는 조직적합성복합체라는 당단백질을 인식하면 다음과 같은 기전으로 해당 세포를 파괴한다. 자연살해세포의 표면에 존재하는 억제수용체가 정상세포에 주로 존재하는 조직적합성 복합체 I형 분자를 인식하여 반응하는 경우는 정상세포를 죽이지 않는다. 그러나 암세포 혹은 바이러스에 감염된 세포처럼 조직적합성 복합체 I형 분자의 발현이 억제되어 있는 세포의 경우에는 자연살해세포의 억제수용체와 조직적합성 복합체 I형 분자가 결합, 반응하지 못한다. 이 때문에 암세포와 바이러스에 감염된 세포는 자연살해세포에 의해 파괴된다. 자연살해세포의 억제수용체는 2종류가 있다. 즉, CD94, NKG2는 항체와 유사한 수용체에 속하며, 사람의 NKR-P1, 그리고 설치류의 ly49 수용체는 C형 렉틴 수용체로 분류된다. 다핵백혈구는 포식작용을 수행하는 면역세포이다. 그중 호중구는 화농성 세균에 대한 면역기능을 담당한다. 호산구는 기생충 감염과 알레르기에 관여한다.

비뇨기계 선천면역을 담당하는 면역세포들 외에 혈액에는 30여 가지 단백질로 구성된 보체계가 존재한다. 보체계는 침입한 세균의 표면에 코팅된다. 이는 코팅된 보체단백질을 인식하는 대식세포와 중성구에 의한 포식작용이 촉진되는 결과를 낳는다. 또한 일부 보체계를 구성하는 일부 보체단백질은 혈관 투과성을 높여 세균 감염 부위의 혈류를 높인다. 그 결과 중성구와 같은 백혈구가 병변으로 이동하여 병원균을 처리하도록 유도한다.

2. 비뇨기계 적응면역

적응면역을 담당하는 림프세포의 전구세포인 줄기세포는 골수에서 기원한다. 줄기세포는 흉선으로 이동하여 분화, 성숙하여 T세포가 되고, 골수에 남은 세포는 B세포로 계속 분화된다. 흉선과 골수를 1차 혹은 중앙 림프조직이라고 하며, 비장과 림프절 그리고 편도, 호흡기, 소화기의 점막에 존재하는 점막 림프조직, 장 림프조직 등은 분화된 1차 T세포, B세포가 이동하여 처음으로 항원과 접하는 기관으로 2차 혹은 말초 림프조직이라고 한다. 이러한 림프조직은 림프관과 혈관으로 연결되어 면역세포들이 서로 순환한다.

T세포와 B세포로 구성된 림프세포의 95%는 림프절과 비장에 존재한다. 림프세포는 적응면역을 담당하며, 침입한 항원에 대한 면역반응을 조절한다. T세포 표면에는 항원결정인자 단백질과 I 혹은 II형을 동시에 인식할 수 있는 T세포 수용체가 존재한다. B세포의 표면에는 항원결정인자 단백질을 인식할 수 있는 항체로 이루어진, 즉 IgM 단량체와 IgD로 구성된 B세포 수용체가 존재한다. T세포는 면역반응을 조절하여 소위 세포매개성 면역을 관장한다. B세포는 항체를 체액 내에 생산하여 체액의 항체가 담당하는 면역인 체액성 면역을 관장한다.

T세포의 전구인 흉선세포는 흉선에서 조직적합성 복합체 I형 분자를 인식하는 CD8+ T세포와 조직적합성 복합체 II형 분자를 인식하는 CD4+ T세포로 분화하고 성숙한다. CD4+ T세포는 기능에 따라 Th1, Th2 그리고 인터루킨-17을 생산하는 Th-17세포로 나뉜다. 실제 조절 T세포는 CD8+ T세포 계통에 속한다. 특정 항원의 자극을 받은 B세포는 분화하여 형질세포가 되며, 형질세포는 해당 항원을 파괴할 때까지 해당 항원에 특이하게 반응하는 항체를 생산한다. 일부 T세포와 B세포는 항원을 기억하는 기억세포로 분화하여 수개월 이상 죽지 않고 체내에서 유지된다.

항체 중 세균이 생산하는 독소에 대한 항체는 독소를 중화하는 역할을 한다. 또한 세균의 표면 단백질에 대한 항체는, 세균 표면 단백질에 특이적으로 항체가 결합, 코팅된 후 대식세포와 중성구 같은 포식세포가 Fc 수용체를 이용하여 병원체를 코팅하고 있는 항체의 Fc 부분을 인식하여 훨씬 강하게 포식작용을 할 수 있도록 작용한다. 항체가 병원체의 표면을 코팅하여 포식작용을 돕는 것을 항체의 옵소닌화라고 한다. 항체는 IgM, IgA, IgD, IgE와 IgG의 5가지 종류로 나뉜다. IgM은 신생 항원이 침입한 경우 맨 처음 생산, 분비되어 초기 체액면역을 담당하며, 보체계를 활성화시키는 작용도 한다. IgG는 동일 항원이 재차 침입한 경우에 주로 생산되며, 바이러스와 세균에 대한 체액면역을 담당하는 주된 항체이다. IgA는 체액에 존재하는데, 특히 분비 IgA는 점막에 존재하며 점막면역에서 중요한 기능을 담당한다. IgD의 기능은 잘 알려지지 않았으나, B세포의 표면에 항원을 인식하는 B세포 수용체로 존재한다. IgE는 호염구, 비만세포와 함께 염증반응과 알레르기에 관여한다. 항체는 2개의 중쇄와 2개의 경쇄로 이루어진 4개의 글리코단백으로 구성된다. 중쇄와 경쇄로 이루어진 Fab 부분은 항원결정인자와 결합하는 부위이다. 중쇄로 이루어진 Fc 부분은 보체를 활성화시키며, 항체로 옵소닌화에 관여한다.

항원제시세포는 병원체인 항원을 다양한 항원결정인자 단위로 공정한 후 항원결정인자를 자신의 표면에 조직적합성 복합체 I형 혹은 조직적합성 복합체 분자와 결합된 채로 T세포에 전달한다. T세포의 수용체는 제공되는 항원결정인자와 조직적합성 복합체 분자를 동시에 인지한다. T세포 수용체는 항체의 Fab 부분과 구조가 유사하며, 한 종류의 T세포에는 반드시 고유한 자신의 수용체가 존재한다. T세포는 기능에 따라 세포독성 T세포, 기억 T세포, 도우미 T세포, CD4+ T세포, 억제 T세포로 나뉜다. CD4+ T세포가 생산하는 시토카인 인터루킨-2는 CD4+ T세포뿐만 아니라 세포독성 T 림프구의 분화를 조장한다. 세포독성 T 림프구은 파괴할 세포에 퍼포린, 그란자임을 주입하여 살해한다. 항원제시세포는 조직적합성 복합체 분자에 결합된 채로 항원결정인자를 T세포에 제공할 뿐만 아니라, 항원제시세포의 표면에 B7-1, B7-2(각각 CD80, CD86 분자에 해당됨)의 동시 자극 분자를 발현시켜 T세포가 항원에 대해 활성화되는 데 필수적인 신호를 전달한다.

3. 비뇨기계의 면역에서 Toll 유사 수용체가 하는 역할

Toll 유사 수용체는 항원제시세포의 표면에서 발현된다. 인체에는 존재하지 않고 통상 세균에만 존재하는 특이 물질, 즉 병원체 특이 분자와 반응하는 수용체 병원체 특이 분자 인식 수용체 중 하나이다. Toll 유사 수용체는 발현 세포 외부에 류신이 많고 반복되는 부분이 존재하며, Toll 유사 수용체를 발현하는 세포 내부에는 sms 인터루킨-1 수용체와 유사한 신호를 전달하는 부분이 있다. 10여 개의 Toll 유사 수용체(TLR 1~10)가 사람에서 분리되었다. Toll 유사 수용체는 그 종류에 따라 인지하는 병원체 연관 분자 형태(pathogen-associated molecular patterns, PAMPs)가 다르다. 그람음성균의 병원체 특이 분자로 대표적인 물질이 지질다당체는 Toll 유사 수용체 4를 통하여, 그리고 결핵균의 당지질은 Toll 유사 수용체 2를 통하여 대식세포와 수지상세포를 활성화시킨다. 지질다당체의 경우 직접 Toll 유사 수용체 4에 결합하지 않고, 중간 매개 물질인 지질다당체 결합 단백인 CD14와 MD-2 물질과 먼저 결합한다. MD-2는 Toll 유사 수용체 4와 직접 결합하여 해당 세포를 활성화시킨다. 소변에 존재하는 Tamm-Horsfall 단백 역시 Toll 유사 수용체 4를 통하여 면역세포를 활성화시킨다. Toll 유사 수용체는 적응면역의 시작과 조절, CD4+ T세포의 분화와 면역관용에 중요한 역할을 한다. 그람음성 세균의 1형 내독소, P-fimbria와 관련된 내독소 등도 Toll 유사 수용체 4와 연관이 있다. 그 외에도 Toll 유사 수용체 3번은 바이러스의 dsRNA와 관련이 있으며, Toll 유사 수용체 5번은 Bacteria의 flagellin등과 연관이 있다. 수지상세포와 대식세포는 또한 세균에만 존재하는 또 다른 병원체 특이 분자의 일종인 만노스 결합 수용체를 인식하며, 척추동물 세포는 만노스가 없는 숙주와 외부에서 침입한 세균과 같은 비-자기non-self를 구분할 수 있다.

수지상세포와 대식세포는 Toll 유사 수용체를 통하여 병원체를 인식한 후 염증에 관여하는 시토카인을 분비하거나 순환하는 백혈구를 활성화시켜 감염 부위로 이동하도록 유도한다. Toll 유사 수용체 2는 중성구, 대식세포, 수지상세포와 같은 기존 면역세포뿐만 아니라 기질세포에서도 발현된다. 비뇨기계의 상피세포 역시 감염에서 중요한 1차 면역을 담당하기 때문에 여러 종류의 Toll 유사 수용체가 충분히 발현되어 있다. 신장의 보우만 주머니, 근위관, 원위관 그리고 하부 비뇨기계 및 방광과 같은 신장상피에는 항상 Toll 유사 수용체 2와 4 같은 Toll 유사 수용체가 발현되어 있다. Toll 유사 수용체는 염증반응 시 발현이 촉진되며, 신장의 염증반응에서 다양한 역할을 하는 것으로 판단된다. 대장균의 지질다당체에 대한 전신 반응으로 신장 세포들의 Toll 유사 수용체 4가 급성 신장 병변에 관여하지만, 대장균의 자체 비뇨기계 감염에 대한 면역방어에는 신장 세포의 Toll 유사 수용체 4가 관여한다. 흥미롭게도, Toll 유사 수용체 2 리간드 Pam3CysSk4는 적응면역을 자극함으로써 신독성 신우염을 유발하기도 한다. 실험적으로는 Toll 유사 수용체 2 리간드 Pam3CysSk4을 주사한 쥐에서 질환이 악화되고 혈청 내에서 항원에 특이성을 보이는 IgG1, IgG2b 그리고 IgG3 항체의 양이 매우 증가됨이 보고되었고, 사구체 내에서 IgG1과 IgG3이 침착됨이 확인되었다. 적응면역에 영향을 미치는 Toll 유사 수용체의 경우, 실제 CD4+ T세포가 Th1세포와 Th2세포로 분화하는 데 다양한 영향을 준다. 그람음성균의 지질다당체 주입은 Toll 유사 수용체 4를 자극하고, 쥐나 사람의 수지상세포는 Th1 세포에 의한 세포매개면역을 촉진하는 인터루킨-12와 인터페론-α를 생산한다. 그러나 이러한 지질다당체에 의한 반응은 지질다당체의 양, 주입 경로 등에 의해 발생하는 염증반응의 정도에 좌우된다. 또한 Toll 유사 수용체는 항체의 생산을 자극하기도 한다.

Toll 유사 수용체 4가 세균 특이 물질과 결합함을 알리는 신호는 곧 증상 발현의 시작으로 이어지기도 한다. 즉, Toll 유사 수용체 4 신호전달이 없는 경우 감염된 숙주는 무증상의 보균 상태를 나타낸다. 실제로 Toll 유사 수용체 4의 기능이 떨어진 경우, 혹은 같은 나이의 대조군에 비해 Toll 유사 수용체 4가 덜 발현된 어린 환자의 경우 무증상 세균뇨를 보이는 것이 확인되었다. 표재성방광암의 유지요법으로 결핵균을 방광 내에 주입하는 이유는 결핵균이 면역세포의 Toll 유사 수용체 2와 4, 그리고 9의 발현을 자극하는 Toll 유사 수용체 작용제로 작용하기 때문이다.

4. 비뇨기계 특이 면역

인체의 비뇨기계에는 점막 면역이 존재한다. 특히 신장의 헨레 원위고리에 대부분 존재하는 Tamm-Horsfall 단백은 직접 항세균 활성 작용을 할 뿐만 아니라 강력한 면역조절 능력이 있다. 실험적으로 Tamm-Horsfall 단백을 유전학적으로 제거한 실험동물의 경우 심각한 감염과 치명적인 신우신염이 생긴다. Tamm-Horsfall 단백은 선천면역과 세포매개 후천면역과 연관 있다고 보고되고 있다. 즉, Tamm-Horsfall 단백은 병원성 세균을 포집하는 데 관여하며, 비뇨기계 세균 감염에 대한 면역반응을 강하게 유도하기도 한다. 구체적으로 Tamm-Horsfall 단백 글리코단백은 대장균의 편모와 결합하여 보체계와 수지상세포를 활성화시키고, Toll 유사 수용체 4를 통하여 비뇨기계 감염에 대한 면역을 조절하는 능력이 있다.

인체의 방광에는 림프조직이 잘 발달되어 있다. 여성의 요도는 강력한 세균 방어기전을 가졌는데, 이 방어기전에 의해 비뇨기계 반복감염이 차이를 나타낸다. 여성의 요도에는 에스트로겐에 반응하는 질과 동일한 세포가 분포되어 있는데, 이 방어기전에 대한 가설은 다음과 같다. 비뇨기계 병원성 세균이 결합하더라도 요도세포가 탈락되며, 요도 주위선에 분비되는 점액에 의해 세균이 포집된다. 또한 요에 의해 간혹 세척되거나 국소적으로 항체, 시토카인, 디펜신defensin이 생산되고, 백혈구 순환이 잘 되기 때문이라고 설명된다. 남성 생식기의 요도에는 IgA에 의한 면역이 잘 활성화되어 있다. 남성 생식기의 요도에는 다량의 IgA와 J 사슬을 생산할 수 있는 형질세포가 있고, 상피세포는 IgA를 운반할 수 있는 물질을 분비한다. 또한 점막에는 상피 내 수지상세포가 존재하며, T세포는 요도 전반에 풍부하게 존재한다. CD8+ T세포가 더 많기는 하지만 요도의 고유판에는 CD4+ T세포와 CD8+ T세포가 존재한다. T세포의 대부분은 CD45RO 기억지표 양성인 기억 T세포이며, 점막 부착과 관련된 다수의 α E β 7 인테그린이 존재하는 것이 특징이다. 이러한 특징을 통해 방광과 더불어 요도가 항원을 전달하고 체액면역과 세포매개면역을 수행할 수 있는 면역조직임을 알 수 있다. 또한 요도는 비뇨기계의 상행 감염을 막는 중요한 역할을 한다. 통상의 점막 면역반응을 수행하는 전형적인 점막 림프조직은 없지만, 여성과 남성의 요에는 IgA와 IgG 항체가 존재한다. 비뇨기계의 분비 IgA 항체의 농도가 낮은 것은 비뇨기계 반복감염의 소인 중 하나이다. 정상 대조군에 비해 방광 카테터를 삽입한 환자, 방광절개술을 한 환자, 그리고 비뇨기 패혈증 환자, IgA와 관련된 신장염을 포함한 만성사구체염 환자 등에서 분비 IgA 생성이 증가되는 소견에 대해 여러 이견이 있는 것이 사실이다. 최근 연구 보고에 따르면 모든 비뇨기계 감염의 경우에서 혼합된 대장균 군 세균에 대한 IgG 항체의 농도가 의미 있게 상승했다. 무증상의 비뇨기계 감염 환자의 경우는 대조군에 비해 비뇨기계의 IgG, IgM, IgA 항체 농도가 더 높았으며, 비뇨기계 감염 환자의 경우는 분비 IgA 농도가 가장 높았다. 이러한 차이점은 항원제시세포에 의해 충분한 양의 항원이 충분한 시간 동안 2차 림프조직에 도달하지 못하거나, 수지상세포의 동시 자극 신호를 충분히 발현하지 못한 까닭에 면역학적 반응이 제대로 이루어지지 않았기 때문으로 생각된다.

실험동물 모델을 통해 점막의 IgA 형질세포의 전구물질이 어디서 기원하는지 확인한 바에 따르면 호흡기, 위장관계를 따라 발견되는 림프상피세포에서 기원한 것으로 알려져 있다. 구체적으로, IgA를 생산할 수 있는 전구세포는 장간막의 림프절에서 성숙하여 흉관을 통해 순환하여 장관계, 호흡기계, 비뇨기계의 고유판에 도달하고, 이후 국소적으로 분비되는 시토카인의 영향으로 IgA를 생산하는 형질세포로 분화된다. 실험동물에서는 IgG 혹은 IgM의 농도와 감염 혹은 사망률은 상관관계가 없었다.

비뇨기계 병원성 대장균의 FimH 단백질에 관한 실험에서는 항부착 항체가 세균의 부착을 차단하여 질환을 예방할 수 있었다. 또한 실험동물에서는 FimH를 비경구적으로 백신 주사하여 분비되는 IgG 항체 단독으로도 충분히 세균의 집락화를 차단하여 감염을 막을 수 있었다. 프로테우스미라빌리스의 MrpA 섬모 단백질을 유전공학적으로 발현시키는 젖산균 락티스 혹은 MR/P 섬모의 부착 단백질 부착소를 비강 내 백신으로 접종한 쥐의 경우, 프로테우스미라빌리스에 의한 비뇨기계 감염을 예방할 수 있었다. P 섬모로 백신 접종을 한 일부 임상실험의 경우, P 섬모가 없는 대장균에 의한 신우신염 환자보다는 P 섬모 대장균에 의한 신우신염 환자에서 더 강력한 면역반응이 나타났다.

OM-89는 비뇨기계 반복 감염을 예방하기 위해 사용되는 면역조절제이다. OM-89는 18 대장균주를 알칼리로 용균한 다음, 비용해성 세포물질을 여과하여 제거한 용균액이다. 이러한 세균 용균액에는 변형된 세균의 모든 물질 단백질, 아미노산, 다당체, 양가성 분자, 뉴클레오티드와 적은 양의 DNA가 포함된다. 그람음성균의 지질다당체는 이러한 화학적 공정 과정에서 생기는 대표적인 양가성 분자이다. OM-89는 경구로 투여하기 때문에, 위장관의 맥아에 도달한 후 면역학적 반응을 유발한다. 구체적으로, OM-89는 Toll 유사 수용체 4에 결합하여 면역계를 활성화하고 비뇨기계의 반복 감염을 낮춘다. 세균의 OM-89 용균액은 수지상세포의 조직적합성 복합체 단백질과 CD40, CD86 분자의 발현을 조장하여 항원 전달 능력을 향상시키며, 종양괴사인자-α와 인터루킨-12 같은 시토카인을 분비시켜 결국 T세포를 활성화한다. 생체 내에서 OM-89는 항원제시세포의 경우 인터루킨-1과 종양괴사인자-α를 생산하도록 유도하며 T세포를 활성화하여 인터루킨-2와 인터페론-γ의 분비를 촉진하고 자연살해세포를 활성화한다. 농도가 낮은 OM-89는 자연살해세포의 활성과 인터루킨-1 생산에 강력한 영향을 미친다. OM-89의 농도가 증가할수록 면역반응이 원활히 유발된다. 사람을 대상으로 한 실험에서는 짧은 시간 동안 OM-89를 처치했을 때 T세포의 분화가 촉진되었고, 생체 외에서는 인터페론 생산이 촉진되었다. OM-89를 3개월 동안 주사한 소녀에서 두 번 반복하여 요의 분비 IgA 농도를 관찰한 실험에서, 분비 IgA의 농도는 증가했지만 처리 후 3개월 동안 추적 조사했을 때 분비 IgA의 효과는 점점 소멸했다. 이러한 사실을 통하여 OM-89가 분비 IgA 생산을 자극하는 효과가 단기적임을 알 수 있다. 특정 비뇨기계 반복 감염 환자에서 IgG와 IgA 농도를 측정했을 때 나타나는 일시적인 IgA 농도 증가는 치료 효과를 얻기에는 너무 적은 양으로 판단된다.

5. 결론

면역학의 발전사를 돌이켜볼 때 Toll 유사 수용체의 발견은 지난한 연구 도중 얻게 된 뜻밖의 소산이었다. 지속적인 Toll 유사 수용체에 대한 연구를 통해 특히 비뇨기계 감염에 관여하는 면역학적 반응에 대한 이해도가 높아지고 있다. 지속적인 연구를 통해 다약제 내성의 기전이나 그 외에도 다양한 비뇨기계 감염을 치료하고 예방하는 데 도움이 되리라고 생각한다.

VI 비뇨생식기 감염에서 균막(biofilm)의 역할

균막(biofilm)과 같이 딱딱한 표면 위에 세균이 달라붙어 성장하는 과정은 자연발생 현상이다. 이러한 균막은 의학의 영역에서 인체 내에 일시적 또는 영구적으로 삽입하는 삽입물이나 의료기기에 중대한 영향을 미친다. 비뇨기과 영역에서 내비뇨기과학이 발전하며 요도 카테터뿐만 아니라 요관스텐트 및 전립선 스텐트, 경피신루설치술, 음경 및 고환 보형물, 인공요도괄약근 같은 매우 다양한 이물질들이 개발되고 있으므로 균막에 대한 이해가 중요하다 할 것이다. 균막은 항균제 내성 및 효과적인 치료에 필요한 약물의 최소 억제 농도와 연관된 임상약리학적 작용에 큰 영향을 미친다.

1. 균막 형성 기전

일반적으로 균막은 몇 가지 단계를 거쳐 형성된다. 신체가 이물질에 반응하면 가장 먼저 조건막이 침착된 후 미생물이 부착되는데, 미생물이 만드는 바깥 중합체를 통해 표면에서 부착과 고정이 이루어진다. 이후 성장과 증식 그리고 파종이 진행된다(그림 1-7).

신체 내로 여러 의료기구가 삽입되면 그 표면이 주변의 체액(혈액, 소변, 타액, 점액)과 접촉하기 시작한다. 요로에서 소변에 있는 Tamm-Horsfall 단백, 여러 가지 이온, 다당류 등의 성분들이 삽입된 기구의 표면을 향하여 몇 분 안에 확산해 간다. 체액에서 나오는 이 고분자 성분들은 매우 빠르게 물질의 표면에 흡착되어 미생물이 오기에 앞서 조건막을 형성한다. 조건막을 구성하는 분자 성분들은 대부분 단백질성 물질이다. 따라서 조건막이 형성되면 임플란트의 표면 특성이 변화하기 때문에 미생물의 부착을 막기 위해 물질의 표면에 친수성 겔이나 항균제 등을 코팅하여 표면 특성을 변화시키는 방법은 효과가 없다. 많은 병원성 세균들이 임플란트 표면에 직접적으로

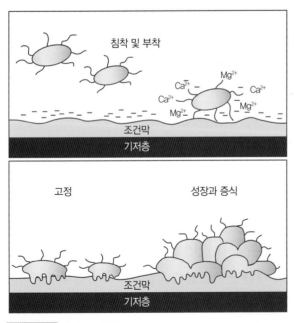

그림 1-7 균막의 형성 과정

강하게 부착하는 기전이 없기 때문에 균막 형성에서 조건막의 역할이 필수적이다.

균막 형성의 다음 단계는 미생물이 접근하여 부착하는 것이다. 미생물이 표면에 부착하는 능력은 정전기 및 소수성 상호작용, 이온 강도, 삼투질 농도, 소변 pH 등의 영향을 받는다. 미생물이 접근하고 표면에 부착하는 복잡한 과정을 설명하는 몇 가지 이론이 나오고 있지만 정확한 기전은 아직 연구 중이다.

세균이 표면이나 접촉면과 반응하기 위해서는 세균이 표면에 얼마나 가까이 접근했는지를 스스로 인식해야만 한다. 부유 상태에서 자유롭게 떠다니는 세균은 움직이면서 양성자와 신호전달 분자를 분비한다. 근처에 표면이나 접촉면이 없을 경우 이 양성자와 신호전달 분자는 세균에서 방사상으로 확산되며 퍼져나간다. 표면과 인접한 부분에서 양성자나 신호전달 분자의 농도가 높아지면 표면 쪽으로 확산이 제한되기 때문에 세균은 자신이 표면 근처에 있음을 인식한다. 표면을 인지한 부유 상태의 세균은 부착 및 균막 형성의 활동적인 과정에 관여하게 된다.

최초의 세균 부착은 가역적이고 비교적 약한 소수성 및 정전기를 통해 이루어진다. 이후 세균이 스스로 만드는 다당류가 세균과 표면을 강력하게 고정시키는 비가역적 부착이 발생한다. 이후 계속해서 느린 이동과 확산, 회전, 밀집, 부착과 같은 종특이적 요인에 의해 집락 형성이 발생한다. 이때 발생하는 균막은 여러 군의 미생물로 구성된다. 버섯과 같은 형태의 이 미생물 군들은 액체로 이루어진 주변의 간질성 공간에 의해 분리되어 있다. 세균이 표면 위에서 확장하는 방법뿐만 아니라 세균의 성장 속도도 집락 형성에 중요하다. 이러한 방법은 세균종에 따라 특이성이 있고, 표면 위의 균막 분포에도 영향을 미칠 수 있다.

세균 집락 형성의 마지막 단계는 균막 구조 형성이다. 이 시기가 되면 세균은 여러 종류의 항균제와 숙주의 면역 방어기전으로부터 스스로를 보호하는 미세 환경을 형성한다. 균막은 표면이 거친 이질성 구조물을 가지고 있는 것으로 알려져 있다. 실제로 균막의 기본 구조적 단위는 미세 집락인데, 이것은 좀 더 복잡한 유기체의 기본 성장 단위인 조직과 유사하다. 관여한 세균의 종에 따라 다르지만, 미세 집락은 10~25%의 세균 세포와 75~90%의 바깥 다당류 기질로 구성되어 있다. 균막은 수분 통로를 가지고 있으

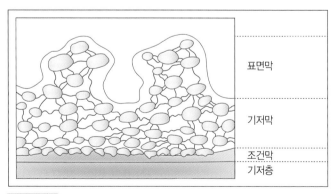

그림 1-8 균막의 구성

표면막

기저막

조건막
기저층

므로 이것을 통해 세균 성장에 필요한 필수 영양분과 산소의 이동이 가능하다. 또한 균막 안의 세균은 개체밀도 의존성 유전자 발현에 관여하는 화학적 신호전달 물질을 분비하는데, 이는 균막 형성에 중요한 역할을 한다.

결론적으로 균막은 조직이나 생체물질의 표면에 달라붙는 연결막, 세균이 빽빽하게 찬 기저막, 외층 표면막의 세 층으로 이루어진다(그림 1-8). 표면막에서는 부유 상태의 세균이 표면 위로 방출되어 떠다니고 확산된다.

2. 균막 내에 존재하는 세균의 항균제감수성

현재 균막 형성을 예방하는 가능성 있는 방법은 항균제를 사용하는 것이다. 하지만 항균제를 사용하더라도 세균은 이식된 의료기구에 부착하여 집락 형성을 하며 생존할 수 있다. 게다가 의료기구가 매우 광범위하게 이용되는 요즘은 항균제에 대한 내성이 가장 큰 문제라고 할 수 있다. 임상에서 최선의 치료를 위해 보편적으로 항균제를 선택하는 방법은 세균배양검사 결과 및 항균제감수성 결과를 보고 치료하는 것이다. 하지만 일반적인 세균배양검사 결과는 부유 상태의 세균에서 얻은 결과이기 때문에 균막 상태의 세균과는 매우 다르다는 것이 문제이다. 이 사실을 통해 만성 세균 감염의 임상적 치료 실패를 설명할 수 있다.

항균제로 균막을 치료하는 데 실패하는 이유는 여러 기전과 연관 있다. 항균제에 대한 균막의 저항성을 설명할 수 있는 기전 중 하나는 외인성 내성 때문에 항균제가 균막의 전체 깊이를 통과할 수 없다는 것이다. 예를 들면, 세포 외 기질은 가장 초기에 약물의 침투를 차단할 수 있다.

또 다른 기전은 내인성 내성으로, 빠르게 성장하는 세균은 항균제의 효과가 크지만 균막 안의 세균은 느리게 성장하기 때문에 항균제의 효과에 더 저항성을 보인다는 것이다. 균막 내부의 세균은 부유 상태의 세균과 표현형이 매우 다르기 때문에 부유 상태의 세균을 치료하기 위해 개발된 항균제를 사용하면 균막 내부의 세균 치료에 실패하는 경우가 많다. 균막 내의 세균은 많은 유전자를 활성화시키는데, 이 유전자는 세균의 피막을 변화시키고 항균제에 대한 분자 표적과 감수성도 변화시킨다. 최근의 견해는 항균제로부터 스스로를 보호하는 데 있어 바깥 다당류에 의한 외인성 내성보다 약 65~80개의 단백질이 변할 때 발생하는 유전적 변경에 의한 표현형 변화가 더 중요한 역할을 한다는 것이다.

또 최근에는 Quorum sensing이라고 하는 세균들 사이에 군집의 크기를 조절하고자 하는 세포와 세포 사이의 신호 전달 체계가 존재를 하여 각각의 세포가 N-acetyl-homoserine lactone (AHL)이라는 물질을 생육 중에 분비하게 되는데 이 신호분자의 농도에 의해 정족수 (Quorum)라고 할 수 있는 일정한 농도를 유지하여 세균의 집단적인 행동양식을 결정하게 된다. 이는 일련의 세포밀도-의존성 유전자 발현(cell density dependent gene expression) 조절 메커니즘이다. 최근에는 이러한 신호 전달을 저해하는 anti-quorum sensing 방법을 이용하여 항생제 치료에 저항성을 보이는 세균들에 대한 새로운 치료법으로 연구가 진행되고 있다.

균막 내의 세균은 외부 환경을 인지할 수 있고, 균끼리 서로 소통하면서 유전적 정보와 플라스미드를 전달할 수도 있다. 일반적으로 균막 내의 세균은 부유 상태의 같은 세균을 죽일 수 있는 항균제보다 1,000~1,500배 높은 고농도에서도 생존이 가능하다.

3. 항균제와 균막

항균제는 부유 상태의 세균에는 효과가 있지만, 흔히 비뇨기과적 기구에 붙어 있는 균막을 없애지는 못한다. 일부 실험에서 베타락탐계와 아미노글리코시드 계열 항균제가 성장 중인 어린 균막의 형성과 확장을 예방할 수 있는 것으로 나타났다. 반면에 오플록사신*ofloxacin*, 레보플록사신*levofloxacin*, 시프로플록사신*ciprofloxacin* 같은 퀴놀론 계열은 균막을 침투하는 특성이 좋기 때문에 어린 균막과 성숙한 균막 모두에 효과가 있다. 뿐만 아니라 이들은 항균제 치료를 종결한 후에도 1~2주까지 균막 내에 존재한다. 하지만 항균제는 균막 내에서 보호받지 못하는 부유 상태의 세균을 제거하고 균막 표면에서 세균의 대사적 활동성을 중단시키거나 감소시켜서 균막 형성의 진행을 단지 늦춰주는 것뿐이라고 생각된다.

4. 유치된 요도 카테터의 균막

요로계의 카테터는 몸안에 들어온 순간부터 내외 층의 표면 모두가 균막 형성의 표적이 된다(그림 1-9). 카테터를 오래 사용하면 대부분 요로감염이 일어난다. 카테터의 표면은 세균이 부착하여 두 가지 경로를 통해 퍼져 나갈 수 있는 충분한 환경이 된다.

하나의 감염 경로는 카테터를 삽입할 때 발생하는 세균의 직접적인 접종을 통해 카테터 내강 바깥쪽에서 상행감염을 일으키거나 카테터의 바깥쪽을 둘러싸는 점액 막에서 이동하는 것이다. 카테터 내강 밖의 세균은 주로 체내에서 기원하며, 환자 본인의 위장관에서 기원한다. 세균은 주로 환자의 회음에 집락을 형성했다가 카테터를 삽입하면 요도를 타고 위로 올라간다. 카테터를 삽입한 여성에서 생긴 세균뇨의 약 70%는 세균의 내강 밖 침입을 통해 발생하는 것으로 생각된다.

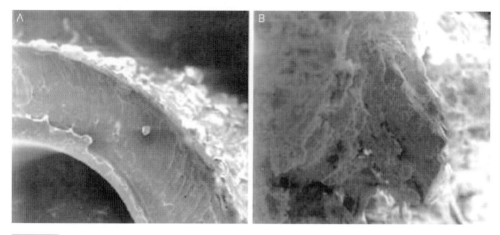

그림 1-9 생성되는 균막에 대한 주사전자현미경 사진

또 다른 경로로 내강 내를 통해서도 세균이 카테터로 들어올 수 있다. 주로 소변의 폐쇄 배출 방법이 실패하거나 소변 저장주머니가 오염되어 카테터의 내강 내부로 세균이 감염되는 경우 나타난다. 이때 세균은 일반적으로 외부에서 기원하는데, 주로 의료인의 손을 통해 전파된다.

5. 카테터의 가피 형성과 막힘 현상에서 균막의 역할

요로와 같은 환경에서 생체 의료기구를 사용할 때 발생하는 또 다른 문제는 가피 형성이 발생하고 이로 인해 폐색이 발생하는 것이다. 요로가 프로테우스미라빌리스 같은 요소분해효소 생성 세균에 감염되면, 세균의 요소분해효소는 요소로부터 암모니아를 생산하여 소변의 pH를 높인다. 프로테우스미라빌리스에서 생기는 요소분해효소는 다른 종(모르가넬라모르가니, 프로비덴치아스투아르티, 폐렴간균, 프로테우스테트거리, 프로테우스불가리스)의 요소분해효소보다 6~10배 빠르게 요로를 가수분해한다. 알칼리 환경에서는 마그네슘암모늄인산석 결정과 칼슘인산석(수산화인회석) 결정이 형성되고 세균 세포를 둘러싸는 유기기질에 갇히게 된다. 이와 같은 가피 형성이 진행되면 결과적으로 카테터 내강을 막는다(그림 1-10).

6. 요관스텐트와 균막

균막은 스텐트 전체가 요로에 완전히 들어 있는 요관스텐트에서도 발생할 수 있다(그림 1-10). 한 연구에 의하면 유치된 요관스텐트의 90%가 부착된 세균에 의해 집락이 형성되어 있었으나 임상적으로 발견된 요로감염은 겨우 27%에 불과했다. 또 다른 연구에서 237개의 요관스텐트를 가지고 실험한 결과 68%에서 실제적으로 집락이 형성되었으나 30%에서만 세균뇨가 확인되었다. 따라서 일반적인 검사실 방법으로 요관스텐트 균막을 발견하기 어려우며, 소변배양검사 결과가 음성으로 나온다 하더라도 스텐트 집락 형성의 가능성을 배제할 수 없다는 것을 알 수 있다. 분리된 미생물은 그람양성구균 77%, 그람음성간균 15%, 칸디다 종류 8%였으며, 유치 기간과 감염 발생의 연관관계가 확인되었다.

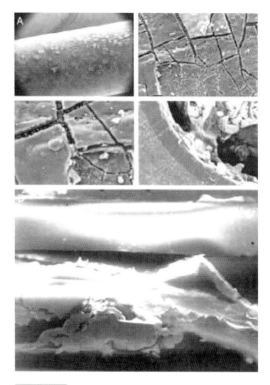

그림 1-10 스텐트 위에 형성된 가피(A)와 균막(B)

7. 음경보형물과 균막

보형물 삽입과 관련하여 무증상 감염에 의해 나타나는 만성 통증은 임상적인 증상 감염보다 훨씬 많다. 이때 표피포도구균이 감염의 35~56%를 차지하며, 일반적으로 삽입한 지 약 6개월 후 증상이 발현된다. 임상적인 감염의 증거 없이 작동 이상으로 제거된 보형물의 40%에서도 표피포도구균이 배양되었다. 포도구균종은 쉽게 균막을 형성한다고 알려져 있으며, 이 경우 임상적으로 증상이 나타나기 수년 전까지도 무증상일 수 있다. 그러나 녹농균, 대장균, 세라시아마르센스, 프로테우스미라빌리스 같은 그람음성균에 의한 감염이 약 20% 정도를 차지하고 일반적으로 삽입 후 한 달 이내에 증상이 나타난다. 따라서 예방적 항균제가 필수적이라고 할 수 있다. 가장 많은 병원균은 표피포도구균이기 때문에 1세대 세팔로스포린 광범위 페니실린 계열의 예방적 항균제를 사용한다. 만성적인 통증의 경우 퀴놀론을 장기간 투여하면 증상의 60%가 완화된다. 만약 치료가 실패하면 삽입된 보형물을 제거해야 한다.

8. 인공요도괄약근과 균막

인공요도괄약근의 약 3%에서 감염이 발생하는데, 증상은 주로 조절 펌프기와 관련 있다. 발생률을 줄이는 방법은 감염뇨, 지속적 요정체, 대량의 잔뇨 같은 위험 인자를 피하는 것이다. 괄약근 부분이 하나의 연속되는 표면을 만들기 때문에, 감염을 치료하기 위해서는 가장 먼저 인공요도괄약근 전체를 제거해야 한다. 감염된 부분을 완벽히 제거하고 난 후 재삽입을 해야 하지만 많은 환자들이 하반신 마비이거나 요로감염이 반복되는 신경성방광을 가지고 있기 때문에 항상 가능한 것은 아니다.

9. 감염 요로결석과 균막

요소분해효소 생성 세균뇨의 경우는 감염이 사슴뿔결석과 칼슘인산석 형성을 동반할 수 있다. 빠르게 커지는 감염석은 균막에 붙어 있는 세균에게 안전한 공간을 제공한다. 따라서 가장 효과적인 치료를 위해서는 결석 시술 중에 모든 결석 조각을 완벽히 제거하고, 장기적인 항균제 치료를 시행하며(요소분해효소 생성 세균을 치료하는 경우 약 8~10주), 전위를 시행한다.

10. 만성세균성전립선염과 균막

전립선의 만성 염증에 대한 진단 및 분류가 표준화되어 있지만 만성 비세균성 염증과 세균성 염증을 구분하는 것은 여전히 어렵다. 전립선관과 전립선꽈리는 요류에 의한 청소 효과가 미칠 수 없으므로 부유 상태의 세균이 빠르게 증식하고 전립선관 안으로 급성 염증세포가 침착되면서 면역반응을 유도할 수 있는 안전한 환경이 된다. 전립선관은 침윤물로 충만되는데, 침윤물은 살아 있는 세균과 죽은 세균 외에 살아 있는 급성 염증세포와 죽은 급성 염증세포, 탈락 상피세포, 세포 부스러기 등으로 구성된다. 이 시기에는 적절한 항균제 치료로 부유 상태인 미생물들을 근절하기가 비교적 쉽다. 그러나 만일 세균이 급성 또는 아급성 염증으로부터 살아남으면 전립선관의 상피세포에 붙어 산발적인 미세 집락이나 균막을 형성할 수 있다. 또한 세균은 붙어 있는 미세 집락을 둘러싸는 바깥 다당류 점액이나 당질층을 생산한다. 이런 국소 균막 안에서 지속적으로 살아남은 세균은 지속적인 면역학적 자극을 일으키고 결과적으로 만성 염증을 유발한다.

만성세균성전립선염 진단이 어려운 이유는 집락 형성된 세균이 전립선액이나 소변으로 검출되지 않을 수도 있기 때문이다. 항균제 치료는 부유 상태의 세균을 죽일 수 있을 뿐 전립선 깊숙이 붙어 있는 균막을 죽일 수는 없다. 치료에 실패하는 또 다른 이유는 균막 안의 세균이 부유 상태의 세균과 대사율, 분자 표적, 항균제 결합 단백질의 발현 등이 다르기 때문이다. 그러므로 만성세균성전립선염에서 전립선 내에 깊숙이 붙어 존재하는 작은 균막을 진단하는 기술의 개발이 필요하다. 이론적으로 치료 성공률을 높이기 위해서는 전립선관 안의 균막으로 훨씬 농도가 높은 항균제를 전달할 수 있는 새로운 치료법이 도입되어야 한다.

11. 재발성 방광염에서 세포 내에 존재하는 균막 모양의 콩깍지

대장균의 요로 침입은 성관계가 가장 명백한 선행 요인으로 알려져 있지만, 다른 요인은 제대로 규명되지 않았다. 질이나 장내세균 중 일부의 대장균이 일상생활 도중 방광 안으로 들어오더라도 대부분의 경우는 방광 자체의 선천적 방어기전이 감염을 막을 수 있을 것이다. 그러나 간혹 요로병원성 대장균이 이런 방어기전을 무너뜨릴 수 있는 기전을 가지고 있어서 방광 내에 감염의 발판을 마련할 수 있다. 요로병원성 대장균의 발병 기전은 요로병원성 대장균이 1형 섬모의 끝부분에서 부착소 FimH를 통해 표층의 방광상피세포와 결합하면서 시작된다. 최초 집락 형성이 되면 상피에서 염증 및 세포자멸 연쇄반응을 활성화시킨다. 이 과정은 정상적인 경우에는 매우 느려서 단지 6~12개월 주기로 반복된다. 방광상피세포는 Toll 유사 수용체 경로를 통해 세균의 지질다당질을 인식하여 침범하는 세균에 반응한다. 그 결과 중성구가 방광으로 강하게 유입된다. 게다가 FimH와 방광상피의 상호작용은 표피에 있는 방광상피세포의 탈락을 촉진하여 많은 병원균이 소변으로 퍼져 나오게 한다. 탈락된 표층 상피를 회복하기 위해 이행상피세포의 분화와 증식을 유도하는 유전자적 프로그램이 활성화된다. 강한 면역반응과 상피세포의 탈락에도 불구하고 요로병원성 대장균은 방광 안에서 수일 동안 높은 역가를 유지할 수 있다.

세균의 FimH 매개성 표층세포 침투 기전은 선천성 방어기전을 피할 수 있게 한다. 초기에 세균은 표층세포 안에서 무질서한 균주군 형태로 빠르게 증식한다. 이후 균주군 안의 세균은 크기 증가 없이 분열하여 구균 형태로 변하는데, 이는 유전자적 프로그램의 변화에 기인한 것으로 생각된다. 또한 세균 균주군은 방광 표층세포 안에서 매우 치밀해지면서 세포 내 세균 군집이라고 불리는 균막과 비슷한 구조로 조직화된다(그림 1-11). 세포 내 세균 군집은 방광의 표면 세포막을 밖으로 밀어내며, 주사전자현미경으로 볼 때 콩깍지pods 모양의 외형을 띠게 된다(그림 1-12). 세포 내 세균 군집 안의 세균은 바깥 중합체의 기질에 의해 서로를 붙잡는다(그림 1-13). 세포 내 세균 군집은 성장 및 확장이 가능하다. 성장 과정 도중 세포 내

그림 1-11 **감염 16시간 후 세포 내 세균 군집의 동일 초점 레이저주사현미경 사진**

녹색 형광 단백질을 표현하는 임상 요로병원성 대장균이 쥐 방광세포 안에서 밀집되면서 조직화된 집락을 형성한다. 방광상피세포의 표면은 Alexa Fluor 594-conjugated Wheat Germ Agglutinin에 빨간색으로 염색된다.

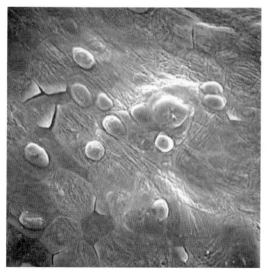 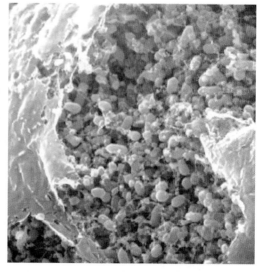

그림 1-12	요로병원성 대장균에 감염된 쥐 방광 표면의 감염 16시간 후 주사전자현미경 사진

요로병원성 대장균 감염이 세포 내 세균 군집 형성을 초래하여 방광 표피 세포막을 방광 내강 쪽으로 내밀고 있다.

그림 1-13	요로병원성 대장균에 감염되어 파열된 쥐 방광세포의 주사전자현미경 사진

세포 내 세균 군집은 세균과 바깥 다당류 기질을 담고 있다. 부분적으로 세포막이 손실된 감염된 세포에서 세포 내 세균 군집의 균막과 유사한 특징을 볼 수 있다. 섬유상의 망상 구조에 파묻혀 있는 세균이 보인다.

세균 군집 가장자리의 세균은 다시 길이가 길어지고 운동성을 가지게 되면서 세균 군집으로부터 떨어져 나가게 된다. 방광세포막의 안정성이 손상되기 때문에 세균은 감염된 방광세포에서 탈락되어 나갈 수 있다. 이와 같은 세포 내 세균 군집 연쇄반응을 통해 요로병원성 대장균의 수가 증가하고 방광 내에서 세균의 고농도 상태가 초래된다. 또한 이와 같은 세포 내 상태의 세균은 방광 내에서 만성적인 정지 상태의 저장소를 만들어 소변으로 배출되지 않고 수개월 동안 발견되지도 않는 상태로 지속될 수 있다. 이 경우 세균은 3일에서 10일간의 항균제 치료에 완전한 내성을 보인다.

12. 신우신염과 균막

일단 세균이 상행성 감염이나 방광요관역류에 의해 신장에 도달하면 요로상피와 신장유두에 부착할 수 있다. 세균은 신장 조직에 침범하여 신우신염을 유발하기 전에 얇은 균막 상태로 요로상피에 부착할 수 있다. 이 상태의 균막은 카테터 표면의 균막과는 대조적으로 훨씬 쉽게 근치가 가능하다. 이는 요로상피 위의 균막에 대한 항균제와 숙주의 방어기전이 효과적으로 협력 작용하기 때문으로 생각된다.

VII 마이크로바이옴

　전통적인 생각들과는 달리 소변은 무균 상태가 아니다. 최근 수년 동안 요로감염의 증상이 없는 건강한 남자와 여자의 요로계에 다양한 세균이 존재한다는 것이 16S ribosomal RNA sequencing 분석에 의해서 밝혀졌다. 이러한 것은 세균 배양의 기술이 다양해지고 발전하면서 밝혀지게 되었다. 기본적인 배양 기술은 산소가 풍부한 환경에서 빠르게 자라는 세균에 대해서 쉽게 확인할 수 있다. 그러나 많은 세균들은 특수한 영양분이 필요하거나, 무산소환경이 필요하거나, 일반 균배양 배지에서는 자라지 못하는 특성을 가지고 있다. 그래서 이러한 microbiome에 대한 초기 연구 이후에 요로계의 세균에 대한 생각과 개념을 혁신하게 되었다. 그동안은 소변 내에서 확인되는 세균은 병적인 것으로 간주하였으나, 이후에는 남자와 여자에서 증상 유무와 관련이 없이 세균은 존재한다는 개념이 정립되었다.

　여성의 요로계에서 microbiome이 확인된 이후 연구자들은 표준 소변 배양을 변경하여 기존에 확인할 수 없었던 균주들이 확인 가능한지를 연구하였다. 그래서 expanded quantitative uine culture (EQUC) protocol을 이용하여, 다양한 세균들이 인체에 존재하는 것을 확인할 수 있었다. 이 방법을 통하여 여성의 요로계에 다양한 비 병원성 microbiome이 존재함을 확인할 수 있었다.

　Microbiome의 존재를 확인하게 되면서 이러한 결과들을 해석하는데 많은 어려움이 발생하게 되었는데 확인되는 모든 세균을 다 박멸하면 안 된다는 사실을 인지하고, 언제 그리고 어떻게 요로계에 존재하는 세균들을 치료할지를 결정해야 한다. 요로계에 존재하는 microbiome 내에 많은 세균들은 병원성이라기보다는 정상적인 요로계를 보호하는 역할을 주로 담당한다. 그 외에도 다른 microbiome이 개별 질환에 따라 다르게 나타나며, 보다 많은 연구들이 이루어지고 있다. Microbiome에 대한 자세한 내용은 이후 각론에서 자세하게 설명될 것이다.

- 요로감염균은 다양한 병독성과 연관된 인자들이며, 감염원으로서의 공격성을 나타낸다.
- 첫 번째 병독 인자인 부착소는 세균과 상피세포 사이의 부착, 침입, 균막 형성 촉진 등의 역할을 한다.
- 편모는 요로병원성 대장균이 요도에서 방광까지뿐만 아니라 신장까지 올라갈 수 있도록 하고, 부착소와 침입자 역할도 한다
- 독소는 상피세포를 파괴하여 영양소와 철분을 방출시키고, 부가적으로 숙주 면역반응을 막아내는 역할을 한다.
- 피막은 숙주 면역반응에 대항하여 세균을 보호한다.
- 병독성과 연관된 유전자뿐만 아니라 그들의 기능과 적절한 발현이 점차 밝혀지고 있다.
- 선천면역이 급성 세균감염의 방어에 주된 역할을 한다.
- 요로병원성 대장균의 요로상피 부착에 관여하는 P 섬모와 1형 섬모 등의 세균 측 병인인자에 의해 염증반응이 유발된다.
- 요로상피의 Toll 유사 수용체 4의 신호가 활성화하면 선천면역반응이 시작된다.
- Toll 유사 수용체에 기능 이상이 나타나면, 감염에 대한 염증반응과 더불어 질환의 증상이 억제되기 때문에 요로감염을 방어하는 듯하다. 즉, Toll 유사 수용체 4 유전자를 결손시킨 쥐에서는 무증상 세균뇨가 발생하였고, 무증상 세균뇨가 있는 소아에서는 Toll 유사 수용체 4의 발현이 감소됨을 확인할 수 있다.
- CXCL8 케모카인과 그 수용체인 CXCR1에 의하여 대장균 감염에 대적하는 중성구가 이동되고 활성화된다.
- CXCR1/2 수용체 기능 이상은 요로감염에 대한 감수성에 중요한 영향을 미친다. 즉, CXCR1/2 수용체가 결손된 쥐에서 요로계 패혈증 혹은 신장흉터를 동반한 급성신우신염이 발생하였다. 또한 급성신우신염에 감수성이 있는 환자에서 CXCR1 수용체의 발현이 낮고, CXCR1 유전자의 돌연변이의 빈도가 높았다.
- 인체에서 유전적 요소가 요로감염에 관여한다는 여러 증거들은 요로감염의 대안 치료와 이에 대한 연구의 명분이 된다.
- 요로병원성 대장균은 NFκB 의존성 시토카인 분비를 억제하여 요로상피의 염증반응을 조절할 수 있다.
- 요로상피에서 유로플라킨 복합체에 FimH 부착소가 결합하면, 유로플라킨 III에 의해 중재된 신호를 유발시켜 요로병원성 대장균이 침입할 수 있도록 한다.
- 요로병원성 대장균에 의한 염증반응 조절과 침입은 FimH 유도 요로상피 세포자연사와 함께 일어나며, 이런 세포자연사는 표층 세포의 탈락을 일으켜 병원균 제거를 위한 숙주 방어기전으로 작용한다.
- 세포자연사와 함께 골 형태형성 단백 4가 조절자로 작용하여 요로상피를 재구성하는 데 중요한 역할을 담당한다.
- 비뇨기계의 선천면역은 대식세포, 수지상세포와 같은 항원전달세포와 기타 다핵백혈구, 자연살해세포가 담당한다.
- 비뇨기계의 적응면역은 Th1세포와 Th2세포로 구성된 CD4 T세포와 CD8 T 살해세포, 그리고 IgG, IgA, IgM, IgE 항체를 생산하는 B세포가 담당한다. 특히 IgA는 소변을 포함한 체액 내에 존재하며 중요한 체액성 면역을 담당한다.
- 사람에서 발견된 10종류의 Toll 유사 수용체 계열은 선천면역의 포식작용과 항원전달 작용을 매개하며, 결국 CD4 T세포가 관여하는 선천면역에 영향을 준다. 즉, 그람음성균의 당지질은 Toll 유사 수용체 4를 활성화하여 항원전달세포를 자극하며, 당단백질과 결핵균의 당지질은 Toll 유사 수용체 2를 통하여 선천면역세포를 자극한다.
- 비뇨기계의 점막에는 잘 구성된 림프조직이 존재한다.

- 비뇨기계에는 직접 항세균 작용을 하는 Tamm-Horsfall 단백이 존재한다.
- 비뇨기계의 방어체계에는 요도 세포의 비뇨기계 병원균 전파, 비뇨기계 점막에서의 병균 포획, 소변의 일시적인 세척 작용 외에 비뇨기계에서 국소적으로 생산하는 항체, 시토카인, 디펜신 등이 관여한다.
- 선천성 면역세포의 Toll 유사 수용체 4와 결합하는 병균의 OM-89와 같은 추출물은 비뇨기계 면역계를 전반적으로 활성화하며, 이를 통해 비뇨기계 감염의 빈도를 낮추기도 한다.
- 균막은 의학의 영역에서 인체 내에 일시적 또는 영구적으로 삽입하는 삽입물이나 의료기기에 중대한 영향을 미친다.
- 균막은 몇 가지 주요 단계를 거쳐 형성되는데, 가장 먼저 조건막이 형성되고 여기에 미생물의 부착이 일어난 다음, 마지막으로 균막 구조가 형성된다.
- 균막은 일반적으로 연결막, 기저막, 표면막이라는 세 개의 층으로 이루어진다.
- 균막은 구성하는 세균들 사이의 신호 전달 방식인 Quorum sensing 에 의해 밀도 조절 인자를 분비하여 일정한 군집의 밀도를 유지하게 된다.
- 항균제는 부유 상태 세균에 효과적이고 점막 표면에 붙어 있는 세균의 미세 집락을 제거할 수 있는 듯지만, 비뇨기과 기구에 붙어 있는 세균막을 근절하는 데는 대부분 실패한다.
- 요로 카테터는 삽입된 순간부터 내외 표면이 균막 형성의 손쉬운 표적이 된다. 요로에 대한 의료용 생체기구 사용은 가피 발생을 초래하며, 가피 형성이 진행되면 결국 카테터 내경이 막히게 된다. 또한 요로에 전체가 완전히 들어간 요관스텐트에도 세균막이 발생할 수 있다.
- 균막 감염은 의료기기와 관련 없이 자연발생적인 질환에서도 가능한데, 감염 결석은 빠르게 성장하고 균막에 붙어 있는 세균에게 매우 안전한 환경을 만들어준다. 전립선 안에서 지속적으로 생존하는 세균은 국소적인 균막을 형성하고 지속적인 면역 자극과 이로 인한 만성 염증을 유발한다.
- 급성방광염에서 세균은 방광 표면의 상피세포 안에서 무질서하게 산재된 집락군 형태로 빠르게 복제되다가 결국 매우 치밀해지면서 세포 내 세균 군집이라고 불리는 균막과 비슷한 구조물로 조직화될 수 있다. 이 경우 만성적인 정지 상태를 유지할 수 있으며, 일반적인 항균제 치료에 반응하지 않는다.
- 상행성 감염이나 방광요관역류로 인해 신장에 도달한 세균은 신장 조직을 침범하기 전에 얇은 균막 상태로 요로상피에 부착할 수 있다.
- 향후 균막 감염을 진단하고 측정하는 더 쉬운 방법, 그리고 균막에 둘러싸인 세균에 효과적인 항균제를 개발하는 연구가 필요하다.
- 사람 마이크로바이옴의 발견은 기존의 소변은 무균성이라는 관념을 바꾸어 놓았다.
- 균배양 기술의 발전과 차세대 염기서열 분석 등은 그동안 확인하지 못하였던 새로운 새균의 존재를 확인하였으며, 이들이 질병의 과정 중에 관여함을 확인하였다.

참고문헌

1. Adler HS, Steinbrink K. Tolerogenic dendritic cells in health and disease: friend and foe! EurJ Dermatol 2007;17(6):476-91.
2. Agace WW, Hedges SR, Ceska M, Svanborg C. Interleukin-8 and the neutrophil response to mucosal gram-negative infection. J Clin Invest 1993;92(2):780-5.
3. Aguilar, C., A. Carlier, K. Riedel, and L. Eberl. 2010. Cell-cell communication in biofilms of Gram-Negative bacteria. p. 23-40. In R. Kramer, and K. Jung (eds.), Bacterial Signaling, WILEY-VCH
4. Akira S. Toll-like receptor signaling. J Biol Chem 2003;278 (40):38105-8.
5. Alamuri P, Mobley HLT. A novel autotransporter of uro-pathogenic Proteus mirabilis is both a cytotoxin and an agglutinin. Mol Microbiol 2008;68(4):997-1017.
6. Alteri CJ, Mobley HL. Quantitative profile of the uropathogenic Escherichia coli outer membrane proteome during growth in human urine. Infect Immun 2007;75(6):2679-88.
7. Anders HJ, Patole PS. Toll-like receptors recognize uropathogenic Escherichia coli and trigger inflammation in the urinary tract. Nephrol Dial Transplant 2005;20(8):1529-32.
8. Anderson GG, Palermo JJ, Schilling JD, Roth R, Heuser J, Hultgren SJ. Intracellular bacterial biofilm-like pods in urinary tract infections. Science 2003;301(5629):105-7.
9. Andersson P, Engberg I, Lidin-Janson G, Lincoln K, Hull R, Hull S, et al. Persistence of Escherichia coli bacteriuria is not determined by bacterial adherence. Infect Immun 1991;59(9):2915-21.
10. Anjuere F, del Hoyo GM, Martin P, Ardavin C. Langerhans cells develop from a lymphoid-committed precursor. Blood 2000;96(5):1633-7.
11. Baba-Moussa L, Anani L, Scheftel JM, Couturier M, Riegel P, Hafkou N, et al. Virulence factors produced by strains of Staphylococcus aureus isolated from urinary tract infections. J Hosp infect 2008;68(1):32-8.
12. Baggiolini M, Dewald B, Moser B. Interleukin-8 and related chemotactic cytokines-CXC and CC chemokines. Adv in Immunol 1994;55:97-179.
13. Bahrani-Mougeot FK, Buckles EL, Lockatell CV, Hebel JR, Johnson DE, Tang CM, et al. Type 1 fimbriae and extracellular polysaccharides are preeminent uropathogenic Escherichia coli virulence determinants in the murine urinary tract. Molecular Microbiology 2002;45(4):1079-93.
14. Barton GM, Medzhitov R. Toll-like receptor signaling pathways. Science 2003;300(5625):1524-5.
15. Baure HW, Alloussi S, Egger G, Blumlein HM, Cozma G, Schulman CC. A long-term, multicenter, double-blind study of an Escherichia coli extract (OM-89) in female patients with urinary tract infection. Eur Urol 2005;47(4): 542-8;discussion 548.
16. Benson M, Jodal U, Agace W, Andreasson A, Marild S, Stokland E, et al. Interleukin-6 and interleukin-8 in children with febrile urinary tract infection and asympto-matic bacteriuria. J Infect Dis 1996;174:1080-4.
17. Bergsten G, Samuelsson M, Wullt B, Leijonhufvud I, Fischer H, Svanborg C. PapG-dependent adherence breaks mucosal inertia and triggers the innate host response. J Infect Dis 2004;189(9):1734-42.
18. Bergsten G, Wullt B, Schembri MA, Leijonhufvud I, Svanborg C. Do type 1 fimbriae promote inflammation in the human urinary tract? Cell Microbiol 2007;9(7):1766-81.
19. Beutler B, Moresco EM. The forward genetic dissection of afferent innate immunity. Curr Top Microbiol Immunol 2008;321:3-26.
20. Bidet P, Mahjoub-Messai F, Blanco J, Blanco J, Dehem M, Aujard Y, et al. Combined Multilocus Sequence Typing and O Serogrouping Distinguishes Escherichia coli Subtypes Associated with Infant Urosepsis and/or Meningitis. J Infect Dis 2007;196(2):297-303.
21. Biering-Sorensen F. Urinary tract infection in individuals with spinal cord lesion. Curr Opin Urol 2002;12(1):45-9.

22. Brändlein S. Tumor immunity: Specificity Genetics and function of natural IgM antibodies. Patholo-gisches Institut, Fakultät für Biologie. Würzburg: Unversität Würzburg; 2003. Available from: http://www.opus-bayern.de/uni-wuerzburg/volltexte/ 2003/666

23. Brown AJP, Odds FC, Gow NAR. Infection-related gene expression in Candida albicans. Curr Opin Micro-biol 2007;10(4):307-13.

24. Brown HJ, Sacks SH, Robson MG. Toll-like receptor 2 agonists exacerbate accelerated nephrotoxic ne-phritis. J Am Soc Nephrol 2006;17(7):1931-9.

25. Brown MR, Allison DG, Gilbert P. Resistance of bacterial biofilms to antibiotics: a growth-rate related effect? J Antimicrob Chemother 1988;22(6):777-80.

26. Brown MR, Collier PJ, Gilbert P. Influence of growth rate on susceptibility to antimicrobial agents: mod-ification of the cell envelope and batch and continuous culture studies. Antimicrob Agents Chemother 1990;34(9):1623-8.

27. Brzuszkiewicz E, Bruggemann H, Liesegang H, Emmerth M, Olschlager T, Nagy G, et al. How to become a uropathogen: comparative genomic analysis of extraintestinal pathogenic Escherichia coli strains. Proc Natl Acad Sci U S A 2006;103 (34):12879-84.

28. Busscher HJ, Bos R, van der Mei HC. Initial microbial adhesion is a determinan for the strength of biofilm adhesion. FEMS Microbiol Lett 1995;128(3):229-34.

29. Busscher HJ, Stokoos I, Schakenraad JM. Two-dimensional spatial arrangement of fibronectin adsorbed to biomaterials with different wettabilities. Cells Mater 1991;1:19-57.

30. Busscher HJ, Weerkamp AH. Specific and non-specific interactions in bacterial adhesion to solid substrata. FEMS Microbiol Rev 1987;(46):165-73.

31. Calderone RA, Fonzi WA. Virulence factors of Candida albicans. Trends Microbiol 2001;9(7):327-35.

32. Caldwell DE. Cultivation and study of biofilm communities. In: Lappin-Scott HM, Costerton JW, editors. Microbial Biofilms. Cambridge: Cambridge University Press; 1995. p. 64-69.

33. Carson CC 3rd. Management of prosthesis infections in urologic surgery. Urol Clin North Am 1999;26(4):829-39, x.

34. Carson CC. Infections in genitourinary prostheses. Urol Clin North Am 1989;16(1):139-47.

35. Chen SL, Hung CS, Xu J, Reigstad CS, Magrini V, Sabo A, et al. Identification of genes subject to positive selection in uropathogenic strains of Escherichia coli: a comparative genomics approach. Proc Natl Acad Sci U S A 2006;103(15): 5977-82.

36. Choong S, Whitfield H. Biofilms and their role in infections in urology. BJU Int 2000;86(8):935-41.

37. Choong S, Wood S, Fry C, Whitfield H. Catheter associated urinary tract infection and encrustation. Int J Antimicrob Agents 2001;17(4):305-10.

38. Cirl C, Wieser A, Yadav M, Duerr S, Schubert S, Fischer H, et al. Subversion of Toll-like receptor sig-naling by a unique family of bacterial Toll/interleukin-1 receptor domain-containing proteins. Nat Med 2008;14(4):399-406.

39. Cohn EB, Schaeffer AJ. Urinary tract infections in adults. ScientificWorldJournal 2004;4(1 Suppl):76-88.

40. Connell I, Agace W, Klemm P, Schembri M, Marild S, Svanborg C. Type 1 fimbrial expression enhances Escherichia coli virulence for the urinary tract. Proc Natl Acad Sci U S A 1996;93(18):9827-32.

41. Costerton JW, Lewandowski Z, Caldwell DE, Korber DR, Lappin-Scott HM. Microbial biofilms. Annu Rev Microbiol 1995;49:711-45.

42. Costerton JW. Introduction to biofilm. Int J Antimicrob Agents 1999;11(3-4):217-21;discussion 237-9.

43. Croxen MA, Finlay BB. Molecular mechanisms of Escherichia coli pathogenicity. Nat Rev Microbiol 8:26-38, 2010

44. Danese PN, Pratt LA, Dove SL, Kolter R. The outer membrane protein, Antigen 43, mediates cell-to-cell interactions within Escherichia coli biofilms. Mol Microbiol 2000;37(2): 424-32.

45. Darouiche RO, Donovan WH, Del Terzo M, Thornby JI, Rudy DC, Hull RA. Pilot trial of bacterial interference for preventing urinary tract infection. Urology 2001;58(3):339-44.

46. Darouiche RO, Thornby JI, Cerra-Stewart C, Donovan WH, Hull RA. Bacterial interference for prevention of urinary tract infection: a prospective, randomized, placebo-controlled, double-blind pilot trial. Clin Infect Dis 2005;41(10):1531-4.

47. Delves PJ, Roitt IM. The immune system. First of two parts. N Engl J Med 2000;343(1):37-49.

48. Denstedt JD, Reid G, Sofer M. Advances in ureteral stent technology. World J Urol 2000;18(4):237-42.

49. Denstedt JD, Wollin TA, Reid G. Biomaterials used in urology: current issues of biocompatibility, infection, and encrustation. J Endourol 1998;12(6):493-500.

50. Eisenbarth SC, Piggott DA, Huleatt JW, Visintin I, Herrick CA, Bottomly K. Lipopolysaccharide-enhanced, toll-like receptor 4-dependent T helper cell type 2 responses to inhaled antigen. J Exp Med 2002;196(12):1645-51.

51. Enjalbert B, MacCallum DM, Odds FC, Brown AJP. Niche-Specific Activation of the Oxidative Stress Response by the Pathogenic Fungus Candida albicans. Infect Immun 2007;75(5):2143-51.

52. Ethel S, Bhat GK, Hegde BM. Bacterial adherence and humoral immune reponse in women with symptomatic and asymptomatic urinary tract infection. Indian J Med Microbiol 2006;24(1):30-3.

53. Eto DS, Jones TA, Sundsbak JL, Mulvey MA. Integrin-mediated host cell invasion by type 1-piliated uropathogenic Escherichia coli. PLoS Pathog 2007;3(7):e100.

54. Farsi HM, Mosli HA, Al-Zemaity MF, Bahnassy AA, Alvarez M. Bacteriuria and colonization of double-pigtail ureteral stents: long-term experience with 237 patients. J Endourol 1995;9(6):469-72.

55. Feldmann F, Sorsa LJ, Hildinger K, Schubert S. The salmochelin siderophore receptor IroN contributes to invasion of urothelial cells by extraintestinal pathogenic Escherichia coli in vitro. Infect Immun 2007;75(6):3183-7.

56. Ferry T, Perpoint T, Vandenesch F, Etienne J. Virulence determinants in Staphylococcus aureus and their involve-ment in clinical syndromes. Curr Infect Dis Rep 2005;7(6): 420-8.

57. Fexby S, Bjarnsholt T, Jensen PO, Roos V, Hoiby N, Givskov M, et al. Biological Trojan horse: Antigen 43 provides specific bacterial uptake and survival in human neutrophils. Infect Immun 2007;75(1):30-4.

58. Fischer H, Ellstrom P, Ekstrom K, Gustafsson L, Gustafsson M, Svanborg C. Ceramide as a TLR4 agonist: a putative signalling intermediate between sphingolipid receptors for microbial ligands and TLR4. Cell Microbiol 2007;9(5):1239-51.

59. Fischer H, Yamamoto M, Akira S, Beutler B, Svanborg C. Mechanism of pathogen-specific TLR4 activation in the mucosa: fimbriae, recognition receptors and adaptor protein selection. Eur J Immunol 2006;36(2):267-77.

60. Fishman IJ, Scott FB, Selam IN. Rescue procedure: an alternative to complete removal for treatment of infected penile prosthesis. J Urol 1987;137:202A.

61. Fletcher M. Bacterial adhesion: molecular and ecological diversity(Wiley series in ecological and applied micro-biology). New York: Wiley-Liss; 1996. p. 361.

62. Foxman B. Epidemiology of urinary tract infections: incidence, morbidity, and economic costs. Am J Med 2002; 113(1A Suppl):S5-13.

63. Frendeus B, Godaly G, Hang L, Karpman D, Lundstedt AC, Svanborg C. Interleukin 8 receptor deficiency confers susceptibility to acute experimental pyelonephritis and may have a human counterpart. J Exp Med 2000;192(6):881-90.

64. Frendeus B, Godaly G, Hang L, Karpman D, Svanborg C. Interleukin-8 receptor deficiency confers susceptibility to acute pyelonephritis. J Infect Dis 2001;183(1 Suppl):S56-60.

65. Frendeus B, Wachtler C, Hedlund M, Fischer H, Samuelsson P, Svensson M, et al. Escherichia coli P fimbriae utilize the Toll-like receptor 4 pathway for cell activation. Mol Microbiol 2001;40(1):37-51.

66. Fuqua, W. C., S. C. Winans, and E. P. Greenberg. 1994. Quorum sensing in bacteria: the LuxR-LuxI family of cell density-responsive transcriptional regulators. J. Bacteriol. 176: 269-275.

67. Ganderton L, Chawla J, Winters C, Wimpenny J, Stickler D. Scanning electron microscopy of bacterial biofilms on indwelling bladder catheters. Eur J Clin Microbiol Infect Dis 1992;11(9):789-96.

68. Goto T, Nakame Y, Nishida M, and Ohi Y. In vitro bactericidal activities of beta-lactamases, amikacin, and fluoroquinolones against Pseudomonas aeruginosa biofilm in artificial urine. Urology 1999;53(5):1058-62.

69. Goto T, Nakame Y, Nishida M, Ohi Y. Bacterial biofilms and catheters in experimental urinary tract infection. Int J Antimicrob Agents 1999;11(3-4):227-31;discussion 237-9.

70. Grabe M, Bartoletti R, Bjerklund Johansen TE, et al: Guidelines on urological infections, 2015 (website): https://uroweb.org/wp-content/uploads/19-Urological-infections_LR2.pdf

71. Guyer DM, Radulovic S, Jones FE, Mobley HL. Sat, the secreted autotransporter toxin of uropathogenic Escherichia coli, is a vacuolating cytotoxin for bladder and kidney epithelial cells. Infect Immun 2002;70(8):4539-46.

72. Habash M, Reid G. Microbial biofilms: their development and significance for medical device-related infections. J Clin Pharmacol 1999;39(9):887-98.

73. Hagan EC, Mobley HLT. Haem acquisition is facilitated by a novel receptor Hma and requiredby uropathogenic Escherichia coli for kidney infection. Mol Microbiol 2009; 71(1):79-91.

74. Hagberg L, Briles DE, Eden CS. Evidence for separate genetic defects in C3H/HeJ and C3HeB/FeJ mice, that affect susceptibility to gram-negative infections. J Immunol 1985;134(6):4118-22.

75. Hang L, Frendeus B, Godaly G, Svanborg C. Interleukin-8 receptor knockout mice have subepithelial neutrophil entrapment and renal scarring following acute pyelone-phritis. J Infect Dis 2000;182(6):1738-48.

76. Hedlund M, Frendeus B, Wachtler C, Hang L, Fischer H, Svanborg C. Type 1 fimbriae deliver an LPS- and TLR4-dependent activation signal to CD14-negative cells. Mol Microbiol 2001;39(3):542-52.

77. Hedlund M, Svensson M, Nilsson A, Duan RD, Svanborg C. Role of the ceramide-signaling pathway in cytokine responses to P-fimbriated Escherichia coli. J Exp Med 1996;183(3):1037-44.

78. Heilmann C, Niemann S, Sinha B, Herrmann M, Kehrel BE, Peters G. Staphylococcus aureus fibronectin-bindingprotein (FnBP)-mediated adherence to platelets, and aggregation of platelets induced by FnBPA but not by FnBPB. J Infect Dis 2004;190(2):321-9.

79. Heilmann C, Schweitzer O, Gerke C, Vanittanakom N, Mack D, Götz F. Molecular basis of intercellularadhesion in the biofilm-forming Staphylococcus epidermidis. Mol Microbiol 1996;20(5):1083-91.

80. Henderson IR, Meehan M, Owen P. Antigen 43, a phase-variable bipartite outer membrane protein, determines colony morphology and autoaggregation in Escherichia coli K-12. FEMS Microbiol Lett 1997;149(1):115-20.

81. Henderson IR, Navarro-Garcia F, Desvaux M, Fernandez RC, Ala'Aldeen D. Type V protein secretion pathway: the autotransporter story. Microbiol Mol Biol Rev 2004;68(4): 692-744.

82. Higgins A, Garg T. Aerococcus urinae: an emerging cause of urinary tract infection in older adults with multimorbidity and urologic cancer. Urol Case Rep. 2017;13:24-25.

83. Hornick DB, Allen BL, Horn MA, Clegg S. Adherence to respiratory epithelia by recombinant Escherichia coli expressing Klebsiella pneumoniae type 3 fimbrial gene products. Infect Immun 1992;60(4):1577-88.

84. Hull RA, Rudy DC, Donovan WH, Wieser IE, Stewart C, Darouiche RO. Virulence properties of Escherichia coli 83972, a prototype strain associated with asymptomatic bacteriuria. Infect Immun 1999;67(1):429-32.

85. Hussain M, Heilmann C, Peters G, Herrmann M. Teichoic acid enhances adhesion of Staphylococcus epidermidis to immobilized fibronectin. Microb Pathog 2001;31(6):261-70.

86. Imirzalioglu C, Hain T, Chakraborty T, Domann E. Hidden pathogens uncovered: metagenomic analysis of urinary tract infections. Andrologia 2008;40(2):66-71.

87. Israele V, Darabi A, McCracken GH Jr. The role of bacterial virulence factors and Tamm-Horsfall protein in the pathogenesis of Escherichia coli urinary tract infection in infants. Am J Dis Child 1987;141(11):1230-4

88. Iwasaki A, Medzhitov R. Toll-like receptor control of the adaptive immune responses. Nat Immunol 2004;5(10):987-95.

89. James-Ellison MY, Roberts R, Verrier-Jones K, Williams JD, Topley N. Mucosal immunity in the urinary tract: changes in sIgA, FSC and total IgA with age and in urinary tract infection. Clin Nephrol 1997;48(2):69-78.

90. Jerome KR, Corey L. The danger within. N Engl J Med 2004;350(4):411-2.

91. Johnson DE, Bahrani FK, Lockatell CV, Drachenberg CB, Hebel JR, Belas R, et al. Serum immunoglobulin response and protection from homologous challenge by Proteus mirabilis in a mouse model of ascending urinary tract infection. Infect Immun 1999;67(12):6683-7

92. Johnson JR, Jelacic S, Schoening LM, Clabots C, Shaikh N, Mobley HL, et al. The IrgA homologue adhesin Iha is an Escherichia coli virulence factor in murine urinary tract infection. Infect Immun 2005;73(2):965-71.

93. Justice SS, Hung C, Theriot JA, Fletcher DA, Anderson GG, Footer MJ, et al. Differentiation and developmental pathways of uropathogenic Escherichia coli in urinary tract pathogenesis. Proc Natl Acad Sci U S A 2004;101(5):1333-8.

94. Kallenius G, Mollby R, Svenson SB, Winberg J, Hultberg H. Identification of a carbohydrate receptor recognized by uropathogenic Escherichia coli. Infection 1980;8(3 Suppl):288-93.

95. Kantele A, Mottonen T, Ala-Kaila K, Arvilommi HS. P fimbria-specific B cell response in patients with urinary tract infection. J Infect Dis 2003;188(12):1885-91.

96. Kauffman CA, Vazquez JA, Sobel JD, Gallis HA, McKinsey DS, Karchmer AW, et al. Prospective multicenter surveillance study of funguria in hospitalized patients. The National Institute for Allergy and Infectious Diseases (NIAID) Mycoses Study Group. Clin Infect Dis 2000;30(1):14-8.

97. Khalturin K, Becker M, Rinkevich B, Bosch TC. Urochordates and the origin of natural killer cells: identification of a CD94/NKR-P1-related receptor in blood cells of Botryllus. Proc Natl Acad Sci U S A 2003;100(2):622-7.

98. Klemm P, Roos V, Ulett GC, Svanborg C, Schembri MA. Molecular characterization of the Escherichia coli asymptomatic bacteriuria strain 83972: the taming of a pathogen. Infect Immun 2006;74(1):781-5.

99. Klumpp DJ, Weiser AC, Sengupta S, Forrestal SG, Batler RA, Schaeffer AJ. Uropathogenic Escherichia coli potentiate type 1 pili-induced apoptosis by suppressing NF-kappaB. Infect Immun 2001;69:6689-95.

100. Koschinski A, Repp H, Unver B, Dreyer F, Brockmeier D, Valeva A, et al. Why Escherichia coli alpha-hemolysin induces calcium oscillations in mammalian cells--the pore is on its own. FASEB J 2006;20(7):973-5.

101. Kumamoto CA, Vinces MD. Contributions of hyphae and hypha-co-regulated genes to Candida albicans virulence. Cell Microbiol 2005;7(11):1546-54.

102. Kumon H. Pathogenesis and management of bacterial biofilms in the urinary tract. J Infect Chemother 1996;2:18-28.

103. Kunin CM, Chin QF, Chambers S. Formation of encrustations on indwelling urinary catheters in the elderly: a comparison of different types of catheter materials in "blockers" and "nonblockers". J Urol 1987;138(4):899-902.

104. Kunin CM, Evans C, Bartolomew D, Bates DG. The antimicrobial defense mechanism of the female urethra: a reassessment. J Urol 2002;168(2):413-9.

105. Kunin CM. Urinary Tract Infections. Detection, Prevention and Management. 5th ed. Baltimore: Williams and Wilkins; 1997.

106. Kuroda M, Yamashita A, Hirakawa H, Kumano M, Morikawa K, Higashide M, et al. Whole genome sequence of Staphylococcus saprophyticus reveals the pathogenesis of uncomplicated urinary tract infection. Proc Natl Acad Sci U S A 2005;102(37):13272-7.

107. Lane MC, Alteri CJ, Smith SN, Mobley HL. Expression of flagella is coincident with uropathogenic Escherichia coli ascension to the upper urinary tract. Proc Natl Acad Sci U S A 2007;104(42):16669–74.

108. Lane MC, Simms AN, Mobley HLT. Complex Interplay between Type 1 Fimbrial Expression and Flagellum-Mediated Motility of Uropathogenic Escherichia coli. J Bacteriol 2007;189(15):5523–33.

109. Lawrence JR, Caldwell DE. Behaviour of bacterial stream populations within the hydrodynamic boundary layers of surface microenvironments. Microbial Ecol 1987;14:15–27.

110. Leatham-Jensen MP, Mokszycki ME, Rowley DC, et al. Uropathogenic Escherichia coli metabolite-dependent quiescence and persistence may explain antibiotic tolerance during urinary tract infection. mSphere. 2016;1(1).

111. Leffler H, Svanborg-Eden C. Chemical identification of a glycosphingolipid receptor for Escherichia coli attaching to human urinary tract epithelial cells and agglutinating human erythrocytes. FEMS Microbiol Lett 1980;8:127–34.

112. Lemonnier M, Landraud L, Lemichez E. Rho GTPase-activating bacterial toxins: from bacterial virulence regulation to eukaryotic cell biology. FEMS Microbiol Rev 2007;31(5):515–34.

113. Leveille S, Caza M, Johnson JR, Clabots C, Sabri M, Dozois CM. Iha from an Escherichia coli urinary tract infection outbreak clonal group A strain is expressed in vivo in the mouse urinary tract and functions as a catecholate siderophore receptor. Infect Immun 2006;74(6):3427–36.

114. Lewis DA, Brown R, Williams J, et al. The human urinary microbiome: bacterial DNA in voided urine of asymptomatic adults. Front Cell Infect Microbiol. 2013;3:41.

115. Li X, Lockatell CV, Johnson DE, Lane MC, Warren JW, Mobley HL. Development of an intranasal vaccine to prevent urinary tract infection by Proteus mirabilis. Infect Immun 2004;72(1):66–75.

116. Licht MR, Montague DK, Angermeier KW, Lakin MM. Cultures from genitourinary prostheses at reoperation: questioning the role of Staphylococcus epidermidis in periprosthetic infection. J Urol 1995;154(2 Pt 1):387–90.

117. Liedl B. Catheter-associated urinary tract infections. Curr Opin Urol 2001;11(1):75–9.

118. Lindberg U, Hansson LA, Jodal U, Lidin-Janson G, Lincoln K, Olling S. Asymptomatic bacteriuria in schoolgirls. II. Differences in Escherichia coli causing asymptomatic and symptomatic bacteriuria. Acta Paediatr Scand 1975;64:432–6.

119. Liu KJ. Dendritic Cell, Toll-Like Receptor, and The Immune System. Journal of Cancer Molecules 2006;2(6):213–5.

120. Lloyd AL, Henderson TA, Vigil PD, Mobley HLT. Genomic Islands of Uropathogenic Escherichia coli Contribute to Virulence. J Bacteriol 2009;191(11):3469–81.

121. Lundstedt AC, Leijonhufvud I, Ragnarsdottir B, Karpman D, Andersson B, Svanborg C. Inherited susceptibility to acute pyelonephritis: a family study of urinary tract infection. J Infect Dis 2007;195(8):1227–34.

122. Lundstedt AC, McCarthy S, Gustafsson MC, Godaly G, Jodal U, Karpman D, et al. A genetic basis of susceptibility to acute pyelonephritis. PLoS ONE 2007;2(9):e825.

123. Mansson LE, Kjall P, Pellett S, Nagy G, Welch RA, Backhed F, et al. Role of the lipopolysaccharide-CD14 complex for the activity of hemolysin from uropathogenic Escherichia coli. Infect Immun 2007;75(2):997–1004.

124. Mardis HK, Kroeger RM. Ureteral stents. Materials. Urol Clin North Am 1988;15(3):471–9.

125. Maroncle NM, Sivick KE, Brady R, Stokes FE, Mobley HL. Protease activity, secretion, cell entry, cytotoxicity, and cellular targets of secreted autotransporter toxin of uropathogenic Escherichia coli. Infect Immun 2006;74(11): 6124–34.

126. Marrs CF, Zhang L, Foxman B. Escherichia coli mediated urinary tract infections: are there distinct uropathogenic E. coli (UPEC) pathotypes? FEMS Microbiol Lett 2005;252(2): 183–90.

127. Martinez JJ, Mulvey MA, Schilling JD, Pinkner JS, Hultgren SJ. Type 1 pilus-mediated bacterial invasion of bladder epithelial cells. EMBO J 2000;19(12):2803–12.

128. Martinez TJ, Hultgren SJ. Requirement of Rho-family GTPases in the invasion of type 1-piliated uropathogenic Escherichia coli. Cell Microbial 2002;4(1):19-28.

129. Marx M, Weber M, Schafranek D, Wandel E, Meyer zum Buschenfelde KH, Kohler H. Secretory immunoglobulin A in urinary tract infection, chronic glomerulonephritis, and renal transplantation. Clin Immunol Immunopathol 1989; 53(2 Pt 1):181-91.

130. Mestecky J, Fultz PN. Mucosal immune system of the human genital tract. J Infect Dis 1999;179(3 Suppl):S470-4.

131. Meyer-Bahlburg A, Khim S, Rawlings DJ. B cell intrinsic TLR signals amplify but are not required for humoral immunity. J Exp Med 2007;204(13):3095-101.

132. Mills M, Meysick KC, O'Brien AD. Cytotoxic necrotizing factor type 1 of uropathogenic Escherichia coli kills cultured human uroepithelial 5637 cells by an apoptotic mechanism. Infect Immun 2000;68(10):5869-80.

133. Miyake K. Roles for accessory molecules in microbial recognition by Toll-like receptors. J Endotoxin Res 2006; 12(4):195-204.

134. Mobley HL, Chippendale GR, Swihart KG, Welch RA. Cytotoxicity of the HpmA hemolysin and urease of Proteus mirabilis and Proteus vulgaris against cultured human renal proximal tubular epithelial cells. Infect Immun 1991;59(6): 2036-42.

135. Mobley HL, Hausinger RP. Microbial ureases: significance, regulation, and molecular characterization. Microbiol Rev 1989;53(1):85-108.

136. Mobley HLT, Belas R. Swarming and pathogenicity of Proteus mirabilis in the urinary tract. Trends Microbiol 1995;3(7): 280-4.

137. Mulvey MA, Lopez-Boado YS, Wilson CL, Roth R, Parks WC, Heuser J, et al. Induction and evasion of host defenses by type 1-piliated uropathogenic Escherichia coli. Science 1998;282(5393):1494-7.

138. Mulvey MA, Schilling JD, Hultgren SJ. Establishment of a persistent Escherichia coli reservoir during the acute phase of a bladder infection. Infect Immun 2001;69(7):4572-9.

139. Mysorekar IU, Hultgren SJ. Mechanisms of uropathogenic Escherichia coli persistence and eradication from the urinary tract. Proc Natl Acad Sci U S A 2006;103(38):14170-5.

140. Nelson DE, Van Der Pol B, Dong Q, et al. Characteristic male urine microbiomes associate with asymptomatic sexually transmitted infection. PLoS ONE. 2010;5(11) [e14116].

141. Nickel JC, Costerton JW, McLean RJ, Olson M. Bacterial biofilms: influence on the pathogenesis, diagnosis and treatment of urinary tract infections. J Antimicrob Chemother 1994;33(A Suppl):S31-41.

142. Nickel JC, Downey J, Costerton JW. Movement of pseudomonas aeruginosa along catheter surfaces. A mechanism in pathogenesis of catheter-associated infection. Urology 1992;39(1):93-8.

143. Nickel JC, Olson M, McLean RJ, Grant SK, Costerton JW. An ecological study of infected urinary stone genesis in an animal model. Br J Urol 1987;59(1):21-30.

144. Nickel JC, Olson ME, Barabas A, Benediktsson H, Dasgupta MK, Costerton JW. Pathogenesis of chronic bacterial prostatitis in an animal model. Br J Urol 1990;66(1):47-54.

145. Nickel JC, Olson ME, Ceri H. Experimental prostatitis. in: Weidner W, Madsen PO, Schiefer HG, editors. Prostatitis. Berlin; New York: Springer-Verlag; 1993. p. 276.

146. Nickel JC, Wright JB, Ruseska I, Marrie TJ, Whitfield C, Costerton JW. Antibiotic resistance of Pseudomonas aeruginosa colonizing a urinary catheter in vitro. Eur J Clin Microbiol 1985;4(2):213-8.

147. Nickel JC. Catheter-associated urinary tract infection: new perspectives on old problems. Can J Infect Control 1991; 6(2):38-42.

148. Nickel JC. The battle of the bladder: the pathogenesis and treatment of uncomplicated cystitis. Int Urogynecol J 1990; (1):218-22.

149. Nougayrde JP, Taieb F, Rycke JD, Oswald E. Cyclomodulins: bacterial effectors that modulate the eukaryotic cell cycle. Trends Microbiol 2005;13(3):103-10.

150. Ong CL, Ulett GC, Mabbett AN, Beatson SA, Webb RI, Monaghan W, et al. Identification of type 3 fimbriae in uropathogenic Escherichia coli reveals a role in biofilm formation. J Bacteriol 2008;190(3):1054−63.

151. Ott M, Hacker J, Schmoll T, Jarchau T, Korhonen TK, Goebel W. Analysis of the genetic determinants coding for the S−fimbrial adhesin (sfa) in different Escherichia coli strains causing meningitis or urinary tract infections. Infect Immun 1986;54(3):646−53.

152. Paul WE. Th1 fate determination in CD4+ T cells: notice is served of the importance of IL−12! J Immunol 2008;181(7): 4435−6.

153. Plos K, Lomberg H, Hull S, Johansson I, Svanborg C. Escherichia coli in patients with renal scarring: genotype and phenotype of Gal alpha 1−4Gal beta−, Forssman− and mannose−specific adhesins. Pediatr Infect Dis J 1991;10(1): 15−9.

154. Pratt LA, Kolter R. Genetic analysis of Escherichia coli biofilm formation: roles of flagella, motility, chemotaxis and type I pili. Mol Microbiol 1998;30(2):285−93.

155. Prigent−Combaret C, Prensier G, Le Thi TT, Vidal O, Lejeune P, Dorel C. Developmental pathway for biofilm formation in curli−producing Escherichia coli strains: role of flagella, curli and colanic acid. Environ Microbiol 2000;2(4):450−64.

156. Pudney J, Anderson DJ. Immunobiology of the human penile urethra. Am J Pathol 1995;147(1):155−65.

157. Ragnarsdottir B, Fischer H, Godaly G, Gronberg−Hernandez J, Gustafsson M, Karpman D, et al. TLR− and CXCR1−dependent innate immunity: insights into the genetics of urinary tract infections. Eur J Clin Invest 2008;38 Suppl 2:12−20.

158. Ragnarsdottir B, Samuelsson M, Gustafsson MC, Leijonhufvud I, Karpman D, Svanborg C. Reduced toll−like receptor 4 expression in children with asymptomatic bacteriuria. J Infect Dis 2007;196(3):475−84.

159. Rangnarsdottir B, Fischer H, Godaly G, Gronberg−Hernandez J, Gustafsson M, Karpman D, et al. TLR− and CXCR1−dependent innate immunity:insights into the genetics of urinary tract infections. Eur J Clin Invest 2008;38(2 Suppl): 12−20.

160. Raz R, Colodner R, Kunin CM. Who are you−−Staphylococcus saprophyticus? Clin Infect Dis 2005;40(6):896−8.

161. Reid G, Denstedt JD, Kang YS, Lam D, Naus C. Microbial adhesion and biofilm formation on ureteral stents in vitro and in vivo. J Urol 1992;148:1592−4.

162. Reid G, Habash M, Vachon D, Denstedt J, Riddell J, Beheshti M. Oral fluoroquinolone therapy results in drug adsorption on ureteral stents and prevention of biofilm formation. Int J Antimicrob Agents 2001;17(4):317−9;discussion 319−20.

163. Reid G, Habash M. Urogenital microflora and urinary tract infections. in: Tannock GW, editor. Medical importance of the normal microflora. London: Chapman & Hall; 1999. p. 423−40.

164. Reid G, Potter P, Delaney G, Hsieh J, Nicosia S, Hayes K. Ofloxacin for the treatment of urinary tract infections and biofilms in spinal cord injury. Int J Antimicrob Agents 2000;13(4):305−7.

165. Reid G. Biofilms in infectious diseases and on medical devices. Int J Antimicrob Agnets 1999;11:223−6.

166. Reidl S, Lehmann A, Schiller R, Salam Khan A, Dobrindt U. Impact of O−glycosylation on the molecular and cellular adhesion properties of the Escherichia coli autotransporter protein Ag43. Int J Med Microbiol 2009;299(6):389−401.

167. Riedasch G, Heck P, Rauterberg E, Ritz E. Does low urinary sIgA predispose to urinary tract infection? Kidney Int 1983;23(5):759−63.

168. Riedasch G. Influence of OM−8930 on secretory IgA in urine of children with frequent urinary tract infections. Experimental Report & Rappaport Biometrix;1985.

169. Rippere−Lampe KE, O'Brien AD, Conran R, Lockman HA. Mutation of the gene encoding cytotoxic necrotizing factor type 1 (cnf(1)) attenuates the virulence of uropathogenic Escherichia coli. Infect Immun 2001;69(6):3954−64.

170. Roesch PL, Redford P, Batchelet S, Moritz RL, Pellett S, Haugen BJ, et al. Uropathogenic Escherichia coli use d-serine deaminase to modulate infection of the murine urinary tract. Mol Microbiol 2003;49(1):55–67.

171. Römling U. Characterization of the rdar morphotype, a multicellular behaviour in Enterobacteriaceae. Cell Mol Life Sci 2005;62(11):1234–46.

172. Ronald A. The etiology of urinary tract infection: traditional and emerging pathogens. Dis Mon 2003;49(2):71–82.

173. Rosen DA, Pinkner JS, Jones JM, Walker JN, Clegg S, Hultgren SJ. Utilization of an intracellular bacterial community pathway in Klebsiella pneumoniae urinary tract infection and the effects of FimK on type 1 pilus expression. Infect Immun 2008;76(7):3337–45.

174. Rosen DA, Pinkner JS, Walker JN, Elam JS, Jones JM, Hultgren SJ. Molecular variations in Klebsiella pneumoniae and Escherichia coli FimH affect function and pathogenesis in the urinary tract. Infect Immun 2008;76(7):3346–56.

175. Saban MR, Hellmich HL, Simpson C, Davis CA, Lang ML, Ihnat MA, et al. Repeated BCG treatment of mouse bladder selectivity stimulates small GTPases and HLA antigens and inhibits single-spanning uroplakins. BMC Canceer 2007;7: 204.

176. Salmond, G. P., B. W. Bycroft, G. S. Stewart, and P. Williams. 1995. The bacterial 'enigma': cracking the code of cell-cell communication. Mol. Microbiol. 16: 615–624.

177. Säemann MD, Weichhart T, Hörl WH, Zlabinger GJ. Tamm-Horsfall protein: a multilayered defence molecule against urinary tract infection. Eur J Clin Invest 2005;35(4):227–35.

178. Scavone P, Miyoshi A, Rial A, Chabalgoity A, Langella P, Azevedo V, et al. Intranasal immunization with recombinant Latobacillus lactis displaying either anchored or secreted forms of Proteus mirabilis MrpA fimbrialprotein confers specific immune response and induces a significant reduction of kidney bacterial colonization in mice. Microbes Infect 2007;9(7):821–8.

179. Schembri MA, Klemm P. Coordinate gene regulation by fimbriae-induced signal transduction. EMBO J 2001;20(12): 3074–81.

180. Scherberich JE, Hartinger A. Impact of Toll-like receptor signalling on urinary tract infection. Int J Antimicrob Agents 2008;31(1 Suppl):S9–14.

181. Schilling JD, Lorenz RG, Hultgren SJ. Effect of trimethoprim-sulfamethoxazole on recurrent bacteriuria and bacterial persistence in mice infected with uropathogenic Escherichia coli. Infect Immun 2002;70(12):7042–9.

182. Schilling JD, Mulvey MA, Vincent CD, Lorenz RG, Hultgren SJ. Bacterial invasion augments epithelial cytokine responses to Escherichia coli through a lipopolysaccharide-dependent mechanism. J Immunol 2001;166(2):1148–55.

183. Schmidhammer S, Ramoner R, Holtl L, Bartsch G, Thurnher M, Zelle-Riesser C, et al. An Escherichia coli-based oral vaccine against urinary tract infections potently activated human dendritic cells. Urology 2002;60(3):521–6.

184. Schmoll T, Hoschützky H, Morschhäuser J, Lottspeich F, Jann K, Hacker J. Analysis of genes coding for the sialic acid-binding adhesin and two other minor fimbrial subunits of the S-fimbrial adhesin determinant of Escherichia coli. Mol Microbiol 1989;3(12):1735–44.

185. Schwan WR. Flagella allow uropathogenic Escherichia coli ascension into murine kidneys. Int J Med Microbiol 2008; 298(5–6):441–7.

186. Sedberry-Ross S, Pohl HG. Urinary tract infections in children. Curr Urol Rep 2008;9(2): 165–71.

187. Servin AL. Pathogenesis of Afa/Dr diffusely adhering Escherichia coli. Clin Microbiol Rev 2005;18(2):264–92.

188. Shahin R, Engberg I, Hagberg L, Svanborg Eden C. Neutrophil recruitment and bacterial clearance cor-

related with LPS responsiveness in local gram−negative infection. J Immunol 1987;10(10):3475−80.

189. Shepard BD, Gilmore MS. Differential expression of virulence−related genes in Enterococcus faecalis in response to biological cues in serum and urine. Infect Immun 2002;70(8):4344−52.

190. Shigeta M, Komatsuzawa H, Sugai M, Suginaka H, Usui T. Effect of the growth rate of Pseudomonas aeruginosa biofilms on the susceptibility to antimicrobial agents. Chemotherapy 1997;43(2):137−41.

191. Skelton WP 4th, Taylor Z, Hsu J. A rare case of Raoultella planticola urinary tract infection in an immunocompromised patient with multiple myeloma. IDCases. 2017;8:9 - 11.

192. Song J, Bishop BL, Li G, Duncan MJ, Abraham SN. TLR4−initiated and cAMP−mediated abrogation of bacterial invasion of the bladder. Cell Host Microbe 2007;1(4):287−98.

193. Song J, Duncan MJ, Li G, Chan C, Grady R, Stapleton A, et al. A novel TLR4−mediated signaling pathway leading to IL−6 responses in human bladder epithelial cells. PLoS Pathog 2007;3(4):e60.

194. Soto GE, Hultgren SJ. Bacterial adhesins: common themes and variations in architecture and assembly. J Bacteriol 1999;181(4):1059−71.

195. Stenutz R, Weintraub A, Widmalm G. The structures of Escherichia coli O−polysaccharide antigens. FEMS Microbiol Rev 2006;30(3):382−403.

196. Stickler DJ, Williams T, Jarman C, Howe N, Winters C. The encrustation of urethral catheters. In: Wimpenny J, Handley P, Gilbert P, Lappin−Scott H, Editors. The life and death of biofilm. Cardiff: Bioline; 1995. p. 119−25.

197. Stromberg N, Nyholm PG, Pascher I, Normark S. Saccharide orientation at the cell surface affects glycolipid receptor function. Proc Natl Acad Sci U S A 1991;88(20):9340−4.

198. Suman E, Gopalkrishna Bhat K, Hegde BM. Bacterial adherence and immune response in recurrent urinary tract infection. Int J Gynaecol Obstet 2001;75(3):263−8.

199. Svanborg C, Bergsten G, Fischer H, Godaly G, Gustafsson M, Karpman D, et al. Uropathogenic Escherichia coli as a model of host−parasite interaction. Curr Opin Microbiol 2006;9(1):33−9.

200. Szabados F, Kleine B, Anders A, Kaase M, Sakinç T, Schmitz I, et al. Staphylococcus saprophyticus ATCC 15305 is internalized into human urinary bladder carcinoma cell line 5637. FEMS Microbiol Lett 2008;285(2):163−9.

201. Tarkkanen AM, Allen BL, Westerlund B, Holthöfer H, Kuusela P, Risteli L, et al. Type V collagen as the target for type−3 fimbriae, enterobacterial adherence organelles. Mol Microbiol 1990;4(8):1353−61.

202. Taylor CM, Roberts IS. Capsular polysaccharides and their role in virulence. Contrib Microbiol 2005;12:55−66.

203. Terlizzi ME, Gribaudo G, Maffei ME. UroPathogenic Escherichia coli (UPEC) infections: virulence factors, bladder responses, antibiotic, and non−antibiotic antimicrobial strategies. Front Microbiol. 2017;8:1566

204. Thumbikat P, Berry RE, Zhou G, Billips BK, Yaggie RE, Zaichuk T, et al. Bacteria−induced uroplakin signaling mediates bladder response to infection. PLoS Pathog 2009;5(5):e1000415.

205. TranVan Nhieu G, Clair C, Grompone G, Sansonetti P. Calcium signalling during cell interactions with bacterial pathogens. Biol Cell 2004;96(1):93−101.

206. Tripping PG. Toll−like receptors: the interface between innate and adaptive immunity. J Am Soc Nephrol 2006;17(7):1769 −71.

207. Tsukamoto T, Matsukawa M, Sano M, Takahashi S, Hotta H, Itoh N, et al. Biofilm in complicated urinary tract infection. Int J Antimicrob Agents 1999;11(3−4):233−6;discussion 237−9.

208. Ulett GC, Valle J, Beloin C, Sherlock O, Ghigo JM, Schembri MA. Functional analysis of antigen 43 in uropathogenic Escherichia coli reveals a role in long−term persistence in the urinary tract. Infect Immun 2007;75(7):3233−44.

209. van Loosdrecht MC, Lyklema J, Norde W, Schraa G, Zehnder AJ. Electrophoretic mobility and hydrophobicity as a measured to predict the initial steps of bacterial adhesion. Appl Environ Microbiol 1987;53(8):1898−901.

210. van Loosdrecht MC, Lyklema J, Norde W, Schraa G, Zehnder AJ. The role of bacterial cell wall hydropho-bicity in adhesion. Appl Environ Microbiol 1987;53(8):1893-7.

211. Walker KE, Moghaddame-Jafari S, Lockatell CV, Johnson D, Belas R. ZapA, the IgA-degrading metal-loprotease of Proteus mirabilis, is a virulence factor expressed specifically in swarmer cells. Mol Microbiol 1999;32(4):825-36.

212. Wang X, Preston JF 3rd, Romeo T. The pgaABCD locus of Escherichia coli promotes the synthesis of a polysaccharide adhesin required for biofilm formation. J Bacteriol 2004; 186(9):2724-34.

213. Warren J, Bakke A, Desgranchamps F, Johnson JR, Kumon H, Shah J, et al. Catheter-Associated Bac-teriuria and the Role of Biomaterial in Prevention. Nosocomial and Health Care Associated Infections In Urology 2000;153-177.

214. Warren JW. Catheter-associated urinary tract infections. Int J Antimicrob Agents 2001;17(4):299-303.

215. Weissman Z, Kornitzer D. A family of Candida cell surface haem-binding proteins involved in haemin and haemoglobin-iron utilization. Mol Microbiol 2004;53(4): 1209-20.

216. Welch RA, Burland V, Plunkett G 3rd, Redford P, Roesch P, Rasko D, et al. Extensive mosaic structure revealed by the complete genome sequence of uropathogenic Escherichia coli. Proc Natl Acad Sci U S A 2002;99(26):17020-4.

217. Wiles TJ, Dhakal BK, Eto DS, Mulvey MA. Inactivation of host Akt/protein kinase B signaling by bacterial pore-forming toxins. Mol Biol Cell 2008;19(4):1427-38.

218. Wizemann TM, Adamou JE, Langermann S. Adhesins as targets for vaccine development. Emerg Infect Dis 1999;5(3):395-403.

219. Wolfe AJ, Toh E, Shibata N, et al. Evidence of uncultivated bacteria in the adult female bladder. J Clin Microbiol. 2012;50:1376-1383.

220. Wright KJ, Hultgren SJ. Sticky fibers and uropathogenesis: bacterial adhesins in the urinary tract. Future Microbiol 2006;1(1):75-87.

221. Wright KJ, Seed PC, Hultgren SJ. Development of intracellular bacterial communities of uropathogenic Escherichia coli depends on type 1 pili. Cell Microbiol 2007;9(9):2230-41.

222. Wullt B, Bergsten G, Connell H, Rollano P, Gebratsedik N, Hang L, et al. P-fimbriae trigger mucosal responses to Escherichia coli in the human urinary tract. Cell Microbiol 2001;3(4):255-64.

223. Wullt B, Bergsten G, Connell H, Rollano P, Gebretsadik N, Hull R, et al. P fimbriae enhance the early establishment of escherichia coli in the human urinary tract. Mol Microbiol 2000;38(3):456-64.

224. Wullt B, Connell H, Rollano P, Mansson W, Colleen S, Svanborg C. Urodynamic factors influence the du-ration of Escherichia coli bacteriuria in deliberately colonized cases. J Urol 1998;159(6):2057-62.

225. Wu XR, Sun TT, Medina JJ. In vitro binding of type 1-fimbriated Escherichia coli to uroplakins Ia and Ib: relation to urinary tract infections. Proc Natl Acad Sci U S A 1996; 93(18):9630-5.

226. Yen YT, Kostakioti M, Henderson IR, Stathopoulos C. Common themes and variations in serine protease auto-transporters. Trends Microbiol 2008;16(8):370-9.

227. Zarember KA, Godowski PJ. Tissue expression of human Toll-like receptors and differential regulation of Toll-like receptor mRNAs in leukocytes in response to microbes, their products, and cytokines. J Immunol 2002;168(2):554-61.

228. Zhou G, Mo WJ, Sebbel P, Min G, Neubert TA, Glockshuber R, et al. Uroplakin Ia is the urothelial receptor for uropathogenic Escherichia coli: evidence from in vitro FimH binding. J Cell Sci 2001;114(22):4095-103.

요로감염의 원인, 항균제 내성, 항균제 요법과 정책

정홍, 양희조, 전병조, 김준석, 강태욱

Ⅰ 개요

진화론적으로 균은 인간보다 먼저 존재했으며, 이후 나타난 동물, 식물, 인간과 서로 영향을 주고받음으로써 생존해왔다. 지난 200여 년 동안 인간은 놀랄 만한 지적 활동으로 과학, 경제, 사회, 철학, 의학 분야의 눈부신 발전을 이루었다. 그 결과 인간은 1900년대 중반에 개발된 항균제의 도움으로 효과적으로 균을 다룰 수 있게 되었고, 일시적이지만 균과의 싸움에서 우위를 점하기도 했다. 따라서 인간은 과거와 다르게 수명이 수십 년 연장되어 자신의 삶의 자취를 더 오랫동안 남길 수 있게 되었지만, 이로 인해 과거에는 잘 발견되지 않았던 치매나 암, 전립선비대증 등의 노인성 질환과 함께 증가하는 요로감염은 사회적으로 큰 부담이 되고 있다.

과거에는 단순(비복합) 요로감염이 주된 화두였다면 최근에는 노령이나 기저 질환과 동반된 복합 요로감염이 주된 화두가 되고 있다. 인간의 지속적인 항균제 오남용으로 인해 균들은 꾸준히 선택적 압박을 받았고, 일부는 혹독한 환경에서 살아남아 다양한 항균제 내성을 지닌 세균으로 재탄생하게 되었다. 새로운 내성을 극복할 수 있는 다양한 항균제도 개발되었으나, 세균은 자신의 동종에서 혹은 다른 공생 생물체로부터 새로운 약제내성 기전을 획득하여 새로이 개발된 항균제를 무력화시키고 있다. 항균제 내성은 전 세계적인 문제이며 특히 인도나 중국 및 아시아에서 문제가 두드러지고 있는 실정이다. 이에 단순 요로감염과 복합 요로감염은 그 원인균과 질병의 예후 및 치료도 달라 각각의 병인을 이해하는 것이 중요하다. 세균은 크게 그람음성균과 그람양성균으로 분류된다. 병원성 그람음성균은 대장균*Escherichia* *coli*, 녹농균*Pseudomonas aeruginosa* 등이 대표적인 균주로, 요로감염, 이질 등을 유발한다. 그람양성균은 황색포도구균*Staphylococcus aureus*이 대표적인 균주로 패혈증, 창상 감염, 심내막염 등을 유발한다. 현재 돌연변이로 인한 메티실린 내성 황색포도구균*methicillin resistant Staphylococcus aureus*, MRSA 감염이 수술 후 창상에서 큰 문제가 되고 있으며, 광범위 베타락탐계 항생제 분해효소(extended spectrum beta lactamase, ESBL)를 분비하는 그람음성 균주의 감염은 요로감염에 쓰이고 있는 3세대 세팔로스포린계*cephalosporin* 항균제를 무력화시키고 있는 실정이다. 게다가, 최근에 발견되는 슈퍼박테리아 혹은 슈퍼버그(superbug)로 불리는 균들은 ESBL 생성균의 감염을 극복하기 위해 개발된 약제인 카바페넴*carbapenem* 또한 무력화시키고 있다.

항균제 내성을 극복하기 위해서는 원칙 있는 항균제 사용이 매우 중요하다. 중요한 원칙은 진단을 정확히 한 후, 짧은 시간 안에 적절한 항균제를 사용하여 감염을 완치하는 것이다. 이러한 관점에서 본다면 경험적 항균제 치료는 항균제 남용의 원인 중 하나가 될 수 있다. 따라서 과거에 비뇨기과 의사들이 선호하였던 만성 억제요법의 개념 또한 변해야 할 것이다.

최근에는 대형 제약회사들의 새로운 항균제 개발 성과가 예전 같지 않으며, 이는 기존 항균제 사용에 따른 내성과 관련이 있을 것이다. 또한 개발된 약물들도 많은 독성으로 인해 사용이 제한되고 있다. 인간이 지속적이고 오랫동안 지내온 삶의 터전인 지구에서 앞으로도 삶의 자취를 유지하려면 올바른 항균제 사용법이 중요하다.

II 단순 요로감염의 원인과 항균제 내성

1. 서론

성인의 단순 요로감염은 비뇨기계 구조적 이상이나 기저 질환이 없는 환자에게서 발생한 요로감염으로 정의하며, 감염 부위에 따라 급성 방광염(하부요로감염), 급성 신우신염(상부요로감염)으로 분류된다. 이러한 요로감염은 여성에서 대부분 발생하는데, 급성 단순 요로감염은 약 60%의 여성이 평생에 걸쳐 최소 한 번은 겪게 되는 다빈도 질환이며, 약 5%에서 재발을 경험하고, 특히 1년 이내 재발되는 경우가 약 44%에 이른다. 이 글에서는 2018년 요로감염 진료지침제정위원회의 권고안을 바탕으로 단순 요로감염의 원인과 항균제 내성에 대해 알아보고자 한다.

표 2-1 국내 단순 방광염 환자에서 분리된 대장균의 항생제 감수성 결과(2013~2015)

항생제Antimicrobials	감수성Susceptibility of *E. coli*
암피실린ampicillin	30.4%
아목시실린/클라불란산amoxicillin/clavulanate	64.6%
피페라실린/타조박탐piperacillin/tazobactam	94.8%
시프로플록사신ciprofloxacin	73.6%
세파졸린cefazolin	72.1%
아미카신amikacin	99.5%
겐타마이신gentamicin	72.3%
트라이메토프림-설파메톡사졸 TMP-SMX	61.6%
얼타페넴ertapenem	99.8%
이미페넴imipenem	99.5%
세폭시틴cefoxitin	89.8%
세페핌cefepime	77.6%
세프타지딤ceftazidime	76.1%
세포탁심cefotaxim	75.8%

2. 발생 기전

단순 방광염은 항문-회음-요도 경로를 따라 상행성으로 발생한다. 남성은 전립선에서 분비되는 항균성 물질이 이러한 상행성감염을 방지하는 역할을 한다. 여성에서 급성 방광염이 잘 생기는 이유는 해부학적으로 요도가 짧고 장세균*Enterobacteriaceae*이 요도구에 인접한 회음 및 질 입구에 집락화(colonization) 하는 경향이 있으며, 성생활, 요도 자극, 임신 등이 원인이 되어 세균이 용이하게 상행성으로 방광에 침습할 수 있기 때문이다. 재감염이 자주 생기는 여성은 질 상피세포가 항문 주위에 있는 세균의 집락 형성을 잘 받아들이는 경향이 있고, 남성에서는 요로계 이상이 존재하는 경우가 많다. 폐경기 이후 여성에서는 특히 에스트로겐(estrogen) 결핍으로 인해 질 내 정상세균무리 대신 대장균의 집락 형성이 용이해지므로 재감염 발생이 증가하게 된다.

급성 신우신염은 혈행성으로 발생하는 경우는 대부분 만성질환을 가지고 있는 복합 신우신염이며, 단순 신우신염의 경우는 방광내의 세균이 요관을 통한 상행성감염으로 발생한다. 국내 보고에 따르면 급성 신우신염은 여성에 있어 15세 이후 25세까지 급격한 유병률 증가를 보이며, 25세 이후 80세까지는 안정상태를 유지한다. 남성에 있어서는 연령이 높을수록 증가하는 양상을 보이는데 남성의 경우 60대 이상이 38.1%, 여성의 경우 20~30대가 38.6%로 호발연령으로 보고된다. 단순 급성 신우신염의 경우 국내 다기관 연구에 따르면 평균 나이는 43세, 남녀비는 1:14.4로 여성에서 월등히 높은 유병률을 보이고 있다.

3. 단순 요로감염의 원인균주 및 내성

단순 방광염의 주요 원인균은 요로병원성 대장균(이하 대장균)으로 전체 원인균의 70~83%를 차지한다. 급성 신우신염에서 가장 빈번히 분리되는 원인균 또한 대장 (56~85%)이며, 그 외에 장구균*Enterococcus faecalis*, 폐렴막대균*Klebsiella pneumoniae*, 프로테우스 미라빌리스 *Proteus mirabilis* 등이 있다. 국내 단순 요로감염에서 가장 흔한 원인균도 대장균이며, 그 외에 폐렴간균, 프로테우스 미라빌리스, 장구균, 부생성포도구균*Staphylococcus saprophyticus* 등이 분리된다.

최근 단순 방광염에서 분리된 대장균을 대상으로 한 국내 항균제 감수성을 조사한 연구 결과는 표 2-1과 같다. 단순 방광염에 대해 경험적 항균제로 사용이 증가한 시프로플록사신*ciprofloxacin*은 내성이 증가하는 반면, 사용량이 감소한 트리메토프림–설파메톡사졸 (Trimethoprim/Sulfamethoxazole, TMP/SMX)은 내성률이 감소하는 양상이다(그림 2-1). TMP/SMX는 미국에서 단순 급성 방광염의 1차 치료 항균제로 권장하는데, 국내의 내성률은 여전히 30% 이상으로 높아 우리나라에서는 1차 치료약으로 권할 수 없는 수준이다.

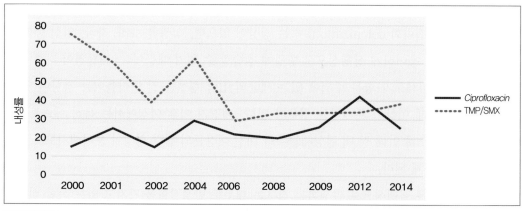

그림 2-1 단순 방광염에서 분리된 대장균의 시프로플록사신*ciprofloxacin*과 TMP/SMX에 대한 내성률 변화

유럽과 브라질에서 시행된 단순 방광염 원인균의 항균제 내성에 관한 역학 연구에서 대장균이 병원체의 76.7%로 가장 많았으며, 최근 미국 및 유럽 비뇨의학회에서 단순 방광염 환자의 1차 항균제로 권장하고 있는 포스포마이신*fosfomycin*의 대장균에 대한 감수성은 98.1%로 높았다. 또한 포스포마이신은 광범위 베타락탐계 항생제 분해효소(ESBL) 생성균이나 AmpC 분해효소AmpC beta-lactamase 생성균, 카바페넴 비감수성인 다제 내성 대장균대장균(*Carbapenem* Resistant Enterobacteriacea, CRE)에서도 높은 감수성을 보이며, 국내 연구에서도 시프로플록사신의 내성률이 22%, TMP/SMX 내성률이 29.2%인 대장균에서 포스포마이신과 니트로푸란토인*nitrofurantoin* 내성률은 0%로 높은 감수성을 보였다.

내성 양상은 지역에 따라 차이를 보여 2006년 단순 방광염에서 분리된 대장균의 시프로플록사신 내성률은 서울 24.6%, 경상도 40.0%, 경기도 14.7%, 충청도 및 전라도 32.1%로 확인되며, 유사한 시기 전라남도를 대상으로 한 연구에서는 24.6%의 내성률을 보였다. 올바른 경험적 항균제의 선택을 위해서는 시기별, 지역별 내성률 자료를 바탕으로 이루어져야 하며, 우리나라 요로감염 환자의 항균제 내성률은 전반적으로 높은 편이다. 일반적으로 흔히 쓰이고 있는 항균제에도 많은 내성이 보고되므로 주기적인 전국 규모의 항생제 내성 조사가 반드시 필요하다.

4. 항생제의 반응 및 치료 기간

단순 요로감염 치료에서 경구용 항균제가 경정맥 항균제보다 효과가 적다는 근거는 없다. 경구용 항균제와 경정맥 항균제를 비교한 무작위 대조 연구들에서도 치료 효과나 안정성에서 큰 차이가 없었다.

2020년 유럽비뇨의학회 요로감염 지침은 단순 방광염에서 포스포마이신, 니트로푸란토인, 피브메실리남*pivmecillinam*을 1차 약제로 권고하고 있으며, 대체 약제로는 세팔로스포린*cephalosporin* 계열 또는 TMP-SMX를 권장하고 있다. 더 이상 단순 방광염의 치료 약제로 플로오로퀴놀론*fluoroquinolone*을 권고하지 않으며, 국내의 경우, 불가피하게도 대장균의 TMP-SMX에 대한 높은 내성률과, 포스포마이신 외에 니트로푸란토인, 피브메실리남 의 국내 도입 및 약제 공급이 원활하지 않아 실제 진료현장에서 플로오로퀴놀론을 1차 항생제로 사용하는 실정이다. 단순 방광염 치료에서 포스포마이신과 다른 항생제의 효과를 비교한 메타분석을 살펴보면, 포스포마이신은 플루오로퀴놀론, TMP/SMX, 베타락탐 항생제, 니트로푸란토인 등과 유사한 효과를 보였으며, 더 적은 부작용을 보고하고 있다. 그러므로 국내 단순 방광염환자들에게 포스포마이신을 1차 경험적 항균제로 사용하는 것이 적절하다. 또한 최근에는 니트로푸란토인이 국내 도입이 되었으며, 국내 대장균의 니트로푸란토인에 대한 내성률은 0.6%로 매우 낮아 1차 약제로 사용할 수 있다.

포스포마이신은 단회 fosfomycin trometamol (3 g) 사용을 권고하고 있으며 3~7일 투여한 군과 임상적인 치료 효과에서 차이가 없었다. 니트로푸란토인을 5일 또는 7일 동안 투여했을 때 TMP-SMX, 시프로플록사신, 아목시실린과 임상적 효과는 동등했으나, 단 3일만 투여할 경우, 니트로푸란토인의 임상 효능은 감소했다. 단순 방광염 여성 환자 338명을 대상으로 한 무작위 대조연구에서 니트로푸란토인 투여군 nitrofurantoin monohydrate/macrocrystals (100 mg 하루 2회, 5일)은 TMP-SMX투여군(하루 2회, 3일)과 비교하여 임상적 치료율에 유의한 차이가 없었다

단순 급성방광염에 대한 치료 효과에서 세픽심 cefixime 3일 요법은 오플록사신 ofloxacin 3일 요법과 큰 차이를 보이지 않았다. 단순 급성방광염 환자 99례를 대상으로 한 무작위 대조연구에서 세픽심 투여군(400 mg, 하루 1회, 3일)과 오플록사신 투여군(200 mg, 하루 2회, 3일)은 7일과 28일의 임상적 치료율(89% 대 92%, 81% 대 84%, P=0.9), 7일과 28일의 미생물학적 치료율(83% 대 86%, 77% 대 80%, P=0.9)에서 통계적으로 유의한 차이가 없었다. 세프카펜 cefcapene pivoxil에 대한 감수성은 88.9%였으며, 100 mg 하루 3회씩 총 5일간 투여 시 증상 개선과 세균학적 치료 모두에서 유효한 결과를 보고했다.

아목시실린/클라불란산 amoxicillin/clavulanate 3일 요법은 플루오로퀴놀론만큼 효과적이지는 않다. 급성 단순 방광염 환자 322명을 대상으로 한 무작위 대조연구에서 아목시실린/클라불란산 투여군(500/125 mg, 하루 2회, 3일)은 시프로플록사신 투여군(250 mg, 하루 2회, 3일)에 비해 임상적 치료율(58% 대 77%, p<0.001)과 미생물학적 치료율(76% 대 95%, P<0.001) 모두 낮게 조사되었으며, 감수성이 있는 원인균이 분리된 환자들 만을 비교했을 때도 임상적 치료율(60% 대 77%, P=0.004)이 낮았다. 국내에서 분리된 대장균의 아목시실린/클라불란산에 대한 내성률은 20-35%로 보고되어 1차 경험적 항생제로 권고하기 어려운 실정이다. 다만 소변 배양검사 결과에서 감수성이 확인되면 사용할 수 있다.

단순 급성 신우신염에서 시프로플록사신은 TMP-SMX보다 세균학적 및 임상적으로 치료 효과가 더 좋다. 급성신우신염 환자 255명을 대상으로 한 무작위 대조연구에서 시프로플록사신 투여군(500 mg, 하루 2회, 7일)은 TMP-SMX 투여군(160/800 mg, 하루 2회, 14일)보다 임상적 치료율(96% 대 83%, P=0.002)과 미생물학적 치료율(99% 대 89%, P=0.004)이 더

높았다. 시프로플록사신과 TMP-SMX에 대한 국내 대장균의 감수성은 점차 감소하여 최근 보고에 따르면 각각 78.7%와 72.2%로 미국의 82.9%와 75.8%에 비해 낮게 보고되고 있다.

단순 방광염에 대한 항균제 투여 기간의 경우 3일 요법이 5~10일 요법과 임상적인 치료 효과에서 차이가 없었다. 그러나 세균학적 치료 효과에서는 5~10일 요법이 우월하였다. 65세 이상의 단순 방광염 환자 183례를 대상으로 한 무작위 대조연구에서 3일 치료군(시프로플록사신 250 mg, 하루 2회, 3일)과 7일 치료군(시프로플록사신 250 mg, 하루 2회, 7일) 간에 미생물학적 치료율(98% 대 93%, P=0.16)에서 의미 있는 차이는 없었으나, 항균제에 대한 부작용은 3일 치료군에서 더 낮았다. 단순 방광염에 대해 세프카펜 3일 치료와 7일 치료를 비교했을 때 임상적, 세균학적 치료 면에서 차이가 없었다. 항생제 종류와 무관하게 5일 이하 치료와 5일 초과 치료에 따른 재발여부를 분석했을 때에도, 5일 초과 치료가 재발률을 낮추는 효과는 없었다. 상부요로감염이 의심되는 경우에는 환자를 재평가하여 항생제 사용 기간을 결정한다.

5. 결론

단순 급성 방광염은 여성에서 많은 빈도로 관찰되고 있으며, 병원균배양검사 및 약제 내성 검사 없이 경험적 항생제요법만으로 비교적 수월하게 치료되고 있다. 그러나 최근 우리나라에서 급증하고 있는 플루오로퀴놀론의 항균제 내성을 고려하여 포스포마이신을 1차 경험적 항균제로 사용하는 것이 적절하며, 최근에는 니트로푸란토인의 국내 도입으로 1차 약제로 사용할 수 있다. 또한 변화하는 경험적 항생제 치료를 위해 지속적이고 일관성 있는 전국 규모의 항생제 내성 연구가 필요하다.

III 복합 요로감염의 원인과 항균제 내성

1. 서론

2020년 유럽비뇨기과학회의 요로감염 지침은 복합 요로감염을 "요로계에 구조적 혹은 기능적인 이상이 있거나 숙주의 방어 기전을 저해하는 기지 질환이 있으며 이와 동반된 감염이 있는 상태"로 정의하였다. 복합 요로감염의 원인 인자로는 폴리카테터 유치, 요로계 폐쇄, 남성, 연령, 당뇨, 신부전, 면역저하, 요로결석, 수술, 배뇨장애, 비뇨기계 기형, 임신 및 병원 내 감염이 있으며, 다제 내성균주에 의한 감염 또한 고려하여야 한다(표 2-2).

표 2-2 **복합 요로감염의 요인**

질병에 의한 요로계의 폐쇄(방광출구 폐쇄, 신경성방광, 요로결석, 종양 등)

남성에서의 요로감염

이물(foreign body)

임신

불완전 배뇨

조절되지 않는 당뇨

방광요관역류, 기타 요로계의 기능적 장애

면역저하

최근 방광 내 폴리카테터(Foley catheter) 유치, 신장 및 요관의 스텐트 유치, 간헐적 자가 카테터삽입

병원 내 감염

Extended spectrum β-lactamase 생성균의 동정

다제 내성균의 동정

복합 요로감염은 지속적인 감염의 원인이 되거나 혹은 치료에 반응하지 않아 단순 처치 시 치료의 실패율이 높으며, 주의 깊은 관찰이나 추가적인 비뇨기과적 치료를 요하는 경우가 많다. 이러한 복합 요로감염은 단순 요로감염에 비하여 동반된 사망률이나 비용이 높고 세균배양검사 결과에 따라 장기간의 항균제 치료가 필요한 경우를 의미하며, 수술이나 내시경 또는 다른 방법의 중재적 치료가 필요한 경우가 많아 세심한 관리가 필요하다.

복합 요로감염의 경우 고열, 배뇨통, 요절박, 빈뇨, 측복통 및 하복부 동통 등의 임상양상과 관련이 있지만 일부 임상 상황에서는 증상이 비정형적일 수 있다. 하부요로 증상을 동반하는 요로감염의 경우 전립선비대증이나 다른 요인의 비뇨기계 질환이 동반되었을 가능성을 나타내기도 한다. 복합 요로감염은 단순 요로감염에 비하여 원인균이 다양하며, 항균제 내성을 가진 균에 감염되는 경우가 더 많다. 균의 종류는 기저 질환의 유무, 환자의 상태에 따라 다양

하나, 대장균을 포함한 장내세균이 가장 흔한 원인이며, 프로테우스균*Proteus* spp., 클레브시엘라*Klebsiella* spp., 녹농균*Pseudomonas* spp., 세라티아*Serratia* spp. 및 장구균 *Enterococcus* spp.도 배양검사에서 확인되는 원인균이다. 초회 감염인 경우 대장균을 포함한 장내세균이 가장 흔한 원인(60~75%)이나 요로감염균의 스펙트럼은 시간이 지남에 따라 또는 병원마다 다를 수 있다.

복합 요로감염 치료는 환자의 임상적 상태, 감염의 중등도에 따라 결정된다. 이 과정에서 요로계의 구조적 이상 유무와 기저 질환에 대한 판단, 대증적 치료 및 항균제가 필요하며 입원치료가 권장된다. 복합 요로감염의 원인은 단순 요로감염과 같이 대부분 상행 감염이다. 반면 균이 어디서 감염되었든 간에 혈행으로 신장까지 이동한 속립(miliary) 감염을 나타내는 환자들도 있다. 특히 신장은 혈액 공급이 활발하기 때문에 합병증의 대상이 되는 경우가 흔하다. 이러한 형태의 감염에서 결핵균이 가장 흔하지만 그 외에도 박테리아, 곰팡이, 비특이적 미생물 등이 원인이 될 수 있다. 복합 요로감염의 경우 초기 감염의 주요 원인인 대장균이 흔하게 관찰되나 항균제에 다양한 내성을 가진 어떤 균이든 원인이 될 수 있으며 대부분 단독 미생물에 의한 감염이다. 그러나 장기간 폴리카테터를 유치한 환자들은 다양한 균에 감염되는 경우가 많다. 균배양에서도 다양한 종류가 나타나는 경우가 있어 어떤 균이 실제적으로 감염을 일으키는지 알아내기 힘들다. 이들을 치료할 때는 가장 광범위한 약제를 사용하거나 여러 약제를 복합적으로 사용하는 방법이 권장된다. 복합 요로감염 치료 시 항균제 치료 외에도 결석 제거 혹은 폴리카테터 제거와 같이 원인이 되는 요인을 제거할 수 있는 경우가 있으나, 신경성방광이나 영구적 폴리카테터유치 환자처럼 원인을 제거하지 못하기도 한다.

2. 원인과 항균제 내성

1) 요로 카테터 유치

두덩위방광창냄(suprapubic cystostomy), 신루 설치(nephrostomy), 요도 카테터, 요관 카테터 또는 다른 여러 요로 카테터가 삽입된 경우 복합 요로감염의 위험군에 속한다. 카테터 삽입 기간은 가장 중요한 위험 요인으로 단기간인 7일 이내로 관을 유치했을 때는 10~30%의 요로감염 위험성이 있다. 4주 이상 카테터를 유치하는 경우 장기간으로 정의할 수 있으나, 장기간 유치 기간에 대한 의견은 아직까지 다양하다. 장기간 카테터를 유치하면 요로감염의 위험성이 상존하며, 과거에 다양한 종류의 항균제에 단계적으로 노출된 경우가 많아 내성균에 쉽게 감염되는 경향이 있다. 복합 요로감염의 원인균은 요로병원균인 경우가 많으나 정상 피부상재균이나 질내균인 경우도 종종 있다. 가장 흔한 원인균은 대장균이며, 그 외에도 녹농균, 폐렴간균, 프로테우스 미라빌리스, 표피포도구균 *Staphylococcus epidermidis*, 모르가넬라 *Morganella*, 아시네토박테르 *Acinetobacter*, 장구균 및 칸디다 *Candida* 등이 원인이 된다. 복합균 감염 발생은 단기간 유치 시 15%, 장기간 유치 시 95%까지 보고되고 있어 요로 카테터 삽입 기간을 줄이는 것이 예방의 핵심이다.

2) 요로폐쇄

배뇨기능이상 혹은 요관의 이상으로 인해 나타나는 요로폐쇄는 신장실질의 이상을 유발하게 되며 궁극적으로는 괴사 과정을 거쳐 신장기능장애를 일으킨다. 요로폐쇄와 동반된 감염은 요로폐쇄와 연관된 신장기능장애를 더욱 악화시키고 신장농양, 신장주위농양 혹은 패혈증으로 진행하기도 한다. 상부요로나 하부요로의 폐쇄를 동반한 요로감염의 경우는 요로폐쇄가 교정되더라도 감염 문제가 해결되었다고 판단해서는 안 된다. 요로폐쇄와 동반된 감염은 구조적인 문제와 함께 국소적 혹은 전신적인 면역 반응을 저해하여 세균뇨를 지속시킬 가능성이 있기 때문이다. 감염이 진행됨에 따라 폐쇄 정도가 심해지기도 하는데, 이는 감염된 균이 주변 환경을 변화시키고, 부종이 발생하여 연동 운동의 저해를 유발하여 나타난다. 또한 균에서 생성되는 생산물이 요로계 폐쇄를 유발할 수도 있다. 요로계 폐쇄는 신장의 기능을 저하시켜 소변 배설을 줄이고 결과적으로 항균제의 효과를 떨어뜨리게 된다. 폐쇄 상태가 지속되면 배농되지 않은 농양으로 진행되는데, 폐쇄 정도 및 위치와 큰 관련이 있다. 이때 대부분의 경우 응급 배농을 시행해야 한다.

3) 남성

남성, 특히 고령에서는 전립선비대증으로 인한 하부요로폐색이 생기기 쉬우므로 요로감염이 발생하면 복합 요로감염으로 판단해야 한다. 일반적으로 남성은 여성에 비해 요로감염이 발생하는 경우가 적으므로 감염이 발생하면 다른 기저 질환의 유무를 확인해야 한다. 남성의 요도는 여성보다 길기 때문에 균의 역행성 감염을 억제하며, 이와 함께 전립선 분비액의 항균 성분이 남성의 요로감염 유병률을 낮춘다. 그러므로 요도염을 제외하면 남성의 요로감염 발생은 폐색 혹은 기저 질환 동반과 함께 발생하는 경우가 많다고 할 수 있다. 전립선염 치료 시 상대적으로 긴 치료 기간이 필요하다는 점을 고려할 때 남성에서 발생하는 요로감염은 복합 요로감염으로 판단해야 할 것이다.

4) 연령

복합 요로감염 여부를 판단할 때는 연령을 반드시 고려해야 한다. 성인의 요로감염은 성생활 같은 행동환경 때문에 유발되나, 소아의 반복적 요로감염은 비뇨생식기 기형을 의미하는 징후가 될 수 있다. 방광요관역류, 신우요관이행부협착 또는 요관방광폐쇄, 요도 판막 등은 요로감염 유병률 및 그 중증도를 증가시킬 수 있는 원인이다. 포경수술을 한 남아에서 요로감염이 드물다는 것은 확실하지만, 요로감염을 피하기 위해 통상적으로 포경수술을 하는 것은 바람직하지 않다. 그러나 요로감염이 반복되거나 방광요관역류가 심한 경우 포경수술을 시행하면 요로감염 발생을 낮출 수 있으므로 예방적으로 시행할 수 있는 적응증이 된다.

5) 당뇨

당뇨 환자는 면역 장애 또는 부적절한 방광 배출을 포함하여 요로에 대한 당뇨의 여러 영향으로 인해 요로감염의 위험성이 높다. 소변 내 포도당의 농도가 높으면 병원성 미생물의 배양 배지로 작용할 수 있다. 여성의 무증상 방광염은 당뇨가 없는 군에서는 12%의 발생률을 보이나 당뇨가 있는 경우 25%의 높은 발생률이 나타난다. 당뇨 환자의 무증상 방광염은 특히 열을 동반한 요로감염의 과거력이 있었거나, 다른 동반 질환이 있으나 치료를 하지 않았을 때 급성신우신염으로 이환될 가능성이 매우 높다. 반면 당뇨 여성의 무증상 방광염을 추적 관찰한 결과 신장기능저하 및 신성 고혈압 발생의 가능성은 증가하지 않았다. 국내의 요로감염 임상진료 지침에서도 당뇨 환자에 대한 일률적인 무증상 세균뇨 치료는 권장하지 않고 있다. 소변 내의 당은 포식세포 작용과 세포 면역 작용을 저하시키며, 세균의 요로상피 내 부착을 증가시킨다. 당뇨는 요로감염에 대한 감수성을 높일 뿐만 아니라 이에 따른 요로감염의 합병증 발생률도 더 높일 수 있다. 요로감염의 유병률은 당뇨 환자의 혈당 조절과 유의한 연관이 있다. 신장주위농양은 요로폐쇄가 없는 환자들에서는 드물지만 당 조절이 되지 않는 환자에서 빈번히 나타나며 국소성 세균성 신장염이나 신장 내 농양이 발생하기도 한다. 또한 기종성신우신염은 신장실질의 중증 괴사성 감염으로 당뇨 환자, 특히 여성에게서 자주 발생한다. 기종성신우신염은 침범된 신장의 손실을 유발할 수도 있으며 40%가 넘는 치사율을 보인다. 또한 당뇨 환자에서 흔히 신장 혈류가 나빠져 생기는 신우신염 때문에 신장유두괴사가 나타나 2차적 상부요로폐쇄가 발생할 수도 있다. 이러한 상태에서는 즉각적인 역행성 혹은 선행성 배액이 요구되며, 신절제술은 무기능 신이나 육안적인 신실질 파괴가 동반된 경우에 제한적으로 고려된다.

6) 만성 신장질환 및 신부전

만성 신장질환 및 신부전이 있는 환자들은 신장의 혈류 감소, 요독증 발생으로 인해 요로감염의 고위험군에 속한다. 감소된 신장기능의 정도에 따라 소변량이 감소하는데, 이에 따라 숙주 방어기제가 약화되고 세균이 더 쉽게 요로계에 군집화한다. 소변의 농축력이 떨어지고 이에 따라 세균의 성장을 막을 수 있는 물질의 농축이 제한되며, 요독증 자체가 면역 시스템을 저하시키고 감염 치료를 어렵게 한다. 특히 신부전의 마지막 단계에서는 복합 요로감염의 이환율이 증가하고 신장에서 요도까지 항균제가 전달되는 것이 어렵기 때문에 적절한 항균제 사용에도 장기간 치료를 요하게 된다. 또한 만성 신장질환에 의한 면역력 감소는 요로감염으로 인한 이환율뿐만 아니라 사망률을 높이게 된다. 무뇨나 핍뇨는 방광염 발생 시 치료를 어렵게 하는 요인이 되며, 상황에 따라 수술을 포함한 중재적 시술을 필요로 하게 만든다. 혈액투석이나 복막투석을 하는 환자들은 다른 곳에서 발생한 감염의 2차적 감염에 의한 요로감염 유병률이 높다. 다낭신장(polycystic kidney)에서 발생하는 신우신염의 경우 감염된 낭이 재발하는 요로감염의 원인이 되기도 한다(그림 2-2). 이러한 경우 장기간의 항균제 사용이나 수술적 배농이 필요하다.

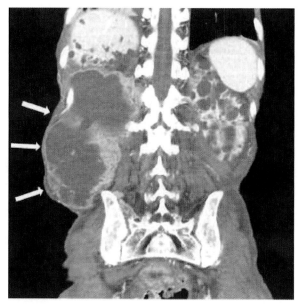

그림 2-2　**다낭성신장낭에서 발생한 신장농양**
절개 및 배농으로 1,100 mL의 농양이 배액되었다.

7) 면역저하

약물이나 다른 동반 질환에 의하여 면역저하가 발생하면 지속적인 세균뇨가 나타나게 되므로 요로감염이 발생하면 적극적인 치료가 필요하다. 신장이식 등과 같이 장기 이식을 받은 환자에서 면역억제를 위해 약물을 투여하면 세포매개면역반응과 국소면역반응이 감소되어 면역 억제가 유발되므로 요로감염이 흔히 나타난다. 세포매개면역에 특징적인 칼시뉴린억제제

*calcineurin inhibitor*인 시클로스포린*cyclosporine*, 타크로리무스*tacrolimus*, 무로모나브(mu-romonab-CD3) 등의 단클론성 항체들과 아자티오프린*azathioprine*, 마이코페놀산*mycophenolate mofetil* 등의 세포 주기 비특이적 약제들은 이식 및 다른 질환에서도 사용되고 있기 때문에 요로감염 치료 시 고려해야 한다. 사람면역결핍바이러스*human immunodeficiency virus*, HIV 감염은 혈전미세혈관병증*thrombotic microangiopathy* 및 면역매개 사구체신염(immune mediated glomerulonephritis)과 연관되어 급성 혹은 만성 신장질환과 밀접한 관련이 있다.

8) 요로결석

결석에 의한 요로폐쇄는 요로 정체를 유발하여 박테리아가 요로상피에 부착되어 증식하게 되므로 요로감염을 유발한다. 또한 결석은 요로상피를 손상시키게 되는데, 이 손상은 균이 군락을 형성할 수 있는 장소를 제공하기도 한다. 원인균은 일반적인 요로감염과 유사하다. 결석의 성분 중 인산마그네슘암모늄 또는 탄산염은 직접적인 감염원이 되거나 요 내의 미세환경을 변화시키는데, 이로 인하여 요소를 분해하는 미생물들이 새로운 결석 형성을 촉진하고 감염을 지속시킨다. 요로결석 중 감염성 요로결석(infectious urinary stone, struvite stone)이나 사슴뿔결석이 생기려면 프로테우스*Proteus*, 프로비덴치아*Providencia*, 모르가넬라*Morganella*, 코리네박테륨우레알리티쿰*Corynebacterium urealyticum*과 같은 요소분해효소-양성균 요로감염이 선행되어야 한다. 사슴뿔결석으로 진단된 환자의 88%는 초기부터 요로감염이 존재하며, 그중 82%는 요소 분해물을 생성하는 균이 동반되어 있다. 그 외에도 클레브시엘라, 슈도모나스*Pseudomonas*, 세라시아*Serratia*, 포도구균 등도 다양하게 요소분해효소를 생산한다. 요로폐쇄를 동반한 결석과 열성 요로감염이 동시에 나타나면 대개 응급상황으로 간주되는데, 이는 패혈증이 발생할 위험성이 높기 때문이다. 감염된 결석은 요로감염 치료 기간을 연장시키며, 결석 내에 미생물적 환경을 만들어 균들이 자리 잡게 되는데, 결석을 제거하지 않는 한 균을 제거하기가 매우 힘들거나 불가능한 경우도 있다. 그러므로 요로폐쇄를 유발한 결석을 제거하거나 이환된 신장에 대한 신루 설치나 요관스텐트 설치와 같은 외과적 개입을 포함한 신속한 진단과 치료가 필요하다.

9) 요로계 수술

요로폐쇄나 결석 혹은 다른 비뇨기계 원인 때문에 요로계 수술을 시행하면 요로감염의 발생이나 지속, 재발 가능성이 높아진다. 요로상피 손상은 요로감염의 발생 원인이 되기도 하며,

때에 따라서는 요로계 폐쇄를 유발할 수 있다. 수술적 치료 시 기저 질환이 완전히 교정되지 않으면 그 자체가 요로감염의 요인이 될 수 있다. 요로계 수술 시 녹는 실을 사용하더라도 봉합사가 요로계에 남아 있는 경우가 있다. 이때 봉합이 오래 지속되면 균의 군집화가 일어나며, 결석이 생성되기도 한다. 그러므로 지속적인 요로감염이 있는 환자의 요로계 혹은 생식기계 수술 병력은 현재의 치료나 장기적인 관리에 중요한 요인이다.

10) 요로계의 기능적, 해부학적 이상

복합 요로감염을 일으키는 요로계의 기능적, 해부학적 이상은 대부분 배뇨장애 또는 기능적, 해부학적 결함으로 인해 선천적으로 나타나거나 혹은 소아에서 발견된다. 방광요관역류, 신우요관이행부협착, 요도판막, 선천성 거대요관 등이 대표적인 원인으로써 복합 요로감염의 유병률 증가와 밀접하다. 이때 장기간의 항균제 치료나 기능적, 해부학적 결함을 해결하기 위한 수술적 치료가 필요하다. 발생 가능한 다른 구조적 이상으로는 다낭신장, 신동맥협착, 신정맥류 또는 혈전증, 신배게실(calyceal diverticulum), 해면신장(sponge kidney) 등이 있다. 이들 중 일부는 수술이나 약물 등으로 교정되거나 호전될 수 있으나, 정상적인 경우보다 복합 요로감염 발생 위험이 높으므로 주기적인 관리가 필요하다.

11) 임신

여성의 임신 중 발생하는 요로감염은 태아에 대한 위험성을 증가시키므로 적절한 치료가 필요하며, 임신 시 나타나는 해부학적, 내분비적 변화 때문에 항상 복합 요로감염으로 간주해야 한다. 임신 개월 수에 따른 자궁의 크기 변화에 따라 다르지만, 생리적 수신증 및 호르몬의 변화가 폐쇄성 요로병증과 연관될 수 있는 해부학적 변화를 유발하기도 한다. 자궁의 크기 증가와 난소정맥얼기에 의한 요관 압박, 순환 프로게스테론(progesterone)이 평활근 확장에 영향을 주어 요관 연동운동을 감소시키고 이에 따라 요관 확장이 유발된다고 생각된다. 배액이 필요한 경우는 흔하지 않지만 필요할 수 있다. 임신과 관련되어 나타나는 배뇨장애는 방광의 압력 증가와 밀접한데, 압력 증가에 따른 방광상피 파괴, 점액과 Tamm-Horsfall 단백 그리고 다른 물질들에 의한 방어층 손상은 국소적 방어기제를 감소시켜 요로감염 발생을 증가시키고 치료에 부정적인 영향을 미친다.

12) 배뇨장애

신경성방광을 포함한 배뇨장애는 복합 요로감염의 중요한 요인 중 하나이다. 신경성방광에서 발생하는 요로감염을 복합 요로감염으로 생각할 수 있는 요인 중 하나는 다량의 잔뇨가 빈번하다는 점이다. 척수손상, 근육이완증, 이분척추증(spondyloschisis), 꼬리뼈무형성증 및 다른 질환으로 인하여 방광을 완전히 비우지 못하게 되면 균의 성장에 도움을 주는 상태가 된다. 이러한 상태는 요도협착, 전립선비대증 등에 의한 해부학적 원인 및 방광의 기능적 이상에 의한 생리적 원인 때문에 나타날 수도 있다. 이에 따라 복합 요로감염 발생의 다른 요인인 배뇨 시 방광압 상승의 2차적 변화가 나타나기도 한다. 시간이 흐르면서 방광의 비후화 및 잔기둥형성(trabeculation), 방광게실(vesicular diverticulum) 발생이 나타나며, 압력 증가에 따라 방광요관역류가 유발되기도 한다. 이는 불완전한 배뇨를 더욱 악화시킨다. 이러한 변화에 따라 방광 내 혈류 감소가 유발되고, 숙주반응과 면역반응 손상도 발생한다.

3. 결론

복합 요로감염은 요로계에 구조적, 기능적 이상이 있거나 숙주의 방어기전을 저해하는 기저 질환이 있으며 이와 동반된 감염이 있는 상태를 가리킨다. 요로감염을 치료할 때는 유발 요인 및 동반된 질환도 적절히 치료해야 하는데, 약물 치료 외에 중재적 시술이 필요한 경우도 있다. 특히 요로폐쇄를 동반한 경우 패혈증이 발생할 위험성이 높으므로 초기에 적절한 처치가 필요하다.

IV 비뇨의학과 영역의 메티실린 내성 황색포도구균

1. 서론

황색포도구균*Staphylococcus aureus*은 주로 인간의 비강 내에 집락화(colonization)하는 상재균으로서 여러 감염을 일으키는 병원균으로 작용한다. 건강한 인간의 20~30%는 지속적인 황색포도구균 보균자이며, 30%는 간헐적인 보균자로 알려져 있다. 황색포도구균은 페니실린 분해효소*penicillinase*를 만들어 최초의 항균제인 페니실린에 내성을 보였으며, 그 대안으로 개발된 페니실린 유도체인 메티실린*methicillin*에 대해서도 불과 2년 만에 내성을 보여 1961년에 첫 메티실린 내성 황색포도구균(*methicillin-resistant Staphylococcus aureus*, MRSA)이 영국에서 보고되었다. 국내에서는 1960년대까지 MRSA 관련 보고가 없었으나, 1971년부터 1979년 사이에 혈액에서 분리된 황색포도구균 중 MRSA가 3%에서 9%로 나타났으며 1980년에는 25%로 급격히 상승했다.

MRSA는 황색포도구균이 생성하는 페니실린분해효소에 안정한 페니실린인 메티실린, 옥사실린oxacillin, 나프실린nafcillin, 클록사실린cloxacillin 등에 내성인 것을 말하는데, 메티실린이 검사 혹은 치료의 선택 약제가 아님에도 불구하고 'MRSA'라는 용어가 사용되고 있다. MRSA는 옥사실린에 대한 최소 억제 농도가 4 μg/mL 이상인 경우로 정의되는데, 모든 베타락탐β-lactam 항생물질에 내성이며 다른 항균제에 대한 내성을 동반하는 경우가 많다.

MRSA가 메티실린 감수성 황색포도구균보다 심각한 이유는 임상적으로 중증인 감염, 재원기간, 치료 비용, 사망률, 반코마이신vancomycin 사용량 등에서 더 높은 빈도를 보이며, 이어서 반코마이신 내성 장구균(vancomycin resistasnt Enterococcus, VRE) 같은 난치성 병원균을 초래하기 때문이다. 특히 우리나라는 MRSA가 매우 높은 비율로 분리되는 토착화 지역이다. 지난 10여 년간 우리나라에서 의료기관 획득 MRSA 빈도가 급격히 증가하여 대부분의 3차 병원에서 MRSA가 황색포도구균의 70%를 차지하고 있다. 2003년 이후에는 기존의 의료기관 획득 MRSA와 다른 지역사회 획득 MRSA에 의한 피부 및 연조직 감염이 보고되고 있다.

비뇨기과 영역에서도 MRSA에 의한 세균뇨가 증가하는 추세이며, 비뇨기과 수술 부위 감염에서도 MRSA가 차지하는 비율이 높다. 하지만 소변에서 MRSA가 분리되는 경우는 임상적으로 심각하지 않은 경우가 대부분이다. 아직까지 비뇨기과 영역의 MRSA에 대한 연구가 미진하여 향후 이 분야에 대한 활발한 연구가 요구된다.

2. 황색포도구균 중 MRSA의 비율

병원에 입원한 환자들은 약해진 면역체계와 잦은 폴리카테터 삽입, 그리고 주사 등으로 인해 황색포도구균에 감염되기 쉬운 상태가 된다. 1997년 30병상 이상 규모의 병원 690곳을 대상으로 조사한 대한병원감염관리학회의 보고에 의하면 병원감염의 가장 흔한 원인균은 황색포도구균(17.2%)이었으며, 이 중 MRSA가 78.8%로 가장 흔했다(14.4%). 감염 부위별로 황색포도구균은 수술 부위 감염(28.3%), 폐렴(23.5%), 세균혈증(15.5%)의 가장 흔한 원인 균이었다. Lee 등의 보고에 의하면 외래 환자에서 MRSA 비율은 46%로 낮았으나, 입원 환자의 경우 69%, 중환자실 입원 환자의 경우 86%로 높게 나타났다. 또한 2002~2006년까지 5년간 실시한 전국적 조사 결과 우리나라 대학병원이나 종합병원의 경우 MRSA의 비율은 평균적으로 65~73%인 것으로 나타났다.

3. 의료기관 획득 MRSA와 지역사회 획득 MRSA의 비교

지난 20~30년간 황색포도구균에 의한 세균혈증 유병률은 의료기관 및 지역사회에서 연구하는 모든 연령층에서 증가하였다. 전통적으로 MRSA는 이미 알려진 위험 인자가 있는 환자에서 발생하는 의료기관 획득 MRSA로 여겨져 왔다. 그런데 1990년대 후반부터는 지역에 따라 이미 알려진 MRSA 획득의 위험 인자가 없는 지역사회 획득 MRSA 감염에 대한 보고가 증가하고 있다. 지역사회 획득 MRSA 감염은 외래 환자에서 MRSA가 분리된 경우, 입원 후 48시간 이내에 분리된 MRSA, MRSA 감염 병력이 없는 경우, MRSA가 분리되고 1년 이내에 입원과 투석, 수술, 가정간호, 요양시설 등을 이용하지 않은 경우, MRSA가 검출될 때 몸 안에 의료기구가 없는 경우로 정의된다.

2003년 미국에서 보고된 대규모 연구에 의하면 1,100건의 MRSA 감염 사례 가운데 131례(12%)가 지역사회 획득 MRSA, 937례(85%)가 의료기관 획득 MRSA였다. 이들은 서로 다른 인구통계학적, 임상적 특징을 보였고, 균주도 서로 다른 미생물학적 특징을 보이는 것으로 나타났다. 그러나 이후에 발표된 여러 전·후향적 분석과 메타분석에 의해 지역사회 획득 MRSA의 상당 부분이 이미 알려진 MRSA의 위험 인자를 가지고 있었던 것으로 나타나, 아직까지 지역사회에서 발견되는 MRSA 균주의 대부분은 의료기관 획득 MRSA 균주에 의한 것임을 암시하였다. 따라서 의료기관 획득 MRSA와 다른 유전적 특징을 가진 지역사회 획득 MRSA에 대한 지속적인 감시와 연구가 필요한 실정이다.

우리나라에서는 지역사회 획득 MRSA 감염증에 대한 체계적 연구가 부족한 상황이다. Kim 등은 국내의 경우 지역사회에서 발생한 황색포도구균 감염의 20%가 MRSA에 의한 것으로 보고하였으며, 지역사회 획득 MRSA 빈도를 총 1,900명의 MRSA 환자 중 112명(5.9%)으로 보고했다. 이 환자들은 주로 피부 감염증 또는 연조직 감염증을 보였으며, 64%가 다제 내성을 가지고 있었다. 이 지역사회 획득 MRSA 균주들의 분자역학적 분석 결과 SCC*mec* (Staphylo-coccal chromosomal cassette *mec*)형 IVa가 가장 흔한 SCC*mec*형이었으며, 연쇄형은 ST72가 가장 많았다. 외국에서 분리된 지역사회 획득 MRSA와 다른 점은 국내의 균주에서는 팬톤발렌타인 류코시딘(Panton Valentine leucocidin, PVL) 유전자가 발견되지 않은 점이었다.

4. MRSA의 내성 기전

베타락탐*beta lactam* 항균제는 페니실린 결합 단백(penicillin Binding Protein, PBP)에 결합하여 페니실린 결합 단백의 트란스펩티데이스*transpeptidase* 및 트란스카르복실레이즈 *transcarboxylase* 기능을 불활성화 함으로써 세포벽이 합성되는 것을 방해하여 살균효과를 발휘한다. MRSA는 정상적인 페니실린 결합 단백 외에 *mecA* 유전자를 통해 베타락탐과의 친화도가 매우 낮은 새로운 페니실린 결합 단백, 즉 페니실린 결합 단백질 2a (penicillin binding protein 2a, PBP 2a)를 합성하는데, 베타락탐에 노출되면 정상적인 페니실린 결합 단백의 생산이 감소하고 페니실린 결합 단백질 2a 생산이 증가함으로써 모든 베타락탐계열 항균제에 대한 내성이 나타난다. MRSA는 또한 다른 계열의 항균제에 대한 내성 유전자를 자주 동반하는 대표적인 다약제 내성균이다. *mecA* 유전자에 의한 내성 기전 외의 나머지 기전들은 임상적으로 중요한 의의를 갖지 않는다. Kim 등의 보고에 의하면 MRSA 균주에서 겐타마이신*gentamicin*과 토브라마이신*tobramycin* 내성률은 각각 95.0%와 97.9%였으며, 에리트로마이신 *erythromycin*, 클린다마이신*clindamycin*, 오플록사신*ofloxacin*과 테트라사이클린 *tetracycline* 내성률은 각각 97.7%, 84.3%, 93.8%와 89.5%였다.

5. 발병 양상 및 위험 인자

MRSA 감염의 전파 속도는 신속하다. 의료기관 내에서 급성 유행이 자주 발생하는 곳은 신생아 또는 외과계 중환자실, 화상 치료실, 입원환자 병동, 수술실 등이며 이러한 신속한 환자 간 원내 감염은 주로 의료업무 종사자들의 손을 통한 전파로 발생한다.

MRSA 세균혈증은 화농성 전이 병소를 초래하며 급성 합병증으로 심내막염, 폐렴, 골수염, 수막염, 패혈성 쇼크, 호흡곤란증후군 등이 알려져 있다. 성인을 대상으로 한 MRSA 위험 인자는 복막 및 혈액투석, 면역결핍, 기저 질환, 긴 입원일수 등이며, 기저 질환은 당뇨병과 뇌혈관질환, 암, 간질환 등으로 알려져 있다. 신생아에서 MRSA를 포함한 황색포도구균 세균혈증의 위험 요인은 산모 요인으로 나이, 다태임신, 조기양막파열, 임신성 당뇨 및 고혈압 등이 있으며, 태아 요인으로 출생 체중, 재태주수, 인공호흡기 치료 여부와 기간, 정맥 영양과 중심정맥 도관 유무, 입원 기간 등이 알려져 있다.

그런데 의료기관 획득 MRSA와 지역사회 획득 MRSA의 임상적 발생 양상은 차이를 보인다. 의료기관 획득 MRSA가 주로 혈액과 기관지, 요로감염 같은 침습적 감염과 관련 있는 반면, 지역사회 획득 MRSA는 종기와 연조직염, 모낭염, 괴사성 근막염 등 피부 및 연조직 감염과

표 2-3 **지역사회 획득 MRSA와 의료기관 획득 MRSA의 차이점**

특성	지역사회 획득 MRSA	의료기관 획득 MRSA
역학(고위험군)	소아, 운동선수, 재소자, 군인, 특정 인종 집단, 정맥주사 마약중독자, 남성 동성애자	장기간 요양시설 입소자, 당뇨, 투석, 장기간 입원, 중환자실 입원, 의료기구 유치
임상 감염	피부 및 연조직 감염, 괴사성 폐렴	폐렴, 요로감염, 도관관련 또는 혈류감염, 수술 부위 감염
항균제감수성 클로람페니콜 클린다마이신 에리트로마이신 플루오로퀴놀론 TMP-SMX	대개 민감 대개 민감 대개 저항 다양함 대개 민감	빈번한 저항 빈번한 저항 대개 저항 대개 저항 대개 민감
SCC*mec*＊형	Ⅳ, Ⅴ	Ⅰ, Ⅱ, Ⅲ
독소 생산	더 많이 발견	드물게 발견
PLV† 유전자	빈번히 발견	드물게 발견

＊SCC*mec*: *Staphylococcal* chromosomal cassette mec.
†PVL: Panton-Valentine leukocidin.

관련이 있다(표 2-3). 지역사회 획득 MRSA에 의한 피부 및 연조직 감염은 경증의 표면 감염에서부터 심부 연조직 감염에 이르기까지 다양하며, 신속한 치료로 감염 확산을 막아야 한다.

6. 검출 방법

MRSA에 대한 시험 항균제로는 옥사실린oxacillin을 이용한다. 이는 옥사실린이 보관 시 가장 안전하며 비균질내성균주를 검출하는 성능이 제일 뛰어나기 때문이다. 대부분의 균주는 균질내성으로, 세균의 모든 세포가 베타락탐에 내성을 나타낸다. 그러나 어떤 MRSA 균주는 소수의 일부 세포만 내성을 보이는데, 이를 비균질내성이라고 한다. 최근에는 메티실린 내성을 검사할 때 옥사실린 대신 세폭시틴cefoxitin을 사용하기도 한다.

디스크확산법(disk dilffusion method)은 디스크를 사용하여 억제대 직경의 크기에 따라 MRSA 여부를 판단한다. 희석법은 디스크 확산법보다 정확한데, 이 방법은 배지의 염분 농도와 배양 온도가 중요하다. 이 외에 한천선별검사, 중합효소반응 등에 의한 *mecA* 유전자 검출, 페니실린 결합 단백질 2a 검출 등의 방법도 MRSA 검사에 쓰인다.

7. 요로감염의 MRSA

세균뇨의 가장 흔한 원인균은 대장균이나, MRSA 세균뇨가 증가하는 추세이다. 다변량 분석에서 대장균에 의한 세균뇨보다 MRSA 세균뇨와 관련 있는 인자들은 고령, 폴리카테터 사용, 입원, 동반 질병이 있는 경우 등이었다. 이와 같이 MRSA에 의한 요로감염 발생률이 증가하는 이유는 내시경 비뇨기과의 기술들이 발달함에 따라 환자들이 더욱 다양한 요로 카테터에 노출되기 때문인 것으로 알려져 있다. Thiruchelvam 등은 비뇨기과 영역에서 MRSA가 가장 흔히 집락하는 부위는 폴리카테터(32%)와 개방창(18%)이라고 보고했으며, Coll 등도 장기간 입원 환자에서 MRSA 세균뇨가 발생했고 폴리카테터 유치와 항균제 사용의 증가가 MRSA 세균뇨와 유의한 상관관계가 있었다고 보고했다. 또한, 전체 MRSA 세균혈증 가운데 17~30%는 감염된 카테터가 원인 병소라는 보고도 있다.

여러 연구에 의하면 비뇨기과 영역의 환자에서 분리된 MRSA 균주는 심각한 감염 증세를 나타내는 경우가 드물었으며, 특히 소변에서 분리된 경우는 심각한 감염을 나타내는 일이 더욱 드물었다. 그렇지만 일단 감염이 발생하면 치료가 어려운데, 그 이유 중 하나는 MRSA가 요로 계통에서 균막biofilm을 형성하기 때문인 것으로 알려졌다. MRSA는 균막 형성 능력을 통해 항균제에 저항한다. 균막 형성에는 베타용혈소β-lysin와 섬유결합소 결합 단백 A (fibronectin binding protein A, FnBP A)가 관여하며, 균막 형성 능력은 폴리카테터와 연관되지 않은 경우보다는 연관된 경우에 유의하게 높은 것으로 보고되었다.

Lim 등이 발표한 국내 연구에서 소변배양검사에서 동정된 균주 중 MRSA의 빈도는 5.1%였다. 이 환자들 중 62%가 폴리카테터를 유치한 상태였으며, 기저 질환으로는 척추신경 손상이나 뇌 손상 등의 신경병증이 가장 많았다. 특히 이들은 무증상인 경우가 대부분이었다. Lim 등은 이와 같이 증상이 없는 MRSA 세균뇨의 경우 단순히 경과 관찰만 시행하더라도 세균혈증이나 별다른 증상은 발생하지 않았다고 보고하고, 증상이 없는 MRSA 세균뇨 환자에서는 우선 경과 관찰만 할 것을 제안하였다. 또한 폴리카테터를 유치하거나 입원기간이 길어진 환자에서 MRSA 빈도가 높았기 때문에 카테터 유치 기간과 입원 기간을 단축하려는 노력이 MRSA 감염 예방에 도움이 될 수 있으리라고 제안하였다.

Muder 등은 장기 요양시설 환자들을 대상으로 한 연구에서 MRSA 세균뇨 가운데 1/3은 발견 당시 증상을 동반한 요로감염이었고 이들 중 1/3은 세균혈증을 동반했다고 보고하였다. 또한 지속적인 요로 집락화가 요로감염이나 세균혈증을 뒤따르게 하는 위험 인자이며, 발열과 패혈증이 있는 환자에서 황색포도구균 집락화의 과거력을 파악한다면 경험적 항균제를 선택하는 데 유용할 것이라고 보고하였다. Perez-Jorge 등도 황색포도구균 세균혈증이 있는 환자 중 23.7%에서 황색포도구균 세균뇨가 발견되었으며 세균뇨가 동반된 군에서 그렇지 않은 군 보다 합병증 발생률(p=0.004)이나 사망률(p=0.036)이 유의하게 높았다고 보고하면서, 세균 혈증이 있는 환자들에서 세균뇨를 검출하고 적절히 관리하는 적극적 노력이 필요하다고 제안 했다. 하지만 세균뇨가 단순한 세균집락이 아닌 증상을 발생시키는 요로감염의 원인으로서 어떤 역할을 하는지에 대해서는 더 많은 연구가 필요하다. 또한 세균혈증에 의해 2차적으로 세균뇨를 보이는 경우가 많으므로 세균뇨가 있는 경우 세균혈증을 일으킬 만한 다른 부위의 원발병소를 찾는 노력이 중요하다.

8. 수술 부위 감염에서 MRSA

1996년 시행된 국내 16개 병원의 병원감염 발생 조사 연구에서 수술 부위 감염은 병원감염 중 요로감염, 폐렴에 이어 세 번째로 흔히 발생하였으며, MRSA가 14.4%로 가장 흔한 원인균 이라고 보고되었다. 비뇨기과 수술에서도 예외는 아니다. 예를 들어 근치적 방광절제술 후 수술 부위 감염률은 33%였으며 MRSA가 38%로 가장 흔한 원인균이었는데, 이와 같이 주로 오염된 수술에서 높은 감염률이 나타났다.

Kim 등은 주요 비뇨기과 수술 후 MRSA에 의한 창상 감염과 연관성이 유의한 인자는 수술 시간과 폴리카테터 유치 기간이라고 하였으며, 유의하지는 않지만 배액관 유치 기간도 MRSA 감염과 연관 있다고 보고했다. Hamasuna 등은 비뇨기 계통 절개 수술 시 수술 부위 감염 환자의 55%에서 수술 전 요로감염이 나타났으며, MRSA 감염인자로 수술 전 요로감염이 가장 중요한 위험 인자라고 보고하였다. Matsukawa 등은 비뇨기 계통 절개 수술 시의 감염 예방을 위한 연구를 시행했는데, 서로 다른 항균제를 사용해도 MRSA 발생 빈도는 차이가 없었다. 이 연구들에서 수술 부위 감염의 원인균 중 MRSA의 빈도는 73~93%나 되었다.

미국 질병통제예방센터의 HICPAC (Hospital Infection Control Practices Advisory Committee)은 수술 후 창상 감염에 대한 일반적인 예방적 방법으로 수술 전의 입원 기간 단축, 현존하는 감염증 해결, 수술 전 준비과정의 피부 손상 최소화, 수술 부위 청정, 확실한 오염이 존재할 경우 전신 항균제 투여, 무균 조작, 철저한 지혈, 오염 창상인 경우 충분한 청정을 유지하고 염증이 소실된 지 3~4일 후 2차 봉합술을 시행할 것 등을 권고했다. 그러나 수술 전의 효과적인 예방적 항균제에 관한 연구가 여전히 필요한 상황이다. 다른 외과계 수술 후에 발생한 창상 파열과 MRSA 감염에 관한 연구들에 비해 비뇨기과 수술 후 발생하는 창상 감염에 관한 연구는 많지 않으므로 이 분야에 대한 지속적인 연구가 필요하다.

9. 기타 비뇨기과 영역의 MRSA 연구

Magera 등은 요로생식기의 인공 삽입물에 생긴 감염의 경우 전통적으로는 표피포도구균 *Staphylococcus epidermidis*이 주요 원인 균이었으나 점차 황색포도구균의 빈도가 높아져 인공 요도괄약근 감염에서 가장 흔한 균이 되었다고 보고하면서 인공 요도괄약근 감염 예방의 표적에 MRSA가 포함되어야 함을 강조했다. 소아비뇨기과 진료에서도 MRSA 감염이 증가하고 있어 이에 대한 인식이 필요하다. Alt 등의 보고에 의하면 소아 요로생식기의 표재성 감염에서 가장 흔한 감염균은 MRSA로, 수술적 방법으로 치료한 감염의 3/4을 차지할 정도였다. 이 감염은 서혜부와 외부생식기 주위에 호발하였고, 대개 한 번의 외과적 절제술로 해결되었다.

10. 치료와 예방

가장 효과적인 MRSA 관리 방법은 조기 발견과 적절한 격리, 그리고 치료이다. MRSA 감염의 치료제로 반코마이신이나 테이코플라닌*teicoplanin* 등의 글리코펩티드계*Glycopeptide* 항균제가 20년 이상 많이 쓰였으나, 최근 내성균주가 나타나고 심내막염이나 폐렴에서 치료 실패율이 높다고 보고되어 임상적 유용성이 의문시되고 있다. 새로운 약제로는 리네졸리드*linezolid*, 답토마이신*daptomycin*, 티게사이클린*tigecycline* 등이 있다. 리네졸리드는 옥사졸리디논(oxazolidinone) 계열 항생제로 50S 리보솜체(ribosome)에 작용하여 단백질 합성을 방해함으로써 MRSA에 대한 항균력을 가진다. 경구 생체 이용률이 매우 높아 경구로 투여할 수 있고 신기능에 따른 용량 조절이 필요 없다는 장점이 있다. 답토마이신은 cyclic lipopeptide 계열의 항생제로 MRSA를 포함한 다제 내성 그람양성균에 효과를 나타낸다. Glycopeptide 계열의 항생제와 비슷한 범위의 항균력을 가지면서, glycopeptide 계열에 감수성이 저하된 균에도 효과가 있다. MRSA 감염에서 반코마이신 치료 실패로 판단되는 경우 구제요법으로 우선 고려되는 항생제이다. 티게사이클린은 glycylcycline 계열의 항균제로 ESBL, MRSA, VRE 등 다제 내성균에 항균력이 있다고 알려져 있다. 연부조직 감염과 복강 내 감염의 치료제로 미국 식약청의 승인을 받았다. 연부조직 감염이나 복강 내 감염에서 MRSA와 다른 균에 의해 복합감염이 있을 때 티게사이클린을 사용해 볼 수 있다. 하지만 단독적인 약물 치료에 여러 제한점이 제기되고 있어서(표 2-4) 일관된 임상적인 연구 자료가 부족함에도 불구하고 병용요법이 점점 많이 시행되고 있는 실정이다.

표 2-4 MRSA 항균제의 작용 기전과 제한점

항균제	작용 기전	제한점
반코마이신	- 세포벽(펩티드글리칸) 합성 억제 - 살균작용(가변적임)	- MIC 증가, hVISA 발생 - 가변적인 조직 투과 - 고농도 또는 다른 식독성 약제와 병용 시 잠재적인 신독성
뎁토마이신	- 신속한 탈분극을 통한 세포막 전위의 파괴 - 살균작용	- 폐표면 활성제에 의한 비활성화, MRSA 폐렴의 치료에 효과적이지 않음 - 증가된 반코마이신 MIC와 hVISA의 동반 시 잠재적인 감수성 저하
리네졸리드	- 50S ribosomal subunit의 결합을 통한 단백 합성 억제 - 정균작용	- 장기간 사용 시 잠재적인 다발성 중증 부작용(골수억제, 젖산증, 말초 및 시신경 신경병증, 세로토닌 증후군)
TMP-SMX	- 세균의 엽산염 및 티미딘 합성에서 여러 단계를 억제 - 살균작용	- 배농되지 않은 감염 시 티미딘 scavenging으로 인해 효과적이지 못할 수 있음 - 세균혈증과 심내막염 사용에 관한 자료 부족함
클린다마이신	- 50S ribosomal subunit의 결합을 통한 단백 합성 억제 - 정균작용	- 성인의 침습성 감염 치료에 관하여 대체로 입증되지 않음 - 임상 분리주에서 D-testing을 시행하지 않으면 유발 내성을 간과할 수 있음 - 항균제 관련 설사와 클로스트리듐디피실레*Clostridium difficile* 대장염
테트라사이클린	- 30S ribosomal subunit의 결합을 통한 단백 합성 억제 - 정균작용	- 침습성 감염의 치료에 관하여 입증되지 않음
티게사이클린	- 30S ribosomal subunit의 결합을 통한 단백 합성 억제 - 정균작용	- 낮은 혈청 농도 - 의료기관 획득 MRSA 폐렴의 치료에 효과적이지 않을 개연성 있음
퀴누프리스틴-달포프리스틴 *quinupristin/dalfopristin*	- 두 스트렙토그라민*streptogramin* 화합물의 병용에 의한 상승 작용으로 단백 합성을 억제 - MLS$_\beta$ 내성 없을 경우 살균작용	- 빈번한 부작용(관절통, 근육통, 정맥불내성) - 다발성 약제 간 상호작용 - 침습성 감염 시 사용에 관한 자료 부족
리팜피신*rifampicin*	- 세균의 전사*transcription*를 억제 - 살균작용	- 내성 생성이 신속함, 단독으로 사용불가 - 다발성 약제 간 상호작용 - 잠재적인 간독성

감수성 있는 MRSA에 의한 요로감염의 경우 1차 치료 약제로 테트라사이클린이나 트리메토프림-설파메톡사졸*trimethoprim/sulfamethoxazole*, TMP/SMX을 우선 고려해볼 수 있으나,

지침으로 제시할 만한 국내의 자료가 부족한 실정이다. 그 외에도 미노사이클린*minocycline*, 리팜핀*rifampin*, 클린다마이신*clindamycin* 등을 사용할 수 있다. MRSA에 의한 발열성 요로감염인 경우 글리코펩티드계 항균제 또는 리네졸리드를 최소한 2주간 사용해야 한다. 기타 MRSA 치료 기간은 전이 감염이 없는 세균혈증인 경우 10~14일, 피부 연조직 감염은 2주, 폐렴이 동반한 경우는 3주, 심내막염이나 골수염이 동반한 경우는 4~6주가 필요하다.

장기간 폴리카테터를 삽입한 경우 MRSA 세균뇨를 제거하는 것은 거의 불가능하므로 가급적 카테터 삽입 기간을 최소화해야 하며, 폴리카테터를 교체해주면 도움이 될 수 있다. 장기간 입원 중인 환자들에게 요로계로 배출되는 항균제를 투여하더라도 MRSA를 제거하기는 어려우며 항균제 내성만 발생시키는 것으로 보고되고 있다.

MRSA 감염을 예방하려면 항균제 오남용을 방지하여 MRSA 출현을 최소화해야 하며, 접촉격리나 손 씻기를 통한 병원의 철저한 감염 관리를 통해 추가 확산을 막아야 한다. 환경 오염이 확산의 원인이므로 환경의 청결 유지가 중요하다. 보균자는 여러 유형의 환자에서 원내 감염증의 위험 인자이다. 따라서 보균자를 없애기 위해 무피로신*mupirocin* 연고를 비강에 바를 수 있으나 발병 예방 효과는 의문시된다.

중환자실을 제외한 곳에서의 광범위 감시배양과 감염 환자 및 고위험 환자의 격리에 대해서는 아직 논란이 진행되고 있다. 최근에는 항포도구균 백신이 개발되어 임상연구가 진행되고 있다.

V 비뇨기과 영역의 ESBL과 다제약제 내성

1. 서론

항균제가 사용되기 이전 시대의 황색포도구균에 의한 세균혈증의 사망률은 82%에 달할 정도였으며 50세 이상의 환자에서는 2%만이 생존할 수 있었다. 인간은 페니실린 발견과 이를 대량 합성할 수 있는 공정의 발명으로 인해 일시적이었지만 능동적으로 세균에 의한 감염 질환을 치료할 수 있는 듯 했다. 하지만 이러한 항균물질에 지속적으로 노출된 균들은 꾸준한 선택 압력을 받았고, 그들만이 가지고 있는 유전기법을 이용하여 일부가 살아남아 다양한 항균제 내성을 지닌 세균으로 재탄생했다. 그 결과로 항생제를 최초로 개발한 플레밍이 경고한 바 대로 인류는 '항생제 내성'이라는 새로운 문제에 직면하게 되었다.

세균은 크게 그람음성균과 그람양성균으로 분류된다. 병원성 그람음성균은 대장균 *Escherichia coli*, 녹농균*Pseudomonas aeruginosa* 등이 대표적인 균주로 요로감염, 복강 내 감염 등을 유발한다. 요로감염에 대한 부적절한 항균제 치료로 인해 그람음성균은 균 내로 들어오는 항균제를 분해하여 무력화시키는 페니실린분해효소*penicillinase*를 가지게 되었고, 다시 과학자들은 이를 해결하기 위해 세팔로스포린계*cephalosporin* 항균제를 만들었다. 그러나 균은 또다시 진화하여 이러한 세팔로스포린 항균제를 무력화시키는 효소, 즉 베타락탐계 항생제 분해효소(beta lactamase)를 가지게 되었고, 인간은 이를 치료하기 위해 카바페넴*carbapenem* 계통의 약제를 개발하였다. 하지만 최근 카바페넴 약제에도 내성을 보인 감염증이 보고되고 있다.

항균제와 균의 전쟁은 언제나 균의 승리로 끝났다. 다양한 항균제에 내성을 보인 슈퍼버그(superbug)란 병원체가 발생한 현시점에서 우리는 과거의 항균제 치료 관행을 반성하고 균의 성질과 그 특징을 이해해야 할 것이다. 이에 항균제 내성, 특히 광범위 베타락탐계 항생제 분해효소(ESBL)의 기전과 분자생물학적 특징, ESBL을 가진 요로감염의 치료와 예방 등을 고찰하고자 한다.

2. 본론—ESBL의 종류와 진화 그리고 진단

1) ESBL의 정의

ESBL이란 장내세균*Enterobacteriaceae*, 녹농균 등의 그람음성균이 항균제로부터 자신을 보호하고 살아남기 위해서 생산해내는 단백효소를 의미하고 이러한 효소를 생산해내는 세균을 ESBL생성균(ESBL producing bacteria)이라고 하며, 그 결과 박테리아는 세프타지딤*ceftazidime*, 세프트리악손*ceftriaxone*, 세포탁심*cefotaxime* 및 옥시미노모노박탐*oxyimino-monobactam*과 같은 베타락탐계 항생제에 내성을 가진다.

2) 베타락탐 항생제의 구조와 작용

페니실린과 세팔로스포린은 공통적으로 4개의 원소로 이루어진 베타락탐 고리를 공유하며, 페니실린은 베타락탐 고리에 티아졸리딘 고리*thiazolidine ring*가 결합하여 6 아미노 페니실라닉산 핵(6 amino penicillanic acid nucleus)을 구성한다. 이와 유사하게 세팔로스포린은 베타락탐 고리가 디하이드로티아진고리*dihydrothiazine ring*에 결합하여 7 아미노 세팔로스포라닉산 핵(7 amino cephalosporanic acid nucleus)을 구성한다.

세균은 그 세포질을 담는 펩티드글리칸*peptidoglycan*이라는 세포막으로 구성되어 있으며, 세포 분열 때 균에 존재하는 트란스펩티데이스*transpeptidase*라는 효소에 의해 펩티드글리칸이 서로 연결되어 새로운 세포벽을 만든다. 페니실린 약제에 존재하는 베타락탐 구조는 병원체의 페니실린 결합 단백질*Penicillin Binding Prorein*, PBP과 결합하여 균에 존재하는 트란스펩티데이스, 트란스카르복실레이스*transcarboxylase*와 같은 효소 작용을 억제하여 새로운 세포막 형성을 억제한다. 그 결과 보호막이 소실된 균은 주위의 높은 삼투압이나 낮은 삼투압에 의해 세포막 파열이 발생하여 죽게 된다.

3) 균이 항균제 내성을 갖는 일반적 기전(그림 2–3)

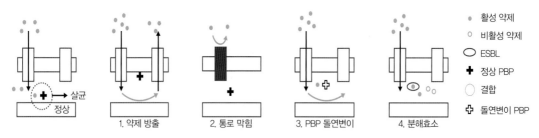

그림 2–3 유럽비뇨기과학회 가이드라인

(1) 다제약제 방출

균 내로 들어온 항균제를 자신의 에너지를 이용하여 세포막에 들어 있는 펌프를 통해 균 외부로 방출하여 항균제를 무력화시킨다.

(2) 균 내로 약물 이동을 담당하는 통로를 억제

약물은 균 세포막에 위치한 통로를 통해 균 내로 흡수된다. 이러한 통로의 DNA에 돌연변이가 발생하면 단백질이 변형되어 항균제 등의 물질이 세균 안으로 들어가지 못한다.

(3) 페니실린 결합 단백질의 돌연변이

균 내로 들어간 항균제는 페니실린 결합 단백과 결합하여 균을 죽이지만, 이러한 단백질의 돌연변이로 인해 약제가 페니실린 결합 단백질에 결합하지 못한다.

(4) 균 내로 들어온 항균제를 분해하는 효소

주로 ESBL이 발생하는 기전으로, TEM-1, TEM-2, SHV-1 등의 기전에 의해 나타난다. 그람음성균들은 주로 플라스미드plasmid 기전을 통해 다른 균으로부터 TEM-1이나 SHV-1 유전자를 획득하여 베타락탐계 항생제 분해효소beta lactamase를 만든다. 이후 베타락탐 구조의 카르보니 부분carbony moiety에 공유결합을 하면 고리모양의 베타락탐 구조를 가수분해하고 풀어 항균제가 더 이상 트랜스펩티데이스를 억제하지 못한다(그림 2-4).

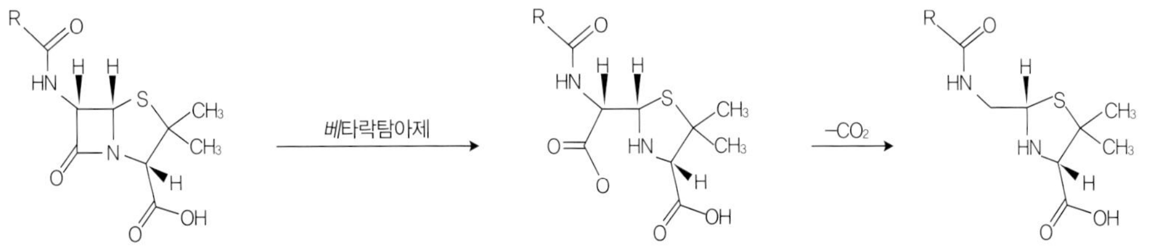

그림 2-4 베타락탐아제에 의한 항균재 무력화

이러한 항균제 내성을 극복하기 위해 기존의 7-amino-cephalosporic acid ring의 곁가지를 변형시켜 7-β-acyl side chain에 O-substituted oxymino group을 포함하여 제작된 세프타지딤cephtazidime, 세포탁심, 세프트리악손 등이 광범위(extended spectrum) 세팔로스포린으로 새로이 개발되었다.

4) ESBL의 진화: 다양한 기전에 의한 세팔로스포린 항균제 무력화

새로이 개발된 옥시미노베타락탐 항균제oxyimino beta lactam antibiotics들에 대한 내성은 1980년대 초부터 보고되었다. 이는 기존의 TEM-1, SHV-1 유전자와 비교하여 다양한 TEM-1, SHV-1 유진자의 돌연변이를 지닌 새로운 플라스미드로 인해 발생했다. 즉, 새로이 분리된 TEM, SHV 유전자는 돌연변이 기전으로 발생하여 기존의 TEM-1, SHV-1 유전자와 흡사하지만 다양한 돌연변이로 인해 다양한 유전자 염기서열을 보인다. 이러한 유전자의 차이로 인해 다양한 약물 내성이 관찰된다. 또한 제3의 기전인 CTX-M, 플라스미드 매개 AmpC 베타락탐계 항생제 분해효소AmpC beta lactamase기전 등에 의해 새롭게 개발된 세팔로스포린에 대해서도 내성을 가지게 된다. 결론적으로 균들은 다양한 진화 기전을 이용하여 새로 개발된 세팔로스포린에 대해서도 내성을 가진 새로운 균으로 재탄생하게 된다. 기본적인 ESBL 내성 기전은 다음과 같다.

(1) TEM (temoniera)

TEM-1 유전자 39번 아미노산 위치에서 글루타민glutamine에서 리신lysine으로 돌연변이된 균이 발견되어 TEM-2로 명명되었다. TEM-2는 TEM-1과 같이 페니실린을 가수분해했지만 등전점(isoelectric point)이 서로 달랐다(한 곳의 유전자에 돌연변이가 생기면 기존 아미노산이 변화하고 이어지는 구조적 변화를 초래하여 다른 등전점을 가지게 된다). 이후 약 150개 정도의 TEM-1 유전자의 아류가 발견되었다. 그 중 Arg164Ser, Gly238Ser, Glu240Lys 등의 돌연변이가 ESBL 획득과 깊은 관계가 있었다. 일군의 TEM돌연변이는 기존의 ESBL 진단에 사용된 클라불란산clavulanic acid이나 설박탐sulbactam, 타조박탐tazobactam을 무력화시키는 IRT (inhibitor resistant TEM)의 성질을 보이는데, 이는 기존 TEM 돌연변이의 중첩(이중 돌연변이)으로 나타나기도 하며, IRT-7은 Met69Val 및 Asn276Asp을 동시에 가진다. 이러한 IRT의 임상적 의미는 나중에 기술할 ESBL 진단에 사용되는 클라불란산의 형태를 변화시켜 진단을 모호하게 만들 수 있다는 점이다.

(2) SHV (sulphydryl variable)

TEM과 유사하게 SHV는 페니실린이나 1세대 세팔로스포린인 세팔로틴cephalothin, 세팔로리딘cephaloridine을 무력화시킨다. 폐렴막대균Klebsiella pneumoniae 등에서 발견되는 blaSHV-1 유전자는 염색체에 존재하지만 대부분의 다른 장내세균에서는 플라스미드형으로 존재한다. 기술한 TEM과 같이 SHV도 돌연변이가 관찰되어 다양한 SHV-1 아형이 발견되며(SHV-2의 경우 Gly238Ser, SHV-5의 경우 Glu240Lys), 이러한 아형이 TEM과 같이 다양한 ESBL 성질을 보여준다.

(3) CTX-M

1989년 일단의 대장균이 기존의 TEM이나 SHV 기전과 관계없는 다른 기전에 의해 세포탁심을 가수분해하는 현상이 발견되었다. CTX-M형 ESBL 역시 플라스미드에 의해 매개되며, 가수분해 현상은 TEM형이나 SHV형 ESBL과 유사하지만, 세프타지딤보다는 세포탁심에 대한 가수분해 활성이 상대적으로 강한 특성이 있다. 처음 발견된 CTX-M-1은 TEM이나 SHV와 같이 시간이 지남에 따라 다양한 돌연변이형이 발견되었다. 예를 들면 CTX-M-2는 CTX-M-1에 비해 84%의 상동성이 존재했다. 즉 TEM이나 SHV의 다양성은 부모 세균의 플라스미드의 점돌연변이로 인해 발생하지만, CTX-M 유전자는 수직 전파가 아닌 수평 유전자 전파 기전(접합 플라스미드형이나 전위 유전 단위 형태)을 통해 유전자가 교환됨을 알 수 있다. 유전자 상동성을 조사해 CTX-M 유전자의 기원을 유추해보면 CTX-M 유전자는 주위 환경에 해를 주지 않는 균인 *Kluyvera* spp.의 유전자와 매우 유사하여, 이 미생물들에서 수평 유전자 전파(blaCTX-M 유전자 이동: insertion sequence IS *Ecp1*과 IS *CR1* element)를 통해 대장균에 들어온 것으로 추정된다. 그 후 지속적인 돌연변이 형태로 약 50개의 변이형이 발견되었으며 CTX-M-1, 2, 8, 9, 25 등 5개 군으로 대별된다. CTX-M은 이처럼 다양한 유전적 돌연변이형에 따라 여러 세팔로스포린 약물에 대한 내성이 관찰되기도 하고, 국가별로 다양한 빈도로 발견된다. CTX-M에 의한 항균제 내성이 중요한 이유는 최근 지역사회에서 관찰되는 요로감염균의 내성에 중요한 역할을 하기 때문이다.

(4) 플라스미드 매개 AmpC 베타락탐계 항생제 분해효소(AmpC β-lactamase)

플라스미드 매개 AmpC 베타락탐계 항생제 분해효소AmpC β-lactamase는 그람음성균인 시트로박터*Citrobacter*, 세라시아*Serratia* spp., 엔테로박터*Enterobacter* spp. 등의 염색체에 원래 존재하는 유전자였지만, 플라스미드(CMY-19, 10)로 재탄생하여 다른 균으로 쉽게 확산되었다. 이러한 전이는 대장균과 폐렴막대균, 살모넬라*Salmonella* spp., 시트로박터*Citrobacter freundii*, 엔테로박터*Enterobacter aerogens*, 프로테우스 미라빌리스*Proteus mirabilis* 등에서 광범위하게 관찰되고 있다. AmpC 베타락탐계 항생제 분해효소는 다양하고 광범위한 세팔로스포린(세파마이신cephamycin, oxyimino-베타락탐 항생제)을 가수분해할 수 있으며, 클라불란산 등에 억제되지 않는다. 또한 이러한 균들은 클라불란산에 의해 높은 농도의 AmpC 베타락탐계 항생제 분해효소 를 생산시켜 다른 약제에 대한 내성을 증가시킨다. 결론적으로 이러한 점은 상기 기술한 것과 같이 ESBL 진단에 사용되는 클라불란산의 형태를 변화시켜 진단을 모호하게 만든다.

(5) 다약제 내성 그람음성균

상기 ESBL을 가진 세균의 감염을 치료하기 위해서는 카바페넴 치료가 필수적이다. 하지만 전술한 바와 같이 압력 진화 및 적응 기전으로 인해 여러 국가에서 카바페넴에 내성을 보이는 균주가 새로이 보고되고 있다. 그 기전으로는 메탈로 베타락타메이스metallo-beta-lactase, 카바페넴 분해효소인 *Klebsiella pneumoniae carbapenemas*, KPC, OXA-48 효소 등이 관여한다. 그러나 최근 발표되어 전 세계적으로 문제가 되고 있는 NDM-1 (New Dehli metallo-beta-lactase 1)은 콜리스틴colistin이나 티게사이클린tigecycline 등을 제외한 항균제 모두에 내성을 보인다. NDM-1은 인도나 파키스탄 등지에서 의료관광을 하거나 수술을 받은 유럽인에서 처음 보고된 항균제 내성으로, 최근 아시아, 미국 등지에서도 광범위하게 발견되고 있다.

5) ESBL의 분류

ESBL균은 보편적으로 클라불란산과 카바페넴에 의해 억제되지만 세프타지딤, 세포탁심, 아즈트레오남aztreonam 등에 내성을 보인다. 이처럼 다양한 항균제 내성 분류, 즉 베타락탐계 항생제 분해효소의 분류에 대한 이해가 환자 치료를 위한 항균제 선택에 실질적으로 필요하다. 최근까지 알려진 베타락탐계 항생제 분해효소의 다양성은 890가지 이상이어서 체계적인 분류가 필요하다. 가장 많이 사용되는 분류법은 Ambler 분류법과 Buch-Jacoby-Medeiros 기능 분류법 등이 있다.

(1) Ambler 분류법

단백질 상동성에 따라 효소 활성 부위가 세린serine인 세린 베타락탐계 항생제 분해효소 A, C, D와 활성 부위가 아연이고 B형인 메탈로 베타락타메이스 네 가지로 분류된다. 분류법에 따른 베타락탐계 항생제 분해효소, 그 유전자 변형 형태, 돌연변이를 관찰할 수 있는 세균과 항균제 내성 표현형은 표 2-5와 같다.

특히 TEM, SHV, CTX-M 기전에 의한 ESBL과 AmpC 베타락탐계 항생제 분해효소의한 ESBL 구별이 필요한데, AmpC 베타락탐계 항생제 분해효소 기전에 의한 ESBL의 최종 항균제인 카바페넴(이미페넴*imipenem*, 메로페넴*meropenem*) 대신 4세대 세팔로스포린(세페핌*cefepime*, 세프피롬*cefpirome*)을 사용하면 카바페넴 내성균주 출현을 감소시키는 데 중요한 역할을 할 수 있기 때문이다.

표 2-5 *β*-락탐아제분류법

베타락탐아제 분류	*베*타락탐아제	예	호발 균주	항생제 저항성*
A	광범위 베타락탐아제	TEM-1, TEM-2, SHV-1, SHV-11	장내세균, 비발효균[†]	암피실린, 세팔로틴
	ESBL TEM형	TEM-3, TEM-52		페니실린, 세팔로스포린
	ESBL SHV형	SHV-5, SHV-12		
	ESBL CTX-M형	CTX-M-1, CTX-M-15		
	카바페넴아제	KPC, GES, SME		모든 *베*타락탐[†]
C	AmpC 세파마이시나아제 (염색체 부호화)	AmpC	엔터로박터종, 시트로박터종	세파마이신(세폭시틴), 3세대 세팔로스포린
D	AmpC 세파마이시나아제	CMY, DHA, MOX,	장내세균	세파마이신(세폭시틴)
	(플라스미드 부호화) 광범위 베타락탐아제	FOX, ACC, OXA-A, OXA-9	장내세균	33세대 세팔로스포린 옥사실린, 암피실린, 세팔로틴
	ESBL OXA형	OXA-2, OXA-10	아시네박테르	페니실린, 3세대 세팔로스포린
	카바페넴아제	OXA-48		암피실린, 이미페넴, 모든 *베*타락탐[†]
		OXA-23, 24, 58		
B	금속-베타락탐아제 (카바페넴아제)	VIM IMP	장내세균과 비발효균	모든 *베*타락탐[†]

* 특징적인 약재 내성으로 부분적으로 진단적 목적에 사용됨.
† 광범위 *베*타락탐아제 TEM-1은 흔히 비발효균(녹농균, 아시네박테르)에서 일어남.
‡ 카바페넴들을 포함한 광범위 가수분해 스펙트럼.

(2) Buch-Jacoby-Medeiros에 의한 기능 분류법

효소의 기능성 성질, 즉 기질과 억제제의 표현형에 따라 분류한다. 주로 사용된 약제는 세팔로스포린과 클라불란산, 설박탐 및 타조박탐에 저해되는 성상에 따랐으며, 분류 내용은 표 2-6과 같다.

ESBL은 원칙적으로 oxyimino-세팔로스포린 혹은 아즈트레오남을 가수분해하는 TEM과 SHV 유도체를 지칭하며, Buch-Jacoby-Medeiros 분류법에서 2be군에 속한다. 2b는 2b군의 효소군(SHV-1, TEM-1, TEM-2)을 가리키며, e는 extended spectrum of activity를 뜻한다. 2be군의 효소는 세파마이신과 카바페넴을 가수분해하지 못하며 베타락탐계 항생제 분해효소 억제제인 클라불라네이트에 억제된다. TEM-ESBL, SHV-ESBL은 Ambler 분류법에서 Class A에 속한다.

표 2-6   베타락탐아제의 기능적 분류

1형 : 분자적 분류 C
클라불란산에 의해 억제되지 않는 세팔로스포리나아제
2형 : 페니실린 분해효소, 세팔로스포리나아제 또는 두 가지 모두가 클라불란산에 의해 억제됨
2a : 분자적 분류 A
페니실린분해효소를 포함
2b : 분자적 분류 A
광범위 베타락탐아제를 함유한 페니실린분해효소와 세팔로스포리나아제
2be : 분자적 분류 A
광범위, 3세대 세팔로스포린을 불활성화
2br : 분자적 분류 A
클라불란산과 설박탐에 결합이 감소
2c : 분자적 분류 A
카르베니실리나아제, 벤질페니실린보다 카르베니실린을 불활성화
2d : 분자적 분류 D 또는 A
클록사실리나아제(옥사실리나아제), 벤질페니실린보다 클록사실린을 불활성화
클라불란산에 의해 거의 억제되지 않음
2e : 분자적 분류 A
세팔로스포리나아제. 모노박탐을 가수분해, 클라분란산에 의해 억제됨
2f : 분자적 분류 A
카파베넴아제, 세린중심의 카파베넴아제
3형 : 분자적 분류 B
금속효소, 클라불란산에 의해 억제되지 않음.
아연중심 또는 금속 베타락탐아제
페니실린, 세팔로스포린, 카바페넴을 가수분해
4형 : 분자적 분류가 없음
페니실린분해효소, 클라불란사넹 의해 억제되지 않음

그러나 이러한 분류법에도 문제점이 있다. 예를 들면 새로운 베타락탐계 항생제 분해효소가 발견되면 새로운 분류법을 추가해야 하고, 기존에 정의된 TEM과 다른 다양한 돌연변이형이 관찰되는 경우, 예를 들어 TEM-7, TEM-12는 oxyimino-세팔로스포린에 약간 증가된 가수분해 작용만이 관찰되므로 기존의 분류법과 일치하지 않는다.

표현형으로 분류할 것인가, 아니면 유전자형으로 분류할 것인가에 대해서는 논란이 많겠지만, 표현형 분류는 임상적 분류로 쉽고 간단하여 많은 자동기계에서 분석이 가능하나, 세균이 항균제 내성을 획득하는 과정이나 표현형 분류로는 제대로 분류할 수 없는 중증도 내성을 알기 위해서는 유전자형을 알아야 한다. 유전자형 분류는 돌연변이의 다양성을 고려한다면 무척이나 어렵고 비용이 많이 드는 것이 단점이다.

6) ESBL 진단

ESBL을 진단하는 균주는 대장균, 클레브시엘라, 프로테우스 미라빌리스 등으로 제한되어 있다. 세프포독심*cefpodoxime* 8 mg/L (The US Clinical and Laboratory Standards Institute, CLSI)이나 1 mg/L (UK Health Protection Agency, HPA), 1 mg/L의 세포탁심, 세프타지딤, 세프트리악손, 아즈트레오남으로 ESBL 초기 선별검사를 시행하기도 한다. 선별검사에서 ESBL이 의심되면 E-test, 아래 기술한 검사법을 이용하여 확진한다.

(1) Vitek 기계를 통한 진단

Vitek GNS-121 카드는 세포탁심, 세프타지딤 0.5 μg/mL를 클라불란산 4 μg/mL와 혼합하여 4개의 well에 첨가한다. 균이 세포탁심이나 세프타지딤에 억제되지 않고 클라불란산에 억제되면 ESBL로 진단할 수 있다. 진단 시간이 4∼15시간이므로 신속하고 자동적으로 결과를 알 수 있는 장점이 있는 반면 카드를 구매해야 하는 단점이 있다.

(2) DDS (double disk synergy) 법

Mueller-Hinton 한천에 세균 부유액을 면봉에 묻혀 배지에 고르게 접종한 후 일정한 간격을 두고 세포탁심(30 μg), 세포탁심(30 μg)+클라불란산(10 μg), 세프타지딤(30 μg)+클라불란산(10 μg), 세프타지딤(30 μg)이 함유된 디스크를 올려 37℃에서 16∼18시간 동안 배양한다. 클라불란산이 들어간 억제대가 세포탁심이나 세프타지딤 단독에 의한 억제대보다 5 mm 이상 크면 ESBL로 진단할 수 있다. DDS법의 문제점은 클라불란산의 높은 AmpC 베타락탐계 항생제 분해효소 유도가 ESBL의 진단에 잘못된 음성 판정을 내릴 수 있다는 것이다. 이러한 단점을 보완하기 위해 높은 AmpC 베타락탐계 항생제 분해효소 발현에도 비교적 안전한 세페핌 등을 디스크에 첨가하여 진단에 이용한다.

(3) Inoculums 효과

ESBL 생성 균주가 검사실 검사에서 광범위 세팔로스포린 약제에 감수성을 보이는 최소 억제 농도를 보여주더라도 실제 체내에서는 감수성을 보이지 않는 경우가 많다. 특히 감염이 심한 중증 환자의 경우나 체내의 균이 평균 이상으로 많은 경우에 관찰된다. 이러한 연구를 바탕으로 중증 ESBL 감염의 경우 실험실의 항균제감수성 결과와 관계없이 모든 3세대 세팔로스포린에 내성이 있다고 가정하고 치료해야 한다.

7) ESBL의 문제점

(1) 전파

ESBL 유전자를 지닌 세균은 숙주인 인간에게 특이한 질병을 야기하지 않더라도, 항균제 내성을 유발할 수 있는 유전자를 다른 병원균에 접합 방법으로 전파하고 시간이 지남에 따라 수직감염과 돌연변이를 통해 다양한 ESBL 형태의 유전자를 만들 수 있다. 이를 통해 가족 간 전파, 요양 시설에서 볼 수 있는 지역감염 등을 초래하여 약제내성을 전파한다.

(2) ESBL의 세계적 발현 빈도

2012년 발표된 SMART (Study for Monitoring Anti-microbial Resistance Trends) 연구에 따르면 아시아의 경우 40.8%의 ESBL 생성대장균을 보고하였으며, 폐렴막대균*Klebsillea pneumoniae*의 경우 21.5%의 내성률을 보고 하였다. 2014년 WHO는 항생제 내성에 관한 전 세계적인 연구결과를 발표했으며, 그 내용을 살펴보면, 대장균은 전세계적으로 44%의 내성을 보고하였으며, 아프리카의 경우 최고 70%의 항균제 내성을 보고, 아시아 태평양국가의 경우 77%까지 보고하였다(표 2-7).

표 2-7 대장균에 대한 항균제 내성 ESBL의 영향

균주(수)	감수성(%)										
	IMP	AK	CPE	CFT	CFX	CAZ	CAX	CP	LVX	P/T	A/S
대장균 ESBL +	98	87	14	5	66	29	4	17	21	83	5
대장균 ESBL −	100	98	99	97	89	95	96	70	72	94	43

IMP : imipenen, AK : amikacin, CPE : cefepime, CFT : cefotaxime, CFX : cefoxitin, CAZ : ceftazidime, CAX : ceftriaxone, CP : ciprofloxacin, LVX : levofloxacin, A/S : ampicillin-sulbactam, P/T : piperacillin-tazobactan.

(3) 한국의 ESBL 발현 빈도

그동안 국내에서는 항생제 내성감시를 위해 KONSAR, KONIS, KARMS 등의 다양한 형태의 항균제 내성 감시가 수행되어 왔으나 몇몇 제한점으로 인해 2016년 질병관리본부에서는 새로운 감시시스템인 Kor-GLASS를 구축하여 운영하고 있으며, 2016년 발표된 KARMS (Korean Antimicrobial Resistance Monitoring System)의 보고를 보면 100병상 이상의 종합병원에서 분리된 대장균*E. coli*의 CTX-M형은 ESBL에 민감한 cefotaxime에 대한 내성률이 2002년 11%에서 조금씩 증가하다가 2008년 이후 급격한 증가를 보였으며 2013년 기준 29%에 달한다고 보고했다. 지역사회 감염에서 분리된 대장균*E. coli*의 내성률의 경우는 2007년 7%에서 2013년 19%로 급격히 증가하였다. 폐렴막대균은 종합병원의 경우 2013년 38%의 내성률을 지역사회의 경우 32%의 내성률을 보고하였다.

국내에서 분리되는 아시네토박테르 바우마니*Acinetobacter baumannii*의 카바페넴계 항생제인 이미페넴에 대한 내성률은 전 세계에서 유래를 찾아볼 수 없을 정도로 2008년 이후 급격한 증가를 보였는데, 2013년 분리주의 73%가 이미페넴 내성일 정도로 심각하다

2019년 발표된 Kor-GLASS (Korean - Global AntiMicrobial Resistance Surveillance System)의 보고를 보면 1772례의 균주를 배양하였으며, 암피실린*ampicillin*에 대한 내성균주는 65.3%, 설박탐에 대한 내성은 28.9%로 보고하였다. 다만 3세대 광범위 세팔로스포린항균제에 대한 내성은 세포탁심*cefotaxim*의 경우 32.4% 세프타지딤*ceftazidime*의 경우 11.8% 세페핌*cefepime*의 경우 20.3%로 보고되었다.

(4) ESBL의 문제점

ESBL균은 다양한 세팔로스포린 약제뿐만 아니라 다른 약제, 즉 아미노글리코시드*amino-*

glycoside나 플루오로퀴놀론fluoroquinolone 등의 약물에도 내성을 동반하게 되므로 질병 발생 시 적절한 항균제 사용이 제한적일 수밖에 없다(표 2-7). Ben Ami 등의 보고에 따르면 ESBL 세균은 코트리목사졸cotrimoxazole에 64%의 내성을 나타낸다. 또한 겐타마이신 gentamycin에 61%, 시프로플록사신ciprofloxacin에 대해 64%의 내성이 관찰되어 ESBL을 고려하지 않은 경험적 항균제 치료는 환자의 높은 사망률과 관련이 있었다. 결론적으로 ESBL균은 다양한 내성 때문에 마땅한 치료약제를 선택하기 어려우므로 환자의 입원 기간이 길어질 수 있고, 다양하게 약제 내성을 전파할 수 있으므로 환자 치료나 병원의 감염 관리뿐만 아니라 국민건강을 위해서도 매우 중요하게 고려해야 한다. 국내에서도 벌써 여러 지역 병원, 특히 장기 입원 환자에서 ESBL을 지닌 대장균이 관찰되었으며, 이때 동반된 유전자 변이형도 다양하게 관찰되고 있다. 또한 최근 문제가 되고 있는 BlaNDM-1의 경우 광범위한 유전자 돌연변이가 관찰되므로 향후 카바페넴에 저항하는 세균이 광범위하게 전파될 것으로 우려된다.

(5) ESBL의 위험 인자

2010년 발표된 KARMS 보고에 따르면 입원환자의 경우 외래환자에 비해 ESBL 위험도가 1.6배 높고, 병원획득 요로감염이 사회획득 요로감염보다 2.27배 높았다. 그러나 다른 인자, 예를 들어 당뇨나 신경성방광, 검체 채취 6개월 전의 입원 경력, 재발성 요로감염의 기왕력 등은 통계적으로 유의하게 ESBL의 위험성을 증가시키지 않았다. Pitout 등이 서술한 바에 따르면 재발성 요로감염, 오랜 입원(중환자실), 세팔로스포린 계통의 항균제에 노출된 경험, 신장의 해부학적 이상 소견 동반, 요양병원 입원, 당뇨, 심각한 간질환이 있는 환자, 고령, 여성에서 ESBL 감염이 빈발하게 관찰되었다.

(6) ESBL균 치료

원칙적으로 ESBL 생성균에서 가장 효과적으로 사용할 수 있는 항생제는 베타락탐계 항생제 분해효소에 안전한 카바페넴 계열 항생제인 이미페넴, 에트라페넴etrapenem, 메로페넴meropenem, 도리페넴doipenem 등이 있다.

이러한 약물들의 단점은 정맥주사를 위해 환자가 병원에 입원해야 하고, 약값 또한 고가이며, 광범위한 살균력으로 인하여 곰팡이나 공생균의 기회감염 등이 발생할 수 있다는 점이다. 이론적으로는 세파마이신 계열 항균제(세폭시틴, 세포테탄cefotetan, 세프메타졸cefmetazole) 등이 ESBL 치료에 사용될 수 있으나, ESBL 세균의 특징인 다중내성으로 인하여 세포벽의 약물 통로(porin)가 막히거나 AmpC 베타락탐계 항생제 분해효소의 발현으로 상기 항균제 사용이 제한되기도 한다.

카바페넴 계열 약물 중 도리페넴은 ESBL 양성인 대장균뿐만 아니라 녹농균에도 다른 약제보다 효과가 탁월하다고 보고되고 있으며, ESBL 대장균으로 인한 세균성 요로감염에 대한 포스포마이신fosfomycin과 meropenem의 안전성 및 효능을 비교하는 무작위 임상 시험("FOREST")이 진행 중에 있다.

최근의 연구에 따르면 카바페넴을 사용하지 못할 경우 ESBL 생성 대장균 혹은 폐렴막대균 감염증에서 세프타지딤/아비박탐ceftazidime/avibactam이 가장 효율적인 대안이라고 보고하였으며, 2015년 FDA의 승인을 받았다.

개원가는 콜리스틴과 포스포마이신의 경우 아직까지 ESBL 요로감염에 가장 민감한 치료제인 반면, 카바페넴과 콜리스틴이 ESBL균에 의한 요로감염의 1차약제로 사용되고 있으며, 경구용 제제로는 니트로푸란토인nitrofurantoin을 처방할 수 있다.

(7) ESBL 연구

ESBL의 발현은 국가마다 다르며, 같은 표현이라도 유전자형이 다를 수 있다. 그러므로 국가에서 지속적으로 유관 학회와 협력하여 국내에서 발현하는 ESBL의 특징을 규명해야 한다.

VI 요로생식기 감염에 대한 항균제

1. 서론

항균제의 초기 개념은 미생물에 의해 만들어진 물질로 다른 미생물의 성장이나 생명을 막는 것으로 정의되었다. 이후 현대에는 과학 발달과 함께 미생물이 아닌 인공적으로 합성한 약물 또는 기존 항균제의 구조를 일부 변경한 반합성 약물 등이 사용되고 있으므로 항생제보다는 항균제 혹은 항미생물제라는 용어가 더 적절할 것이다. 항균제는 작용 기전에 따라 세포벽 합성 억제: 시클로세린cycloserine, 바시트라신bacitracin, 포스포마이신Fosfomycin, 반코마이신vancomycin, 베타락탐 항균제 등, 세포막 투과 변화: 폴리믹신polymyxin, 암포테리신amphotericin B, 아졸azole, 니스타틴nystatin, 단백 합성 억제: 30S ribosome 계열－테트라사이클린tetracycline, 아미노글리코시드aminoglycoside, 50S ribosome 계열－마크롤라이드macrolide,

린코사마이드lincosamide, 클로람페니콜chloramphenicol, 스트렙토그라민streptogramine, 핵산 합성 억제: 리팜핀rifampin, 퀴놀론quinolone, 엽산 합성 억제: 설폰아미드sulfonamide, 트리메토프림trimethoprim, 피리메타민pyrimethamine 등으로 나뉜다. 요로생식기계 감염에서는 환자의 상태, 감염 부위에 따라 초기에 직절한 항생제를 선택하는 것이 중요하며, 적절한 감염 조절을 위해 지속적으로 요로감염의 원인을 제거해야 한다.

2. 본론—항균제의 종류

1) 페니실린계

페니실린은 현재 사용되는 항균제 중 비교적 독성이 없고 안전하기 때문에 많이 쓰이고 있으며 다른 항균제에 비해 부작용도 자세히 알려져 있다. 페니실린의 부작용 중 가장 흔한 것은 과민반응으로, 피부 발진부터 아나필락시스까지 다양하게 나타난다. 피부반응검사에서 양성으로 나타나면 대체할 항균제가 없는 경우를 제외하고는 페니실린을 사용해서는 안 되며, 부득이하게 투여해야 하는 경우는 용량을 천천히 증가시키는 탈감작을 주의 깊게 시행해야 한다. 그 외에 용혈성 빈혈, 백혈구 감소, 혈소판 감소, 혈소판 기능 이상 등의 혈액장애와 경력, 의식혼탁 등의 중추신경장애, 전해질 이상, 간기능 이상, 위장장애 등이 보고되어 있다. 종류로는 천연산 페니실린으로 페니실린 G (benzylpenicillin), 프로카인페니실린 G (procaine penicillin G), 벤자틴페니실린 G (benzathine penicillin G), 페니실린 V가 있으며 연쇄구균Streptococcus, 수막염균Neisseria meningitidis, 스피로헤타Spirochetes에 유효하다. 페니실린분해효소 저항성 페니실린으로 메티실린, 옥사실린, 나프실린, 클록사실린, 디클록사실린dicloxacillin, 플루클록사실린flucloxacillin이 있으며 주로 황색포도구균(페니실린분해효소 생성균)에 유효하다. 아미노페니실린aminopenicillin으로 암피실린, 아목시실린, 암피실린 에스테르ester가 있으며 인플루엔자균Haemophilus influenza, 프로테우스 미라빌리스, 대장균, 나이세리아Neisseria에 유효하다. 카르복시페니실린carboxy penicillin은 카르베니실린carbenicillin, 카르베니실린 에스테르, 티카르실린ticarcillin이 있으며, 암피실린 감수성균, 슈도모나스Pseudomonas, 엔테로박터, 프로테우스에 유효하다. 유레이도페니실린ureidopenicillin은 메즐로실린mezlocillin, 아즐로실린azlocillin, 피페라실린이 있으며, 슈도모나스, 엔테로박터, 클레브시엘라Klebsiella에 유효하다(표 2-8).

표 2-8 페니실린의분류

분류		투여 경로	유효 세균
천연산 페니실린	페니실린 G(benzylpenicillin)	경구, 주사	연쇄구균
	프로카인 페니실린 G	근육주사	수막염균
	벤자틴 페니실린 G	근육주사	스피로헤타
	페니실린 V	경구	
페니실린분해효소 저항성 페니실린	메티실린	주사	황색포도구균 (페니실린분해효소 생성균)
	옥사실린	주사	
	나프실린	경구, 주사	
	콜록사실린	경구, 주사	
	디클록사실린	경구	
	플루클록사실린	경구, 주사	
아미노페니실린	암피실린	경구, 주사	인플루엔자균, 프로테우스미라빌리스
	아목시실린	경구	대장균, 임균
	암피실린 에스테르	경구	
카르복시페니실린	카르베니실린	주사	암피실린 감수성균
	카르베니실린 에스테르	경구	슈도모나스, 엠테로박터, 프로테우스
	티카르실린	주사	
유레이도페니실린	메즐로실린	주사	슈도모나스, 엠테로박터
	아즐로실린	주사	클레브시엘라
	피페라실린	주사	

2) 세팔로스포린계

개발 시기에 따라 세대별로 명명되기 시작한 세팔로스포린은 학술명으로 변화했고, 세팔로스포린계 항균제는 수십 가지 제제가 개발되어 현재 임상에서 가장 널리 처방되고 있다.

(1) 1세대 세팔로스포린계

주로 그람양성균에 항균력이 있는 항균제로 페니실린 내성 포도구균Staphylococcus 치료를 위해 개발되었다. MRSA와 연쇄구균에 강한 항균력을 나타내며, 대장균, 폐렴막대균, 프로테우스 미라빌리스 등에 감수성이 있으나 녹농균, 다른 프로테우스, 세라시아, 엔테로박터에는 대부분 내성이 있다. 요로감염에 투여 가능하며 청결창상 수술이나 청결/오염 수술에서 수술 전에 예방적 항균제로 상용할 수 있으나 창자가 포함되는 복강 내 수술 시에는 *Bacteroides fragilis*에 대한 항균력이 없으므로 단독으로 사용하면 안 된다. 1세대 세팔로스포린계로는 세팔렉신*cephalexin*, 세프라딘*cephradine*, 세파드록실*cefadroxil*, 세파트리진*cefatrizine*, 세팔로틴, 세팔로리딘, 세파졸린, 세파세트릴*cephacetrile*, 세파피린*cephapirin*, 세파제돈*cefazedone*, 세프테졸*ceftezole* 등이 있다. 경구투여 시 매우 우수한 생체 이용률을 나타내는데, 경구용 제제의 경우 보통 하루에 4회 투여하나 세파드록실은 반감기가 길어 하루 2회 투여할 수 있다.

(2) 2세대 세팔로스포린계

인플루엔자균, 모락셀라카타랄리스*Moraxella catarrhalis* 등에 대한 항균력이 있으며 일부 장내 그람음성균에 항균력을 나타내는 *Haemophilus influenza*-active 2세대 세팔로스포린계와 혐기균에 좋은 감수성을 갖고 있는 *Baceroides fragilis*-active 2세대 세팔로스포린계(세파마이신*cephamycin*계)로 나뉜다. 그 외에 carbacephem계 항균제인 loracarbef도 2세대로 분류된다. 세파마이신계로는 세프록심*cefuroxime*, 세파만돌*cefamandole*, 세포티암*cefotiam*, 세파클러*cefaclor*, 세프로질*cefprozil* 등이 있으며, 폐렴연쇄구균*Streptococcus pneumoniae*, 인플루엔자균, 모락셀라카타랄리스 등의 요로감염에 유용하다. 세파마이신계는 세폭시틴, 세포테탄, 세프메타졸, 세프미녹스*cefminox* 등이 있으며, *Bacteroides fragilis* 및 장내세균에 대한 항균력이 좋아 복강 내 감염의 치료와 창자가 포함되는 복강 내 수술 시에도 사용할 수 있다.

(3) 3세대 세팔로스포린계

3세대 세팔로스포린계는 2세대에 비해 그람음성균에 대한 항균력이 강화되었는데, 그람양성균 중 포도구균에 대해서는 항균력이 떨어지는 것이 특징이다. 혐기성 세균에 대한 항균력은 세파마이신계 항균제보다 약하며, class C 베타락탐계 항생제 분해효소를 생성하는 균주: 시트로박터*Citrobacter freundii*, 모르가넬라*Morganella morganii*, 세라시아*Serratia marcescens*, 엔테로박터에 대한 항균력도 떨어진다. 3세대 세팔로스포린계로는 세포탁심, 세프트리악손, 세프메녹심*cefmenoxime*, 라타목세프*latamoxef; moxalactam*, 플로목세프 *flomoxef*, 세프카펜 *cefcapene pivoxil*, 세프디니르*cefdinir*, 세프디토렌*cefditoren pivoxil*, 세페타메트*cefetamet piv-*

oxil, 세픽심, 세프포독심, 세프테람*cefteram pivoxil*, 세프티부텐 *ceftibuten* 등이 있다. 이들은 ESBL에 가수분해되고 녹농균에 대한 항균력이 없다는 단점이 있다. 3세대 세팔로스포린계 중 세프타지딤, 세포페라존*cefoperazone*, 세프피라미드*cefpiramide*, 세프수로딘*cefsulodin* 등 은 녹농균에 대한 항균력을 갖고 있으며, 특히 세프타지딤은 녹농균에 대한 최소 억제 농도가 가장 낮고 항균효과가 뛰어나다.

(4) 4세대 세팔로스포린계

3세대와 비슷한 약리작용을 나타내지만 4가의 질소 원소를 포함하고 있으므로 양성을 띠게 되며 쌍성이온으로 작용하기 때문에 그람음성간균의 외막 투과가 매우 빠른 장점이 있다. 녹 농균에 대한 항균 효과는 3세대와 유사하나 MRSA, 장구균, 리스테리아*Listeria* spp, 클로스트 리듐디피실레*Clostridium difficile*, Bacteroides fragilis에는 항균력이 없다. 4세대 세팔로스 포린계로는 세페핌, 세프피롬, 세포디짐*cefodizime* 등이 있다.

(5) 5세대(Advanced generation and combination agents)

5세대 세팔로스포린계는 세프타롤린*ceftaroline*, 세프톨로잔*ceftolozane*, 세프토비프롤*cef-tobiprole* 등의 약제가 있으며, 세프타롤린의 경우 세프트리악손과 유사한 효과를 보이나 그람 양성균에 좀 더 효과적인 약제로 보고되었다. 특히 세프타롤린은 메티실린 내성 포도상 구균 에서(MRSA) PBP2a에 대해 더 높은 친화력을 가지고 있으며 MRSA, 반코마이신-중간 포도 상 구균(VISA) 및 헤테로-VISA에 대한 활성을 가지고 있다. 또한, 세프타롤린은 페니실린 또는 세프트리악손에 중간 또는 내성인*Streptococcus pneumoniae*에 대한 활성을 가지고 있다. 결과적으로 세프타롤린의 경우 항생제 내성을 보이는 MRSA 감염 등을 치료하는데 사용된다.

3) 카바페넴계

카바페넴은 *Streptomyces cattleya*의 자연 산물인 시에나마이신*thienamycin*으로부터 만들어 진 유도체로 베타락탐 항균제의 일종이다. 현재 국내에서 사용 중인 카바페넴계 항균제로는 이 미페넴/실라스타틴*imipenem/cilastatin*, 메로페넴, 에르타페넴, 파니페넴/베타미프론*panipe-nem/betamipron*이 있다. 카바페넴은 ESBL과 AmpC 베타락탐계 항생제 분해효소를 포함한 베타락탐계 항생제 분해효소 의해 분해되지 않으므로 항균 범위가 매우 광범위하다. 카바페넴 의 흔한 부작용으로는 주사 부위의 국소적 자극, 설사, 피부발진, 구역, 구토, 가려움증 등이 있다. 또한 투여 중 발생 가능한 심각한 부작용으로는 간질발작이 있다. 특히 신장기능저하, 기저 중추신경계 질환, 뇌졸중, 과거 간질발작의 병력이 있는 경우 위험성이 증가한다. 메로페넴은 카바페넴계 중 다른 약제에 비해 간질발작 유발 빈도가 상대적으로 낮다.

4) 아미노글리코시드

아미노글리코시드는 세균의 세포질 내 30S ribosome과 결합하여 mRNA 염기 배열의 오독*misreading*을 유발함으로써 세균과 무관한 단백질 합성을 유도하게 된다. 따라서 세균의 번식에 결정적인 역할을 하는 필수 단백질 생성을 막음으로써 살균작용을 나타낸다. 그람음성균 감염 치료에 중요한 아미노글리코시드는 1944년 스트렙토마이신*streptomycin*을 시작으로 현재까지 15종이 개발되었으며, 초기의 약제들은 항균력이 많이 감소되어 현재는 항결핵제로 사용되고 있다. 그람양성균 중 포도구균에는 항균 효과를 보이나 MRSA에는 무력하며, 장구균에 대한 항균력은 매우 약하지만 페니실린 제제나 glycopeptide 등과 병용 투여 시 상승 작용을 나타낸다. 아미노글리코시드는 신장조직과 소변에 고농도로 존재하기 때문에 요로감염증 치료에 선택적으로 사용된다. 소변의 산성화, 농축 시에는 치료 효과가 떨어지므로 수액을 보충하여 소변을 알칼리화시키고 소변의 양을 증가시키는 과정이 필요하다. 약동학적 측면과 항균제 후효과를 고려할 때 자주 투여하는 것보다는 투여 간격을 늘리고 1회에 많은 양을 투여하는 것이 효과적이다. 아미노글리코시드는 약제에 따라 부작용 발생에 차이가 나타나며, 신독성과 귀독성이 대표적 부작용으로 알려져 있다. 신독성은 고령, 쇼크 상태, 간질환이 있는 경우 고위험군에 속하며, 암포테리신 B, 시스플라틴*cisplatin*, 반코마이신과 병용 투여 시 위험성이 증가한다. 아미노글리코시드 중 네틸마이신*netilmicin*과 이세파마이신*isepamicin*은 신독성이 가장 낮은 것으로 알려져 있다. 귀독성은 신독성에 비해 나타나는 빈도가 훨씬 적으며, 주로 고음 영역에서 나타나므로 청력 저하를 호소하는 경우는 드물다.

5) 퀴놀론계

퀴놀론계 항균제는 베타락탐 제제와 달리 자연에서 추출하지 않고 화학적으로 합성한 약제이다. 작용 범위가 일부 그람음성균에만 국한되고 심장독성 등의 부작용, 신속한 내성 발현 등의 단점으로 인해 비뇨기계 감염증 정도에만 일부 사용되었다. 그러나 1980년대 들어 플루오린*fluorine*기와 피페라진*piperazine*기를 붙임으로써 새롭게 각광받기 시작하였다. 플루오린기를 붙임으로써 그람양성균까지 작용 범위를 넓히게 되었고, 피페라진기를 붙임으로써 녹농균에 대해서도 항균 작용을 갖게 되었다. 또한 과거의 퀴놀론에 비해 체내 흡수율이 향상되고 부작용이 감소하여 사용도가 증가했다. 퀴놀론계 투여 시에는 소변 내 농도가 최소 억제 농도보다 수 배에서 수십 배 높게 유지되므로 모든 종류의 요로감염에서 치료 효과가 우수하다. 따라서 단순 혹은 복합 요로감염을 치료할 때 우선적으로 선택이 가능하며, 녹농균을 비롯한 다제내성 그람음성균에 의한 요로생식기계 감염, 세균성 전립선염 등에서도 유용하다. 예를 들어, 플루오로퀴놀론은 급성복합방광염에 대한 1차 항생제 중 하나로 사용된다.

2018년 NICE 권고안에 따르면, 카테터연관 요로감염 또는 하부요로감염의 경우 시프로플록사신의정맥주사를 제외하고 플루오로퀴놀론은 1차 혹은 2차 요법에서 제외되었다.

퀴놀론은 현재 4세대까지 나와 있다. 1세대로는 날리딕스산nalidixic acid, 시녹사신cinoxacin이 있고, 2세대는 노르플록사신norfloxacin, 시프로플록사신, 로메플록사신lomefloxacin, 오플록사신, 에녹사신enoxacin, 플레록사신fleroxacin, 페플록사신pefloxacin 등이 있다. 3세대부터는 그람양성균과 혐기성균에 대한 효과가 강해지기 시작했으며, 레보플록사신levofloxacin, 스파르플록사신sparfloxacin, 토수플록사신tosufloxacin, 그레파플록사신grepafloxacin 등이 속한다. 4세대는 그람양성균과 혐기성균에 대한 효과가 가장 강력한 항균제이며, 트로바플록사신rovafloxacin, 가티플록사신gatifloxacin, 목시플록사신moxifloxacin, 제미플록사신gemifloxacin 등이 속한다. 퀴놀론계 항균제의 소화기계 부작용으로는 오심, 구토, 복통, 설사 등이 있으며, 발생률은 오플록사신이 가장 낮게 보고되고 있다. 중추신경계 부작용으로는 두통, 현훈, 수면장애, 섬망, 정신이상, 간질, 경련 등이 나타날 수 있으며, 발생률은 레보플록사신이 낮게 보고되고 있다. 심혈관계 부작용으로 저혈압, 빈맥, QT 간격의 연장이 나타날 수 있으며, 특히 스파르플록사신이나 그레파플록사신은 QT 간격을 연장시키는 약제를 복용 중이거나 QT 간격이 늘어나 있는 환자에서는 절대 투여하지 않는 것이 바람직하다. 그 외에도 발진, 소양감, 광독성, 출혈성 수포, 색소침착 등의 피부계 부작용, 간효소의 일시적 상승, 담즙정체황달 등의 간-담도계의 부작용이 발생할 수 있다. 퀴놀론계는 소아에 대한 사용이 금기이다. 이는 관절 연골에 손상을 줄 수 있기 때문이며, 장기간 사용 시 건염tendinitis이나 관절통이 나타난 보고가 있으므로 특수한 경우가 아니면 사용이 권장되지 않는다. 또한 임신 시 고용량으로 투여해도 태아에게 해가 될 수 있으므로 금기이다.

3. 결론

감염을 치료할 때는 적절한 항균제 선택과 사용이 무엇보다 중요하다. 항균제를 제대로 선택하기 위해서는 무엇보다 감염을 일으킨 원인균을 알아야 하며, 그 원인균의 항균제 감수성도 파악해야 한다. 또한 환자의 특성을 고려하여 안진한 항균제를 선택하고 적절한 용량과 투여 경로를 정해야 하며, 항균제의 약역학적 및 약동학적 특성도 고려해야 한다(표 2-9). 추가적으로 요로생식기계 감염에서는 최소 억제 농도와 함께 항균제의 소변내 농도도 선택 시 고려해야 한다.

표 2-9 요로감염 부위에 따른 1, 2차 추천 항생제

감염 부위/진단	주요 원인균	추천약제		고려점
		1차	2차	
단순 방광염	대장균, 장규균, 부생성포두구균	플루오로퀴놀론 PO×3일 : 시프로플록사신 250 mg bid 혹은 500 mg q.d., 레보플록사신 250 mg q.d., 목시플록사신 400 mg q.d., 오플록사신 200 mg bid	트라이메토프림-술파메톡사졸 bid PO×3일, 세팔로스포린(세파트록실 1 gm bid, 세팔렉신 500 mg qid), 니트로푸란토인 100 mg bid, 포스포마이신 3 gm single dose	국내의 플루오로퀴놀론 내성이 증가하고 있음
급성신우신염	대장균, 장구균	입원 시 : 플루오로퀴놀론 IV : 시프로플록사신 400 mg bid, 레보플록사신 500 mg q.d., 암피실린 3 mg tid + 겐타마이신, 3세대 세팔로스포린, antipseudomonal penicillin	암피실린-설박탐 3 gm qid IV	국내의 플로오로퀴놀론 내성이 증가하고 있음 입원 시 48시간 이상 발열이 보이지 않는 경우 경구용으로 교체 지속적인 발열 시 복합요로감염이나 신장주위 혹은 신장롱양에 대한 검사 필요 통상 2주간의 토여 요함. 증상에 따라 추가적인 투여 필요
		외래치료 시 : 플루오로퀴놀론 PO×7~14일. 시프로플록사신 500mg bid 혹은 100 mg q.d., 레보플록사신 750 mg q.d., 목시플록사신 400 mg bid qd, 오플록사신 400 mg bid	아목사실린-클라불라네이트 875/125 mg bid(혹은 500/125 tid), 세팔로스포린(세파트록실 1 gm bid, 세팔렉신 500 mg qid) 혹은 TMP-SMX bid	
복합 요로감염	장내세균	암피실린 3gm tid + 겐타마이신 1.7 mg/kg tid, 이미페넴 500 mg qid, 메로페넴 1 gm tid	플루오로퀴놀론 IV : 시프로플록사신 400 mg bid, 레보플록사신 500 mg qd	가능하면 복합 요로감염의 원인을 우선적으로 제거 통상 2~3주까지 사용
무증상 세균뇨-임신	Aerobic G(-) bacilli, *Streptococcus hemolyticus*	임신 초기 검사 결과 양성이면 아목사실린, 니트로푸란토인, 세팔로스포린(세파트록실 1 gm bid, 세팔렉신 500 mg qid), TMP-SMX×3~7일		재발 확인 위한 주기적 검사 임신 말기 2주 이내 TMP-SMX 사용 금지
무증상 세균뇨-폴리도뇨관 유치	Aerobic G(-) bacilli	소변배양검사 결과가 나올 때까지 TMP-SMX		지속적인 감염을 막기 위하여 폴리도뇨관은 가능하면 빠른 시간 내에 제거

신장주위 또는 신장 농양	황색포도구균	나파실린 nafacillin 혹은 옥사실린, IV 세팔로스포린(세팔로틴 2 gm 6번/일, 세파졸린 2 gm tid)	반코마이신 1gm bid	농양의 크기에 따라 절개 및 배농 혹은 초음파하 흡인 시행
급성전립선염	장내세균, 임균, 클라미디아트라코마티스	시프로플록사신 500 mg bid PO 혹은 400 mg bid IV 혹은 오플록사신 200 mg bid PO×10~14일, 세프트리악손 250 mg IM+독시사이클린 100 mg bid×7~14일		플루오로퀴놀론 계열이 발열을 동반한 급성 전립선염에 유효
척추손상 환자의 요로감염	대장균, 클레브시엘라, 장구균	시프로플록사신 250 mg bid×14일		발열 시 급성신우신염 가능성 고려

VII 항균제 정책

1. 서론

요로감염은 발생빈도가 높은 감염질환 중 하나이다. 경증인 방광염에서 신장농양 및 패혈증으로 생명을 위협하는 중증 감염증까지 범위 또한 다양하며 매우 흔히 발생하는데도 불구하고 원인 병원체의 병독인자에 대한 연구가 부족하다. 지속적인 항균제 개발 때문에 요로감염의 이환율과 사망률이 감소하고 있으나, 최근 항균제 남용으로 인해 나타난 내성균이 초래하는 중증 감염이 세계적으로 증가하여 큰 사회적 문제가 되고 있다. 특히 우리나라의 경우 항균제 오남용으로 인해 세계적으로 유례가 없을 만큼 내성균 확산이 빠른 실정이다. 이에 요로감염의 진단, 치료 및 적절한 항균제 사용에 대한 정책의 필요성이 대두함에 따라 미국, 유럽이 선도적으로 요로감염 진료지침 및 항균제 사용 제한 정책을 제정하여 발표하였다. 국내에서도 이러한 움직임에 동조하여 최근 요로감염 임상진료지침 권고안이 발표되었다.

2. 대한요로감염 진료지침제정위원회의 권고안

요로감염 진료지침을 개발하기 위해 2009년 9월 대한화학요법학회 주관하에 대한감염학회, 대한요로생식기감염학회 및 대한임상미생물학회의 추천을 받아 감염내과, 진단검사의학과 및 비뇨기과 전문의들로 구성된 요로감염위원회가 발족했다. 위원회는 2011년 2월 무증상세균뇨, 단순·복합 요로감염 및 세균성전립선염에 대한 임상진료지침 권고안을 발표하였다. 또한 2018년 요로감염에 대한 항생제 사용의 새로운 지침을 발표하였다. 이 권고안에서 제시하고 있는 항균제 치료 관련 부분을 정리하면 아래와 같다.

1) 무증상 세균뇨

임신 초기, 경요도전립선절제술을 받기 전 또는 점막 출혈이 예상되는 비뇨기과 처치를 받기 전에는 증상이 없더라도 소변배양검사를 하고, 세균뇨가 발견되면 항균제 치료가 필요하다.

폐경 전 비임신 여성, 당뇨병이 있는 여성, 지역사회에 거주하는 노인, 요양원 등의 시설에 거주하는 노인, 척수가 손상된 사람, 폴리카테터를 유치한 사람의 경우는 무증상 세균뇨에 대한 선별이나 항균제 치료가 권장되지 않는다.

2) 단순 요로감염

급성방광염의 경우 과거 지침에서 권유하였던 경구용 플루오로퀴놀론 3일 요법 및 2-3세대 베타락탐계열 항생제의 5일 이상의 경구요법은 내성률의 증가로 권고 수준은 낮아지게 되었으며, 나이트로푸란토인nitrofurantoin 혹은 포스포마이신fosfomycin, 혹은 가장 최근 세대의 페니실린인 피브메실리남pivmecillinam의 3일 요법을 권고하고 있다. 하지만 국내 현실을 반영하면, nitrofurantoin이나 pivmecillinam과 같은 1차 약제가 도입되기전까지는 플루오로퀴놀론fluoroquinolone과 경구 베타락탐beta lactam, 특히 세팔로스포린 계열 항생제의 사용이 불가피하다. TMP-SMX의 경우는 원인균의 감수성 결과를 확인한 후 사용이 가능하다.

경미한 신우신염 즉 입원이 필요하지 않은 단순 급성 신우신염의 경우 감수성을 보이는 경구용 항생제를 7~14일 정도 투여하는데, 경구용 항균제로 플루오로퀴놀론, TMP-SMX, beta lactam 항생제를 사용할 수 있으며, 그 중 경구용 beta lactam 항생제의 사용이 가장 권고수준이 낮다.

항생제 요법 및 ciprofloxacin의 경우, 500 mg 하루 2회 7일간 또는 서방형 ciprofloxacin 1,000 mg 하루 1회 7~14일간 사용, levofloxacin은 500 mg 하루 1회 7일간 또는 750 mg 하루 1회 5일간 사용, TMP/SMX은 160/800 mg 하루 2회 14일간, 경구용 beta lactam 항생제 10~14일간의 사용을 권고하고 있다. 입원이 필요한 경우 초기 정주용 항균제로 fluoroquinolone(근거수준:낮음, 권고수준:약함), aminoglycoside ± ampicillin(근거수준: 낮음, 권고수준: 약함), 2세대 cephalosporin(근거수준: 낮음, 권고수준: 약함), 광범위 cephalosporin 근거수준: 높음, 권고수준: 강함), beta lactam/beta lactamase inhibitor ± aminoglycoside(근거수준:낮음, 권고수준: 약함), aminoglycoside ± beta lactam(근거수준: 낮음, 권고수준: 약함), carbapenem(근거수준: 낮음, 권고수준: 약함)을 투여하며, 해열이 된 후에는 분리된 원인균에 감수성이 있는 경구용 항생제나 내성률을 토대로 결정된 경구용 항생제로 변경하여 투여한다(근거수준: 낮음, 권고수준: 강함). 또한 중증 패혈증이나 패혈쇼크 등으로 중환자실 입원이 필요한 급성 신우신염 환자에서는 국내 내성률 등을 고려하여 *piperacillin/tazobactam* 또는 *carbapenem*을 투여를 권고하나 그 근거수준은 낮다.

3) 복합 요로감염–당뇨 환자

당뇨 환자에서 발생한 방광염의 경우 3일 치료보다는 7일 치료를 고려할 수 있다. 그러나 당뇨 환자에서 일률적인 무증상 세균뇨 치료는 권장되지 않는다.

기종성신우신염의 경우 중증 신우신염에 준하여 항균제를 사용하며, 신독성이 있는 항균제는 피하는 것이 바람직하다. 가스 형성이 신우에 국한되고 신장실질 침범이 없는 경우는 항균제만 투여하면서 관찰하며, 신장실질을 침범하면 항균제 투여와 함께 경피배농술(percutaneous abscess drainage)이나 수술을 시행한다.

4) 복합 요로감염–카테터 관련

카테터와 관련된 무증상 세균뇨는 카테터 유지 기간에 관계없이 항균요법을 권장하지 않는다. 단, 임신부와 점막 출혈이 예상되는 비뇨기 시술 환자는 예외이다. 병원균이 다양하고 항균제 내성률이 높으므로 카테터 관련 요로감염이 의심되면 항균요법을 시작하기 전에 소변배양검사를 해야 한다. 카테터를 2주 이상 유치한 환자에서 카테터 관련 요로감염이 발생한 경우는 증상 완화와 재감염을 줄이기 위해 카테터를 교환해야 한다. 카테터 유치 여부와 무관하게 적절한 항균제로 치료했을 때는 1~2주간의 치료를 권장한다.

5) 복합 신우신염–기능적 혹은 구조적 요로폐쇄 관련

복합 신우신염에 대한 항균제 치료는 증상의 정도, 환자의 원인 질환, 잦은 재발 유무, 병원 감염의 유무와 지역의 항균제 내성 유형에 따라 결정해야 한다. 요로 폐쇄 관련 신우신염 환자에서의 경험적 항생제 선택은 일반적인 신우신염 치료에 준해서 시행하면 되나 패혈증을 동반한 중증 요로감염에 준해서 시행해야 하는 경우도 있다. 초기 경험적 항생제로는 *fluoro-quinolone, beta lactam/beta lactamase inhibitor*, 3세대 *cephalosporin, aminoglycoside* 및 *ertapenem*과 같은 *carbapenem* 등의 사용을 권고하지만, 국내의 경우 요로감염을 유발한 대장균이 *ciprofloxacin, ampicillin/sulbactam, gentamicin* 내성률이 높으므로 패혈증을 동반한 경우와 잦은 재발성 감염인 경우에는 *piperacillin/tazobactam*, 광범위 3세대 *cepha-*

losporin 또는 4세대 *cephalosporin*, *carbapenem* 등을 사용할 수 있다. 항생제 내성균 감염의 위험성이 높은 경우에는 광범위 beta-lactam 계열 항생제와 *amikacin* 병합을 고려할 수 있으나 근거 수준과 근거수준은 낮은 편이다.

패혈승이 의심되는 중증 감염, 잦은 재발성 감염, 병원 내 요로감염의 경우는 경험적 치료를 기반으로 한 초기 병용요법을 고려한다. 중증 감염과 병원 내 감염은 초기에 항녹농균 항균제를 사용할 수 있다. 이때 치료 전에 반드시 소변배양검사를 하고 결과에 따라 초기 항균제의 종류를 정한다.

항균제로 치료하는 기간은 폐쇄에 따라 결정해야 한다. 요로폐쇄의 원인을 교정할 수 있고 추가적 감염 위험이 없다면 7~14일간 사용한다. 요로폐쇄의 원인 질환에 대한 치료나 증상 호전 및 요로폐쇄 교정이 불충분하면 치료 기간을 21일 이상 연장할 수 있다. 결석이 제거되지 않고 남아 있는 경우는 장기간의 항균제 치료를 고려할 수 있다.

6) 세균성전립선염

급성 세균성전립선염은 급성 중증 질환이므로 입원 치료와 즉각적인 경험적 항균제 투여가 필요하다. 항균제로는 3세대 세팔로스포린 제제나 광범위 *beta lactam/beta lactamase inhibitor* 또는 *carbapenem* 등의 사용이 권장된다. 항균제 감수성 결과가 나올 때까지 경험적 항균제 투여를 지속하며, 결과에 따라 항균제를 바꾼다. 항생제 병합 요법으로는 *beta lactam* 계 항생제와 *aminoglycoside*계 항생제의 병합 투여를 고려할 수 있지만 그 근거수준은 낮으며 권고수준 또한 약하다.

만성세균성전립선염의 경우 2018년에는 권고안에서 추후 논의하기로 하여, 2020년 유럽 비뇨기과 학회의 권고사항을 살펴보았다. 만성세균성전립선염의 경우 플루오로퀴놀론 제제가 전립선 내로 비교적 잘 투과되므로 선택적 약물이다. 이때 경구복용이 권장되며, 4~6주간의 복용 기간이 필요하다. 레보플록사신 500 mg 1일 1회 4주 요법 또는 시프로플록사신 500 mg 1일 2회 4주 요법이 권장된다. 클라미디아 균*C. trachomatis* 감염의 경우 *azithromycin* 500 mg 1일 1회 3주요법 및 *doxycycline* 100 mg 1일 2회 10일 요법이 권고되고 있으며, 마이코플라즈마 감염의 경우 클라미디아 감염과 같이 독시사이클린 10일 요법을 권고한다. 트리코모나스 균*Trichomonas vaginalis* 감염의 경우에 한해서 메트로니다졸의 경우 500 mg 1일 3회 14일의 요법을 권고하고 있으며 권고수준은 강하다.

7) 반복적 요로감염 예방

반복적인 요로감염을 예방하기 위해 항균제를 6~12개월간 지속적으로 처방하면 위약군에 비해 감염 발생을 감소시킬 수 있다. 그러나 구강 및 질내 칸디다증 및 대장 증상 등의 부작용이 발생할 수 있다. 이 경우는 차선책으로 크랜베리 주스를 권장함으로써 여성에서 반복적 요로감염을 줄일 수 있으나, 어린이나 노인층에서는 근거가 충분하지 않다. 폐경 여성의 경우 에스트로겐 질 연고를 사용하면 대조군에 비해 유의하게 반복적 요로감염을 감소시킬 수 있다.

3. 항균제 내성 문제에 대한 대응 방안

우리나라에서 항균제 내성이 증가하는 원인은 의사들의 항균제 처방이 적절하지 않는 경우, 환자들이 임의로 항균제를 복용하는 경우, 가축의 전염병 예방을 위해 무분별하게 항균제를 투여하는 경우 등이 원인으로 알려져 있다. 그러므로 항균제 내성을 감소시키기 위해서는 올바른 항균제 사용이 반드시 필요하다.

항균제는 세균 감염을 치료하므로 바이러스 감염 질환의 경우는 가능한 한 항균제 사용을 자제해야 한다. 또한 감염질환의 경험적인 원인균을 정확히 알고 가능한 스펙트럼을 좁히고 적절한 항균제를 선택하여 정확한 양과 투여 기간을 준수해야 한다. 투여를 도중에 중단하거나 너무 적은 용량을 사용할 경우 대상 균이 박멸되지 않고 내성만 증가되어 다시 증식하는 경우 더 심한 감염질환으로 나타날 수 있다. 이를 예방하기 위해서는 의료인들의 노력뿐만 아니라 정부의 지속적인 관심과 노력, 국민들에 대한 교육이 필요하다.

- TMP-SMX의 경우 여성의 단순 방광염에서 감수성이 증가하고 있어 우리나라에서는 1차 치료약으로 권할 수 없다.
- 퀴놀론 계열 항균제들의 경우 단순 요로감염에 대해 미생물학적이나 임상적인 효과에서 의미있는 차이는 크지 않다.
- 단순 요로감염 치료에서 경구용 항균제가 경정맥 항균제보다 효과가 적다는 근거는 없다.
- 단순 급성방광염에 대한 항균제 투여 기간의 경우 5~10일 요법과 3일 요법은 임상적인 치료 효과에서 차이가 없다.
- 메티실린 내성 황색포도규군MRSA는 수술 후 발생하는 창상 감염이 주된 문제이지만, 인공 삽입물을 유치한 후 발생하는 MRSA 감염은 환자에게 치명적인 결과를 가져다줄 수 있다.
- MRSA를 치료하는 원칙으로 조기 발견과 적절한 격리 및 적절한 항생제 치료가 중요하다.
- 합리적인 항생제 사용과 MRSA 환자 접촉 금지 및 격리, 손씻기 등 병원의 적극적인 감염원 관리와 의사 및 환자의 주의가 필요하다.
- 항균제 내성은 일부 병원에서만 발견되는 문제가 아니며 우리나라를 비롯한 세계적인 문제이다.
- ESBL에 의한 내성은 기존에 사용되고 있는 거의 모든 항균제를 무력화시킬 수 있다. 이제부터 균의 성질과 ESBL을 획득하는 분자생물학적 기전 등에 대한 이해가 필요하며, 이러한 지식을 기반으로 주의 깊게 항균제 치료에 임해야 한다. ESBL은 국가마다 발현 양상이 다르다. ESBL의 발현과 치료 방법 및 성격을 규명하는 일은 국민의 건강을 책임지는 국가와 의사의 의무이며 권리라고 생각된다.
- 현재 증가하고 있는 복합 요로감염을 치료하기 위해서는 소변배양검사가 필수적이며, 항생제 최소 억제 농도 측정을 통한 ESBL 존재 유무 검사와 그에 따른 적절한 항생제 사용이 필요하다. 또한 경험적 항생제 치료가 원칙인 단순 요로감염 환자에서도 항생제 내성을 가진 세균이 빈발하게 관찰되는 현실을 고려하여 재발 요로감염이나 기존의 경험적 항생제 치료에 저항하는 환자를 대상으로 선별적인 항생제 내성 검사를 추천할 수 있다.
- 항균제 사용 시에는 균 동정 전부터 적절한 항생제를 선택해야 한다. 균 동정 후에는 항균제의 약역학적 및 약동학적 특성, 최소 억제 농도와 항균제의 적정 농도에 따라 용량 및 투여 경로를 선택해야 한다.
- 국내 요로감염에서 퀴놀론계 항생제의 내성이 증가하고 있다. 그러므로 항생제를 투여해도 지속적 발열이 나타다고 임상증상이 호전되지 않는 경우는 내성균에 대해 고려해야 한다.
- 우리나라의 경우 내성균 확산을 막기 위하여 요로감염 임상진료지침 권고안의 준수가 필요하다.
- 단순 방광염 및 경미한 신우신염의 경우 경구용 퀴놀론 투여가 권장된다.
- 요도카테터 관련 무증상 세균뇨는 항균요법이 권장되지 않지만 임신부와 출혈이 예상되는 비뇨기 시술 전에는 예외이다.
- 패혈증이 의심되는 중증 감염, 잦은 재발성 감염, 병원 내 요로감염의 경우 경험적 치료를 기반으로 하여 초기 병용요법을 고려할 수 있다.
- 만성 세균성전립선염의 경우 경구용 플루오로퀴놀론 제제 4주 복용이 권장되며, 내성이 있는 경우에는 TMP-SMX 3개월 요법을 고려할 수 있다.

참고문헌

1. Bader MS, Loeb M, Brooks AA. An update on the management of urinary tract infections in the era of antimicrobial resistance. Postgraduate medicine. 2017;129(2):242-58.

2. Bouxom H, Fournier D, Bouiller K, Hocquet D, Bertrand X. Which non-carbapenem antibiotics are active against extended-spectrum β-lactamase-producing Enterobacteriaceae? Int J Antimicrob Agents 2018;52:100-3.

3. Brown PD. Management of urinary tract infections associated with nephrolithiasis. Current infectious disease reports. 2010;12(6):450-4.

4. Choe HS, Lee SJ, Yang SS, Hamasuna R, Yamamoto S, Cho YH, et al. Summary of the UAA-AAUS guidelines for urinary tract infections. International journal of urology : official journal of the Japanese Urological Association. 2018;25(3):175-85.

5. Delamaire M, Maugendre D, Moreno M, Le Goff MC, Allannic H, Genetet BJDM. Impaired leucocyte functions in diabetic patients. 1997;14(1):29-34.

6. Farrell D, Morrissey I, De Rubeis D, Robbins M, Felmingham DJJoi. A UK multicentre study of the antimicrobial susceptibility of bacterial pathogens causing urinary tract infection. 2003;46(2):94-100.

7. FDA Drug Safety Communication: FDA warns of increased risk of death with IV antibacterial Tygacil (tigecycline) and approves new Boxed Warning [cited 2015 March 27]. Available from: http://www.fda.gov/drugs/drugsafety/ucm369580.

8. Gajdács M. The Continuing Threat of Methicillin-Resistant Staphylococcus aureus. Antibiotics (Basel). 2019;8(2). Epub 2019/05/06.

9. Geerlings SE, van den Broek PJ, van Haarst EP, Vleming LJ, van Haaren KM, Janknegt R, et al. [Optimisation of the antibiotic policy in the Netherlands. X. The SWAB guideline for antimicrobial treatment of complicated urinary tract infections]. Nederlands tijdschrift voor geneeskunde. 2006;150(43):2370-6.

10. Ghafourian S, Sadeghifard N, Soheili S, Sekawi Z. Extended Spectrum Beta-lactamases: Definition, Classification and Epidemiology. Curr Issues Mol Biol 2015;17:11-21.

11. Grigoryan L, Zoorob R, Wang H, Horsfield M, Gupta K, Trautner BW. Less workup, longer treatment, but no clinical benefit observed in women with diabetes and acute cystitis. Diabetes research and clinical practice. 2017 Jul 1;129:197-202.

12. Gupta K, Hooton TM, Roberts PL, Stamm WE. Short-course nitrofurantoin for the treatment of acute uncomplicated cystitis in women. Archives of internal medicine. 2007;167(20):2207-12.

13. Heyns CF. Urinary tract infection associated with conditions causing urinary tract obstruction and stasis, excluding urolithiasis and neuropathic bladder. World journal of urology. 2012;30(1):77-83.

14. Hooton TM, Bradley SF, Cardenas DD, Colgan R, Geerlings SE, Rice JC, et al. Diagnosis, prevention, and treatment of catheter-associated urinary tract infection in adults: 2009 International Clinical Practice Guidelines from the Infectious Diseases Society of America. Clinical infectious diseases : an official publication of the Infectious Diseases Society of America. 2010;50(5):625-63.

15. Hsueh PR. Study for Monitoring Antimicrobial Resistance Trends (SMART) in the Asia-Pacific region, 2002-2010. Int J Antimicrob Agents 2012;40 Suppl:S1-3.

16. Huttner A, Verhaegh EM, Harbarth S, Muller AE, Theuretzbacher U, Mouton JWJJoAC. Nitrofurantoin revisited: a systematic review and meta-analysis of controlled trials. 2015;70(9):2456-64.

17. Hwang BY, Lee JG, Park DW, Lee YJ, Kim SB, Eom JS, et al. Antimicrobial susceptibility of causative microorganisms in adults with acute pyelonephritis at one university-affiliated hospital in southwestern Seoul. 2003;35(5):277-82.

18. Jung Y, Song KH, Cho Je, Kim H, Kim NH, Kim TS, Choe PG, Chung JY, Park WB, Bang JH, Kim ES, Park KU, Park SW, Kim HB, Kim NJ, Oh M. Area under the concentration-time curve to minimum inhibitory

concentration ratio as a predictor of vancomycin treatment outcome in methicillin-resistant Staphylococcus aureus bacteraemia. Int J Antimicrob Agents 2014;43:179-183.

19. Kang C-I, Kim J, Park DW, Kim B-N, Ha U-S, Lee S-J, et al. Clinical practice guidelines for the antibiotic treatment of community-acquired urinary tract infections. 2018;50(1):67.

20. Kang CI, Song JH. Antimicrobial resistance in Asia: current epidemiology and clinical implications. Infect Chemother 2013;45:22-31.

21. Ki M, Park T, Choi B, Foxman B. The epidemiology of acute pyelonephritis in South Korea, 1997-1999. American journal of epidemiology. 2004;160(10):985-93.

22. Kim B, Kim J, Seo M-R, Wie S-H, Cho Y, Lim S-K, et al. Clinical characteristics of community-acquired acute pyelonephritis caused by ESBL-producing pathogens in South Korea. 2013;41(3):603-12.

23. Kim B, Kim J, Wie S-h, Park SH, Cho YK, Lim S-K, et al. Is it acceptable to select antibiotics for the treatment of community-acquired acute cystitis based on the antibiotics susceptibility results for uropathogens from community-acquired acute pyelonephritis in Korea? 2012;44(4).

24. Kim HY, Lee S-J, Lee DS, Yoo JM, Choe H-SJMDR. Microbiological characteristics of unresolved acute uncomplicated cystitis. 2016;22(5):387-91.

25. Kim ME, Ha U-S, Cho Y-HJIjoaa. Prevalence of antimicrobial resistance among uropathogens causing acute uncomplicated cystitis in female outpatients in South Korea: a multicentre study in 2006. 2008;31:15-8.

26. Kim MH, Lee JM. Diagnosis and management of immediate hypersensitivity reactions to cephalosporins. Allergy Asthma Immunol Res 2014;6:485-95.

27. Kim WB, Cho KH, Lee SW, Yang HJ, Yun JH, Lee KW, et al. Recent antimicrobial susceptibilities for uropathogenic Escherichia coli in patients with community acquired urinary tract infections: a multicenter study. 2017;12(1):28-34.

28. Kullar R, Davis SL, Levine DP, Rybak MJ. Impact of vancomycin exposure on outcomes in patients with methicillin-resistant Staphylococcus aureus bacteremia: support for consensus guidelines suggested targets. Clin Infect Dis 2011; 52:975-981.

29. Lecomte F, Allaert FJGIDOEG. Single-dose treatment of cystitis with fosfomycin trometamol (Monuril): Analysis of 15 comparative trials on 2,048 patients. 1997;19:399-404.

30. Lee DG, Jeon SH, Lee CH, Lee SJ, Kim JI, Chang SG. Acute pyelonephritis: clinical characteristics and the role of the surgical treatment. Journal of Korean medical science. 2009;24(2):296-301.

31. Lee DS, Choe HS, Lee SJ, Bae WJ, Cho HJ, Yoon BI, et al. Antimicrobial susceptibility pattern and epidemiology of female urinary tract infections in South Korea, 2010-2011. Antimicrobial agents and chemotherapy. 2013;57(11):5384-93.

32. Lee SJ, Ha U, Kim HW, Cho YH. Efficacy of cefcapene pivoxil for empirical therapy of acute uncomplicated cystitis. Infection and Chemotherapy. 2008 Jun 1;40(3):162-6.

33. Lee SJ, Lee DS, Choe HS, Shim BS, Kim CS, Kim ME, et al. Antimicrobial resistance in community-acquired urinary tract infections: results from the Korean Antimicrobial Resistance Monitoring System. Journal of infection and chemotherapy : official journal of the Japan Society of Chemotherapy. 2011;17(3):440-6.

34. Longo D FA, Kasper D, Hauser S, Jameson J, Loscalzo J. Harrison's principles of internal medicine. 18th ed: New York (NY): McGraw-Hill Education; 2011.; 2011.

35. Marien T, Miller NL. Treatment of the Infected Stone. The Urologic clinics of North America. 2015;42(4):459-72.

36. Muller LM, Gorter KJ, Hak E, Goudzwaard WL, Schellevis FG, Hoepelman AI, et al. Increased risk of common infections in patients with type 1 and type 2 diabetes mellitus. Clinical infectious diseases : an official publication of the Infectious Diseases Society of America. 2005;41(3):281-8.

37. National Institute for Health and Care Excellence. Urinary tract infection (catheter-associated): antimicrobial

prescribing. NICE guideline [NG113] 2018; . https://www.nice.org.uk/guidance/ng113. ed.

38. Nicolle LE. Uncomplicated urinary tract infection in adults including uncomplicated pyelonephritis. The Urologic clinics of North America. 2008;35(1):1–12, v.

39. Pana ZD, Zaoutis T. Treatment of extended-spectrum β-lactamase-producing Enterobacteriaceae (ESBLs) infections: what have we learned until now? F1000Res 2018;7

40. Peterson J, Kaul S, Khashab M, Fisher A, Kahn JB. Identification and pretherapy susceptibility of pathogens in patients with complicated urinary tract infection or acute pyelonephritis enrolled in a clinical study in the United States from November 2004 through April 2006. Clinical therapeutics. 2007;29(10):2215–21.

41. Reyner K, Heffner AC, Karvetski CH. Urinary obstruction is an important complicating factor in patients with septic shock due to urinary infection. The American journal of emergency medicine. 2016;34(4):694–6.

42. Sadahira T, Wada K, Araki M, Ishii A, Takamoto A, Kobayashi Y, Watanabe M, Watanabe T, Nasu Y, Kumon H, Okayama Urological Research Group (OURG). Efficacy and safety of 3 day versus 7 day cefditoren pivoxil regimens for acute uncomplicated cystitis: multicentre, randomized, open-label trial. Journal of Antimicrobial Chemotherapy. 2017 Feb 1;72(2):529–34.

43. Sader HS, Mendes RE, Streit JM, Flamm RK. Antimicrobial Susceptibility Trends among Staphylococcus aureus Isolates from U.S. Hospitals: Results from 7 Years of the Ceftaroline (AWARE) Surveillance Program, 2010 to 2016. Antimicrob Agents Chemother. 2017;61(9). Epub 2017/06/21.

44. Sanchez GV, Master RN, Karlowsky JA, Bordon JMJAa, chemotherapy. In vitro antimicrobial resistance of urinary Escherichia coli isolates among US outpatients from 2000 to 2010. 2012;56(4):2181–3.

45. Schito GC, Naber KG, Botto H, Palou J, Mazzei T, Gualco L, et al. The ARESC study: an international survey on the antimicrobial resistance of pathogens involved in uncomplicated urinary tract infections. 2009;34(5):407–13.

46. Scholes D, Hooton TM, Roberts PL, Gupta K, Stapleton AE, Stamm WEJAoim. Risk factors associated with acute pyelonephritis in healthy women. 2005;142(1):20–7.

47. Seo M-R, Kim S-J, Kim Y, Kim J, Choi TY, Kang JO, et al. Susceptibility of Escherichia coli from community-acquired urinary tract infection to fosfomycin, nitrofurantoin, and temocillin in Korea. 2014;29(8):1178.

48. Sewify M, Nair S, Warsame S, Murad M, Alhubail A, Behbehani K, et al. Prevalence of Urinary Tract Infection and Antimicrobial Susceptibility among Diabetic Patients with Controlled and Uncontrolled Glycemia in Kuwait. Journal of diabetes research. 2016;2016:6573215.

49. Spoorenberg V, Hulscher ME, Geskus RB, de Reijke TM, Opmeer BC, Prins JM, et al. [Better antibiotic use in complicated urinary tract infections; multicentre cluster randomised trial of 2 improvement strategies]. Nederlands tijdschrift voor geneeskunde. 2016;160:D460.

50. Tulara NK. Nitrofurantoin and Fosfomycin for Extended Spectrum Beta-lactamases Producing Escherichia coli and Klebsiella pneumoniae. Journal of global infectious diseases 2018;10:19–21

51. Wenzel RP. The antibiotic pipeline--challenges, costs, and values. N Engl J Med 2004;351:523–6.

52. WHO. Antimicrobial resistance: global report on surveillance 2014. April 2014.

53. Wie SH, Choi SM, Lee DG, Kim SY, Kim SI, Yoo JH, et al. Antibiotic sensitivity of the causative organisms and use of antibiotics in women with community-acquired acute pyelonephritis. 2002;34(6):353–9.

54. Wie SH, Im Chang U, Kim HW, Kim YS, Kim SY, Hur J, et al. Clinical features and antimicrobial resistance among clinical isolates of women with community-acquired acute pyelonephritis in 2001–2006. 2007;39(1):9–16.

55. Wie S-H, Ki M, Kim J, Cho Y, Lim S-K, Lee J, et al. Clinical characteristics predicting early clinical failure after 72 h of antibiotic treatment in women with community-onset acute pyelonephritis: a prospective multicentre study. 2014;20(10):O721–O9.

56. Wunderink RG, Niederman MS, Kollef MH, et al. Linezolid in methicillin-resistant Staphylococcus aureus nosocomial pneumonia: a randomized, controlled study. Clin Infect Dis 2012;54:621–629.

57. Yuan Z, Tang Z, He C, Tang W. Diabetic cystopathy: A review. Journal of diabetes. 2015;7(4):442-7.
58. Zhanel GG, Walkty AJ, Karlowsky JAJCJoID, Microbiology M. Fosfomycin: a first-line oral therapy for acute uncomplicated cystitis. 2016;2016.

단순 요로감염

이주용, 정해도, 신주현, 강동혁

ㅣ 개요

요로감염은 요로상피에 세균이 침범하여 발생하는 염증성 반응으로, 주로 직장 내 세균의 상행성 감염으로 발생한다. 세균은 숙주와 환경 사이에서 서로 영향을 주고받는다. 세균의 독성 증가, 숙주의 저항성 감소, 또는 환경 변화 등의 불균형 상태가 발생하면 세균이 지속해서 증식하여 감염이 발생하며 이차적으로 증상이 발현된다. 요로감염의 임상양상은 증상이 없는 세균뇨 또는 빈뇨, 요절박 등의 방광 자극 증상을 동반하는 하부요로감염부터 발열, 오한, 측복부 동통, 패혈증 등의 증상과 관련된 상부요로감염까지 다양하게 나타난다.

요로감염은 가장 흔히 발생하는 세균감염 중 하나이다. 여성 3명 중 1명은 24세 이전에 치료가 필요한 요로감염에 적어도 1번 이상 걸리며, 매년 전체 여성의 10% 정도에서 발생하고 여성의 60% 가량이 평생 한 번 이상의 단순 요로감염을 경험한다. 요로감염의 분류 형태로서 요로의 해부학적 또는 구조적인 이상이 없이 건강한 사람에게 발생하는 것을 단순 요로감염이라고 하는데, 주로 여성에 많고 단기간의 약물 치료에 잘 반응한다. 요로계에 이상이 있거나 다른 질환이 동반된 경우를 복합 요로감염이라고 한다.

단순 요로감염은 모든 나이의 여성이 걸릴 수 있으며, 신우신염, 조기 분만, 태아 사망률 증가, 신장기능저하 등 합병증을 초래할 수도 있다. 지역사회에서 발생하는 단순 급성요로감염의 가장 흔한 원인균은 대장균*Escherichia coli*로 70~83% 정도를 차지한다. 다음으로 많은 것은 부생성포도구균*Staphylococcus saprophyticus*이고, 클레브시엘라*Klebsiella*, 엔테로박터

Enterobacter, 프로테우스*Proteus*, 장구균*Enterococci*도 드물게 요로감염을 발생시킨다. 소아에서는 *Enterobacteriaceae*가 가장 많이 동정되고, 노인 여성에서는 대장균이 가장 흔하지만, 그람양성균도 흔하며 복합 감염이 1/3 정도를 차지한다. 당뇨 환자에서는 대장균과 함께 클레브시엘라, B군 연쇄구균 group B *streptococcus*, 장구균 등도 요로감염을 일으킨다. 평소 건강했던 환자는 단순 요로감염이 발생하더라도 대부분 치료가 잘되고 합병증이 발생하지 않으나, 해부학적, 대사적, 면역학적으로 이상 질환이 있는 환자들에게서는 심각한 질환으로 발전할 수 있다.

젊은 여성의 재발성 요로감염 유병률의 경우 처음 요로감염에 걸렸을 때 6개월 이내에 27%에서 재발하고, 또한 같은 기간에 2.7%에서 2차 재발을 한다고 보고되었다. 다른 보고에 따르면 17세에서 82세까지 대장균에 의해 방광염에 걸린 환자의 44%가 1년 이내에 재발하며, 젊은 여성에서는 36%, 55세 이상이면 53%가 재발한다. 재발성 요로감염은 증상으로 인한 불편감 외에도 장기간 치료가 필요하므로 의료비용을 증가시키게 되며 합병증으로 신장손상이나 패혈증을 일으킬 수도 있다.

재발성 방광염은 대부분 세균의 재감염으로 인하여 발생하며 지속성 세균뇨가 원인인 경우는 드물다. 임상적으로 재발성 방광염과 지속성 세균뇨를 구별할 필요가 있지만, 구별이 힘든 경우가 많다. 그래서 일반적으로 초회 감염에 대한 치료 후 2주 이내에 재발한 요로감염은 임상적으로 지속성 세균뇨로 간주하고, 2주 이후에 다시 발생한 경우는 재감염으로 간주한다. 그러나 치료 후 소변배양검사에서 원인균이 검출되지 않으면서 재발하였을 때는 재감염으로 생각할 수 있다. 재감염은 대부분 초회 감염 후 첫 3개월 이내에 발생한다.

II 단순 급성방광염

1. 병인

단순 급성방광염은 비뇨기계의 해부학적, 기능적 이상 없이 방광에 국한된 세균감염이다. 매년 전체 여성의 10% 정도에서 발생하고 전체 여성의 거의 반 정도에서 평생 최소 한 번 이상의 방광염을 경험한다. 반면에 남성에서는 매우 드물게 발생한다. 15~50세 남성에서 대략 10,000명당 5~8명 정도 발생한다는 보고가 있다. 여성에서 더 호발하는 이유는 여성의 요도 길이가 남성보다 짧고, 남성과 달리 항균 효과가 있는 전립선액이 없으며 항문으로부터 회음부, 요도 입구가 근접해 있어 쉽게 세균이 집락화 할 수 있기 때문이다. 단순 급성방광염의 주요 원인균은 *Escherichia coli*가 가장 흔하고 다음으로는 *Staphylococcus saprophyticus*, *Klebsiella pneumoniae*, *Proteus mirabilis* 순서이다.

요로병원성대장균*uropathogenic Escherichia coli*, UPEC은 다양한 독성인자를 활용하여 요로에 진입하고 집락화를 하게 된다. 편모*flagella*는 요도 주위에서 방광으로 세균이 진입하는 데 필요하고, 다양한 섬모(type 1 fimbriae, p-fimbriae 등) 및 afimbrial adhesins을 이용해 요로상피에 집락화를 하게 된다. 인체는 이에 대한 대응으로 방광상피세포 탈락과 염증반응을 일으키게 된다.

2. 임상소견

단순 급성방광염은 질 분비물이 없는 배뇨통, 빈뇨, 급박뇨, 야간뇨 등의 방광자극증상, 하복부 불편감이 특징적이다. 혈뇨나 소변 악취, 혼탁뇨를 호소하기도 하며 요실금을 동반할 수 있다.

3. 진단

1) 임상적 진단

증상이 없는 상태에서, 빈뇨, 배뇨통, 긴박뇨 등이 새로 발생하였을 때 급성방광염 진단의 양성예측률은 90% 정도이다. 단순 방광염은 하부요로감염의 임상 증상과 함께 농뇨가 있는 경우 진단할 수 있으나, 전형적인 증상이 있는 경우 검사실적 진단 없이 바로 치료를 시행할 수도 있다.

2) 검사실적 진단

기본 검사로, 시험지 검사법(urine dipstick test)과 요검사(현미경 관찰)가 권장된다. 소변 배양검사는 필수적이지 않으나, 2~4주 동안 지속되는 증상, 급성 신우신염의 증상이 의심되는 경우, 방광염이 재발하는 경우, 임신부인 경우, 남성의 경우 시행해야 한다. 국내에서는 요로감염 유발 세균의 항생제 내성이 높아서, 소변 배양검사를 치료 전에 하는 것이 좋다. 농뇨는 원심분리하지 않은 소변의 고배율 검사에서 백혈구가 10개 이상일 때 정의할 수 있다. 증상이 있는 여성의 경우 중간소변에서 10^3 cfu/mL 이상의 세균 군집이 관찰될 때 진단적 의미가 있다.

3) 감별 진단

(1) 질염

배뇨통이 있는 여성에서, 질 분비물과 냄새(odor), 가려움, 성교통이 있고, 빈뇨나 급박뇨가 없는 경우 질염을 고려해야 한다.

(2) 요도염

배뇨통이 있는 성적으로 활발한 여성에서 특히 세균뇨 없이 농뇨가 보이는 경우 요도염에 대한 평가를 고려해야 한다. 여성 요도염의 원인으로는 클라미디아, 임질, 트라코모니아시스, 칸디다증, 단순포진바이러스, 피임 젤과 같은 비감염성 자극제 등이 있다.

(3) 방광통증후군

배뇨통, 빈뇨, 급박뇨 등의 방광과 관련된 불편감을 지속 가지고 있지만, 감염이나 다른 원인의 증거가 없는 여성들에 대해 고려할 수 있다.

(4) 골반염증성 질환

하복부 또는 골반 통증과 발열은 골반 염증성 질환 환자에게서 가장 흔한 임상 증상이지만 배뇨통도 동반될 수 있다. 골반 검진 때 점액 농성의 자궁경부 분비물, 자궁경부압통은 골반염증성 질환을 매우 의심할 수 있다.

(5) 방광상피내암종

치료에 반응이 없는 경우 방광자극증상을 유발할 수 있는 방광상피내암*carcinoma in situ*, CIS 도 염두에 두고 이에 대한 검사 등을 고려한다.

4. 치료

단순 급성방광염 환자에서 항생제 치료를 한 경우 위약 사용보다 의미 있는 치료 효과를 보였다. *Escherichia coli*의 fluoroquinolones 저항성이 국내에서 20% 넘게 보고되었기에, 단순 요로감염에서 fluoroquinolones의 경험적 사용은 주의해서 사용되어야 한다. 경험적 항생제를 선택할 때, 지역 내의 감수성 경향, 항생제 내성에 대한 위험 인자를 고려하는 것이 중요하다. 다제 내성 그람음성균의 위험 인자는 최근 3개월 이내에 다제 내성 그람음성균이 검출되었거나, 병원이나 요양시설에 입원력, fluoroquinolones, TMP/SMX, 3세대 cephalosporin 이상의 광범위 항생제 사용력, 다제 내성 그람음성균의 유병률이 높은 지역으로 여행력 등이다. 다른 항생제로의 변경은 환자의 임상적 특징에 따라 고려할 수 있다. 치료 기간 또한 임상적 특징과 증상 지속 여부에 따라 조정해야 한다. 남성에서의 방광염은 전립선과 관련된 경우가 많으므로 복잡성 감염으로 간주해야 한다.

1) 항생제 종류

(1) Fosfomycin trometamol

Fosfomycin trometamol 3 g 일 회 복용과 타 항생제의 효과를 비교한 메타분석에서 fosfomycin의 효과는 fluoroquinolones, TMP/SMX, ß-lactam 항생제, nitrofurantoin 등과 비슷하였고, 부작용은 적었다. fosfomycin의 *Escherichia coli*에 대한 감수성은 99.4%로 높았고, ESBL 생성균, AmpC ß-lactamase 생성균, 다제 내성 *Escherichia coli*에서도 높은 감수성을 보였다. *Escherichia coli*에 대한 국내 연구에서도 ciprofloxacin은 22%, TMP/SMX은 29.2%의 내성률을 보였으나 fosfomycin은 0%의 내성률을 보였다. 따라서, 단순 급성방광염에 대해 1차 경험적 항생제로 fosfomycin을 사용하는 것이 추천된다.

(2) ß-lactams

ß-lactam 항생제를 사용한 치료법으로, 3세대 경구 cephalosporin (cefpodoxime proxetil, cefdinir, cefcapene pivoxil, cefditoren pivoxil, cefixime)은 다른 추천 약제를 사용할 수 없을 때 대체 약제로 사용할 수 있다. Cefpodoxime은 ciprofloxacin보다 치료 효과가 열등하였으나, TMP/SMX와는 치료 효과 면에서 차이가 없었다. Cefixime은 ofloxacin, ciprofloxacin과 치료 효과에서 차이가 없었다. Amoxicillin-clavulanate 250 mg/125 mg는 국내에서 분리된 대장균에서 내성률이 20~35%로 보고되어 있어 1차 경험적 항생제로 처방해서는 안 된다. 다만, 소변배양검사에서 감수성이 확인되면 사용할 수 있다. cefaclor 250 mg의 경우 경험적 항생제로 사용하기 위해서는 추가적인 연구가 필요하다.

(3) Fluoroquinolones

미국과 유럽에서는 fluoroquinolones의 부작용으로 인해 단순 요로감염에 대해서 fluoroquinolones의 사용을 하지 않도록 권고했다. 다만, fluoroquinolones은 일반적으로 권장되는 항생제를 사용하는 것이 부적절하다고 간주할 때만 사용되어야 한다. 또한 성적으로 활발한 젊은 여성에서 Staphylococcus saprophyticus가 배양될 때는 대체 치료제로 고려될 수 있다.

　일반적으로 3일간의 fluoroquinolones 요법이 치료로 추천된다. ciprofloxacin 500 mg 하루 2회 경구복용, ciprofloxain 250 mg 하루 2회 경구복용, tosufloxacin 150 mg 하루 2회 경구복용이 추천된다. Fluoroquinolones 저항성의 위험 인자는 최근의 항생제 치료 이력, 병원 입원, 요양시설 입원, 만성적인 호흡기 질환이다. 이러한 환자들에게는 fluoroquinolones 사용을 피하는 것이 권장된다.

(4) Trimethoprim-sulfamethoxazole (TMP-SMX)

　Trimethoprim-sulfamethoxazole (TMP-SMX)에 대한 *Escherichia coli* 저항성이 20% 미만인 지역에서는 TMP-SMX 160/800 mg 경구 투여를 5일간 수행할 수 있다. 그러나 국내에서 요로감염 유발 세균의 항생제 내성에 대한 다기관 조사에 따르면 TMP/SMX에 대해 *Escherichia coli*의 내성률이 단순 급성방광염 여성의 30% 이상에서 검출되었다. 그러므로 국내에서 경험적 항생제로는 한계가 있다. 다만, 소변 배양검사 결과에서 감수성이 확인되면 사용할 수 있다.

(5) Nitrofurantoin, Pivmecillinam

　외국의 여러 지침에서는 nitrofurantoin macrocrystal 100mg 하루 2회 경구 5일 요법, pivmecillinam 400 mg 하루 3회 경구 3일 요법이 1차 경험적 항생제 치료로 권장된다. 그러나 pivmecillinam과 nitrofurantoin은 현재 국내에서는 사용할 수 없다.

　국내 단순 급성방광염의 경험적 항생제 추천 및 경험적 항생제에 대한 국내 *Escherichia coli*의 감수성 결과에 대해 표 3-1과 표 3-2에서 정리하였다.

표 3-1 단순 급성방광염의 경험적 항생제

항생제		요법(경구)	기간
Fosfomycin trometamol		3 g 1회	1일
β-Lactams	Cefpodoxime proxetil	100 mg 하루 2회	5~7일
	Cefdinir	100 mg 하루 3회	5~7일
	Cefcapene pivoxil	100 mg 하루 2회	5~7일
	Cefditoren pivoxil	100 mg 하루 2회	3일
	Cefixime	100 mg 하루 2회	3일
	Amoxicillin/clavulanate[a]	250/125 mg 하루 3회 500/125 mg 하루 2회	7일
Fluoroquinolones	Ciprofloxacin[b]	500 mg 하루 2회 250 mg 하루 2회	3일
	Tosufloxacin[b]	150 mg 하루 2회	3일
Trimethoprim/sulfamethoxazole (TMP/SMX)[a]		80/400 mg 하루 2회	3일
Pivmecillinam[c]		400 mg 하루 3회	3일
Nitrofurantoin macrocrystal[c]		100 mg 하루 2회	5일

a) 감수성 확인 후 사용
b) 임산부 사용 금기
c) 국내 도입 후 사용

표 3-2 *Escherichia coli*의 항생제 감수성에 대한 국내 연구 결과(%)

항생제		감수성 (2007–2008)	감수성 (2010–2011)	감수성 (2010–2014)	감수성 (2013–2015)
Fosfomycin trometamol		–	100	–	–
β-Lactams	Cefpodoxime proxetil	–	–	–	–
	Cefdinir	–	–	–	–
	Cefcapene pivoxil	88,90	–	–	–
	Cefditoren pivoxil	–	–	–	–
	Cefixime	–	–	–	–
	Amoxicillin/clavulanate	–	–	84,5	63,6
	Cefoxitin	–	–	92,9	88,8
	Cefepime	–	98,5	92,3	76,2
	Ceftazidime	–	–	93,1	76,2

	Cefotaxime	–	–	87.3	75
Fluoroquinolones	Ciprofloxacin	72.20	78	58.3	73
	Tosufloxacin	–	–	–	–
Trimethoprim/sulfame-thoxazole (TMP/SMX)		61.10	70.8	66	60.6
Pivmecillinam			–	–	–
Nitrofurantoin macrocrystal		–	99.4	–	–

2) 항생제 사용기간

단순 급성방광염의 치료에 있어 항생제 사용기간은 항생제마다 다르다. Quinolones, β-lactams, TMP-SMX, pivmecillinam 등에 대한 코크란 리뷰에서 단순 급성방광염 여성에서 3일 요법과 5~10일 요법에서 증상 개선에는 차이가 없었으나 세균학적 측면에서는 5~10일 요법이 효과적이었다. 반면에 부작용은 5~10일 요법에서 더 의미 있게 발생하였다. 따라서 5~10일 요법은 세균 박멸이 필요한 경우에만 고려할 수 있다. 60세 이상의 단순 급성방광염 고령 환자에서 3~6일 단기 요법과 7~14일 장기 치료를 비교하였을 때 치료 효과는 차이가 없었다. 항생제 종류와 관계없이 5일 이하와 5일 이상의 치료 후 재발률을 비교하였을 때 차이가 없었다. 단순 급성방광염의 항생제 치료 기간에 대한 네트워크 메타분석 연구에서, pivmecillinam 3일 요법, 3세대 및 4세대 fluoroquinolones의 1회 요법이 고려될 수 있다고 하였고 nitrofurantoin의 3일 요법, 1세대 및 3세대 경구 cephalosporin의 1회 요법은 기존 권장치료기간과 치료 효과는 비슷할 수 있지만, 그 근거 수준은 낮았다. 또한 TMP-SMX과 2세대 fluoroquinolones은 3일 요법이 적절하다고 하였다. 이러한 결과를 보았을 때, 3~5일 정도의 단기 요법 치료가 사용될 수 있고 장기간의 치료 기간은 일부 경우에서 고려될 수 있다.

5. 치료 후 경과 관찰

항생제 치료 후 무증상 환자에게서는 요검사 또는 소변 배양검사를 수행하지 않아도 된다. 방광염 진단 시 혈뇨가 있었던 경우, 수주 후에 지속적인 혈뇨가 있는지 재검사하는 것이 권장된다.

경험적 항생제 사용 후 2일에서 3일 후에도 증상이 지속되거나, 최소 2주 이내에 증상이 재발하는 경우, 소변 배양검사와 항생제 민감도 검사를 시행해야 한다. 치료는 항생제 민감도 검사 결과에 따라 결정되거나, 다른 항생제를 사용하여 최소 7일 동안 두 번째 치료 과정을 실시하는 것이 추천된다. 국내에서는 fluoroquinolones 저항성 외에도 ESBL 생성균이 증가하고 있다.

ESBL 생성균은 주로 *Escherichia coli*와 *Klebsiella strains*에서 나타나며, carbapenem을 제외한 대부분 항생제에 내성이 있는 많은 변종 때문에 단순 급성방광염의 치료에 어려움이 발생할 수 있다. Fosfomycin은 경험적 항생제 치료가 실패했거나 ESBL 생성균이 소변배양검사에서 발견되었을 때 추천된다. 추천되는 요법은 fosfomycin 3 g을 48시간 간격으로 3회 복용하는 것이다. fosfomycin 사용이 어렵다면 소변 배양검사에서 민감도가 관찰된 경우, amoxicillin-clavulanate나 ciprofloxacin 또는 TMP-SMX가 효과적일 수 있다.

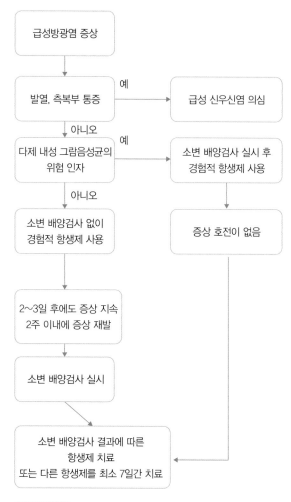

그림 3-1 단순 급성방광염의 치료 알고리즘

Ⅲ 재발성 요로감염

1. 정의

재발성 요로감염(Recurrent Urinary Tract Infections)은 6개월 이내에 2번 이상, 1년 이내에 3번 이상 발생하는 경우로 정의된다. 재발성 요로감염은 해부학적으로나 생리학적으로 정상 요로 구조를 가진 젊고 건강한 여성에서 흔히 발생한다. 실제로 건강한 20대 여성의 경우 방광염이 발생한 후 20%에서 6개월 내에 요로감염을 지닌다고 보고하고 있다. 급성방광염을 가진 여성의 1/4이 재발하고, 그중 27%는 6~12개월 이내에 재발한다. 요로감염의 발병에 가장 중요한 위험 요소 중 하나는 이전의 최근에 발생한 요로감염이라는 것이 잘 알려져 있다. 재발성 방광염의 대부분은 세균의 재감염이 원인이며 지속 세균뇨는 드물다. 재감염은 세균뇨가 완전히 소실된 후 새로운 균주에 감염된 것을 뜻하며, 지속 세균뇨는 치료 후 소변배양검사에서 무균뇨로 전환된 뒤 단기간 내에 같은 균에 의해 감염이 재발하는 경우를 가리킨다. 재감염과 지속 세균뇨를 구별하는 것이 임상적으로 유용하지만 구별이 힘든 경우가 많다. 그래서 일반적으로 초기 감염으로 치료한 후 2주 이내에 재발한 요로감염은 임상적으로 지속 세균뇨로 간주하고, 2주 이후에 다시 발생하였을 때 재감염으로 간주할 수 있다. 재감염은 요로상피의 세포 내에 콜로니를 형성하고 숨어 있다가 다시 박테리아가 출현하여 발생하거나, 이차적으로 분변총(fecal flora)에서 요로병원균이 상행하여 발생할 수 있다. 재감염은 대부분 초기 감염 후 첫 3개월 이내에 발생한다. 남성의 경우 재감염은 해부학적 이상이 있을 수 있다.

재발성 방광염은 증상으로 인한 불편감과 함께 장기간의 치료가 필요하므로 의료비용을 증가시키게 된다. 또한 잦은 방광 감염은 방광 자체의 해부학적 및 기능적 변화를 일으키고, 이로 인하여 상부요로가 변화하거나 신장에 상행성 감염을 초래하여 심각한 후유증을 남길 수도 있다. 게다가 아직 완전한 원인적 상관관계는 밝혀지지 않았지만 간질성 방광염의 병리 기전을 자극할 수 있는 위험 요소라는 점이 더욱 큰 문제이므로 매우 주의 깊은 치료가 필요하다.

2. 위험 요소

다양한 위험 요소를 논의하기 위해 폐경기 전과 폐경기 후 여성으로 구분하여 설명한다.

1) 폐경기 전 여성

재발성 요로감염 여성의 5% 미만이 해부학적 또는 기능적 이상 소견을 가지고 있다.

(1) 성관계

재발성 요로감염과 관련된 가장 강력한 위험 요소 중 하나가 성관계의 횟수이다. 1개월에 4회 이상 성관계를 하는 경우 재발률이 높았으며, 새로운 성관계 파트너가 있는 경우에도 증가한다.

(2) 피임

살정자제, 피임기구, 피임약 등을 사용하면 요로감염의 위험이 증가한다. 살정자제는 병원균에 유리하도록 질 환경을 변화시킴으로써 요로감염의 위험을 증가시킨다.

(3) 항균제 복용

요로감염을 경험하지 않은 젊은 여성의 질-요도 정상 세균무리는 유산균과 포도구균으로 이루어져 있다. 그러나 항균제를 복용할 때는 정상 세균무리가 감소하여 질 내 대장균이 쉽게 집락화하게 된다.

(4) 유전

Scholes 등은 재발성 요로감염 여성 환자 450명 중 47%는 어머니가 요로감염의 과거력을 갖고 있었고 22%는 15세 이전에 첫 번째 요로감염이 발생하였는데, 이러한 요인은 재발률을 2~4배 증가시킨다고 보고했다. 특히 성관계나 살정자제 사용 전에 요로감염이 발생했다면 재발성 요로감염의 유전적 측면이 있음을 암시하는데, 환자와 어머니가 같은 행동양식을 보이거나 같은 환경적 요인을 갖고 있음을 반영하는 것일 수도 있다. 재발성 요로감염 환자에 관한 유전적 연구 결과, 이들은 혈액형 항원의 비분비형 유전자가 정상인보다 3~4배 많았다. 분비형의 유전자는 많은 glycotransferase를 만드는 유전자이고, 이들은 세포 표면의 당단백질과 글리코스핑고리피드 glycosphingolipid의 탄수화물 구성을 결정하는데, 이는 또한 대장균이 부착하는 장소이기도 하다. 비분비형의 질 상피세포는 2개의 기다란 사슬 글리코스핑고리피드를 표현하기 때문에 대장균이 더 잘 부착할 수 있게 된다. 인터류킨-8 수용체인 CXCR1은 요로감염 발생을 증가시키는 또 다른 유전적 요인이다. 인터류킨-8은 감염된 요 상피세포를 가로질러 호중성 백혈구의 이동을 촉진하는 염증성 사이토킨이다. CXCR1이 없는 쥐는 신장 내의 세균을 제거할 수 없었다는 것과 함께 재발성 신우신염이 있었던 소아의 호중성 백혈구에서 CXCR1이 결손되었다는 연구 결과가 보고되었다.

(5) 요도-항문의 거리

회음 길이, 요도 길이 등의 해부학적 요인과 배뇨 행태, 배뇨 후 잔뇨량 등에 관해서도 연구가 진행되었다. 재발성 요로감염 환자의 경우 요도로부터 항문에 이르는 거리가 짧았는데, 이는 세균의 이동 거리가 짧을수록 요로감염의 발생 기회가 많아지기 때문으로 생각된다. 그러나 요도 길이, 잔뇨량, 배뇨 행태 등은 대조군과 의미 있는 차이를 보이지 않았다.

2) 폐경기 후 여성

에스트로겐 저하는 질 pH 상승을 유발하며 박테리아가 번식할 수 있는 환경을 만든다. 에스트로겐 감소는 질 내 미생물총 환경을 변화시키며 대장균의 집락 증가를 유발해서 락토바실루스가 감소한다. 폐경으로 여성호르몬이 감소한 여성에게 국소적으로 질 내 에스트로겐을 바르면 질 내 정상 세균무리를 정상화하고 특히 요로감염 재발을 감소시킬 수 있다. Raz와 Stamm은 재발성 요로감염 병력이 있는 149명의 폐경기 후 여성과 과거력이 없는 53명의 대조군을 비교 분석한 결과, 재발성 요로감염의 위험 요소는 에스트로겐 결핍, 비뇨생식기 수술, 요실금, 방광탈출증, 많은 잔뇨량, 혈액형 항원의 비분비형 상태, 그리고 요로감염의 과거력 등이라고 보고하였다.

3. 기전

건강한 사람에게 요로감염을 일으키는 병원균은 환자의 직장 균주에서 기원한다. 과거의 이론에 따르면, 여성의 재발성 요로감염의 2/3는 같은 균주에 의해 발생하며 이는 환자 자신의 장내세균에 의한 재감염으로 여겨졌다. 그러나 회음과 요도 주위를 매일 항균제로 치료해도 요로감염 재발을 막지는 못하였다. 장 또는 질로부터 요로계로의 전달이 재발 기전으로 모두 설명되지는 않았다. 과거의 병리 기전들이 설명하지 못한 문제점에 관한 최근의 연구 보고는 재발성 요로감염 병리 생태 기전의 혁명적인 변화를 제시했다. 여성 재발성 요로감염 환자들을 항균제로 치료한 후 24%(8/33명)는 소변검사에서 정상이었으나 방광조직에서는 병원균 양성으로 나타나 방광 자체가 재감염의 근원이 될 수 있다고 보고되었다.

요로감염은 요로병원성대장균 UPEC이 조직에 부착됨으로써 시작된다. 여러 단계를 거쳐 요로병원성 대장균이 방광 표면 세포 안으로 들어와 세포 내 세균 군집*intracellular bacterial communities*과 잠복성 세포 내 저장소*quiescent intracellular reservoirs*를 형성한다. 잠복성 세포 내 저장소 형태는 보균자 상태로 바이러스처럼 자가증식을 할 수도 있어 재발성 요로감염의 기전으로 설명된다.

<table>
<tr><th colspan="2">표 3-3   재발성 요로감염의 나이에 따른 위험 요소</th></tr>
</table>

젊은 또는 폐경전 여성	폐경후 여성
성관계	폐경전 요로감염 기왕력
피임 (살정제, 피임기구)	요실금, 방광류
새로운 성 파트너	배뇨 후 잔뇨량 증가.
여성 직계 가족 중 요로감염 가족력	방광류
유년기에 요로감염 기왕력	에스트로겐 결핍으로 인한 위축성 질염
혈액 항원 분비 상태 Blood group antigen secretory status	혈액 항원 분비 상태
–	요양시설에 입원한 상태, 도뇨관 삽입상태

4. 치료

재발성 요로감염을 치료하는 목적은 소변 내의 세균을 제거하여 추가적인 감염 확대를 예방하는 데 있다. 가능한 모든 위험 요소를 교정하고 기저 질환을 잘 치료해야 한다(표 3-4). 폴리 도뇨관을 사용하는 환자들은 도뇨관 관리를 재고하고, 노인에게서는 회음 청결을 유지하고 수분 섭취를 조절하는 한편 요실금이나 변실금을 치료해야 한다. 폐경기 후 여성에서는 에스트로겐 치료를 고려해볼 수 있다.

광범위한 항생제 남용과 다제 내성 박테리아의 놀라운 수로 확산하고 있는 이 시대에 항생제를 시기적절하게 사용해야 한다. 다제 내성 박테리아의 발생은 입원율 증가 및 연장과 사망을 포함한 심각한 부작용과 관련이 있다. 질병 통제 예방 센터(Centers for Disease Control and Prevention, CDC)는 항생제 내성이 우리가 직면하는 가장 심각한 건강 위협 중 하나라고 보고했다. 항생제 남용을 최소화하기 위한 행동치료, 비항균적 예방 치료, 면역 치료에 관한 부분이 최근 두드러지고 있다.

표 3-4 재발성 요로감염의 추가 검사의 적응증(Indications for Further Investigation of Recurrent Urinary Tract Infection)

- 이전 요로 손상, 수술
- 이전 방광, 신장 결석
- 감염 완치 후 육안적 혈뇨, 미세혈뇨
- 낮은 요 흐름, 방광출구폐색 증상, 다량의 잔뇨
- 배양 시 요소 분해 박테리아(Urea-splitting bacteria)
- 이전 복부 골반 악성 종양
- 균 배양 감수성에 맞는 치료에도 불구하고 세균뇨 지속
- 당뇨병 또는 기타 면역질환
- 반복적인 신우신염

1) 행동치료

예방법으로는 충분한 수분 섭취와 함께 규칙적인 배뇨를 권장하고 있다. 수분 섭취는 박테리아가 부착된 요로상피세포를 씻어내어 면역력을 높여주기 때문에 추천된다. 최근 연구에 따르면 재발성 요로감염의 병력이 있는 폐경기 전 여성의 경우 매일 물 섭취량을 1.5 L로 늘리면 방광염 발생이 매우 감소했다. 성관계는 세균뇨를 일시적으로 증가시키기 때문에 요로감염의 알려진 위험 요소이다. 따라서 성교 후 방광을 비우는 것은 일시적으로 발생한 세균뇨가 요로감염의 임상 증상으로 진행될 가능성을 최소화하는 데 도움이 된다. 성교 전 소변을 보는 것 역시 도움이 될 수 있다. 살정제(nonoxynol-9)는 정상 질 세균총 개체 수 감소를 유발하고 질 pH를 변하게 하여 요로병원성 박테리아가 번성할 수 있는 환경을 조성하기 때문에 요로감염 발병 위험 증가와 관련이 있다. 배변 후 휴지를 사용할 때 앞쪽에서 뒤쪽으로 닦도록 하는 등의 청결 유지가 중요하다.

2) 비항균적 예방 치료(Non-antimicrobial prophylaxis)

(1) 면역학적 예방 치료제

대장균은 가장 흔한 방광염의 원인균으로 무증상 세균뇨와 급성방광염의 85% 이상을 차지할 뿐만 아니라 재발성 방광염의 60% 이상에서 원인균으로 작용한다. 경구용 면역자극제 OM-89(유로박솜 Uro-vaxom)는 하부요로감염의 대표적인 대장균 열여덟 가지 항원형을 추출하여 제조한 균체용해물이다. 이 약제는 대장균에 대한 특이적인 항체 분비를 항진하며 체액성 및 세포성 면역계를 활성화하여 숙주의 점막 면역계 활성화는 물론 선천적인 면역에 관여하는 면역인자들을 활성화한다고 알려져 있다. 예방 효과를 위해서는 1일 1회 아침 공복 시 소량

의 물과 함께 유로박솜을 3개월간 경구 투여했으며, 몇몇 임상시험에서 요로감염 재발과 증상 개선에서 통계적으로 유의한 결과가 나타나 선택적인 환자에서 항균제를 대치하는 예방법이 되었다. 메타분석 연구에서 891명을 대상으로 최소 1개의 요로감염 발생 위험비는 OM-89 치료군에서 유의하게 낮았다(RR 0.61; 95 % CI 0.48 - 0.78). 최근 국내의 다기관 연구에서도 3개월간 투여하자 방광염 발생이 치료 전 6개월 동안의 4.26회에서 치료 후 6개월 동안 0.35회로 의미 있게 감소하였으며, 82.4%에서는 전혀 재발이 없었다고 보고되었다. 또한 Bauer 등은 3개월간 투여하고 3개월의 휴약 기간을 거친 후 부스터 요법으로 7~9개월에 10일씩 추가 투여하여 12개월째에 결과를 평가했는데, 대조군과 비교해 요로감염 발생이 34% 감소했다고 보고했다. 이 결과는 유로박솜을 초기에 3개월간 투여하고 10일 부스터 요법을 적용하여 12개월까지 예방 효과를 지속시킬 수 있음을 보여주는 의미가 있다.

질내 백신(Urovac)은 IgA 및 IgG를 자극하여 요로 및 요로 병원체의 잠재적인 집락화를 감소시키는 작용을 한다. 유로박은 6가지 혈청형의 요로병원성 *E. coli*, *Proteus vulgaris*, *K. pneumoniae*, *Morganella morganii*, *E. faecalis*을 포함한 10종의 열 사멸 요로병원균이 포함되어 있다. 총 220명의 여성을 포함하는 3개의 임상 연구에서 1차 임상 연구는 예방 접종(3개 질 백신/매주 간격)을 위약과 비교했다. 다른 2건의 임상시험에서는 추가 예방 접종(3개 질 백신 / 매달)이 초기 예방 투여에 이어서 주입되었다. 부스터 요법을 받은 여성은 요로감염에 걸릴 확률이 낮았다. 이 세 가지 연구에 대한 메타분석 결과 Urovac은 재발성 요로감염률(RR 0.81; 95 % CI 0.68 - 0.96)을 약간 감소시켰다. 유로박솜과 같이 면역 치료제로 좋은 효과를 보이나 더 많은 수의 피험자를 대상으로 연구를 수행이 필요하다.

(2) 에스트로겐

폐경기 여성은 더 빈번한 재발성 요로감염을 보이고 있으며, 배뇨장애로 인한 잔뇨량 증가, 방광류와 같은 골반장기탈출증과 연관성이 있으며 에스트로겐 저하도 중요한 원인이 된다. 국소 에스트로겐 요법은 질의 pH를 낮추고, 그람음성균 집락을 줄이면서 락토바실루스를 복원하며, 요로감염의 재발을 줄인다. 93명의 여성을 대상으로 한 대조 연구에서 질 에스트리올 (estriol)을 사용하면 위약과 비교해 요로감염의 수가 감소한 것으로 나타났다. 요로감염률은 질 에스트리올을 투여받은 그룹에서 유의하게 낮았다(0.5 대 환자 연간 5.9 회, p ⟨0.001).

다양한 형태의 질 에스트로겐에 대한 검토를 수행한 결과, 모든 형태(에스트로겐 크림, 정제 및 링)가 질 위축 증상을 개선했지만 요로감염에 대한 영향은 특별히 분석되지 않았다. 메타분석에 따르면 질 에스트로겐은 폐경기 여성의 재발성 요로감염을 예방하지만 질 자극 저하와 관련이 있었다. 질 에스트로겐의 안정성은 혈청 에스트로겐의 관련 증가가 없으므로 여성에서 유방암, 자궁내막암의 재발 위험 증가를 보여주지 않는다.

(3) 크랜베리

크랜베리는 여러 해 동안 요로감염을 예방하는 데 사용되어왔다. 초기에는 크랜베리가 소변을 산성화시켜 항균 효과를 나타낸다고 여겨졌으나 오류로 판명되었다. 한 사람이 한꺼번에 수 리터의 크랜베리 주스 칵테일을 마신 후에도 박테리아 성장을 둔화시킬 만큼 소변이 산성화되지는 않는다고 밝혀졌기 때문이다. 크랜베리의 항균 효과는 크랜베리 주스의 과당과 프로안소시아니딘proantho-cyanidine이 대장균의 1형 fimbriae와 P fimbriae 발현을 억제하여 요로상피에 요로감염균이 부착하는 것을 막음으로써 나타나는 것으로 알려졌으며, 이러한 항부착 효과는 몇몇 연구에서 증명되었다. 이를 근거로 여러 임상적 연구가 진행되었다. 치료적 측면에서 크랜베리가 효과적이라는 명확한 증거를 제시하는 연구는 없었으나, 예방적인 면에서는 4개의 잘 디자인된 무작위 대조군 시험을 메타분석하였을 때 크랜베리 주스가 12개월 이상 증상을 동반한 요로감염 빈도를 위약/대조군과 비교해 유의하게 감소시키는 것으로 나타났다.

그러나 최근 발표된 연구에서는 크랜베리 주스가 재발성 요로감염을 예방해주지 못한다고 보고되었다. 이 연구는 방광염으로 치료받은 젊은 여성들을 대상으로 무작위, 환자-대조군 연구로 진행되었다. 치료군은 저칼로리 크랜베리 주스 칵테일을 하루에 두 번 8온스씩 마셨고, 위약군은 크랜베리가 포함되지 않은 같은 양의 위약 주스를 마셨다. 6개월 후 크랜베리를 마신 군은 20%, 위약군은 14%에서 요로감염이 재발하여 오히려 크랜베리 주스를 마신 군에서 재발이 많았다. 통계적으로는 별 차이가 없지만, 크랜베리 주스가 방광염을 막아준다는 것을 보여주지는 못한 것이다.

크랜베리 주스를 연구한 결과가 흥미로운 것은 사실이나, 요로감염에 대한 예방과 치료 효과가 확정된 것은 아니다. 앞으로 적정 음용량이나 효과 균종 그리고 부작용 등에 대한 지속적인 대규모 임상시험이 필요하다.

(4) 디만노스(D-mannose)

디만노스는 말단 부분에 있는 adhesin 단백질인 Fim H와 결합해서 세균이 요로상피에 부착되는 것을 막는 당이다. 1형 pili가 있는 세균이 요로상피에 부착되는 것을 경쟁적으로 막아주는 역할을 한다. 디만노스는 처음에는 동물의 요로감염 치료에 사용되었다. 최근 연구에 따르면 디만노스는 재발성 요로감염의 위험을 줄이는 데 니트로푸란토닌만큼 효과적이며 부작용의 위험이 상당히 낮다는 것을 보여주었다. 또한 디만노스는 급성방광염과 관련된 증상을 줄이고 재발성 요로감염을 예방하는 데 효과적이었다. 디만노스 제형에 대한 최적 투여량은 아직 결정되지 않았으며 디만노스의 효능에 대한보다 확실한 결론을 도출하려면 더 많은 연구를 수행해야 한다.

(5) 프로바이오틱스

생균제란 '충분한 양을 섭취하였을 때 건강에 도움이 되는 살아 있는 균'으로 정의된다. 항균제가 나쁜 균의 성장을 저해하거나 죽이기 위해 이용하는 약물이라면, 생균제는 좋은 균을 이용하여 우리 몸의 건강에 도움을 주는 것이다. 요로감염은 감염균이 질이나 직장에서 방광으로 이동하면서 발생하는 상행 감염이 대부분이며, 질 내와 요로의 정상 상피가 중요한 역할을 한다. 유산균은 대장균 같은 다른 박테리아 종을 대체하며 사람의 장에서 집락을 구성한다. 항균제 치료를 받고 있거나 폐경 후인 여성은 질 내 박테리아의 평형이 교란되고 유산균이 장내세균으로 대체되면서 세균뇨의 위험이 증가한다. 국내의 한 연구 결과 보고에 따르면 요로감염과 관련하여 흰쥐 모델에서 유산균을 방광 내로 투여하자 요로감염 발생이 감소했다. Stapleton 등은 재발성 요로감염 환자를 대상으로 무작위, 환자−대조군 연구를 진행한 결과를 보고했는데, 유산균 질정 투여군에서는 15%(7/48명)에서 요로감염이 재발하여 대조군의 27%(13/48명)에 비해 유의하게 감소했다.

(6) 방광 내 약물 주입술

요로상피는 병원균에 대한 첫 번째 장벽이며 상피세포는 황산화 다당류인 글리코스아미노글라이칸sulfated polysaccharide glycosaminoglycan, GAG을 생성해서 외부의 감염과 싸우게 된다. 방광의 GAG 층의 대부분은 하이알룬산hyaluronic acid, HA과 콘드로이틴 설페이트chondroitin sulfate, CS로 구성된다. 세균에서 분비된 독성인자는 GAG 층을 손상해 접착을 준비한다. 요로감염의 발생을 방지를 위한 한 가지 전략은 HA 단독 또는 CS와 함께 방광 내 주입으로 방광 상피의 GAG 층을 보강해주는 것이다. 다양한 무작위 및 비무작위 연구가 수행되었으며 결과는 요로감염의 재발을 방지하는 데 효과적이나 아직 더 많은 연구가 필요한 상태이다.

| 표 3-5 | 비항생제적 예방제(EAU Guidelines on Urological Infection) |

예방제	권고등급	비고
행동요법, 습관 개선 상담 치료	C	–
면역예방치료제	A	유로박솜 연구에 기반함
에스트로겐 보충 요법	A	폐경 후 여성의 재발성 요로감염에서만 권고됨
유산균	비권고	대규모 임상 연구 필요함
크렌베리	비권고	대규모 임상 연구 필요함
디만노스	비권고	대규모 임상 연구 필요함
방광 내 약물 주입요법	비권고	대규모 임상 연구 필요함

3) 예방적 항균제 요법(표 3-6)

항균제를 이용한 예방법은 여성 재발성 요로감염 환자에서 큰 효과가 나타남으로써 증명되었다. 재발의 빈도와 형태에 따라 항균제 투여법을 선택할 수 있는데, 장기간 저용량의 항균제를 복용하는 방법, 성교 후 자주 재발하는 경우 성교 전후 항균제를 복용하는 방법 그리고 요로감염 증상이 있을 때 스스로 복용하는 방법 등이 있다. 특히 3~6개월간의 장기 항균제 요법과 성교 후 항균제 복용법은 항생제 내성을 증가시킬 수 있으므로 충분히 환자와 상담 후, 행동요법 및 비항균제 약물 요법이 실패하였을 때 권유해 볼 수 있다.

(1) 장기간 저용량 항균제 복용법

치료 요법에는 nitrofurantoin 50 mg 또는 100 mg 1일 1회, fosfomycin trometamol 3 g 10일마다, trimethoprim 100 mg 1일 1회 지속해서 투약하는 방법이 있다. 임신 중에는 세팔렉신 125 mg 또는 250 mg, cefaclor 250 mg 1일 1회 치료법도 포함된다. 임신 전에 잦은 요로감염의 병력이 있는 임산부는 요로감염 위험을 줄이기 위해 성관계 후 예방적 항생제 투여를 고려해야 한다. 대부분 예방적 항생제의 우수한 효과에 대해서는 동의하지만 코크란(Cochrane) 연구에 의하면 어느 정도 동안 항생제를 지속해서 사용해야 하는지에 대한 결론을 내리지 못했으며, 항생제 내성률이 낮았던 이전 오래된 자료에 기반을 둔 치료법이기 때문에 다제 내성균이 많이 있는 현재의 시점에서는 부작용에 대한 평가를 다시 해야 하며 회의적이다. 장기간의 항생제 치료법은 여러 학회에서 적극적으로 권고하지 않으며 다른 대체적인 비항생제를 사용한 치료법에 관한 관심과 연구가 많이 이루어지고 있다.

표 3-6	여성 재발성 요로감염 환자의 예방적 항균제 요법(AUA/CUA/SUFU Guideline)
저용량 지속적 항균요법	
TMP	100 mg 1회 매일
TMP-SMX	40 mg/200 mg 1회 매일, 40 mg/200 mg 3회 매주
Nitrofurantoin	50 mg 매일, 100 mg 매일
Cephalexin	125 mg once 매일, 250 mg once 매일
Fosfomycin	3 gm 매 10일마다
간헐적 예방 항균요법	
TMP-SMX	40 mg/200 mg, 80 mg/400 mg
Nitrofurantoin	50-100 mg
Cephalexin	250 mg

(2) 성교 전후 항균제 복용법

성관계 이후에 방광염이 재발하는 여성에서는 성관계 전이나 직후 소변을 본 후 항균제를 투여하며 명확한 인과관계가 있는 환자에서 유효한 치료 방법입니다. 항균제를 선택할 때 환자의 이전 투여 기왕력, 이전 배양검사에서 저항성 패턴, 약제 민감도를 고려해서 선택하게 된다.

이전에는 주로 TMP, TMP-SMX, 세팔렉신cephalexin, 플루오로퀴놀론 등을 투여했으며, 한 연구에 의하면 성교 후 TMP-SMX(40/200 mg) 투여군이 위약 대조군과 비교해 요로감염 발생률이 의미 있게 감소시켰다. 니트로프란토닌이 소변에 농축이 많이 되며, 항균제 내성을 증가시키지 않으며, 여러 요로 병원체에 효과적이기 때문에 현재 많이 선호되는 항균제이다. 하지만 니트로프란토닌은 장기간 사용할 때 폐 섬유증이나 신장 및 신경독성을 유발할 수 있어 주의를 필요로 한다. 최근 대규모 메타분석에 의하면 니트라프란토닌이 norfloxacin, trimethoprim, TMP/SMX, cefaclor, estriol과 치료 측면에서는 거의 동등한 효과를 지닌다고 보고하고 있다. 간헐적으로 설사나 위장관 부작용을 일으킬 수 있다.

(3) 간헐적 자가 치료법

예방 치료를 장기간 하지 못할 때는 간헐적 자가 치료를 적용한다. 방광염 증상을 느끼면 항균제를 자가 투여하는데, 대개 항균제의 선택은 급성단순요로감염과 거의 비슷하다. 예방 요법의 부작용을 경험한 경우나 비용적 측면을 고려한다면 자가 치료법을 선택할 수 있다. 그러나 이 전략은 의지가 있고 의료진과 좋은 관계를 유지할 수 있으며 명확히 재발성 감염으로 증명된 여성에게 제한적으로 사용하여야 한다. 또한 48시간 이내에 증상이 완전히 회복되지 않을 때는 의료진과 상의해야 함을 주지시켜야 한다.

IV 단순 급성신우신염

1. 서론

급성신우신염이란 급성으로 발생하는 신우-신배계와 신실질의 세균감염에 의한 요로감염증을 일컫는다. 주로 여름에 발생률이 가장 높은 것으로 알려져 있고, 국내의 발생률은 인구 만 명당 35.7명 정도이다. 급성신우신염으로 입원 치료를 시행하는 환자 수는 여자가 남자와 비교해 다섯 배 정도 더 많다. 급성신우신염이 의심되는 모든 환자는 단순 급성신우신염과 복잡 급성신우신염으로 구분을 해야 하며, 가장 중요한 방법은 병력 청취이다. 요로계에 구조적 또는 기능적 이상이 없는 건강한 폐경 전 여성에서 발생한 급성신우신염의 경우 단순 급성신우신염으로 분류할 수 있다. 합병 인자가 동반된 복잡 급성신우신염을 시사하는 병력은 남성인 경우, 사춘기 전 혹은 임신 중에 발병, 요로생식기계의 기능적·해부학적 이상이나 당뇨, 요실금 등이 동반된 경우이다. 도뇨관을 삽입했거나 신경성방광이 동반된 경우, 소아 시절의 요로감염 병력, 다낭성 신장, 면역억제제를 사용 중이거나 최근 항균제를 복용한 병력 등도 합병 인자를 가진 것으로 해석한다.

2. 병리

육안 소견에서 신장흉터는 염증성 부기로 인해 크기가 증가한다. 피질 내 농이 속질과 유두 부분까지 나타나며 이로 인하여 신장 실질이 말랑말랑해진다. 현미경 소견에서는 급성 염증반응으로 신장 실질이 파괴되면서 다형핵백혈구가 특히 집합관과 간질 부위에서 관찰되며 세균이 침윤된다. 염증반응 초기에는 이러한 침윤이 간질에 국한되나 나중에는 유두 부위와 피질까지 쐐기 모양으로 퍼진다. 사구체는 보통 보존된다.

3. 발생 경로와 원인균

급성신우신염은 대부분의 방광 내 세균이 상행성 감염으로 요관을 통해 신장을 침범하여 발생하며, 혈액 내로 전파되기도 한다. 요관 폐색과 방광요관역류는 이러한 과정을 더욱 촉진하고 신장 내 역류가 있을 때는 더욱 뚜렷하게 나타난다. *Staphylococcus*의 세균혈증이나 *Candida*의 진균혈증이 있는 환자에게서 드물게 혈행성 경로를 통한 이차적 신장 감염을 일으키고, 심한 위장관 감염이나 후복막강 농양이 있는 경우 주변 장기로부터 직접적으로 세균이 전파되어 발생할 수 있다. 국내에서 가장 흔한 원인균은 대장균이고, 그 외에 *Klebsiella pneumoniae*, *Proteus mirabilis*, *Enterococcus* spp., *Staphylococcus saprophyticus* 등이 분리된다.

4. 진단

1) 임상소견

급성신우신염은 신장과 신우의 염증으로 정의되지만, 진단은 임상적으로 이루어진다. 일반적으로 갑자기 발생하는 발열과 오한, 전신 무력감 등의 전신 염증반응과 지속적인 측복통이 주요 증상이다. 방광자극증상 및 배뇨 곤란 등이 동반될 수도 있다. 신장 창자 반사로 인한 구역, 구토 등의 위장관 증상도 흔히 볼 수 있다. 신체검사에서 타진 시 병소 쪽의 늑골척추각에 나타나는 심한 압통이 뚜렷하며 이는 신실질의 부종으로 신피막이 팽창되어 발생한다. 나타나는 증상의 범위는 매우 넓어 가벼운 측복통을 호소하는 경우부터 생명이 위태로운 패혈 쇼크까지 다양하다.

2) 검사실 검사

소변검사에서 심한 농뇨와 세균뇨, 단백뇨를 보이며 미세혈뇨가 흔히 관찰된다. 급성신우신염이 의심되는 모든 경우에 소변의 그람염색과 배양검사가 실시되어야 한다. 급성신우신염이 의심되는 환자에서 소변 배양검사를 시행하면 보통 10^5 CFU/mL 이상의 세균 집락이 배양되나, 약 20% 정도는 이보다 적은 수가 배양된다. 따라서 급성신우신염을 진단할 수 있는 의미 있는 세균뇨는 10^4 CFU/mL 이상의 세균 집락이 배양될 때로 정한다. 단순 급성신우신염을 가진 여성 환자에서 혈액 배양이 양성인 경우는 25% 정도이지만, 치료 방침에 영향을 미치는 경우는 적다. 따라서 단순 급성신우신염이 의심되는 경우 혈액 배양검사를 반드시 시행할 필요는 없다. 그러나 증상이 심하거나 합병 인자를 가진 경우 세균혈증이나 패혈증이 잦으므로 혈액 배양검사를 고려한다. 일반 혈액검사에서 백혈구, 특히 중성구의 증가가 뚜렷하며 다른 세균감염처럼 C-반응 단백이 증가한다. 경우에 따라 혈중 크레아티닌 수치가 증가할 수 있다.

3) 영상 검사

급성신우신염은 임상 증상과 소변검사에 근거하여 진단하므로 일반적으로 영상 검사가 필요하지는 않으나 합병인자가 있는 복잡 급성신우신염이 의심되거나 항생제 치료 72시간 이후에도 치료에 반응이 없는 경우에는 영상학적 검사가 필요하며 복부 컴퓨터단층촬영이 가장 유용한 검사이다.

(1) 배설요로조영술

일반적으로 잘 시행하지 않지만, 합병요인이 의심되는 경우 시행할 수 있다. 염증 부위 신장 실질의 혈관의 수축으로 인해 신장 실질의 음영이 정상보다 지연되어 나타나고, 신우와 신배에 조영제가 출현하는 현상이 늦어진다.

(2) 신장 초음파

저반향의 병변이 관찰되며 신장 실질이 부어 있고 이에 따라 집뇨계가 압박받는 소견이 관찰된다.

(3) 복부 컴퓨터단층촬영

신실질의 조영 강도 감소를 볼 수 있으며 다양한 형태의 관류 결손도 나타난다. 병증이 심한 경우 신주위 지방층에 지저분한 선형 침습 소견이나 Gerota근막의 비후 등이 관찰되기도 한다(그림 3-2).

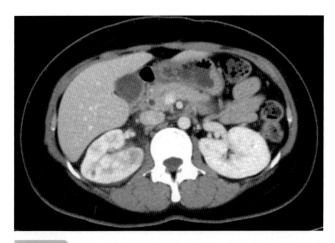

4) 감별 진단

발열을 동반한 측복통 및 늑골 척추각압통 등의 증상 및 신체검

그림 3-2 우측 단순 급성신우신염 환자의 컴퓨터단층촬영 소견
정상적으로 관찰되어야 할 신장 피질과 수질의 경계부가 보이시 잃으며 진빈적으로 음영이 감소하여 있고 관류결손 부위가 관찰된다.

진소견이 반드시 급성신우신염을 의미하는 것은 아니라는 점을 유념할 필요가 있다. 급성충수염, 게실염, 췌장염도 급성신우신염과 유사한 통증을 초래하지만, 통증의 위치가 미세하게 다르며 소변검사 결과는 보통 정상이다. 대상포진도 신장 주위에 통증을 일으킬 수 있으나 피부에 대상포진이 관찰되는지를 통해 감별할 수 있을 것이다.

5. 치료

환자의 증상 정도가 심하거나 오심, 구토 등이 동반되는 경우, 임신, 당뇨가 동반된 경우나 패혈증이 의심될 때는 침상 안정, 해열제 투여, 수액 치료 등의 보존적 치료 및 정맥주사 항생제 투여를 위해 입원 치료를 시행한다. 증상이 심하지 않고 경구 항생제 복용에 문제가 없는 환자는 외래에서 통원 치료를 시행해도 된다. 전반적인 치료의 흐름은 그림 3-3과 같다.

단순 급성신우신염의 가장 핵심적인 치료는 항생제 치료이다. 소변 배양검사 결과가 나오기 전에 경험적 항생제 치료를 시작하는 것이 더 효과적이고 경제적이다. 항생제에 대한 내성은 꾸준히 증가하고 있으며 이러한 항생제 감수성의 변화는 지역과 시간에 따라 각각 다르게 나

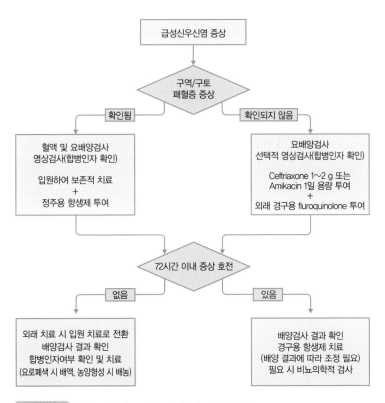

그림 3-3 급성신우신염의 진단 및 치료 흐름도

타나므로, 초기의 경험적 항균제 선택은 그 지역사회의 항균제 감수성을 고려하여 결정해야한다. 입원이 필요 없는 단순 급성신우신염의 경우 국내 요로감염의 주요 원인균인 대장균의 fluoroquinolone 내성률을 고려하여 초기 경험적 치료로 ceftriaxone 1~2 g 또는 amikacin 1일 용량 투여 후, 배양 결과가 확인될 때까지 경구용 fluroquinolone을 투여할 것이 권고된다. 배양검사 확인 후 감수성에 따라 경구용 항생제를 5~14일 투여하는 데 사용이 권고되는 경구용 항생제의 종류, 용량/용법 및 기간을 표 3-7에 정리하였다. 질환의 중증도와 치료 반응의 신속성에 따라서 치료 기간의 조절이 필요하다. 입원이 필요한 중증의 단순 급성신우신염의 경우 초기에 정주용 항생제 투약이 필요하며 사용이 권고되는 항생제의 종류 및 용량/용법을 표3-8에 정리하였다. 해열 및 증상 호전을 보인 이후에는 분리된 원인균에 감수성이 있는 경구용 항생제나 내성률을 토대로 결정된 경구용 항생제로 변경하여 1~2주간 더 투약한다.

적절한 치료를 시행하면 대개 48시간 안에 소변 내의 세균 농도가 급격히 감소하며 2~3일 내로 증상도 차츰 호전을 보인다. 하지만 치료에 대한 반응이 늦고 소변이 계속 감염된 경우, 72시간 이상 발열이 지속되는 경우 등에는 즉시 재평가를 할 필요가 있다. 소변과 혈액에 대한 배양검사를 다시 시행하고 감수성검사에 기초하여 항생제를 적절한 것으로 바꾼다. 혹시 동반되어 있을 수도 있는 요로폐색, 요로결석, 비뇨기계의 해부학적 이상, 신장이나 신장 주위의 농양 등을 배제하기 위해 초음파나 컴퓨터단층촬영도 시행한다. 폐색이 있는 경우 신장손상 정도는 폐색의 정도와 기간에 비례하고, 항생제를 농축하여 소변으로 배설하는 능력이 떨어져 치료 효과를 감소시키므로 요로폐색을 위한 요로전환술을 시행한다. 요관폐색 시 요관부목삽입술도 고려할 수 있으나 경피신루설치술이 치료 효과가 더 우수하고, 방광출구폐색에 의한 급성 요폐 시에는 도뇨관을 유치한다.

적절한 치료 후 증상이 사라진 환자에 대해 일반 소변검사와 소변 배양검사를 반드시 시행할 필요는 없다. 앞에서 기술한 대로 적절한 치료 후에도 증상이 3일 안에 개선되지 않거나, 개선되었다 하더라도 2주 안에 재발하는 경우는 소변 배양검사와 항생제 감수성검사를 다시 시행하고 영상 검사 등을 병행한다. 만약 검사 결과 요로 계통의 이상이 없다면 처음 사용한 항생제에 저항하는 균으로 간주하고 다른 종류의 항균제로 2주간 치료하는 것을 고려한다.

표 3-7 단순 급성신우신염 환자의 외래 치료에서 경구용 항생제 요법

항생제	용량/용법	치료 기간
Ciprofloxacin	500 mg bid	7일
Ciprofloxacin	1000 mg qd	7~14일
Levofloxacin	750 mg qd	5일
Ceftibuten	400 mg qd	10일
Cefpodoxime proxetil	200 mg bid	10일
Trimethoprim/Sulfamethoxazole	160/800 mg bid	14일

표 3-8 단순 급성신우신염 환자의 입원 치료에서 경험적 정주용 항생제 요법

항생제	용량/용법
Ciprofloxacin	400 mg iv twice daily
Levofloxacin	500~750 mg iv once daily
Cefuroxime	750 mg iv every 8 hours
Ceftriaxone	1~2 g iv once daily
Cefepime	1 g iv twice daily
Amikacin ± Ampicillin	15 mg/Kg iv once daily ± 1~2 g iv every 6 hours
Piperacillin/Tazobactam	3.375 g iv every 6 hours or 4.5 g every 8 hours
Meropenem	500~1000 mg iv every 8 hours
Imipenem/Cilastatin	500 mg iv every 6 to 8 hours
Doripenem	500 mg every 8 hours
Ertapenem	1 g iv once daily

- 급성방광염은 대부분 하부요로계의 해부학적, 기능적 이상 없이 세균이 침입하여 생기는 단순 감염이다.
- 급성방광염의 원인균으로 가장 흔한 것은 대장균*Escherichia coli*이다.
- 증상이 없는 상태에서, 빈뇨, 배뇨통, 긴박뇨 등이 새로 발생하였을 때 급성방광염 진단의 양성예측률은 90% 정도이다.
- 급성방광염의 경험적 항생제를 선택할 때, 지역 내의 감수성 경향, 항생제 내성에 대한 위험 인자를 고려하는 것이 중요하다.
- 재발성 요로감염은 해부학적으로나 생리학적으로 정상 요로 구조를 가진 젊고 건강한 여성에서 흔히 발생한다.
- 폐경기 이전 여성의 재발성 요로감염과 관련된 가장 강력한 위험 요소 중 하나가 성관계의 횟수이다.
- 대장균이 방광 표면 세포 안으로 들어와 세포 내 세균 군집과 잠복성 세포 내 저장소를 형성한다는 기전이 제시되었다.
- 재발성 요로감염에 대한 비항균적 예방치료는 면역학적 예방치료법과 크랜베리 주스 음용, 프로바이오틱스 등이 있다.
- 급성신우신염은 대부분의 방광 내 세균이 상행성 감염으로 요관을 통해 신장을 침범하여 발생한다.
- 복잡 급성신우신염이 의심되거나 항생제 치료 72시간 이후에도 치료에 반응이 없는 경우에는 영상학적 검사가 필요하며 CT가 가장 유용한 검사이다.
- CT에서는 신실질의 조영 강도 감소를 볼 수 있으며 다양한 형태의 관류 결손도 나타난다.
- 소변 배양검사 결과가 나오기 전에 경험적 항생제 치료를 시작하는 것이 더 효과적이고 경제적이며, 그 지역사회의 항균제 감수성을 고려해야한다.

참고문헌

1. 이승주, 하유신, 김현우, 조용현. 급성 단순성 방광염의 경험적 치료로써 Cefcapene Pivoxil 의 유효성. Infection and Chemotherapy 2008;40:162-6.
2. Albert X, Huertas I, Pereiro, II, Sanfelix J, Gosalbes V, Perrota C. Antibiotics for preventing recurrent urinary tract infection in non-pregnant women. Cochrane Database Syst Rev 2004
3. Anger J, Lee U, Ackerman AL, Chou R, Chughtai B, Clemens JQ, et al. Recurrent Uncomplicated Urinary Tract Infections in Women: AUA/CUA/SUFU Guideline. J Urol 2019;202:282-9.
4. Bader MS, Loeb M, Brooks AA. An update on the management of urinary tract infections in the era of antimicrobial resistance. Postgrad Med 2017;129:242-58.
5. Beerepoot MA, Geerlings SE, van Haarst EP, van Charante NM, ter Riet G. Nonantibiotic prophylaxis for recurrent urinary tract infections: a systematic review and meta-analysis of randomized controlled trials. J Urol 2013;190:1981-9.
6. Choe HS, Lee SJ, Yang SS, Hamasuna R, Yamamoto S, Cho YH, et al. Summary of the UAA-AAUS guide lines for urinary tract infections. Int J Urol 2018;25:175-85.

7. Claessens YE, Schmidt J, Batard E, Grabar S, Jegou D, Hausfater P, et al. Can C-reactive protein, procalcitonin and mid-regional pro-atrial natriuretic peptide measurements guide choice of in-patient or out-patient care in acute pyelonephritis? Biomarkers In Sepsis (BIS) multicentre study. Clin Microbiol Infect 2010;16:753-60.

8. Constantinides C, Manousakas T, Nikolopoulos P, Stanitsas A, Haritopoulos K, Giannopoulos A. Prevention of recurrent bacterial cystitis by intravesical administration of hyaluronic acid: a pilot study. BJU Int 2004;93:1262-6.

9. Czaja CA, Hooton TM. Update on acute uncomplicated urinary tract infection in women. Postgrad Med 2006;119:39-45.

10. Czaja CA, Scholes D, Hooton TM, Stamm WE. Population-based epidemiologic analysis of acute pyelonephritis. Clin Infect Dis 2007;45:273-80.

11. Dason S, Dason JT, Kapoor A. Guidelines for the diagnosis and management of recurrent urinary tract infection in women. Can Urol Assoc J 2011;5:316-22.

12. Domenici L, Monti M, Bracchi C, Giorgini M, Colagiovanni V, Muzii L, et al. D-mannose: a promising support for acute urinary tract infections in women. A pilot study. Eur Rev Med Pharmacol Sci 2016;20:2920-5.

13. European medicines agency. Disabling and potentially permanent side effects lead to suspension or restrictions of quinolone and fluoroquinolone antibiotics. Quinolone and fluoroquinolone article-31 referral.

14. Falagas ME, Vouloumanou EK, Togias AG, Karadima M, Kapaskelis AM, Rafailidis PI, et al. Fosfomycin versus other antibiotics for the treatment of cystitis: a meta-analysis of randomized controlled trials. J Antimicrob Chemother 2010;65:1862-77.

15. Foxman B, Gillespie B, Koopman J, Zhang L, Palin K, Tallman P, et al. Risk factors for second urinary tract infection among college women. Am J Epidemiol 2000;151:1194-205.

16. Galkin VV, Malev IV, Dovgan EV, Kozlov SN, Rafal'skii VV. Efficacy and safety of cefixim and ciprofloxacin in acute cystitis (a multicenter randomized trial). Urologiia 2011:13-6.

17. Grigoryan L, Zoorob R, Wang H, Horsfield M, Gupta K, Trautner BW. Less workup, longer treatment, but no clinical benefit observed in women with diabetes and acute cystitis. Diabetes Res Clin Pract 2017;129:197-202.

18. Gupta K, Hooton TM, Naber KG, Wullt B, Colgan R, Miller LG, et al. International clinical practice guidelines for the treatment of acute uncomplicated cystitis and pyelonephritis in women: A 2010 update by the Infectious Diseases Society of America and the European Society for Microbiology and Infectious Diseases. Clin Infect Dis 2011;52:e103-20.

19. Heller MT, Haarer KA, Thomas E, Thaete F. Acute conditions affecting the perinephric space: imaging anatomy, pathways of disease spread, and differential diagnosis. Emerg Radiol 2012;19:245-54.

20. Hooton TM, Roberts PL, Stapleton AE. Cefpodoxime vs ciprofloxacin for short-course treatment of acute uncomplicated cystitis: a randomized trial. Jama 2012;307:583-9.

21. Hooton TM. Clinical practice. Uncomplicated urinary tract infection. N Engl J Med 2012;366:1028-37.

22. Hooton TM. Recurrent urinary tract infection in women. Int J Antimicrob Agents 2001;17:259-68.

23. Hopkins WJ, Elkhawaji J, Beierle LM, Leverson GE, Uehling DT. Vaginal mucosal vaccine for recurrent urinary tract infections in women: results of a phase 2 clinical trial. J Urol 2007;177:1349-53; quiz 591.

24. Hyun M, Lee JY, Kim HA, Ryu SY. Comparison of Escherichia coli and Klebsiella pneumoniae Acute Pyelonephritis in Korean Patients. Infect Chemother 2019;51:130-41.

25. Jeon JH, Kim K, Han WD, Song SH, Park KU, Rhee JE, et al. Empirical use of ciprofloxacin for acute uncomplicated pyelonephritis caused by Escherichia coli in communities where the prevalence of fluoroquinolone resistance is high. Antimicrob Agents Chemother 2012;56:3043-6.

26. Jim B, Garovic VD. Acute Kidney Injury in Pregnancy. Semin Nephrol 2017;37:378-85.

27. Johnson JR, Russo TA. Acute Pyelonephritis in Adults. N Engl J Med 2018;378:48-59.

28. Kavatha D, Giamarellou H, Alexiou Z, Vlachogiannis N, Pentea S, Gozadinos T, et al. Cefpodoxime-proxetil

versus trimethoprim—sulfamethoxazole for short—term therapy of uncomplicated acute cystitis in women. Antimicrob Agents Chemother 2003;47:897—900.

29. Ki M, Park T, Choi B, Foxman B. The epidemiology of acute pyelonephritis in South Korea, 1997—1999. Am J Epidemiol 2004;160:985—93.

30. Kim B, Kim J, Seo MR, Wie SH, Cho YK, Lim SK, et al. Clinical characteristics of community—acquired acute pyelonephritis caused by ESBL—producing pathogens in South Korea. Infection 2013;41:603—12.

31. Kim B, Myung R, Kim J, Lee MJ, Pai H. Descriptive Epidemiology of Acute Pyelonephritis in Korea, 2010—2014: Population—based Study. J Korean Med Sci 2018;33:e310.

32. Kim B, Myung R, Lee MJ, Kim J, Pai H. Trend of antibiotics usage for acute pyelonephritis in Korea based on national health insurance data 2010—2014. BMC Infect Dis 2019;19:554.

33. Kim B, Seo MR, Kim J, Kim Y, Wie SH, Ki M, et al. Molecular Epidemiology of Ciprofloxacin—Resistant Escherichia coli Isolated from Community—Acquired Urinary Tract Infections in Korea. Infect Chemother 2020;52:194—203.

34. Kim DK, Kim JH, Lee JY, Ku NS, Lee HS, Park JY, et al. Reappraisal of the treatment duration of antibiotic regimens for acute uncomplicated cystitis in adult women: a systematic review and network meta—analysis of 61 randomised clinical trials. Lancet Infect Dis 2020;20:1080—8.

35. Kim HY, Lee SJ, Lee DS, Yoo JM, Choe HS. Microbiological Characteristics of Unresolved Acute Uncom—plicated Cystitis. Microb Drug Resist 2016;22:387—91.

36. Kim ME, Ha US, Cho YH. Prevalence of antimicrobial resistance among uropathogens causing acute un—complicated cystitis in female outpatients in South Korea: a multicentre study in 2006. Int J Antimicrob Agents 2008;31 Suppl 1:S15—8.

37. Kim SH, Lim KR, Lee H, Huh K, Cho SY, Kang CI, et al. Clinical effectiveness of oral antimicrobial therapy for acute pyelonephritis caused by extended—spectrum β—lactamase—producing Enterobacteriales. Eur J Clin Microbiol Infect Dis 2020;39:159—67.

38. Kim SH. Is there a simple and less invasive way to accurately diagnose acute pyelonephritis? Korean J Pediatr 2019;62:442—3.

39. Kim WB, Cho KH, Lee SW, Yang HJ, Yun JH, Lee KW, et al. Recent antimicrobial susceptibilities for uropathogenic Escherichia coli in patients with community acquired urinary tract infections: a multicenter study. Urogenital Tract Infection 2017;12:28—34.

40. Kim Y, Seo MR, Kim SJ, Kim J, Wie SH, Cho YK, et al. Usefulness of Blood Cultures and Radiologic Imaging Studies in the Management of Patients with Community—Acquired Acute Pyelonephritis. Infect Chemother 2017;49:22—30.

41. Klausner HA, Brown P, Peterson J, Kaul S, Khashab M, Fisher AC, et al. A trial of levofloxacin 750 mg once daily for 5 days versus ciprofloxacin 400 mg and/or 500 mg twice daily for 10 days in the treatment of acute pyelonephritis. Curr Med Res Opin 2007;23:2637—45.

42. Krieger JN, Ross SO, Simonsen JM. Urinary tract infections in healthy university men. J Urol 1993;149:1046—8.

43. Kwon KT, Kim B, Ryu SY, Wie SH, Kim J, Jo HU, et al. Changes in Clinical Characteristics of Communi—ty—Acquired Acute Pyelonephritis and Antimicrobial Resistance of Uropathogenic Escherichia coli in South Korea in the Past Decade. Antibiotics (Basel) 2020;9.

44. Lutters M, Vogt—Ferrier NB. Antibiotic duration for treating uncomplicated, symptomatic lower urinary tract infections in elderly women. Cochrane Database Syst Rev 2008.

45. Milo G, Katchman EA, Paul M, Christiaens T, Baerheim A, Leibovici L. Duration of antibacterial treatment for uncomplicated urinary tract infection in women. Cochrane Database Syst Rev 2005.

46. Naber KG, Bartnicki A, Bischoff W, Hanus M, Milutinovic S, van Belle F, et al. Gatifloxacin 200 mg or 400 mg once daily is as effective as ciprofloxacin 500 mg twice daily for the treatment of patients with acute pyelonephritis or complicated urinary tract infections. Int J Antimicrob Agents 2004;23 Suppl 1:S41—53.

47. Nikolaidis P, Dogra VS, Goldfarb S, Gore JL, Harvin HJ, Heilbrun ME, et al. ACR Appropriateness Criteria(Ⓡ) Acute Pyelonephritis. J Am Coll Radiol 2018;15:S232-s9.

48. Perrotta C, Aznar M, Mejia R, Albert X, Ng CW. Oestrogens for preventing recurrent urinary tract infection in postmenopausal women. Cochrane Database Syst Rev 2008.

49. Peterson J, Kaul S, Khashab M, Fisher AC, Kahn JB. A double-blind, randomized comparison of levofloxacin 750 mg once-daily for five days with ciprofloxacin 400/500 mg twice-daily for 10 days for the treatment of complicated urinary tract infections and acute pyelonephritis. Urology 2008;71:17-22.

50. Pfau A, Sacks TG. Effective prophylaxis for recurrent urinary tract infections during pregnancy. Clin Infect Dis 1992;14:810-4.

51. Pierce C, Keniston A, Albert RK. Imaging in Acute Pyelonephritis: Utilization, Findings, and Effect on Management. South Med J 2019;112:118-24.

52. Pietrucha-Dilanchian P, Hooton TM. Diagnosis, Treatment, and Prevention of Urinary Tract Infection. Microbiol Spectr 2016;4.

53. Price JR, Guran LA, Gregory WT, McDonagh MS. Nitrofurantoin vs other prophylactic agents in reducing recurrent urinary tract infections in adult women: a systematic review and meta-analysis. Am J Obstet Gynecol 2016;215:548-60.

54. Ramakrishnan K, Scheid DC. Diagnosis and management of acute pyelonephritis in adults. Am Fam Physician 2005;71:933-42.

55. Raz R, Rottensterich E, Leshem Y, Tabenkin H. Double-blind study comparing 3-day regimens of cefixime and ofloxacin in treatment of uncomplicated urinary tract infections in women. Antimicrob Agents Chemother 1994;38:1176-7.

56. Raz R, Stamm WE. A controlled trial of intravaginal estriol in postmenopausal women with recurrent urinary tract infections. N Engl J Med 1993;329:753-6.

57. Rudenko N, Dorofeyev A. Prevention of recurrent lower urinary tract infections by long-term administration of fosfomycin trometamol. Double blind, randomized, parallel group, placebo controlled study. Arzneimittelforschung 2005;55:420-7.

58. Seo DY, Jo S, Lee JB, Jin YH, Jeong T, Yoon J, et al. Diagnostic performance of initial serum lactate for predicting bacteremia in female patients with acute pyelonephritis. Am J Emerg Med 2016;34:1359-63.

59. Seo MR, Kim SJ, Kim Y, Kim J, Choi TY, Kang JO, et al. Susceptibility of Escherichia coli from community-acquired urinary tract infection to fosfomycin, nitrofurantoin, and temocillin in Korea. J Korean Med Sci 2014;29:1178-81.

60. Shin J, Kim J, Wie SH, Cho YK, Lim SK, Shin SY, et al. Fluoroquinolone resistance in uncomplicated acute pyelonephritis: epidemiology and clinical impact. Microb Drug Resist 2012;18:169-75.

61. Smith AL, Brown J, Wyman JF, Berry A, Newman DK, Stapleton AE. Treatment and Prevention of Recurrent Lower Urinary Tract Infections in Women: A Rapid Review with Practice Recommendations. J Urol 2018;200:1174-91.

62. Stunell H, Buckley O, Feeney J, Geoghegan T, Browne RF, Torreggiani WC. Imaging of acute pyelonephritis in the adult. Eur Radiol 2007;17:1820-8.

63. Turk C, Petrik A, Sarica K, Seitz C, Skolarikos A, Straub M, et al. EAU Guidelines on Interventional Treatment for Urolithiasis. Eur Urol 2016;69:475-82.

64. Uehling DT, Hopkins WJ, Balish E, Xing Y, Heisey DM. Vaginal mucosal immunization for recurrent urinary tract infection: phase II clinical trial. J Urol 1997;157:2049-52.

65. Uehling DT, Hopkins WJ, Elkahwaji JE, Schmidt DM, Leverson GE. Phase 2 clinical trial of a vaginal mucosal vaccine for urinary tract infections. J Urol 2003;170:867-9.

66. van der Starre WE, van Dissel JT, van Nieuwkoop C. Treatment duration of febrile urinary tract infections. Curr Infect Dis Rep 2011;13:571-8.

67. Velasco M, Martínez JA, Moreno-Martínez A, Horcajada JP, Ruiz J, Barranco M, et al. Blood cultures for

women with uncomplicated acute pyelonephritis: are they necessary? Clin Infect Dis 2003;37:1127-30.

68. Veve MP, Wagner JL, Kenney RM, Grunwald JL, Davis SL. Comparison of fosfomycin to ertapenem for outpatient or step-down therapy of extended-spectrum β-lactamase urinary tract infections. Int J Antimicrob Agents 2016;48:56-60.

69. Vorland LH, Carlson K, Aalen O. An epidemiological survey of urinary tract infections among outpatients in Northern Norway. Scand J Infect Dis 1985;17:277-83.

70. Zhanel GG, Walkty AJ, Karlowsky JA. Fosfomycin: A First-Line Oral Therapy for Acute Uncomplicated Cystitis. Can J Infect Dis Med Microbiol 2016;2016:2082693.

복합 요로감염

김태형, 장인호, 조성태, 김용준, 조영삼

ㅣ 개요

단순 요로감염과 복합 요로감염에 대한 구분은 이에 따라 항균제 선택 및 기간, 그 밖의 치료 필요 여부가 달라지기 때문에 요로감염 관리에서 매우 중요한 초기 평가 단계이다. 하지만 초기 임상증상만으로 단순 요로감염과 복합 요로감염을 구분하기란 임상적으로 쉽지 않다.

일반적으로 복합 요로감염은 요로의 해부학적, 기능적 이상과 같은 요소가 있거나 또는 숙주의 방어 기전에 영향을 주는 내과적, 외과적 동반 기저 질환을 가진 환자에서 발생한 요로감염으로 정의된다. 다양한 세균들이 복합 요로감염을 일으킬 수 있으며, 단순 요로감염에 비해 치료가 일반적으로 어려운데, 최근 증가 추세인 항생제 내성 문제를 고려하면 다제약물내성 요로병원균multi-drug resistant uropathogens에 의해 발생된 요로감염도 복합 요로감염의 진단과 치료에 있어서 반드시 고려할 필요가 있다.

유럽비뇨기과학회의 요로감염에 대한 임상지침에서는 복합 요로감염에 대한 필수적 평가 요소를 소변배양검사 양성 소견과 함께 여러 위험 요소들 중 1개 이상의 인자를 가지고 있는 것으로 정의하고 있다. 그리고 이런 위험 요소들로 자가도뇨법으로 배뇨하거나 요관스텐트 또는 폴리도뇨관Foley catheter이 있는 경우, 배뇨 후 잔뇨량이 100 mL 이상인 경우, 방광출구폐색이나 신경병성방광, 요로결석, 종양 등과 같은 다양한 원인에 의해 요로폐색이 동반된 경우, 방광요관역류와 같은 기능적 질환, 회장도관술과 같이 요로 변형이 동반된 경우, 요로상피가 화학적 또는 방사선 손상을 입은 경우, 수술 전후에 발생한 요로감염, 신장이식 및 신부전, 당뇨 및 면역저하 등과 같은 다양한 질환 및 선행 요인들을 제시하고 있다.

복합 요로감염이란 어떤 단일 질병군을 의미하기보다는 다양한 임상 질환들 및 여러 요소들이 복합적으로 나타나게 되는 요로감염으로 볼 수 있다. 임상양상도 다양하기 때문에 경하게는 방광염부터 심하게는 패혈증까지 발생할 수 있으며, 균주 또한 대장균 등과 같은 장내세균이 가장 흔하지만 단순 요로감염에 비해 훨씬 그 종류가 다양하며 항균제의 내성률도 높다. 높은 내성률은 결국 재감염 위험을 증가시키고, 치료 효과를 감소시키며, 균주가 더욱 저항성을 가지는 방향으로 영향을 미친다. 그러므로 일반적으로 치료 전에 필수적으로 소변배양검사를 해야 한다. 검사 결과에 따라 단순 요로감염보다 광범위한 균주를 포함하는 항균제를 사용해야 하는데, 대개 장기간 치료하게 된다.

복합 요로감염에 대한 일반적인 치료 원칙은 광범위 항균제 치료와 함께 요로계의 해부학적, 기능적 이상에 대해 처치하는 한편, 환자 개개인이 가지고 있는 전신 질환들인 당뇨, 신부전, 신장이식, 면역억제 등을 치료하는 것이다. 또한 복합 요로감염의 균주는 단순 요로감염에 비해 다양하고 내성률도 높기 때문에 배양검사를 통해 균주 및 항균제감수성을 정확히 확인하는 과정이 반드시 필요하다. 항균제 치료는 항균제 내성균주의 발생을 피하기 위해 가능한 한 소변배양검사 결과에 따라 적절히 시행해야 한다.

이 장에서는 복합 요로감염 중 요로결석, 신경병성방광, 다양한 원인에 의해 발생한 요로폐색이 동반된 경우, 그리고 당뇨 환자 및 노인에서 발생한 복합 요로감염에 관하여 세부적으로 살펴보고자 한다.

II 요로결석

요로결석의 경우 가장 오래된 것은 기원전 4800년경의 이집트 미이라에서 발견된 방광결석으로 알려져 있다. 기원전 387년에 히포크라테스는 탈수와 방광염이 요로결석의 원인이라고 주장했다. 이렇듯 요로감염은 요로결석 형성의 주요한 원인 중 하나이며, 반대로 요로결석은 요류를 방해하여 요정체를 일으켜 요로감염을 유발한다. 폐색성 신우신염이 발생한 52명의 요로결석 환자의 재발성 요로감염 위험 요소에 대한 한국의 후향적 단일 기관 연구에서 당뇨의 유무, 결석 위치(신장 또는 요관), 첫 요배양검사 양성이 관련 위험 요소들로, 다변량 분석에서는 첫 요로감염발생 시 요배양검사의 양성 유무가 재발성 요로감염 발생의 중요한 위험 요소였다.

감염에 의해 발생하는 대표적인 요로결석은 감염석으로, 성분은 마그네슘암모늄인산염석과 탄산염인회석이다. 그 외에 인산칼슘석도 감염에 의해 발생할 수 있다. 또한 요로결석으로 인한 요로감염이 악화되면 화농신장, 패혈증, 황색육아종성신우신염이 유발될 수 있다.

1. 감염석

1) 역학

요로결석 발생률은 나라별로 상당히 다르므로 정확한 수치를 제시하기는 어려우나 선진국은 감염 결석이 전체 요로결석의 10~15%를 차지한다. 하지만 이 비율은 점차 감소하고 있는데, 이는 감염석보다 대사에서 기원한 수산칼슘 결석 유병률의 증가와 관련이 있다. 개발도상국에서는 그 비율이 보다 높으며 다른 요로결석의 발생률이 상대적으로 낮다. 요로결석은 원내 획득 요로감염의 위험 인자이며, 전체 요로감염 환자 중 20%가 요로결석과 연관 있다고 알려져 있다. 감염석은 다른 성분의 요로결석과는 달리 여성에서 호발한다. 요로감염도 연령이 증가하면서 빈발하기 때문에 60세 이상의 노인에서 호발한다. 그 외에 해부학적 기형, 요로폐색, 신경성 질환, 장기간의 폴리도뇨관 삽입 등을 동반하면 감염석 발생이 증가한다.

2) 형성 기전

정상 소변에는 감염석의 주성분인 칼슘, 인산, 마그네슘과 요소가 항상 존재한다. 세균에 의해 요소가 분해되면 감염석의 다른 성분인 암모니아, 중탄산, 탄산염이 많이 발생하게 되어 마그네슘암모늄인산struvite과 탄산염인회석의 결정화가 일어난다(그림 4-1). 또한 산도가 7.2 이상인 알칼리뇨와 암모니아가 감염석 생성에 필수적이다.

요소가 세균에 의해 분해되어 암모니아가 생성되면 소변이 알칼리화되고, 알칼리화된 소변은 이산화탄소를 환원시켜 탄산염이 형성된다. 이러한 감염석의 결정화는 매우 급속히 진행되는 것으로 여겨진다. 감염석의 결정은 요로상피에 쉽게 유착되는데, 이는 상피의 글리코사미노글리칸층의 황산기와 암모늄이 서로 친화력이 있기 때문이다. 감염석에서 마그네슘암모늄인산과 탄산염인회석 성분의 점유율은 각 성분의 농도, 요의 산성도에 따라 다르다.

$$H_2N-\overset{\overset{\displaystyle O}{\|}}{C}-NH_2 \xrightarrow{\text{요소분해효소} + H_2O} CO_2 + 2NH_2 \qquad (1)$$

요소 → 암모니아

암모니아와 이산화탄소의 수산화 발생

$$NH_3 + H_2O \longleftrightarrow NH_4^+ + OH^- \qquad (2)$$

암모니아 ↔ 암모늄 수산화물

$$CO_2 + H_2O \longleftrightarrow H^+ + HCO_3^- \longleftrightarrow 2H^+ + CO_3^{2-} \qquad (3)$$

중탄산에 양이온들이 결합하여 탄산염이 발생하고, 암모늄, 마그네슘, 중탄산,
인산이 결합하여 마그네슘암묘늄인산*struvite* 형성

$$CO_3^{2-} + 10Ca^{2+} + 6PO_4^{3-} \longleftrightarrow Ca_{10}(PO_4)_6CO_3 \qquad (4)$$

탄산염인회석

$$H_2CO_3 + Mg^{2+} + NH_3 + PO_4^{3-} \longleftrightarrow MgNH_4PO_4 + 6H_2O \qquad (5)$$

마그네슘암모늄인산

그림 4-1 감염석 형성 기전

3) 요소분해 세균

요로결석과 관련된 복합 요로감염의 경우 원인균으로는 대장균이나 장구균보다는 프로테우스*Proteus* 종과 슈도모나스*Pseudomonas*가 더 중요한 것으로 알려져 있다. 사슴뿔결석 환자들 중 88%에서 진단 당시 요로감염을 가지고 있고 82%는 요소분해효소를 생성하는 균에 감염되어 있다.

감염석 형성에는 요소분해 세균이 필요한데, 세균의 대부분은 장내세균 계통이며 200종 이상에 달한다. 대부분의 환자에서는 원인균이 프로테우스 미라빌리스*Proteus mirabilis*, 클레브시엘라*Klebsiella* 및 포도알균이며, 우레아플라스마 우레아티쿰*Ureaplasma urealyticum*은 성장에 요소가 필수적이다(표 4-1). 요로결석이나 이물질의 존재 등 특정 상황에서는 포도알균도 원인균으로서의 관련성이 있을 수 있다. 하지만 연구들에 의하면 포도알균은 복합 요로감염에서는 흔하지 않다(0~11%).

표 4-1 요소분해세균의 빈도

균주	총 수(N)	요소분해효소 양성(N)	요소분해효소 음성(%)
프로테우스	54	54	100
클레브시엘라	31	26	84
포도구균	67	37	55
대장균	142	2	1.4
녹농균	20	1	5
프로비덴시아	1	1	100
모르가넬라	1	1	100
총 수	423	122	28.8

Data from Bichler KH, Eipper E, Naber K, Braun V, Zimmermann R, Lahme S. Urinary infection stones. Int J Antimicrob Agents 2002;19:488-98.

요소분해효소는 플라스미드에 의해 다른 세균으로 전달된다. 이러한 세균은 대부분 장내에 존재하며 공생하지만 때로는 요로감염을 일으킨다. 대부분의 균이 결석의 표면에 균막 형태로 자라면 항균제 내성의 원인이 된다. 따라서 적절한 용량의 항균제 치료가 필요하다.

요소분해 세균은 알칼리화된 소변에서 특히 마그네슘암모늄인산과 인산칼슘염을 함유한 결석의 표면에 붙어서 자라게 된다. 이러한 일련의 과정으로 인해 균이 계속 붙으면서 결석이 빠르게 자라게 되고, 기질 생산과 더 많은 결정의 침착으로 인해 결국 사슴뿔결석이 생성된다 (그림 4-2).

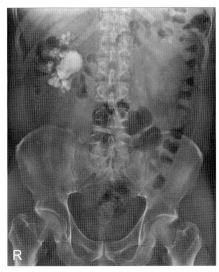
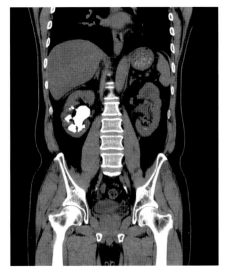

그림 4-2 단순 복부사진 및 복부 컴퓨터단층촬영에서 집뇨계를 채우고 있는 우측 사슴뿔결석

항균제는 이 감염을 제거하는 데 비효과적인데, 세균들이 세균의 세포막 밖에 있는 기질의 보호를 받기 때문이다. 그러므로 요로감염을 해결하고 감염석의 빠른 재발을 예방하려면 결석을 완벽히 제거해야 한다. 요로결석 또는 감염의 근원 병소가 남아 있다면 결석은 성장하게 된다.

4) 치료

감염석은 수술적 완전 제거와 함께 재발 방지를 위한 철저한 내과적 치료가 필수적이다. 내과적 치료의 성공 여부는 초기 수술적 제거의 성공 여부에 중요한 영향을 미친다. 또한 감염석 환자는 치료가 끝난 후에도 감염이 지속되는지 확인하고 재발을 막기 위하여 오랫동안 추적검사가 필요하다.

(1) 항균제 투여

모든 감염석 환자에게 항균제를 투여하는데, 대개의 경우 외과적 치료 전후에 사용한다(표 4-2). 대부분 프로테우스 계통이므로 페니실린 계열을 일단 투여하고 제거된 결석을 배양검사하여 항균제를 투여하면 효과적이다. 결석이 있는 상태에서는 항균제를 투여해도 감염석 원인균을 완전히 제거할 수 없다. 그 이유는 원인균이 결석 안에 숨어 있어 항균제가 결석으로 침투하기 어렵기 때문이다. 요로결석이 완전히 제거되면 항균제를 처음에는 치료 용량으로 1~2주 투여하고, 무균뇨가 된 후에는 용량을 반으로 줄여 3개월간 투여하면서 매달 소변배양검사를 실시해야 한다. 만약 새롭게 균이 배양되고 증상이 나타나면 다시 치료 용량을 투여해야

표 4-2 ┃ 감염석에 대한 항균제 치료

Margel 등
  결석에 대한 치료 전 2주간 배양검사상 감수성이 있는 항균제 사용

Streem 등
  수술 전 1~2주간 예방적 항균제 사용 및 수술 중, 수술 후 광범위 항균제 사용

Wang 등
  감수성이 있는 항균제와 요소분해효소 억제제 사용

Sharifi-Aghdas 등
  결석 치료 1~2일 전부터 예방적 항균제 사용

하며, 3개월까지 무균뇨가 지속되면 항균제 투여를 중지하고 3개월마다 소변배양검사를 실시한다. 결석을 완전히 제거하지 못한 경우 장기간의 항생제 치료를 고려하여야 할 수도 있다.

(2) 기질의 경감

감염석 형성을 예방하는 방법 중 하나는 기질이 되는 물질을 제거하는 것이다. 이에 따라 소변에서 마그네슘과 인산의 배설을 감소시키는 방법으로 에스트로겐과 하이드록시 알루미늄 사용이 제안된 경우도 있었고, 마그네슘과 인산의 식이제한이 소개되기도 했다. 그러나 식이제한은 일단 환자의 순응도가 떨어지고 식욕부진, 무력감, 골동통, 변비, 고칼슘뇨증 등의 부작용을 야기할 수 있다.

감염석은 요소분해효소 생성균에 의해 발생하기 때문에 이론적으로 볼 때는 요소분해효소 억제제가 균에 의한 소변의 병적 환경을 반전시켜 효과가 있을 것으로 여겨진다. 하지만 지금까지의 결과는 만족스럽지 못했으므로 통상적인 투여는 권장되지 않고 있다. 현재 미국 FDA의 승인을 받은 요소분해효소 억제제는 *acetohydroxamic acid*와 히드록시유레아*hydroxyurea* 두 가지이다. 그러나 다음과 같은 여러 문제가 있는데, 첫째는 반감기가 짧아 잦은 투여가 요구되며, 둘째로는 용혈성빈혈, 심부정맥혈전, 위장관장애, 미각 이상, 진전, 두통, 태아 이상 등 심각한 부작용을 초래한다는 점이다. 또한 이 약제들은 신부전 환자에서는 금기이다.

(3) 헤미아시드린 hemiacidrin 세척

과거 수술적 제거가 불완전했던 시절에 시도되었던 방법으로, 헤미아시드린을 이용하여 요로결석을 용해하는 방법이다. 일부의 경우는 효과적으로 치료되었으나 세척 자체에 많은 시간이 필요하고 심각한 부작용을 초래하여 심지어는 사망에 이르는 경우도 있었기 때문에 현재는 수술 후 보조적인 경우가 아니라면 거의 사용하지 않는다.

2. 황색육아종성신우신염

황색육아종성신우신염은 만성 염증성 신장실질 질환으로 다른 신장실질 질환과 임상적으로 감별이 어렵다. 황색육아종성신우신염은 신수질과 피질이 파괴되어 황색 괴사성 조직으로 대치되며 병리 조직상 특징적으로 포말 세포, 즉 지방을 함유한 대식세포가 다른 염증세포와 함께 광범위하게 침윤되는 질환으로서 발생 빈도는 0.6~8%이다. 또한 결석, 요로계 협착 그리고 신종물에 의한 만성적 폐색을 동반하며, 주로 중년 여성이나 당뇨 환자에서 많이 발생하는 것으로 알려져 있다. 모든 연령에서 발생할 수 있으나, 주로 30대 이후 특히 50대에서 호발하며 70%가 여자에서 발생한다.

황색육아종성신우신염의 원인에 대해 아직 확실히 밝혀진 것은 없으나 현재까지 알려진 유발 인자는 요로감염, 결석 그리고 대장균이나 프로테우스 미라빌리스 등의 특정 균주이다. 환자 대부분의 임상적 증상으로는 측복부 동통, 고열, 혈뇨, 측복부 종물 그리고 빈뇨 등의 배뇨 증상이 나타난다. 혈액검사에서 백혈구 증가와 빈혈이 주된 소견이며, 간기능 검사에서 이상이 나타날 수 있다. 이런 저하된 간기능은 신장절제술 후 정상으로 돌아오는 경향이 있다.

황색육아종성신우신염은 방사선학적 검사도 비특이적으로 나타나 수술 전 진단 시 많은 혼돈을 가져온다. 이러한 방사선학적 소견은 신장의 침범 정도에 따라 미만성(75~91%)과 국소성(8~29%)으로 나뉘며, 또는 결석의 존재(50~80%) 유무 등에 따라 차이가 있다. 복부 컴퓨터단층촬영 CT은 가장 유용한 방사선학적 검사이며, 검사 결과는 미만성과 국소성 두 가지로 나눌 수 있다. 미만성 병변인 경우 특징적인 소견들로는 병변 중심부의 결석, 조영제 무배설, 조영 증강되는 주변부를 가진 다발성의 저밀도 병소들, 신장의 외형을 유지한 신장비대, 신장 주위 염증 등이 있다.

또한 염증의 침범 정도에 따라 세 가지의 병기로 나눌 수 있다. 병기 I은 염증이 신장 내에 국한된 경우, 병기 II는 신장 외에 신우나 신장 주위 지방층까지 염증이 파급된 경우, 그리고 병기 III은 후복막강이나 다른 장기까지 염증이 파급된 경우이다(그림 4-3). 국소 병변인 경

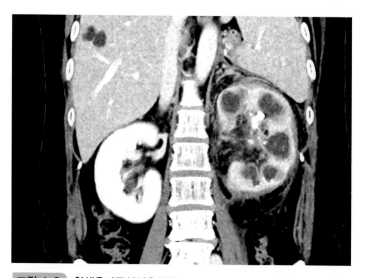

그림 4-3 황색육아종성신우신염
병기 II로 좌측 신장 외에 신우나 신장 주위 지방층까지 염증이 파급된 경우.

우, 특히 결석이나 폐색을 동반하지 않은 경우에는 복부 컴퓨터단층촬영 소견이 비특이적이며, 내부에 한 개 내지 수 개의 저밀도 병소가 있는 국소 팽윤의 형태로 관찰되므로 신종물과 구별하기 어려운 경우가 많다.

우리나라의 보고에 따르면 21례의 황색육아종성신우신염(환자 20명, 양측성 1명 포함) 중 17례(81%)가 미만성 병변이었으며 나머지 4례(19%)는 국소성 병변이라 하였다. 또한 병기 I의 경우가 4례(23.5%), 병기 II가 9례(53%), 그리고 병기 III이 4례(23.5%)라고 보고했다. 신장의 크기가 12례(57%)에서 미만성으로 3례(14%)에서는 국소적으로 증가되었고, 16례(76%)에서 요석(사슴뿔결석 4례), 17례(81%)에서 수신증이 관찰되었다. 13례(62%)에서 침범된 부위의 신기능 장애가 관찰되었다. 또한 수술 전 진단 결과 신장농양이 7.7%, 신장주위농양이 15.4%, 사슴뿔결석을 동반한 무기능신이 23.1%, 화농신장이 23.1%, 그리고 신장세포암이 30.7%였다고 보고했다. 대부분 수술 후에 병리조직검사로 병명이 확진되기 때문에 정확한 수술 전 치료 계획을 세우기 어려운 경우가 많다. Kang 등은 6례의 환자 중 1례(16.7%)만이 수술 전에 황색육아종성신우신염으로 진단되었다고 보고했다. Kim 등의 보고에서는 13명 가운데 수술 전 황색육아종성신우신염으로 진단된 경우가 없었다.

황색육아종성신우신염은 일반적으로 외과적 치료가 요구되며, 항균제 치료는 수술 전에 환자를 안정화시키기 위해 사용한다. 미만성 병변인 경우 신장절제술을 포함하여 치료함으로써 염증성 종물을 모두 제거해야 하며, 악성 신종물과 감별하기 어려운 경우에도 신장절제술을 시행해야 한다. 또한 조직학적으로 신장세포암과 구분이 쉽지 않고, 동반되는 경우도 있기 때문에 확실히 신종양을 배제하지 못하면 신장절제술을 시행해야 한다.

3. 화농신장

요로결석에 의해 요로폐색이 진행되고 감염이 동반되면 화농신장이 유발되며 신수뇨관에 고름이 차게 된다. 나타나는 증상은 다양하기 때문에 증상이 없는 세균뇨에서부터 패혈증에 이를 수도 있다. 신장 초음파 등은 진단에 결정적이지 않으며, 신천자를 통해 고름을 확인하여 확진할 수 있다. 이를 치료하지 않고 방치하면 신피부루가 발생할 수 있다.

4. 요로패혈증

요로결석 환자에서 발열이 나타나면 긴급한 치료가 요구된다. 이는 패혈증의 증상일 수도 있기 때문이다. 발열 이외에 나타날 수 있는 증상으로는 심박동 증가, 저혈압, 피부혈관 확장 등이 있다. 척추늑골각 압통이 뚜렷이 나타날 수도 있다. 발열을 동반한 요로폐색이 나타나면 요관스텐트 유치나 경피적신루설치술 등으로 신속히 해소시켜야 한다.

Ⅲ 신경병성방광

1. 기전

상위운동신경원 신경병성방광은 엉치신경 배뇨중추 위의 척수신경에서 감각과 운동신경 전달의 장애로 인해 발생한다. 대개 배뇨근과활동이 나타나며 배뇨근바깥조임근협동장애를 동반한다. 또한 엉치신경 배뇨중추의 배뇨근 운동신경핵이 손상되면 무반사성 신경병성방광이 된다. 이 두 가지 종류의 신경병성방광 모두 폴리도뇨관 삽입이 필요하며, 상부운동신경원 신경병성방광의 경우는 배뇨근과활동성 치료를 위하여 약물 투여가 필요하다.

척수 손상은 외상에 의한 경우가 대부분이지만 남아메리카나 아프리카 등지에서는 만손주혈흡충에 의한 감염 질환에서도 발생할 수 있다. 그러나 척수감염의 대표적 질환은 급성횡단성척수염이며, 일부 human T-lympho-trophic virus type I에 의한 감염도 보고되고 있다.

방광기능부전에서 방광 내 소변이 모두 제거되지 못할 경우 세균 증식의 배지로 작용할 수 있으며, 방광출구폐색, 고압력배뇨, 요로결석 등도 요로감염의 위험 요소로 작용할 수 있다.

2. 원인 미생물

신경병성방광에 의한 요로감염은 대장균이 60~65%, 프로테우스 미라빌리스가 14%, 폐렴간균 *Klebsiella pneumoniae*이 10%, 포도알균이 4%, 그리고 기타 장내세균 순의 분포를 보인다. 남성에서는 그람양성균이 많은 반면 여성에서는 대장균이 많다. 일반적으로 일부 대장균의 경우에는 집락화의 위험성이 있지만, 대장균 집락이 상부요로감염의 위험성을 증가시키지는 않는다.

3. 관리

대부분 신경병성방광 환자에게는 청결간헐도뇨를 시행한다(그림 4-4). 1회 도뇨량은 최대 500 mL를 넘지 않는 것이 좋고, 100 mL 미만인 경우에는 카테터삽입이 필요하지 않다.

만성 신경병성방광 환자에서 자가 청결간헐도뇨가 어렵거나 보호자의 도움을 받기 어려운

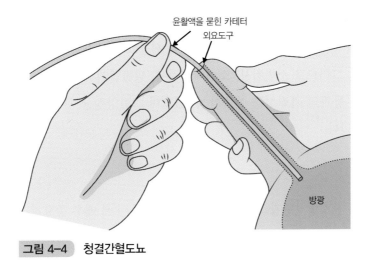

윤활액을 묻힌 카테터

외요도구

방광

그림 4-4   청결간헐도뇨

경우, 수분 보충이 지속적으로 필요하여 요량 관찰을 해야 하는 경우에는 지속적인 폴리도뇨관 유치를 고려한다. 폴리도뇨관을 유치하는 방법으로는 요도를 통한 방법과 치골위방광창냄술*suprapubic cystostomy*로 유치하는 방법이 있는데, 치골 위 방법이 요도를 통한 방법에 비해 요로감염 발생을 줄일 수 있다는 보고도 있다.

무균도뇨는 청결도뇨에 비해 요로감염의 발생률은 낮지만 비용대비 효율면에서는 바람직하지 않으며 청결도뇨만으로도 충분하다. 친수성 코팅 폴리도뇨관이나 하이드로겔 폴리도뇨관으로 청결도뇨 시에 요로감염 발생을 낮출 수 있다는 보고도 있다. 크랜베리 추출물이나 메테나민*methenamine*이 요로감염을 줄인다는 보고도 있으나 효능에 대해서는 아직 논란의 여지가 있다. 무증상 세균뇨 환자에서 예방적 항균제는 도움이 되지 못하며 오히려 내성균 출현을 가져올 수 있다. 후정강이 신경자극이나 엉치신경 전기자극은 방광기능을 개선시켜 요로감염을 줄일 수 있다. 척수원추손상 환자에서는 척수신경원 재문합술을 시행해볼 수 있다. 불수의적 방광 수축으로 인해 요실금이 지속되는 환자에서는 항콜린제 및 베타3 아고니스트인 미라베그론을 사용하거나 방광확대술로 용적을 증가시키고 압력을 낮추면 도움을 줄 수 있다. 방광의 무반사가 있는 경우 방광이 과팽창될 수 있으므로, 이를 방지하기 위해 청결간헐도뇨를 시행해야 한다.

4. 검사

요로감염 증상을 파악하기 위해서는 병력 청취가 우선되어야 한다. 그러나 척수손상 환자에서는 요로감염과 관련된 증상을 정확히 파악하기가 어려울 수도 있다. 척수손상 환자가 전형적인 요로감염 증상을 호소한다 하더라도 농뇨나 세균뇨가 발견되지 않는 경우는 요로감염이라고 할 수 없다. 그러므로 소변검사, 소변배양검사, 일반혈액검사가 기본적으로 필요하다. 농뇨는 발열, 오한 등과의 관련성을 예측할 수 있으며 그람양성균보다는 그람음성균이 화농성 감염과 관련이 많다.

5. 치료

요로감염 치료는 신경병성방광의 장기 합병증을 예방하는 데 매우 중요하다. 소변배양검사가 적절한 항균제 치료에 있어 중요하지만, 초기 치료는 권장되는 치료 지침에 따라 시작하는 것이 좋다. 일반적인 요로감염의 1차적 치료법은 트라이메토프림-술파메톡사졸*trimetho-prim-sulfamethxazole*, TMP-SMX 3일 요법이며, 퀴놀론계 3일 요법, 니트로푸란토인*nitro-furantoin*, 아목시실린*amoxicillin*, 1세대 세팔로스포린*cephalosporin* 7일 요법 등은 2차 요법으로 분류된다. 그러나 신경병성방광 환자는 증상이 매우 복합적인 양상을 띠므로 일반적인 지침을 그대로 적용할 수 없다.

신경성방광 환자는 TMP-SMX나 퀴놀론을 좀 더 길게 사용하는 것이 바람직한데, 임상양상에 따라 7일에서 14일 정도 사용하는 것이 좋으며, 28일 이상 사용하는 것은 임상증상 호전 없이 내성만 키울 가능성이 있으므로 바람직하지 않다. 만약 환자가 장기입원 후에 최근 퇴원했고 심한 전신증상을 나타내며, 최근에 퀴놀론계 항균제로 치료를 받았다면 세페핌*cefepime*, 세프타지딤*ceftazidime*, 이미페넴*imipenem*, 메로페넴*meropenem*, 피페라실린/타조박탐*pipera-*

표 4-3 신경병성방광 환자의 요로감염 치료

일반적인 경우
TMP-SMX, 퀴놀론 : 7~14일
28일 이상 사용은 임상증상 호전 없이 내성만 키움
장기입원 퇴원 후 심한 전신증상(최근 퀴놀론계 항균제 치료를 받은 경우)
세페핌, 세프타지딤, 이미페넴, 메로페넴, 피페라실틴/타조박탐 등을 먼저 고려
심한 전신증상(소변배양검사에서 그람양성균)
처음부터 반코마이신 사용
기타
파로페넴 300 mg 1일 3회 요법이 레보플록사신 100 mg 1일 3회 요법과 동등한 효과를 보여줌
새로운 세팔로스포린, 카바페넴 등은 열성 감염 기간을 단축

cillin/tazobactam 등을 먼저 고려한다. 심한 전신증상과 함께 소변배양검사에서 그람양성균을 보인다면 처음부터 반코마이신을 선택할 수도 있다. 일부 문헌에 따르면 신경병성방광 환자의 요로감염에서 파로페넴*faropenem* 300 mg 1일 3회 요법이 레보플록사신*levofloxacin* 100 mg 1일 3회 요법과 동등한 효과를 보여주었다고 한다. 새로운 세팔로스포린, 카바페넴*carbapenems* 등은 열성 감염 기간을 단축시켜준다(표 4-3).

Ⅳ 당뇨

1. 역학

당뇨가 있는 경우 요 중 당의 증가 및 이로 인한 면역기능의 저하 때문에 요로감염의 위험이 증가할 수 있다. 당뇨를 가진 환자는 일반인에 비해 감염 빈도가 높으며, 이러한 감염은 요로계에서 더 흔히 발생한다. 여러 항균제가 새로이 개발되었음에도 불구하고 당뇨 환자의 감염증에 의한 이환과 사망이 문제점으로 대두되고 있다.

특히 당뇨를 가진 여성 환자에서 무증상 세균뇨와 증상을 보이는 요로감염의 발생률이 증가한다. 전향적 연구에 따르면 무증상 세균뇨의 발생률은 당뇨가 없는 여성 환자에 비해 당뇨를 가진 여성 환자에서 높게 보고되었다(6% 대 26%). 또한 증상이 있는 요로감염은 당뇨 환자가 일반인에 비해 1.2~2.2배 많이 발생한다. 신우신염으로 치료를 받은 282명의 환자를 대상으로 한 한국의 단일기관 연구에서 당뇨군과 비당뇨군으로 나눠서 분석한 결과 여성 단순 급성 신우신염 환자에서 당뇨가 있는 경우 정상인에 비해 발열기간 및 입원치료기간이 모두 길었지만, 당뇨보다는 신장기능이 치료의 예후와 더 밀접한 관련을 가지고 있었다. 또한, 당뇨가 있는 환자들에서는 당화혈색소로 파악할 수 있는 최근 수개월간의 당뇨조절상태가 치료 예후와 더 밀접한 관련을 가지고 있었고, 균혈증도 조기치료 실패를 예측할 수 있는 위험인자로 분석되었다.

2. 병인

당뇨 환자에서 무증상 세균뇨와 요로감염의 유병률이 증가하는 원인으로는 병원균 및 숙주방어기전의 차이 등 여러 측면이 고려된다. 병원균의 특성과 관련해서는 당뇨 환자와 일반인의 요당 농도의 차이에 따라 병원균의 독성인자가 변화하여 유병률을 증가시킨다고 추정된다.

그러나 당뇨 환자나 일반인에서 무증상 세균뇨의 원인 중 가장 흔한 대장균의 독성인자나 이 환자들에서 채취한 세균의 항균제 내성이 두 군 간에 차이가 없는 점을 고려하면 병원균의 차이에 의하여 발생하는 것은 아니라고 생각된다. 요에서 당이 증가하면 병원균에 대한 백혈구의 포식작용 장애가 발생할 수 있는데, 실제로 당뇨 조절이 잘 되지 않는 환자의 요에 당을 첨가한 경우 세균 성장이 증가하는 현상이 실험적으로 확인되었다. 그러나 당뇨가 있는 여성 환자를 대상으로 시행된 대규모 연구에서는 요중에서 증가된 당이 무증상 세균뇨 및 요로감염의 위험을 증가시키는 것을 입증하지 못했다. 결론적으로 당뇨 환자와 일반인 사이에서 병원균이 차이를 나타내지는 않는다고 추정된다.

숙주 방어기전과 관련하여 당뇨 환자와 일반인의 경우 요당 증가에 따른 백혈구의 포식작용 차이에 의한 세균뇨 발생에는 영향이 없으나, 당뇨 환자는 일반인과 비교하여 백혈구 수가 감소하기 때문에 무증상 세균뇨 발생이 증가할 수 있다. 또한 대장균의 1형 가는털 *fimbriae*은 일반 여성의 요로상피보다 당뇨 환자의 요로상피에 쉽게 결합하므로 무증상 세균뇨 발생의 또 다른 원인으로 추정된다.

3. 임상증상

당뇨 환자의 요로감염은 일반 환자의 요로감염과 증상이 비슷할 수 있으나, 신장농양, 기종성요로감염, 신장주위농양, 신장유두괴사 등과 같은 드물고 심한 합병증이 흔히 발생한다. 기종성신우신염이나 방광염은 주로 당뇨를 가진 환자에서 발생하며, 이 경우 전형적인 요로감염의 증상이 없을 수도 있다.

한국의 15개 기관에서 2011년부터 2021년 사이에 기종성신우신염으로 진단 및 치료를 받은 217명을 분석한 결과, 평균 나이는 65.1세, 여성이 74.2%, 사망률은 10.6%였다. 치료에 있어서 내과적 치료가 43.8%(95명), 경피적 배액술 또는 요관부목 삽입등과 같은 최소침습적 치료는 45.2%(98명), 개복 배액술 또는 신장절제술과 같은 수술적 치료를 받은 환자는 24명(11%)로 조사되었다. 2011년에서 2014년, 2015년에서 2017년, 2018년에서 2021년 3개의 구간으로 기간을 나눠 대상을 분석했을 때 3개 기간 사이에 사망률이나 내과적 치료의 비율은 차이가 없었지만 최소침습적 치료를 받은 환자의 비율은 각각 35.2%, 43.9%, 55.0%로 점차 증가하는 양상을, 반대로 수술적 치료는 18.3%, 9.1%, 6.3%로 감소하는 양상을 보여 현재로 올수록 과거와 같은 수술적 치료보다는 최소침습적 치료와 내과적 치료를 더 많이 시행하는 것을 확인할 수 있었다.

4. 진단

요로감염은 환자의 전형적인 증상 및 소변에 대한 검사를 통해 진단한다. 당뇨 환자는 심각한 합병증이 흔히 발생할 수 있으므로 즉각 진단과 치료를 시행해야 한다. 당뇨 환자에서 적절한 항균제를 2~3일간 투여한 후에도 반응하지 않는 경우는 합병된 요로감염증을 의심하여 영상검사를 시행한다. 45세 이상인 2형 당뇨 환자에서 복합 요로감염을 예측할 수 있는 위험인자는 표 4-4와 같다.

추가적인 영상검사로는 배설요로조영술과 초음파검사가 전통적으로 많이 이용되었으나, 이 검사들의 제한점으로 인하여 현재 컴퓨터단층촬영이 복합 요로감염 진단 및 추적 검사에 널리 이용되고 있다. 조영증강 컴퓨터단층촬영은 질환의 정도, 심각한 합병증 및 요로폐색의 유무를 확인할 수 있다. 당뇨나 신질환이 있는 환자는 조영제로 인하여 신장병증이 발생할 위험이 있으므로, 사구체 여과율이 60 mL/min/1.73 m² 이하인 경우에는 조영제 검사 당일 메트포르민*metformin*을 중단하고 2일 후에 다시 투여한다. 핵의학 검사나 자기공명영상의 역할은 제한적이다.

표 4-4 45세 이상인 2형 당뇨 환자에서 복합 요로감염을 예측할 수 있는 위험 인자

재발성 요로감염(여성) / 하부요로감염(남성)	복합성 경과*(독립적 예후 인자)
연령 병원 방문 횟수 요실금 뇌혈관질환 치매 신질환 유무(여성)	60세 이상 전해에 6명 이상의 의사와 접촉 전해에 병원 입원 신질환 요실금

*급성신우신염, 전립선염, 재발성 방광염.

5. 치료

1) 무증상 세균뇨

여러 연구에서 당뇨 환자에서 무증상 세균뇨의 치료 유무에 따른 신장기능 저하나 증상이 있는 요로감염의 빈도가 증가하지 않았다고 보고되었다. 따라서 당뇨 환자의 무증상 세균뇨는 합병증 발생을 증가시키지 않으므로 선별검사나 치료가 필요하지 않다.

2) 항균제 선택

당뇨 환자의 경우 요로감염의 원인균 중 대장균의 빈도가 낮지만 일반적으로 처방되는 항균제인 아목시실린, 니트로푸란토인, TMP-SMX 등에 대한 내성균주의 비율은 당뇨가 없는 환자와 유사하다. 따라서 당뇨 환자와 비당뇨 환자에 있어서 항균제의 차이는 없으므로, 흔히 발생하는 요로병원체의 지역적 내성률을 고려하여 선택한다. 그러나 TMP-SMX는 요로병원체의 높은 내성률과 저혈당을 유발할 수 있으므로 1차 치료제로 이용되지 않는다.

3) 치료 기간

당뇨 환자의 요로감염 치료 기간에 대해서는 연구가 부족하여 일치된 결론에 도달하지 못한 상태이다. 일반적으로 하부요로감염증이 있는 여성 당뇨 환자는 당뇨가 없는 여성 환자에 비해 치료 기간이 길지만, 적절한 기간에 대해서는 추가 연구가 필요하다.

V 노인

노화는 당뇨나 고혈압 같은 만성질환에 큰 영향을 미치는 중요한 요소이며, 감염질환에서도 매우 중요한 인자로 작용한다. 특히 한국의 경우 평균수명 증가와 함께 인구의 노령화가 급속히 진행되고 있고, 집단 요양시설에 거주하는 노인들도 증가 추세를 보이고 있다. 이런 면에서 감염질환 중 지역사회 획득 세균 감염의 약 25%를 차지하는 요로감염은 매우 중요한 감염질환이다. 특히 노인의 요로감염은 가장 흔한 세균 감염이며, 세균혈증을 유발하는 가장 흔한 원인이다. 또한 감염성 질환으로 입원한 노인에서 호흡기 감염 다음으로 흔한 질환이다. 노인은 요로감염의 임상증상이 매우 다양하여 무증상으로 지낼 수도 있지만, 심한 경우는 패혈증으로 나타나기도 하며, 증상과 징후가 불명확한 경우도 많다.

노인의 요로감염도 기저 질환, 성별, 증상의 유무, 감염 부위, 지역사회 또는 의료 관련 감염 여부 등에 따라 다양하게 분류되며, 이 분류에 따라 역학, 병인, 원인균 및 치료 등이 달라질 수 있다. 특히 노인들은 고혈압, 당뇨, 신경병성방광, 전립선비대증과 같은 방광출구폐색, 폴리도뇨관 삽입 등과 같은 복합 요로감염의 위험 요소들이 동반되는 경우가 많다. 고열이나 배뇨증상 등의 전형적인 증상을 가진 환자는 진단과 치료에 특별한 문제가 없겠지만, 비특이적 증상을 보이는 경우 적절한 진단과 조기 치료가 지연되어 심각한 합병증을 유발할 수도 있으므로 철저한 진단과 함께 평상시에 요로감염 예방을 위한 관리가 필수적이다.

1. 병인

연령 증가에 따른 다양한 변화들이 요로감염의 빈도를 높이게 된다. 여성의 경우 노화가 진행되면서 요로상피의 점액성 다당류층이 얇아지는데, 이러한 변화는 세균 성장을 증가시키게 된다. 또한 질 내의 산성도가 병균의 집락 형성을 막는 데 중요한 역할을 하는데, 산성도는 나이가 들어감에 따라 감소하고, 질과 요도 주위의 항체들도 노화에 따라 감소한다. 소변에서 항균 작용을 하는 높은 산성도 및 삼투압, 높은 요소 및 유기산 농도, 남성의 경우 전립선 분비물 등이 노화가 진행되면서 감소하여 세균에 대한 소변의 보호작용을 감소시킨다. 소변의 Tamm-Horsfall 단백은 그람음성균이 요로점막에 부착하는 것을 감소시키는 작용을 하는데, 이 작용도 노인들에서는 감소하는 것으로 알려져 있다.

다양한 원인에 의해 요배출에 지장을 초래하는 요도나 요관의 폐색, 여성의 방광류 및 방광 게실과 같이 정상적인 배뇨에 지장을 주는 구조적 이상이 있는 경우 노인에서 요로감염의 빈도가 증가한다. 특히 전립선비대증은 요로감염을 유발시키는 가장 중요한 요인이다. 전립선 비대증 때문에 방광출구폐색이 나타나면 요배출 차단과 요의 소용돌이 흐름으로 인하여 세균이 방광으로 상행하는 과정이 촉진된다. 주기적인 요배출, 즉 정상적인 배뇨기능은 요로감염에 대한 가장 중요한 방어기전 중 하나이다. 당뇨성 신경병증 및 중추신경계 질환 등과 관련된 신경병성방광이나 요실금 증상이 있는 노인들의 경우 배뇨기능장애로 인해 잔뇨량이 증가할 수 있고, 이런 변화는 요로감염을 유발할 수 있다.

2. 노인의 요로감염

노인의 요로감염은 감염질환 중 흔한 질병으로 세균혈증의 주요 요인이다. 요로감염은 대부분 경미한 임상경과를 보이지만 일부에서는 중증 패혈증으로 진행될 수 있다. 또한 요로의 구조적 이상이나 당뇨와 같은 전신 질환들이 동반된 경우 신부전으로 진행될 수 있기 때문에 특히 노인에서는 생명을 위협하는 치명적인 질환이 될 수 있다. 노년층에서 요로병원균이 일반적인 요로감염과 차이를 보이고 복합세균 감염이나 항균제 내성이 많은 이유는 요양시설에 거주하거나 입원하는 경우가 많고 폴리도뇨관 삽입이나 평소 항균제 사용 빈도가 높기 때문이다.

2014년부터 2016년까지 요양병원에서 경기북부지역의 대학병원 응급실로 이송되었던 483명의 환자를 분석한 연구에서 감염성 질환은 약 33%인 197명에서 관찰되었고, 빈도순으로는 폐렴(104명, 52.8%), 요로감염(42명, 21.3%), 균혈증(35명, 17.8%), 기타 감염(16명, 8.1%) 순이었다. 요로감염 중 76%(32명)는 증상이 동반된 요로감염이었고, 이 중 57.1%는 도뇨관 관련 감염이었다.

한국에서 요양병원은 2009년 초 714개에서 2017년 1,502개, 2020년 1,582개로 증가 추세에 있는데, 이런 요양시설 또는 요양병원에서 요로감염 관리는 매우 중요하다. 요양기관에서 거동 가능 여부와 요로감염의 관계에 대한 연구에서 53.1%(68/128)에서 요로감염을 보였다. 여성이 58.3%(60/103)로 남성 32%(8/25) 보다 높은 비율을 차지했고, 거동 불능 환자의 67.4%(60/89)에서 요로감염이 발생하였으며, 거동 가능환자에서는 20.5%(8/39)만이 요로감염을 보였다. 흔한 균종은 *Proteus mirabilis*, *Escherichia coli*, *Enterococcus faecalis*, *Pseudomonas aeruginosa* 등이었다.

요로감염의 전형적인 증상은 배뇨통, 요실금, 빈뇨, 요절박, 혈뇨 등이다. 신우신염의 경우는 측복부 통증이나 고열 등이 동반되며, 다른 전신증상이 동반되었는지 살필 필요가 있다. 노인의 요로감염을 진단할 때는 가능성 있는 다른 질환들을 배제할 수 있는 검사를 추가하고, 새롭게 발생한 증상이나 징후가 없는지도 살펴야 한다. 하지만 노인들의 경우 의사소통의 문제 등으로 이러한 증상들이 만성적으로 가지고 있었던 증상인지, 아니면 새로이 발생한 증상인지 병력 청취를 통해 구별하기 힘든 경우가 많은 것이 사실이다. 특히 노인의 하부요로감염은 비교적 쉽게 진단할 수 있으나 상부요로감염은 증상이 없거나 변질되어 알기 어려운 경우가 많다. 환자의 의식이 저하되고 위장관이나 호흡기의 증상이 상대적으로 뚜렷하여 신우신염의 경우에도 열이 없거나 백혈구증가증이 없는 경우가 많다.

1) 노인 요로감염의 원인균

일반 거주지 노인의 세균혈증 중 80%는 그람음성균에 의해 발생하며, 대장균이 가장 흔한 원인균이다. 나머지 20%는 장구균 및 메티실린 내성 황색포도구균methicillin-resistant *Staphylococcus aureus*, MRSA 같은 그람양성균에 의해 발생되는 것으로 보고된다. 장기 요양시설에 거주하는 노인의 경우도 역시 대장균이 가장 흔히 동정되는 원인균이지만, 기회 감염균들인 녹농균*Pseudomonas aeruginosa*, 반코마이신 내성 장구균vancomycin-resistant enterococci, 칸디다균종*Candida* spp., 비대장균성 장내세균non-*E. coli* Enterobacteriacease도 흔히 발견된다.

2) 노인 요로감염 진단

일반 거주지 노인의 경우 요로감염은 젊은 연령층과 마찬가지로 비뇨생식기계 증상이 있으며 소변에서 10^5 CFU/mL 이상의 세균뇨가 확인되는 경우 진단한다. 노인에서도 인지기능에 문제가 없어 증상을 정확히 호소하는 경우는 진단을 쉽게 내릴 수 있지만, 장기 요양시설에 거주하는 노인들과 같이 인지기능장애가 동반되어 정확한 증상을 호소하지 못하는 경우에는 무증상 세균뇨와 증상성 요로감염을 구별하는 것이 쉽지 않다. 이 경우는 검사실 소견으로 유의한 세균뇨($\geq 10^5$ CFU/mL) 및 농뇨(≥ 10 WBC/HPF)가 요로감염의 최소 진단 기준이지만 충분하지는 않다.

요양시설에 거주하는 노인들을 대상으로 요로감염 감시와 진단 그리고 치료를 위해 제시된 평가 기준은 다음과 같다. 폴리도뇨관을 착용하지 않은 요양시설 환자는 ① 38℃ 이상의 고열, ② 배뇨통, 빈뇨, 요절박이 심해지거나 새로 발생한 경우, ③ 측복부 통증, 치골 상부 통증이 새로 발생한 경우, ④ 요의 성상이 변한 경우, ⑤ 의식이나 신체기능이 악화된 경우와 같은 5가지 평가 항목 중에서 3가지 이상에 해당되는 경우를, 장기간 폴리도뇨관을 가진 노인의 경우는 ① 38℃ 이상의 고열, ② 측복부 통증, 치골 상부 통증이 새로 발생한 경우, ③ 요의 성상이 변한 경우, ④ 의식이나 신체기능이 악화된 경우와 같은 4가지 평가 항목 중에서 2가지 이상인 경우에 요로감염으로 진단하도록 제시하고 있다(표 4-5). 이 평가 기준에서 소변배양검사는 무증상 세균뇨의 높은 유병률 때문에 포함되지 않았다. 이 평가 기준은 요양시설에 거주하는 노인들의 요로감염 발생에 대한 감시 도구로는 적절하나, 일반 노인 환자들에게는 적절하지 않을 수 있기 때문에 실제 임상에서 사용하려는 경우 주의가 필요하다.

표 4-5 요양시설에 거주하는 노인의 요로감염 진단 기준

구분	폴리도뇨관이 없는 경우	폴리도뇨관이 있는 경우
평가항목	1. 38℃ 이상의 고열 2. 새로 발생하거나 심해진 배뇨통, 빈뇨, 요절박 3. 새로 발생한 측복부 또는 치골 상부 통증 4. 요의 성상 변화 5. 의식이나 신체기능의 약화	1. 38℃ 이상의 고열 2. 새로 발생한 측복부 또는 치골 상부의 통증 3. 요의 성상 변화 4. 의식이나 신체기능의 약화
진단 기준	위 항목 중 세 가지 이상 양성인 경우	위 항목 중 두 가지 이상 양성인 경우

3) 노인 요로감염의 치료

요로패혈증이 의심되는 급성기 상태의 일반 거주지 노인의 경우 배양균 감수성 결과가 나오기 전까지 3세대 세팔로스포린을 이용한 단독 항균제 치료가 적절한 치료법이다. 욕창, 동반된 폐렴과 같은 그람양성균 감염에 대한 특별 위험 요소가 없으면 반코마이신을 경험적으로 사용할 필요는 없다. 외래에서 경구 항균제 치료를 하는 경우에는 플루오로퀴놀론이 적절한 1차 선택 항균제다.

폴리도뇨관이 없는 일반 거주지 노인에서 경험적 항균제 치료를 시작하는 최소 기준으로는 급성 배뇨통 단독, 또는 37.9℃ 이상의 발열 또는 기초 체온에서 1.5℃ 이상의 체온 상승과 함께 새롭게 발생한 요절박, 빈뇨, 치골 상부 동통, 육안적 혈뇨, 늑골척추각 압통, 요실금과 같은 증상들 중 적어도 하나가 있는 경우가 제시되었다. 또한 장기간 폴리도뇨관을 가지고 있는 환자의 경우 경험적 항균제 치료를 하는 기준으로는 37.9℃ 이상의 열 또는 기초 체온에서 1.5℃ 이상의 체온 상승, 새롭게 발생한 늑골척추각 압통, 오한, 섬망 중에서 적어도 1가지 이상의 징후가 있는 경우가 제시되었다. 하지만 이 평가 기준들은 요양시설에 거주하는 노인들에서 요로감염이 의심되어 항균제 처방을 하게 되는 빈도를 줄이기 위한 기준이란 점을 반드시 명심해야 한다. 그러므로 이 기준은 일반 거주지 노인보다는 요양시절 등에 거주하는 노인에게 더욱 적합하다.

증상을 동반한 합병증이 없는 여성 환자에서는 대장균이 가장 흔한 균이므로 일반적으로 3~7일 혹은 7~10일간 TMP-SMX 혹은 플루오로퀴놀론으로 치료할 수 있다. 하지만 최근 TMP-SMX에 저항하는 대장균의 빈도가 점점 증가하여 TMP-SMX가 더 이상 1차 치료제 역할을 할 수 없는 지역이 늘어나고 있는 실정이다. 국내에서 단순 급성방광염 원인균에 따른 항균제감수성을 연구한 다기관 임상조사에 따르면 TMP-SMX는 높은 내성률을 나타내기 때문에 우리나라에서는 더 이상 경험적 1차 치료제로 사용할 수 없을 것으로 보인다.

전신증상을 동반하여 상태가 심각한 환자의 상부요로감염에는 광범위 세팔로스포린, 카바페넴, 아즈레남aztreonam, 피페라실린piperacillin, 플루오로퀴놀론 그리고 아미노글리코시드계 등과 같은 베타락탐 항균제들을 이용한 정맥주사요법을 균배양검사 이전에 즉각 시작해야 한다. 그리고 폴리도뇨관을 가지고 있는 환자에서는 장구균 치료를 위해 암피실린 또는 반코마이신을 추가로 사용하는 것도 고려해야 한다. 최소한의 치료 기간은 일반적으로 14일이 권장된다. 세균뇨에서 포도구균이 확인된 환자들을 대상으로 한 연구에서 70%는 장기 요양시설에 거주하는 노인이었고, 그중 82%는 폴리도뇨관을 가지고 있었다. 이런 환자군에서 동정된

균의 86%는 메티실린 내성 황색포도구균이었다. 이 사실로 추정해볼 때 심각한 증상을 보이는 장기요양시설 거주 노인들의 경우는 반코마이신 사용을 고려할 수 있다.

4) 노인 요로감염의 예방

폐경 후 여성에서 재발성 요로감염의 위험 요소로는 폐경 전 요로감염 과거력, 요실금, 방광류, 잔뇨 등이 있고, 요양시설에 거주하는 노인에서는 폴리도뇨관 삽입, 요실금, 항균제 사용, 전신 상태 등이 재발성 요로감염과 관련 있다. 노인 남성의 경우는 치매, 요실금 및 변실금, 콘돔도뇨관 및 폴리도뇨관 사용, 전립선비대증 등이 잘 알려진 요로감염의 재발 위험 요소들이다. 노인에 대한 예방적 항균제 요법은 재발성 요로감염의 위험을 낮추는 데 효과적이다. 지속적 항균제 예방요법은 6개월 내에 2회 이상의 증상을 동반한 요로감염이나 12개월 내에 3회 이상의 요로감염이 발생한 여성에서 추천된다. 6개월간 야간에 1회의 항균제 복용이 추천되며, 2년까지도 예방요법이 필요하다는 의견도 있다. 이런 예방요법에 사용되는 항균제로는 TMP-SMX, 니트로푸란토인, 세팔렉신이 있다.

크랜베리 정제 또는 주스도 좋은 예방법으로 알려져 있으나, 노인에서 요로감염을 예방하기 위한 목적으로 연구된 적은 없다. 재발성 요로감염을 나타내는 폐경 후 여성에서는 질 내 에스트로겐 치료가 요로감염 발생 횟수를 줄인다고 알려져 있다.

VI 요로폐색

1. 병인 및 역학

요로폐색은 정상적인 소변 흐름에 대한 폐색을 야기하는 구조적, 기능적 문제들이다. 요로감염의 가장 흔한 결정 요소는 정상적인 배뇨에 대한 간섭으로, 이런 경우 요로에서 세균을 완전히 배출하지 못하게 된다. 이러한 불완전한 소변 배출, 동반된 요로의 폐색 및 폴리도뇨관이나 결석의 균막 등으로 인해 세균이 증식하게 된다. 요로폐색은 감염성 신우신염의 병태생리에 있어서도 중요하다. 정상적인 요배출에 장애가 발생하면 세균이 요로 내로 유입되며, 결석 등의 이물질이 있으면 표면에 균막이 형성되어 세균뇨가 지속된다. 신장의 손상 정도는 폐색 기간에 비례하며, 신장기능의 회복력도 점진적으로 소실된다. 요농축력은 폐색 기간이 일주일 정도라면 완전한 회복이 가능하지만 4주간 지속되면 요농축력이 영구적으로 손실될 수 있다.

요로감염이 있는 환자들의 요로폐색 유병률 및 원인들은 문헌에 따라 다양하게 보고되고 있다. 복합 요로감염으로 비뇨기과에 입원한 환자들을 대상으로 분석한 연구에 따르면, 원인 질환으로 요로결석이 49%, 전립선비대증 45%, 요로상피세포암 6%, 신장암 6%로 보고되었고, 복합 요로감염으로 인한 사망률은 3.9%였다. 요로감염이 있는 성인을 대상으로 진행된 다른 연구에서는 원인 질환 중 방광출구폐색이 가장 흔한 원인으로 36%를 차지하였고, 배뇨근 수축력 저하 및 방광게실이 각각 7%로 보고되었으며, 그 외의 원인들로는 만성요정체, 요도협착, 전립선염, 요관결석, 전립선암, 신우요관이행부폐색, 방광결석 등이 있었다. 국내에서 1978년에 시행된 비뇨기과 수신증 환자 131명에 대한 연구에서는 30대에서 가장 흔히 발생했고, 남녀 비율은 1:1.2였으며 후천성요관협착증, 결석, 선천성신우요관이행부폐색, 전립선비대증, 신경병성방광이 흔한 원인으로 나타났다.

2. 원인 질환들

요로폐색은 요로의 어느 곳에서든 발생할 수 있으며, 폐색을 일으키는 주요 질환들도 연령에 따라 다양하다. 가장 흔한 원인 질환은 전립선비대증과 신경병성방광, 결석 등이며, 젊은 연령에서는 결석이, 노인에서는 전립선비대증과 신경성방광, 전립선암, 복강 내 종물이 가장 흔하다. 상부요로의 경우 신장은 신낭종이나 결석과 같은 양성 질환뿐만 아니라 신장암 및 신우의 요로상피세포암과 같은 악성 질환에 의해서도 폐색이 발생할 수 있다. 요관의 폐색은 결석, 요관협착, 요로상피세포암 및 후복막강 종양 등에 의해 발생한다. 하부요로폐색의 가장 흔한 원인은 전립선비대증이며 이외에 방광결석, 방광게실, 요도협착, 종양 등이 있고, 당뇨나 파킨슨씨병, 뇌혈관 질환들로 인해 발생한 신경병성방광이 기능적 폐색을 일으키기도 한다.

1) 전립선비대증

요로감염이 있는 남성의 경우 대부분 기능적 또는 해부학적인 요로 이상이 동반된 경우가 많은데, 전립선비대증 및 비뇨기과적 처치가 요로감염의 주요 선행 요인이다. 많은 양의 잔뇨가 남는 경우에는 세균의 수가 적더라도 심각한 요로감염을 유발할 수 있다. 요역동학검사 후 세균뇨 발생률을 비교한 연구에 따르면 남성이 36%로 여성의 15%에 비해 높았는데, 이 차이는 남성이 상대적으로 높은 잔뇨량을 보였기 때문으로 해석된다. 잔뇨량이 많은 경우 요정체 등으로 인해 세균의 요로상피 부착 및 증식이 증가하므로 감염의 선행 요인으로 작용할 수 있다. 그러나 이런 상관관계에 대한 연구는 많지 않으며, 세균뇨를 나타낸 노인의 요로감염이 나이나 잔뇨량, 방광출구폐색 증상들과 관계가 없었다는 정반대의 연구 결과도 보고되었다. 전립선비대증 환자의 경우 전립선절제술 이전의 세균뇨는 28~54% 정도로 보고된다. 이 세균뇨의 유병률은 수술 전 폴리도뇨관을 가진 환자들에서 특히 높아 44~57%로 나타나고 있다. 수술 전 세균뇨와 비교했을 때 수술 후 동정되는 균으로는 장구균 및 혈장응고효소 음성 포도구균coagulase-negative Staphylococcus이 흔히 발견된다.

2) 요도협착

주로 개발도상국의 남성 요로감염 환자에서 전립선비대증 다음으로 가장 흔한 원인이 요도협착이다. 스페인에서 요도협착으로 치료받은 남성을 대상으로 한 연구 결과 89%에서 합병증이 나타났고, 급성요정체가 57%, 요로감염이 36% 정도 발생하였다. 요로감염이 있는 환자의 90%는 단일균에 의한 감염이었고, 이 중 44%는 대장균이 원인이었다. 미국에서 시행된 연구에서도 요도협착이 있는 남성의 경우 41%의 높은 요로감염률과 11%의 요실금이 나타났다.

3) 방광게실

방광게실은 대부분 신경병성방광 또는 방광출구폐색 등에 의해 2차적으로 발생한다. 주로 60세 이후에 발생하며, 여성보다 남성에서 더 흔하고, 대개 방광의 육주화와 관련 있다. 하부요로증상과 관련된 방광게실의 유병률은 1~6% 정도로 보고되고 있다.

방광게실 내의 요정체는 요로감염의 선행요인이 될 수 있으며, 염증이 생긴 경우에는 제거하기 힘들 수도 있다. 그러므로 항균제 치료에 반응하지 않는 재발성 또는 지속성 요로감염은 방광게실절제술의 적응증이 된다. 방광게실이 동반된 전립선비대증 환자와 그렇지 않은 전립선비대증 환자를 비교한 연구에서는 게실이 동반된 경우 급성요정체 및 요로감염의 위험이 더 높은 것으로 나타났고 잔뇨량도 더 많았다.

4) 요도게실

여성에서 요도게실은 주로 요도 주위 선의 감염으로 인해 발생한다. 요도 주위 선에 재발성 감염이 나타나면 폐색을 유발하여 농양을 형성하는데, 이 농양이 요도 내강으로 파열된다. 요도 주위 선의 재발성 폐색 및 감염, 재감염은 게실의 크기를 증가시킨다.

여성의 요도게실은 임상적으로 성교통, 배뇨통, 배뇨 후 요점적 등을 나타낸다. 요로감염은 30% 정도의 환자에서 나타난다. 요도게실 환자에서 동정되는 균 중에서는 대장균이 가장 흔하며, 그 외에 그람음성 장내세균, 임균, 클라미디아, 연쇄구균*Streptococci*, 포도구균 등도 동정된다. 요도게실 내의 결석은 요정체 또는 요로감염에 의해 발생하는데, 발생률은 4~10% 정도이다. 여성 요도게실은 일반적으로 수술적 치료의 대상이다. 수술 시에는 게실을 절제하고 요도와의 교통로를 결찰한다.

남성 요도게실은 매우 드물며, 외상, 요도협착, 이전의 요도성형술 등이 원인이 되어 발생한다. 남성에서도 역시 요도게실은 대부분 수술적 치료가 필요하지만, 심각한 증상이나 합병증이 없는 경우에는 경과 관찰을 할 수도 있다.

5) 방광결석

방광결석의 75% 정도는 전립선비대증, 요도협착, 방광경부구축, 신경병성방광, 골반장기탈출증 등과 같은 방광출구폐색과 관련이 있다. 방광출구폐색으로 인한 많은 잔뇨와 요로감염은 방광 내의 결석 형성을 촉진한다. 방광결석의 약 22~34% 정도가 요로감염과 관련 있으며 가장 흔한 균은 프로테우스*Proteus*이다. 그 외에 녹농균*Pseudomonas*, 우레아플라스마우레알리티쿰*Ureaplasma urealyticum*, 프로비덴치아*Providencia*, 클레브시엘라*Klebsiella*, 포도구균, 미코플라스마*Mycoplasma* 균주들도 세균성 요소분해효소를 생성할 수 있다. 이 요소분해효소들은 암모늄과 이산화탄소를 만들어 요의 알칼리화를 촉진하며, 알칼리화된 요는 마그네슘암모늄인산염 및 탄산염인회석 결정의 침전 및 과포화를 촉진한다.

방광결석의 80%는 60세 이상에서 발생하며, 환자의 98%는 남성이다. 그중 88%가 방광출구폐색을 가지고 있다. 방광결석과 연관된 질환을 살펴보면 남성에서는 전립선비대증 및 전립선암(48%), 신경병성방광(12%)이 가장 흔하고, 여성에서는 신경병성방광(48%), 자궁절제술 과거력(29%), 방광암(6%) 순이다. 방광결석의 성분은 마그네슘암모늄인산(50%), 칼슘 수산/인산(40%), 요산(9%), 시스틴(0.7%) 순으로 나타났다.

전립선비대증과 연관된 방광결석은 경요도전립선절제술의 적응증 중 하나이다. 방광결석이 있는 전립선비대증 환자 23명을 대상으로 한 연구에서 방광결석만 내시경적으로 제거한 후 α차단제와 5-α 환원효소 억제제를 이용하여 전립선비대증에 대해 약물 치료한 경우, 30개월의 관찰 기간 동안 요로감염은 22%에서, 급성 요정체는 17%에서 발생하였고, 방광결석의 재발률은 17%로 나타났다.

6) 상부요로폐색

요관폐색은 신장기능저하를 유발하는데, 이때 요의 항균제 농축 기능이 떨어지므로 세균 제거가 힘들어지고 항균제에 대한 내성이 발생할 수 있다. 또한 신장의 혈류성 감염은 일반인의 경우 드물지만 신장폐색이 동반된 경우 발생할 수 있다. 혈류성 신우신염에 관한 동물실험에서도 균을 정맥주사한 경우 신장은 상대적으로 감염에 저항성을 보이지만 요관이 결찰된 경우에는 감염이 더 흔히 발생했다.

출산 전에 심한 수신증이 진단된 소아에서 예방적 항균제 치료를 하지 않은 경우 출산 후 12개월 동안 요로감염 발생률이 36% 정도로 나타났고, 이 요로감염은 대부분(93%) 첫 6개월 이내에 발생했다. 출산 전에 신우 확장이 확인된 소아를 대상으로 한 다른 연구에서도 요로감염 발생률은 12, 24, 36개월에 각각 8%, 13%, 21%였다. 요로감염 예측의 독립적인 위험 인자들은 여성, 방광요관역류, 요로폐색이었다. 수신증의 정도와 요로감염을 비교 분석한 연구에서 I, II, III, IV등급에서 각각의 요로감염 발생률은 4%, 14%, 33%, 40%였으며, 수신증이 심할수록 요로감염 발생도 더 많았다.

상부요로폐색과 요로감염을 동시에 가지고 있는 환자를 치료할 때는 초기의 경험적 항균제 치료와 함께 요로폐색을 해결하기 위한 경피신루설치술이나 요관스텐트 유치가 일반적으로 필요하다. 이후 소변배양검사에 따라 적합한 항균제로 교체하는데, 염증을 치료한 후 추가로 폐색의 원인을 교정하기 위한 근본적인 수술적 치료가 추가로 필요한 경우도 있다.

3. 임상증상

폐색성요로감염에서 완전폐색이 더 심한 임상증상을 보이고 패혈증도 더 흔히 발생한다. 또한 신장, 신장 주위부 및 요도 주위의 농양, 뼈와 관절의 혈행성 감염이나 심내막염 같은 화농성 합병증도 더 흔하다. 요로폐색은 연령이 증가하면서 유병률이 증가하며, 무증상에서 급성 신부전까지 다양한 임상양상을 보인다. 상부요로폐색을 일으키는 요관결석은 급성 측복부 통증이 전형적인 증상이고, 하부요로폐색을 시사하는 증상으로는 요정체, 방광 자극 증상, 혈뇨, 요실금 등이 있다.

4. 진단

요로감염의 경우 영상학적 검사를 시행하는 목적은 급격한 신장기능저하, 패혈증, 재발성 감염 등과 관련 있을 수 있는 교정 가능한 원인들을 찾아내기 위해서이다. 영상학적 검사에는 초음파검사, 배설요로조영술, 컴퓨터단층촬영술 등이 있는데, 컴퓨터단층촬영술이 다른 검사들보다 진단 민감도가 더 높은 것으로 보고되고 있다. 자기공명촬영술은 환자가 조영제에 과민반응이 있는 경우 유용하게 쓰인다.

하부요로폐색은 흔히 방광의 요정체로 나타난다. 요정체가 의심되면 배뇨 후 잔뇨를 측정하는데, 이때 100 mL를 초과하면 의미 있는 하부요로폐색을 시사한다. 폐색 발생 초기에는 배뇨일지, 요세포검사, 초음파검사, 컴퓨터단층촬영술을 시행하며, 남성의 경우 혈중 전립선특이항원 검사를 할 수도 있다. 범람요실금, 파킨슨씨병, 당뇨성신경병증, 뇌경색, 신경학적 질환이 동반되거나 재발성 요로감염이 있으면 폐색성요로감염이나 신경병성방광을 원인 질환으로 고려해야 한다.

5. 원인 미생물

수신증을 대상으로 국내에서 시행된 연구 결과 요로감염의 원인균은 대장균, 녹농균, 에어로박터Aerobacter, 프로테우스, 장구균, 시트로박터Citrobacter spp. 순으로 흔했다. 신경병성방광의 요로감염에서 가장 흔한 균은 대장균이며, 분변성 장구균E. faecalis, 녹농균, 프로테우스미라빌리스, 폐렴간균, 연쇄구균Streptococcus agalactiae 등이 원인균이다. 특히 장구균Enterococcus spp.에 의한 감염이 발생하면 요로폐색의 가능성을 시사한다. 신경병성방광 또는 신경학적 이상을 동반한 환자에서는 장구균과 녹농균이 다른 요로감염에 비해 중요한 원인균이다.

6. 치료

요로감염과 요로폐색이 동반되면 매우 위험하므로 적극적인 치료가 필요하다. 효과적인 항균제 치료와 함께, 패혈증과 재발성 요로감염을 예방하기 위해 정상 요로의 기능을 회복시키고 요로감염의 선행 요인을 제거하는 적절한 비뇨기과적 처치가 동시에 필요하다. 폐색성 요로감염 환자는 항균제 치료 중 요로폐색의 제거 여부, 동반 질환의 중증도 및 기저 요로계의 손상 정도에 따라 예후가 달라진다.

초기 경험적 항균제로는 플루오로퀴놀론, 아미노페니실린aminopenicillin/베타락탐아제lactamase 억제제, 3세대 세팔로스포린, 아미노클리코시드계 및 에르타페넴ertapenem을 사용한다. 패혈증이 의심되는 중증 감염이나 병원 내 감염에서는 항녹농균 항균제를 초기에 사용할 것을 권한다. 아미노페니실린/베타락탐아제 억제제, 세프타지딤ceftazidime, 세페핌cefepime,

카바페넴 단독 또는 아미노글리코시드계나 플루오로퀴놀론과 병합하여 사용할 수 있다. 배양 결과가 나오면 초기 경험적 치료를 조정해야 하며 치료 전에 소변 혹은 혈액의 배양검사를 반드시 시행해야 한다. 요로폐색을 유발하는 원인이 교정되고 추가적 감염의 요소가 없다면 7~14일간의 항균제 치료가 권장되며, 원인 질환 치료나 증상 호전 및 요로폐색 교정이 불충분하면 21일 이상 치료를 연장할 수 있다. 한편 요로폐색이 동반된 요로감염은 항균제 치료와 함께 요로의 감압이 필요한데, 초기에는 폴리도뇨관 삽입, 경피적신루설치술, 요관스텐트유치술 같은 최소한의 침습적 방법으로 감압하는 것이 좋다.

전립선 비대로 인해 급성요정체가 나타난 환자에서 폴리도뇨관을 유치하는 적정한 기간은 아직 결정되지 않았다. 폴리도뇨관 삽입 초기나 자발뇨 시도 3일 전부터라도 α 차단제를 사용하면 자발적 배뇨의 성공률이 높아진다. 14일 이상 폴리도뇨관을 유지하는 경우에는 치골위창냄술을 고려한다.

7. 한국의 요로폐색 관련 요로감염 임상지침 권고안들

2011년 대한감염학회, 대한화학요법학회, 대한요로생식기감염학회, 대한임상미생물학회가 공동으로 요로감염 임상진료지침 권고안을 발표했다. 이 중에서 요로폐색과 관련된 요로감염의 내용을 정리하면 다음과 같다.

폐색성 요로감염의 원인균으로는 대장균이 가장 흔하다. 원인 미생물과 항균제 감수성은 질병의 중증도, 지역, 요로폐색의 원인 질환, 병원감염 혹은 지역사회 감염 여부에 따라 다양하다. 따라서 항균제 치료는 감염의 중증도, 요로폐색의 원인 질환, 잦은 재발, 병원감염 여부 및 항균제 내성 유형에 따라 결정해야 한다. 지역사회에서 발생하고 중증이 아닌 전립선비대증이나 감염성 결석으로 인한 폐색성 요로감염의 경우 신장으로 배출되는 플루오로퀴놀론을 경구 혹은 비경구로 투여하는 것을 우선 고려한다. 패혈증이 의심되는 중증 감염, 재발이 많았던 경우나 병원감염인 경우는 경험적 치료를 강화하여 병합요법을 고려할 수 있으며, 아미노페니실린/베타락탐아제 억제제, 세프타지딤, 세페핌, 카바페넴 단독 또는 아미노글리코시드계나 플루오로퀴놀론과 병합하여 사용할 수 있다. 치료 전에 반드시 소변배양검사를 하고 결과에 따라 초기 항균제를 조정한다.

치료 기간은 요로폐색을 유발하는 원인을 교정할 수 있는 경우에는 7~14일, 요로폐색을 일으킨 원인 질환 치료나 증상 호전 및 요로폐색 교정이 불충분한 경우는 21일 이상 연장할 수 있다. 급성 요로폐색은 즉시 감압이 필요한데, 초기에는 최소한의 침습적 방법(폴리도뇨관 삽입, 경피신루설치술, 요관스텐트유치술)으로 감압하는 것이 좋다.

전립선 비대에 의한 급성 요정체의 경우 폴리도뇨관 삽입 초기나 자가배뇨 시도 3일 전부터라도 α 차단제를 사용하면 자가배뇨의 성공률이 높아진다.

2018년 질병관리본부에서 발간한 요로감염 항생제 사용지침 중 요로 폐쇄 관련 복잡성 신우신염 관련 핵심 질문 별 권고안은 아래와 같다.

질문 12번 : 요로 폐쇄 관련 신우신염이 발생한 성인 환자에서 초기에 투여할 적절한 경험적 항생제는 무엇인가?

12-1 요로 폐쇄 관련 신우신염 환자에서의 경험적 항생제 선택은 단순 신우신염 치료에 준해서 시행하면 되나, 임상 증상이 심한 경우에는 패혈증을 동반한 중증 요로감염의 경우에 준해서 시행한다(근거수준 낮음, 권고 수준 강함).

12-2 초기 경험적 항생제로는 fluoroquinolone, beta-lactam/beta-lactamase inhibitor, 광범위 cephalosporin, aminoglycoside, carbapenem 등을 사용한다(근거수준 낮음, 권고수준 강함).

12-3 패혈증을 동반한 경우와 잦은 재발성 감염인 경우에는 piperacillin/tazobactam, 광범위 3세대 cephalosporin 또는 4세대 cephalosporin, carbapenem 등을 사용할 수 있다. 항생제 내성균 감염의 위험성이 높은 경우에는 광범위 beta-lactam 계열 항생제와 amikacin 병합을 고려할수 있다(근거수준 낮음, 권고수준 약함).

질문 13번 : 요로 폐쇄 관련 신우신염이 발생한 성인 환자에서 항생제 병합 요법은 단독 요법에 비해 우월한가?

13-1 요로 폐쇄 관련 신우신염 환자에서의 원인균과 항생제 감수성 결과를 아는 경우 신우신염의 치료 항생제로서 일반적으로 추천되는 감수성 있는 항생제를 단독 요법으로 사용한다(근거수준 낮음, 권고수준 강함).

13-2 패혈증이 의심되는 중증 감염, 재발이 많았던 경우나 의료관련 감염인 경우는 초기 경험적 치료를 강화하여 병합 요법을 고려할 수 있다(근거수준 낮음, 권고수

준 약함).

13-3 병합 요법을 고려하는 경우 광범위 beta-lactam계 항생제와 aminoglycoside 또는 fluoroquinolone을 병합할 수 있다(근거수준 낮음, 권고수준 약함).

질문 14번 : 요로 폐쇄 관련 신우신염이 발생한 성인 환자에서 요로 폐쇄를 해소시켜야 하는가? 그렇다면 적정시기는 언제인가?

14-1 요로 폐쇄 관련 신우신염은 항생제 치료와 함께 감압을 위한 시술이 필요하다(근거수준 높음, 권고수준 강함).

14-2 요로 폐쇄 관련 신우신염으로 진단되고 배액 또는 감압이 필요한 경우에는 가능한 빨리 시술을 시행해야 한다(근거수준 낮음, 권고수준 강함).

14-3 요관 결석에 수반된 수신증과 요로감염이 있는 경우 경피적 신루 설치술 또는 요관 스텐트 삽입술을 가능한 빨리 시행한다(근거수준 낮음, 권고수준 강함).

14-4 전립선 비대에 의한 급성 요로 폐쇄에 동반한 요로감염이 있는 경우 가능한 빨리 도뇨관을 삽입한다(근거수준 낮음, 권고수준 강함).

질문 15번 : 요로 폐쇄 관련 신우신염이 발생한 성인 환자에서 적절하게 요로 폐쇄를 해소시킨 이후 얼마나 항생제 치료를 시행해야 하는가?

15-1 요로 폐쇄 관련 신우신염 환자에서 요로 폐쇄 유발 요인이 교정되고 추가적 감염의 요소가 없다면 일반적으로 7일에서 14일간 항생제를 사용할 수 있다(근거수준 낮음, 권고수준 약함).

15-2 원인 질환의 치료나 증상의 호전 및 요로 폐쇄의 교정이 불충분하면 신장 농양에 준해서 21일 이상 치료를 연장할 수 있다(근거수준 낮음, 권고수준 약함).

질문 16번 : 기종성 신우신염(emphysematous pyelonephritis) 발생이 의심되는 성인 환자에서 어떤 경험적 항생제를 사용해야 하는가?

기종성 신우신염 발생이 의심되는 환자에서 경험적 항생제 선택은 단순 신우신염 치료에 준해서 시행하면 되나, 임상 증상이 심한 경우는 패혈증을 동반한 중증요로감염의 경우에 준해서 시행한다(근거수준 낮음, 권고수준 강함).

질문 17번 : 기종성 신우신염(emphysematous pyelonephritis) 발생이 의심되는 성인 환자에서 경피적 배농술을 시행해야 하는가? 신장 절제술을 고려해야 하는 경우는 언제인가?

17-1 기종성 신우신염 발생이 의심되는 환자에서 가스 형성이 신우에 국한되고 신장 실질의 침범이 없는 경우는 항생제만 투여하며 신장 실질을 침범하는 경우는 항생제 투여와 함께 경피적 배농술이나 수술을 시행한다(근거수준 낮음, 권고수준 강함).

17-2 가스형성이 신장 주변부까지 광범위하게 침범한 경우와 경피적 배농술에도 호전이 없는 경우는 신장 절제술을 고려한다(근거수준 낮음, 권고수준 강함).

요약정리

- 감염에 의해 발생하는 대표적인 요로결석은 마그네슘암모늄인산이며, 성분은 마그네슘암모늄인산염과 탄산염인회석이다.
- 요로결석에 의한 요로감염이 악화되면 화농신장, 패혈증, 황색육아종성신우신염이 유발된다.
- 감염석은 수술적 완전 제거와 함께 재발 방지를 위한 철저한 내과적 치료가 필수적이다.
- 황색육아종성신우신염은 일반적으로 외과적 치료가 요구되며, 항균제 치료는 수술 전에 환자를 안정화시키기 위하여 사용한다.
- 요로결석에 의한 요로폐색이 진행되고 감염이 동반되면 화농신장이 유발된다. 증상이 다양하므로 증상이 없는 세균뇨에서부터 패혈증까지 나타날 수 있으며, 신천자를 통한 고름 확인으로 확진할 수 있다.
- 청결간헐도뇨 시 1회 도뇨량은 최대 500 mL를 넘지 않는 것이 좋다.
- 요로감염을 줄이기 위해서는 방광 내 폴리도뇨관 유치보다 청결간헐도뇨가 좋다.
- 요로감염은 소변검사와 소변배양검사 같은 검사실 검사를 통해 진단해야 한다.
- 방광 내 폴리도뇨관을 유치 중인 환자에서 예방적 항균제 사용은 내성균이 출현할 위험이 있으므로 권장되지 않는다.
- 요로감염의 경우 적절한 항균제를 선택하여 7~14일간 사용한다.
- 당뇨가 있는 환자는 신장농양, 기종성 요로감염, 신장주위농양, 신장유두괴사, 전이성 감염증 등과 같은 드물고 심한 합병증이 흔히 발생할 수 있다.
- 복합 요로감염의 위험 인자를 가진 당뇨 환자에서 적절한 항균제를 2~3일간 투여한 후에도 반응하지 않는 경우 합병된 요로감염증을 의심하여 영상검사를 시행한다.
- 당뇨 환자의 무증상 세균뇨는 합병증 발생을 증가시키지 않으므로 선별검사나 치료가 필요하지 않다.
- 당뇨 환자의 경우 비당뇨 환자와 비교하여 항균제의 내성균주 차이가 없으므로, 흔히 발생하는 요로병원균의 지역적 내성률을 고려하여 항균제를 선택한다.
- 노인의 경우 요로감염은 가장 흔한 세균 감염이며, 세균혈증을 유발하는 첫 번째 요인이다. 특히 노인의 경우 복합 요로감염의 위험 요소들이 동반된 경우가 많다.
- 노인의 요로감염에서 적절한 진단 및 조기 치료가 지연되면 심각한 합병증을 유발할 수 있으므로 철저한 진단과 요로감염 예방을 위한 평상시의 관리가 필수적이다.
- 노인의 무증상 세균뇨와 요로감염을 감별하려 해도 인지기능장애나 의사소통 문제 때문에 어려운 경우가 많이 발생하므로, 전형적인 요로감염 증세가 없더라도 노인에서는 요로감염의 가능성에 대해 초기에 주의 깊게 관찰할 필요가 있다.
- 노인의 요로감염 진단 시에는 요로감염에 대한 기본적인 평가에 더하여 동반 질환들을 배제할 수 있는 검사를 추가해야 한다.
- 노인 요로감염의 원인균은 그람음성균, 그 중에서도 대장균이 가장 흔하다.
- 요로계 패혈증이 의심되는 급성기 상태의 일반 거주지 노인의 경우, 배양균 감수성 결과가 나오기 전까지는 3세대 세팔로스포린을 이용한 단독 항균제 치료가 적절하다. 합병증이 없는 여성 환자에서는 대장균이 가장 흔한 균이므로 약제내성을 고려하여 1차 치료제를 선택해야 한다.
- 노인의 요로감염 예방을 위한 지속적 항균제 예방요법은 6개월 내에 2회 이상의 증상을 동반한 요로감염이나 12개월 내에 3회 이상의 요로감염이 발생한 여성에서 추천되는 방법이다. 6개월간 TMP-SMX, 니트로푸란토인 그리고 세팔렉신 등의 항균제를 야간에 1회 복용한다.
- 요로폐색은 구조적 또는 기능적으로 정상적인 소변의 흐름을 막는 상태를 가리키며, 다양한 원인에 의해

발생한다. 임상적으로 무증상에서 심한 패혈증 및 급성신부전까지 다양한 상태를 보인다.

- 가장 흔한 원인 질환은 전립선비대증, 신경성방광, 요로결석 등이다. 젊은 연령에서는 결석이, 노인에서는 전립선비대증, 신경성방광, 전립선암, 복강 내 종물이 가장 흔한 원인 질환들이다.

- 요관폐색의 경우 신장기능저하를 유발하므로 요의 항균제 농축 기능이 떨어져 세균 제거가 힘들어지고 항균제에 대한 균의 내성이 발생할 수 있다. 그러므로 상부요로폐색과 요로감염을 동시에 가지고 있는 환자의 경우 초기에 경험적 항균제 치료를 시행하는 것 외에 요로폐색을 해결하기 위한 경피신루설치술이나 요관스텐트유치가 일반적으로 필요하다.

- 요로감염과 요로폐색이 동반된 경우 효과적인 항균제 치료와 함께 패혈증과 재발성 요로감염을 예방하기 위해서 정상 요로의 기능을 회복시키고 요로감염의 선행 요인들을 제거하기 위한 적절한 비뇨기과적 처치가 동시에 필요하다.

- 요로폐색이 동반된 요로감염의 경우 초기에 사용되는 경험적 항균제로는 플루오로퀴놀론, 아미노페니실린/베타락탐아제 억제제, 3세대 세팔로스포린, 아미노글리코시드계 및 에르타페넴 등이 있다.

참고문헌

1. 요로감염 항생제 사용 지침, 2018년, 질병관리본부
2. Ackermann RJ, Monroe PW. Bacteremic urinary tract infection in older people. J Am Geriatr Soc 1996;44:927-33.
3. Adot Zurbano JM, Salinas Casado J, Dambros M, Virseda Chamorro M, Ramirez Fernandez JC, Silmi Moyano A, et al. Urodynamics of the bladder diverticulum in the adult male. Arch Esp Urol 2005;58:641-9.
4. Allen D, Mishra V, Pepper W, Shah S, Motiwala H. A single-center experience of symptomatic male urethral diverticula. Urology 2007;70:650-3.
5. Alley MR, Baker SJ, Beutner KR, Plattner J. Recent progress on the topical therapy of onychomycosis. Expert Opin Investig Drugs 2007;16:157-67.
6. Andrews SJ, Brooks PT, Hanbury DC, King CM, Prendergast CM, Boustead GB, et al. Ultrasonography and abdominal radiography versus intravenous urography in investigation of urinary tract infection in men: prospective incident cohort study. BMJ 2002;324:454-6.
7. Bae MH, Park CH, Cho YS, Joo KJ, Kwon CH, Park HJ. Effects of Diabetes Mellitus and HbA1c on Treatment Prognosis in Uncomplicated Acute Pyelonephritis. The Korean Journal of Urogenital Tract Infection and Inflammation. 2015;10(1):41-48
8. Bakke A, Digranes A, Hoisaeter PA. Physical predictors of infection in patients treated with clean intermittent catheterization: a prospective 7-year study. Br J Urol 1997; 79:85-90.
9. Barros M, Martinelli R, Rocha H. Enterococcal urinary tract infections in a university hospital: clinical studies. Braz J Infect Dis 2009;13:294-6.
10. Beachley MC, Ranniger K, Roth FJ. Xanthogranulomatous pyelonephritis. The American journal of roentgenology, radium therapy, and nuclear medicine 1974;121:500-7.
11. Beeson PB, Guze LB. Experimental pyelonephritis. I. Effect of ureteral ligation on the course of bacterial infection in the kidney of the rat. J Exp Med 1956;104:803-15.
12. Bender BS. Infectious disease risk in the elderly. Immunol Allergy Clin North Am 2003;23:57-64, vi.

13. Bichler KH, Eipper E, Naber K, Braun V, Zimmermann R, Lahme S. Urinary infection stones. Int J Antimicrob Agents 2002;19:488-98.

14. Bierer S, Ozgun M, Bode ME, Wulfing C, Piechota HJ. Obstructive uropathy in adults. Aktuelle Urol 2005;36:329-36.

15. Bingol-Kologlu M, Ciftci AO, Senocak ME, Tanyel FC, Karnak I, Buyukpamukcu N. Xanthogranulomatous pyelonephritis in children: diagnostic and therapeutic aspects. Eur J Pediatr Surg 2002;12:42-8.

16. Boyko EJ, Fihn SD, Scholes D, Chen CL, Normand EH, Yarbro P. Diabetes and the risk of acute urinary tract infection among postmenopausal women. Diabetes care 2002;25: 1778-83.

17. Cardenas DD, Hooton TM. Urinary tract infection in persons with spinal cord injury. Arch Phys Med Rehabil 1995;76: 272-80.

18. Choi S-K, Yoo KH, Lee JW, Jung SI, Hwang EC, Choi J, et al. Characteristics and Treatment Trends for Emphysematous Pyelonephritis in Korea: A 10-Year Multicenter Retrospective Study. Urogenital Tract Infection. 2021;16(2):49-54.

19. Clinical Guideline for the Diagnosis and Treatment of Urinary Tract Infections: Asymptomatic Bacteriuria, Uncomplicated & Complicated Urinary Tract Infections, Bacterial Prostatitis. Infect Chemother AID 2011;43:1-25.

20. Coelho GM, Bouzada MC, Lemos GS, Pereira AK, Lima BP, Oliveira EA. Risk factors for urinary tract infection in children with prenatal renal pelvic dilatation. J Urol 2008;179:284-9.

21. Corrado ML, Grad C, Sabbaj J. Norfloxacin in the treatment of urinary tract infections in men with and without identifiable urologic complications. Am J Med 1987;82:70-4.

22. Curns AT, Holman RC, Sejvar JJ, Owings MF, Schonberger LB. Infectious disease hospitalizations among older adults in the United States from 1990 through 2002. Arch Intern Med 2005;165:2514-20.

23. DasGupta R, Sullivan R, French G, O'Brien T. Evidence-based prescription of antibiotics in urology: a 5-year review of microbiology. BJU Int 2009;104:760-4.

24. Douenias R, Rich M, Badlani G, Mazor D, Smith A. Predisposing factors in bladder calculi. Review of 100 cases. Urology 1991;37:240-3.

25. Dromerick AW, Edwards DF. Relation of postvoid residual to urinary tract infection during stroke rehabilitation. Arch Phys Med Rehabil 2003;84:1369-72.

26. Estores IM, Olsen D, Gomez-Marin O. Silver hydrogel urinary catheters: evaluation of safety and efficacy in single patient with chronic spinal cord injury. J Rehabil Res Dev 2008;45: 135-9.

27. Fujimoto Y, Ueno K, Yamada S, Isogai K, Komeda H, Ban Y. Clinical investigation of clean intermittent catheterization. Hinyokika Kiyo 1994;40:309-13.

28. Ganabathi K, Leach GE, Zimmern PE, Dmochowski R. Experience with the management of urethral diverticulum in 63 women. J Urol 1994;152:1445-52.

29. Garibaldi RA, Burke JP, Dickman ML, Smith CB. Factors predisposing to bacteriuria during indwelling urethral catheterization. N Engl J Med 1974;291:215-9.

30. Garner JS, Jarvis WR, Emori TG, Horan TC, Hughes JM. CDC definitions for nosocomial infections, 1988. Am J Infect Control 1988;16:128-40.

31. Geerlings SE, Brouwer EC, Gaastra W, Stolk R, Diepersloot RJ, Hoepelman AI. Virulence factors of Escherichia coli isolated from urine of diabetic women with asymptomatic bacteriuria: correlation with clinical characteristics. Antonie van Leeuwenhoek 2001;80:119-27.

32. Geerlings SE, Brouwer EC, Gaastra W, Verhoef J, Hoepelman AI. Effect of glucose and pH on uropathogenic and non-uropathogenic Escherichia coli: studies with urine from diabetic and non-diabetic individuals. Journal of medical microbiology 1999;48:535-9.

33. Geerlings SE, Brouwer EC, Van Kessel KC, Gaastra W, Stolk RP, Hoepelman AI. Cytokine secretion is impaired in women with diabetes mellitus. Eur J Clin Invest 2000;30: 995-1001.

34. Geerlings SE, Meiland R, van Lith EC, Brouwer EC, Gaastra W, Hoepelman AI. Adherence of type 1-fimbriated Escherichia coli to uroepithelial cells: more in diabetic women than in control subjects. Diabetes care 2002;25:1405-9.

35. Geerlings SE, Stolk RP, Camps MJ, Netten PM, Collet TJ, Hoepelman AI. Risk factors for symptomatic urinary tract infection in women with diabetes. Diabetes care 2000;23: 1737-41.

36. Geerlings SE, Stolk RP, Camps MJ, Netten PM, Hoekstra JB, Bouter KP, et al. Asymptomatic bacteriuria may be considered a complication in women with diabetes. Diabetes Mellitus Women Asymptomatic Bacteriuria Utrecht Study Group. Diabetes care 2000;23:744-9.

37. Gomes CM, Trigo-Rocha F, Arap MA, Gabriel AJ, Alaor de Figueiredo J, Arap S. Schistosomal myelopathy: urologic manifestations and urodynamic findings. Urology 2002;59: 195-200.

38. Goodman M, Curry T, Russell T. Xanthogranulomatous pyelonephritis (XGP): a local disease with systemic manifestations. Report of 23 patients and review of the literature. Medicine 1979;58:171-81.

39. Grenabo L, Brorson JE, Hedelin H, Pettersson S. Concrement formation in the urinary bladder in rats inoculated with Ureaplasma urealyticum. Urol Res 1985;13:195-8.

40. Grenabo L, Hedelin H, Hugosson J, Pettersson S. Adherence of urease-induced crystals to rat bladder epithelium following acute infection with different uropathogenic microorganisms. J Urol 1988;140:428-30.

41. Gribble MJ, Puterman ML. Prophylaxis of urinary tract infection in persons with recent spinal cord injury: a prospective, randomized, double-blind, placebo-controlled study of trimethoprimsulfamethoxazole. Am J Med 1993;95:141-52.

42. Griffin MD, Bergstralhn EJLarson TS. Renal papillary necrosis--a sixteen-year clinical experience. Journal of the American Society of Nephrology : JASN 1995;6:248-56.

43. Griffith DP, Gleeson MJ, Lee H, Longuet R, Deman E, Earle N. Randomized, double-blind trial of Lithostat (aceto-hydroxamic acid) in the palliative treatment of infection-induced urinary calculi. Eur Urol 1991;20:243-7.

44. Griffith DP, Osborne CA. Infection (urease) stones. Miner Electrolyte Metab 1987;13:278-85.

45. Grupper M, Kravtsov A, Potasman I. Emphysematous cystitis: illustrative case report and review of the literature. Medicine 2007;86:47-53.

46. Gupta K, Scholes D, Stamm WE. Increasing prevalence of antimicrobial resistance among uropathogens causing acute uncomplicated cystitis in women. JAMA 1999;281:736-8.

47. Harding GK, Zhanel GG, Nicolle LE, Cheang M. Antimicrobial treatment in diabetic women with asymptomatic bacteriuria. N Engl J M 2002;347:1576-83.

48. Hedelin H. Uropathogens and urinary tract concretion formation and catheter encrustations. Int J Antimicrob Agents 2002;19:484-7.

49. Hernandez Gonzalez E, Zamora Perez F, Martinez Arroyo M, Valdez Fernandez M, Alberti Amador E. Epidemiologic, clinical and microbiological characteristics of nosocomial urinary infection in the spinal cord lesioned patient. Actas Urol Esp 2007;31:764-70.

50. Holmang S, Grenabo L, Hedelin H, Wang YH, Pettersson S. Influence of indomethacin on the adherence of urease-induced crystals to rat bladder epithelium. J Urol 1991;145: 176-8.

51. Hooton TM. Recurrent urinary tract infection in women. Int J Antimicrob Agents 2001;17:259-68.

52. Horcajada JP, Moreno I, Velasco M, Martinez JA, Moreno-Martinez A, Barranco M, et al. Community-acquired febrile urinary tract infection in diabetics could deserve a different management: a case-control study. Journal of internal medicine 2003;254:280-6.

53. Ibrahim AI, Bilal NE, Shetty SD, Patil KP, Gommaa H. The source of organisms in the post-prostatectomy bacteriuria of patients with pre-operative sterile urine. Br J Urol 1993;72:770-4.

54. Janetschek G, Girstmair J, Semenitz E. Percutaneous drainage of complicated infections of the upper urinary tract. Wien Med Wochenschr 1991;141:556-9.

55. Johansen TE, Cek M, Naber KG, Stratchounski L, Svendsen MV, Tenke P. Hospital acquired urinary tract infections in urology departments: pathogens, susceptibility and use of antibiotics. Data from the PEP and PEAP-studies. Int J Antimicrob Agents 2006;28 Suppl 1:S91-107.

56. Joshi N, Caputo GM, Weitekamp MR, Karchmer AW. Infections in patients with diabetes mellitus. N Engl J M 1999;341:1906-12.

57. Juthani-Mehta M. Asymptomatic bacteriuria and urinary tract infection in older adults. Clin Geriatr Med 2007;23:585-94, vii.

58. Kabay SC, Yucel M, Kabay S. Acute effect of posterior tibial nerve stimulation on neurogenic detrusor overactivity in patients with multiple sclerosis: urodynamic study. Urology 2008;71:641-5.

59. Kang T, Jung S, Jung G. Clinical studies of xantho-granulomatous pyelonephritis. Korean J Urol 2001;42:279-84.

60. Kawashima A, LeRoy AJ. Radiologic evaluation of patients with renal infections. Infect Dis Clin North Am 2003;17:433 -56.

61. Kim HW, Kim JB, Chang YS. Management of urinary tract infection in geriatric hospital patients. jkma. 2017;60(7):550-4.

62. Kim JC. US and CT findings of xanthogranulomatous pyelonephritis. Clinical imaging 2001;25:118-21.

63. Kim KW, Jang S-N. Who Comes to the Emergency Room with an Infection from a Long-term Care Hospital? A Retrospective Study Based on a Medical Record Review. Asian Nursing Research. 2018;12(4):293-8.

64. Kim SC, Wang CS. A Clinical Observation on 131 Cases of Hydronephrosis. Korean J Urol 1978;19:89-97.

65. Kim Y, Huh J. Clinical Characteristics of Xantho-granulomatous Pyelonephritis. Korean J Urol 2004;45:935-40.

66. Klahr S. Obstructive nephropathy. Intern Med 2000;39:355-61.

67. Kobashi K, Hase J, Uehara K. Specific inhibition of urease by hydroxamic acids. Biochimica et biophysica acta 1962;65: 380-3.

68. Kobashi K, Kumaki K, Hase JI. Effect of acyl residues of hydroxamic acids on urease inhibition. Biochimica et biophysica acta 1971;227:429-41.

69. Kobashi K, Takebe S, Numata A. Specific inhibition of urease by N-acylphosphoric triamides. Journal of biochemistry 1985;98:1681-8.

70. Kural AR, Akaydin A, Oner A, Ozbay G, Solok V, Oruc N, et al. Xanthogranulomatous pyelonephritis in children and adults. British journal of urology 1987;59:383-5.

71. Kutzenberger J, Domurath B, Sauerwein D. Spastic bladder and spinal cord injury: seventeen years of experience with sacral deafferentation and implantation of an anterior root stimulator. Artif Organs 2005;29:239-41.

72. Lee BB, Haran MJ, Hunt LM, Simpson JM, Marial O, Rutkowski SB, et al. Spinal-injured neuropathic bladder antisepsis (SINBA) trial. Spinal Cord 2007;45:542-50.

73. Lee JH, Choi HS, Kim JK, Won HS, Kim KS, Moon DH, et al. Nonrefluxing neonatal hydronephrosis and the risk of urinary tract infection. J Urol 2008;179:1524-8.

74. Lee SJ, Cho YH, Kim BW, Lee JG, Jung SI, Lee SD, et al. A Multicenter Study of Antimicrobial Susceptibility of Uropathogens Causing Acute Uncomplicated Cystitis in Woman. Korean J Urol 2003;44:697-701.

75. Lee SW, Yoon S, Do J, Seo DH, Lee C, Jeh SU, et al. The Risk Factors of Recurrent Febrile Urinary Tract Infection within 1 Year in Urinary Stone Patients with Acute Obstructive Pyelonephritis. uti. 2017;12(2):82-8.

76. Linsenmeyer TA, Harrison B, Oakley A, Kirshblum S, Stock JA, Millis SR. Evaluation of cranberry supplement for reduction of urinary tract infections in individuals with neurogenic bladders secondary to spinal cord injury. A prospective, double-blinded, placebo-controlled, crossover study. J Spinal Cord Med 2004;27:29-34.

77. Linsenmeyer TA, Oakley A. Accuracy of individuals with spinal cord injury at predicting urinary tract infections based on their symptoms. J Spinal Cord Med 2003;26:352-7.

78. Lipsky BA. Urinary tract infections in men. Epidemiology, pathophysiology, diagnosis, and treatment. Ann Intern Med 1989;110:138-50.

79. Loeb M, Bentley DW, Bradley S, Crossley K, Garibaldi R, Gantz N, et al. Development of minimum criteria for the initiation of antibiotics in residents of long-term-care facilities: results of a consensus conference. Infect Control Hosp Epidemiol 2001;22:120-4.

80. Malek RS, Elder JS. Xanthogranulomatous pyelonephritis: a critical analysis of 26 cases and of the literature. J Urol 1978;119:589-93.

81. Margél D, Ehrlich Y, Brown N, Lask D, Livne PM, Lifshitz DA. Clinical implication of routine stone culture in percutaneous nephrolithotomy--a prospective study. Urology 2006;67:26-9.

82. Matsumoto T, Takahashi K, Manabe N, Iwatsubo E, Kawakami Y. Urinary tract infection in neurogenic bladder. Int J Antimicrob Agents 2001;17:293-7.

83. McGeer A, Campbell B, Emori TG, Hierholzer WJ, Jackson MM, Nicolle LE, et al. Definitions of infection for surveillance in long-term care facilities. Am J Infect Control 1991;19:1-7.

84. McLean RJ, Lawrence JR, Korber DR, Caldwell DE. Proteus mirabilis biofilm protection against struvite crystal dissolution and its implications in struvite urolithiasis. J Urol 1991;146:1138-42.

85. McNeill SA, Hargreave TB. Alfuzosin once daily facilitates return to voiding in patients in acute urinary retention. J Urol 2004;171:2316-20.

86. Meiland R, Geerlings SE, De Neeling AJ, Hoepelman AI. Diabetes mellitus in itself is not a risk factor for antibiotic resistance in Escherichia coli isolated from patients with bacteriuria. Diabet Med 2004;21:1032-4.

87. Meiland R, Geerlings SE, Stolk RP, Netten PM, Schneeberger PM, Hoepelman AI. Asymptomatic bacteriuria in women with diabetes mellitus: effect on renal function after 6 years of follow-up. Archives of internal medicine 2006;166:2222-7.

88. Mohler JL, Cowen DL, Flanigan RC. Suppression and treatment of urinary tract infection in patients with an intermittently catheterized neurogenic bladder. J Urol 1987;138:336-40.

89. Muder RR, Brennen C, Rihs JD, Wagener MM, Obman A, Stout JE, et al. Isolation of Staphylococcus aureus from the urinary tract: association of isolation with symptomatic urinary tract infection and subsequent staphylococcal bacteremia. Clin Infect Dis 2006;42:46-50.

90. Muller LM, Gorter KJ, Hak E, Goudzwaard WL, Schellevis FG, Hoepelman AI, et al. Increased risk of common infections in patients with type 1 and type 2 diabetes mellitus. Clin Infect Dis 2005;41:281-8.

91. Muratani T, Iihara K, Nishimura T, Inatomi H, Fujimoto N, Kobayashi T, et al. Faropenem 300mg 3 times daily versus levofloxacin 100mg 3 times daily in the treatment of urinary tract infections in patients with neurogenic bladder and/or benign prostatic hypertrophy. Kansenshogaku Zasshi 2002;76:928-38.

92. Nemoy NJ, Staney TA. Surgical, bacteriological, and biochemical management of "infection stones". JAMA 1971;215:1470-6.

93. Nicolle LE, Bradley S, Colgan R, Rice JC, Schaeffer A, Hooton TM; Infectious Diseases Society of America; American Society of Nephrology; American Geriatric Society. Infectious Diseases Society of America guidelines for the diagnosis and treatment of asymptomatic bacteriuria in adults. Clin Infect Dis 2005;40:643-54.

94. Nicolle LE. A practical guide to antimicrobial management of complicated urinary tract infection. Drugs Aging 2001;18: 243-54.

95. Nicolle LE. A practical guide to the management of com-plicated urinary tract infection. Drugs 1997;53:583-92.

96. Nicolle LE. Resistant pathogens in urinary tract infections. J Am Geriatr Soc 2002;50:S230-5.

97. Nicolle LE. Urinary tract infection in long-term-care facility residents. Clin Infect Dis 2000;31:757-61.

98. Nicolle LE. Urinary tract infections in the elderly. Clin Geriatr Med 2009;25:423-36.

99. Niel-Weise BS, van den Broek PJ. Urinary catheter policies for short-term bladder drainage in adults. Cochrane Database Syst Rev 2005:CD004203.

100. Nwadiaro HC, Nnamonu MI, Ramyil VM, Igun GO. Comparative analysis of urethral catheterization versus suprapubic cystostomy in management of neurogenic bladder in spinal injured patients. Niger J Med 2007;16: 318-21.

101. O'Connor RC, Laven BA, Bales GT, Gerber GS. Nonsurgical management of benign prostatic hyperplasia in men with bladder calculi. Urology 2002;60:288-91.

102. Orr PH, Nicolle LE, Duckworth H, Brunka J, Kennedy J, Murray D, et al. Febrile urinary infection in the insti-tutionalized elderly. Am J Med 1996;100:71-7.

103. Otnes B. Correlation between causes and composition of urinary stones. Scand J Urol Nephrol 1983;17:93-8.

104. Ouslander JG, Schapira M, Schnelle JF, Uman G, Fingold S, Tuico E, et al. Does eradicating bacteriuria affect the severity of chronic urinary incontinence in nursing home residents? Ann Intern Med 1995;122:749-54.

105. Parsons CL, Greenspan C, Moore SW, Mulholland SG. Role of surface mucin in primary antibacterial defense of bladder. Urology 1977;9:48-52.

106. Parsons MA, Harris SC, Longstaff AJ, Grainger RG. Xanthogranulomatous pyelonephritis: a pathological, clinical and aetiological analysis of 87 cases. Diagnostic histopathology / published in association with the Pathological Society of Great Britain and Ireland 1983;6:203-19.

107. Patterson JE, Andriole VT. Bacterial urinary tract infections in diabetes. Infect Dis Clin North Am 1997;11:735-50.

108. Payne SR, Timoney AG, McKenning ST, den Hollander D, Pead LJ, Maskell RM. Microbiological look at urodynamic studies. Lancet 1988;2:1123-6.

109. Pfisterer MH, Griffiths DJ, Schaefer W, Resnick NM. The effect of age on lower urinary tract function: a study in women. J Am Geriatr Soc 2006;54:405-12.

110. Pontin AR, Barnes RD. Current management of emphy-sematous pyelonephritis. Nat Rev Urol 2009;6:272-9.

111. Poretsky L, Moses AC. Hypoglycemia associated with trimethoprim/sulfamethoxazole therapy. Diabetes care 1984;7:508-9.

112. Prieto-Fingerhut T, Banovac K, Lynne CM. A study comparing sterile and nonsterile urethral catheterization in patients with spinal cord injury. Rehabil Nurs 1997;22:299-302.

113. Raz R, Stamm WE. A controlled trial of intravaginal estriol in postmenopausal women with recurrent urinary tract infections. N Engl J Med 1993;329:753-6.

114. Richards CL. Urinary tract infections in the frail elderly: issues for diagnosis, treatment and prevention. Int Urol Nephrol 2004;36:457-63.

115. Riehmann M, Goetzman B, Langer E, Drinka PJ, Rhodes PR, Bruskewitz RC. Risk factors for bacteriuria in men. Urology 1994;43:617-20.

116. Rocha PN, Rehem AP, Santana JF, Castro N, Muniz AL, Salgado K, et al. The cause of urinary symptoms among Human T Lymphotropic Virus Type I (HLTV-I) infected patients: a cross sectional study. BMC Infect Dis 2007;7:15.

117. Romanzi LJ, Groutz A, Blaivas JG. Urethral diverticulum in women: diverse presentations resulting in diagnostic delay and mismanagement. J Urol 2000;164:428-33.

118. Romero Culleres G, Sugranes JC, Planells Romeo I, Gimenez Perez M. Characteristics of urinary tract infections in different patient subpopulations and depending on the bladder emptying system. Actas Urol Esp 2010;34:251-7.

119. Romero Perez P, Mira Llinares A. Male urethral stenosis: review of complications. Arch Esp Urol 2004;57:485-511.

120. Romero Perez P, Mira Llinares A. Renal and ureteral complications of urethral stenosis. Actas Urol Esp 1995;19: 432-40.

121. Rosi P, Selli C, Carini M, Rosi MF, Mottola A. Xantho-granulomatous pyelonephritis: clinical experience with 62 cases. Eur Urol 1986;12:96-100.

122. Safir MH, Gousse AE, Raz S. Bladder diverticula causing urinary retention in a woman without bladder outlet obstruction. J Urol 1998;160:2146-7.

123. Santucci RA, Joyce GF, Wise M. Male urethral stricture disease. J Urol 2007;177:1667-74.

124. Sauerwein D. Urinary tract infection in patients with neurogenic bladder dysfunction. Int J Antimicrob Agents 2002;19:592-7.

125. Schlager TA, Johnson JR, Ouellette LM, Whittam TS. Escherichia coli colonizing the neurogenic bladder are similar to widespread clones causing disease in patients with normal bladder function. Spinal Cord 2008;46:633-8.

126. Schwartz BF, Stoller ML. Nonsurgical management of infection-related renal calculi. Urol Clin North Am 1999;26:765-78, viii.

127. Shah BR, Hux JE. Quantifying the risk of infectious diseases for people with diabetes. Diabetes care 2003;26:510-3.

128. Sharifi Aghdas F, Akhavizadegan H, Aryanpoor A, Inanloo H, Karbakhsh M. Fever after percutaneous nephrolithotomy: contributing factors. Surg Infect (Larchmt) 2006;7:367-71.

129. Shortliffe LM, Spigelman SS. Infection stones. Evaluation and management. Urol Clin North Am 1986;13:717-26.

130. Smellie J, Edwards D, Hunter N, Normand IC, Prescod N. Vesico-ureteric reflux and renal scarring. Kidney Int 1975;4:S65-72.

131. Song SH, Lee SB, Park YS, Kim KS. Is antibiotic prophylaxis necessary in infants with obstructive hydronephrosis? J Urol 2007;177:1098-101; discussion 101.

132. Stamm WE, Raz R. Factors contributing to susceptibility of postmenopausal women to recurrent urinary tract infections. Clin Infect Dis 1999;28:723-5.

134. Streem SB, Yost A, Dolmatch B. Combination "sandwich" therapy for extensive renal calculi in 100 consecutive patients: immediate, long-term and stratified results from a 10-year experience. J Urol 1997;158:342-5.

135. Takasaki E, Suzuki T, Honda M, Imai T, Maeda S, Hosoya Y. Chemical compositions of 300 lower urinary tract calculi and associated disorders in the urinary tract. Urol Int 1995;54:89-94.

136. Tenke P, Kovacs B, Jackel M, Nagy E. The role of biofilm infection in urology. World J Urol 2006;24:13-20.

137. Thorne MB, Geraci SA. Acute urinary retention in elderly men. Am J Med 2009;122:815-9.

138. Tseng TY, Stoller ML. Obstructive uropathy. Clin Geriatr Med 2009;25:437-43.

139. Uppot RN. Emergent nephrostomy tube placement for acute urinary obstruction. Tech Vasc Interv Radiol 2009;12:154-61.

140. van Dijk Azn R, Wetzels JF, ten Dam MA, Aarts NJ, Schimmelpenninck-Scheiffers ML, Freericks MP, et al. Guideline 'Precautionary measures for contrast media containing iodine'. Ned tijdschr Geneeskd 2008;152:742-6.

141. Venmans LM, Gorter KJ, Rutten GE, Schellevis FG, Hoepelman AI, Hak E. A clinical prediction rule for urinary tract infections in patients with type 2 diabetes mellitus in primary care. Epidemiology and infection 2009;137:166-72.

142. Venmans LM, Sloof M, Hak E, Gorter KJ, Rutten GE. Prediction of complicated urinary tract infections in patients with type 2 diabetes: a questionnaire study in primary care. European journal of epidemiology 2007;22:49-54.

143. Vermillion SE, Morlock CG, Bartholomew LG, Kelalis PP. Nephrogenic hepatic dysfunction: secondary to tumefactive xanthogranulomatous pyelonephritis. Annals of surgery 1970;171:130-6.

144. Waites KB, Canupp KC, DeVivo MJ. Eradication of urinary tract infection following spinal cord injury. Paraplegia 1993; 31:645-52.

145. Wang LP, Wong HY, Griffith DP. Treatment options in struvite stones. Urol Clin North Am 1997;24:149-62.

146. Wells WG, Woods GL, Jiang Q, Gesser RM. Treatment of complicated urinary tract infection in adults: combined analysis of two randomized, double-blind, multicentre trials comparing ertapenem and ceftriaxone followed by appropriate oral therapy. J Antimicrob Chemother 2004;53 Suppl 2:ii67-74.

147. Wen JG, Frokiaer J, Jorgensen TM, Djurhuus JC. Obstructive nephropathy: an update of the experimental research. Urol Res 1999;27:29-39.

148. Wie SH. Urinary tract infections in the elderly. Korean J Med 2010;79:335-45.

149. Wild S, Roglic G, Green A, Sicree R, King H. Global prevalence of diabetes: estimates for the year 2000 and projections for 2030. Diabetes care 2004;27:1047-53.

150. Williams M, Hole DJ. Bacteriuria in patients undergoing prostatectomy. J Clin Pathol 1982;35:1185-9.

151. Yoshikawa TT, Nicolle LE, Norman DC. Management of complicated urinary tract infection in older patients. J Am Geriatr Soc 1996;44:1235-41.

152. Yuyun MF, Angwafo IF, Koulla-Shiro S, Zoung-Kanyi J. Urinary tract infections and genitourinary abnormalities in Cameroonian men. Trop Med Int Health 2004;9:520-5.

무증상 세균뇨

방우진, 김종근, 이원철, 김연주

Ⅰ 개요

−무증상 세균뇨에 대한 인식의 변화

무증상 세균뇨는 요로감염 증상이나 징후 없이 소변에 세균이 의미있는 정도로 존재하는 것을 의미하며, 청결 채취 중간뇨에서 세균집락수가 10^5 CFU/mL 이상의 세균뇨가 보이거나, 도뇨검체에서는 10^2 CFU/mL 이상 배양되는 것으로 정의된다. 무증상 세균뇨는 균만 동정될 뿐 염증반응의 소견은 없으므로 엄밀히 정의하면 비정상적인 상태지만 감염 상태는 아니다.

무증상 세균뇨의 임상적 의의는 증상이 있는 요로감염으로 발전할 가능성이 매우 높다는 데 있다. 임신부의 경우 무증상 세균뇨를 치료하지 않으면 신우신염으로 진행하는 경향이 높고, 태아의 조기출산, 저체중아 및 주산기 사망의 위험성을 증가시킬 수 있다. 요로감염 증상이나 병력 없이 만성신부전을 앓고 있는 환자에서 만성신우신염의 병리조직학적 소견들이 흔히 발견되는데, 여기서도 잠재적 세균뇨는 중요한 역할을 한다고 한다. 이러한 이유들로 인해 무증상 세균뇨는 좋지 않은 결과를 초래하는 위험한 상태로 인식되었다. Kass는 1962년에 이미 "세균뇨는 인체의 가장 흔한 감염성 질환 중 하나이다. 매우 만성적이고 지속적이며 요로계 이외의 구조와 기능에 영향을 미쳐 미숙아 때부터 고혈압, 신부전의 발생 등에 중요한 역할을 할 것이다"라고 기술했다.

그러나 1960년대 이후부터 이러한 관점에 동의하지 않는 의견들이 보고되기 시작했다. 환자−대조군 연구와 장기간의 전향적 코호트 연구도 진행되었으며, 그 결과 어린이와 임신하지 않은 성인 여성에서 무증상 세균뇨가 인체에 해를 주지 않음이 밝혀졌다. 최근에는 여학생, 요양시설 장기 거주자, 척수손상 환자와 당뇨 여성을 대상으로 시행된 전향적 무작위 임상시험에서, 무증상 세균뇨를 치료하더라도 어떠한 이득도 없음이 밝혀졌다. 무증상 세균뇨를 치료한 경우의 장점이 분명한 임신부와는 달리 이러한 집단을 대상으로 한 연구 결과들은, 명백히 차이가 있다. 또한 병리조직학적 진단인 만성신우신염은 현재 단순 요로감염으로부터는 거의 기인하지 않으며 증상이 있는 요로감염의 병력이 있는 환자에서만 발생하는 질환으로 인식되고 있다.

이상의 연구 결과들에 의하여 무증상 세균뇨는 양성 질환으로 인지되었고, 항생제 치료도 지양하는 쪽으로 개념이 바뀌었다. 물론 무증상 임산부에서 초기 12~16주에 첫 산전진찰 시에 시행한 요배양검사에서 양성일 경우는 예외이다. 점막 출혈이 동반되는 침습적인 비뇨생식기계 수술을 받아야 하는 환자에서도, 수술에 따른 합병증인 세균혈증이나 패혈증을 예방하기 위해 수술 전 예방적 항균제 사용이 권장된다. 장기이식이나 골수이식을 시행한 면역저하 환자와 백혈구감소증 환자처럼 특수한 환자군에 대해서는 추가적인 임상연구가 필요하다.

현재 무증상 세균뇨는 환자 대부분에게 해가 되지 않음이 인정되고 있으나, 최근에는 이러한 개념을 넘어선 새로운 연구 결과들이 보고되고 있다. 즉, 무증상 세균뇨가 오히려 인체에 이롭다는 것이다. 여학생들이나 건강한 여성, 여성 당뇨 환자, 척수손상 환자들의 무증상 세균뇨나 다른 염증을 항균제로 치료한 경우 짧은 기간 내에 증상이 있는 요로감염이 발생할 위험이 증가했다고 한다. 이러한 현상을 설명하는 하나의 가설은 항균제 사용이 정상 질 세균무리를 파괴하고 비뇨기계 병원균의 집락 형성을 촉진함으로써 증상이 있는 요로감염을 유발시킨다는 것이다. 그러나 이러한 설명은 아이들의 경우나 복합성 요로계 감염을 설명하지 못한다. 또 다른 가설은 독성이 적은 세균이 일으킨 지속적인 무증상 세균뇨가 다른 균을 방어하며, 독성이 좀 더 높은 세균이 요로계에 침범하면 증상 있는 요로감염이 발생한다는 것이다. 이러한 기전을 요로감염균들 간의 상호간섭이라고 한다.

또 다른 개념의 변화는 세균들 간의 상호간섭이 치료 효과가 있는지의 여부이다. 즉, 무증상 세균뇨를 유발하면 재발성 요로감염이 있는 환자의 치료에 도움이 되는가 하는 것이다. 제한된 환자에서 나타난 결과지만 좋은 연구 성과들이 보고되고 있는데, 여기에 사용된 대표적인 균주가 독성이 없는 대장균 83972이다. 재발성 및 복합성 요로감염이 있는 환자와 요배출을 하지 못하는 배뇨장애 환자를 대상으로 한 몇몇 임상연구 결과 대장균 83972를 이용하여 지속적인 무증상 세균뇨를 유발함으로써 증상이 있는 요로감염을 막을 수 있었다고 보고되었고, 이러한 시도는 효과 면에서 많은 관심을 받고 있다. 그러나 세균 간섭 현상(Bacterial Interference)을 이용한 치료법이 광범위하게 사용되려면 해결해야 할 점이 있다. Ronald가 언급한 것과 같이 세균 간섭 현상이 보편적 치료법이 되기 위해서는 많은 환자를 대상으로 장기간 추적관찰한 결과 및 이중맹검법에 의한 연구 결과가 필요하며, 숙주에 염증을 유발할 가능성을 완전히 배제할 수 있는지의 여부도 중요한 문제이다.

이상에서와 같이 무증상 세균뇨가 일반적으로 해롭다는 1950년대의 관점은 몇몇 특수한 집단을 제외하고는 전혀 해가 되지 않는다는 중립적인 관점으로 개념이 바뀌었다. 그리고 앞에서 언급한 '세균 간섭 현상'이 임상연구에서 안전하고 효과적이라고 입증되면 무증상 세균뇨에 대한 접근은 증상이 발생할 수 있는 환자에 대한 항생제 사용의 기준을 제시하는 것이 아니라, 재발성 및 복합성 요로감염의 위험이 있는 환자에서의 무증상 세균뇨에 대한 전략적인 진단적 접근과 미생물군유전체(Microbiome)의 임상적 의미에 대한 초점을 맞출 필요가 있겠다.

II 무증상 세균뇨, 치료해야 하는가?

1. 빈도

무증상 세균뇨의 유병률은 나이와 성별에 따라 다양하게 나타난다(표 5-1). 남학생의 유병률은 0.04% 정도이며, 여학생의 경우 매년 0.4%씩 증가하여 학동기 동안 누적 빈도가 거의 5%에 달한다. 여성에서는 10년 단위로 약 1% 정도씩 증가하여 고령에는 10% 이상이 된다. 임신 중에는 무증상 세균뇨의 빈도가 더 증가하여 2~6%로 다양하게 보고되는데, 임신부의 나이와 분만 횟수, 사회경제적 상태에 따라 달라진다.

국내의 유병률 보고는 매우 드물며, 일부 특정 연령군에 한정되어 조사된 자료들이 있다. 이 자료들에 따르면 유치원생의 유병률은 1.03%(남아 0.3%, 여아 2.0%), 여고 2학년생은 1.7%, 13~21세 여성은 5.0%였다.

표 5-1 특정 집단의 무증상 세균뇨 유병률

해당 집단	유병률(%)
여성	
폐경 전	5~10
55~75세	10~20
70세 이상	15~20
장기 요양시설	25~50
당뇨가 있는 여성	5~10
남성	
70세 이상	5~10
장기 요양시설	15~40
집뇨장치	
장기 폴리도뇨관 유치	100
단기 폴리도뇨관 유치	3~7/day
회장 인공방광	57
척수손상	
괄약근절개 *sphincterotomy*	50
간헐적 카테터삽입	50
콘돔카테터	50

2. 위험 요인

폐경 전 여성에서의 무증상 세균뇨의 위험 요인은 재발성 비복합 급성요로감염에서 고려되는 요인과 동일하다. 가장 중요한 위험 요인은 성관계와 피임을 위한 살정제 사용이다. 폐경 여성에서 가장 중요한 위험 요인은 요로감염의 과거력과 유전적 요소들이다. 폐경 이후에는 질 내의 정상세균무리가 유산균에서 대장균*Escherichia coli*이나 B군 연쇄구균*group B Strep-tococcus*으로 대치된다. 이 변화는 폐경으로 인해 에스트로겐의 효과가 소실됨으로써 발생한다. 따라서 전신적 혹은 국소적으로 에스트로겐을 투여하면 유산균을 질 내 정상세균무리로 유지할 수 있고, 질 내 산성도(pH)는 정상화된다. 이는 에스트로겐 결핍이 세균뇨 형성의 원인이 된다는 개념이지만, 위약대조연구를 통한 실제 임상에서는 에스트로겐 치료가 무증상 세균뇨를 감소시키지 않는다고 보고되었다.

배뇨 후의 잔뇨량도 연령이 증가할수록 세균뇨를 증가시킨다고 알려져왔으나, 노인 인구에 대한 연구 결과 배뇨 후 잔뇨량과 세균뇨는 상관관계가 없었다는 보고가 많다. 요실금도 무증상 세균뇨와 상관이 없는 것으로 알려져 있다. 장기 요양 환자들에 대한 연구의 경우 요실금,

변실금, 치매 환자 등에서 세균뇨가 더 흔한데, 그 이유는 세균뇨가 만성 신경계질환과 연관된 배뇨장애에서 기인하기 때문인 것으로 추정된다. 요로계의 구조적 이상 때문에 도뇨관을 유치하는 환자의 경우 세균뇨의 빈도가 매우 높다.

3. 질병의 이환과 사망

무증상 세균뇨는 임신부나 요로계 시술을 시행하는 환자에서는 해가 되나 그 외의 경우는 크게 문제되지 않는다. 왜냐하면 무증상 세균뇨가 있는 사람들에서 증상성 요로감염의 위험도 증가는 무증상 세균뇨보다 다른 원인으로 발생하기 때문이다. 또한 요로계의 폐색이나 손상이 없다면 무증상 세균뇨가 지속된다고 해서 동일 균주에 의해 증상이 있는 감염으로 진행되지는 않는다. 드물게 무증상 세균뇨로 인해 증상성 감염의 위험도가 감소하는 경우도 있는데, 이는 다른 세균에 의해 감염되는 것을 막는 세균 간섭 현상 때문으로 생각된다. 무증상 세균뇨는 질병으로 인한 사망률도 증가시키지 않는다. 특히 노인 인구에서는 무증상 세균뇨가 기능장애 상태와 관계있다고 밝혀져 있는데, 무증상 세균뇨가 사망에 영향을 주는 것이 아니라 이 기능장애가 사망률의 독립적 변수로 작용한다.

4. 원인균

여성의 무증상 세균뇨에서 가장 흔히 동정되는 세균인 대장균은 동일 세균에 의해 지속적으로 세균뇨가 발생할 때 가장 흔히 동정되는 균이기도 하다. 그러나 이 균주들은 증상이 있는 요로감염의 원인균인 대장균보다 독성이 약한 특징이 있다. 그 외에 B군 연쇄구군, 그람양성균Gram-positive organism, 장구균 계열Enterococus species, 혈장응고효소 음성 포도구균coagulase-negative Staphylococcus 등의 그람양성균이 흔히 동정된다. 무증상 세균뇨가 있는 남성에서 가장 흔한 세균도 대장균, 장구균 계열, 혈장응고효소 음성 포도구균 등이다. 요로계 이상이 있는 남성 및 여성에서는 더 다양한 균주나 진균류들이 동정된다. 고령자의 경우 여성은 대장균이 많으며, 남성은 프로테우스미라빌리스Proteus mirabilis가 더 흔하다. 여성에서 가장 흔한 세균은 대장균이지만, 항균제 치료를 반복하거나 진료 환경에서 비뇨기과적 시술을 시행하는 경우 혹은 장기간 비뇨기과 기구를 착용하는 환자에서는 녹농균Pseudomonas aeruginosa, 시트로박터Citrobacter 계열처럼 항균제에 저항하는 균주나 프로테우스균 같은 요소분해효소 생산 균주가 많다.

5. 진단

무증상 세균뇨는 청결 채취 중간뇨 소변배양검사에서 10^5 CFU/mL 이상 세균이 동정될 때 진단한다. 무증상 세균뇨가 나타나더라도 비뇨기계에 대한 전반적인 검사가 필요한 것은 아니다. 농뇨는 요로계의 염증반응을 의미하지만 소변배양검사 결과에서 음성으로 나올 수 있다. 그 이유는 농뇨는 성전파성 질환이나 신장결핵처럼 감염성일 수도 있지만 간질성신장염처럼 감염성이 아닐 수도 있기 때문이다. 그러므로 농뇨 자체는 세균뇨를 의미하지 않는다.

6. 치료

1) 사춘기 이전 여아의 무증상 세균뇨

무증상 세균뇨가 있는 사춘기 이전 여아를 2년에서 12년까지 다양하게 추적 조사한 여러 장기간 대조군 비교연구 결과를 보면, 비뇨기과적으로 중한 이상이 없는 경우에는 치료한 군과 치료하지 않은 군 간에 신우신염, 신장흉터, 신부전 등의 합병증 발생에 차이가 없었다. 신장흉터가 있는 사춘기 이전 여아에서 보인 무증상 세균뇨에 대한 연구도 진행됐는데, 증상이 없으면 치료를 하지 않아도 되는 것으로 결론을 내렸다.

2) 폐경 전 비임신 여성의 무증상 세균뇨

15년간 추적한 장기간 코호트 연구 결과 무증상 세균뇨가 없는 환자보다 있는 환자에서 증상이 있는 요로감염의 발생률(10% 대 55%)이나 신우신염 발생률(0% 대 7.5%)이 높다고 보고되기도 했다. 그러나 무증상 세균뇨는 고혈압, 신부전, 혈청 크레아티닌 상승, 생존 기간 감소 등의 후기 부작용과는 관련이 없었다. 또다른 한 연구에서 예방적 항생제로써 trimethoprim 또는 trimethoprim/sulfamethoxazol의 투여가 증상이 있는 요로감염으로의 전환을 유의하게 줄이지 못하였다. 무증상 세균뇨나 증상이 있는 요로감염은 모두 숙주의 내부적 요인에 의해 합병증이 발생한다. 또한 무증상 세균뇨를 치료해도 증상성 요로감염의 빈도가 줄거나 무증상 세균뇨의 증상 발현을 예방하지는 못한다고 판단되므로 폐경 전 비임신 여성의 무증상 세균뇨에 대해서는 요로계에 대한 추가 검사나 치료가 필요하지 않다. 임상적으로는 무증상 세균뇨를 치료한 이후 오히려 증상이 유발되는 경우가 있는데, 이는 항균제 치료로 인한 질 내 세균무리의 변화로 세균 간의 간섭 효과가 소실되어 발생한다고 설명되고 있다.

3) 폐경 후 여성의 무증상 세균뇨

건강한 폐경 후 여성에 대한 전향적 무작위 비교연구에서 무증상 세균뇨를 치료한 후에도 증상성 요로감염의 발생이 감소하지 않는 것으로 보고된 바 있으므로 폐경 후 여성의 무증상 세균뇨는 치료하지 않는다. 따라서 나이에 관계없이 여성의 무증상 세균뇨는 임신부를 제외하고는 대부분 치료가 필요하지 않다.

4) 임신부의 무증상 세균뇨

임신 초기의 무증상 세균뇨는 정상 임신부의 경우보다 신우신염이 발생할 위험도가 20~30배 높다. 또한 조산의 위험성과 저체중 신생아를 분만할 가능성이 높으므로 반드시 치료해야 한다(치료 방법은 Ⅲ 무증상 세균뇨에서 감염으로의 전환 예방 참조).

5) 만성신부전 환자의 무증상 세균뇨

신장이식을 받은 환자에게는 이식 후 6개월 동안 *Pneumocytis jirovecii* 폐렴을 예방하기 위하여 예방적 항균제로 Trimethoprim/Sufamethoxazole, TMP-SMX을 투여한다. 이러한 예방적 항균제는 폐렴뿐만 아니라 증상 또는 무증상 요로감염도 예방할 수 있다. 신장이식 환자에서도 무증상 세균뇨가 흔히 발견되지만, 이것이 증상성 요로감염으로 진행되지는 않는다. 또한 만성신부전으로 인해 신장이식을 받은 환자의 무증상 세균뇨가 이식 신장의 생존, 환자의 이환율이나 사망률과 관련 있다는 전향적인 연구 보고는 없다. 그러므로 신장이식 환자에서는 증상이 있는 요로감염만 치료할 뿐, 무증상 세균뇨를 확인하기 위한 선별검사는 필요하지 않다.

6) 당뇨병과 무증상 세균뇨

당뇨 여성을 14년간 추적 조사한 전향적 코호트 연구 결과, 증상이 있는 요로감염, 사망률, 당뇨병 합병증으로의 진행 등에서 세균뇨가 있는 여성과 없는 여성 사이에 차이가 나타나지 않았다. 또한 무증상 세균뇨가 있는 당뇨 여성에 대한 무작위 대조군 비교연구 결과, 항균제 치료를 하더라도 증상성 요로감염의 빈도나 입원 횟수를 줄이지 못한다고 보고되었으며, 무증상 세균뇨가 2형 당뇨병을 가진 여성의 신장기능 감소를 촉진하지는 않는다는 전향적 연구 결과도 보고되었다. 따라서 당뇨병이 있는 여성에서 무증상 세균뇨를 확인하기 위한 검사와 치료는 적절하지 않다.

7) 남성의 무증상 세균뇨

남성에 대한 전향적 무작위 시험연구는 없지만, 전향적 연구에서 대부분의 경우 세균뇨가 자연소실되고 증상성으로 진행할 위험도가 낮다고 보고하여 치료할 필요는 없는 것으로 추정된다.

8) 노인의 무증상 세균뇨

전향적 무작위 시험 결과, 장기 요양시설에 있는 노인에서도 무증상 세균뇨에 대한 치료가 증상성 요로감염이나 요로계 증상의 정도나 빈도를 감소시키지 못했으며, 생명연장의 효과가 없었다고 보고되었다. 오히려 항균제 치료로 인한 부작용, 내성균의 발생, *Clostridum diffilcele* 감염, 항균제 부작용 등과 같은 부정적 결과가 더 많았다는 결론이 내려졌다. 따라서 남성 및 여성 노인 모두에서 무증상 세균뇨는 양성 질환이고 자연적으로 해결되기도 하므로 치료할 필요가 없다.

9) 폴리도뇨관 유치 환자의 무증상 세균뇨

장기간 폴리도뇨관을 유치하고 있는 환자의 세균뇨를 치료한다고 해서 증상성 요로감염의 빈도가 감소하지는 않는다. 폴리도뇨관을 3~4일 정도 유치하거나 단기간(<30일) 유치하고 제거한 상태에서 항균제를 투여하면 무증상 세균뇨를 감소시킬 수 있다. 그러나 세균뇨가 일시적으로 소실되기는 하지만 오히려 항균제 저항 균주의 재감염을 발생시키는 결과를 초래한다. 따라서 폴리도뇨관 사용 환자에게 무증상 세균뇨에 관한 항균제를 투여하는 것은 피하도록 한다. 방광창냄술을 시행받은 환자에서도 요도구 폴리도뇨관을 유치하는 환자와 마찬가지로 무증상 세균뇨에 대한 항균제 치료는 피하도록 한다.

10) 비뇨기과적 수술 전의 무증상 세균뇨

무증상 세균뇨가 있는 환자에게 점막 출혈을 유발할 수 있는 경요도전립선절제술과 같은 내시경적 수술을 시행하는 경우는 수술 후 세균혈증과 패혈증 발생률이 각각 60%와 6~10%에 이를 정도로 높다. 그러나 시술 직전에 항균제 치료를 시작하면 이러한 합병증들을 예방할 수 있다. 따라서 점막 출혈을 일으킬 수 있는 남성 방광경이나 방광점막 생검, 스텐트삽입술, 경요도전립선절제술 등을 시술하기 전에 무증상 세균뇨를 확인하기 위한 선별검사와 치료가 필요하다. 이러한 경우에서의 무증상 세균뇨는 경험적 항균제보다는 항생제 감수성에 따른 표적 항균제의 단기간 사용이 권고된다. 인공요도 괄약근 삽입술이나 음경보형물 삽입술을 시행받을 환자에서는 무증상 세균뇨에 대한 선별검사와 치료가 권고되지 않는다.

11) 칸디다뇨증

무증상 칸디다뇨증을 가진 입원 환자에 대한 전향적 무작위 비교시험 결과, 단기간의 치료가 칸디다뇨증의 발생을 억제했으나 임상적 결과를 호전시키지는 못했다.

12) 척추손상 환자와 무증상 세균뇨

척추손상 환자에서는 무증상 세균뇨 치료는 추천되지 않는다. 몇몇 연구에서는 심각한 배뇨곤란이 있는 척추손상 환자에서 도움이 된다는 주장을 하였지만 다른 많은 연구들에서 이들 환자에서의 무증상 요로감염의 치료는 증상성 요로감염의 빈도를 감소시키지 못할 뿐 아니라 오히려 재감염이 신속히 유발된다고 보고하였다. 따라서 척추손상 환자의 무증상 세균뇨에서는 항균제 치료는 주의하여 시행해야 한다.

13) 요로전환술 환자와 무증상 세균뇨

요로전환술을 시행받은 환자에서 발생하는 세균뇨의 세균은 장에서 검출되는 대장균이 대부분이다. 요로상피세포는 세균에 대한 방어기전이 있지만 장상피세포는 세균의 부착을 효과적으로 막지 못하므로 요로전환술을 한 경우에는 염증반응 없이 세균이 자랄 수 있다. 요로전환술 환자의 무증상 세균뇨는 요로전환술의 종류에 따라 달리 나타나는데, 정위 인공방광대치술을 시행한 경우는 57%까지 나타난다. 그러나 회장 점막은 장에 정상적으로 존재하는 항원에 대한 면역학적 내성을 유지하려는 기능이 있기 때문에 시간이 경과할수록 세균뇨의 빈도가 감소한다. 또한 요로전환술을 시행한 부위의 장과 방광의 점막에서는 대장균에 대항하는 염증반응이 발생하므로 세균뇨가 검출되더라도 심각한 부작용을 일으키지는 않으며, 항

표 5-2	특정 집단에 대한 무증상 세균뇨 선별검사와 치료
폐경 전 비임신 여성	추천되지 않음
임신부	추천
당뇨가 있는 여성	추천되지 않음
지역사회 거주 노인	추천되지 않음
요양시설 수용 노인	추천되지 않음
척수손상 환자	추천되지 않음
비뇨기과적 시술	추천
면역저하 환자와 이식 환자	추천되지 않음
폴리도뇨관 유치 환자	추천되지 않음

주: 폴리도뇨관 제거 후 최소 48시간 이상
　　무증상 세균뇨가 있으면 치료 고려

균제 사용이 세균뇨를 감소시킨다는 연구 결과도 부족하므로 항균제 치료는 필요하지 않다.

앞에서 설명한 특정 집단의 무증상 세균뇨에 대한 선별검사와 치료에 대한 권고사항은 표 5-2와 같다.

Ⅲ 무증상 세균뇨에서 감염으로의 전환 예방

무증상 세균뇨를 보이는 환자 중에서 임신부, 폴리도뇨관 유치하거나 비뇨기 계통의 수술 중 경요도전립선절제술과 같이 점막 출혈이 예상되는 경우에서 증상성 요로감염으로의 전환을 예방하는 것이 특히 중요하다.

1. 임신부

일반적으로 임신부에서 무증상 세균뇨를 확인하기 위한 검사는 임신 12주경에 시행하며, 소변배양검사 결과가 한 번이라도 양성이면 항균제 치료를 해야 한다. 임신 12주경의 소변배양검사에서 음성인 경우에도 약 1~2%에서는 임신 후반기에 증상성 요로감염이 발생한다. 그러나 임신 후반기에 이렇게 낮은 빈도로 발생하는 신우신염을 예방하기 위해 소변배양검사를 재시행하는 것에 대하여는 논란이 있다.

과거에는 주로 전 임신 기간 동안 항균제를 투여했다. 그러나 Whally와 Cunningham은 14일 치료와 전 임신 기간 치료를 비교하여 유사한 결과를 보고했으며, Cochrane Database of Systematic Reviews는 항균제 투여는 단기간이 유효하지만, 비복합 하부요로감염 치료에서는 1회 혹은 7일 치료 중 어느 방법이 적절한지 결론을 내릴 수 없다고 보고했다. 그 결과 IDSA (Infection diseases Society of America)는 임신 중의 항균제 치료 기간은 4~7일 정도 되어야 한다고 제시했고, 치료 후에는 재발을 확인하기 위하여 정기적 소변배양검사를 하도록 권고하고 있다. 추천되는 항균제는 표 5-3과 같다.

표 5-3 무증상 세균뇨가 있는 임신부에게 추천되는 항균제

FDA 임신 카테고리 B
- 임신 중 사용에 대하여 안전성은 확립되어 있지 않음
아목시실린
아목시실린/클라불라네이트
암피실린
세푸록심
세팔렉신
니트로푸란토인

FDA 임신 카테고리 C
- 여성에서 잘 짜여진 대조군 연구는 없음. 임신 중 사용은 태아에 대한 위험도보다 이점이 많다고
판단될 때만 사용해야 함
시프로플록사신
가티플록사신
레보플록사신
노르플록사신
TMP-SMX (임신 1분기에서는 피한다)

2. 폴리도뇨관 유치 환자

폴리도뇨관을 유치하고 있는 환자의 무증상 세균뇨에 대한 전향적 무작위 연구에서 예방을 위한 항균제 치료는 도움이 되지 않았다. 이와 반대로 짧은 기간 동안 폴리도뇨관을 삽입한 젊은 여성들을 대상으로 한 연구에서는, 폴리도뇨관을 제거한 후 48시간 동안 무증상 세균뇨를 보인 경우 2주 후에 증상성 요로감염으로 전환되는 비율이 높았다고 한다. 따라서 IDSA는, 폴리도뇨관을 삽입하고 있는 환자에서 발생한 무증상 세균뇨에 대해 진단을 위한 검사나 치료가 필요하지 않으며, 폴리도뇨관을 제거한 후 최소 48시간 이상 무증상 세균뇨가 보이면 치료를 고려해야 한다고 권장하고 있다.

폴리도뇨관을 삽입한 환자의 증상성 요로감염 예방을 위하여 IDSA가 권장하는 방법은 다음과 같다.

1) 폐쇄성 폴리도뇨관 배출 시스템

폐쇄성 폴리도뇨관 배출 시스템은 짧은 기간뿐 아니라 장기간 폴리도뇨관을 유치하고 있는 환자에서도 폴리도뇨관 관련 세균뇨와 요로감염을 예방할 수 있다. 이 경우 폴리도뇨관과

의 연결 부위의 분리는 최소화하고, 소변주머니는 항상 방광보다 낮은 위치에 두어야 한다.

2) 항균제 도포 폴리도뇨관

항균제 도포 폴리도뇨관은 짧은 기간 동안 폴리도뇨관을 유치해야 하는 경우 세균뇨의 발생을 줄이거나 지연시킬 수 있다. 그러나 도포된 항균제의 종류에 따른 결과는 아직 보고되지 않았다.

3) 전신적 항균제를 이용한 예방

단기간 또는 장기간 폴리도뇨관을 유치하고 있는 환자에 대한 일상적인 전신적 항균제 사용은 항균제 내성을 유발시킬 수 있으므로 권장되지 않는다.

4) methenamine salts를 이용한 예방

methenamine salts 역시 폴리도뇨관 관련 세균뇨 또는 요로감염의 위험을 줄이기 위해 사용하는 것이 권장되지 않는다. 폴리도뇨관을 일주일 이내에 제거하는 부인과적 수술을 받은 환자에서는 methenamine salts가 폴리도뇨관 관련 세균뇨와 요로감염을 감소시킬 수 있다고 한다. 그러나 이 방법이 다른 예방법보다 우월하다는 근거는 없다. methenamine salts를 사용하는 경우는 소변의 pH를 6.0 이하로 유지해야 한다.

5) 크랜베리를 이용한 예방

신경성방광으로 인해 간헐적 도뇨를 하거나 폴리도뇨관을 유치한 환자에서 세균뇨와 요로감염을 줄이기 위해 크랜베리 식품을 일상적으로 사용하는 것은 적절하지 않다.

6) 요도구 관리

포비돈요오드*povidone-iodine* 용액과 실버 술파디아진*silver sulfadiazine*, 항균제 연고 또는 비누와 물을 이용하여 매일 요도구를 세정하는 것은 권장되지 않는다.

7) 폴리도뇨관 세척

항균제를 이용하여 폴리도뇨관을 세척하는 방법도 일상적으로 사용해서는 안 된다. 그러나 수술을 시행하거나 단기간의 폴리도뇨관 삽입이 필요한 환자에서는 폴리도뇨관 관련 세균뇨를 감소시키기 위해 고려할 수 있다.

8) 청결간헐도뇨

장기간 폴리도뇨관 유치가 필요한 경우에는 가급적 청결간헐도뇨clean intermittent cathe-terization, CIC로 소변 배출방법을 바꾸는 것이 좋다.

9) 기타

소변주머니 안에 항균제를 주입하는 방법, 2~4주마다 폴리도뇨관을 교체하는 방법, 폴리도뇨관을 제거하는 시점에 예방적으로 항균제를 투여하거나 방광을 세척하는 방법 또한 일상적으로 사용하는 것은 권장되지 않는다.

3. 비뇨기과적 수술

요로점막을 손상시킬 수 있는 시술이나 수술을 앞둔 환자의 무증상 세균뇨 치료에 관한 전향적 무작위 연구 결과에 따르면, 위약을 투여한 대조군에 비해 항균제를 투여한 군에서 증상이 있는 요로감염, 세균혈증 혹은 패혈증의 발생 빈도가 감소했다고 한다. 따라서 요로점막을 손상시킬 수 있는 시술이나 수술 전에는 필수적으로 항균제를 사용해야 한다(제11장 비뇨기계 시술 후의 감염 예방 참조).

요약정리

- 무증상 세균뇨는 청결채취 중간뇨 소변배양검사에서 10^5 CFU/mL 이상의 세균뇨가 보이며 요로생식기 증상이 없는 경우로 정의한다.
- 무증상 세균뇨는 일부 질환을 제외하면 인체에 해가 없는 것으로 판명되었으며, 치료도 하지 않는 쪽으로 개념이 변화했다.
- 최근에는 '세균들 간의 상호간섭' 개념이 도입되고 있는데, 이 현상이 안전하고 효과적이라고 임상연구에서 입증된다면 무증상 세균뇨는 오히려 이롭다는 정반대의 관점으로 개념이 이동하게 될 것이고 전략적인 진단적 접근이 중요하겠다.
- 무증상 세균뇨는 남녀 모두 연령이 증가함에 따라 증가하며, 여성에서 흔하다.
- 무증상 세균뇨에서 가장 흔히 동정되는 세균은 대장균이다.
- 임신부 혹은 요도점막 출혈을 유발할 수 있는 비뇨기계 시술을 받을 예정인 환자는 무증상 세균뇨에 대한 선별검사와 치료가 필요하다. 이외의 경우에는 선별검사와 이에 따른 치료가 필요하지 않다.
- 무증상 세균뇨의 증상성 요로감염 전환에 대한 예방은 특히 임신부와 폴리도뇨관 유치 환자, 그리고 무증상 세균뇨가 있는 상태에서 점막 출혈이 예상되는 비뇨기계 수술을 앞둔 일부 환자에서 매우 중요하지만 아직 방법적 측면에서 많은 연구가 필요하다.
- 임신 중 무증상 세균뇨가 있을 때 권고되는 항균제 치료 기간은 4~7일이며, 치료 후에는 재발을 확인하기 위한 정기적 소변배양검사가 추천된다.
- 폴리도뇨관을 삽입하고 있는 환자에서 발생한 무증상 세균뇨는 진단을 위한 검사나 치료가 필요하지 않으나, 폴리도뇨관을 제거한 후 최소 48시간 이상 무증상 세균뇨가 보이면 치료를 고려해야 한다.
- 장기간 폴리도뇨관 유치가 필요한 경우에는 가급적 청결간헐도뇨로 소변 배출방법을 바꾸는 것이 좋다.

참고문헌

1. Abrutyn E, Mossey J, Berlin JA, Boscia J, Levison M, Pitsakis P, et al. Does asymptomatic bacteriuria predict mortality and does antimicrobial treatment reduce mortality in elderly ambulatory women? Ann Intern Med 1994;120:827-33.
2. Allan WR, Kumar A. prophylactic mezlocillin for transurethral prostatectomy. Br J Urol 1985;57:46-9.
3. Asscher AW, Chick S, Radford N, Waters WE, Sussman S, Evans JS, et al. Natural history of asymptomatic bacteriuria in non-pregnant women. In: Brumfitt W, Asscher AW, editors. Urinary tract infection. London: Oxford University Press; 1973. p. 51-60.
4. Asscher AW, Sussman M, Waters WE, Evans JA, Campbell H, Evans KT, et al. Asymptomatic bacteriuria in the non-pregnant woman. II response to treatment and follow up. Br Med J 1969;1:804-6.
5. Bakke A, Digranes A. Bacteriuria in patients treated with clean intermittent catheterization. Scand J Infect Dis 1991; 23:577-82.
6. Barabas G, Molstad S. No association between elevated post-void residual volume and bacteriuria in residents of nursing homes. Scand J Prim Health Care 2005;23:52-6.
7. Beerepoot MA, den Heijer CD, Penders J, Prins JM, Stobberingh EE, Geerlings SE. Predictive value of

Escherichia coli susceptibility in strains causing asymptomatic bacteriuria for women with recurrent symptomatic urinary tract infections receiving prophylaxis. Clin Microbiol Infect 2012; 18:E84 – 90.

8. Bengtsson C, Bengtsson U, Bjorkelund C, Lincoln K, Sigurdsson JA. Bacteriuria in a population sample of women: 24-year follow-up study. Results from the prospective population-based study of women in Gothenburg, Sweden. Scand J Urol Nephrol 1998;32:284-9.

9. Cardiff-Oxford Bacteriuria Study Groups. Sequence of covert bacteriuria in schoolgirls. Lancet 1978;1:889-93.

10. Colgan R, Nicolle LE, McGlone A, Hooton TM. Asymptomatic bacteriuria in adults. Am Fam Physician 2006;74:985-90.

11. Cormican M, Murphy AW, Vellinga A. Interpreting asymptomatic bacteriuria. Br Med J 2011;343:d4780.

12. Cornia PB, Takahashi TA, Lipsky BA. The microbiology of bacteriuria in men: a 5-year study at a Veterans' Affairs hospital. Diagn Microbiol Infect Dis 2006;56:25-30.

13. Dontas AS, Tzonou A, Kasviki-Charvati P, Georgiades GL, Christakis G, Trichopoulos D. Survival in a residential home: an eleven-year longitudinal study. J Am Geriatr Soc 1991;39:641-9.

14. Evans DA, Kass EH, Hennekens CH, Rosner B, Miao L, Kendrick MI, et. al. Bacteriuria and subsequent mortality in women. Lancet 1982;1:156-8.

15. Faria AM, Weiner HL. Oral tolerance: mechanisms and therapeutic applications. Adv Immunol 1999;73:153-264.

16. Freedman LR. Natural history of urinary infection in adults. Kidney Int Suppl 1975;4:S96-100.

17. Garside P, Mowat AM. Oral tolerance. Sem Immunol 2001;13:177-85.

18. Geerlings SE, Stolk RP, Camps MJL, Netten PM, Collet JT, Schneeberger PM. et al. Consequences of asymptomatic bacteriuria in women with diabetes mellitus. Arch Intern Med 2001;161:1421-7.

19. Gillenwater JY, Harrison RB, Kunin GM. Natural history of bacteriuria in schoolgirls. N Engl J Med 1979;301:396-9.

20. Gleckman R, Esposito A, Crowley M, Natsios GA. Reliability of a single urine culture in establishing diagnosis of asymptomatic bacteriuria in adult males. J Clin Microbiol 1979;9:596-7.

21. Gleckman R. The controversy of treatment of asymptomatic bacteriuria in non-pregnant women-resolved. J Urol 1976; 116:776-7.

22. Golan A, Wexler S, Amit A, Gordon D, David MP. Asymptomatic bacteriuria in normal and high-risk bacteriuria in normal and high-risk pregnancy. Eur J Obstet Gynecol Reprod Biol 1989;33:101-8.

23. Grabe M, Forsgren A, Hellsten S. The effect of a short antibiotic course in transurethral prostatic resection. Scand J Urol Nephrol 1984;18:37-42.

24. Grabe M, Forsgren A, Bjork T, Hellsten S. Controlled trial of a short and a prolonged course with ciprofloxacin in trans-urethral prostatic surgery. Eur J Clin Microbiol 1987;6:11-7.

25. Grabe M. Antimicrobial agents in transurethral prostatic resection. J Urol 1987;138:245-52.

26. Harding GK, Nicolle LE, Ronald AR, Preiksaitis JK, Forward KR, Low DE, et al. How long should catheter-acquired urinary tract infection in women be treated? A randomized controlled study. Ann Intern Med 1991;114:713-9.

27. Harding GK, Zhanel GG, Nicolle LE, Cheang M. Antimicrobial treatment in diabetic women with asymptomatic bac-teriuria. N Engl J Med 2002;347:1576-83.

28. Heinamaki P, Haavisto M, Hakulinen T, Mattila K, Rajala S. Mortality in relation to urinary characteristics in the very aged. Gerontology 1986;32:167-71.

29. Hooton TM, Bradley SF, Cardenas DD, Colgan R, Geerlings SE, Rice JC, et al. Infectious Diseases Society of America. Diagnosis, prevention, and treatment of catheter-associated urinary tract infection in adults: 2009 International Clinical Practice Guidelines from the Infectious Diseases Society of America. Clin Infect Dis 2010;50:625-63.

30. Hull R, Rudy D, Donovan W, Svanborg C, Wieser I, Stewart C, et al. Urinary tract infection prophylaxis

using Escherichia coli 83972 in spinal cord injured patients. J Urol 2000;163:872−7.

31. Kass EH. Asymptomatic infections of the urinary tract. Trans Assoc Am Physicians 1956;69:56−64.

32. Kass EH. Pyelonephritis and bacteriuria. A major problem in preventive medicine. Ann Intern Med 1962;56:46−53.

33. Kim KM, Choi H, Lee T, Han SW, Choi SK, Woo YN, et al. Screening for Asymptomatic Bacteriuria in Korean Preschool Children. Korean J Urol 1998;39:126−3016.

34. Kim TK, Kim SW. Prevalence of Pyuria and Asymptomatic Bacteriuria in High School girls in Korea. Korean J Urol 1982;23:429−35.

35. Kincaid−Smith P, Buller M. Bacteriuria in pregnancy. Lancet 1965;1:395−9.

36. Kunnin CM, Deutscher R, Paquin AJ. Urinary tract infection in school children: epidemiologic, clinical and laboratory study. Medicine 1964;43:91−130.

37. Lee G. Bacterial Interference, an alternative treatment for patients with recurrent cystitis. Korean J UTII 2007:167−72.

38. Lee SK, Yang KY, Park CJ, Park TE. Asymptomatic bacteriuria in schoolgirls. Korean J Urol 1987;28:645−52.

39. Leone M, Perrin AS, Granier I, Visintini P, Blasco V, Antonini F, et al. A randomized trial of catheter change and short course of antibiotics for asymptomatic bacteriuria in catheterized ICU patients. Intensive Care Med 2007;33:726−9.

40. Lewis RI, Carrion HM, Lockhart JL, Politano VA. Significance of asymptomatic bacteriuria in neurogenic bladder disease. Urology 1984;23:343−7.

41. Little PJ. The incidence of urinary infection in 5000 pregnant women. Lancet 1966;2:925−8.

42. Lyerova L, Lacha J, Skibova J, Teplan V, Vitko S, Schuck O. Urinary tract infection in patients with urological com−plications after renal transplantation with respect to long−term function and allograft survival. Ann Transplant 2001;6: 19−20.

43. Maynard FM, Diokno AC. Urinary infection and complications during clean intermittent catheterization following spinal cord injury. J Urol 1984;132:943−6.

44. Meiland R, Geerlings SE, Stolk RP, Netten PM, Schneeberger PM, Hoepelman AI. Asymptomatic bacteriuria in women with diabetes mellitus: effect on renal function after 6 years of follow−up. Arch Intern Med 2006;166:2222−7.

45. Mims AD, Norman DC, Yamamura RH, Yoshikawa TT. Clinically inapparant (asymptomatic) bacteriuria in am−bulatory elderly men: epidemiological, clinical, and microbiological findings. J Am Geriatr Soc 1990;38:1209−14.

46. Nicolle LE, Bradley S, Colgan R, Rice JC, Schaeffer A, Hooton TM. Infectious Diseases Society of America guidelines for the diagnosis and treatment of asymptomatic bacteriuria in adults. Clin Infect Dis 2005;40:643−54.

47. Nicolle LE. Asymptomatic bacteriuria in the elderly. Infect Dis Clin North Am 1997;11:647−62.

48. Nicolle LE, Gupta K, Bradley SF, Colgan R, DeMuri GP, Drekonja D, Eckert LO, Geerlings SE, Köves B, Hooton TM, Juthani−Mehta M, Knight SL, Saint S, Schaeffer AJ, Trautner B, Wullt B, Siemieniuk R. Clinical Practice Guideline for the Management of Asymptomatic Bacteriuria: 2019 Update by the Infectious Diseases Society of America. Clin Infect Dis. 2019 May 2;68(10):e83−e110.

49. Nordenstam GR, Brandberg CA, Oden AS, Svanborg Eden CM, Svanborg A. Bacteriuria and mortality in an elderly population. N Engl J Med 1986;314:1152−6.

50. Olsen JH, Friis−Moller A, Jensen SK, Korner B, Hvidt V. Cefotaxime for prevention of infectious complications in bacteriuric men under going transurethral prostatic resection. A controlled comparison with methenamine. Scand J Urol Nephrol 1983;17:299−301.

51. Ouslander JG, Greendale GA, Uman G, Lee C, Paul W, Schnelle J. Effects of oral estrogen and progestin on the lower urinary tract among female nursing home residents. J Am Geriatr Soc 2001;49:803−7.

52. Prasad A, Cevallos ME, Riosa S, Darouiche RO, Trautner BW. A bacterial interference strategy for prevention of UTI in persons practicing intermittent catheterization. Spinal Cord 2009;47:565-9.

53. Raz R, Gennesin Y, Wasser J, Stoler Z, Rosenfeld S, Rottensterich E, et al. Recurrent urinary tract infections in postmenopausal women. Clin Infect Dis 2000;30:152-6.

54. Ronald AR. Bacterial interference in the urinary tract. Clin Infect Dis 2005;41:1535-6.

55. Schaeffer AJ, Schaeffer EM. Infections of the Urinary Tract. In: Kavoussi LR, Partin AW, Novick AC, Peters CA, editors. Campbell-Walsh urology. 10th ed. Philadelphia: Saunders; 2012. p. 257-326.

56. Semetkowska-Jurkicwicz E, Horoszek-Maziarz S, Galinski J, Manitius A, Krupa-Wojciechowska B. The clinical course of untreated asymptomatic bacteriuria in diabetic patients: 14 year follow-up. Mater Med Pol 1995;27:91-5.

57. Smith HS, Hughes JP, Hooton TM, Roberts P, Scholes D, Stergachis A, et al. Antecedent antimicrobial use increases the risk of uncomplicated cystitis in young women. Clin Infect Dis 1997;25:63-8.

58. Sobel JD, Kauffman CA, McKinsey D, Zervos M, Vazquez JA, Karchmer AW, et al. Candiduria: a randomized, double-blind study of treatment with fluconazole and placebo. The National Institute of Allergy and Infectious Diseases (NIAID) Mycoses Study Group. Clin Infect Dis 2000;30:19-24.

59. Sunden F, Hakansson L, Ljunggren E, Wullt B. Bacterial interference-is deliberate colonization with Escherichia coli 83972 an alternative treatment for patients with recurrent urinary tract infection? Int J Antimicrob Agents 2006;28 Suppl 1:S26-9.

60. Suriano F, Gallucci M, Flammia GP, Musco S, Alcini A, Imbalzano G, et al. Bacteriuria in patients with an orthotopic ileal neobladder: urinary tract infection or asymptomatic bacteriuria? BJU Int 2008;101:1576-9.

61. Svanborg C, Godaly G. Bacterial virulence in urinary tract infection. Infect Dis Clin North Am 1997;11:513-29.

62. Takai K, Tollemar J, Wilczek HE, Groth CG. Urinary tract infections following renal transplantation. Clin Transplant 1998;12:19-23.

63. Tencer J. Asymptomatic bacteriuria-a long term study. Scand J Urol Nephrol 1988;22:31-4.

64. Trautner BW, Hull RA, Thornby JI, Darouiche RO. Coating urinary catheters with an avirulent strain of Escherichia coli as a means to establish asymptomatic colonization. Infect Control Hosp Epidemiol 2007;28:92-4.

65. Villa J, Lydon-Rochelle MT, Gulmezoglu AM, Roganti A. Duration of treatment for asymptomatic bacteriuria during pregnancy Cochrane Database Syst rev 2000;2:CD000491.

66. Waites KB, Canupp KC, DeVivo MJ. Epidemiology and risk factors for urinary tract infection following spinal cord injury. Arch Phys Med Rehabil 1993;74:691-5.

67. Waites KB, Canupp KC, DeVivo MJ. Eradication of urinary tract infection following spinal cord injury. Paraplegia 1993;31:645-52.

68. Warren JW, Anthony WC, Hoopes JM, Muncie HL Jr. Cephalexin for susceptible bacteriuria in afebrile, longterm catheterized patients. J Am Med Assoc 1982;248:454-8.

69. Warren JW. Catheter-associated urinary tract infections. Infect Dis Clin North Am 1997;11:609-22.

70. Whalley PJ, Cunningham FG. Short-term versus continuous antimicrobial therapy for asymptomatic bacteriuria in pregnancy. Obstet Gynecol 1977;49:262-5.

71. Wullt B, Connell H, Rollano P, Mansson W, Colleen S, Svanborg C. Urodynamic factors influence the duration of Escherichia coli bacteriuria in deliberately colonized cases. J Urol 1998;159:2057-62.

72. Wullt B, Holst E, Steven K, Carstensen J, Pedersen J, Gustafsson E, et al. Microbial flora in ileal and colonic neobladders. Eur Urol 2004;45:233-9.

임신 중 요로감염

이소연, 최세영, 최중원

Ⅰ 개요

임신한 여성에서는 요로감염이 흔히 발생하는데, 무증상 세균뇨나 급성방광염과 같은 하부 요로감염부터 신우신염과 같은 상부요로감염까지 다양하게 나타난다. 임신한 여성의 무증상 요로감염 유병률은 2~11%로 보고되고 있으며, 평균 6~8%에 달한다. 임신 시의 세균뇨 발병 률은 임신 전과 달라지지 않으나, 임신에 따른 해부학적, 생리학적 변화는 임신기 세균뇨의 경 과를 변화시킨다. 임신한 여성의 무증상 세균뇨는 신우신염으로 진행되기가 더욱 쉬우며, 치 료하지 않을 경우 20~40%에서 급성신우신염을 일으킨다. 이는 임신부와 태아에게 심각한 위 협이 되며, 조산이나 저체중아를 낳을 위험을 증가시킨다. 하지만 영상학적 검사의 어려움은 진단을 어렵게 할 수 있다. 따라서 임신한 여성의 경우 요로감염 진단에 주의를 기울여야 함은 물론, 치료할 때도 일반 여성에 비해 항균제 선택 등에 주의가 필요하다.

이 장에서는 임신한 여성에서 일반적으로 발생할 수 있는 요로감염이 모체와 태아에 미칠 수 있는 영향을 알아보고, 적절한 진단과 치료 방법을 모색하고자 한다.

II 임신 중 요로감염의 병리 기전 및 평가

1. 임신 중 요로감염의 병리 기전

1) 임신에서의 해부학적, 생리학적 변화

임신에 따른 요로계의 변화는 무증상 세균뇨가 신우신염으로 진행하는 데 기여한다. 임신 시에는 특히 요관의 연동 운동이 감소하고, 임신 말기에 이르러서는 대부분의 경우 요관 확장을 보인다. 임신 7주가 되면 신우와 요관이 늘어나기 시작하고, 임신 말기에는 요관 내에 200 mL의 소변이 정체된다. 이러한 요관 및 신우의 확장은, 자궁이 팽창하고 황체호르몬 (progesterone)으로 인해 평활근이 이완되며 요관 연동 운동이 감소하여 나타난다. 또한 황체호르몬에 의한 평활근 이완은 방광 용적을 증가시킬 수 있다. 비대해진 자궁은 방광의 위치를 전−상부로 변화시키며, 방광이 충혈되어 방광내시경검사에서 울혈이 관찰되기도 한다. 임신 시 사구체여과율과 신혈장류량의 일시적 증가는 심박출량이 증가하기 때문이라고 알려져 있다.

2) 임신 중 요로감염의 발병 기전

임신 중에는 해부학적, 생리적 변화에 의해 방광에서 신장으로 세균이 유입하기 쉬워져 신우신염이 쉽게 발생한다. 임신성 당뇨는 단백뇨 발생, 소변의 농축력 저하 및 소변의 자연 항균력 약화를 나타내 세균 증식에 기여한다. 임신 중의 면역력 저하도 신우신염 발생에 관여한다. 임신 중에는 대장균*Escherichia coli*에 대한 혈청 항체와, 혈청과 소변의 인터루킨 (interleukin−6) 수치가 감소한다. 임신하지 않은 건강한 여성의 경우 대변 저장고에서 온 세균은 요도를 통해 요로계에 서식하게 된다. 이후 세균의 독성인자가 요로상피에 부착하여 감염의 병태 생리에 주요한 역할을 하게 된다. 이러한 독성인자 발현의 차이에 의해 일부 임신부에서만 무증상 세균뇨가 신우신염으로 진행하게 된다. 한 연구에서 신우신염을 앓고 있는 임신부 24명과 무증상 세균뇨를 가진 여성 37명을 대상으로 대장균의 독성 성향을 조사했다. 그 결과 신우신염 환자군의 대장균이 무증상성 세균뇨 환자군에 비해 유의하게 증가된 인체 혈청 저항(83% 대 51%, p<0.05)과 요로상피 결합력(평균 부착력: 세포당 47세균 대 18세균)을 나타냈다. 이러한 결합력은 부분적으로 부착소라는 세균 표면 분자들과 털(pili) 또는 섬모 (fimbriae)에 의해 생긴다. 섬모는 신우신염을 일으킨 대장균종의 약 80%에서 발현되는 데 비

해, 무증상 세균뇨나 방광염을 일으키는 종에서는 20%에만 발현된다. 하지만 신우신염을 일으키는 대장균종이 임신 여부에 따라 차이를 보이지는 않는다.

2. 임신 중 요로감염의 평가

1) 의미 있는 세균뇨의 정의

임상적으로 의미 있는 세균뇨는 오염이 아닌 진정한 방광 세균뇨로 여겨지는 세균뇨의 수치를 말한다. 따라서 오염으로 인한 가양성의 오류를 최소화하기 위해 소변 채취부터 주의를 기울여야 한다. 증상이 없는 임신한 여성에서 의미있게 여겨지는 세균뇨는 2회 연속 자가 배뇨한 소변에서 같은 종류의 세균이 10^5 개 이상 집락으로 자랄 때 방광내 세균뇨가 있음을 의미하게 된다. 하지만 실제 임상에서는 검사의 경제성과 환자의 편의성을 위해 단 1회 자가 배뇨한 소변을 얻으며, 10^5개 이상의 균이 자라면 재배양을 하지 않고 치료를 시작한다. 세균뇨 검사를 위해 도뇨관 삽입을 매번 시행하면 감염의 우려가 있기 때문에 일상적으로 권유되지는 않는다. 증상이 있는 임신하지 않은 여성에서는 더 적은 집락 수가 의미 있을 수도 있다. 이를테면, 단순 방광염이 있는 여성에서는 배뇨한 소변에서 형성된 세균 집락이 10^2개 정도로 낮아도 방광 감염을 의미한다. 하지만 일반적으로 임상검사실 대부분이 10^2개까지 소변을 정량하지 않으므로, 증상이 있는 환자에서는 폴리도뇨관 사용 여부에 관계없이 10^3개 이상을 정량하는 것이 바람직하다.

2) 임신 중 무증상 세균뇨의 진단 및 선별검사

임신 여성의 세균뇨 유병률은 비임신 여성과 차이가 없다. 일반적으로 가임기 여성의 4~6%, 임신 여성의 4~7%에서 세균뇨가 관찰된다. 연구에 의하면 임신 전 요로감염이 없었던 여성 중 1~2%에서만 임신 중 세균뇨가 관찰된다. 그러나 임신 기간의 증가, 낮은 사회경제층, 다출산력, 겸상적혈구 형성 소질 등의 환경에서는 임신 중 요로감염의 빈도가 증가한다.

무증상 세균뇨는 요로계와 관련 있는 증상이나 징후가 없이 유의한 세균뇨가 존재하는 것으로 정의한다. 세균뇨 여부는 소변의 세균배양검사를 통해 진단한다. 세균배양검사를 할 때 요도를 깨끗이 소독한 후 중간뇨로 채취하거나 도뇨관을 삽입하여 검사한다. 임신 여성의 무증상 세균뇨는 신우신염으로 진행할 수 있으므로 제대로 치료하지 않으면 태아에게 악영향을 끼칠 수 있다. 이전의 연구들에서는 임신 여성의 무증상 세균뇨 20~40% 가 신우신염으로 진행된다고 하였으나 최근 연구들에서는 무증상 세균뇨가 신우신염으로 진행되는 비율이 그 비율이 2.4%로 낮게 보고되었고, 임신부에서 무증상 세균뇨를 선별하는 것이 이득이 없는 것으로 분석한 문헌고찰도 발표된 바도 있다. 이와 같이 이전에 비해 임신 초기 세균뇨의 선별과 치료에 대한 근거 수준이 낮아지긴 했지만 임산부와 태아의 건강의 중요성을 감안하여 추가적인 연구결과들이 축적될 때 까지는 국내에서는 무증상 세균뇨의 선별 및 치료는 아직 강하게 권고되고 있다.

스웨덴 지역의 임신 여성 216명을 대상으로 진행된 연구에서는 1.1%만이 임신 12주와 말기 사이에 무증상 세균뇨를 보여, 임신 16주가 세균뇨 선별검사에서 가장 적절한 시기라고 결론 내려졌다. 한편 McIsaac 등의 연구는 임신부들의 임신 20주 전의 소변배양검사와 28주에서 36주 사이의 소변배양검사를 비교했다. 연구 결과 20주 이전에 실시한 1회의 소변배양검사에서는 절반 이상의 무증상 세균뇨를 진단하지 못한 것으로 나타났기 때문에, 저자들은 정확한 진단을 위해 3개월마다 소변배양검사를 하도록 권유하고 있다.

따라서 임신기에는 세균뇨 선별검사를 반드시 시행해야 하며, 세균뇨의 고위험군으로 여겨지는 요로계 기형이나 재발성 방광염의 과거력이 있는 임신부는 정기적으로 배양검사를 시행해야 한다.

III 임신 중의 항균제 치료

1. 임신 중의 항균제 치료 원칙

1) 안전성

아미노페니실린*aminopenicillin*은 임신부에서 안전하게 사용할 수 있는 주요 항균제이다. 세팔로스포린*cephalosporin* 역시 일반적으로 안전하지만, 세프트리악손*ceftriaxone*은 혈청단백과 결합력이 강해 빌리루빈의 분포에 영향을 주어 핵황달을 야기할 수 있으므로 출산 직전에는 신중히 사용해야 한다. 세파클로르*cefaclor*, 세팔렉신*cephalexin*, 세프라딘*cephradine* 등은 Michigan MEDICAID 연구에서 기형아 유발 위험이 있는 것으로 나타났으며, 특히 임신 초기에 위험성이 더 높았다. 하지만 이러한 결과는 임신부의 건강 상태나 다른 약물이 원인일 가능성이 있다. 또한 다른 연구에서 추가적으로 입증된 바가 없으므로, 세팔로스포린의 기형아 유발 가능성에 대해서는 추가적인 연구가 필요하다.

니트로푸란토인nitrofurantoin은 임신부에서 1차로 사용할 수 있으며, 페니실린 알러지가 있는 경우 2차적으로 사용할 수 있다. 메타분석 결과, 니트로푸란토인이 선천성 기형을 유발하는 것으로 밝혀지지는 않았지만, G-6PD (Glucose-6-phosphate dehydrogenase) 결핍이 있는 산모에서 용혈성 빈혈을 야기할 수 있으며, 태아에도 영향을 미칠 수 있는 것으로 보고되었다. 따라서 출산이 가까운 경우에는 사용하지 않는 것이 좋기 때문에 임신 삼분기중 제1, 2 삼분기에만 사용해야한다. 또한 급성 면역매개 폐질환이 드물게 발생하였고, 만성 폐질환을 야기할 수도 있다. 따라서 니트로푸란토인을 임신 기간에 예방 목적으로 장기간 사용하는 경우에는 이러한 합병증 발생에 주의를 기울여야 한다.

포스포마이신fosfomycin은 다른 약물에 내성을 가진 경우 안전하게 사용할 수 있다. 트라이메토프림trimethoprim은 엽산 대사를 저해하여 기형아 발생을 초래할 수 있으므로 임신 초기에는 피해야 한다. 술폰아미드sulfonamides는 분만 후 핵황달을 유발하므로 임신 후반기에는 피해야 한다. 클린다마이신clindamycin은 페니실린 알러지가 있는 환자에서 B군 연쇄구균 group B Streptococcus에 대한 대체 항균제로 사용할 수 있으며, 기형아 유발성은 보고되지 않았다. 아미노글리코시드aminoglycosides는 귀독성이 있으나 다른 기형 위험에 대해서는 알려진 바가 없다. 테트라사이클린tetracyclin은 치아 변색을 일으키므로 임신 중에는 금기이며, 산모에게 급성지방간을 야기할 수 있다.

동물실험 결과, 플루오로퀴놀론fluoroquinolone은 태아의 관절병증을 야기할 수 있는 것으로 나타났다. 비록 태아 때 플루오로퀴놀론에 노출된 유소아에서 근골격계의 발달장애가 보고되지는 않았지만, 임신 중 플루오로퀴놀론은 금기이다. 표 6-1에 미국 FDA의 임신부 카테고리의 정의와 해당 항균제를 요약하였다.

| 표 6-1 | 미국 FDA 임신부 카테고리의 정의 및 항생제 |

카테고리	정의 및 항생제
카테고리 A	대조군 연구상 임신 첫 석 달에서 태아에 대한 위험이 없으며 이후에도 위험은 없다. 태아에 대한 위험은 없는 것으로 보인다. 이론적으로 이 분류에 해당하는 항생제는 없다.
카테고리 B	동물 교배 연구에서 태아에 대한 위험은 보고되지 않았으나, 인간 산모에 대한 대조연구 결과는 아직 없다. 동물 교배 연구에서 생착률 외의 다른 악영향이 보고되었으나, 첫 석 달에서 인간 대조군 연구에서는 위험이 확인되지 않았으며 이후에도 위험은 확인되지 않았다. **페니실린**: 아목시실린, 암피실린. **세팔로스포린**: 세팔렉신, 세프라딘(1세대), 세푸록심, 세파클러(2세대), 세픽심, 세포독심, 세포탁심, 세프트리악손(3세대) **마크롤라이드계**: 아지트로마이신, 에리트로마이신, 클린다마이신 **기타**: 니트로푸란토인, 포스포마이신, 메트로니다졸
카테고리 C	동물실험에서 기형이나 사망의 악영향이 나타났으나 인간 산모에서나 동물에서 대조연구가 확인되지 않았다. 이 분류의 약은 태아에게 합리적인 이득이 있는 경우에만 적용 가능하다. **퀴놀론계**: 시프로플록사신, 레보플록사신, 가티플록사신, 오플록사신, 스파플록사신(제2~3석달) **마크롤라이드계**: 클래리트로마이신 **기타**: 트라이메토프림, 설파제, 클로람페니콜, 나프록센
카테고리 D	태아에 대한 긍정적인 조사 결과는 없으나, 산모의 이득에 있어서 합리적인 적용이 가능하다. 예를 들어, 다른 약이 듣지 않는 상황에서 생명을 위협하는 사항에 대해 치료가 필요한 경우. **테트라사이클린계**: 테트라사이클린, 독시사이클린
카테고리 X	동물과 인간 연구에서 태아의 기형이 보고되었거나, 인간 연구에서 태아 사망의 위험이 보고된 경우. 약의 적용으로 인한 위험이 분명히 이득보다 크므로, 임신이거나 임신 가능성이 있는 여성에서 사용이 금기시된다. **퀴놀론계**: 스파플록사신(첫 석 달)

2) 저항성

임신 중에는 분포 용적과 사구체여과율이 증가하여 항균제의 약역학에 영향을 미치지만, 대개의 경우 통상적인 항균제 용량이면 효과적이다.

아미노페니실린, 술폰아미드, 세팔로스포린, 니트로푸란토인은 임신 중의 무증상 세균뇨 치료에서 유사한 효과를 나타낸다. 그러나 내성균의 증가 때문에 항균제감수성검사가 필수적이다. 대장균에 의한 요로감염 환자를 대상으로 한 연구에 의하면, 내성을 가지는 비율은 암피실린*ampicillin*에 30~38%, 트라이메토프림-술파메톡사졸*trimethoprim-sulfamethoxazole* (TMP-SMX)에 14~23%인 반면, 니트로푸란토인에 대해서는 1%, 포스포마이신에 대해서는 0.7%로 나타났다. 더욱이 니트로푸란토인과 포스포마이신은 ESBL (extended-spectrum β-lactamase) 양성 대장균에 효과적이다. 한 연구에서는 포스포마이신에 저항을 보인 ESBL

양성 대장균은 없었으며, 완치율은 90% 이상으로 높았다고 보고하였다.

2. 무증상 세균뇨 치료

무증상 세균뇨는 항균제의 안전성과 감수성을 기초로 치료를 시작하며, 대개 3~5일간의 단기요법이 효과적이다. 치료법은 표 6-2와 같다. 앞에서 설명한 바와 같이 아목시실린 *amoxicillin*과 세팔로스포린은 이들에 저항성을 지니는 균주가 많으며, 니트로푸란토인은 G-6PD 결핍 임신부에서는 금기이다. 단기요법 이후 많게는 30% 정도가 치료에 실패하므로 치료가 종료된 지 일주일 후에 배양검사를 재실시하여 균이 치료되었는지 확인해야 하며, 이후에는 출산하기까지 매달 소변배양검사를 실시해야 한다. 적절하게 항균제 치료를 했음에도 불구하고 세균이 지속적으로 배양될 경우에는 장기간 치료하거나 다른 항균제로 바꾸어 치료해야 한다. 2회 이상의 치료에 반응하지 않거나 무증상 세균뇨가 재발하는 경우에는 억제 또는 예방적 항균제 사용이 필요하다. 이때도 역시 항균제감수성검사에 기초하여 항균제를 선택해야 한다. 니트로푸란토인 50~100 mg/일이나 세팔렉신 250 mg/일이 효과적인 예방요법이다. 2020년에 467명의 임산부를 분석한 연구에서, 니트로푸란토인 또는 TMP-SMX를 사용한 임산부는 기타 항생제를 사용한 임산부와 신우신염 발생율에는 통계적 차이가 없었으나(8.2 vs. 5.8%, p=0.44), 패혈증 발생율은 유의미하게 낮은 것으로 보고되었다.

표 6-2 임신 중의 무증상 세균뇨에 대한 항생제 요법

항생제	기간
아목시실린 500 mg	12시간마다 3~7일간
아목시실린/클라불라네이트 *amoxicillin/clavulanate* 500 mg	12시간마다 3~7일간
세팔렉신 500 mg	12시간마다 3~7일간
니트로푸란토인 100 mg	12시간마다 5~7일간
포스포마이신 3 gm	단회 투여

3. 급성방광염 치료

급성방광염의 치료제와 기간은 무증상 세균뇨의 경우와 유사하다(표 6-2). Cochrane Database of Systematic Reviews에 의하면 임신 중의 급성방광염에 대한 치료 결과에서 항균제의 종류나 기간에 따른 치료 효과 및 재발률, 조산율 등은 다르지 않았다. 급성방광염 치료

가 종료되면 일주일 후에 완치 판정을 위한 소변배양검사를 재실시한다. 지속적인 세균뇨가 나타나는 경우에는 무증상 세균뇨에서와 마찬가지로 장기간 치료하거나 다른 항균제로 바꾸어 치료해야 한다. 재발성 방광염은 감수성검사에 기초하여 다른 약물로 단기간 치료하거나, 지속적으로, 또는 성관계 후 항균제를 예방적으로 복용하는 방법이 추천된다. 당뇨 등과 같이 요로감염으로 인한 합병증의 위험이 있는 임신부에서는 방광염 치료 후 예방요법을 고려해야 한다. 니트로푸란토인 50~100 mg이나 세팔렉신 250~500 mg을 하루 한 번 또는 성관계 후 복용하는 것이 좋다. 임신 전 재발성 요로감염력이 있는 여성 역시 임신 중에 증상이 있는 요로감염이 나타날 위험이 높다. 이러한 환자에서 성관계 후의 항균제 예방요법에 대해 연구한 결과, 니트로푸란토인 50 mg이나 세팔렉신 250 mg을 예방적으로 복용한 경우 임신 중의 요로감염 발생이 현저히 감소했다. 따라서 성관계 후의 항균제 예방요법은 임신 전의 재발성 요로감염력이 있는 임신부에서 고려해야 한다.

4. 급성신우신염 치료

일반적으로 임신 중 신우신염은 입원 및 비경구 항균제 치료가 요구된다. 이에 대한 치료 요법은 표 6-3과 같다. 경험적 항균제 치료는 지역의 미생물적 특성에 따라 선택한다. 1세대 세팔로스포린 단독 치료는 세균의 저항성 문제로 인해 추천되지 않는다. 또한 아미노글리코시드는 장기간 태아에 노출될 경우 귀독성을 야기할 수 있으므로 피하는 것이 좋다. 항균제 치료를 시작한 후에는 24~48시간까지 임상 지표가 호전되어야 한다. 그렇지 않을 경우에는 요로폐색이나 신장농양 같은 합병증을 의심해야 한다. 환자가 48시간 동안 발열을 나타내지 않았다면 감수성이 있는 경우 경구 항균제로 대체할 수 있다. 대개의 경우 14일 요법이 사용된다.

임신 중에 첫 번째 신우신염이 나타난 경우 재발할 확률은 6~8%이다. 급성신우신염 병력

표 6-3 임신 중의 신우신염에 대한 항생제 요법

항생제	요법
세프트리악손ceftriaxone 아즈트레오남aztreonam 피페라실린/타조박탐piperacillin/tazobactam 세페핌cefepime 이미페넴/실라스타틴imipenem/cilastatin	24시간마다 1~2 gm 정맥주사나 근육주사 8~12시간마다 1 gm 정맥주사 6시간마다 3.375~4.5 gm 정맥주사 12시간마다 1 gm 정맥주사 6시간마다 500 mg 정맥주사
암피실린+겐타마이신ampicillin+gentamicin	6시간마다 2 gm 정맥주사 3~5 mg/kg/일 정맥주사 3분할 투여

이 있는 임신부 200명을 무작위 배정하여 예방적 항균제를 투약한 군과 소변배양검사만 시행한 군으로 나누어 본 결과, 신우신염이 재발한 환자는 예방적 항균제를 투약한 군에서 7%, 소변배양검사만 시행한 군에서 8%로 유사하게 나타났다. 하지만 미국산부인과학회는 임신 중에 신우신염을 치료한 후에는 이후의 임신 기간 동안 예방적 항균제 투여와 정기적 소변배양검사를 실시할 것을 권장하고 있다. 예방요법은 앞에서 설명한 바와 같다.

IV 합병증과 후유증

1. 세균뇨의 합병증 및 영향

임신 중 나타나는 세균뇨의 가장 중요한 의의는 후속적인 요로감염이 발생할 수 있다는 것이다. 세균뇨가 없는 임신에서 1.8%만이 신우신염이 발생하는 데 비해, 세균뇨가 치료되지 않는 경우 20~40%가량이 신우신염으로 이행하게 된다. 최근 시행된 메타분석에서도 무증상 세균뇨를 치료하면 신우신염 발생의 비교위험을 0.23으로 낮출 수 있는 것으로 나타났다(CI 0.13~0.41). 특히 세균뇨에 대해 산과적 검진을 필수적으로 시행하지 않았던 1970년대 이전과 비교했을 때, 세균뇨에 대해 산과적 검진과 치료를 시행하는 오늘날 산모가 신우신염으로 입원하는 비율은 3~4%에서 1~2%로 감소했다.

임신 중 세균뇨로 인해 신우신염 발생이 증가하는 현상이 어느 정도 근거가 충분한 데 반해 그 외의 산과적 합병증과의 연관성은 뚜렷하지 않다. Kass는 처음으로 무증상 세균뇨 치료가 신우신염을 예방하며 조산도 20% 낮춘다고 보고했다. Schieve 등은 세균뇨와 조산, 저체중 출산, 자궁 내 성장 지연과 신생아 사망의 연관성을 보고했다. Romero 등도 17개의 코호트 연구에 대한 메타분석을 통해, 치료받지 않은 세균뇨와 조산이나 저체중 출산의 연관성을 시사했다. B군 연쇄구균의 요로계 감염은 조기양막파열이나 조산 그리고 신생아 패혈증 발생과 관련 있다.

반면 Gilstrap 등은 114명의 세균뇨 환자를 대조군과 비교한 연구에서 37주 이전의 분만에서의 출산 시기, 분만 당시 신생아의 체중, 산모의 고혈압이나 빈혈 등에서 차이가 없었다고 보고했다. 헝가리에서 신생아 38,151명에 관하여 산모의 요로감염을 조사한 연구에서는 임신 중 요로감염이 있었던 산모에서 출산 시 임신령이 평균 0.1주 짧았고, 조산율이 임신중 요로감염이 없었던 군보다 높았다(10.4 %vs.9.1%). 이러한 차이는 요로감염의 심각도와 연관성이 있었으나 조산은 항생제로 예방할 수 있다고 보고하였다. 반대로 Cardiff Birth Study에서는 25,844출산에 관하여 사회경제적 요인을 보정한 다변량 분석에서 무증상 세균뇨가 조산과 관련이 없었다고 보고했다. 2015년에 시행된 5,621명의 임산부에 대한 무작위 대조시험에서, 임신부에서 무증상 세균뇨를 치료하지 않을 경우 신우신염 발생과 연관은 있었으나 위험도는 낮았다(비치료군 2.4% vs 치료군 0.6%). 또한 이 연구에서 무증상 세균뇨는 조기분만과 연관이 없는 것으로 보고하였다.

Cochrane Database of Systematic Reviews 연구는 무증상 세균뇨에 대한 항균제 치료와 관련하여 저체중 출산과 조산을 보고한 9건의 무작위 연구를 대상으로 진행되었다. 연구에서 항균제 치료는 저체중 출산과 관련 있었으나(비교위험 0.66, 95% CI 0.49~0.89) 조산과는 관련이 없었다(비교위험 0.37, 95% CI 0.10~1.36). 그러나 포함된 연구의 방법론적 문제로 인하여 연구 의의의 해석에는 제한이 있다. 2016년에는 임신부에서 무증상 세균뇨의 선별은 이득이 없는 것으로 보고한 체계적 문헌고찰 연구도 발표되었다.

대부분의 무증상 세균뇨에 대한 연구가 1950년대에서 1980년대 사이에 진행되었다는 점에서, 최근에는 조산과 신우신염 발생률 자체가 매우 낮아졌기 때문에 해석에는 주의가 필요하다. 43개의 임산부 요로감염 가이드라인을 분석한 체계적 고찰에서, 대부분의 가이드라인이 질평가 기준을 만족하지 못하는 것으로 보고되었다.

2. 증상이 있는 요로감염의 합병증 및 영향

임신 중 방광염은 세균뇨에 의해 신우신염으로 이행될 위험을 제외하고는 독립적인 위험이 없다. 또한 방광염 재발은 비임신 여성의 재발과 같은 비율로 나타난다. 항균제가 널리 보급되기 전에는 임신부가 신우신염을 앓은 경우 출산한 신생아의 20~50%가 조산이었다. 요로감염은 양수의 감염으로 이어질 수 있는데, 양수에서 감염균에 의해 생산되는 phospholipase A2는 황체호르몬 활성화를 통해 조기 진통을 촉진할 수 있다. 또한 감염균이 생산하는 콜라겐 분해효소(collagenase)에 의해 양막이 약화되면 조기 파열로 이어질 수 있다. 신우신염은 임신부에게 빈혈, 고혈압, 일과성신부전을 일으킬 수 있고, 호흡부전이나 패혈증까지 이어질 수 있다. Hill 등은 2년간의 종적 추적관찰에서 440명의 신우신염 산모들을 조사했다. 이 중 23%에서 빈혈이 발생했으며, 17%에서 패혈증, 7%에서 호흡부전, 2%에서 일시적신부전이 발생했다. 이 연구에서는 합병증으로 호흡부전이 있었던 신우신염 환자에서 빈혈이 더 심했으며 패혈증 발생률도 더 높았다. 신우신염의 재발률은 2.7%였다.

신우신염은 임신 후반으로 갈수록 황체호르몬에 의한 평활근 이완, 사구체여과율 증가, 자궁 비대로 인한 물리적 요인 때문에 발생 위험이 증가한다. 그러나 최근 연구에서는 첫 석 달에서도 이에 못지 않은 높은 발생 위험이 보고되고 있다. 첫 석 달에서는 오히려 임신으로 인한 요로계의 변형이 확연하지 않은 만큼 더욱 주의 깊은 관찰이 요구된다.

요약정리

- 임신 시에는 자궁이 팽창하고 황체호르몬의 영향으로 요관의 연동 운동이 감소하며 요관 및 신우가 확장되므로 무증상 세균뇨가 신우신염으로 쉽게 진행된다.
- 임신 시에는 방광이 충혈되고, 사구체여과율과 콩팥의 혈류량이 일시적으로 증가하며, 면역력이 저하됨으로써 신우신염의 발생에 기여하게 된다.
- 세균뇨는 임신 여성의 4~7%에서 관찰되는데, 20~40%가 신우신염으로 진행하므로 치료하지 않으면 태아에게 악영향을 끼칠 수 있다.
- 세균뇨는 2회 연속 자가 배뇨한 소변에서 같은 종류의 세균이 10^5개 이상의 집락이 확인될 때 진단한다.
- 실제 임상에서는 일반적으로 단 1회 자가 배뇨한 소변을 얻게 되므로, 10^5개 이상의 균이 자라면 재배양 없이 치료를 시작한다.
- 임신기의 세균뇨에 대한 선별검사는 임신 16주가 가장 적절한 시기로 여겨진다.
- 요로계 기형이나 재발성 방광염의 과거력이 있는 임신부는 세균뇨의 고위험군이므로 임신 기간 동안 규칙적인 간격으로 배양검사를 시행해야 한다.
- 아미노페니실린은 임신부에서 안전하게 사용할 수 있는 주 항균제이다.
- 세팔로스포린은 일반적으로 안전하지만, 기형아 유발 가능성에 대해서는 추가적인 연구가 필요하다.
- 니트로푸란토인은 임신부에서 1차로 사용할 수 있으며 페니실린 알러지가 있는 경우 2차적으로 사용할 수 있다. 하지만 출산이 가까운 경우나 장기간 사용하는 경우에는 주의해야 한다.
- 포스포마이신은 다른 약물에 내성을 가진 경우에 사용할 수 있다.
- TMP는 엽산 대사를 저해하므로 임신 초기에는 피해야 한다.
- 술폰아미드는 핵황달을 유발하므로 임신 후기에는 피해야 한다.
- 아미노글리코시드는 태아에게 귀독성을 야기할 수 있으므로 피하는 것이 좋다.
- 테트라사이클린, 플루오로퀴놀론은 임신 중에는 금기이다.
- 니트로푸란토인과 포스포마이신은 ESBL 양성 대장균에 효과적이다.
- 무증상 세균뇨와 급성방광염은 3~5일간의 단기 요법이 효과적이다. 치료가 끝난 지 1주일 후에 배양검사를 재실시하여 균이 치료되었는지 확인하고, 이후에는 출산까지 매달 소변배양검사를 실시해야 한다.
- 세균이 지속적으로 배양될 경우에는 장기간 치료하거나 다른 항균제로 바꾸어 치료해야 한다.
- 2회 이상의 치료에 반응하지 않은 경우, 무증상 세균뇨가 재발하는 경우, 요로감염으로 인한 합병증의 위험이 있는 경우, 임신 전 재발성 요로감염력이 있는 경우에는 예방요법을 고려해야 한다.
- 예방요법으로는 니트로푸란토인 50~100 mg이나 세팔렉신 250~500 mg을 하루 한 번 또는 성관계 후 복용한다.
- 급성신우신염에 대한 항균제 치료 후 48시간 동안 발열이 나타나지 않으면 감수성이 있는 경구 항균제로 대체할 수 있으며 대개 14일 요법이 사용된다. 하지만 그렇지 않은 경우는 신장농양 등의 합병증을 의심

해야 한다.

- 신우신염 치료 후에는 임신 기간 동안 예방적 항균제 투여와 정기적 소변배양검사 실시가 권장된다.
- 임신 중 세균뇨는 20~40%가 신우신염으로 이행한다. 무증상 세균뇨를 치료하면 신우신염이 예방되며, 동시에 조산을 20% 낮춘다.
- B군 연쇄구균의 요로계 감염은 조기양막파열이나 조산, 그리고 신생아 패혈증의 발생과 관련 있다.
- 요로감염은 양수의 감염으로 이어질 수 있으며, 양수에서 감염균에 의해 생산되는 phospholipase A2는 황체호르몬 활성화를 통해 조기 진통을 촉진할 수 있다.
- 신우신염은 임신부에게 빈혈, 고혈압, 일과성신부전을 일으킬 수 있고, 호흡부전이나 패혈증까지 이어질 수 있다.

참고문헌

1. Abyad A. Screening for asymptomatic bacteriuria in pregnancy: urinalysis vs urine culture. J Fam Pract 1991;33(5):471.

2. ACOG educational bulletin. Antimicrobial therapy for obstetric patients. Number 245, March 1998 (replaces no. 117, June 1988). American College of Obstetricians and Gynecologists. Int J Gynaecol Obstet 1998;61:299–308.

3. Andrews W, Cox SM, Gilstrap LC. Urinary tract infections in pregnancy. Int Urogynecol J 1990;1(3):155–63.

4. Archabald KL, Friedman A, Raker CA, Anderson BL. Impact of trimester on morbidity of acute pyelonephritis in pregnancy. Am J Obstet Gynecol 2009;201(4):406. e1–4.

5. Bánhidy F, Acs N, Puhó EH, Czeizel AE. Pregnancy complications and birth outcomes of pregnant women with urinary tract infections and related drug treatments. Scand J Infect Dis. 2007;39(5):390–7. Ben David S, Einarson T, Ben David Y, Nulman I, Pastuszak A, Koren G. The safety of nitrofurantoin during the first trimester of pregnancy: meta-analysis. Fundam Clin Pharmacol 1995;9:503–7.

6. Boggess KA, Benedetti TJ, Raghu G. Nitrofurantoin-induced pulmonary toxicity during pregnancy: a report of a case and review of the literature. Obstet Gynecol Surv 1996;51: 367–70.

7. Briggs GG, Freeman RK, Yaffe SJ. Drugs in lactation. 2nd ed. Baltimore: Williams & Wilkins; 2002.

8. Christensen B. Which antibiotics are appropriate for treating bacteriuria in pregnancy? J Antimicrob Chemother 2000;46 Suppl 1:29–34; discussion 63–5.

9. Cunha BA. Nitrofurantoin-current concepts. Urology 1988;32:67–71.

10. Cunningham FG, Lucas M, Hankins G. Pulmonary injury complicating antepartum pyelonephritis. Am J Obstet Gynecol 1987;156(4):797.

11. Czeizel AE, Rockenbauer M, Sorensen HT, Olsen J. Use of cephalosporins during pregnancy and in the presence of congenital abnormalities: a population-based, case-control study. Am J Obstet Gynecol 2001;184:1289–96.

12. Dashe JS, Gilstrap LC 3rd. Antibiotic use in pregnancy. Obstet Gynecol Clin North Am 1997;24:617–29.

13. Delzell JE Jr, Lefevre ML. Urinary tract infections during pregnancy. American family physician 2000;61(3):713.

14. Duff P. Pyelonephritis in pregnancy. Clin Obstet Gynecol 1984;27(1):17.

15. Gibbs RS, Schrag S, Schuchat A. Perinatal infections due to group B streptococci. Obstet Gynecol 2004;104(5, Part 1):1062

16. Gilstrap L, Leveno K, Cunningham F, Whalley P, Roark M. Renal infection and pregnancy outcome. Am J Obstet Gynecol 1981;141(6):709.

17. Gilstrap LC 3rd, Cunningham FG, Whalley PJ. Acute pyelonephritis in pregnancy: an anterospective study. Obstet Gynecol 1981;57(4):409.

18. Goldenberg RL, Hauth JC, Andrews WW. Intrauterine infection and preterm delivery. N Engl J Med 2000;342(20): 1500-7.

19. Harris RE. The significance of eradication of bacteriuria during pregnancy. Obstet Gynecol 1979;53(1):71.

20. Hernandez-Diaz S, Werler MM, Walker AM, Mitchell AA. Folic acid antagonists during pregnancy and the risk of birth defects. N Engl J Med 2000;343:1608-14.

21. Hill JB, Sheffield JS, McIntire DD, Wendel GD Jr. Acute pyelonephritis in pregnancy. Obstet Gynecol 2005;105(1): 18.

22. Jick SS, Jick H, Walker AM, Hunter JR. Hospitalizations for pulmonary reactions following nitrofurantoin use. Chest 1989;96:512-5.

23. Kahlmeter G. Prevalence and antimicrobial susceptibility of pathogens in uncomplicated cystitis in Europe. The ECO. SENS study. Int J Antimicrob Agents 2003;22 Suppl 2:49-52.

24. Kass EH. Bacteriuria and pyelonephritis of pregnancy. Arch Intern Med 1960;105(2):194.

25. Kass EH. Pyelonephritis and bacteriuria. Ann Intern Med 1962;56(1):46.

26. Kazemier BM, Koningstein FN, Schneeberger C, Ott A, Bossuyt PM, de Miranda E, Vogelvang TE, Verhoeven CJ, Langenveld J, Woiski M, Oudijk MA, van der Ven JE, Vlegels MT, Kuiper PN, Feiertag N, Pajkrt E, de Groot CJ, Mol BW, Geerlings SE. Maternal and neonatal consequences of treated and untreated asymptomatic bacteriuria in pregnancy: a prospective cohort study with an embedded randomised controlled trial. Lancet Infect Dis. 2015 Nov;15(11):1324-33.

27. Keenan C. Prevention of neonatal group B streptococcal infection. Am Fam Physician 1998;57:2713-20, 2725.

28. Korean Centers for Disease Control and Prevention. Guidelines for the antibiotic use in urinary tract infections. 2018.

29. Koucky M, Kamel R, Vistejnova L, Kalis V, Ismail KM. A global perspective on management of bacterial infections in pregnancy: a systematic review of international guidelines. J Matern Fetal Neonatal Med. 2020 Oct 28:1-10.

30. Köves B, Cai T, Veeratterapillay R, Pickard R, Seisen T, Lam TB, Yuan CY, Bruyere F, Wagenlehner F, Bartoletti R, Geerlings SE, Pilatz A, Pradere B, Hofmann F, Bonkat G, Wullt B. Benefits and Harms of Treatment of Asymptomatic Bacteriuria: A Systematic Review and Meta-analysis by the European Association of Urology Urological Infection Guidelines Panel. Eur Urol. 2017 Dec;72(6):865-868.

31. Krischak MK, Rosett HA, Sachdeva S, Weaver KE, Heine RP, Denoble AE, Dotters-Katz SK. Beyond Expert Opinion: A Comparison of Antibiotic Regimens for Infectious Urinary Tract Pathology in Pregnancy. AJP Rep. 2020 Oct;10(4):e352-e356.

32. Kutlay S, Kutlay B, Karaahmetoglu O, Ak C, Erkaya S. Prevalence, detection and treatment of asymptomatic bacteriuria in a Turkish obstetric population. J Reprod Med 2003;48(8):627-30.

33. Le J, Briggs GG, McKeown A, Bustillo G. Urinary tract infections during pregnancy. Ann Pharmacother 2004;38: 1692-701.

34. Lenke RR, VanDorsten JP, Schifrin BS. Pyelonephritis in pregnancy: a prospective randomized trial to prevent recurrent disease evaluating suppressive therapy with nitrofurantoin and close surveillance. Am J Obstet Gynecol 1983;146:953-7.

35. Loebstein R, Addis A, Ho E, Andreou R, Sage S, Donnenfeld AE, et al. Pregnancy outcome following

gestational exposure to fluoroquinolones: a multicenter prospective controlled study. Antimicrob Agents Chemother 1998;42: 1336-9.

36. Macejko AM, Schaeffer AJ. Asymptomatic bacteriuria and symptomatic urinary tract infections during pregnancy. Urol Clin North Am 2007;34(1):35.

37. McIsaac W, Carroll JC, Biringer A, Bernstein P, Lyons E, Low DE, et al. Screening for asymptomatic bacteriuria in pregnancy. J Obstet Gynaecol Can 2005;27(1):20-4.

38. Meis PJ, Michiclutte R, Peters TJ, Wells HB, Sands RE, Coles EC, et al. Factors associated with preterm birth in Cardiff, Wales. II. Indicated and spontaneous preterm birth. Am J Obstet Gynecol 1995;173(2):597-602.

39. Millar LK, Cox SM. Urinary tract infections complicating pregnancy. Infect Dis Clin North Am 1997;11:13-26.

40. Nicolle LE, Bradley S, Colgan R, Rice JC, Schaeffer A, Hooton TM. Infectious Diseases Society of America guidelines for the diagnosis and treatment of asymptomatic bacteriuria in adults. Clin Infect Dis 2005:643-54.

41. Niebyl JR. Antibiotics and other anti-infective agents in pregnancy and lactation. Am J Perinatol 2003;20:405-14.

42. Norden C, Kass E. Bacteriuria of pregnancy-a critical appraisal. Annu Rev Med 1968;19(1):431-70.

43. Patterson TF, Andriole VT. Detection, significance, and therapy of bacteriuria in pregnancy. Update in the managed health care era. Infect Dis Clin North Am 1997;11(3):593-608.

44. Petersson C, Hedges S, Stenqvist K, Sandberg T, Connell H, Svanborg C. Suppressed antibody and interleukin-6 responses to acute pyelonephritis in pregnancy. Kidney international 1994;45(2):571-7.

45. Pfau A, Sacks TG. Effective prophylaxis for recurrent urinary tract infections during pregnancy. Clin Infect Dis 1992;14: 810-4.

46. Rodriguez-Bano J, Alcala JC, Cisneros JM, Grill F, Oliver A, Horcajada JP, et al. Community infections caused by extended-spectrum beta-lactamase-producing Escherichia coli. Arch Intern Med 2008;168:1897-902

47. Romero R, Oyarzun E, Mazor M, Sirtori M, Hobbins JC, Bracken M. Meta-analysis of the relationship between asymptomatic bacteriuria and preterm delivery/low birth weight. Obstet Gynecol 1989;73(4):576.

48. Schieve LA, Handler A, Hershow R, Persky V, Davis F. Urinary tract infection during pregnancy: its association with maternal morbidity and perinatal outcome. Am J Public health 1994;84(3):405.

49. Schmiemann G, Kniehl E, Gebhardt K, Matejczyk MM, Hummers-Pradier E. The diagnosis of urinary tract infection: a systematic review. Dtsch Arztebl Int 2010;107 (21):361-7.

50. Shim BS, Oh MM, Lee YS, Lee HN. Urinary Tract Infection in Pregnancy. Korean J UTII 2011;6:155-164

51. Shrim A, Garcia-Bournissen F, Koren G. Pharmaceutical agents and pregnancy in urology practice. Urol Clin North Am 2007;34:27-33.

52. Smaill F, Vazquez J. Antibiotics for asymptomatic bacteriuria in pregnancy. Cochrane Database Syst Rev 2007;(2): CD000490.

53. Smaill F. Asymptomatic bacteriuria in pregnancy. Best Pract Res Clin Obstet Gynaecol 2007;21(3):439-50.

54. Stamm WE, Counts GW, Running KR, Fihn S, Turck M, Holmes KK. Diagnosis of coliform infection in acutely dysuric women. N Engl J Med 1982;307(8):463-8.

55. Stein GE. Single-dose treatment of acute cystitis with fosfomycin tromethamine. Ann Pharmacother 1998;32:215-9.

56. Stenqvist K, Dahlen-Nilsson I, Lidin-Janson G, Lincoln K, Oden A, Rignell S, et al. Bacteriuria in pregnancy. Am J Epidemiol 1989;129(2):372-9.

57. Stenqvist K, Sandberg T, Lidin-Janson G, Orskov F, Orskov I, Svanborg-Eden C. Virulence factors of Escherichia coli in urinary isolates from pregnant women. J Infect Dis 1987; 156(6):870-7.

58. Sweet RL. Bacteriuria and pyelonephritis during pregnancy. Semin Perinatol 1977;1(1):25-40.

59. Tan JS, File TM Jr. Treatment of bacteriuria in pregnancy. Drugs 1992;44:972-80.

60. Vazquez JC, Abalos E. Treatments for symptomatic urinary tract infections during pregnancy. Cochrane Database Syst Rev 2011;(1):CD002256.

61. Vazquez JC, Villar J. Treatments for symptomatic urinary tract infections during pregnancy. Cochrane Database Syst Rev 2000:CD002256.

62. Vercaigne LM, Zhanel GG. Recommended treatment for urinary tract infection in pregnancy. Ann Pharmacother 1994;28:248-51.

63. Whalley P. Bacteriuria of pregnancy. Am J Obstet Gynecol 1967;97(5):723.

64. Whalley PJ, Adams RH, Combes B. Tetracycline Toxicity in Pregnancy. Liver and Pancreatic Dysfunction. JAMA 1964; 189:357-62.

65. Wing DA, Hendershott CM, Debuque L, Millar LK. A randomized trial of three antibiotic regimens for the treatment of pyelonephritis in pregnancy. Obstet Gynecol 1998;92:249-53.

66. Zhanel GG, Hisanaga TL, Laing NM, DeCorby MR, Nichol KA, Weshnoweski B, et al. Antibiotic resistance in Escherichia coli outpatient urinary isolates: final results from the North American Urinary Tract Infection Collaborative Alliance (NAUTICA). Int J Antimicrob Agents 2006;27:468-75.

Chapter
07

소아 요로감염

정재민, 김상운, 이준녕, 김두상, 정현진, 이정원, 박성찬

Ⅰ 개요

소아에서의 요로감염은 상기도 감염 다음으로 흔히 볼 수 있는 감염성 질환으로 세균성 감염 중에서는 가장 발생 빈도가 높은 질병이다. 발열을 포함한 요로계의 증상이 있을 때 요로감염의 발병률은 약 7.8%(CI: 6.6-8.9)로 이는 나이와 성별에 따라 차이가 있다. 첫 요로감염의 발병률은 6개월 이전에는 남아에서 5.6%(CI: 2.99-8.62), 여아에서 2.1%(0.77-4.70)로 남아에서 높게 관찰되나, 이후 남아에서 발병률은 감소하여 1~3세의 남아에서는 0.6% 발병율을 보이지만 여아에서는 2.2%로 높게 발견된다.

소아의 요로감염은 다른 요로감염과 달리 모두 복합 요로감염으로 간주해야 한다. 그 이유는 방광요관역류나 요로폐색 같은 요로계 기형을 동반하는 경우가 흔하기 때문이다. 따라서 소아에서 요로감염이 진단되면 요로생식기계 이상이 동반되었는지를 확인해야 한다. 또한 소아의 요로감염은 신속히 치료하지 않으면 신장흉터를 형성하게 되는데, 심각한 신장흉터는 만성신부전과 고혈압의 원인이 될 수 있다. 이러한 후유증 방지를 위해 신속한 진단과 적절한 치료가 매우 중요하다. 신장흉터는 영유아기에 주로 발생하는데, 영유아기의 요로감염은 대부분 발열과 같은 비특이적인 증상만 보이기 때문에 조기에 정확하게 진단하기 어려운 경우가 많다.

방광염의 일반적인 증상은 빈뇨, 요절박, 배뇨통, 혈뇨, 치골상부 통증, 잔뇨감, 요실금 등이며, 신생아 혹은 영유아의 경우 섭식 저하, 보챔, 기면, 구토, 설사, 복부 팽만 등과 같은 비특이적인 증상이 나타날 수도 있다. 나이가 많은 아이의 신우신염은 일반적으로 하부요로감염에서 시작하여 상부요로감염으로 진행되는 상행감염이며, 신생아나 영유아의 경우는 신우신염이 혈행 감염으로 발생될 수도 있다. 신우신염의 경우 대부분 방광염 증상이 동반되며 측복통과 38.5도 이상의 고열이 특징적으로 나타난다.

이 장에서는 소아 요로감염의 분류와 진단, 치료 및 방광요관역류와의 관계 및 그에 따른 치료 방침을 다루고자 한다.

II 소아 요로감염의 분류

소아 요로감염의 분류는 여러 가지 이유로 복잡하고 다양하다. 중요하게 고려해야 할 점은 소아 요로감염 분류가 요로감염 환아들의 신장손상의 위험 가능성에 대한 정보를 제공할 수 있어야 한다는 것이다. 이러한 이유로 인해 소아 요로감염의 분류는 요로감염 부위(하부요로 대 상부요로), 감염 횟수(초발 감염 대 재발 감염), 중등도 정도(단순 대 중증), 복합 요인 여부(비복합 대 복합), 임상증상 여부(무증상 대 증상)에 따라 분류하는 것이 유용하다(표 7-1).

1. 요로감염 부위에 따른 분류

신장손상의 위험이 있는 소아를 파악하여 이들을 적절히 진단하고 치료하기 위해서는, 그리고 위험성이 없는 소아에서 불필요한 진단이나 치료를 피하기 위해서는 하부요로감염(부위: 방광, 요도, 전립선, 대표 질환: 방광염)과 상부요로감염(부위: 신장, 요관, 대표 질환: 신우신염)에 대한 적절한 구별과 이해가 필수적이다.

1) 하부요로감염

방광염은 하부요로감염의 대표적 질환으로 방광의 염증 상태를 의미한다. 방광염의 일반적인 임상증상에는 배뇨통, 빈뇨, 요절

표 7-1 소아 요로감염의 분류

1. **부위에 따른 분류**
   하부요로감염(방광염, 요도염)
   상부요로감염(신우신염)

2. **횟수에 따른 분류**
   초발 감염*first infection*
   재발 감염*recurrent infection*
   -미해결 감염*unresolved infection*
   -지속 감염*persistent infection*
   -재감염*re-infection*

3. **증상 및 중증도에 따른 분류**
   방광염*Cystitis (CY-1)*
   신우신염*pyelonephritis (PN-2-3)*
   패혈증*urosepsis (US-4-6)*

4. **증상에 따른 분류**
   무증상성 세균뇨
   증상성 세균뇨

5. **복합 요인에 따른 분류**
   비복합 혹은 단순 요로감염
   복합 요로감염

박, 악취 소변, 야뇨, 혈뇨, 치골상부 통증 등이 있는데, 심각한 합병증 없이 국소 감염으로 끝나는 경우가 대부분이다.

2) 상부요로감염

상부요로감염의 대표적 질환인 신우신염은 신우 및 신장실질 내로 확산된 화농성의 감염이며 일반적으로 급성으로 발생한다. 급성신우신염이 있는 소아의 주된 임상증상으로는 38.5℃ 이상의 고열, 오한, 측복부 통증 및 압통 등이 있다. 간혹 하부요로감염의 증상인 배뇨통, 빈뇨, 요절박을 동반하거나 복통을 호소하기도 하며 늑골척추 부위에 통증을 호소하기도 한다. 소변은 탁하고 냄새가 나는 경우가 많으며, 소변검사에서 농뇨, 백혈구 원주, 적혈구가 관찰된다. 나이 든 소아에서는 고열과 늑골척추 부위 또는 측복부의 통증과 함께 강한 악취 소변, 배뇨통, 요절박, 빈뇨 등의 방광염 증상들이 나타날 수 있다. 신생아 및 소아들은 잘 먹지 못하거나 식욕부진, 성장부진, 무기력감, 과민, 설사 등 비특이적 임상증상을 나타낼 수 있다.

신우신염은 방광요관역류와 같은 해부학적 구조 이상이 동반되는 경우가 상대적으로 많다. 때로는 패혈증과 같은 심각한 상태로 이행될 수 있으며, 신장흉터를 통해 신장기능저하를 초래하는 등의 후유증을 남길 수 있다.

2. 요로감염의 횟수에 따른 분류

요로감염의 횟수에 따라 초발 감염과 재발 감염으로 분류할 수 있는데, 재발 감염은 미해결 세균뇨, 지속 세균뇨, 재감염으로 세분한다.

1) 초발 감염

초발 요로감염은 처음으로 확인된 요로감염을 말하며, 신생아 및 소아의 초발 감염은 해부학적 이상과 관련성이 높기 때문에 해부학적 평가를 시행하는 것이 권고된다.

2) 재발 요로감염

(1) 미해결 감염

미해결 감염은 요로감염 치료 중에도 소변배양검사에서 세균뇨가 계속 남아 있는 경우를 말한다. 그 원인은 약물에 대한 내성, 환자가 약물 투여 지도를 따르지 않은 경우와 같은 부적절한 치료, 항균제감수성검사 결과와 다른 여러 세균들에 의한 감염, 신장기능 상실이나 신장유두 괴사 등에 의해 요농축능이 떨어져 항균제가 충분한 요 중 농도에 도달하지 못하는 경우 등이다. 미해결 감염은 일반적으로 적절한 배양검사 및 항균제감수성검사가 이루어지면 성공적으로 치료할 수 있다.

(2) 지속 감염

지속 감염이란 요로감염을 치료하여 소변배양검사에서 일단 무균뇨로 전환되었으나 단기간 내에 동일 병원균에 의해 감염이 재발하는 경우이다. 재감염과는 달리 항균제의 공격을 제대로 받지 않은 세균이 배양검사에서 나타나지 않은 채 잔존하다가 다시 증식하여 세균뇨를 일으킨다. 지속 감염은 요로계 내의 한 부위에 지속적인 감염을 유발하는 병소로 인해 발생할 수 있다. 병원균이 최근의 치료로부터 은폐된 요로계의 한 부분이나 기형 부분에 거주하고, 그 결과 지속적인 감염 병소가 될 수 있으므로 수술적으로 교정 가능한 원인을 규명하는 것이 중요하다(표 7-2). 소아에서는 첫 요로감염 후 영상검사가 시행되기 때문에 균이 지속되는 병소가 대개 쉽게 발견된다. 소아 요로감염에 대한 치료 방법은 보다 복잡하며, 병소 근절을 위해서는 해부학적 기형에 대한 수술적 교정이 필요한 경우도 있다.

표 7-2 소아에서 외과적으로 교정 가능한 지속 세균뇨의 원인들
감염석
감염된 무기능 또는 저기능 신장 또는 신장 분절들
감염된 신장절제술 후 남은 요관
방광장루 또는 직장요도루
방광질루
유두 괴사에서 감염된 괴사 유두
일측 해면신
감염된 요막관 낭종
감염된 요도게실 또는 요도 주위 선
확장된 방광요관역류
폐색요로병증(요도판막, 신우요관이행부폐색 등)

(3) 재감염

재감염은 항균제 투여로 세균뇨가 완전히 소실된 후 새로운 균주에 의해 감염된 것을 의미한다. 대부분의 재발 요로감염은 재감염으로 인해 생기며 지속 감염과는 다르다. 재감염에서는 각 감염이 다양한 새로운 병원균에 의해 발생하지만, 지속 감염에서는 동일 병원균에 의해 발생한다. 재감염은 여아의 경우 질 상피세포가 항문 주위와 회음부에 있는 세균집락을 잘 받아들여 발생할 수 있다. 하지만 가장 흔하고 일반적 병원균의 하나인 대장균*Escherichia coli*은 다양한 아형이 존재하기 때문에, 이에 의한 재발성 요로감염이 항상 동일한 균에 의한 것으로 간주되지는 않는다.

3. 요로감염의 증상 및 중증도에 따른 분류

임상적인 관점에서 요로감염의 중증도를 나누는 기준으로는 패혈증이 가장 심한 형태이고 신우신염이 방광염에 비해 중증도가 높다는 점을 고려하게 된다. 이런 중증도는 요로감염이 의심될 때 나타나는 관련 증상들을 기준으로 아래와 같이 나누게 된다.

표 7-3	요로감염의 중증도에 따른 소아 요로감염의 임상 분류

중증 요로감염	단순 요로감염
고열(38.5℃ 이상)	경한 열
지속되는 구토	양호한 수분 섭취
심각한 탈수	경한 탈수
낮은 치료 순응도	높은 치료 순응도

1) 방광염(CY-1, Cystitis)

방광염에 준하는 하부요로증상(배뇨통, 빈뇨, 절박뇨, 치골상부 통증)과 간혹 비특이적 증상을 동반하게 된다.

2) 신우신염(PN-2-3, pyelonephritis)

PN-2의 경우 방광염 증상의 유무와 관계없이 발열과 측복통, 늑골척추각 동통을 호소하며 PN-3의 경우 앞선 증상에 더해 구토와 오심을 동반하는 경우를 의미한다.

3) 패혈증(US-4-6, urosepsis)

체온 38도 이상의 발열 혹은 36도 이하의 저체온증이 동반되고, 분당 90회 이상의 맥박수, 분당 20회 이상의 호흡 혹은 $PaCO_2 < 32$ mmHg, WBC> 12,000 cells/mm^3 등의 증상이 동반될 때를 US-4로 분류하고 여기에 더해 장기의 기능부전과 저혈압 혹은 관류저하가 동반될 경우 US-5로 분류한다. US-6는 패혈증성 쇼크로 앞선 증상들에 더해 적절한 수분보충 요법에도 불구하고 젖산혈증, 핍뇨, 의식의 변화를 동반한 저혈압과 관류저하가 동반될 경우로 정의한다.

4. 임상증상에 따른 분류

이 분류는 국소 또는 전신 증상을 기준으로 요로감염을 분류한다.

1) 무증상 세균뇨

무증상 세균뇨는 요로감염에 수반되는 증상이 전혀 없이 유의한 세균뇨가 나타나는 것을 말한다. 이는 숙주에 의해 요로병인적 세균이 감쇠하거나, 또는 증상 반응을 활성화할 수 없는 비독성 세균이 방광 내에 집락을 형성했음을 의미한다. 소아의 경우는 증상이 없더라도 해부학적 이상이 있을 확률이 비교적 높으며 원인에 대한 조기 진단이 성인에 비해 상대적으로 중요하므로 반드시 정밀검사를 시행해야 한다.

2) 증상 세균뇨

증상 세균뇨는 요로감염에 수반하는 증상이 있으면서 유의한 세균뇨가 나오는 것을 말한다. 요로감염과 관련된 증상들로는 배뇨자극증상, 치골상부의 통증(방광염), 고열 및 무기력(신우신염)이 포함된다.

5. 복합 요인에 따른 분류

비복합(단순) 요로감염과 복합 요로감염을 구별하는 유용한 기준은 표 7-4와 같다.

표 7-4 복합 요인에 따른 소아 요로감염의 임상분류

병력	복합 요로감염	비복합 요로감염
나이	3개월 이하	3개월 이상
전신 증상	+	−
알려진 비뇨기 기형	+	−
신체검사		
고열	+	−
측복통	+	−
복부 또는 측복부 종물	+	−
검사실 소견		
비특이 병원균	+	−
질소혈증	+	−
백혈구증가증	+	−
폐색의 영상소견	+	−

1) 비복합(단순) 요로감염

비복합 또는 단순 요로감염은 형태학적, 기능적으로 정상 요로계를 가진 환아의 감염을 의미한다. 여기에는 대부분의 단순 방광염이나 재발 세균성방광염이 포함된다. 짧은 기간 동안 경구용 항균제를 복용해도 쉽게 치료되는 감염 병원균에 의해 발생하는 경우가 많다. 따라서 비복합 요로감염의 경우 외래 단위에서 치료가 가능하다.

2) 복합 요로감염

복합 요로감염은 균감염률을 높이고 항균 치료의 효과를 저해하는 요로계의 구조적 또는 기능적 장애가 동반된 요로감염을 의미한다. 일반적으로 단순 요로감염보다 복합 요로감염을 시사하는 인자들로는 요로계의 기능적 또는 해부학적 이상, 남성, 임신, 고령, 당뇨, 면역억제 상태, 소아 요로감염, 최근의 항균제 사용, 요로 카테터 유치, 요로계 기구 조작, 병원 획득 감염, 7일 이상

표 7-5 복합 요로감염을 시사하는 인자들
기능적 또는 해부학적 요로계 이상
남성
임신
고령
당뇨
면역억제
소아 요로감염
최근의 항균제 사용
요로 카테터 유치
요로계 기계 조작
병원 획득 감염
7일 이상 지속되는 증상

지속하는 증상 등이 있다(표 7-5). 요로계의 기계적 폐색은 흔히 후부요도판막증, 협착 또는 결석에 의해 나타나며, 기능적 폐색은 종종 신경성방광장애 또는 고도의 방광요관역류로 인해 발생한다. 복합 요로감염이 나타난 환아의 경우에는 중요한 이상 유무를 배제하기 위하여 요로계에 대한 즉각적인 해부학적 평가가 필수적이며, 입원하여 경정맥을 통해 항균제를 투여하는 치료가 필요하다. 만약 기계적, 기능적 이상이 있다면 감염된 요로계의 적절한 배액이 필수적이다.

III 소아 요로감염의 진단

세균성 요로감염은 특정 요로병원성 세균이 요로로 침투하여 염증반응을 일으키는 경우에 발생한다. 일반적으로 소아와 성인의 요로감염은 유사하지만, 발생 시 그 위험도를 신속히 알아내야 한다는 면에서 접근 방법에 큰 차이가 있다.

소아의 요로감염은 성인보다는 흔하지 않으며, 1세 이하의 경우 여아보다는 남아에서 더 흔하다(2% 대 3.7%). 세균뇨 또한 출생 후 1년간 남아의 2.7%, 여아의 0.7%에서 발생한다. 이러한 결과는 특히 초기 3개월 동안에 발생한 1차 감염에 의해 나타나는데, 거대요관, 방광요관역류, 요도판막증 등과 같은 선천성 기형이 동반하면 발생률이 높아지고 포경인 경우에도 더 증가하는 것으로 알려져 있다. 이 기간 동안에는 포경수술을 받지 않은 남아에서 요로감염이 발생할 가능성이 포경수술을 받은 남아보다 10배 정도 높다. 요로감염의 발병률은 1세 이후에

변하여 여아의 경우 3%, 남아의 경우 1.1%가 된다.

요로감염은 대개 양성 경과를 나타내지만 신속히 치료하지 않을 경우 심각한 신장흉터를 남길 수 있다. 비록 5세 이상의 소아는 감염으로 인해 신장흉터의 위험도가 낮은 것으로 알려져 있지만, 신장흉터가 발생할 수 있는 연령대는 사춘기(10~15세)까지 이다. 요로감염이 있는 소아에서 신장흉터가 확인된 경우 추후 임상경과와는 무관하게 초기에 발견되었던 신장흉터 소견이 지속되는 경우가 대부분이다. 따라서 소아의 요로감염은 연령 및 성별, 열성 혹은 비열성 감염 여부, 초기 감염 인지 여부, 재발 감염 여부에 따라 신속한 진단의 필요성이 다르다.

1. 병력 및 임상검사

요로감염을 진단하는 과정은 가능한 간단해야 한다. 임상증상, 병력, 신체검사, 초음파검사, 소변검사 등으로 요로감염을 진단할 수 있다. 만약 소아가 기저귀를 착용하고 있다면 외성기를 시진하고 씻은 후 소변 채취 주머니를 착용시키고 기타 검사를 진행하는 것이 좋은데, 이는 주로 검사 중에 배뇨를 하는 경우가 많아 소변검사를 바로 진행할 수 있기 때문이다.

1) 병력

가장 중요한 임상 인자는 요로감염이 초기 감염 혹은 재발 감염인지의 여부, 산전과 산후의 초음파검사 시행 여부, 가족력 등에 의거한 요로계 기형의 징후가 있는지의 여부, 변비나 배뇨장애의 징후 등이다.

2) 임상증상과 징후

임상증상과 징후는 연령과 질환의 정도에 따라 다르게 나타난다. 신생아에서는 신우신염이나 요로패혈증이 있더라도 비특이적 증상만 나타날 수 있다. 예를 들어 발열 없이 성장장애, 황달, 과잉흥분성 등이 발생할 수 있다. 어린 소아에서는 황달을 동반한 위장관염, 구토, 식욕부진, 설사, 탈수 등이 나타날 수 있다. 8주 이하 영아가 열이 있는 경우 요로감염의 유병률은 13.6%로 보고되었으며, 대부분 남아에서 발생한다. 발열 때문에 소아청소년과 진료를 받는 환아는 전체 진료 환아의 20% 정도를 차지하는데, 이 중 요로감염은 4.1~7.5%를 차지한다. 매우 높은 고열이 있더라도 패혈성 쇼크는 흔히 발생하지는 않는다. 아주 어린 소아들의 경우는 요로감염의 증상이 모호하며 비특이적이지만, 2세 이상이 되면 빈뇨, 배뇨통과 치골 상부나 복부 혹은 요추 부위의 통증을 동반할 수 있다. 세균성 부고환염은 심한 요로감염이나 중복신장, 이소성 요관, 요도협착 등으로 인해 발생할 수 있으나 드물다. 또한, 남아에서 음낭 통증과 염증이 있으면 먼저 고환꼬임이나 고환수꼬임을 의심해봐야 한다

3) 신체검사

신체검사는 체온 측정과 함께 목, 림프절, 복부(변비), 등, 및 외성기를 포함하여 시행한다. 발열이 없다고 해서 요로감염을 배제할 수 있는 것은 아니다. 신체검사에서 통증을 동반한 신장을 촉진할 수 있고 방광 역시 촉진할 수도 있으며 포경, 음순유착, 외음부염, 부고환염/고환염, 이분척추증이나 천골무형성증 등을 발견할 수도 있다.

2. 소변검사

요로감염 진단은 요로계의 세균과 염증반응을 검출하는 것으로서 소변배양검사를 통해 확진한다.

1) 채취

소변은 일정 기준에 맞게 채취되어야 하고, 분석은 지체 없이 진행되어야 한다.

(1) 중간 소변

대소변을 가리는 소아에서는 중간 소변을 얻을 수 있다. 여아의 경우는 음순을 벌리고, 포경수술을 하지 않은 남아의 경우는 포피를 젖힌 후 외요도구와 회음을 거즈와 액체 비누로 두 번 닦고 변기에 소변을 중간 정도 보게 한 후 소독된 용기에 소변을 모으도록 교육한다. 중간 소변을 채취할 때 회음과 음부를 소독하지 않으면 오염률이 높아지게 된다. 딥스틱검사 dipstick test나 위상차현미경검사를 고려할 때도 음부를 씻은 후 소변을 모아야 신뢰할 만한 결과가 나타난다.

(2) 영아나 대소변을 가리지 못하는 소아의 소변 채취법

대소변을 가리지 못하는 소아(3세 이하)에서 소변을 채취하는 방법은 다음 4가지가 있으며, 오염률과 침습도에서 차이가 있다.

① 청결한 음부에 소변 채취 주머니를 부착하여 채취하는 법

　임상적으로 흔히 쓰이는 방법이다. 소변 채취 주머니를 통해 얻은 소변에서 백혈구나 아질산염nitrite에 대한 딥스틱검사 결과가 음성이거나, 현미경검사 결과 농뇨나 세균뇨가 음성일 경우 요로감염의 가능성을 배제할 수 있다. 하지만 음부를 씻지 않거나 배양검사가 늦어졌을 경우 85~99%의 높은 가양성률이 나타난다. 세균뇨의 경우 배양검사가 음성일 경우에만 도움이 되며 양성 예측도가 15%에 이른다. 하지만 현미경검사와 딥스틱검사를 병행하면 정확도와 예측도가 약 80% 높아진다. 미국소아과학회에서는 소변 채취 주머니를 이용한 소변검체는 오염도가 높고 위험도가 적정 수준보다 높기 때문에 요로감염을 진단하기에 적절하지 않다고 보고, 확진을 위해서는 다른 추적 검사 방법을 이용하도록 권유하고 있다. 그럼에도 불구하고 소변 채취 주머니를 이용한 소변검체는 딥스틱검사와 현미경검사에서는 유용하다. 그러나 배양검사를 위해서는 가능한 사용하지 말아야 한다.

② 청결소변채취법

　청결소변채취법도 소변 채취 주머니를 부착하여 소변을 채취하는 방법과 비슷하게 비침습적인 방법이지만 가양성률이 5%, 가음성률이 12% 정도로 보고된다. 청결소변채취법은 환아의 부모나 간호사가 무릎에 환아를 앉힌 후 멸균된 통을 음부 아래에 받쳐들고 기다리다가 배뇨 시에 소변을 채취하는 방법이다. 이 방법으로 채취한 소변의 배양검사가 치골상부천자로 채집한 것과 비교될 만한 결과를 보인다는 일부 보고가 있으나, 이 방법은 시간이 오래 걸리고 부모의 올바른 교육이 필요하다는 단점이 있어서 통상적으로 사용되지는 않는다.

③ 방광도뇨법

　경요도적 도뇨법은 신뢰할 만한 검사법이지만 특히 남아에서 요도손상을 유발하거나 병원 내 감염을 일으킬 위험성이 있다. 하지만 경험이 풍부한 사람이 시행할 경우 신생아나 대소변을 가리지 못하는 영아 및 소아에서 치골상부천자법을 대체할 수 있는 방법이다.

④ 치골상부방광천자술

　방광 조절 능력을 획득하기 전의 환아에서 오염되지 않은 소변을 채취하기 위한 방법 중 민감도가 가장 높은 방법이다. 초음파검사로 방광 충만 여부를 확인하면 천자의 성공률을 높이는 데 도움이 된다. 신생아의 경우 초음파검사 유도 하에서 치골상부방광천자술을 보다 쉽게

시행할 수 있으며, 진단적 검체 확보율은 60%에서 거의 97%까지 향상된다. 치골상부방광천자술의 합병증 발생률은 0.22%로 매우 드물지만, 경미하게는 일시적 혈뇨부터 심하게는 장천공까지도 발생할 수 있다.

2) 현미경적 소변검사

현미경적 소변검사는 감염의 정도를 가장 빠르게 알 수 있는 방법이다. 새로이 얻은 순수한 소변(원심분리하지 않은 소변)을 위상차현미경으로 분석하여 감염 시 발생하는 모든 입자 성분(세균, 백혈구, 적혈구, 방광이나 신장에서 기원하는 상피세포)을 확인한다. 백혈구 원주가 존재하면 신우신염이 있다는 표시이다. 현미경적 검사를 통해 소변에서 세균을 확인하면 농뇨를 확인하는 경우보다 요로감염 진단 시의 민감도와 특이도가 더 높다. 고배율 건조 확대(450~570배)에서 세균이 확인되는 경우는 mL당 30,000개 이상의 세균이 있다는 의미이다. 여아에서는 μL당 20개 이하의 백혈구가 정상이고, 50개까지가 암시적이며, 50개 이상은 감염을 의미한다. 3세 이상인 남아의 경우 μL당 10개 이상의 백혈구가 확인되면 병적이라고 간주된다. 열이 있는 소아에서 폴리도뇨관*Foley catheter*으로 확보한 소변 검체를 분석하여 의미있는 농뇨가 보이면 소변배양검사가 필요하다.

3) 딥스틱검사법

딥스틱검사법은 쉽게 시행할 수 있으며 요로감염을 시사하는 생화학적 지표에 대한 정보를 제공한다. 만약 임상증상이 존재하고 아질산염검사와 백혈구 에스테르분해효소*leukocyte esterase*검사가 모두 양성이라면 요로감염의 가능성이 높다.

(1) 아질산염검사

그람음성균 대부분의 대사 산물인 질산염은 아질산염으로 분해되므로 검출이 가능하다. 하지만 모든 요로병원균이 질산염을 아질산염으로 환원시키는 것은 아니며, 장구균*Enterococci*, 녹농균*Pseudomonas aeruginosa* 등이 그 예이다. 또한 그람양성균에 의해 감염이 발생하면 검사 결과가 음성으로 나올 수 있다. 소변량이 많고 배뇨가 잦은 경우에는 방광 잔류 시간이 짧기 때문에 아질산염을 생산하는 병원균이 존재하더라도 검사 결과가 음성으로 나타날 수 있다. 또한 오염된 소변에서도 고온에 오래 노출되면 가양성 결과를 초래할 수 있다. 아질산염검사는 민감도가 45~60%로 낮으나 특이도는 85~98%로 매우 높다.

(2) 백혈구 에스테르분해효소검사

백혈구는 백혈구 에스테르분해효소를 합성한다. 백혈구 에스테르분해효소에 대한 검사는 민감도와 특이도가 각각 48~86%와 17~93% 정도이다. 아질산염검사와 백혈구 에스테르분해효소검사는 민감도와 특이도를 높이지만 가양성 결과가 나타날 위험이 있다. 농뇨가 없는 세균뇨는 중간 소변검체의 0.5%에서 발견되며, 오염이나 무증상 세균뇨가 원인일 수 있다. 열이 있는 소아에서 소변배양 결과는 양성이나 소변분석검사에서 농뇨가 없는 경우는 24시간 후에 재검사를 해야 한다. 세균뇨를 동반하지 않은 농뇨는 항균제 치료, 요로결석, 이물질, 수술의 기왕력, 결핵균*Mycobacterium tuberculosis*이나 클라미디아트라코마티스*Chlamydia trachomatis*와 같은 특이 세균들로 인해 발생할 수 있다. 따라서 세균뇨나 농뇨 모두 믿을 만한 요로감염의 요소는 아니다. 하지만 발열성인 소아의 농뇨는 급성신우신염을 시사하는 경우가 많다. 6개월 이하의 영유아에서는 농뇨, 세균뇨, 아질산염검사 각각의 요로감염 예측도가 낮은 반면, 나이가 더 많은 소아에서는 아질산염검사가 양성이면서 농뇨가 있는 경우 양성 예측도가 98%로 나타나 요로감염 진단에 있어 신뢰도가 더 높다.

4) 미생물학

무엇이 '의미 있는' 요로감염인지, '세균 집락'은 검체의 오염인지 혹은 무증상 양성 감염인지에 대해서는 아직 논란이 있다. 하지만 심한 요로감염의 경우 10^5 CFU/mL 이상이 존재할 수 있다. 이 기준은 검체 확보 방법, 이뇨 상태, 배양까지의 검체 보관 시간 및 온도 등에 따라 달라질 수 있다.

일반적으로 배뇨 검체(중간 소변이나 소변 채취 주머니 이용)에서는 10^5 CFU/mL 이상이 의미 있는 세균뇨의 정의로 사용되고 있으며, 도뇨법으로 채취한 소변의 경우 10^4 CFU/mL 이상일 때 양성으로 받아들여지고 있다. 반면 치골상부방광천자술로 채취한 소변은 배양된 균에 상관없이 의미가 있다. 농뇨(μL당 백혈구 10개 이상)가 있으면서 세균뇨가 존재할 경우 요로감염의 임상 진단을 뒷받침할 수 있다. 그러나 여러 균이 배양된 경우에는 오염을 의미할 수 있다. 이때는 배양을 반복하거나 다른 소견, 예를 들어 농뇨, 아질산염, 혹은 기타 생화학적 지표를 이용하여 향후 치료를 계획해야 한다. 발열성 소아에서 세균뇨와 농뇨를 함께 고려할 때 도뇨법으로 채취한 요분석에서 10 WBC/mm³ 이상, 50,000 CFU/mL 이상의 소견이 나타나는 경우 유의한 요로감염을 의미하며, 감염과 오염을 감별할 수 있다.

5) 적절한 연령대별 소변 채취 방법 및 분석

영아 및 대소변을 가리지 못하는 소아에서 요로감염을 진단하기 위해서는 도뇨법이나 치골 상부방광천자술이 필요하다. 하지만 이러한 방법은 침습적이어서 부모나 의사 모두에게 거부 감을 준다. 요로감염을 배제하기 위해 소변 채취 주머니를 이용한 채취나 청결소변채취법을 이용하는 쪽이 일상 진료에 더 유용하다. 따라서 발열이 있는 영아나 어린 소아에서는 가장 편한 방법으로 초기 요로감염의 진단, 치료, 평가를 위한 소변검체를 채취하여 분석을 시행한 다. 만약 요로감염이 의심되면 치골상부방광천자술이나 경요도적 도뇨법으로 소변검체를 채 취하고 배양검사를 진행한다. 소변검사가 음성이면 항균제 치료를 시작하지 않고 임상경과를 추적관찰하는 것이 권장된다.

3. 요로감염의 위치

상부요로감염(신우신염)과 하부요로감염(방광염, 요도염)에 대한 감별은 임상적으로 매우 중요하며, 영유아에서 특히 중요성이 크다. 영유아에서는 임상증상이 전형적이지 않고, 신우 신염으로 인해 신장이 손상될 위험 또한 나이 많은 소아에 비해 매우 높다. 추가적인 영상검사 나 치료 방침은 요로감염의 위치에 따라 결정되며, 그 위치를 감별하는 요소들은 다음과 같다.

① 발열: 발열 요로감염의 60~65%는 급성신우신염이다.

② C-반응 단백: 비록 비특이적이지만 세균뇨가 있으면서 열이 나는 소아에서 급성신우신염 과 다른 세균뇨의 원인을 감별하기 위한 검사로 이용되며, 20 ug/mL 이상을 의미 있는 것 으로 간주한다.

③ 프로칼시토닌: 초기 신장실질 침범과 역류를 감지하는 데 이용한다.

④ 요중 N-acetyl-β-glucosaminidase: 세뇨관 손상의 지표로서 발열 요로감염에서 증가 한다. 방광요관역류가 있을 때에도 상승하지만 믿을 만한 요로감염 진단 방법이 될 것으 로 생각된다.

⑤ DMSA 신장스캔: 신우신염을 진단하는 가장 정확하고 좋은 방법으로 생각된다. 염증으 로 인해 혈류가 저하된 실질이 방사성 동위원소의 활성이 저하된 부분으로 나타나게 된다.

⑥ 색도플러초음파검사: 신장실질의 저관류를 감지하는 데 쓰인다. 그러나 DMSA 신장스캔 보다 민감도와 특이도가 떨어진다.

⑦ 기타: 발열, C-반응 단백과 함께 적혈구 침강 속도, 백혈구 수치 등과 같은 급성기 반응물 질들이 신장의 침범 여부를 알아보기 위한 진단검사로 임상에서 이용된다. 그러나 급성신

우신염 진단의 민감도는 80~100%로 높지만, 2세 이하의 소아에서는 특이도가 28% 이하로 매우 낮다는 문제점이 있다.

4. 비뇨기계의 영상검사

소아의 경우 요로감염에 이환되면 영상검사를 흔히 시행한다. 신장과 요로의 형태학적 이상이나 역류, 급성신우신염 소견뿐만 아니라 영구적인 신장흉터와 이형성신 등을 발견하기 위해 많은 영상검사들이 시행된다.

1) 초음파검사(그림 7-1)

초음파검사는 가장 중요한 초기 영상검사이다. 침습적이지 않아 위험 부담이 없으나 시술자의 경험이 필요하다. 초음파검사는 신장실질의 크기와 형태, 신장의 부피, 신우, 신배 및 요관의 확장, 방광, 요도 및 내부 생식기의 병리 등 요로의 해부학적 구조에 대하여 즉각적인 정보를 제공한다. 또한 신장기능과 심한 감염, 흉터, 신장과 요관, 방광의 기형 등에 대한 개략적인 정보도 제공한다. 때로는 역류나 요관류에 대한 징후를 보여주기도 한다. 색도플러초음파검사의 경우는 신장의 관류까지 평가가 가능하다. 그러나 신우신염의 징후로 인해 신장실질의 저관류를 확인하거나 영구적인 신장흉터를 알아보는 데는 DMSA 신장스캔이 민감도가 더 높다.

만약 산전 초음파검사에서 정상 소견을 보였다면 요로감염에 대한 검사로 초음파검사가 필요하지 않다는 주장도 있으나, 산전 초음파검사가 부정확한 경우가 많기 때문에 처음 요로감염이 발생하면 초음파검사가 권장된다. 그러나 최근의 연구에 의하면 신장초음파검사에서 이상이 발견될 확률이 상대적으로 적고(12~16%), 흔한 이상 소견도 신우확장, 신배확장, 거대요관, 중복요관 등으로 임상적 중요도가 낮은 경우가 많아 초음파검사 시행 여부에 의문이 제기되고 있다.

조영제로 증강한 배뇨중초음파검사는 방사선에

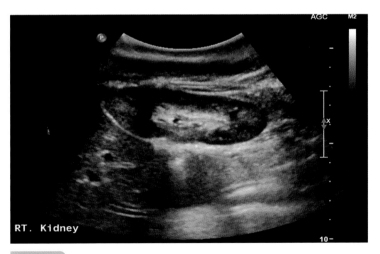

그림 7-1 신장초음파검사

대한 노출 없이 방광요관역류를 진단하는 방법이다. 경요도적으로 조영제나 이산화탄소를 주입함으로써 1등급 이상의 방광요관역류를 확인할 수 있다. 역류를 진단하는 표준적인 방법인 배뇨방광요도조영술에 비하여 조영 증강 방광초음파검사의 민감도는 86%, 특이도는 92% 이상이다.

2) 배뇨방광요도조영술(그림 7-2)

배뇨방광요도조영술은 하부요로, 특히 방광요관역류를 진단하기 위해 가장 널리 사용되는 영상검사법이다. 1세 이하의 발열 요로감염 증상이 있는 소아에서는 이 검사를 필수적으로 시행해야 한다. 이 검사의 주요 단점은 감염의 위험성과 방사선 노출이다. 최근에는 방사선 노출을 최소화하기 위해 디지털 기술과 접목한 저용량 투시법의 배뇨방광요도조영술이 사용되고 있다. 배뇨방광요도조영술은 비록 초음파검사가 정상이더라도 자주 재발하는 발열 요로감염 소아에게 필수적인 검사이다. 나이에 따라 다소 차이가 있지만 이러한 환아들의 23% 이상에서 방광요관역류가 존재한다. 신우신염에 이환된 이후에는 배뇨방광요도조영술을 시행하는 시기가 결과에 영향을 주지 않는다.

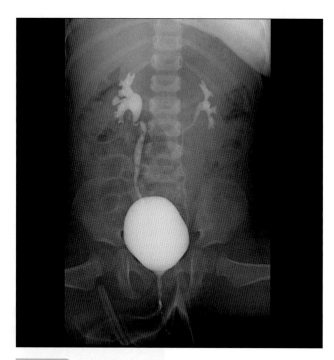

그림 7-2 **배뇨방광요도조영술**
우측 4등급, 좌측 3등급의 방광요관역류 소견이 관찰된다.

3) 배설요로조영술

배설요로조영술은 아직까지 소아에서 요로 기형을 검사하는 데 중요시되는 방법이다. 그러나 이 방법은 형태학적으로 분명한 영상이 필요한 경우에 한하여 시행해야 한다. 초기 영상검사에서 추가적 검사가 필요한 이상이 보이는 경우를 제외하고 일반적인 요로감염에서 이 검사를 시행하는 것에 대해서는 논란이 있다. 가장 중요한 부작용은 조영제의 부작용과 방사선 노출이다. 방사선 노출을 줄이기 위해서는 디지털 영상 기술을 사용해야 한다. 초음파검사나 컴퓨터단층촬영, 자기공명영상의 기술이 발전하면서 이 검사의 역할도 점차 줄고 있다.

4) 방사성 동위원소검사들

(1) DMSA 신장스캔(그림 7-3)

 DMSA 신장스캔은, 근위 신세뇨관 세포의 기저막에 붙으며 6시간 후에도 신장피질에 절반 정도가 남는 방사성 물질을 이용한다. 이 검사는 기능성 신장 종물을 알아내는 데 도움이 되며, 기능 소실로 인해 활동 저하 영역으로 보이는 신장피질의 흉터를 정확히 진단할 수 있다. 급성 요로감염은 근위 신세뇨관 세포의 방사성 동위원소 흡수를 방해하므로 신장실질의 국소적 결손을 나타낸다. 별 모양의 신장실질 결손은 급성신우신염의 특징적 소견이다. 신장피질의 국소적 결손은 일반적으로 만성 병소 혹은 신장흉터인 경우가 많다. DMSA 신장스캔에서 신장 실질이 국소적으로 혹은 균일하게 감소되어 있는 경우에는 보통 방광요관역류를 의심할 수 있다. 그러나 Rushton 등은 방광요관역류와 관계 없이도 뚜렷한 신장흉터가 만들어질 수 있다고 보고했다. DMSA 신장스캔은 급성신우신염을 조기 진단하는 데 유용하다. 약 $50 \sim 85\%$의 환아가 첫 주에 양성 소견을 보인다. 경미한 신장실질의 결손은 항균제 치료로 해결될 수 있으나, 결손이 5개월 이상 지속되면 신장흉터로 간주해야 한다. DMSA 신장스캔은 신장흉터 진단에서 배설요로조영술과 초음파검사보다 민감도가 높다. 그러나 방사성 동위원소검사가 요로감염에 이환된 소아에서 초음파검사를 대체하는 1차적 진단 방법이 될 수 있을지에 대해서는 논란이 있다.

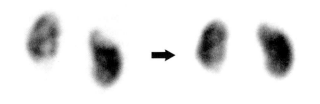

신우신염(급성기)　　　　　　　　6개월 후(신장흉터)

그림 7-3 DMSA 신장스캔
신우신염 급성기에 양측 신장 내 결손 부위가 관찰된다. 6개월 후 신장흉터가 형성된 것이 관찰된다.

(2) 방사성 동위원소 직접주입방광조영술

요도 카테터 삽관이나 치골상부방광천자를 통해 MAG3를 환자의 방광에 주입한 후 앉히거나 눕힌 자세에서 감마 카메라로 역류 여부를 관찰하는 방법이다. 이 검사는 전통적인 배뇨방광요도조영술에 비해 민감도가 높으나 형태학적인 정보는 알 수 없다는 단점이 있다.

(3) 방사성 동위원소 간접주입방광조영술

이 방법은 Tc-99m DTPA나 MAG3를 주사하고 오랜 시간이 경과한 후 촬영하는 검사로서 전통적인 방광조영술을 대체할 만하다. 특히 방사선 조사량이 낮기 때문에 역류 환자의 추적 검사에 유리한 반면, 영상의 해상도가 낮고 하부요로의 기형을 감지하기 힘들다는 단점이 있다.

(4) 이뇨성 신주사(그림 7-4, 그림 7-5)

이뇨성 신주사는 소변 운반의 기능적인 문제와 중증도를 진단하기 위해 가장 흔히 사용되는 검사이다. MAG3가 가장 좋은 방사성 동위원소이다. 생후 4~6주 사이의 소아에서는 표준화된 방법(수액요법, 요도 카테터 유치)하에 검사를 진행하는 것이 중요하다. 검사 전에는 충분한 경구 수액 섭취를 권장한다. 방사성 동위원소 주입 15분 전에 시간당 15 mL/kg의 속도로 30분 이상 생리식염수를 주입하고, 이후 검사하는 동안 4 mL/kg를 유지하며 투여한다. 권장

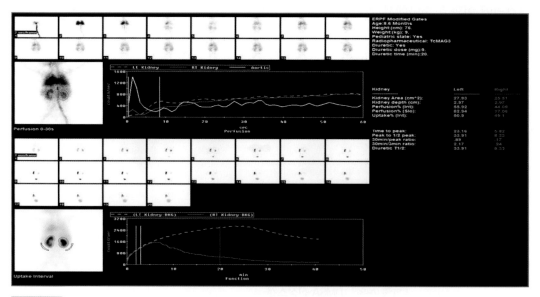

그림 7-4　**이뇨성 MAG3 신주사** 좌측 신장의 부분적 폐색 소견이 관찰된다.

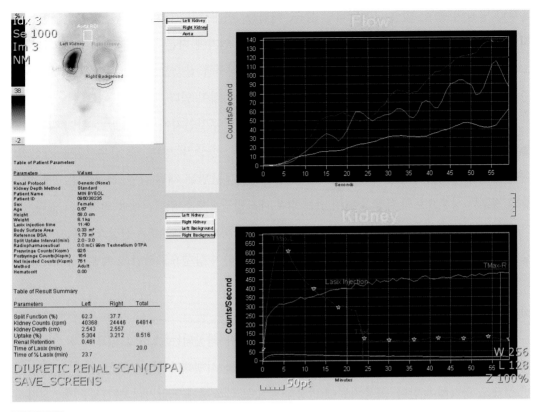

그림 7-5 **이뇨성 DTPA 신주사** 우측 신장의 완전 폐색 소견이 관찰된다.

되는 이뇨제는 푸로세미드*furosemide*이며, 용량은 생후 1세 미만에서는 1 mg/kg, 1세에서 16 세까지는 0.5 mg/kg이며 최대 40 mg까지 투여할 수 있다.

5) 요로감염에서의 영상검사 전략

남아에서 1회, 여아에서 2회의 증상 요로감염이 발생하면 향후의 위험도를 확인하기 위해 요로에 대한 세밀한 검사가 필요하다. 1999년에 발표된 미국소아과학회의 지침에 따르면 2세 까지의 열성 요로감염에서는 초기 영상검사로 초음파검사와 배뇨방광요도조영술 혹은 방사성 동위원소방광조영술을 시행할 것을 권고하고 있다. 1991년에 발표된 영국의 지침 또한 유사하지만 DMSA 신장스캔을 포함하고 있다. 최근에는 처음 요로감염에 이환된 소아에서 모두 초음파검사와 방사선학적 검사를 시행하는 대신 위험도를 평가하여 선택적으로 시행하려는 노력들이 시도되고 있다. 영국 국립보건임상연구소NICE (National Institute for Health and Clinical Excellence)의 2007년 요로감염 지침은 나이, 비전형적인 임상양상(중증, 요속 저하,

복부나 방광의 종물, 혈중 크레아티닌 상승, 패혈증, 비대장균 감염, 적절한 항균제에 반응하지 않는 경우), 증상 요로감염의 재발 등과 같은 위험 인자에 따른 선택적 영상검사를 권장하고 있다. 그러나 이 지침은 실제로 위험이 높은 군에 검사를 집중할 수 있다는 장점이 있으나, 중요한 원인 질환 또는 위험 인자를 진단하지 못할 가능성이 있다.

요로감염에 처음 이환된 환아에게 적절한 영상검사가 무엇인지에 대해서는 논란이 많다. 오늘날 대부분의 병원이 역류의 가능성을 시사하는 징후, 증상 및 병력, 즉 신우신염을 가진 소아에서 역류의 가족력이 있거나 방광기능장애의 징후가 동반된 재발 감염, 초음파검사에서 역류의 징후나 상부요로의 확장 소견이 있는 경우 배뇨방광요도조영술 시행을 권장하고 있다. 만약 이 검사에서 역류가 관찰되면 신장손상 여부를 평가하기 위해 DMSA 신장스캔을 시행할 필요가 있다. 이러한 검사의 목적은 역류를 조기에 발견하여 상행요로감염을 예방하는 데 있다.

6) 요역동학검사

요실금, 잔뇨, 방광벽의 비후 등과 같이 배뇨장애가 의심되는 소견이 있으면 요속검사나 요속-근전도검사, 잔뇨검사 등과 같은 요역동학검사를 시행해야 한다. 또한 수액 섭취와 배변 상태도 평가해야 한다. 표준치료에 반응하지 않는 배뇨장애가 있거나 선천성 기형, 신경성 방광이 있는 경우에도 압력-요류검사와 골반저근육의 근전도를 포함한 비디오 요역동학검사를 시행해야 한다.

7) 내시경검사

급성요로감염 검사를 위한 방광경검사는 필요하지 않으며, 최근에는 영상기술의 발달로 인해 내시경적 검사의 필요성이 더욱 감소하고 있다. 그러나 제한된 환자에서 세균이 박멸되고 나서 수주가 지난 후 진단을 분명히 하기 위해 필요한 경우도 있다. 또한 내시경은 방광요관역류, 협착, 판막, 이물질, 결석 등을 치료하는 데도 사용된다.

Ⅳ 항균제 요법

소아 요로감염 치료의 목표는 빠른 증상 회복과 함께 요로패혈증, 요로결석, 신장농양 등의 합병증을 예방하여 합병증에 의해 발생 가능한 비가역적 신장실질의 손상을 막는 것이다. 이를 위해서는 요로감염을 가능한 조기에 진단하고 치료해야 한다.

소아 요로감염의 치료는 요로감염의 원인균, 임상양상, 그리고 환아와 그 가족의 신뢰도를 포함한 복합적인 요인들을 기반으로 시행되어야 한다. 환아의 연령과 증상에 따라 입원치료가 필요할 수 있지만, 2개월 이상의 영유아와 패혈증 없이 신우신염이 의심되는 환아는 경구용 항생제를 잘 복용할 수 있고 내성이 문제가 되지 않는 한 외래에서 치료할 수 있다. 외래에서 요로감염으로 평가된 환아의 1% 미만에서 입원이 필요하다는 보고도 있다.

소아 요로감염에 사용되는 항균제는 요로병원균 박멸에 효과적인 동시에 유소아에 안전해야 하는데, 특히 신우신염 환아에서는 더욱 세심한 항균제 선택이 필요하다. 또한 일반적으로 사용되는 항균제에 내성을 가진 균주가 증가하고 있으므로 이를 고려하여 적절한 항균제를 선택하는 것이 매우 중요하다. 특히 단순 요로감염에서 불필요한 예방적 항균제 사용을 피해야 한다. 이 장에서는 소아 요로감염의 치료와 예방에 관해 다루고자 한다.

1. 일반적 사항

1) 항균제의 선택

(1) 예측 치료

실제 임상에서 증상이 있는 급성요로감염의 대부분은 원인균과 항균제감수성검사 결과가 나오기 전에 항균제 치료를 먼저 시작한다. 그러므로 확률이 가장 높은 균주를 예측하여 항균제를 선택해야 한다. 이후에 감수성이 있는 적절한 항균제로 바꿀 수 있도록 항균제 치료를 시작하기 전에 소변배양검사를 시행해야 한다. 특히 고열의 열성 요로감염의 경우에는 혈액배양검사도 시행해야 한다. 소아 요로감염의 가장 흔한 원인균은 성인과 마찬가지로 대장균이다. 대장균 이외에 가능한 균주는 나이와 성별에 따라 다를 수 있는데, 예를 들면 장구균 *Enterococcus* 감염률은 유아 초기가 이후보다 높은 편이다. 최근의 한 연구에 의하면 출생부터 4세까지 나타난 소아의 요로병원균 중 장구균의 빈도는 남아에서 20%, 여아에서 15%였다.

비뇨기계의 기형이나 기능이상이 동반된 복합 요로감염 환아와, 요로감염 이후 예방적 항균제 요법 중인 환아에서는 비대장균 균주가 더 많다. 이는 병원 내 요로감염에서도 동일하다. 2차성 요로결석(예: 마그네슘암모늄인산염 결석)과 관련된 요로감염에서는 프로테우스*Proteus*균이 많다. 또한 프로테우스균에 의한 요로감염은 포피의 집락화 때문에 여아보다 남아에서 더 많이 나타난다.

현재 전세계적으로 항균제의 사용 증가와 오남용으로 인해 내성균의 출현 및 확산이 가속화되고 있다. 항균제에 대한 병원균의 내성율은 국가간, 지역간에 따라 다르다. 2018년 국가 항균제 내성균 조사 연보에 따르면, 소아 요로감염의 가장 흔한 원인균인 대장균의 경우, 암피실린ampicillin은 68%, 겐타마이신Gentamicin은 27%, 씨프로플록사신Ciprofloxacin은 40%, 그리고 트라이메토프림-술파메톡사졸trimethoprim-sulfamethoxazole, TMP-SMX은 36%의 내성율을 보이고 있다(표 7-6).

급성 요로감염의 경험적 예측 치료는 항균제의 지역적 내성율을 기반으로 해야한다. 트라이메토프림-술파메톡사졸Ttrimethoprim-sulfamethoxazole은 높은 내성율로 인해 소아 요로감염에 대한 예측 치료에 적절하지 않다. 항균제의 내성률이 20% 이상인 항균제는 예측 치료로 권장되지 않는다. 대부분의 요로병원균들은 1세대 세팔로스포린 및 니트로푸란토인과 같은 좁은 스펙트럼 항생제에 감수성이 높다. 그러나 니트로푸란토인은 조직 침투가 불량하므로 열성요로감염/신우신염에 사용해서는 안된다. 경험적 광범위한 항생제 처방은 이전 요로감염 병력, 최근 항균제 노출, 최근 입원 및 비뇨 생식기 이상이 있는 사람들과 같이 내성균에 의한 요로감염 위험이 있는 어린이에게 적합하다.

표 7-6 국내 대장균의 항생제 내성률(%)

항균제	요 분리 *E. coli*			혈액 분리 *E. coli*		
	2016	2017	2018	2016	2017	2018
Ampicillin	69.3	68.8	69.6	65.2	65.3	68.0
Piperacillin	56.7	56.7	55.8	54.7	54.0	57.0
Ampicillin sulbactam	25.3	29.8	27.7	24.3	28.9	29.3
Cefazolin	43.7	40.9	43.2	42.6	40.6	45.5
Cefotaxime	31.6	31.3	33.2	35.4	32.4	38.6
Ceftazidime	9.9	10.3	10.2	11.3	11.8	12.7
Cefepime	17.7	17.6	18.1	21.4	20.3	24.8
Aztreonam	17.4	17.9	18.4	21.2	20.8	24.6
Cefoxitin	4.0	4.9	6.0	3.5	3.9	4.1
Imipenem	0.0	0.0	0.1	0.0	0.2	0.1
Meropenem	0.0	0.0	0.0	0.0	0.2	0.1
Ertapenem	0.1	0.1	0.2	0.2	0.2	0.2
Amikacin	1.3	0.9	0.9	0.7	0.8	1.0
Gentamicin	30.9	27.1	27.4	29.6	26.6	27.1
Ciprofloxacin	44.5	40.9	40.7	39.4	35.8	42.7
Trimethoprime-sulfamethoxazole	37.7	36.0	37.8	30.8	31.4	36.0
Tigecycline	0.1	0.1	0.1	0.2	0.1	0.0
Colistin	0.2	0.2	0.2	0.1	0.2	0.2

질병관리본부 국립보건연구원, 2019

(2) 소아 항균제 선택에서 특수한 문제들

소아에서 모든 항균제를 사용할 수 있는 것은 아니다. TMP-SMX의 경우 TMP는 미숙아로 태어난 유아와 신생아에서 금기이며, SMX는 생후 2개월 미만인 소아의 경우 상대적으로 간 기능이 미숙하여 효과적으로 배설하지 못하고 빌리루빈으로 대치되어 황달을 일으키므로 금기이다. 니트로푸란토인nitrofurantoin도 용혈성 빈혈의 위험성 때문에 3개월 미만의 어린 유아에 대한 사용이 금지되어 있다.

미국소아과학회의 권고에 따르면, 우리나라에서 소아에 대한 사용이 금기인 시프로플록사신ciprofloxacin은 소아 요로감염 중 녹농균Pseudomonas aeruginosa 혹은 다른 다제 내성 그람음성균에 의한 요로감염에만 사용해야 한다. 플루오로퀴놀론fluorquinolones이 유용한 상황은 ① 안전하고 효과적 대체 약제가 없는 다제 내성균에 의한 감염, ② 경정맥 치료가 불가능하고 다른 효과적 경구 약제가 없을 때이다. 모든 약제의 용량은 나이와 체중에 따라 결정해야 한다(표 7-7).

표 7-7 12세 이하 소아의 요로감염에서 자주 사용되는 항균체들

	항균제	1일 용량	사용법	비고
경정맥 세팔로스포린	3세대 세포탁심cefotaxim	100~200 mg/kg (청소년: 2~6 g)	정맥(2~3일)	
	3세대 세프타지딤ceftazidime	100~150 mg/kg (청소년: 2~6 g)	정맥(2~3일)	
경구 세팔로스포린	3세대 세프티뷰텐ceftibuten	9 mg/kg (청소년: 0.4 g)	경구(1~2일)	
	3세대 세픽심cefixime	8~12 mg/kg (청소년: 0.4 g)	경구(1~2일)	
	2세대 세프포독심 프록세틸 cefpodoxim proxetil	8~10 mg/kg (청소년: 0.4 g)	경구(1~2일) 경구(2일)	
	2세대 세푸록심 악세틸 cefuroxime axetil	20~30 mg/kg (청소년: 0.5~1 g)	경구(3일)	
	1세대 세파클러cefaclor	50~100 mg/kg (청소년: 1.5~4 g)	경구(2~3일)	
TMP TMP-SMX		5~6 mg/kg 5~6 mg/kg (청소년: 320 mg)	경구(2일) 경구(2일)	

암피실린*ampicillin*		100~200 mg/kg (청소년: 3~6 g)	정맥(3일) 정맥(3~4일)	암피실린과 아목시실린은 경험적 치료의 단일 항균제로는 사용되지 않는다.
아목시실린*amoxicillin*		50~100 mg/kg (청소년: 1.5~6 g)	경구(2~3일)* 경구(2~3일)	
경정맥 아목시실린-클라불라네이트		60~100 mg/kg (청소년: 3.6~6.6 g)	정맥(3일) 정맥(3일)	
경구 아목시실린-클라불라네이트		45~60 mg/kg (아목시시실린-분할) (청소년: 1500 + 375 mg)	경구(3일) 경구(3일)	
아미노글리코시드	토브라마이신*tobramycin*	5 mg/kg (청소년: 3~5 mg/kg, 최대 0.4 g)	정맥(1일)	약물 감시 필요
	겐타마이신*gentamicin*	5 mg/kg (청소년: 3~5 mg/kg, 최대 0.4 g)	정맥(3일)	
퀴놀론계	시프로플록사신*ciprofloxacin*	소아와 청소년 (1~17세): 20~30 mg/kg (최대 400 mg, 경정맥)	경구(2일)	복합 요로감염에서 2차 혹은 3차 치료제로 사용
		소아와 청소년 (1~17세): 20~40 mg/kg (최대 750 mg, 경구)	경구(2일)	
니트로푸란토인*nitrofurantoin*		3~5 mg		신부전에서는 금기

청소년 용량이 다를 경우 따로 표시.
*유아 2일, 1~12세 소아 3일

(3) 신장기능

신장기능이 저하된 경우 Schwartz 공식에 따라 키(cm)와 혈청 크레아티닌(mg/dL)으로 계산한 사구체여과율에 따라 보정하여 용량을 결정한다(표 7-8). 사구체여과율이 50% 미만인 경우에는 니트로푸란토인은 사용 금기이다. 아미노글리코시드를 사용한다면 약물 감시가 필수적이다.

Schwartz 공식에 따른 사구체여과율 계산

분류	나이(세)	k 지수(평균)*	k 지수(평균)†
신생아 및 유아	<1	0.45	40
소아	2~12	0.55	48
여자 청소년	>12	0.55	48
남자 청소년	>12	0.70	62

사구체여과율(mL/min×1.73m²) = k 지수×신장(cm)/혈청 크레아티닌(mg/dL).
* 크레아티닌(mg/dL)일 때의 k 지수.
† 크레아니틴(mmol/L)일 때의 k 지수.

2) 사용법

경구 혹은 경정맥 투여 여부의 결정은 나이, 질병의 중증 정도에 따라 다르지만 일반적으로 경구투여를 우선시한다. 소아 요로감염에서 경정맥 항균제 우선 투여의 적응증이 되는 경우는 신생아와 어린 유아(생후 4~6개월 미만), 요로패혈증이 임상적으로 의심될 때, 위독한 상태, 경구 투약을 거부할 때, 구토나 설사 등의 소화기 증상이 심할 때, 환아의 순응도가 낮을 때, 복합 신우신염(요로폐색 등) 등이 있다. 특히 요로패혈증과 심한 신우신염이 증가하고 있기 때문에 신생아와 2개월 이하의 유아에서는 경정맥 항균제 치료가 반드시 필요하다. 또한 경구 혹은 경정맥 투여 여부를 결정할 때는 반드시 초음파검사 등의 영상의학적 검사를 통해 요로기형 동반 유무를 확인해야 한다.

2. 신우신염 치료

1) 신생아와 유아 초기의 신우신염

신생아나 유아 초기에는 열성 요로감염이 요로패혈증으로 악화되는 경우가 흔하다. 혈액배양검사는 약 20%에서 양성이며, 일시적인 가성 알도스테론저하증에 의하여 저나트륨혈증, 고칼륨혈증과 같은 전해질 불균형이 발생한다. 따라서 신생아와 생후 2~6개월의 유아는 입원이후 경정맥 항균제 치료가 필요하다(표 7-9). 이때 암피실린과 아미노글리코시드 혹은 3세대 세팔로스포린 병용 요법이 안전하고 치료 효과가 좋다. 아미노글리코시드는 하루 1회 용법이 안전하고 효과적이다. 항균제감수성검사 결과가 나오면 적절한 항균제로 바꿀 수 있다.

2) 유아 후기와 소아의 신우신염 치료

유아 초기 이후의 신우신염에서 항균제를 투여하는 방법의 차이에 따라 DMSA 신장스캔에서 신장흉터가 나타나는 빈도의 차이를 살펴본 비교연구에서 3일 경정맥 치료 후 5일 경구 치료를 받은 군과 8일 동안 경정맥 치료를 받은 군 사이에 차이가 나타나지 않았다.

다른 연구에서 3세대 세팔로스포린(세픽심*cefixim*, 세프티부텐*ceftibuten* 등)을 단독으로 경구투여한 군과 일반적인 2~4일간의 경정맥 치료 후 경구투여한 군을 비교하였을 때 두 군의 발열 기간과 신장흉터의 발생에도 차이가 없었다. 아목시실린-클라불라네이트*amoxicillin-clavulanate* 연구에서도 비슷한 결과가 나타났으나 아목시실린-클라불라네이트는 내성률이 증가하고 있다. 그러므로 유소아의 신우신염에서 환아의 순응도가 좋고 동반된 요로기형이 없다면 경구용 3세대 세팔로스포린만으로도 주의하여 치료할 수 있다(표 7-9).

외래 통원치료가 입원치료와 동등하다는 결론은 아직 시기상조이다. 이를 위해서는 환아에 대한 의료진의 적절한 감시, 의학적 관리 감독, 필요한 경우 치료 방법의 조정 등이 반드시 보장되어야 한다. 소아 신우신염 치료에서 현재 널리 시행되고 권고되는 적절한 치료 기간은 7~14일 정도이다.

표 7-9 나이와 염증의 정도에 따른 신우신염의 권장 예측 항균제 치료

진단	사용 약제	투여 방법	치료 기간
생후 6개월 이내 신우신염	세프타지딤+암피실린* 혹은 아미노글리코시드+암피실린*	3~7일 경정맥 치료, 해열 후 최소 2일 뒤 경구 치료†	10(10~14)일
		신생아: 7~14일 경정맥 치료 후 경구 치료†	신생아 14~21일
생후 6개월 이후 단순 신우신염	3세대 세팔로스포린†	경구투여(필요시 초기 경정맥투여	10(7~10)일
복합 신우신염/요로패혈증 (모든 나이)	세프타지딤+암피실린* 혹은 아미노글리코시드+암피실린*	7일 경정맥투여 후 경구 치료†	10~14일

*배양검사 결과에 따라 추후 변경.
†정맥주사 제제: 세포탁심 등, 경구 제제: 세프포독심 프록세틸, 세프티부텐, 세픽심 등.

3) 복합 신우신염 치료

복합 요로감염에서는 프로테우스미라빌리스*Proteus mirabilis*, 프로테우스*Proteus* spp., 클레브시엘라*Klebsiella* spp., 녹농균*Pseudomonas aeruginosa*, 장구균*Enterococci*, 포도구균

*Staphylococci*과 같은 요로병원균이 대장균보다 많이 나타난다. 이러한 경우는 광범위 항균제의 경정맥 치료가 경구 치료보다 효과가 좋다. 폐색요로병증(요도판막에 의한 심한 수신증, 폐색 거대요관, 신우요관이행부폐색)이 동반되는 경우 일시적인 요로전환술(치골위방광창냄술, 경피신루설치술)이 필요할 수도 있다.

4) 급성국소세균성신염

급성국소세균성신염은 농양이 형성되지 않고 염증성 종물이 나타나는 신장의 국소 세균성 감염으로서 신장농양의 초기 단계로 생각된다. 대부분의 소아에서는 방광요관역류나 요로폐색과 같은 요로계 질환에 의한 상행감염이 병인이 된다. 대부분의 경우 장기간의 경정맥 항균제 치료가 필요하며, 배양검사 결과에 따라 3주간의 경정맥 치료 및 경구 치료가 필요하다.

5) 방광염과 요도염 치료

발열 없이 배뇨통, 요절박, 빈뇨, 하복부 동통, 요실금 등의 배뇨증상을 보이는 하부요로감염에서는 소변에서 고농도로 배설되는 항균제를 사용하는 것이 적절하다. 단순 방광염에서는 TMP 혹은 TMP-SMX를 1차적으로 많이 사용하고 있다. 그러나 최근 TMP에 대한 대장균의 내성률이 조금씩 높아지고 있는 추세이기 때문에 경구 세팔로스포린을 사용하는 것도 고려할만하다. 원칙적으로 단순 방광염은 내성 발생을 막기 위하여 가장 효과적인 단일 항균제로 치료해야 한다(표 7-10).

표 7-10 방광염과 요도염의 권장 항균제 치료(12세 이하 소아 용량)

항균제	1일 용량	투여 방법
경구 세팔로스포린		
1세대 세파클러*cefaclor*	50(~100) mg/kg	경구(2~3일)
1세대 세팔렉신*cefalexin*	50 mg/kg	경구(3~4일)
2세대 세푸록심 악세틸*cefuroxim axetil*	20~30 mg/kg	경구(2일)
2세대 세프포독심 프록세틸*cefpodoxim proxetil*	8~10 mg/kg	경구(2일)
3세대 세프티부텐*ceftibuten*	9 mg/kg	경구(1일)
TMP	5~6 mg/kg	경구(2일)
TMP-SMX	5~6 mg/kg (TMP-분할)	경구(3일)
아목시실린-클라불라네이트	37.5~75 mg/kg (아목시실린-분할)	경구(3일)
니트로푸란토인	3~5 mg/kg	경구(2일)

방광염과 요도염 같은 하부요로감염에서 추천되는 치료 기간은 3~5일이다. 치료 기간에 따른 효과를 비교한 Cochrane Database of Systematic Reviews에 의하면 2~4일 경구 항균제 치료와 7~14일 치료의 효과는 동등했다. 그러나 단일 용량 혹은 하루 치료 요법은 재발률이 높다.

6) 신장농양 치료

신장피질농양은 다른 세균감염(피부감염)에서 기원하여 혈액성 전파를 통해 신장에서 발생하는 농양이며, 가장 빈번히 나타나는 균주는 황색포도구균*Staphylococcus aureus*이다. 이 경우는 소변배양검사 결과가 대부분 음성이다. 대부분 포도구균을 치료하는 베타락탐아제*lactamase* 내성 항균제를 이용한 경정맥 병용 항균제 치료가 효과적이며, 드물게 경피적 배농이 필요할 수도 있다.

신장농양은 종종 방광요관역류(신장 내 역류) 혹은 요로폐색에 의한 상행성 요로감염의 합병증으로 나타난다. 이러한 농양의 경우 대장균과 같은 그람음성균에 의해 발생하는 신우신염 혹은 국소 세균성신장염이 자주 선행한다.

7) 무증상 세균뇨

유소아의 무증상 세균뇨가 신우신염으로 발전할 가능성은 낮다. 무증상 세균뇨는 주로 병원성이 낮은 요로병원균이 원인이며, 감염이 아닌 집락화에 의하여 발생한다. 이들은 오히려 병원성이 높은 세균의 요로계 침투를 막는 작용을 한다. 한 연구에서는 무증상 세균뇨를 치료받지 않은 여아보다 치료받은 여아에서 신우신염 발생률이 높게 나타났다. 대부분의 무증상 세균뇨는 수주일 혹은 수개월 내에 자연적으로 사라진다. 요로병증, 방광기능 이상, 신우신염의 과거력 등이 없는 무증상 세균뇨는 모두 항균제 치료가 필요 없다. 무증상 세균뇨를 보이는 환아가 중이염, 폐렴 등의 이유로 항균제 치료를 받으면 병원성이 있는 요로병원균으로 전환되어 증상 요로감염이 발생할 수 있다.

3. 치료 성공의 소견

치료가 성공적인 경우, 소변은 보통 24시간 후 무균 상태가 되고, 농뇨는 3~4일 내에 정상화된다. 환아의 90%가 치료 시작 후 24~48시간 내에 체온이 정상화된다. C-반응 단백은 대부분 4~5일 후에 정상화된다. 발열이 지속되고 회복이 되지 않는 경우에는 균주의 내성, 선천성 요로병증이나 급성요로폐색-예를 들면 요로결석에 의한-을 의심해야 하며, 즉시 초음파검사를 시행할 필요가 있다.

4. 예방

1) 화학적 예방

유소아의 신우신염에서 신장흉터를 막는 가장 효과적인 예방법은 조기 진단과 치료이다. 남아의 약 1%와 여아의 3~5%가 유년시절 적어도 한 번의 요로감염을 경험한다. 또한 첫 요로감염 이후 30~50%는 한 번 이상의 재발을 경험한다. 요로감염의 재발률은 이전의 요로감염 횟수와 직접적인 관련이 있으며, 성별에 따라 약간의 차이가 나타난다. 요로감염이 나타난 이후 2~6개월 이내는 재발에 대한 감수성이 가장 높은 시기인데, 감염이 없는 기간이 길어질수록 이후의 재발 위험이 낮아진다.

장기간의 예방적 항균제 요법은, 재발 신우신염의 과거력이 있으며 요관 확장을 동반한 고등급의 방광요관역류나 거대요관, 요도판막 등의 심각한 요로폐색을 가진 환아의 경우처럼 요로감염과 2차적 신장손상의 위험이 높은 경우에 고려해야 한다. 그러나 방광요관역류가 요로감염 재발의 위험 인자로서 담당하는 역할은 분명하지 않다. 최근의 한 연구에 의하면 3~5등급 방광요관역류를 보인 환아가 0~2등급 방광요관역류를 보인 환아보다 재발이 없는 기간이 유의하게 짧고 재발 요로감염이 더 빈번하게 발생하는 것이 확인되었으며, 이에 따라 3~5등급 방광요관역류가 재발 요로감염의 위험 인자라고 결론내려졌다.

예방적 요법에서 선택하는 항균제는 다음과 같은 요건을 충족시켜야 한다.

① 주요 요로병원균에 효과가 있어야 한다.
② 심각한 합병증이 적어야 한다.
③ 세균 내성이 낮아야 한다.
④ 정상 상재균에는 영향이 적어야 한다.

항균제는 보통 매일 취침하기 직전에 복용하도록 하며, 용량은 정상 치료 용량의 1/4 정도가 적당하다(표 7-11). 소아 요로감염의 예방적 항균제로는 TMP 혹은 코트리목사졸*cotrimox-azole*과 니트로푸란토인 두 가지 약제가 많은 나라에서 오랫동안 사용되어왔다. 다만 유아 초기에는 이 약제들의 사용이 제한되므로 경구 세팔로스포린이 선호된다.

표 7-11 예방적 항균제 요법에서 사용 가능한 항균제

종류*	예방 용량(mg/kg/일)	사용 제한
TMP	1	생후 6주 이내
니트로푸란토인	1	생후 3개월 이내
세팔로스포린		
세파클러	10	나이 제한 없음
세픽심	2	조산아, 신생아
세프티부텐	2	
세푸록심 악세틸	5	

처음에는 니트로푸란토인과 TMP가 주로 사용된다. 예외적인 경우에 경구 세팔로스포린을 사용할 수 있다.

(1) 치료에 대한 순응도 문제

예방적 항균제 치료에서 가장 큰 문제는 환자의 순응도이다. 재발 요로감염 환아에 대한 소변검사로 장기간 항균제 치료의 순응도를 조사한 연구에 따르면 32.2%의 환아만이 정기적으로 약을 처방 받았으며, 19%는 약을 전혀 먹지 않았다. 방광요관역류 환아에서도 비슷한 결과가 확인되었다. 따라서 예방적 항균제 치료의 목표와 필요성과 관련하여 이해 가능하고 정확한 정보를 보호자에게 제공하고 유지하도록 하는 것이 치료 성공을 위한 필수 조건이다.

(2) 예방적 항균제 요법에 대한 최근의 논쟁

예방적 항균제의 효과에 대해서는 아직 논란이 많다. 예방적 항균제 요법이 방광요관역류 환아의 신장흉터 발생을 예방하지 못한다는 연구가 있는 반면, 다른 한편으로는 이러한 연구가 적절하게 이루어지지 못했다고 부정하는 연구도 있다. 현재 저자들의 대다수는 좀 더 잘 디자인된 무작위 연구가 필요하며, 위험도에 따른 다양한 분류가 필요하다고 결론 내리고 있다. 최근의 전향적 무작위 연구에 따르면 저등급의 방광요관역류에서는 예방적 항균제 요법이 효과를 나타내지 못했다. 현재 방광요관역류에 사용되는 예방적 항균제 요법에 대한 전향적 무작위 대조군 연구들이 진행 중이다.

2) 예방 요법을 위한 다른 제제

(1) 소변 산성화

요로감염 예방에서 특히 약유기산을 생산하는 산성화 물질이 사용되는 이유는 산성 소변

이 정균 효과를 나타내기 때문이다. 황을 함유하는 필수 아미노산인 L-메티오닌*methionine*은 요로상피세포에 균주가 부착하는 것을 억제하는 효과가 있으며, 대사물이 소변을 산성화시킨다. 마그네슘암모늄인산염 결석이 있으며 결석 조각을 완전히 제거하지 못하는 소아에서는 요산성화 물질인 L-메티오닌(소변 pH 5.6~6.2)과 예방적 항균제 요법을 병합하여 사용하는 것이 가장 적합하다.

(2) 크랜베리

크랜베리종인 *Vaccinium macrocarpon*에서 추출한 시럽이나 주스 섭취는 요로감염에 대한 민간요법으로 수 세기 동안 사용된 예방요법이며, 특히 지난 10여 년 동안 각광을 받았다. 크랜베리는 요로병원균인 대장균이 요로상피에 부착하는 것을 막는 효과가 있다. 성인에서 요로감염의 재발율을 낮추는 예방 효과는 입증되었으나 소아에서는 비슷한 연구 결과가 아직 보고되지 않았다. 다만 2개의 연구가 신경성방광 소아의 경우 크랜베리 주스가 요로감염의 재발률을 줄이지는 못했다는 결과를 보고했다.

3) 배뇨장애와 변비의 치료

방광과활동성이나 배뇨 관련 질환 등을 정상화시키는 것은 소아 요로감염의 재발률을 낮출 수 있는 중요한 수단 중 하나다. 빈뇨, 요실금, 배뇨 이상 등과 같은 방광기능이상 소견이 요로감염에 의해 발생하지 않은 경우에는 정밀 검사가 반드시 필요하다. 소아 요로감염을 성공적으로 치료하려면 먼저 방광기능이상을 효과적으로 치료해야 한다. 자세한 병력 청취와 함께 배뇨일지, 초음파검사 잔뇨 측정, 요속검사, 골반근전도검사 등의 비침습적 검사를 시행하면 대부분의 소아 요실금과 방광기능이상 등을 진단할 수 있다. 기능장애성 배뇨는 변비와 밀접하므로, 변비를 치료하면 요실금을 줄이고 요로감염의 재발을 막을 수 있다.

4) 백신

대장균의 Pili-항원이나 요로상피세포에 대한 부착 수용체를 차단하는 백신에 관한 동물실험 연구가 시행되었지만 인간에 대한 연구는 아직 시행되지 않았다. 그러나 비활성화된 요로병원균주에서 추출한 용해물을 경구나 경정맥으로 투여한 결과는 보고되었다.

(1) 경구 백신

성인에서 유로박솜*Uro-vaxom*®(대장균의 세균성 lysate의 표준화된 lyophilizate)으로 예방 요법을 시행하면 비교적 효과적이다. 그러나 소아에 관한 연구는 적은데, 니트로푸란토인과 비교한 대조군 무작위 연구에서는 유로박솜이 예방 효과를 나타냈다고 보고되었다.

(2) 비경구 백신

비활성화된 요로병원균을 주사한 후 소아의 소변에서 혈청 IgA치가 증가하는 것을 확인한 연구가 진행된 적이 있으나 구체적 효과에 관한 자료는 아직 부족하다.

5) 1차 예방

(1) 모유 수유

모유 수유는 적어도 출생 후 첫 달 동안 유의하게 요로감염을 막는다. 대조군 연구 결과에서 모유 수유의 효과는 출생 직후에 가장 높았고, 생후 7개월째에 사라졌다. 모유 수유를 끊은 뒤에도 효과가 지속되어 요로감염의 발생률이 감소했다. 다른 대조군 연구에서는 요로감염을 앓은 영아에서 모유 수유를 받은 경우가 16%였으나, 요로감염이 없었던 대조군에서는 55%가 최소 3일 이상 모유 수유를 받았다.

(2) 포경수술

남자 유아에서 포경수술은 요로감염의 위험성을 3~10배 정도 감소시킨다. 요도와 요도 주위에서 대장균, 클레브시엘라, 엔테로박터*Enterobacter*, 프로테우스, 녹농균과 같은 요로병원균이 집락을 형성하는 비율은 포경수술을 하지 않은 남아에서 더 높았다. 유아뿐만 아니라 소아 시기에도 포경수술이 요로감염의 위험성을 낮춘다는 증거는 충분하다. 그러나 최근의 메타분석에서는 전체 남자 신생아 인구에서 한 번의 요로감염을 피하기 위해서는 111건의 포경수술이 필요하다고 결론지었다. 이미 많은 나라에서 더 이상 일률적인 포경수술을 추천하지 않고 있다. 하지만 요도판막, 고등급의 방광요관역류, 심한 신경성방광 등을 보이는 고위험 남아에서는 예방적인 포경수술을 고려해야 한다고 주장하는 의사들도 있다.

5. 향후 연구 방향

소아 요로감염에 대한 치료 방법은 이미 잘 알려져 있지만, 재발성 요로감염 환아에 적용할 만한 효과적인 예방법은 아직 풀리지 않는 숙제로 남아 있다. 그러므로 먼저 소아에서 신우신염으로 인한 신장흉터의 위험성이 있는지 확인하는 것이 예방법의 선행 조건이다. 이러한 위험성을 확인하기 위한 유전인자, 생체 지표, 소변의 프로테오믹스*proteomics* 등에 대한 연구는 중요한 의미를 가진다.

항균제가 널리 사용됨에 따라 전 세계적으로 항균제 내성률도 증가하고 있다. 이러한 내성률 증가를 막으려면 항균제 내성에 대한 감시와 합리적인 항균제 사용에 대한 연구가 지속되어야 한다. 최근에는 요로계와 병원균 사이의 면역학적 상호작용에 대한 연구도 활발히 진행되고 있다. 감염을 예방하고 신장손상을 최소화하기 위해서는 숙주 방어기전과 환자의 감수성에 대한 지속적인 기초연구가 필요하다. 환아의 배뇨와 배변 기능과 요로감염의 관련성뿐만 아니라 배뇨와 배변기능 이상에 대한 치료가 요로감염에 미치는 영향에 관한 연구는 임상적으로 흥미로운 문제이다.

6. 결론

소아 요로감염에서는 요로성패혈증, 감염과 관련된 합병증, 신장실질손상에 대한 예방과 빠른 회복이 주된 목표이다. 소아의 급성신우신염과 하부요로감염에 대해서는 항균제 치료가 필요하며, 적절한 항균제, 치료 기간, 사용방법 등은 나이, 임상증상의 정도, 합병인자의 존재 여부에 따라 달라진다. 또한 광범위 항균제 치료를 시작 할 때는 반드시 요로병원균의 지역적 내성률을 고려해야 한다. 신우신염과 같은 요로감염의 재발에 취약한 유소아의 경우는 효과적인 예방요법이 필요하다. 그리고 배뇨 혹은 배변장애와 선행요인이 있다면 이 요인에 대한 치료를 병행해야 한다. 신우신염과 재발 요로감염의 위험성이 있는 유소아에 대한 예방적 항균제 치료의 효과에 대해서는 더 많은 연구가 필요하며, 현재 방광요관역류 환아에 관하여 많은 임상연구가 진행되고 있다.

V 소아 요로감염에 대한 항균제 이외의 비수술적 치료

소아 요로감염의 약 50%는 선천적 또는 후천적 원인으로 인하여 발생하는데, 방광요관역류는 소아 요로감염 환자의 30~40%에서 발견되는 가장 흔한 원인적 질환이다. 소아 요로감염과 방광요관역류는 합병증으로 신장기능저하, 고혈압, 신부전 등을 발생시킬 수 있다. 이 합병증들을 막기 위해 원인 질환을 수술적으로 치료하고 요로감염에 대해 예방적 항균제 요법을 사용하는 방법이 소아 요로감염 치료의 근간을 이루었다. 하지만 방광요관역류수술로도 요로감염을 완전히 예방할 수는 없다. 또한 예방적 항균제 요법은 점점 증가하는 항균제 내성률과 장기적 항균제 투여로 인한 부작용, 예방효과의 제한점에 대한 많은 논문들이 발표되면서 향후 그 역할이 축소될 가능성이 높다. 따라서 수술적 치료와 항균제 요법 이외의 다른 치료 방법이 상대적인 비침습성과 낮은 부작용으로 인해 점차 중요하게 여겨지고 있다. 소아 요로감염의 위험 인자에는 부족한 수분 섭취, 적은 배뇨 횟수, 변비, 기능이상성 배뇨, 포경, 그리고 방광요관역류가 포함되기 때문에 이를 교정하기 위한 비수술적 치료에는 규칙적 배뇨와 충분한 수분 섭취와 같은 행동요법, 포경에 대한 스테로이드 연고 치료, 경구 보충제, 기능이상성 배뇨 및 배변에 대한 바이오피드백 훈련과 약물요법, 많은 양의 잔뇨에 대한 간헐적 도뇨 등이 포함된다.

1. 포경에 대한 스테로이드 연고

남아의 신생아기에서는 귀두와 포피가 붙어 있는 생리적인 포경이 흔히 관찰되지만 그 빈도가 점차 줄어 5~7세가 되면 대부분에서 꺼풀이 정상적으로 음경 뒤로 젖혀지게 되는데, 뒤로 젖혀지지 않는 병적인 포경은 재발 요로감염의 중요한 원인이 된다. 이 경우 포경수술로 90% 정도에서 요로감염률을 낮출 수 있지만, 소아에서 포경수술을 시행할 경우 전신마취가 필요하고 포경으로 인한 출혈, 감염 등의 합병증도 무시할 수 없으므로 예방적으로 하는 포경수술은 추천되지 않는다. 포경에 대한 비수술적 치료로 스테로이드 연고를 국소 도포하는 방법은 Jorgensen과 Svensson이 처음 도입했으며, 여러 연구에서 70~95% 정도의 높은 치료 성공률과 낮은 부작용을 보고했다. 국내 연구에서도 Jung 등이 73.3%의 성공률을 보고했다. 스테로이드 국소 도포는 항염증 작용 외에도 포피를 얇게 하고 탄력성을 향상시키기 때문에 포피가 신축적으로 늘어나도록 도와준다. Lee 등의 연구에 따르면 이 치료를 통해 재발 요로감염의 발생률이 대조군 29.6%에 비해 치료군에서 7.1%로 낮아지는 효과가 나타났다. 하지만 포경이 심한 흉터조직으로 인한 경우 스테로이드 연고로 치료하기 어렵다.

2. 행동치료

소아에서 요로감염과 관련 있는 배뇨 습관으로는 적은 수분 섭취와 이로 인한 적은 배뇨 횟수, 소변 오래 참기와 많은 잔뇨량이 있다. 방광훈련은 환아의 배뇨 상태에 따라 달라지지만 낮 동안 수분을 충분히 섭취하고 규칙적으로 배뇨하도록 하여 방광 내에서 소변이 머무는 시간을 단축시키고 방광 내 세균 배출을 향상시키는 방법이다. 소아의 배뇨 습관을 알기 위해서는 2~3일간 배뇨 일지를 작성하도록 하여 수분 섭취량과 배뇨량, 배뇨 횟수를 정확히 평가하는 것이 중요하다. 이러한 방광훈련은 약물치료보다 먼저 혹은 병행하여 시행하도록 권장되는 1차적 치료지만, 단독치료를 통한 요로감염 치료 효과나 예방효과는 알려져 있지 않다. 방광의 과잉 팽창은 배뇨량과 잔뇨량의 합이 연령에 따른 예상 방광 용적의 115% 이상인 경우로 정의되는데, 이 경우 배뇨 시 1/3 이상에서 비정상적인 요속검사 형태와 20 mL 이상의 잔뇨량이 나타난다. 방광이 과잉 팽창된 경우 규칙적으로 배뇨를 하도록 훈련해야 하며, 좋은 배뇨 자세에 관하여 교육함으로써 배뇨 시 골반근육이 적절히 이완되도록 해줘야 한다.

3. 골반저근의 생체되먹임

기능장애성 배뇨는 배뇨 시 방광배뇨근이 수축할 때 요도괄약근도 수축함으로써 발생하는 질환으로, 요로감염의 재발률이 높다. 기능장애성 배뇨 환아에 대해 행동치료와 함께 배뇨 시의 자세를 교정하고 골반저근 이완을 유도하는 생체되먹임으로 병용치료했을 때 83%의 환아에서 요로감염을 예방하는 효과가 나타났다. 국내에서도 Kim 등이 절박요실금 환자의 60%, 기능장애성 배뇨 환자의 50%에서 증상이 호전되었고 재발 요로감염이 있었던 2례에서 치료 후 재발이 소실되었다고 보고했다. 방광요관역류에서도 배뇨기능 이상이 동반된 경우 돌파요로감염률이 34~43%로 높아지는데, 생체되먹임 훈련으로 이를 19%로 낮추었으며 투약과 생체되먹임 훈련을 병행하여 10%로 낮추었다고 보고한 연구도 있다.

4. 다량의 잔뇨에 대한 청결간헐도뇨

간헐적 도뇨는 Lapides 등이 처음 도입했는데, 주로 신경성방광에서 시행되어 요실금과 상부요로손상, 증상 요로감염을 예방하는 데 중요한 역할을 해왔다. 이 방법은 다량의 잔뇨를 보이는 비신경성 기능장애성 배뇨에서도 시행할 수 있다. 청결간헐도뇨 중 세균이 방광 내로 유입될 수 있기 때문에 이 방법을 시행하는 환자의 70%에서 세균뇨가 검출되지만, 그중 증상을 동반한 요로감염의 발생률이 낮기 때문에 결과적으로 신경성방광 환아에서 열성 요로감염의 발생을 낮춰주는 효과가 있다. 청결간헐도뇨를 시행할 때 요로감염 발생에 영향을 주는 요인들은 적절한 도뇨 간격과 방광의 과팽창 방지이다.

5. 변비 치료

변비는 소아에서 흔한 질환이다. 변비의 경우 ROME III 기준을 적용하는 방법 등의 여러 진단법이 있는데, 일주일에 2번 이하의 배변 등을 기준으로 한다. 변비와 요로감염의 관련성에 대한 설명으로는, 변비로 인해 변이 만성적으로 직장에 머물면 직장괄약근의 긴장도가 높게 유지되기 때문에 골반근의 수축이 증가하고 방광의 요배출 능력이 약화되면서 잔뇨량이 증가하여 요로감염의 원인이 될 수 있다는 견해가 있다. 이외에 변비가 장내에서 요로감염을 일으키는 세균의 수를 증가시키기 때문에 요로감염을 증가시킨다는 견해도 있다. Romanczuk 등은 만성변비를 치료하면 농뇨와 세균뇨, 요실금이 호전된다고 보고하였다. 소아 첫 요로감염 당시 방광-장 기능성 장애가 동반된 경우가 약 30~50% 정도로 보고된 연구가 있으며 방광요관역류와 방광-장 기능성장애가 동반된 경우가 방광요관역류만 있거나, 방광-장 기능성장애만 있을때보다 재발성 요로감염이 더 높은 빈도로 생긴다는 연구가 있다.

6. 항균제 이외의 약물 치료

항콜린제는 소아 배뇨장애, 특히 과민성 방광에서 방광압을 낮추고 방광 용적을 늘려주는 작용을 하기 때문에 흔히 사용되는 약물이지만 부작용으로 인해 잔뇨량이 증가할 수 있다. 또한 그 자체로 요로감염을 낮출 수 있는지에 대해서는 보고되지 않았다.

α 차단제는 배뇨 후 잔뇨량이 많은 소아에서 잔뇨량을 줄이는 효과가 보고되었으나 요로감염에 대한 직접적인 효과는 아직 알려지지 않았다. Yucel 등은 28명의 기능장애성 배뇨 환자에서 α 차단제가 생체되먹임 치료만큼 잔뇨를 줄이는 효과를 나타냈고, 각각의 치료에 효과가 없었던 25%의 환아 대부분도 두 가지 치료를 병용하자 증상이 개선되었다고 보고했다. 항콜린제와 α 차단제는 성인보다 소아에서 부작용이 적은 것으로 보고되고 있으나 향후 추가적인 연구가 필요하다. 베타-3 교감신경 작용제는 베타-3 교감신경 수용체에 선택적으로 작용하여 방광 배뇨근을 이완시킴으로써 방광의 용적을 증가시키는 작용을 하는데 소아에서는 안정성 및 유효성이 아직 확립되지 않았다.

7. 보조식품

크랜베리는 대장균에 의한 여성 요로감염 환자에서 요로감염의 20%를 감소시킬 수 있다고 보고되었지만, 아직 소아에서 효과가 증명되지 않았다. 크랜베리 주스는 대장균의 요로점막 부착을 방해하는 작용을 하는데, 적은 수의 환아를 대상으로 한 무작위 위약대조군 연구에서 대조군에 비해 우수한 효과를 보이지 않았다는 연구와 요로감염 위험도를 65% 감소한다는 연구가 대조되어 앞으로 추가 연구가 필요할 것으로 생각된다.

생균제는 위장관과 생식기 부위의 정상세균무리가 요로감염 예방에 중요한 역할을 한다는 점에 착안하여 개발되었는데, 최근 카바페넴carbapenem 등에 대한 항균제 내성균이 큰 문제가 되면서 이를 극복하기 위한 대안으로 제시되기도 한다. 국내의 경우 Lee 등이 방광요관역류 환아에서 유산균이 예방적 항균제만큼 요로감염을 예방하는 효과를 나타냈다고 보고했다. 또한 Lee 등은 신우신염 영아에서 유산균을 사용한 그룹에서 예방적 항균제를 쓰지 않은 그룹보다 요로감염을 예방한다고 보고하였다. 향후 유산균 요법의 장기적인 효과와 함께 가장 효과적인 유산균의 종류와 양 등에 대한 추가 연구가 필요하다.

8. 결론

재발 요로감염에 대한 수술 및 항균제 요법 외에 도움이 될 수 있는 방법들이 있으나 소아 요로감염에 대한 효과는 아직 입증되지 않았다. 소아 요로감염이 재발하면 다른 합병증을 초래할 수 있기 때문에 이 요법들은 아직 널리 이용되지 않고 있다. 그러나 최근 수술과 예방적 항균제 요법의 역할이 축소되고 있으며, 이 치료들은 보다 비침습적이고 부작용이 적기 때문에 향후 추가 연구를 통해 더욱 활성화될 수 있을 것이다. 다른 무엇보다도 재발성 요로감염을 예방하기 위해서는 기능장애 배뇨 및 변비에 대한 평가, 치료가 우선적으로 이루어져야 한다.

Ⅵ 방광요관역류의 치료 – 소아청소년과 의사의 관점

방광요관역류는 현재까지 여러 연구들을 통해 요로감염, 신우신염 및 신장흉터와의 관계와 기전에 대한 이해가 진전되었으나 치료 원칙에 관해서는 가장 논란이 많은 소아 요로질환 중 하나이다.

방광요관역류와 역류성 신병증은 다양한 원인 인자가 결합된 요관, 신장 발달의 결함에서 기인한 질환이며, 'CAKUT (congenital anomalies of kidney and urinary tract)'의 가장 흔한 질환으로 알려져 있다. 영상의학적으로 증명된 방광요관역류를 동반한 소아 요로감염 환자의 약 30%가 신장흉터를 보인다. 이러한 신장흉터는 방광요관역류가 없는 반대쪽 신장에는 거의 나타나지 않는데, 이와 같이 영상의학적으로 발견 가능한 신장흉터를 역류성 신병증이라고 한다.

방광요관역류 환자의 역류성 신장흉터는 역류의 정도에 비례하여 동반되는데, 선천적으로 발생한 역류성 신병증과, 후천성 신우신염에 의한 신장손상으로 구분된다.

1. 선천적으로 발생한 역류성 신장병증(그림 7-6)

배뇨방광요도조영술을 통하여 확인된 역류를 가진 신생아의 약 1/3이 DMSA 신장스캔검사에서 신장실질의 결손을 나타낸다. 선천적 방광요관역류 환아의 신장 결손은 요관의 이상 발달에서 기인한다. 즉, 요관 발생의 근원인 요관 싹bud이 정상과 다른 위치에서 시작될 경우, 신장 발생의 근원이 되는 뒤콩팥발생모체nephrogenic blastema의 분화에 영향을 주고 신장실

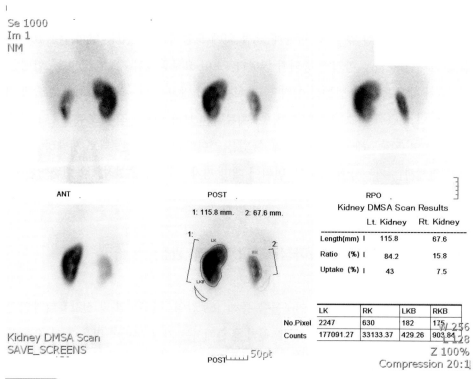

그림 7-6 **선천적으로 발생한 역류성신장병증** 요로감염이 없었던 환아에서 우측 신장흉터가 관찰된다.

질의 이형성이 동반되며, 주로 남아에서 요관 확장 및 신우 확장을 동반한 높은 등급의 확장성 방광요관역류가 나타나게 된다. 방광요관역류의 등급이 커짐에 따라 신장실질의 결손 정도가 비례하여 증가하므로 선천성 역류성 신병증은 주로 남아에서 빈번하게 관찰된다.

2. 후천성 신우신염에 의한 신장흉터(그림 7-7)

신장흉터는 대개 신우신염이 반복되면서 형성되며, 방광요관역류는 신장으로의 상행감염을 돕는다. 그동안 방광요관역류가 신장실질 손상에 의한 신장흉터의 직접적인 원인이라고 생각되어왔다. 그러나 방광요관역류의 존재에 무관하게 신장흉터가 존재하는 것을 보면, 방광요관역류 자체보다는 이로 인하여 재발되는 신우신염이 후천적 신장흉터의 주된 원인으로 생각된다. 잦은 신우신염 재발, 신우신염 치료 시작 지연이 후천적 신장흉터의 위험 인자가 된다.

영유아기 및 어린 소아에서 신우신염에 의해 신장흉터가 형성될 위험성이 높다고 알려져 왔으나 후기 소아기와 청소년기, 특히 여아에서 후천성 신장흉터가 형성될 위험이 높다.

광범위한 신반흔은 신 기능을 감소시키고 renin 연관 고혈압, 신부전, 그리고 말기 신질환을

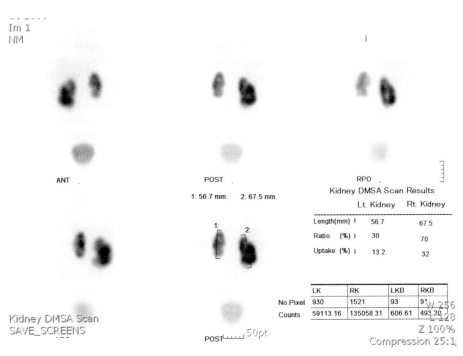

그림 7-7 방광요관역류에 동반되는 후천성신우신염에 의한 신장흉터
반복되는 신우신염에 의한 양측 신장흉터가 관찰된다.

초래할 수 있다. 과거에는 역류 신병증이 말기 신질환의 15~20%를 차지하였으나 최근 요로감염의 신속한 진단과 치료, 산전 초음파의 보편적인 검사에 따라 그 빈도는 점차 감소하고 있다.

역류성 신병증으로 진단되면 정기적으로 BUN, 혈청 Cr을 측정하며 요검사를 시행하여 감염여부와 단백뇨 여부를 평가하여야 하며 혈압 측정이 반드시 필요하다.

3. 방광요관역류에 대한 치료 원칙

방광요관역류 치료에서 가장 중요한 목표는 상행요로감염에 의하여 생성되는 후천적인 신장흉터를 가능한 한 억제하는 것이다. 현재 1차 방광요관역류에 대한 치료는 자연적인 역류 소실을 기대하여 요로감염 예방에 주력하는 내과적 치료와, 방광요관역류를 직접적으로 교정하여 신우신염의 빈도를 줄이고 신반흔을 억제하고자 하는 수술적 치료로 나뉜다.

1) 내과적 치료

(1) 행동교정(Behavioral modification)

행동교정은 grade I. II의 낮은 등급 역류 또는 나이가 많은 소아에서 역류가 소실되지는 않았으나 임상적인 신우신염의 동반이 없고 신반흔이 없는 경우에 해당된다. 행동교정 방법에는 규칙적 배뇨, 정상적인 배변 유도 및 변비치료, 충분한 수분 섭취, 배뇨시 방광을 완전히 비우기, 발열시 신속한 요검사로 요로감염의 조기진단 및 치료등이 해당된다.

(2) 항생제 예방치료(Antimicrobial prophylaxis)

방광요관역류는 대부분 연령이 증가함에 따라 역류의 정도와 역류가 나타나는 신단위의 수가 감소하는 '역류 성숙 현상'을 나타낸다. 보존적 치료와 경과 관찰은 이러한 근거에서 시작되었고, 이에 따라 역류가 소실되고 역류 등급이 감소할 때까지 장기적 항생제 예방치료를 시행하는 방법이 추천되었다.

현재 TMP-SMX와 니트로푸란토인이 1차 선택 예방적 항생제로 가장 많이 사용되며, 세팔로스포린cephalosporin도 장기 예방치료에 사용되고 있으나, 치료 기간은 치료의 적응증과 마찬가지로 아직 많은 이견이 있다.

방광요관역류가 동반된 남아의 경우 1세 이후부터 요로감염 재발이 현저히 감소하므로 예방적 항생제 투여를 조기에 중단할 수 있다. 요로감염이 재발할 가능성이 높은 여아의 경우는 예방적 항생제 사용을 종료하는 결정이 남아에 비해 쉽지 않지만, 신우신염으로 인한 신장흉터의 빈도가 연령이 증가함에 따라 감소하므로, 경한 정도의 역류가 지속되더라도 후기 아동기에는 예방적 항균제 치료의 중단이 가능하다.

성별에 관계없이 약물 중단을 결정하기 전에는 요로감염이 재발하지 않고 유지된 기간, 역류의 정도, 이미 진행된 신장실질의 손상 정도, 방광기능 이상의 유무를 고려해야 한다.

(3) 예방적 항생제 치료 효과에 대한 재평가

그동안 많은 연구 논문들의 결과를 바탕으로 항생제 예방치료가 증상을 동반한 요로감염의 재발을 억제한다고 인정되었고 사용이 권장되었다. 그러나 이후 발표된 장기간 항균제 요법의 적응증과 효용성에 대한 연구 결과에서 이에 대한 많은 의문이 제기되었다.

2000년대 후반에 시행된 4개의 전향적 무작위 배정 대조군 조절 연구에서도 예방적 항생제 치료가 역류의 존재 여부와 관계없이 요로감염 재발과 신반흔 형성을 억제하는 효과에서 대조군에 비해 의미 있는 차이를 보여주지 못하였다고 보고되었다. 연구자들은 이 결과들을 토대로, 방광요관역류가 동반되지 않았거나 1~2등급의 경미한 역류가 동반된 소아의 첫 번째 발열 요로감염 이후에는 예방적 항균제 치료가 적합하지 않다고 주장했으나 3~5등급의 역류에서는 뚜렷한 결론을 내리지 못했다.

가장 최근에 시행된 3개의 대규모 다기관 전향적 무작위 배정의 대조군 연구가 요로감염 재발 및 신장손상을 억제하는 예방적 항생제의 효과에 대한 의문에 해답을 제시할 수 있을 것으로 기대된다. 그중 첫 번째 연구(Swedish VUR trial)는 3~4등급의 2세 미만 방광요관역류 영아를 대상으로 스웨덴에서 시행되었는데, 여아에서 예방적 항생제 치료와 내시경적 치료가 경과관찰군에 비하여 요로감염 재발을 의미 있게 감소시킨 것으로 나타났다. 두 번째는 576명의 1~4등급 방광요관역류 환자를 대상으로 오스트레일리아에서 시행된 전향적 위약대조 연구(PRIVENT, Prevention of Recurrent Urinary Tract Infection in Children with Vesicoureteral Reflux and Normal Renal Tracts)로서, 1년간 TMP-SMX를 저용량으로 사용하여 예방적 항생제 치료를 시행한 결과 무작위 위약대조군에 비해 연령, 성별, 이전의 요로감염 빈도, 방광요관역류의 동반 유무에 관계없이 요로감염 빈도가 7% 정도 유의하게 감소했다고 보고되었다. 세 번째는 1~4등급 방광요관역류를 가진 2~72개월 소아 607명을 대상으로 미국에서 진행한 이중맹검 무작위 위약대조 전향적 연구(RIVUR trial, Randomized Intervention for children with Vesicoureteral Reflux)이다. 이 연구는 대상 환자에서 첫 번째 혹은 두 번째 요로감염이 나타난 이후 TMP-SMX로 2년간 장기 예방적 항생제 치료를 시행하고 나서 재발률과 신반흔의 발현 정도를 위약대조군과 비교한 연구로, 연구결과 항생제 예방치료군에서 요로감염 재발은 50% 유의하게 감소시켰으나(from 27.4% to 14.8%) 신반흔의 발생은 감소시키지 못하였고 오히려 항생제 예방치료군에서 항생제 내성률이 유의하게 증가하였다(68.4% vs 24.6%)는 결과를 발표하였다.

따라서 과기의 모든 방광요관역류 환자에서 예방적 항생제 치료를 일률적으로 사용하였다면 최근의 대규모 전향적 무작위 대조 연구 결과들을 고려할 때 항생제 예방치료는 요로감염 재발에 영향을 미치는 위험 요인(어린 연령, 동반된 방광 장 기능장애, 높은 방광요관역류등급 등)을 고려하여 신 손상의 위험이 높은 경우에만 시행하는 것이 바람직할 것이다.

(4) 방광요관역류에 대한 보존적 약물 치료 시 고려 사항

① 방광 장 기능장애(Bladder and bowel dysfunction)

방광 장 기능장애는 역류의 자연소실을 저해하고 신우신염과 신장손상의 빈도를 높이는 중요한 예후인자로 알려져 있으며, 특히, 소변가리기 훈련(toilet training) 시기에 요로감염의 위험을 증가시킨다. 따라서 방광요관역류 환자에서는 요실금, 요절박, 빈뇨, 요주저, 소변 참는 행동과 같은 하부요로 기능이상(lower urinary tract dysfunction)과 변비에 대한 철저한 병력청취와 진찰이 필요하고 방광 장 기능장애가 동반되어 있다면 반드시 이에 대한 선행치료가 방광요관역류 치료의 성공에 매우 중요하다.

② 증상을 동반한 재발 요로감염의 치료

예방적 항균제 치료를 시행해도 발열 등의 증상을 동반하여 나타나는 요로감염인 돌파감염은 주로 항균제 저항성 세균에 의해 유발된다. 발열 등의 증상을 동반한 재발 요로감염에 대한 조기 치료는 심한 신우신염으로의 진행을 억제하는 데 중요하나, 이미 신장실질의 변화가 시작된 후에 치료를 시작하면 신장흉터로 진행하는 것을 억제하는 데 큰 영향을 주지 못한다. 따라서 방광요관역류 환자에서 발열을 동반한 재발 요로감염이 나타나면 조기에 발견하고 즉각 치료하는 것이 신장흉터 진행을 억제하는 가장 좋은 방법이다.

③ 방광요관역류에서 무증상 세균뇨의 치료

여러 전향적인 연구 결과에 따르면 무증상 세균뇨는 신장흉터를 유발하지 않고, 신장의 성장장애를 유발하지 않으며, 원인 세균의 독성이 낮아 신장실질에 직접적인 영향을 주지 않는다. 따라서 방광요관역류에서 나타나는 무증상 세균뇨는 신장흉터로 진행되지 않는 양호한 경과를 보이므로 대개 항균제 치료의 적응증이 되지 않는다.

2) 수술적 치료

방광요관역류에 대한 수술적 치료의 근본적인 동기는 역류를 교정하면 방광에 요로감염이 지속되더라도 요로감염균의 상행감염으로 인한 신우신염을 억제할 수 있다는 가정에서 시작되었다. 일반적으로 인정되는 방광요관역류의 수술 적응증은 예방적 항생제 치료에도 불구하고 반복되는 신우신염(돌파감염), 예방적 항균제의 복용 순응도 불량, 신우신염에 의한 후천성 신장흉터 증가, 높은 등급(4~5 등급)의 역류 및 낮은 자연소실률, 보호자의 항균제 예방치료 거부 등이다.

수술적 방법에는 내시경 치료와 개복 수술치료가 있다. 내시경 치료는 방광경을 통해 요관 개구 밑에 물질 Deflux (dextranomer hyaluronic acid)을 넣어 인공 flap valve를 만드는 것으로 요관하 주입(subureteral injection)이라 하며 성공률은 70~80% 정도이다. 낮은 grade의 역류에서 성공률이 더 높은 것으로 알려져 있다.

개복 수술 치료는 점막하 요관의 길이와 요관 안지름의 비가 4:1~5:1이 되게 하는 요관 재이식술로 성공률은 95~98% 이상이다.

3) 약물치료와 수술적 치료의 비교 및 적용 기준

1~2 등급의 역류는 자연소실률이 매우 높으므로 치료자들 대부분이 보존적 치료를 시행하며 경과를 관찰하나, 3~4등급의 역류에서는 선택하는 치료 방법이 많이 다르다. 2006년에 발표된 전향적인 무작위 배정 연구는 3~4등급의 방광요관역류를 대상으로 보존적 예방적 항균제 치료군과 수술적 치료군으로 무작위 배정하여 10년간 추적관찰했다. 그 결과 신우신염의 빈도는 보존적 치료군에서 높게 나타났으나 새롭게 진행된 신장흉터의 빈도는 양쪽 군에서 유의한 차이가 없어, 치료 방법이 장기 예후에 영향을 주지 않는 것으로 나타났다. 양측성, 중등도 이상의 역류를 대상으로 한 전향적 비교에서도 보존적 치료와 수술 치료를 10년간 추적관찰했으나 신장흉터의 정도, 신장기능의 차이는 없었다.

방광요관역류의 치료 방침을 선택할 때는 환자의 연령과 성별, 역류의 정도, 양측성의 유무, 발열성 요로감염의 재발, 신장흉터의 존재 여부를 신중하게 고려해야 한다. 최근의 연구 결과들은 결정적인 수술적 치료의 적응증이 없는 경우 보존적 치료가 우선함을 보여주고 있다. 즉,

3~4등급의 역류가 존재하더라도 발열 요로감염의 재발이 없고 신장흉터의 증가 소견이 없는 경우 보존적 치료가 우선하며, 보존적 치료 시행 도중 돌파감염이 재발하고 신장흉터 증가 소견이 보이면 수술적 치료를 선택해야 한다.

4. 결론

항생제 예방치료는 전통적으로 방광요관역류에 대한 치료 방법으로 권장되었으나 최근의 대규모 전향적 대조군 연구에서 신 실질 손상의 감소 효과가 규명되지 않았다. 또한 장기간 항생제 사용으로 항생제 저항균의 증가등 안전문제가 대두되어 현재 모든 방광요관역류 환자에게 필수적으로 시행되지는 않으나, 잦은 신우신염의 재발로 신 실질 손상의 가능성이 높으면서 즉각적인 수술적 교정이 힘든 경우 감염의 빈도를 줄이기 위하여 선택적으로 사용할 수 있다.

모든 등급의 방광요관역류에서 신장손상의 위험도를 줄이면서 동시에 치료로 인한 손해를 최소화하는 것을 원칙으로 치료 방침을 선택해야 하므로 먼저 행동치료를 바탕으로 한 보존적 치료를 우선적으로 고려하고, 1세 이하 어린 연령, 방광 장 기능 장애등 요로감염 위험 인자가 있는 경우 예방적 항생제 치료를 선택한다. 예방적 항생제 치료에도 불구하고 발열성 요로감염 재발, 돌파감염, 신장흉터가 증가하는 경우 수술적 치료를 선택할 수 있다.

VII 방광요관역류의 치료- 소아비뇨기과의사의 관점

소아에서 요로감염을 조기에 진단하여 적절히 치료하지 않으면 성인과 달리 심각한 신장 손상을 일으킬 수 있다. 또한 신장 반흔의 발생가능성도 높아서 급성기에 적절한 항균제 치료를 하지 않으면 신장 손상을 악화시킨다. 요로계의 각종 폐색성 질환과 방광요관역류 등의 선천적인 질환을 동반하는 경우가 많고, 신장 실질과 기능의 감소를 초래할 가능성이 많기 때문에 영상의학 검사로 구조적 이상 등 재발위험 요인을 파악하여야 하고, 필요하면 수술적 치료나 예방적 항균제를 사용하여야 한다. 전향적으로 시행된 무작위 통제연구가 부족하여 방광요관역류를 치료하는데 있어 확립된 치료가이드라인의 신빙성이 떨어지는 것이 현실이다.

방광요관역류는 소아에서 매우 흔한 비뇨기과 질환이면서 치료에 있어서는 소아전문의에게 가장 논쟁이 되는 주제에 해당된다. 모든 소아의 1~2%가 방광요관역류를 동반하지만 급성 신우신염이 있는 소아에서는 25~40%까지 유병률이 높아진다. 국내에서는 1980년대에 요로감염 소아의 47~52%에서 방광요관역류를 확인하였으나 최근 12세 이하 2,037명을 대상으로 대구, 경북지역에서 조사한 결과에서는 21%로 나타났다. 방광요관역류의 치료는 감염과 영구적인 신장 실질의 손상을 예방하고, 예방적 항균제 치료 혹은 수술적 치료에 의한 합병증을 막는 것이다. 치료의 종류로는 경과관찰, 간헐적 항균제 치료, 방광훈련, 또는 방광훈련과 항콜린제 투여의 병용치료, 동반되는 질환치료(변비나 방광기능이상 등), 예방적 항균제요법, 내시경적 요관점막하 주입술, 개복수술 또는 복강경하 역류교정술 등이 있다. 그러나 다른 병적인 요소 없이 요관방광접합부 형성의 선천적인 결함으로 인해 발생하는 원발성 방광요관역류에 대한 최상의 치료 방법은 아직 논쟁의 여지가 남아있는 실정으로 여기에서는 소아비뇨기과 의사의 관점으로 서술하고자 한다.

방광요관역류의 여러 가지 치료 중에 의사의 개별적인 선택은 신장 반흔이나 임상경과, 역류의 심한 정도, 신장기능, 양측성, 방광크기나 기능, 다른 요로계의 기형, 나이, 환자의 순응도 등에 따라 대부분 결정된다. 그 중에 수술적 교정은 항균제에 반응하지 않는 재발 열성요로감염, 내과적 치료의 순응도가 떨어지거나 새로운 신장 반흔이 발생하는 경우, 경과 관찰에서 지속되는 고도 역류(4~5등급), 신장 기능의 감소, 중복요관이나 Hutch 게실, 이소성 요관과 같은 동반된 기형이 있을 때, 보호자가 확실한 치료를 원할 경우 시행한다(표 7-12). 이차적인 방광요관역류에서 치료의 목적은 기저 원인을 교정하여 방광요관역류를 교정하는 것이다. 만약 기저 원인을 치료하고 나서도 여전히 방광요관역류가 존재한다면 환아 개인의 임상적인 상황에 근거하여 추가적인 치료를 선택하게 된다. 하지만 방광요과역류의 가장 중요하고 궁극적인 치료 목표는 신우신염을 위험성을 최소화하여 신장 기능을 보존하는 것임을 명심해야 한다.

1. 방광요관역류치료에 대한 인식의 변화

2000년대 이전 약 40년간 방광요관역류에 대한 연구로 재발 요로감염과 신장 반흔의 원인이라는 인과관계가 정립되었고, 이후 단백뇨, 고혈압 및 만성 신부전으로 이어진다는 심각성으로 인해 요로감염 환자에서 방광요관역류를 조기에 진단하고 적극적인 치료를 시행할 것을 권유하여 왔다. 1980년대 초기까지는 방광요관역류의 치료목표를 수술적 교정에 두고 다양한 수술법이 개발되었고 성공률, 합병증 등 수술관련 논문들이 수없이 발표되었다. 1980년대 중반 이후부터는 방광요관역류의 수술적 교정과 예방적 항균제 치료보다 나은 점이 없다는 연구결과가 발표되었다. 1990년대에는 방광요관역류가 소실될 때까지 요로감염이 없는 상태를 유지함으로써 신우신염과 신장 손상을 예방할 수 있다는 생각으로 치료목표를 수술적 교정에서 요로감염의 예방으로 설정하게 되었다. 이러한 흐름에 따라 1997년 미국비뇨기과학회에서 마련한 방광요관역류 진료지침에서는 신장 손상 유무, 일측성과 양측성에 관계없이 5세 미만, 1~4등급의 방광요관역류 환자에서는 일차적으로 예방적 항균제를 선택할 것을 권유하였고 수술적 치료의 적응은 1세 이상의 5등급 방광요관역류로 제한하였다. 하지만 한계점으로 1~4등급 방광요관역류의 수술적 치료는 자연소실을 기대하기 어려울 때로 모호하게 기술하여 명확한 수술 적응증을 제시하지 못하였다. 2000년대 들어서서 방광요관역류 치료목표에 대한 인식의 변화로는 예방적 항균제 효과에 관한 논쟁을 들 수 있다. 방광요관역류 환자에서 예방적 항균제를 사용하지 않아도 요로감염, 신우신염 및 신장 반흔이 일부에서만 발생하는 것이 보고되었다. 또한 요로감염으로 처음 진단된 방광요관역류 환자들 중 3세 미만의 2~4등급 방광요관역류를 대상으로 예방적 항균제군과 대조군으로 분류하여 연구한 결과 요로감염 및 신우신염, 새로운 신장 반흔의 발생에 있어서 유의한 차이를 보이지 않았다. 만약 예방적 항균제가 방광요관역류를 가진 소아에서 요로감염을 예방하지 못하고, 신장 반흔의 새로운 발생을 감소하지 못한다면, 방광요관역류를 일찍 진단하는 것이 과연 진료에 무슨 도움이 될 것인가? 이러한 기본적인 질문에 결론을 내리고자 2~72개월, 607명의 방광요관역류 1~4등급의 환자를 대상으로 trimethoprim-sulfamethoxazole 항균제에 대한 예방적 요법과 위약군에 대한 연구(RIVUR trial)가 미국에서 진행되었다. 가장 큰 이중맹검 위약대조군, 다기관 연구로 예방적 항균제가 재발성 요로감염 위험성을 50%까지 줄였지만 신반흔의 위험성이나 고혈압, 신장기능소실은 줄이지 못했고 항생제 내성이 증가하는 부작용이 나타났다. 하지만 연구결과에 관계 없이 증거중심의학과 경험중심의학에서 후자를 택한다면 환자 개개인의 임상상황에 맞는 선택이 소아전문의에게 필요할 것이다. 단순한 검사수치보다는 환자의 첫 감염의 나이, 감염의 특징(방광염 혹은 신우신염), 신장 실질의 정도, 반흔이나 이형성의 유무, 방광의 기능의 상태, 변비, 진단시 역류의 정도와 함께 치료에 따른 환자 및 보호자의 순응도, 보호자의 치료의지 등이 치료결정에 중요한 영향을 줄 것이다. 결론적으로 일찍 방광요관역류를 진단하여 경계를 늦추지 않고 잘 관찰하여 필요하다면 늦지 않게 수술을 결정하는 것이 치료의 근간일 것이다.

2. 치료에 있어 고려할 점

방광요관역류 치료에 대해 논하기 전에 먼저 여러가지 인자에 대하여 살펴보아야 한다. 여기에 대해서는 대한소아비뇨기과학회에서 2011년에 출간된 소아비뇨기질환진료지침에 잘 나타난다. 방광요관역류 치료에 대한 지침이 가능한 경우는 단순 방광요관역류에 한정되며 이는 돌파 요로감염이나 배뇨장애가 없고, 중복요관이 아니며, 다른 동반 질환이 없는 경우이다. 돌파 요로감염이 발생하는 경우, 신부전이 발생하는 경우, 새로운 또는 진행되는 신장 반흔, 상부요로 폐색이 동반된 경우, 단일신, 신장내 역류, 신경인성 방광, 의인성 역류 등에 의한 이차성 역류 혹은 요관류, 이소성요관, 후부요도판막, 말린대추증후군 *prune-belly syndrome*, 방광외번증 등의 선천성 질환과 동반된 역류는 단순 방광요관역류에 비하여 더 적극적인 치료를 고려해야 한다. 그 외에 치료결정에 영향을 줄 수 있는 인자는 항균제 알러지 또는 항균제 복용이 어려운 경우, 불충분한 수술 기구와 병원시설, 환자와 의사와의 관계와 선호도, 배뇨장애가 있는 경우이다. 배뇨장애가 있으면 수술 성공률이 떨어지므로 행동치료, 생체되먹임, 항콜린제와 항균제 등의 치료를 먼저 고려해야 한다. RIVUR 자료의 추가 분석에서는 포경수술 받지 않은 남자아이, 방광장기능문제(bladder bowel dysfuncion, BBD), 고도 역류를 위험 인자로 지목하여서 예방적 항균제치료가 유의한 효과를 보였다.

3. 배뇨장애와 방광요관역류

배뇨장애가 방광요관역류환아에서 동반된다는 것은 이미 잘 알려진 사실이며 보고에 의하면 역류를 가진 환아의 15~50%에서 방광기능이상을 동반한다고 하지만 의외로 정확한 빈도를 제시한 논문은 많지 않다. 최근의 관련논문들을 요약하면 역류를 가진 환아에서 배뇨기능장애가 있으면 자연 소실률이 낮고 돌파성 요로감염의 발생률이 높다. 이러한 환아들에서 항역류 수술이 많이 시행되기 때문에 항역류 수술의 실패는 종종 배뇨장애와 밀접한 연관이 있다. 1998년에 Snodgrass는 배뇨장애가 있는 환자들을 예방적 항균제와 항콜린성 약물로 치료하였을 때 43%에서 돌파 요로감염이 발생하여 결국 항역류 수술을 시행하였다. 그는 돌파 요로감염으로 항역류 수술을 시행받은 환자의 78%가 배뇨장애 때문이라고 주장하였다. 항콜린 약물로 배뇨장애를 치료하는 것은 역류소실에 큰 효과가 없어서 배뇨장애와 역류를 같이 동반한 환자들과 역류만 가지고 있는 환자들에서 45%와 61%에서 각각 역류의 소실을 보였다. Willemsen은 102례의 환자에서 요역동학검사를 하였을 때 40%의 환자에서 불안정방광을 관찰하였다. 이를 항콜린성 약물로 치료했을 때 역류의 소실율은 불안정방광이 있을 때와 없을 때가 각각 57%와 67%로 나타났고, 돌파 감염의 발생은 불안정방광이 있을 때와 없을 때 각각 34%와 18%로 의미 있는 차이를 보였다. 하지만 수술 성공률이나 신장 반흔의 발생은 두 군에서 차이가 없었다. 이 연구에서 방광불안정이 있을 때 항콜린성 약물을 사용했음에도 불구하고 34%, 즉 1/3에서 돌파 요로감염이 발생한 이유는 항콜린성 약물의 소화기 장관에 대한 효과로 인한 변비의 증가와 함께 불안정방광 자체의 요로감염 발생과의 인과관계로 추정된다(BBD). 또한 항콜린성 약물로 인한 배뇨후 잔뇨의 증가도 요로감염의 발생에 영향을 줄 수 있다. 그럼에도 불구하고 배뇨장애를 동반한 방광요관역류 환자에서 항콜린성 약물을 치료하면 70%에서 역류의 소실을 볼 수 있다고 알려져 있다. 그러나 항콜린성 약물이 역류의 소실율을 높일 수 있으나 골반저근육문제와 변비를 치료하지 않으면 상기 이유로 돌파 요로감염 발생율은 오히려 증가시킬 수도 있다. 따라서 최근에는 골반저재활치료법이 일차적인 치료방법으로 등장하기도 하였다. De Paepe는 배뇨장애를 동반한 역류환자 9례에서 재활치료만으로 7례에서 역류가 소실되었다고 보고하였고, Herndon과 McKenna도 51례의 동일한 환자에서 골반 근육재활을 통해 역류가 있는 71단위 중 25단위에서 역류가 소실되었다고 하였다.

4. 내과적 치료와 수술적 치료

방광요관역류가 진단이 되면 수술적 치료를 할지 아니면 경과관찰을 할지, 또는 간헐적으로 항균제 요법을 병행할지, 만약 경과를 지켜본다면 얼마까지 경과를 볼 것인가가 치료결정의 관건이다.

예방적 항균제와 보존적 치료는 저등급(1~2등급) 방광요관역류에서는 시간이 지남에 따라 자연호전 될 가능성이 높다는데 근거한다. 산전 진단된 방광요관역류 및 증상을 가지는 방광요관역류의 1~5등급까지 자연소실율은 각각 82~91%, 60~84%, 46~71%, 9~40%, 0~14%로 알려져있다. 방광요관역류가 자연호전될 가능성이 있다면 보존적 치료를 하여야 하지만,

표 7-12 방광요관역류의 수술 적응증

1992	1998	2009	2021
			(유럽비뇨기과학회 가이드라인)
비순응 돌파요로감염 게실로 개구하는 요관역류 요관폐색 골프홀 모양의 요관구	돌파요로감염 비순응 신장흉터가 있는 고도 역류(4~5등급) 새로운 신장흉터 신장기능 저하 사춘기 이후 여성의 역류 게실 등 기형을 동반한 역류	돌파요로감염 비순응 새로운 신장흉터 동반기형 – Hutch 게실 – 중복요관 – 이소성 요관 나이, 성별, 역류 등급	지속되는 고도 역류(4~5등급) (빈번한) 돌파성 요로감염 신기능 저하(신장 이상) 부모가 확실한 치료를 원할 때 고려 인자들: 방광기능이상 유무 신반흔 유무 임상 경과(1~5년) 역류 등급, 양측성 동반 요로 기형 나이, 성별 순응 부모의 의견

자연호전의 가능성이 없을 때에는 수술치료를 고려해야 한다. 3~4등급 역류에서 예방적 항균제를 사용하면서 추적관찰하였을 때와 수술치료를 시행하였을 때 요로감염 발생률은 각각 29~38%와 33~39%로 차이가 없었지만 신우신염 발생률은 21~22%와 8~9%로 유의한 차이를 보였다. 그러나 두 군간 신장 반흔의 발생률의 차이는 없었다. 이는 대규모 RIVUR연구에서도 확인되었다. 시대별 연구결과에 따라 방광요관역류에 대한 인식의 변화가 있어오면서 수술적 치료의 적응증에 약간의 변화는 있지만 큰 틀의 변화는 없는 것으로 보인다(표 7-12).

이전에는 단지 수술할지, 항균제를 사용하면서 경과를 관찰할지 결정하였다면 최근에 여러 가지 수술방법들의 발전이 있어 오면서 치료의 폭도 다양해지면서 복잡해졌다. 수술적 치료를 결정하더라도 내시경적 치료를 할지, 개복 치료 또는 복강경 수술을 할지를 결정하여야 한다. 개복 수술은 성공률이 92~98%로 높고 낮은 합병증과 함께 오랜 장기결과로 안정적인 치료법이지만 가장 침습적인 치료에 속하므로 여러 가지 치료결과를 비교하여 환자에 맞는 치료를 선택하는 것이 정답일 것이다.

1) 내시경적 치료

1981년에 Matouschek이 방광요관역류 치료의 새로운 개념으로 발표하고, 1984년에 Puri와 O'Donnell이 실험동물에서 polytetrafluoroethylene (Teflon®)을 주입한 연구결과를 발표한 이래, 내시경 치료는 개복수술의 위험성을 피하고 해부학적 이상이 동반된 경우에도 치료 가능하여 널리 사용되었다. 방광요관역류에서 내시경적 주입술은 효율성과 안정성이 입증된 dextranomer hyaluronic acid (Deflux®)의 개발에 따라 최근 전세계적으로 널리 사용되

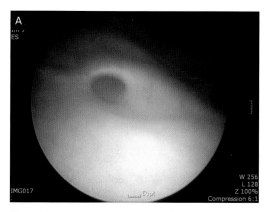
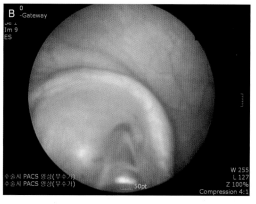

그림 7-8 **방광요관역류에 대한 내시경적 치료(우측 요관 입구) 장면** 치료 전 요도구는 골프홀 모양(A)이었으나 치료 후 분화구*volcano* 및 초승달*crescent* 모양(B)으로 변했다.

고 있다(그림 7-8). 현재 보고된 장기적 추적 관찰 결과 내시경적 주입술의 성공률은 일차성 방광요관역류뿐만 아니라 복잡한 증례에서도 개복 수술의 성공률에 근접하고 있어 방광요관 역류의 일차 치료법으로 자리 잡고 있는 추세이다. 2006년도에 시행된 5,527명의 환자(8,101 신단위)에 대한 메타 분석에서 1~2,3,4,5 등급의 치료결과는 각각 78.5%, 72%, 63%, 51% 였다(표 7-13). 첫 주입술이 실패하면 이차 치료의 성공률은 68%이며 삼차 치료의 성공률은 34%이고, 1회 이상의 주입술 성공률의 합은 85%이다. 성공률은 단일요관(73%)보다 중복요관(50%)에서 낮고, 정상방광(73%)보다 신경인성 방광 (62%)에서 더 낮고 정상요관(73%)보다 이중요관(50%)에서 더 낮다. 우리나라에서도 평균 6.2세의 84명의 환자를 대상으로 26개월 추적관찰하였을 때, Deflux®의 치료성공률은 2~5 등급에서 각각 88%, 79%, 84%, 62%로 높게 나타났다. 주지하여야 할 점은 개복수술에 비하여 성공률이 떨어진다는 점과 실패하였을 때 반복적인 전신마취와 배뇨중 방광요도조영술이 부담으로 작용할 수 있는 만큼 보호자에게 충분히 장단점을 설명한 후 수술 방법을 선택하도록 하여야 한다.

표 7-13 내시경적 치료의 성적(성공률)

성공률	Grade 1	Grade 2	Grade 3	Grade 4	Grade 5
Elder JS 등(2006)	78.5%		72%	63%	51%
Bae YD 등(2010)	–	88%	79%	84%	62%

2) 개복 수술

역류에 대한 수술에는 다양한 방광내 혹은 방광외 요관재문합술 방법들이 있다. 이러한 방법들은 각자의 다양한 이점과 합병증을 가지고 있으나 모두 요관을 방광 점막 밑에 놓아 점막하 부분의 요관길이를 늘리는 기본 원칙은 동일하다. 다시 말하면, 요관 재이식은 수동적인 밸브역할을 하여 방광 내에 소변이 차면서 압력이 오르면 일시적으로 요관을 막게 되는 것이다. 그리고 이차적으로 정상적인 요관운동을 하게 만들어 폐색없이 소변을 방광 내로 전달할 수 있게 하여야 한다. 가장 대중적인 방법은 Cohen이 발표한 술식이고 미국에서 가장 흔히 사용하는 요관재문합술은 1958년에 발표된 Politano-Leadbetter 술식이다. 이 술식의 가장 큰 장점은 새로운 요관의 방광진입로를 만들어 정상적인 위치에 요관입구를 가지게 된다(그림 7-9). 이 술식의 단점은 새로운 요관의 방광진입로가 원래 요도구위치보다 위쪽, 안쪽으로 만들어야 하기 때문에 복막손상이나 장손상이 발생할 수 있다는 것이다. 요관을 원래 위치에서 빼내어 보다 전진하여 점막하 요관의 길이를 늘리는 방법은 크게 세 가지로 나눌 수 있다. 방광삼각부를 따라 신장시키는 Glenn-Anderson 술식, 방광삼각부를 교차하는 Cohen 술식, 그리고 중앙으로 요관을 신장시키는 Gil-Vernet 술식이다. Glenn-Anderson 술식(그림 7-10)은 Politano-Leadbetter 술식과 비슷하나 요관이 방광으로 새롭게 들어오는 위치가 차이가 나서 방광경부에 요관입구가 위치하게 된다. 방광외 접근을 하지 않아도 되는 장점은 있으나 방광삼각부와 요관입구가 이 수술을 위한 모양을 가지고 있어야만 성공적으로 시행할 수 있다. Cohen 술식(그림 7-11)은 충분한 점막하 요관길이를 확보할 수 있기 위하여 방광삼각부를 지나 반대편 요관근처에 새로운 요관입구를 위치시킨다. 장점은 중복요관이나 거대요관 같은 경우에도 쉽게 충분한 점막하 요관길이를 확보할 수 있는 것이다. 따라서 당시 발표된 합병증은 3.2%에 불과하였지만 수술성공률은 99%였다. 하지만 요관의 입구가 서로 뒤바뀌게 되어 추 후 환자가 결석이 있거나 내시경적 검사를 하게 될 때 검사가 어려워질 수 있어

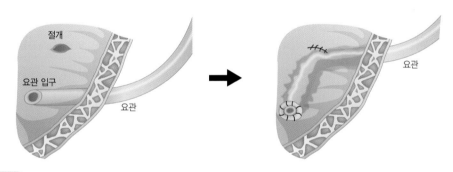

그림 7-9   Politano-Leadbetter 요관재문합술

요관을 방광 내에서 박리하여 방광 밖으로 빼내고, 적절한 길이의 방광점막 하 터널을 만들고 방광벽에 새로운 요관 진입 구멍을 낸다. 원래 요관이 들어왔던 방광벽은 봉합하며, 새로 만든 구멍과 점막 하 터널을 통해 요관을 넣고 요관의 말단을 방광 점막과 봉합한다.

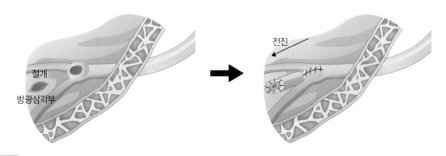

그림 7-10   Glenn-Anderson 요관재문합술

요관을 방광 내에서 박리한 후 원래의 요관구 위치에서부터 방광 경부 방향으로 방광삼각부에 점막 하 터널을 만든다. 박리한 요관을 점막 하 터널을 통해 아래쪽(방광 경부 쪽)의 새로운 구멍으로 빼내어 방광 점막과 문합한다.

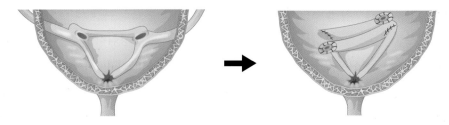

그림 7-11 Cohen 요관재문합술

요관을 방광 내에서 박리하고, 방광삼각부를 가로지르는 점막 하 터널을 만든 후 요관을 점막 하 터널을 통해 반대쪽 삼각부로 가로질러 빼내어 방광 점막과 문합한다.

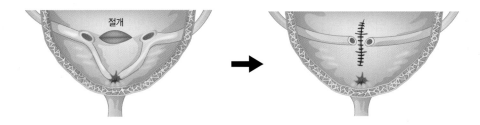

그림 7-12 Gil-Vernet 요관재문합술

양측 요관구를 통해 요관에 카테터를 삽입한다. 양측 요관구 사이 점막을 절개하고 비흡수성 봉합사로 바닥의 배뇨근을 세로로 봉합하여 양측 요관구가 정중앙 쪽으로 당겨지게 한다.

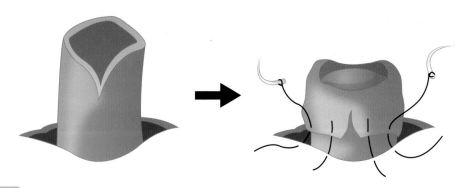

그림 7-13 Paquin 술식 요관-방광 문합 시 요관 말단을 유두 모양으로 만드는 방법

양측 요관구를 통해 요관에 카테터를 삽입한다. 양측 요관구 사이 점막을 절개하고 비흡수성 봉합사로 바닥의 배뇨근을 세로로 봉합하여 양측 요관구가 정중앙 쪽으로 당겨지게 한다.

이 방법이 소개되고 난 후 25년간 거의 관심이 없었다가 최근 쉬운 술기로 각광을 받고 있다. Gil-Vernet 술식(그림 7-12)은 간단하고 빠른 수술방법이다. 이 방법은 요관이 방광 내에서 쉽게 움직일 때 적절한 방법이지만, 단점은 3-0 *nylon*으로 봉합하므로 이것이 추후 방광결석을 유발할 수 있다. 38례를 대상으로 하여 94%의 성공을 보였다. Paquin은 1959년에 방광외

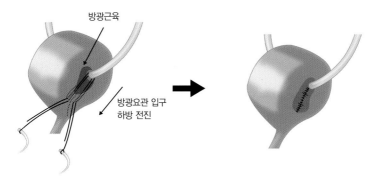

방광근육

방광요관 입구
하방 전진

그림 7-14 배뇨근외봉법

방광 밖에서 요관을 배뇨근으로부터 박리한 후 배뇨근을 상외측으로 절개한다. 말단 요관벽 두 군데에 실을 걸어 방광경부 쪽으로 요관을 전진시킨 후 절개했던 배뇨근을 요관 위에서 봉합한다.

접근과 방광내접근을 혼합하여 양측의 술기의 어려움을 피하고, 점막하 요관길이:요관굵기의 비율을 5:1로 충분히 만들어 수술 성공율을 높였다. 이 방법은 방광후벽에 절개를 하여 요관을 방광 밖으로 뺀 후 터널을 만들어 요관의 끝을 장루처럼 *nipple*을 만들었다(그림7-13). 많은 비뇨기과 의사들이 선택적으로 이 *nipple*을 만들어 오고 있다.

방광외 요관재문합술은 Lich와 Gregoir가 동시에 개발하고 기술하였다. 내시경적으로 요관카테터를 먼저 삽입하고 나서 방광 밖으로 방광요관접합부를 접근하여 역류수술을 하는 것이다. 합병증도 낮고 성공율도 높아서 여러 가지 변형된 방법들이 소개되었다. 그 중 점막하 요관길이도 신장하고 방광외 접근을 하는 방법을 "배뇨근외봉법*detrusorrhaphy*"이라고 명명하였다. 이 방법은 방광 밖에서 요관입구를 방광삼감부로 진행시켜서 고정하여 요관길이를 신장한다(그림 7-14).

미국과 달리 한국에서 선호하는 수술방법은 무엇일까? 2007년 한국소아비뇨기과의사 33명을 대상으로 가장 선호하는 수술방법을 조사한 결과 69.7%(23/33)의 의사가 내시경 주입술을 시행하였으며, 다음으로 Cohen 술식 63.6%(21/33), Politano-Leadbetter 술식 21.2%(7/33), detrusorraphy 18.2%(6/33), Glenn-Anderson 술식 6.1%(2/33)의 순이었고, Lich 술식과 Paquin 술식은 각각 3.0%(1/33)였다. 요관의 내경을 줄여야 하는 경우에는 Cohen 술식이 57.6%(19/33)로 가장 많이 선택하였으며, 다음으로 Politano-Leadbetter 술식(8/33), Paquin 술식(4/33), Glenn-Anderson 술식(1/33), 방광근외봉법(1/33), 복강경하 술식(1/33)의 순이었다. 요관의 내경을 줄이는 방법으로는 재단하는 방법(33.3%, 11/33)보다 접는 방법(66.7%, 22/33)을 선호하였다.

3) 복강경 수술

복강경 수술은 최근 로봇의 발전과 더불어 기술적으로 발전하고 있는 술식이다. 현재는 상당 수의 증례가 쌓였고 정확히 복강경 방광외 접근법transperitoneal extravesical approach과 공기방광 방광내 접근법pneumovesicoscopic intravesical approach으로 크게 나눌 수 있다. 로봇기구는 주로 복강경 방광외 접근법에서 시용된다. 1996년에 Gil-Vernet 술식으로 방광내 역류를 교정하는 방법이 처음 보고 되었으나 수술 실패율이 50%를 상회하여 Cohen 술식으로 바뀌게 되었다. 1999년에는 Cohen 술식으로 요관을 재문합하는 방법이 사용되어지면서 수술술기는 다소 쉬워졌고 초기에 성공률은 80%를 조금 상회하였으나 2009년에 72례(113 신장단위)에서 평균 24개월 (3~65개월)동안 관찰하였을 때, 배뇨중 방광요도조영술을 시행한 50례 중 46례(92%)가 성공하였다. 우리나라에서도 신장단위를 대상으로 평균 8.6개월 추적하긴 하였지만 단일술자에 의한 수술성공률이 94.6%로 나왔다. 2016년에는 공기방광 Plita-no-Leadbetter 술식이 처음으로 보고 되었고 2019년 한국에서 47명 중 1명만 증상이 나타났고 2021년 터키에서 21명 중 배뇨중방광조영술로 92%의 성공율을 보였다.

성공률은 개복수술과 비슷하나 학습시간과 수술시간이 긴 단점으로 아직까지 복강경 접근은 소수의 소아에서 시행되고 있으나 로봇 보급의 증가로 우리나라와 전세계적으로 개복은 줄어들고 복강경 수술이 늘고 있고 그 결과도 긍정적으로 나타나고 있다. 단지 아직까지는 로봇은 기술적 한계로 방광외 접근법으로 술기가 발달되고 있어 방광내 접근법보다 성공률이 떨어지고 있으나 술기 개발로 점점 성공률이 높아지고 있어 2018년에는 143명을 대상으로 영상학적으로 93.8%의 성공율을 보였다. 장기성적이 발표된다면 앞으로 많은 발전이 이루어질 것으로 생각된다.

5. 결론

방광요관역류는 하나의 질환이라는 개념보다는 해부학적 이상과 기능의 문제가 복합적으로 이루어졌다는 데에 이견이 없다. 배뇨 장애는 특히 저등급의 일차성 방광요관역류의 원인에 큰 역할을 한다. 예방적 항균제 치료의 효과에 대한 연구는 요로감염과 신우신염, 신장 반흔의 예방에 의미없는 것으로 연구결과가 나오고 있지만 연구자체의 완성도가 높지 않다는 지적이 있고 대규모의 엄격한 연구결과를 기다리고 있는 실정이다. 수술적 치료를 언제, 무슨 방법으로 할 것인가는 순응도를 포함한 환자 개개인의 임상적 상황에 맞게 방광요관역류의 여러 가지 호전 또는 악화 인자들을 고려하여 현명하게 판단하여야 할 것이다.

- 소아 요로감염의 분류는 여러 가지 이유 때문에 복잡하고 다양할 수 있으나, 중요하게 고려해야 할 점은 이 분류가 요로감염 환아들의 신장손상 위험 가능성에 대한 정보를 제공할 수 있어야 한다는 것이다.
- 소아 요로감염의 분류는 요로감염 부위(하부요로 대 상부요로), 감염 횟수(초기 감염 대 재발 감염), 중등도 정도(단순 대 중증), 복합요인 여부(비복합 대 복합), 임상증상 여부(무증상 대 증상)에 따라 분류하는 것이 유용하다.
- 나이에 따라 임상증상이 다양하게 나타날 수 있기 때문에 초기 감염인지 재발 감염인지를 구별하는 것이 매우 중요하다.
- 초음파검사, 배뇨방광요도조영술, 방사성 동위원소검사 등의 정밀 검사는 여아는 재발 감염, 남아는 초기 감염에 시행하는 것이 권장된다.
- 소변검사는 적절히 채취된 소변으로 지체 없이 시행해야 한다. 기저귀를 착용 중인 환아는 먼저 깨끗이 닦은 후 소변 채취 주머니를 부착해야 한다. 치골상부방광천자술이나 경요도적 도뇨법으로 채취한 경우와 달리 소변 채취 주머니를 이용하거나 중간뇨를 검사하는 경우에는 결과 판독에 주의가 필요하다.
- C-반응 단백, 요중 N-acetyl-β-glucosaminidase, 혈청 프로칼시토닌 등이 신우신염의 예측 지표로 많이 사용되고 있으나 DMSA 신장스캔보다 민감도와 특이도 모두가 낮다.
- 심한 요로계 기형은 초음파검사로 발견해낼 수 있다. 방광요관역류를 진단하거나 방광 및 요도를 관찰하기 위해서는 배뇨방광요도조영술을 시행한다. 방광요관역류는 조영제를 이용한 초음파검사나 방사성 동위원소 방광조영술로도 진단할 수 있다.
- 방사성 동위원소검사는 신장기능과 요로폐색을 알아보거나(DTPA 또는 MAG-3 신장스캔) 신장실질의 소실 또는 신장흉터를 알아보는 데(DMSA 신장스캔) 이용된다.
- 배설요로조영술은 다른 검사로는 요로의 형태를 분명히 알 수 없는 경우에 한하여 시행한다.
- 요역동학검사는 배뇨장애가 의심될 때 시행한다. 대부분의 경우 요속검사와 잔뇨 측정 정도로 충분하며, 신경성방광이 의심되는 경우에는 완전한 검사가 필요하다.
- 신생아와 유아 초기의 경우 신우신염에 이환되면 입원치료가 권장되며, 3세대 세팔로스포린과 암피실린 혹은 아미노글리코사이드와 암피실린을 병합하여 투여하는 경정맥 항균제 치료가 필요하다.
- 별다른 복합 요소(요로계기형, 신경성방광 등)가 없는 2~6개월 이후 소아의 신우신염은 경구 3세대 세팔로스포린으로 치료하거나, 2~4일간 경정맥으로 투여한 후 경구투여로 전환하는 치료를 시행한다.
- 방광염에 대한 치료는 2세대 혹은 3세대 세팔로스포린을 이용한 경구 항균제 요법으로도 충분하다.
- 전 세계적으로 암피실린에 대한 대장균의 내성률이 매우 높기 때문에 암피실린은 더 이상 1차 약으로 권장되지 않으며, 코트리목사졸과 TMP 또한 내성률이 20% 이상인 지역에서는 권장되지 않는다.
- 신우신염의 치료 기간은 신생아나 유아 초기의 경우 7~14일, 유아 후기나 소아의 경우에는 7~10일이 권장되며, 방광염의 치료기간은 3~5일이 권장된다.
- 무증상 세균뇨는 일반적으로 항균제 치료가 필요하지 않다.
- 고도의 방광요관역류, 심한 요로폐색, 자주 재발하는 신우신염 등이 있는 경우에는 요로감염이 재발하거나 신장흉터 발생 위험을 줄이기 위해 예방적 항균제 요법을 권장한다.
- 신생아와 유아 초기의 경우 신우신염에 이환되면 입원치료가 권장되며, 3세대 세팔로스포린과 암피실린 혹은 아미노글리코사이드와 암피실린을 병합하여 투여하는 경정맥 항균제 치료가 필요하다.
- 별다른 복합 요소(요로계 기형, 신경성방광 등)가 없는 2~6개월 이후 소아의 신우신염은 경구 3세대 세팔로스포린으로 치료하거나, 2~4일간 경정맥으로 투여한 후 경구 투여로 전환하는 치료를 시행한다.
- 방광염에 대한 치료는 2세대 혹은 3세대 세팔로스포린을 이용한 경구 항균제 요법으로도 충분하다.
- 전 세계적으로 암피실린에 대한 대장균의 내성률이 매우 높기 때문에 암피실린은 더 이상 1차 약으로 권장

되지 않으며, 코트리목사졸과 TMP 또한 내성률이 20% 이상인 지역에서는 권장되지 않는다.
- 신우신염의 치료 기간은 신생아나 유아 초기의 경우 7~14일, 유아 후기나 소아의 경우에는 7~10일이 권장되며, 방광염의 치료 기간은 3~5일이 권장된다.
- 무증상 세균뇨는 일반적으로 항균제 치료가 필요하지 않다.
- 고도의 방광요관역류, 심한 요로폐색, 자주 재발하는 신우신염 등이 있는 경우에는 요로감염이 재발하거나 신장흉터가 발생하는 위험을 줄이기 위해 예방적 항균제 요법을 권장한다.
- 방광요관역류의 치료 방침 결정에 중요한 영향을 주는 요소로는 첫 진단시 나이, 감염의 특징(방광염 혹은 신우신염), 신실질의 정도, 반흔이나 이형성의 유무, 방광의 기능의 상태, 진단시 역류의 정도와 함께 치료에 따른 환자 및 보호자의 순응도 등이다.
- 방광요관역류의 수술적 교정은 항균제에 반응하지 않는 재발성 열성요로감염, 내과적 치료의 순응도가 떨어지거나 새로운 신반흔이 발생하는 경우, 중복요관이나 Hutch게실, 이소성 요관과 같은 동반된 기형이 있을 때 시행한다.
- 방광요관류에서 내시경적 주입술은 효율성과 안정성이 입증된 dextranomer hyaluronic acid (Deflux®)의 개발에 따라 최근 전세계적으로 널리 사용되고 있으며, 현재까지 보고된 치료 성적은 일차성 방광요관역류뿐만 아니라 복잡한 증례에서도 개복 수술의 성공률에 근접하고 있어 방광요관역류의 일차 치료법으로 자리 잡고 있는 추세이다.
- 역류에 대한 수술에는 다양한 방광내 혹은 방광외 요관재문합술 방법들이 있다. 이러한 방법들은 각자의 다양한 이점과 합병증을 가지고 있으나 공통적인 기본 원칙은 모두 요관을 점막 밑에 놓아 점막하 부분의 요관길이를 늘리는 것이다.
- 역류에 대한 수술적 치료는 새로운 신반흔 발생을 예방하고 신기능을 보존할 목적으로 시행되고 있다. 그러나 아직까지 수술이 이러한 목적을 충족시킨다는 확실한 근거는 없다.

참고문헌

1. 2018 국가 항균제 내성균 조사연보. 질병관리본부 국립보건연구원, 2019
2. Akagawa Y, Kimata T, Akagawa S, Fujishiro S, Kato S, Yamanouchi S, Tsuji S, Kino M, Kaneko K. Optimal bacterial colony counts for the diagnosis of upper urinary tract infections in infants. Clin Exp Nephrol. 2020 Mar;24(3):253-258.
3. Allen UD, MacDonald N, Fuite L, Chan F, Stephens D. Risk factors for resistance to "first-line" antimicrobials among urinary tract isolates of Escherichia coli in children. CMAJ. 1999 May 18;160(10):1436-40.
4. Altuntas N, Alan B. Midstream Clean-Catch Urine Culture Obtained by Stimulation Technique versus Catheter Specimen Urine Culture for Urinary Tract Infections in Newborns: A Paired Comparison of Urine Collection Methods. Med Princ Pract. 2020;29(4):326-331.
5. Arant BS Jr. Medical management of mild and moderate vesicoureteral reflux: followup studies of infant and young children. A preliminary report of the Southwest Pediatric Nephrology Study Group. J Urol 1992;148:1683-7.
6. Baek M, Han DH. Transvesicoscopic Politano-Leadbetter ureteral reimplantation in children with vesicoureteral reflux: A novel surgical technique. Investig Clin Urol 2019;60:405-11.

7. Bae YD, Park MG, Oh MM, Moon DG. Endoscopic Subureteral Injection for the Treatment of Vesicoureteral Reflux in Children: Polydimethylsiloxane (Macroplastique(R)) versus Dextranomer/Hyaluronic Acid Copolymer (Deflux(R)). Korean J Urol 2010;51:128−31.

8. Bosakova A, Salounova D, Havelka J, Kraft O, Sirucek P, Kocvara R, Hladik M. Diffusion−weighted magnetic resonance imaging is more sensitive than dimercaptosuccinic acid scintigraphy in detecting parenchymal lesions in children with acute pyelonephritis: A prospective study. J Pediatr Urol. 2018 Jun;14(3):269. e1−269.e7.

9. Boysen WR, Akhavan A, Ko J, Ellison JS, Lendvay TS, Huang J, et al. Prospective multicenter study on robot−assisted laparoscopic extravesical ureteral reimplantation (RALUR−EV): Outcomes and complications. J Pediatr Urol 2018;14:262.e1−6.

10. Broadis E, Kronfli R, Flett ME, Cascio S, O'Toole SJ. 'Targeted top down' approach for the investigation of UTI: A 10−year follow−up study in a cohort of 1000 children. J Pediatr Urol. 2016 Feb;12(1):39.e1−6.

11. Broeren M, Nowacki R, Halbertsma F, Arents N, Zegers S. Urine flow cytometry is an adequate screening tool for urinary tract infections in children. Eur J Pediatr. 2019 Mar;178(3):363−368.

12. Buys H, Pead L, Hallett R, Maskell R. Suprapubic aspiration under ultrasound guidance in children with fever of undiagnosed cause. BMJ. 1994 Mar 12;308(6930):690−2.

13. Caldamone AA. Commentary to "Controversies in the management of vesicoureteral reflux − The rationale for the RIVUR study" Urinary tract infections and vesicoureteral reflux in children: What have we learned? J Pediatr Urol 2009;5:342−3.

14. Cartwright PC, Snow BW, Mansfield JC, Hamilton BD. Percutaneous endoscopic trigonoplasty: a minimally invasive approach to correct vesicoureteral reflux. J Urol 1996;156:661−4.

15. Chang SJ, Tsai LP, Hsu CK, Yang SS. Elevated postvoid residual urine volume predicting recurrence of urinary tract infections in toilet−trained children. Pediatr Nephrol. 2015 Jul;30(7):1131−7.

16. Cheng CH, Tsai MH, Huang YC, Su LH, Tsau YK, Lin CJ, Chiu CH, Lin TY. Antibiotic resistance patterns of community−acquired urinary tract infections in children with vesicoureteral reflux receiving prophylactic antibiotic therapy. Pediatrics. 2008 Dec;122(6):1212−7.

17. Chertin B, Puri P. Endoscopic management of vesicoureteral reflux: does it stand the test of time? Eur Urol 2002;42:598−606.

18. Choi H, Park JY, Bae JH. Initial experiences of laparoscopic intravesical detrusorraphy using the Politano−Leadbetter technique. J Pediatr Urol 2016;12:110.e1−7.

19. Choi SK. Changing concepts in management of VUR. Korean Society of Pediatric Urology 22th Congress 2009; 35−8.

20. Chung JM, Chang HS, Kim DS, Kim JM. Vesicoureteral reflux in children: proposal for Korean guideline. Korean J Pediatr Urol 2010;2:64−72.

21. Chung JM, Park CS, Lee SD. Postoperative ureteral obstruction after endoscopic treatment for vesicoureteral reflux. Korean J Urol. 2015 Jul;56(7):533−9.

22. Cohen SJ. The Cohen reimplantation technique. Birth Defects 1977;13:391−5.

23. Copp HL, Shapiro DJ, Hersh AL. National ambulatory antibiotic prescribing patterns for pediatric urinary tract infection, 1998−2007. Pediatrics. 2011 Jun;127(6):1027−33.

24. Coulthard MG. Using urine nitrite sticks to test for urinary tract infection in children aged ⟨2 years: a meta−analysis. Pediatr Nephrol. 2019 Jul;34(7):1283−1288.

25. Craig JC, Williams GJ, Jones M, Codarini M, Macaskill P, Hayen A, Irwig L, Fitzgerald DA, Isaacs D, McCaskill M. The accuracy of clinical symptoms and signs for the diagnosis of serious bacterial infection in young febrile children: prospective cohort study of 15 781 febrile illnesses. BMJ. 2010 Apr 20;340:c1594.

26. De Paepe H, Hoebeke P, Renson C, Van Laecke E, Raes A, Van Hoecke E et al. Pelvic−floor therapy in girls with recurrent urinary tract infections and dysfunctional voiding. Br J Urol 1998;81:109−13.

27. Dewan PA. Ureteric reimplantation: a history of the development of surgical techniques. BJU Int 2000;85:1000-6.

28. EAU guideline 2021. https://uroweb.org/wp-content/uploads/EAU-Guidelines-on-Paediatric-Urology-2021.pdf.

29. Editors of Korean Society of Pediatric Urology. The guideline of vesicoureteral reflux. Korean Society of Pediatric Urology. Seoul: Medrang; 2011;11-26.

30. Elder JS, Diaz M, Caldamone AA, Cendron M, Greenfield S, Hurwitz R, et al. Endoscopic therapy for vesicoureteral reflux: a meta-analysis. I. Reflux resolution and urinary tract infection. J Urol 2006;175:716-22.

31. Elder JS, Peters CA, Arant BS Jr, Ewalt DH, Hawtrey CE, Hurwitz RS, et al. Pediatric vesicoureteral reflux guidelines panel summary report on the management of primary vesicoureteral reflux in children. J Urol 1997;157:1846-51

32. Ellsworth PI, Lim DJ, Walker RD, Stevens PS, Barraza MA, Mesrobian HG. Common sheath reimplantation yields excellent results in the treatment of vesicoureteral reflux in duplicated collecting systems. J Urol 1996;155:1407-9.

33. Fanos V, Cataldi L. Antibiotics or surgery for vesicoureteric reflux in children. Lancet 2004;364:1720-2.

34. Garin EH, Olavarria F, Garcia Nieto V, Valenciano B, Campos A, Young L. Clinical significance of primary vesicoureteral reflux and urinary antibiotic prophylaxis after acute pyelonephritis: a multicenter, randomized, controlled study. Pediatrics 2006;117:626-32.

35. Glenn JF, Anderson EE. Distal tunnel ureteral reimplantation. J Urol 1967;97:623-6.

36. Gill IS, Ponsky LE, Desai M, Kay R, Ross JH. Laparoscopic cross-trigonal Cohen ureteroneocystostomy: novel technique. J Urol 2001;166:1811-4.

37. Gil-Vernet JM. A new technique for surgical correction of vesicoureteral reflux. J Urol 1984;131;456-8.

38. Gregoir W, van Regemorter G. Le reflux vesicoureteral congenital. Urol Int 1964;18:122-36.

39. Heidenreich A, Ozgur E, Becker T, Haupt G. Surgical management of vesicoureteral reflux in pediatric patients. World J Urol 2004;22:96-106.

40. Herndon CD, DeCambre M, McKenna PH. Changing concepts concerning the management of vesicoureteral reflux. J Urol 2001;166:1439-43.

41. Herndon CD, McKenna PH. The treatment of dysfunctional elimination decreases urinary tract infections and surgery in children with vesicoureteral reflux. Am Acad of Pediatr Annual Meeting 2000; Abstract #185

42. Herr SM, Wald ER, Pitetti RD, Choi SS. Enhanced urinalysis improves identification of febrile infants ages 60 days and younger at low risk for serious bacterial illness. Pediatrics. 2001 Oct;108(4):866-71.

43. Herreros ML, Tagarro A, García-Pose A, Sánchez A, Cañete A, Gili P. Performing a urine dipstick test with a clean-catch urine sample is an accurate screening method for urinary tract infections in young infants. Acta Paediatr. 2018 Jan;107(1):145-150.

44. Hildebrand WL, Schreiner RL, Stevens DC, Gosling CG, Sternecker CL. Suprapubic bladder aspiration in infants. Am Fam Physician. 1981 May;23(5):115-8.

45. Hoberman A, Wald ER, Reynolds EA, Penchansky L, Charron M. Is urine culture necessary to rule out urinary tract infection in young febrile children? Pediatr Infect Dis J. 1996 Apr;15(4):304-9.

46. Hong CH, Kang DI, Kim JM, Park S, Chang YS, Chung H et al. Vesicoureteral Reflux TFT result. Korean Society of Pediatric Urology Case Discussion 2008. 40-2.

47. Hong CH, Kim JH, Jung HJ, Im YJ, Han SW. Single-surgeon Experience With Transvesicoscopic Ureteral Reimplantation in Children With Vesicoureteral Reflux. Urology 2011;77:1465-9.

48. Jodal U, Koskimies O, Hanson E, Löhr G, Olbing H, Smellie J, et al. Infection pattern in children with vesicoureteral reflux randomly allocated to operation or long-term antibacterial prophylaxis. The International Reflux Study in Children. J Urol 1992;148:1650-2.

49. Johansen TE, Botto H, Cek M, Grabe M, Tenke P, Wagenlehner FM, Naber KG. Critical review of current definitions of urinary tract infections and proposal of an EAU/ESIU classification system. Int J Antimicrob Agents. 2011 Dec;38 Suppl:64-70.

50. Kauffman JD, Danielson PD, Chandler NM. Risk factors and associated morbidity of urinary tract infections in pediatric surgical patients: A NSQIP pediatric analysis. J Pediatr Surg. 2020 Apr;55(4):715-720.

51. Kiernan SC, Pinckert TL, Keszler M. Ultrasound guidance of suprapubic bladder aspiration in neonates. J Pediatr. 1993 Nov;123(5):789-91.

52. Kim KS. Endoscopic injection therapy in vesicoureteral reflux: review of long-term followup data. Korean J Pediatr Urol 2009;2:81-6.

53. Labrosse M, Levy A, Autmizguine J, Gravel J. Evaluation of a New Strategy for Clean-Catch Urine in Infants. Pediatrics. 2016 Sep;138(3):e20160573.

54. Ladomenou F, Bitsori M, Galanakis E. Incidence and morbidity of urinary tract infection in a prospective cohort of children. Acta Paediatr. 2015 Jul;104(7):e324-9.

55. Lee S, Jeong SC, Chung JM, Lee SD. Secondary surgery for vesicoureteral reflux after failed endoscopic injection: Comparison to primary surgery. Investig Clin Urol. 2016 Jan;57(1):58-62.

56. Lich RJ, Howerton LW, Davis LA. Recurrent urosepsis in children. J Urol 1961;86:554-8.

57. Lin DS, Huang SH, Lin CC, Tung YC, Huang TT, Chiu NC, Koa HA, Hung HY, Hsu CH, Hsieh WS, Yang DI, Huang FY. Urinary tract infection in febrile infants younger than eight weeks of Age. Pediatrics. 2000 Feb;105(2):E20.

58. Marshall S, Guthrie T, Jeffs R, Politano V, Lyon RP. Ureterovesicoplasty: selection of patients, incidence and avoidance of complications. A review of 3,527 cases. J Urol 1977;118:829-31.

59. Mathews R, Carpenter M, Chesney R, Hoberman A, Keren R, Mattoo T, et al. Controversies in the management of vesicoureteral reflux: the rationale for the RIVUR study. J Pediatr Urol 2009;5:336-41.

60. Matouschek E. New concept for the treatment of vesico-ureteral reflux. Endoscopic application of teflon. Arch Esp Urol 1981;34:385-8.

61. Mayo S, Acevedo D, Quiñones-Torrelo C, Canós I, Sancho M. Clinical laboratory automated urinalysis: comparison among automated microscopy, flow cytometry, two test strips analyzers, and manual microscopic examination of the urine sediments. J Clin Lab Anal. 2008;22(4):262-70.

62. Mazzi S, Rohner K, Hayes W, Weitz M. Timing of voiding cystourethrography after febrile urinary tract infection in children: a systematic review. Arch Dis Child. 2020 Mar;105(3):264-269.

63. Michaud JE, Gupta N, Baumgartner TS, Kim B, Bosemani T, Wang MH. Cost and radiation exposure in the workup of febrile pediatric urinary tract infections. J Surg Res. 2016 Jun 15;203(2):313-8.

64. Mori R, Yonemoto N, Fitzgerald A, Tullus K, Verrier-Jones K, Lakhanpaul M. Diagnostic performance of urine dipstick testing in children with suspected UTI: a systematic review of relationship with age and comparison with microscopy. Acta Paediatr. 2010 Apr;99(4):581-4.

65. Nijman RJ. Current management of vesico-ureteric reflux. ESU course in 2009 EAU annual meeting.

66. Ntoulia A, Back SJ, Shellikeri S, Poznick L, Morgan T, Kerwood J, Christopher Edgar J, Bellah RD, Reid JR, Jaramillo D, Canning DA, Darge K. Contrast-enhanced voiding urosonography (ceVUS) with the intravesical administration of the ultrasound contrast agent Optison™ for vesicoureteral reflux detection in children: a prospective clinical trial. Pediatr Radiol. 2018 Feb;48(2):216-226.

67. O'Brien K, Edwards A, Hood K, Butler CC. Prevalence of urinary tract infection in acutely unwell children in general practice: a prospective study with systematic urine sampling. Br J Gen Pract. 2013 Feb;63(607):e156-64.

68. Park S, Kim KS. Urinary tract infection and bladder dysfunction in children. Korean J UTI 2008;3:148-59.

69. Paquin AJ Jr. Ureterovesical anastomosis: the description and evaluation of a technique. J Urol 1959;82:573-83

70. Paschke AA, Zaoutis T, Conway PH, Xie D, Keren R. Previous antimicrobial exposure is associated with drug-resistant urinary tract infections in children. Pediatrics. 2010 Apr;125(4):664-72.

71. Pennesi M, Travan L, Peratoner L, Bordugo A, Cattaneo A, Ronfani L, et al. Is antibiotic prophylaxis in children with vesicoureteral reflux effective in preventing pyelonephritis and renal scars? A randomized, controlled trial. Pediatrics 2008;121:1489-94.

72. Politano VA, Leadbetter WF. An operative technique for the correction of vesicoureteral reflux. J Urol 1958;80:364-6.

73. Powell HR, McCredie DA, Ritchie MA. Urinary nitrite in symptomatic and asymptomatic urinary infection. Arch Dis Child. 1987 Feb;62(2):138-40.

74. Puri P, O'Donnell B. Correction of experimentally produced vesicoureteric reflux in the piglet by intravesical injection of Teflon. Br Med J 1984;289:5-7.

75. Quirino IG, Silva JM, Diniz JS, Lima EM, Rocha AC, Simões e Silva AC, Oliveira EA. Combined use of late phase dimercapto-succinic acid renal scintigraphy and ultrasound as first line screening after urinary tract infection in children. J Urol. 2011 Jan;185(1):258-63. .

76. Ramage IJ, Chapman JP, Hollman AS, Elabassi M, McColl JH, Beattie TJ. Accuracy of clean-catch urine collection in infancy. J Pediatr. 1999 Dec;135(6):765-7.

77. Roussey-Kesler G, Gadjos V, Idres N, Horen B, Ichay L, Leclair MD, et al. Antibiotic prophylaxis for the prevention of recurrent urinary tract infection in children with low grade vesicoureteral reflux: results from a prospective randomized study. J Urol 2008;179:674-9.

78. Rushton HG, Majd M. Dimercaptosuccinic acid renal scintigraphy for the evaluation of pyelonephritis and scarring: a review of experimental and clinical studies. J Urol. 1992;148:1726-32.

79. Subcommittee on Urinary Tract Infection, Steering Committee on Quality Improvement and Management, Roberts KB. Urinary tract infection: clinical practice guideline for the diagnosis and management of the initial UTI in febrile infants and children 2 to 24 months. Pediatrics. 2011 Sep;128(3):595-610.

80. Shaikh N, Morone NE, Bost JE, Farrell MH. Prevalence of urinary tract infection in childhood: a meta-analysis. Pediatr Infect Dis J. 2008 Apr;27(4):302-8.

81. Shaikh N, Spingarn RB, Hum SW. Dimercaptosuccinic acid scan or ultrasound in screening for vesicoureteral reflux among children with urinary tract infections. Cochrane Database Syst Rev. 2016 Jul 5;7(7):CD010657.

82. Shiraishi K, Yoshino K, Watanabe M, Matsuyama H, Tanikaze S. Risk factors for breakthrough infection in children with primary vesicoureteral reflux. J Urol. 2010 Apr;183(4):1527-31.

83. Shortliffe LD. Infection and inflammation of the pediatric genitourinary tract. In: Kavoussi LR, Novick AC, Partin AW, Peters CA, Wein AJ, editors. Campbell-Walsh Urology. 9th ed. Philadelphia: Saunders; 2007;3232-68.

84. Siomou E, Giapros V, Fotopoulos A, Aasioti M, Papadopoulou F, Serbis A, Siamopoulou A, Andronikou S. Implications of 99mTc-DMSA scintigraphy performed during urinary tract infection in neonates. Pediatrics. 2009 Sep;124(3):881-7.

85. Smellie JM, Barratt TM, Chantler C, Gordon I, Prescod NP, Ransley PG, et al. Medical versus surgical treatment in children with severe bilateral vesicoureteric reflux and bilateral nephropathy: a randomized trial. Lancet 2001;357:1329-33.

86. Smellie JM, Jodal U, Lax H, Mobius TT, Hirche H, Olbing H. Writing Committee, International Reflux Study in Children (European Branch). Outcome at 10 years of severe vesicoureteric reflux managed medically: report of the International Reflux Study in Children. J Pediatr 2001;139:656-63.

87. Snodgrass W. The impact of treated dysfunctional voiding on the nonsurgical management of vesicoreteral reflux. J Urol 1998;160:1823-25.

88. Spencer JD, Bates CM, Mahan JD, Niland ML, Staker SR, Hains DS, Schwaderer AL. The accuracy and health risks of a voiding cystourethrogram after a febrile urinary tract infection. J Pediatr Urol. 2012 Feb;8(1):72-6.

89. Stoica I, O'Kelly F, McDermott MB, Quinn FMJ. Xanthogranulomatous pyelonephritis in a paediatric cohort (1963-2016): Outcomes from a large single-center series. J Pediatr Urol. 2018 Apr;14(2):169.e1-169.e7.

90. Tebruegge M, Pantazidou A, Clifford V, Gonis G, Ritz N, Connell T, Curtis N. The age-related risk of co-existing meningitis in children with urinary tract infection. PLoS One. 2011;6(11):e26576.

91. Tekgül S, Riedmiller H, Gerharz E, Hoebeke P, Kocvara R, Nijman R, et al. Guidelines on pediatric urology. EAU 2009:44-9.

92. Tosif S, Baker A, Oakley E, Donath S, Babl FE. Contamination rates of different urine collection methods for the diagnosis of urinary tract infections in young children: an observational cohort study. J Paediatr Child Health. 2012 Aug;48(8):659-64.

93. Tullus K. Difficulties in diagnosing urinary tract infections in small children. Pediatr Nephrol. 2011 Nov;26(11):1923-6.

94. Vaillancourt S, McGillivray D, Zhang X, Kramer MS. To clean or not to clean: effect on contamination rates in midstream urine collections in toilet-trained children. Pediatrics. 2007 Jun;119(6):e1288-93.

95. Valla JS, Steyaert H, Griffin SJ, Lauron J, Fragoso AC, Arnaud P, et al. Transvesicoscopic Cohen ureteric reimplantation for vesicoureteral reflux in children: a single-centre 5-year experience. J Pediatr Urol 2009;5:466-71.

96. Weiss R, Duckett J, Spitzer A. Results of a randomized clinical trial of medical versus surgical management of infants and children with grades III and IV primary vesicoureteral reflux (United States). The International Reflux Study in Children. J Urol. 1992;148:1667-73.

97. Wheeler DM, Vimalachandra D, Hodson EM, Roy LP, Smith GH, Craig JC. Interventions for primary vesicoureteric reflux. Cochrane Database Syst Rev 2004;(3):CD001532.

98. Whiting P, Westwood M, Watt I, Cooper J, Kleijnen J. Rapid tests and urine sampling techniques for the diagnosis of urinary tract infection (UTI) in children under five years: a systematic review. BMC Pediatr. 2005 Apr 5;5(1):4.

99. Williams GJ, Macaskill P, Chan SF, Turner RM, Hodson E, Craig JC. Absolute and relative accuracy of rapid urine tests for urinary tract infection in children: a meta-analysis. Lancet Infect Dis. 2010 Apr;10(4):240-50.

100. Willemsen J, Nijman RJ. Vesicoureteral reflux and videourodynamic studies: results of a prospective study. Urology 2000;55:939-43.

101. Yağız B, Demirel BD. Ureteral reimplantation aligned laparoscopically: Pneumovesicoscopic Politano-Leadbetter reimplantation in children. J Pediatr Urol 2021 Feb 16 (Epub ahead of print).

102. Yeom MH, Chung SK, Lee KS, Park JS, Ryu DS, Jung HC et al. Incidence of vesicoureteral reflux for pre-puberty patients in Daegu city and Gyeongbuk area according to the clinical indications, gender and age. Korean J Urol 2005;46:1284-9.

103. Zaontz MR, Maizels M, Sugar EC, Firlit CF. Detrusorrhaphy: extravesical ureteral advancement to correct vesicoureteral reflux in children. J Urol 1987;138:947-9.

Chapter
08

신장병증 혹은 신장이식,
면역억제 환자의 요로감염

유상준, 김웅빈, 최진봉

I 개요

당뇨와 고혈압 등의 신장혈관질환으로 인해 발생하는 신장기능 악화나 소실이 점차 증가하고 있다. 하지만 신장병증 환자에서 발생하는 요로감염에 대한 연구는 드물며, 발생하는 빈도도 잘 알려져 있지 않다. 신기능 악화가 요로감염의 위험을 증가시키는 이유에 대해서는 논란이 있으나 정상적인 요에서 나타나는 항균 성분인 요소의 저하, 낮은 산도, 높은 삼투질 농도 등이 신기능 소실 환자에서 요로감염 위험의 원인이 될 수 있다. 당뇨를 앓고 있는 여성들은 혈당의 조절 정도와는 관계없이 당뇨가 없는 여성보다 무증상 세균뇨의 비율이 3배 정도 높다고 보고된다.

본 챕터에서는 당뇨, 요로폐색, 혹은 신장병증에서 흔하게 발생하는 기종성 신우신염과 신장농양, 신장기능부전 혹은 투석 환자, 신장이식 환자의 요로생식기 감염에 대해 알아보고자 한다.

II 기종성신우신염과 신장농양

1. 기종성 신우신염(emphysematous pyelonephritis)

기종성 신우신염은 공기형성균에 의해 신장실질 및 신장 주위에 나타나는 급성 괴사성 감염으로 비뇨의학과적 응급질환이다. 비록 발생 빈도는 드물지만, 기종성 신우신염이 발생하는 경우 사망률은 19~43%로 높게 보고되고 있다.

1) 병인

기종성 신우신염의 병인은 아직 명확히 밝혀지지 않았으나 일반적으로 당뇨가 있는 환자에서 흔하게 발생하는 것으로 보고되고 있다. 당뇨 환자의 높은 혈당이 *E.coli* 균 등에 충분한 당을 공급하게 되고, 당의 발효로 인해 이산화탄소가 발생하면서 기종성 신우신염이 발생하게 된다. 하지만 당뇨 환자에서 발생한 요로생식기감염에서 그람음성균의 높은 빈도에 비해 낮은 기종성 신우신염 발생빈도를 고려하면 이러한 인자로 기종성 신우신염 발생 전체를 설명할 수는 없다. 당뇨 외에는 많은 기종성 신우신염 발생이 요로폐쇄, *papillary necrosis*, 또는 신장병증과 관련된 것으로 보고되고 있다.

2) 임상증상

현재까지 보고된 대부분의 기종성 신우신염은 성인에서 보고되었으며 여성에서 보다 호발하는 것으로 보고된다. 소아청소년 환자의 경우 당뇨가 있더라도 기종성 신우신염의 위험도가 증가하지 않는다. 임상증상의 경우 일부환자에서 만성 감염이 급성염증으로 발전하는 경우가 있지만 일반적으로 매우 심한 급성신우신염으로 발생하게 된다. 환자 대부분이 발열, 구토, 측복통의 전형적인 세가지 임상증상을 보인다. *Pneumaturia*는 감염이 집합계를 침범하기 전에는 발생하지 않는다. 소변배양검사 결과는 항상 양성을 보이며, 대장균이 가장 흔하게 발견된다. 상대적으로 드물긴 하지만 *Klebsiella* 혹은 *Proteus* spp. 등도 보고되고 있다.

3) 방사선학적 소견

기종성 신우신염은 방사선학적 소견으로 진단되며, 복부 X선에서 신장실질에 분포된 조직가스가 신장 위에 얼룩 반점 모양으로 관찰된다. 이러한 소견은 장내 가스로 잘못 판단될 수 있기 때문에 주의가 필요하다. 신장의 상극에 초승달 모양으로 가스가 모여 있는 것은 보다 특징적인 방사선학적 소견으로 판단할 수 있다. 감염이 진행됨에 따라 가스가 신장주위와 후복막으로 퍼져나가게 되며, 이러한 경우에는 신장 집합계로 진행한 기종성 신우신염과의 감별이 필요하다. 초음파 검사에서는 실질 내 가스가 국소적 고에코 병변으로 관찰되게 된다. 기종성 신우염은 당뇨가 없는 환자에서 공기형성균에 의해 발생한 요로감염에 의해 이차적으로 발생할 수 있으나 일반적으로 이러한 경우는 보다 경한 임상경과를 보이며, 항생제 치료에도 잘 반응하는 양상을 보이게 된다.

컴퓨터 단층촬영은 기종성신우신염의 정도를 가장 정확하게 평가할 수 있는 가장 신뢰도 높은 검사방법이다. 특히 신장 주위의 염증 파급 정도에 대한 해부학적 정보를 제공하기 때문에 정확한 진단뿐만 아니라 배액술의 접근 경로 선택을 용이하게 한다. 또한 치료 반응에 대한 경과를 파악하는 데도 유용하다. 컴퓨터단층촬영에서 체액이 존재하지 않거나 줄무늬 또는 얼룩덜룩한 가스가 보이는 경우에는 급속한 신장실질 파괴가 진행되고 있는 것을 의미하며, 이러한 경우 사망률은 약 50~60%에 달하게 된다. 만약 신장 혹은 신장 주위에 체액, 거품 같은 소포성 가스, 혹은 집합계 내의 가스가 존재하면서 줄무늬 또는 얼룩덜룩한 가스가 관찰되지 않으면 사망률은 약 20%로 감소하게 된다.

요로폐색은 기종성 신우신염 환자 중 약 25% 정도에서 관찰되는 것으로 보고된다. 핵의학 *renal scan*은 이환된 신장의 신기능 악화 정도의 평가와 대측 신장의 상태 파악을 위해서 반드시 시행되어야 한다.

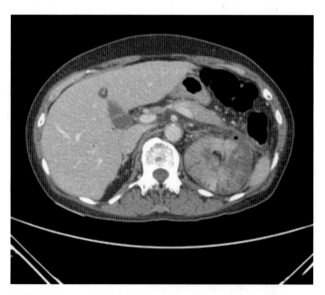

그림 8-1　초기 기종성 신우신염의 컴퓨터 단층촬영 소견

4) 치료

기종성 신우신염은 비뇨의학과적 응급질환이다. 대부분의 환자는 패혈증 소견을 보이며, 적절한 수액치료, 전해질 및 혈당 조절과 광범위 항균제 사용이 필수적으로 요구된다. 만약 요로폐색이 있다면 경피적 배액술 혹은 스텐트로 폐색에 대한 해결이 필요하다. 저알부민혈증, 발견 시 shock 여부, 균혈증, 신장병증으로 인한 투석 필요성, 혈소판감소증, 의식변화와 다균성 감염은 기종성 신우신염이 있는 환자에서 사망률 증가와 관련된 인자로 보고된다. 치료는 수년 동안 신장절제술부터 임상양상에 따라 보다 보존적인 경피적 배액술 혹은 스텐트 삽입으로 변해가고 있다. 1980년대 후반까지는 응급 신절제술에 외과적 배액술 혹은 항생제 치료를 하는 것이 일반적이었으나 이 경우에도 사망률은 약 40~50%로 보고되었다. 이 시점부터 의학의 발전으로 전반적인 사망률이 감소하기 시작하였으며, 광범위한 가스가 동반되며 신장이 파괴된 경우가 아닌 경우에는 신절제술을 시행하기 보다는 경피적 배액술을 이용하여 치료하는 방법이 일반적으로 시행되고 있다. 당뇨 혹은 요로감염이 있는 환자의 경우 빠른 진단과 치료가 기종성 신우신염의 질병 진행을 방지하는데 중요하며 신절제술의 시행을 줄이는 데에 도움이 될 수 있다.

2. 신장농양(Renal abscess)

신장농양은 신장실질 내에 화농성 물질이 모인 것으로, 심각한 감염으로 인하여 발생한다. 신장농양의 가장 흔한 원인은 그람음성균인 *E.coli*, *Klebsilella*, *Protues*, *Psudomonas* spp.로 보고된다. 이전의 감염이나 결석으로 인해 발생한 폐색이 유발하는 상행성 감염이 신장농양의 경로로 생각되며, 그람음성균 농양의 약 2/3정도는 신장결석 혹은 손상된 신장과 관련되어 발생하는 것으로 보고된다.

1) 임상증상

발열, 오한, 복통 혹은 측복통을 호소할 수 있으며, 때로는 체중감소, 권태감 및 방광염 증상을 호소하기도 하지만 이러한 증상은 매우 경미하여 진단이 지연되는 경우가 발생할 수 있다. 세밀한 병력청취를 통하여 그람양성균의 감염을 요로증상 발생 1~8주 전에 알아낼 수 있으며, 요로감염 혹은 신우신염 증상 발생 일주일 전에 알아낼 수 있다. 이러한 감염은 울혈, 결석, 임신, 신경성방광, 당뇨와 연관된 요로감염이나 다발성 피부 종기에 의해 유발될 수도 있다.

2) 검사실 소견

전형적으로 명확한 백혈구 증가를 보이며, 혈액배양검사에서는 26~32%에서 양성 결과를 보인다. 농뇨와 세균뇨는 신장농양이 요집합계와 직접적인 교통이 이루어지기 전까지는 관찰되지 않을 수 있다. 그람양성균은 대부분 혈행성이므로 소변배양검사에서 균이 검출되지 않거나 농양과 관계없는 균이 검출될 수 있다.

3) 방사선학적 소견

초음파 혹은 컴퓨터 단층촬영이 감별진단에 도움이 된다. 초음파검사는 가장 빠르고 저렴한 신장농양 검사법이다. 내부의 저에코 구성물과 주변 신장실질의 부종을 확인할 수 있고 경계가 비교적 명확한 종괴로 나타나는 경향이 있으나, 급성기에는 농양의 경계를 구분하기 어려우며, 이후에는 잘 구분되는 종양처럼 관찰된다. 하지만 내부구조는 다양하게 관찰되는데 초음파를 이용한 농양과 종양의 구분은 쉽지 않은 경우가 많이 발생한다.

컴퓨터단층촬영은 조직의 윤곽과 조영 전후의 농양을 특징적으로 잘 나타내기 때문에 가장 신뢰할 수 있는 진단적 도구이다. 컴퓨터 단층촬영에서 신장농양은 조영제 증강 전후에 특징적으로 잘 구분이 되며, 이러한 특징은 기간과 신장농양의 정도에 따라 달라진다. 처음에는 컴퓨터 단층촬영에 신장크기의 증가와 함께 국소적으로 조영증강이 감소된 원형 부분이 관찰

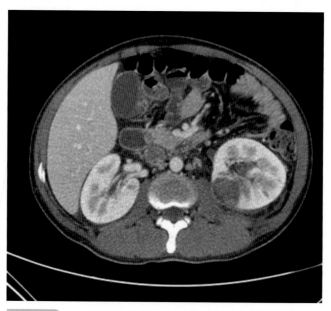

그림 8-2 신장농양의 컴퓨터 단층촬영 소견

된다. 감염이 시작된 후 수일이 경과되면 두꺼운 섬유질벽이 형성된다. 컴퓨터 단층촬영에서 이러한 소견은 농양이 조영 증강된 테두리를 가진 종괴처럼 보이는 'ring' 징후로 관찰된다.

4) 치료

신장농양에 대한 전통적인 치료법은 경피적 혹은 개방적 절개와 배농인데, 3 cm 이하로 작은 농양이거나 임상적으로 안정된 환자의 경우 5 cm 크기의 농양까지도 항생제 치료를 포함한 보존적 방법으로 치료할 수 있으며, 조기 항생제 치료를 통해 수술적 치료의 필요성을 감소시킬 수 있다. 초음파나 컴퓨터단층촬영 유도하의 농양흡인은 고혈관성 종양과 감별진단에 도움이 될 수 있다. 농양흡인을 하는 경우 흡인된 농양의 배양결과에 따라 적절한 항생제 치료를 시행하는 것이 권장된다.

모든 환자에서는 진단즉시 경정맥 항생제 치료를 시행해야하며, 경험적 항생제의 선택은 감염원과 원내감염의 내성균 특성에 따라 결정하는 것이 바람직하다. 혈행성 전파가 의심되는 경우에는 페니실린 저항성 포도구균penicillin-resistant Staphylococcus이 가장 흔하므로 페니실린분해효소 저항성 페니실린penicillinase-resistant penicillin을 사용하여 치료한다. 만약 페니실린 과민반응의 과거력이 있다면 반코마이신vancomycin 사용이 권장된다. 비정상적인 요로에서 발생한 신피질 농양에서는 그람음성균이 흔하므로 3세대 세팔로스포린, 항녹농균성 페니실린, 혹은 아미노글리코시드의 정맥 투여가 권장된다. 치료를 시작한 뒤에는 신장농양이 완전히 해결될 때까지 초음파나 컴퓨터 단층촬영을 연속적으로 시행하는 것이 권장된다.

경정맥 항생제 치료를 시작하고, 영상의학적으로 신장농양이 확인되면, 농양의 크기에 따라 치료방침을 결정하게 된다. 신장농양의 크기가 3 cm 이하로 작은 경우에는 항생제 치료만으로 치료가 가능하다. 또한 국내 연구에 따르면 정상적인 요로를 가진 환자에서 발생한 5 cm 이하의 농양 역시 항생제 치료만으로 100% 치료가 가능한 것 보고된다.

요로폐색이 있거나 비정상 요로를 가진 환자의 치료에 대한 보고가 많지는 않지만 임상적으로 안정된 환자에서 발견된 신장농양의 크기가 3~5 cm인 경우에는 우선 보존적으로 치료하는 것이 권장된다. 만약 임상적으로 악화되거나 영상의학적 검사에서 신장농양의 크기가 증가하는 경우에는 경피적 배농술을 시행하는 것이 권장된다. 면역저하 환자에서 발생한 신장농양 혹은 항생제 치료에 반응하지 않는 신장농양의 경우에는 크기와 관계없이 경피적 배농술 시행이 권장되며, 신장농양의 크기가 5 cm를 넘는 대부분의 경우에는 경피적 배농술의 우선적 시행이 권장된다. 이러한 경우에는 수차례의 배농술 혹은 배농관 조작, 혹은 수술적 창상세척과 신부분절제술이 필요할 수 있다.

III 신장기능부전 혹은 투석 환자의 요로감염

요로감염은 신장기능부전 혹은 투석 환자들에게서 매우 흔하며 이는 질병 이환과 사망의 중요한 원인이 된다. 방광요관역류, 요로결석증, 요실금, 신경병증장애로 인한 하부요로기관의 기능부전, 요로계 시술 과거력과 손상, 다낭 신장질환과 환자의 특이적 혹은 비특이적 면역반응 장애와 같은 요로감염 유발 인자에 대해서도 주의해야 한다. 이외에도 신장기능이 떨어진 환자에서 요로전환술을 시행한 후 발생한 방광 내 농양이나, 폐색성 요로병증으로 인한 신장 농양 혹은 신장주위농양은 근본적 원인이 완전히 제거되지 않으면 반복적인 감염의 원인이 될 수가 있으며, 심하면 패혈증이 나타날 수도 있으므로 주의가 필요하다. 특히 신장기능부전 혹은 투석 환자들은 소변량이 줄어 농축뇨가 형성이 되므로 이들에 대한 요로감염 진단과 약물 투여는 신장의 배설 기능에 따라 신중히 시행해야 한다.

1. 만성 신장질환의 정도와 요로감염의 구분

많은 연구들이 미국신장재단에서 사구체여과율을 근거로 제시한 K/DOQI (Kidney Disease Outcomes Quality Initiative) 분류법을 사용하여 만성 신장질환의 정도를 구분하고 있다(표 8-1). 요로 구조가 정상이고 경도에서 중등도로 신장기능이 저하된 환자의 방광염과 같은 하부요로감염은 신장 기능에 악영향을 미치지 않으므로 단순 요로감염으로 구분한다. 하지만 신우신염이나 패혈증과 같은 심한 감염이나 말기 신장질환을 가진 환자, 투석을 시행 중인 환자, 요로폐색이나 방광요관역류, 다낭 신장질환, 요로결석증과 같은 요로계 이상을 가진 환자와 당뇨로 인해 대사가 불안정한 환자의 요로감염은 신장 기능 저하가 촉진될 수 있으므로 복합 요로감염으로 구분한다.

표 8-1 미국신장재단에서 정의한 만성 신장질환의 단계별 K/DOQI 분류법

병기	기술	사구체여과율 (mL/min/1.73m^2)
1	정상 혹은 증가된 사구체여과율	≥90
2	경도의 사구체여과율 감소	60~89
3	중등도의 사구체여과율 감소	30~59
4	중증의 사구체여과율 감소	15~29
5	신부전	<15 또는 투석

K/DOQI: Kidney Disease Outcomes Quality Initiative

2. 발병 기전

1) 요로감염 원인균

신장기능이 저하되었거나 투석 중인 환자에서도 일반적인 경우와 마찬가지로 대장균이 가장 흔한 원인균이며, 프로테우스균, 녹농균, 엔테로박터균, 포도구균과 장구균 등도 분리된다. 신장기능이 저하된 환자는 반복적인 항균제 치료와 함께 병원 내 감염, 요로계 시술과 도뇨관 삽입으로 인해 항균제 내성균 발생에 대한 위험이 일반인보다 높을 수 있다.

2) 신장기능부전 환자의 숙주 방어기제

만성 신부전 환자의 요로감염은 피부 점막 파괴, 과립구 혹은 포식세포의 기능이상, 면역억제 치료 등과 관련 있으며 특히 세포성, 체액성 면역이 저하되어 감염에 대한 감수성이 높다는 사실이 일반적으로 인정되고 있다. 하지만 이러한 환자들에게서 발생하는 감염 중에서 특별히 요로감염이 더 많이 발생하는 것은 아니다. 일반인과 달리 만성 신부전 환자는 소변에서 요소 등 감염에 대한 방어인자로 작용할 수 있는 인자들이 감소되고, 요로상피세포의 점액 분비가 억제되기 때문에 면역력이 떨어진다. 포식세포는 스스로 세균을 파괴하고 죽이는 능력을 가지고 있을 뿐만 아니라 림프구 하위 집단을 활성화시키고 사이토카인을 생산하여 면역 기능을 유지한다. 그러나 만성 신부전 환자에서는 포식세포의 작용에 장애가 발생하고 과립 백혈구 기능의 변화로 인하여 숙주 침범이 나타나며 요로계의 균 집락이 증가한다. 이러한 포식 작용과 과립 백혈구의 기능들은 신장의 기능과 반비례한다. 만성 신장질환에서 정상적으로 세균의 부착을 억제하는 분비 면역글로불린 A, Tamm-Horsfall 단백, β-defensin 1

과 같은 성분의 변화가 요로감염의 발생에 어느 정도까지 영향을 미치는지에 관한 연구 결과는 아직 없는 상태이다.

3. 진단

일반적인 요로감염의 진단은 주로 임상증상, 신체검사, 소변 내 세균과 백혈구의 정량 분석, 백혈구 에스터라제와 아질산염의 활성도 측정과 같은 검사실 검사와 초음파를 비롯한 영상 의학적 검사를 통해 시행하지만, 신장기능저하 환자의 요로감염을 진단하는 경우는 일반인과 다르다는 점에 주의를 기울일 필요가 있다. 전형적인 요로감염의 임상증상이 평소 환자가 가지고 있던 신장 질환과 연관된 증상으로 오인될 수 있기 때문이다. 예를 들어 방광염이나 신우신염에서 나타날 수 있는 통증의 정도는 요독증으로 인한 신경병증의 부작용 때문에 강해지거나 약해질 수 있다.

투석 환자의 31~53%에서 요로감염이 아님에도 불구하고 농뇨의 진단 기준에 합당한 소변 내 백혈구가 관찰된다. 이는 만성신부전 환자에서 소변량이 감소하면서 소변 내 백혈구 농도가 증가하여 소변 내 백혈구의 수가 증가한 것처럼 보이기 때문으로 생각된다. 다른 한편 신장기능저하로 인해 소변 농축 능력이 감소한 환자는 소변이 희석되어 세균 집락 수가 감소되어 보이거나, 소변검사에서 아질산염 활성도가 위음성으로 나타날 수 있다. 따라서 요로감염이 의심되는 임상증상이 있을 경우 소변검사에만 의존해서는 안 되며 항상 소변배양검사를 시행해야 한다. 특히 농뇨가 존재하고 한 종류의 세균이 동정되면서 10^5 CFU/mL 이상의 집락 수를 보이는 경우 병적으로 진단할 수 있다. 소변검사와 소변배양검사의 결과 해석에서 가장 중요한 것은 소변 검체를 채취하는 과정에서 요로감염의 원인이 아닌 세균에 의한 오염을 최대한 줄이는 것이다. 소변배양검사에서 3종류 이상의 미세 세균이 보이거나 소변검사에서 많은 편평상피세포가 발견되는 경우에 오염을 의심할 수 있다.

또한 신장기능이 저하된 환자는 무증상 세균뇨를 동반할 수 있으므로 의미 있는 세균뇨와 구별하는 것이 중요하다. 주변 상피나 피하 조직을 침범하지 않으면서 소변에서 세균이 증식하는 요로계의 집락화는 숙주 방어의 변화로 인해 발생할 수 있는데, 이는 만성신부전 환자에서 무증상 세균뇨를 증가시키는 원인이다. 따라서 만성신부전 환자의 세균뇨는 임상적 상태에 따라 잘 해석해야 한다. 일부 신장기능저하 환자에서는 세균뇨가 의미 있는 요로감염이 아닐 수 있지만, 다른 환자에서는 농뇨와 함께 집락 수가 적더라도 의미 있는 감염일 수도 있으므로 정확히 진단하기 어려운 경우가 많다. 따라서 신장기능부전 혹은 투석 환자에서 요로감염을 진단하는 데 적합한 세균뇨와 농뇨의 구체적 기준에 대한 추가 연구가 필요하다. 영상의학적 검사 중 배설요로조영술은 만성신부전 환자들에서 나타나는 조영제의 신독성으로 인해 고화질 초음파, 비조영증강 컴퓨터단층촬영과 자기공명영상으로 대체되고 있다.

4. 치료

요로감염을 효율적으로 치료하기 위해선 혈액보다는 소변 내에서 항균제 농도를 높게 유지할 필요가 있다. 그러나 신부전 환자의 경우는 신장 내 관류가 불충분하여 소변 내 항균제 농도가 낮아진다. 급성 신부전 환자나 중증 이상의 만성 신부전 환자는 소변의 양과 관계없이 소변 내의 항균제 농도가 낮다.

1) 치료 전략과 용량 조절

신장기능저하 환자의 요로감염은 정상 신장 기능을 가진 환자의 경우와 같은 원칙으로 치료한다. 급성 혹은 만성 신장질환은 사구체 혈류량과 여과, 요 세관 분비와 재흡수뿐만 아니라 신장 대사에도 영향을 미칠 수 있다. 또한 약물 흡수, 생체 이용률, 단백질 결합, 용적 분배와 신장 이외 청소율이 변화될 수 있다. 따라서 약물 용량의 오차로 인하여 치료 결과가 나빠지거나 유해한 영향을 일으킬 수 있다. K/DOQI 분류 중 1, 2단계의 만성 신부전 환자들은 소변량이 대부분 정상이거나 증가하지만 3단계 이상의 만성 신부전과 급성 신부전 환자에서는 소변 농축력 감소를 포함한 소변량 감소가 발생하므로 주의하여야 한다.

신장으로 배설되는 약의 용량은 크레아티닌 청소율에 의해 결정되는 사구체여과율에 따라 조절한다. 전통적인 Cockroft-Gault 공식은 표준화된 크레아티닌 측정 방법 사용 이전에 개발된 것으로, 이후 개정을 거치지 않아 크레아티닌 청소율을 과평가 할 수 있다. Cockroft-Gault 공식은 다음과 같다: CcCl (mL/min)=(140−age)×lean body weight [kg] / Scr [mg/dL]×72×(0.85 if female). 다음으로 현재 많이 쓰이고 있는 MDRD 공식은 표준화된 크레아티닌 측정 방법을 사용한 공식으로 K/DOQI 분류 중 3단계 이상이거나 2단계 이상의 고령 환자에서 MDRD 공식이 신장 기능을 더 잘 반영한다고 보고되었다. MDRD 공식은 다음과 같다: GFR (mL/min/1.73 m^2)=175×(Scr)$^{-1.154}$×(Age)$^{-0.203}$×(0.742 if female)×(1.212 if African American). 하지만 아시아인에서 과평가 되는 경향이 있고 사구체여과율이 정상이거나 거의 정상인 경우에 정확도가 다소 떨어지는 것으로 알려져 있다. 이에 개발된 공식이 CKD-EPI 공식으로 특히 사구체여과율이 60 mL/min/1.73 m^2 이상인 경우에 다른 공식에 비하여 정확하다는 장점이 있다(표 8-2).

표 8-2 CKD-EPI 공식

Race	Sex	S_{cr} (mg/dL)	Equation (age in years for ≥ 18)
Black	Female	≤ 0.7	$GFR = 166 \times (S_{cr}/0.7)^{-0.329} \times (0.993)^{Age}$
Black	Female	> 0.7	$GFR = 166 \times (S_{cr}/0.7)^{-1.209} \times (0.993)^{Age}$
Black	Male	≤ 0.9	$GFR = 163 \times (S_{cr}/0.9)^{-0.411} \times (0.993)^{Age}$
Black	Male	> 0.9	$GFR = 163 \times (S_{cr}/0.9)^{-1.209} \times (0.993)^{Age}$
White or other	Female	≤ 0.7	$GFR = 144 \times (S_{cr}/0.7)^{-0.329} \times (0.993)^{Age}$
White or other	Female	> 0.7	$GFR = 144 \times (S_{cr}/0.7)^{-1.209} \times (0.993)^{Age}$
White or other	Male	≤ 0.9	$GFR = 141 \times (S_{cr}/0.9)^{-0.411} \times (0.993)^{Age}$
White or other	Male	> 0.9	$GFR = 141 \times (S_{cr}/0.9)^{-1.209} \times (0.993)^{Age}$

Scr: serum creatinine (mg/dL)

많은 항균제들은 신장으로 배설되므로 투석 치료 시에는 용량 조절에 특별한 주의가 필요하며 투석 치료 중 청소되는 약물에 대해서 추가 용량이 필요할 수 있다. 투석 시 약물이 투석되어 청소되는 정도는 투석 치료의 방식 및 기기의 종류를 비롯하여 약물의 분자량, 수용성 정도, 단백질 결합 정도에 따라 다르다. 효과적인 항균제 용량은 환자의 상태와 투석 전략에 따라 결정한다. 일반적으로 투석 중 없어지는 항균제는 투석 치료 도중에 추가로 투여한다.

2) 항균제 선택

요로감염을 가진 만성 신부전 환자의 항균제는 임상 증상의 중증도, 원인균의 종류, 만성 신부전의 단계 및 요로감염과 연관된 인자가 있는지 여부에 따라 선택한다. 항균제 대부분이 신장으로 배설되기 때문에 만성 신부전 환자의 경우 용량 조절이 필요하다(표 8-3). 하지만 흔히 사용하는 다음과 같은 항균제처럼 용량 조절이 필요 없는 것들도 있다: *Azithromycin, Cefaclor, Ceftriaxone, Cefuroxime, Clindamycin, Erythromycin, Ketoconazole, Metronidazole, Moxifloxacin.*

표 8-3 만성신부전 환자에서 용량 조절이 필요한 항균제

항균제 종류	일반용량	GFR>50 mL/min	GFR 10~50 mL/min
Fluconazole	200~400 mg q24h	100%	50%
Cefodoxime	100~400 mg q12h	100~400 mg q12h	100~400 mg q24h
Cephradin	250~1000 mg q6~12h	100%	50%
Ciprofloxacin	500~750 mg q12h	100%	50~75%
Levofloxacin	250~750 mg q24h	100%	250~750 mg q24h~48h
Amoxicillin	250~500 mg q8h	250~500 mg q8h	250~500 mg q8~12h
Amoxicillin/clavulanate	250~500 mg q8h	250~500 mg q8h	250~500 mg q12h
Clarythromycin	250~500 mg q12h	100%	50~100%

GFR: glomerular filtration rate

Penicillin G의 혈액 내 농도가 높아지면 신경근육독성, 근간대경련, 발작이나 혼수가 발생할 수 있다. Imipenem도 발작을 일으킬 수가 있으므로 고단계의 만성신부전에서는 meropenem을 사용하는 것이 좋다. Nitrofurantoin도 독성 혈청 농도에 도달하면 말초신경병증을 일으키기 때문에 피해야 한다. 만성 신부전 환자에서는 aminoglycoside의 사용을 피하는 것이 좋으나 부득이한 경우는 정확하게 사구체여과율을 계산 후 신장 기능과 약물의 용량을 감시하며 조절해야 한다. 누적 효과가 없고 광범위 치료 지수를 가진 항균제가 선호되는데, 특히 cephalosporin과 fluoroquinolone이 만성 신부전 환자에서 효과적이며 선호된다. Trimethoprim은 요세관에서 크레아티닌의 분비를 억제할 수 있으므로 신독성과의 구별이 필요하다. Tetracycline은 항 동화작용에 의해 요독증을 악화시키므로 피해야 하지만, doxycycline은 요도염과 같은 특별한 적응증이 있다면 사용할 수 있다.

3) 무증상 세균뇨

만성신부전 환자는 27~44%의 높은 빈도로 무증상 세균뇨를 보인다. 국내의 연구에서도 만성신부전 환자의 약 20%가 소변배양검사에서 양성을 보여 일반인에 비해 세균뇨 유병률이 높았다. 환자들의 성별, 연령, 원인 질환과 투석의 종류에 따른 세균뇨 발생률에는 차이가 없었다. 하지만 이러한 환자들은 기저 신장질환의 범위가 넓고 침습적 기구 조작에 대한 정보가 부족하므로 무증상 세균뇨의 특정 원인을 알기 어려우며 항균제로 치료되지 않을 수 있다. 그에

반해 면역억제치료가 표준 치료의 한 부분인 진행성 신장질환을 가진 환자와 면역기능이 떨어진 사람들에서는 무증상 세균뇨가 증상이 있는 요로감염으로 진행될 수 있으므로 치료해야 한다. 그러나 이외에는 무증상 세균뇨의 치료가 권장되지 않는다. 무증상 세균뇨를 치료할 경우 신장기능저하 속도를 줄일 수 있는지에 대해서는 아직 보고되지 않았다.

4) 치료 지속 기간

만성 신부전 환자와 투석 환자에 대한 무작위 연구를 통해 적절한 요로감염 치료 기간을 결정한 연구는 거의 없다. 고용량으로 장기간 항균제를 사용하더라도 효과가 일시적일 수 있으며, 심지어 기능이 저하된 신장에서 배설된 소변 속의 항균제 농도가 적절하더라도 치료를 중단했을 때 세균이 완전히 없어지지 않고 남아 재발할 수 있다. 증상을 동반한 재발이 자주 발생한다면 6주 내지 12주까지 치료 기간을 늘리거나, 저용량 항균제를 사용하여 6개월 이상 억제요법을 시행하거나, 항균제 자가 치료법을 시도할 수도 있으나 일반인에 비해 효과가 적다.

항균제 치료를 지속했으나 빈번하게 재발하는 요로감염에 대한 궁극적인 치료는 원인 조직의 수술적 제거이다. 양측 신장절제술은 계속 재발하는 신우신염, 요로결석, 역류와 연관된 반흔이 남은 신장, 선천적폐색과 성인다낭신장질환 같은 다양한 신장병증으로 인한 말기 신부전에서 시행된다. 일측성 요로감염이 재발할 때마다 항균제에 대한 치료 반응이 높지 않은 경우는 신장이 병들어 관류가 감소하여 항균제 농도가 낮아서 효과가 유지되지 않기 때문이다. 하지만 방광 안의 항균제 농도는 충분해 보일 수 있는데, 이는 기능이 좋고 감염이 없는 반대편 신장의 배설이 반영된 것이므로 일측성 요로감염의 치료 효과에 대한 약물의 농도로 반영할 수 없다. 그러나 한쪽 신장의 기능만 저하된 환자들에서 재발하는 요로감염이 반드시 기능이 저하된 쪽의 신장에서 발생했다고 볼 수는 없기 때문에 신장절제술을 반드시 시행할 필요는 없다.

IV 신장이식환자의 요로감염

신장이식은 말기신질환(end-stage renal disease) 환자에서 시행될 수 있는 신 대체요법 중 이상적인 방법이라고 할 수 있다. 신 이식이 성공적으로 시행되면 환자는 투석치료에서 자유로워지고 이로 인한 합병증도 피할 수 있어 장기적으로 생존율이 크게 증가한다. 현재 신장이식의 수술적 기술은 완성단계에 이르렀으며 또한 신 이식수술 전후로 이루어지는 내과적 진단이나 처치, 면역억제제, 항생제 등의 눈부신 발달로 말기신부전 환자의 생존율이 크게 향상되었다. 질병관리본부의 장기이식센터 통계연보에 의하면 신 이식 후 1년 생존율은 생체 신 이식의 경우 98.4%, 뇌사자 이식의 경우 96.2%로 보고되며, 5년 환자 생존율은 각각 96.2%, 92.2%로 매우 높다. 하지만 신 이식 후 지속적인 면역억제제 복용의 필요성으로 인한 감염의 위험성은 여전하며 장기생존환자의 증가로 감염의 빈도 및 다양성은 오히려 증가하는 추세이다.

1. 정의 및 분류

신 이식 후 발생하는 요로감염은 무증상 세균뇨와 증상이 동반된 감염으로 구분한다. 증상이 동반된 감염은 배뇨통, 절박뇨와 같은 국소증상만을 보이는 단순 요로감염과 하부요로증상을 포함하여 이식 신 부위의 통증이나 발열, 오한, 혈압저하와 같은 전신증상을 보이는 복잡 요로감염으로 구분할 수 있다. 또한 1년에 3회를 기준으로 3회 미만의 경우 일과성 요로감염으로, 3회 이상 발생하는 경우 재발성 요로감염으로 구분한다. European Assiciation of Urology에서는 요로감염의 중등도에 따라 cystitis, mild-moderate pyelonephritis, severe pyelonephritis, systemic infammatory response syndrome (SIRS), severe urosepsis, uroseptic shock 6가지로 구분하는 것을 제안하기도 하였다.

2. 역학

신장 이식환자에서 발생하는 요로감염의 유병률은 기관이나 지역, 국가에 따라 다양하게 보고되며 7%에서 80%로 격차가 큰 편이다. 이러한 차이는 요로감염 정의의 차이, 상이한 추적관찰 기간, 지리적 차이, 예방적 항생제 사용법의 차이 등에서 기인하는 것으로 생각된다.

요로감염은 신장이식 후 1년 이내에 나타나기 쉽다. 최근 연구에 의하면 수술 후 1개월 이내가 13%, 2~6개월 이내가 75%, 6개월 이후가 32%로 알려져 있다. 국내에서는 첫 1개월 동안 35.6~73.1%에서 요로감염이 발생했고, 93.7%는 첫 3개월 안에 발생하였다. 또 다른 연구에서는 첫 2개월 이내에 환자의 77%에서 요로감염이 나타났고 12%가 재발을 보였다. 대부분의 요로감염은 수술 후 1년 이내에 환자의 74%에서 나타나고, 81.9%가 3개월 이내에 요로감염을 경험한다. 6개월 이후에 발생한 요로감염의 경우 몇몇 기관에서는 양호한 경과를 보이는 것으로 생각하여 예방적 항균제를 사용하지 않는데, 미국 신장 데이터시스템 연구에 따르면 훨씬 높은 사망률과 이식 신장 손실을 초래할 수 있으므로 주의가 필요하다고 한다. Giral 등은 일찍 발생한 재발성 급성신우신염의 경우 이식 신장의 섬유화를 조장하여 이식 신장의 손실을 가져올 수 있다고 보고했다.

3. 위험 인자

여러 연구를 통해 다양한 신 이식후 요로감염 발생의 위험 인자가 밝혀졌으나 연구에 따라 결과가 다양하게 나타났다. 최근 13개의 연구를 분석한 메타연구에 따르면 여성, 고연령, 카테터의 장기 유치, 급성 거부반응 이벤트, 사체 신 이식이 요로감염의 위험을 높이는 인자로 확인되었다.

1) 환자 관련 위험 인자

연구에 따라서는 차이를 보이지 않았다는 연구도 있지만, 많은 연구에서 여성, 고연령, 신 이식 전 재발성 요로감염, 신 이식 전 요로계의 해부학적 이상, 당뇨, 다낭성 신질환 등이 이식 후 요로감염의 발생 위험 인자로 나타났다.

환자의 나이는 신장이식 후의 요로감염 발생 빈도와 관계가 매우 깊다. 나이가 적거나 많은 환자에서 훨씬 많은 요로감염 발생이 보고된다. 미국 신장데이터시스템 연구에 따르면 나이는 신장을 이식한 지 6개월 이후에 생기는 요로감염과 독립적인 관련이 있다. 소아 신장이식 환자에서는 요로감염이 15~33%까지 보고되었으며 최고 61%까지 나타났다. 국내에서는 27명의 소아 신장이식 환자에서 4례(14.8%)가 보고되었다. Chuang 등은 요로감염이 65세 이상의 환자에서는 55%, 30세 이하의 환자에서는 38% 빈도로 나타났다고 보고했다. Trouillhet 등도 65세 이상의 신장이식 환자와 65세 이하의 신장이식 환자를 40명씩 조사한 결과 요로감염 발생률이 각각 80%와 32%로 65세 이상의 환자가 높았다고 보고했다. 노인에서 요로감염 발생 빈도가 높은 이유는 방광의 수축이 불충분하여 나타나는 불충분한 배뇨, 전립선비대증과 같은 질환에 의한 요로폐색, 그리고 면역억제제의 과다 사용 때문이다.

소아의 경우는 성인과 비교했을 때 배뇨기관의 기형 및 기능장애로 인한 말기 신장 기능장애가 대부분이며, 이러한 하부요로기관의 이상으로 인한 신장기능상실이 25% 이상이다. John 등은 소아에서 1년 내에 36%에서 요로감염이 나타났고, 28%에서 재발성 요로감염이 나타났다고 보고했다. 심지어 신장이식이 필요한 신장질환이 있는 소아 환자에서도 매우 많은 환자가 하부요로증상과 신장이식 후의 요로감염을 보인다고 보고했다.

성별도 신장이식 후 요로감염의 매우 큰 위험 인자이다. 남성보다 여성에서 신우신염 발생 빈도가 높다. Moon 등은 요로감염군과 비감염군을 비교하여 요로감염군에서 여성의 비율이 유의하게 높았음을 보고하였으며(74.3% 대 29.7%), Chuang 등은 신장이식 후 여성에서 68%, 남성에서 30%의 환자가 적어도 한 번 이상 요로감염 증상을 보이며 71%의 여성 환자가 재발성 요로감염을 겪는다고 보고했다. 그러나 소아의 경우는 여성보다 남성에서 요로감염 비율이 높다.

당뇨병은 신장이식 환자에서 요로감염을 증가시키는 경향을 보인다고 알려져 있다. 당뇨병성 신장병증 환자군에서 요로감염이 훨씬 많고, 감염으로 인한 재입원율도 훨씬 높으며, 곰팡이균에 의한 요로감염의 위험성도 높다. 따라서 당뇨 환자는 이식 후의 관리에 보다 주의를 기울여야 할 것으로 보인다.

신장이식 전에 시행한 투석 또한 요로감염을 일으킬 가능성이 높다. 신장이식 전에 무뇨를 보이는 환자는 복합 요로감염 가능성이 높다.

하부요로 재건수술을 받은 환자의 경우는 균집락과 세균뇨의 발생 빈도가 많다. 최근 연구에 의하면 방광확대성형술을 받은 환아에서 정상에 비해 훨씬 많은 세균뇨가 나타났으나(83% 대 17%), 이식 신장의 생존율과 신장기능은 차이가 없었다. 또한 회장도관을 시행받은 환자들도 65%의 높은 요로감염률을 보였으나 이식 신장의 손실 또는 사망과 같은 합병증이 더 많지는 않았다. 신장이식 후 자가카테터삽입 시행은 요로감염이나 이식 신장의 손실, 사망 등과 관련이 없었다.

2) 이식 관련 위험 인자

사체 신 이식의 경우 생체 신 이식의 경우보다 높은 요로감염률을 보인다. 이는 생체 신 이식의 성공률이 더 높은 점과 짧은 허혈시간, 적은 면역억제제의 사용과 관련이 있어 보인다. 과도한 면역억제요법, 이식 신의 기능회복 지연, 급성 거부반응, *cytomegalovirus* 감염과 같은 내과적 문제가 요로감염의 발생에 연관이 있다.

면역억제요법의 유형은 요로감염의 발생과 매우 밀접한 연관이 있다. 면역억제요법의 시행은 장내구균*enterococcus*의 페니실린 결합 단백에 영향을 주어 베타 락탐계 항생제에 대한 내성을 증가시키는 것으로 알려져 있다. 사용되는 면역억제제의 종류에 따라 *calineurin inhibitor*, *everolimus*는 상대적으로 요로감염을 증가시키지 않는 것에 비해 *azathioprine*, *mycophenolate mofetil*, *anti-thymocyte gobulin*의 사용은 높은 요로감염의 발생율을 보였다. 스테로이드의 사용중단은 요로감염 발생과 연관이 없는 것으로 밝혀졌다.

요로감염의 발생률을 높이는 외과적 문제로는 요도카테터 제거의 지연, 요관스텐트 제거의 지연, 요관방광 문합부위의 요누출이나 협착과 같은 합병증, 신 이식 중 오염된 관류액의 사용 등이 포함된다. 신 이식 수술 시행 중에 많은 의사들은 문합부위에 발생할 수 있는 요누출이나 폐색을 예방하고자 요관 스텐트를 시행한다. 하지만 여러 연구를 통해 요관 스텐트의 사용은 요로감염의 위험을 증가시키는 것으로 보고되었다. 스텐트가 요로감염를 증가시키는 이유는 세균집락화의 장소를 제공하기 때문으로 여겨진다. 100례의 신장이식 환자 중 요관 카테터를 설치한 군에서는 71%, 비설치군에서는 39%의 요로감염 빈도가 나타났으며, 요관 카테터를 제거한 후에도 새로운 요로감염의 발생 빈도는 스텐트설치군이 51%, 비설치군이 30%였다. 따라서 4주 이내에 요관 카테터를 제거해야 요로감염의 빈도를 낮출 수 있다. 스텐트를 삽입하지 않은 경우에 문합부위의 협착으로 폐색이 발생하면 이 역시 요로감염의 원인이 되기도 한다. 환자의 방광기능이 정상인 경우는 수술 후 2일째에 요도도뇨관을 제거하여 요로감염의 위험성을 줄일 수 있다. 적절히 방광을 비울 수 없는 환자의 경우는 폴리도뇨관 삽입보다 자가 카테터를 적용하는 것이 추천된다.

4. 원인균주

신 이식후 요로감염을 일으키는 원인균은 일반인과 마찬가지로 그람 음성균주가 흔하며 70% 이상이 대장균에 의해 발생한다. 또한 *Klebsiella*, *pseudomonas*, *proteus* 역시 원인균으로 배양되는 경우가 흔하다. 그러나 예방적 목적으로 *trimethoprim-sulfamethoxazole*(TMP-SMX)나 *fluoroquinolone*의 광범위한 사용으로 인해 내성균의 발현이 증가하는 추세이다. 다제 약제 내성균이나 ESBL 양성균, 카바페넴 내성균주의 증가는 신 이식 환자의 요로감염 관리를 어렵게 하며 장기 생존률의 악화를 초래한다. 그람양성균 외에도 장구균, 포도구균, 연쇄구균 등의 그람양성균이 7%를 차지하며, 진균 역시 요로감염의 원인균(3%)이다. 칸디다는 요로감염의 원인 진균 중 가장 빈번하며 신이식 환자의 11%에서 발생했다는 보고연구도 있다. 진균에 의한 요로감염은 몸 전체로 퍼져 심각한 결과를 초래할 수 있으며, 곰팡이 덩이가 형성되면 요관 및 골반 내에 폐색이 일어날 수 있다. BK 바이러스는 신장이식 환자에서 신장 또는 요관 손상을 일으킬 수 있다. BK 바이러스는 종종 요로상피에 잠복하는데, 요세포 검사 결과 'decoy 세포'가 있다면 BK 바이러스에 의한 요로감염 또는 신장질환을 의미한다. BK 바이러스는 출혈성 방광염을 일으키며, 신장이식 환자의 요관에 손상을 줄 경우 요관협착이나 괴사를 일으킬 수도 있다. 이외에도 빈도는 높지 않으나 기생충인 방광주혈흡충이나

*mycobacterium tuberculosis*에 의한 요로감염의 발생이 보고되기도 한다.

5. 임상증상

　요로감염의 임상증상은 급성방광염, 이식 신장의 신우신염, 기존 신장의 신우신염 등으로 다양하다. 요로감염의 전형적인 증상은 도뇨관과 관련된 방광 자극증상, 요관 카테터 자극증상, 빈뇨, 다뇨, 요정체, 발열과 급성 거부반응에 의한 이식 신장의 압통과 비슷하지만 뚜렷이 구별되지는 않다. 면역억제제, 특히 인터루킨-1과 종양괴사인자 차단으로 인해 열이 나타나지 않을 수도 있다. 또한 골수억제로 인해 백혈구 증가가 없을 수도 있으며, 이식된 신장의 경우 신경이 절단되어 있기 때문에 신우신염이 있더라도 통증이 나타나지 않는다.

　하부요로증상, 발열, 설명할 수 없는 백혈구 증가 등 비전형적인 증상이 나타나는 경우는 소변배양검사를 시행해야 한다. 진균 감염이 의심되면 배양검사보다 요세포검사 또는 현미경검사를 시행해야 하고, 열 또는 신체 증상이 있는 경우 혈액배양검사를 시행해야 한다. 당뇨 환자, 노인 또는 비뇨기과 질환이 있는 신장이식 환자에서 하부요로증상이 나타나는 경우는 배뇨 후 잔뇨를 측정해야 한다. 남성에서 발열로 인해 세균감염이 의심되는 경우 급성전립선염을 염두에 두고 전립선검사를 통해 확진해야 한다.

6. 이식 신기능에 미치는 영향

　요로감염이 신 이식환자의 신기능에 미치는 영향에 대한 다양한 연구들을 통해 감염질환으로의 접근 뿐만 아니라 이식 신 기능 및 환자의 장기적 예후에 대한 인식도 중요해졌다. 신 이식후 초기에는 요로감염이 발생한 신장이식 환자는 일반인에 비해 감염에 대한 적절한 염증반응이 일어나지 않아 임상적으로 무증상인 경우도 흔하지만, 일단 전신증상이 발생한 이식신의 급성신우신염이나 패혈증은 이와 관련한 사망률이 일반인에 비해 매우 높다. 하부요로에 발생한 요로감염은 이식 신장의 기능에 영향을 미치지 않았으나, 이식 신에 발생한 상부요로감염은 신기능의 감소와 사망률 증가로 이어지는 것으로 나타났다. 신 이식 후기에 발생하는 요로감염이나 재발성 요로감염의 경우는 연구에 따라 결과가 다르다. Abbott 등의 대규모 코호트 연구에서 요로감염이 발생한 환자는 요로감염이 없었던 환자에 비해 장기적으로 2.35배 높은 이식실패의 결과를 보였다. Pelle 등의 연구에서도 후기 요로감염은 환자의 장기 생존률을 악화시키며, 신우신염이 신 이식의 결과를 악화시키는 독립적인 위험 인자라고 보고하였다. 하지만 Dupont 등의 연구에서는 요로감염의 여부와 이식 신의 기능저하는 연관성이 없었다고 보고하였으며, Tawab 등이 1019명의 신 이식 수혜자 코호트를 대상으로 한 관찰연구에서도 재발성 요로감염과 신기능저하의 연관성은 발견되지 않았다. 하지만 요로감염의 발생 시 적절한 치료여부에 따라 결과의 차이를 보일 수 있다는 측면에서 이식 신의 기능과 환자의 장기 생존에 대한 요로감염의 잠재적인 영향은 매우 중요하다고 할 수 있다.

7. 예방 및 치료

대부분의 이식센터에서는 신이식후 6개월 이내의 단기간에 이식신의 기능이상을 유발할 가능성이 있는 요로감염을 예방하기 위해 무증상 세균뇨에 대한 정기적 검사와 예방적인 항생제요법을 시행한다. 545명을 대상으로 하는 6개의 무작위 임상시험에 대한 메타분석 결과 TMP-SMX 예방요법은 패혈증이나 균혈증의 발생을 87% 감소시키고 세균뇨 역시 60% 감소시키는 것으로 나타났다. 국내에서도 1980년대 이후 신장이식 환자에 대한 TMP-SMX 예방요법이 일반화되었다. 그러나 지역사회 요로감염균의 경우 TMP-SMX에 대한 내성률이 증가하고 있음을 명심해야 한다. TMP-SMX 예방요법에 용법이나 기간이 정해져있지는 않지만, 일반적으로 160+800 mg를 하루 1회 경구복용하는 것이 가장 효과적인 것으로 받아들여진다. KDIGO 가이드라인에 따르면 신이식후 기종성방광염과같은 기회감염 예방을 목적으로 TMP-SMX를 적어도 6개월간 복용하는 것을 추천하고 있다. 장기적인 예방목적의 항생제 사용은 요로감염이나 패혈증의 빈도를 낮추어 효과적이라는 연구도 있으나 항생제 내성의 증가 문제로 논란의 여지가 있다. TMP-SMX 에 알레르기가 있는 환자에서는 *cephalexin*, *phosphomycin*, *nitrofurantoin* 등의 항생제로 대체가 가능하다.

신이식 3개월 이내에 무증상 세균뇨가 확인되는 경우 임상적으로 요로감염의 징후나 증상이 명확하지 않더라도 신우신염, 패혈증, 급성거부반응으로의 이행을 방지하기 위해 치료를 시행하는 것이 일반적으로 받아들여진다.

방광염이나 요도염과 같은 단순 하부요로감염이 발생한 경우 입원 없이 *ciprofoxacin* 250 mg 하루 2회 경구 복용, *levofoxacin* 500 mg 하루 1회 경구복용, *amoxicillin* 500 mg 하루3회 경구복용, nitrofurantoin 100 mg 하루 2회 경구복용과 같은 일반적인 방광염 치료를 시행한다. 이 경우 사용기간은 신이식 6개월 이내 초기인 경우 10~14일 복용하며 6개월 이후라면 5~7일 정도로 기간을 줄일 수 있으며 모든 항생제 사용시 환자의 신기능에 따라 용량을 조절한다.

이식신에 신우신염이 의심되거나 다른 복잡요로감염의 경우에는 입원치료를 고려해야 하며 그람 음성균과 양성균을 모두 커버할수 있는 항생제를 정주한다(*piperacillin-tazobactam* 4.5 g IV every 6 h, *meropenem* 1 g IV every 8 h, *cefepime* 1 g IV every 8 h). 이경우에도 역시 환자의 신기능에 따라 용량을 조절해야한다. 항생제 투여기간은 14~21일정도가 일반적이며 이후에는 경구복용으로 전환 후 환자의 증상이 해소될때까지 사용을 유지한다. 무증상 칸디다뇨증에 대한 치료에 대한 명확한 가이드라인은 없으나 합병증과 전신증상의 발생을 막고자 많은 센터에서 치료를 시행하고 있다. 진균에 의한 요로감염이 발생한 경우 요관 카테터가 있다면 제거하고 강력한 항진균제 약물을 사용해야 한다. 적어도 1주 동안 플루코나졸*fluconazole* 200 mg을 사용하고 이후부터 100 mg을 사용한다. 암포테리신*amphotericin*은 많은 나라에서 더 이상 쓰이지 않고 있고 신장이식 환자에게 안전한지도 아직까지 불투명하며, *voriconazole, posaconazole, caspofungin* 등의 새로운 약물들이 최근 사용되고 있다.

1년에 3회 이상 발생하는 재발성 요로감염이나 치료실패의 경우에는 농양, 결석, 요로협착, 역류, 그리고 기능이 없는 기존 신장에 감염이 있는지 확인해야 한다. 요로감염은 거대세포바이러스와 같은 바이러스 질환과 같이 존재할 수 있다.

요약정리

- 요로감염은 신장기능부전 혹은 투석 환자들에게서 흔하며, 하부요로기관의 기능부전, 요로계 시술 과거력과 손상, 면역반응 장애 등이 요로감염 유발인자로 보고된다.
- 기종성 신우신염은 사망률이 19~43%로 높게 보고되는 비뇨의학과적 응급질환으로 방사선학적 소견으로 진단이 가능하다.
- 기종성 신우신염이 진단되는 경우 수액치료, 전해질 및 혈당 조절과 광범위 항균제 사용이 필수적으로 요구되며, 요로폐색 여부에 따라 경피적 배액술 혹은 스텐트를 이용한 폐색에 대한 치료가 필요하다.
- 신장농양의 대표적 증상은 발열, 오한, 복통 혹은 측복통이나 증상이 경미하여 진단이 지연될 수 있으며, 초음파 혹은 컴퓨터 단층촬영으로 감별진단이 가능하다.
- 3 cm 이하의 작은 신장농양의 경우 경정맥 항생제만으로 치료가 가능하며 3~5 cm크기의 신장농양에 대해서는 우선적으로 보존적 치료를 시행하는 것이 권장되지만 신장농양의 크기가 5 cm를 넘는 경우에는 경피적 배농술의 우선적 시행이 권장된다.
- 전형적인 요로감염의 임상증상이 평소 환자가 가지고 있던 신장 질환과 연관된 증상으로 오인될 수 있기 때문에 신장기능저하 환자의 요로감염을 진단하는 경우는 일반인과 다르다는 점에 주의를 기울일 필요가 있다.
- 신장기능부전 혹은 투석 환자들은 소변량이 줄어 농축뇨가 형성이 되므로 이들에 대한 항균제 투여는 신장의 배설 기능에 따라 신중히 시행되어야 하나, 용량 조절이 필요 없는 항균제도 있다.

- 만성 신부전 환자와 투석 환자에 대한 무작위 연구를 통해 적절한 요로감염 치료 기간을 결정한 연구는 거의 없으며, 항균제 치료를 지속했으나 빈번하게 재발하는 요로감염에 대한 궁극적인 치료는 원인 조직의 수술적 제거이다.
- 수술 술기와 면역억제제의 발달로 신장이식의 성공률과 환자의 장기생존율은 크게 증가했으나 합병증 중 하나인 요로감염은 거부반응이나 패혈증으로의 이행, 이식신장의 소실 등의 문제를 유발할 수 있어 여전히 문제가 되고 있다.
- 환자의 연령, 성별, 당뇨와 같은 기저 질환, 투석여부, 공여신의 유형, 면역억제제의 종류 및 사용기간 등이 요로감염 발생에 관여하는 위험 인자이다.
- 원인 균주는 그람 음성균이 가장 흔하며 그람양성균, 진균이 뒤를 잇는다. 이 외에도 바이러스, 기생충, 미코플라스마 등에 의해서도 발생할수 있다.
- 신장이식 후 요로감염 및 합병증 발생을 줄이는 방법은 예방적 항생제를 사용하는것이며 TMP-SMX가 가장 흔히 쓰인다. 수술 전 후로 유치한 카테터나 스텐트는 되도록 조기에 제거하고 면역억제제는 필요한 만큼만 사용하여 위험 요소를 차단한다.
- 요로감염이 발생한 경우에는 일반적인 요로감염에 준하여 치료하며 지역이나 국가의 내성률을 반드시 고려한다.

참고문헌

1. Abbott KC, Swanson SJ, Richter ER et al. Late urinary tract infection after renal transplantation in the United States. AmJ Kidney Dis 2004;44:353 - 362

2. Abbott KC, Swanson SJ, Richter ER, Bohen EM, Agodoa LY, Peters TG, et al. Late urinary tract infection after renal transplantation in the United States. Am J Kidney Dis 2004; 44(2):353-62.

3. Abrams P, Khoury S, Grant A. Evidence-based medicine overview of the main steps for developing and grading guideline recommendations. Prog Urol 2007;17:681-4.

4. Ahlering TE, Boyd SD, Hamilton CL, Bragin SD, Chandrasoma PT, Lieskovsky G, et al. Emphysematous pyelonephritis: a 5-year experience with 13 patients. J Urol 1985;134:1086-8.

5. Ahmad M, Dakshinamurty KV. Emphysematous renal tract disease due to Aspergillus fumigatus. J Assoc Physicians India 2004;52:495-7.

6. Alangaden GJ, Thyagarajan R, Gruber SA et al. Infectious complications after kidney transplantation: current epidemiology and associated risk factors. Clin Transplant 2006;20:401 - 409

7. Alangaden GJ, Thyagarajan R, Gruber SA, Morawski K, Garnick J, El-Amm JM, et al. Infectious complications after kidney transplantation: current epidemiology and associated risk factors. Clin Transplant 2006;20(4):401-9.

8. Almond PS, Matas A, Gilingham K, Dunn DL, Payne WD, Gores P, et al. Risk factors for chronic rejection in renal allograft recipients. Transplantation 1993;55:752-6.

9. Ariza-Heredia EJ, Beam EN, Lesnick TG et al. Impact of urinary tract infection on allograft function after kidney transplantation. Clin Transplant 2014;28:683 - 690.

10. Ariza-Heredia EJ, Beam EN, Lesnick TG et al. Urinary tract infections in kidney transplant recipients: role of gender, urologic abnormalities, and antimicrobial prophylaxis. Ann Transplant 2013;18:195 - 204.

11. Bantar C, Fernandez Canigia L, Diaz C, Ibanez C, Soto M, Smayevsky J, et al. Clinical, epidemiologic, and micro-biologic study of urinary infection in patients with renal transplant at a specialized center in Argentina. Arch Esp Urol 1993;46(6):473-7.

12. Bauman N, Sabbagh R, Hanmiah R, Kapoor A. Laparoscopic nephrectomy for emphysematous pyelonephritis. Can J Urol 2005;12:2764-8.

13. Benson M, Li Puma JP, Resnick MI. The role of imaging studies in urinary tract infection. Urol Clin North Am 1986;13:605-25.

14. Berman SJ. Infections in patients with end stage renal disease: An overview. Infectious Disease Clinics of North America. 2001;15:709-20.

15. Boldorini R, Veggiani C, Barco D, Monga G. Kidney and urinary tract polyomavirus infection and distribution: molecular biology investigation of 10 consecutive autopsies. Arch Pathol Lab Med 2005;129(1): 69-73.

16. Bonvoisin C, Weekers L, Xhignesse P, Grosch S, Milicevic M, Krzesinski JM. Polyomavirus in renal transplantation: a hot problem. Transplantation 2008;85(7 Suppl):S42-8.

17. Borras-Blasco J, Conesa-Garcia V, Navarro-Ruiz A, Marin-Jimenez F, Gonzalez-Delgado M, Gomez-Corrons A. Ciprofloxacin, but not levofloxacin, affects cyclosporine blood levels in a patient with pure red blood cell aplasia. Am J Med Sci 2005;330(3):144-6.

18. Bouvier d'Yvoire MJY, Maire PH. Dosage regimens of antibacterials. Clin Drug Invest 1996;11:229-39.

19. Bradsher RW, Flanigan WJ. Spontaneous resolution of vesicoureteral reflux in a renal transplant recipient. Nephron 1984;36:128-30.

20. Brumfitt W, Hamilton-Miller JM. Efficacy and safety profile of long-term nitrofurantoin in urinary infections: 18 years' experience. J Antimicrob Chemother 1998;42:363-71.

21. Cek M, Lenk S, Naber KG, Bishop MC, Johansen TE, Botto H, et al. EAU guidelines for the management of genitourinary tuberculosis. Eur Urol 2005;48(3):353-62.

22. Chan PH, Kho VK, Lai SK, Yang CH, Chang HC, Chiu B, et al. Treatment of emphysematous pyelonephritis with broad-spectrum antibacterials and percutaneous renal drainage: an analysis of 10 patients. J Chin Med Assoc 2005;68:29-32.

23. Chan TM. Preventing renal failure in patients with severe lupus nephritis. Kidney Int Suppl 2005;94:S116-9.

24. Chaudhry A, Stone WJ, Breyer JA. Occurrence of pyuria and bacteriuria in asymptomatic hemodialysis patients. Am J Kidney Dis 1993;21:180-3.

25. Chen MT, Huang CN, Chou YH, Huang CH, Chiang CP, Liu GC. Percutaneous drainage in the treatment of emphy-sematous pyelonephritis: 10-year experience. J Urol 1997; 157:1569-73.

26. Chimata M, Nagase M, Suzuki Y, Shimomura M, Kakuta S. Pharmacokinetics of meropenem in patients with various degrees of renal function, including patients with end-stage renal disease. Antimicrob Agents Chemo ther 1993; 37:229-33.

27. Cho SY, Lee HJ, Cho YH, Lee SJ. Clinical manifestation of emphysematous pyelonephritis and risk factors for mortality. Infect Chemother 2009;41:30-5.

28. Cho YH. Introduction to Urinary Tract Infections. Korean J Urol 2006;47:559-67.

29. Choi YS, Kim SB, Lee SH, Le BJ, Choi HJ, Yang SH, et al. Clinical study on urinary tract infections after renal trans-plantation. Korean J Nephrol 1991;10:574-83.

30. Chuang P, Parikh CR, Langone A. Urinary tract infections after renal transplantation: a retrospective review at two US transplant centers. Clin Transplant 2005;19(2):230-5.

31. Chuang P, Parikh CR, Langone A. Urinary tract infections after renal transplantation: a retrospective review at two US transplant centers. Clin Transplant 2005;19:230-235.

32. Cockcroft DW, Gault MH. Prediction of creatinine clearance from serum creatinine. Nephron 1976;16:31-41.

33. Coelho RF, Schneider-Monteiro ED, Mesquita JL, Mazzucchi E, Marmo-Lucon A, Srougi M. Renal and perinephric abscesses: analysis of 65 consecutive cases. World J Surg 2007; 31:431-6.

34. Crowe A, Cairns HS, Wood S, Rudge CJ, Woodhouse CR, Neild GH. Renal transplantation following renal failure due to urological disorders. Nephrol Dial Transplant 1998;13(8): 2065–9.

35. Dalla Palma L, Pozzi-Mucelli F, Ene V. Medical treatment of renal and perirenal abscesses: CT evaluation. Clin Radiol 1999;54:792–7.

36. Dantas SRPE, Kuboyama RH, Mazzali M, Moretti ML. Nosocomial infections in renal transplant patients: risk factors and treatment implications associated with urinary tract and surgical site infections. J Hosp Infect 2006;63:117–123.

37. de Souza RM, Olsburgh J. Urinary tract infection in the renal transplant patient. Nat Clin Pract Nephrol 2008;4(5):252–64.

38. Demertzis J, Menias CO. State of the art: imaging of renal infections. Emerg Radiol 2007;14:13–22.

39. Dharnidharka VR, Agodoa LY, Abbott KC. Effects of urinary tract infection on outcomes after renal transplantation in children. Clin J Am Soc Nephrol 2007;2(1):100–6.

40. Drayer DE. Pharmacologically active drug metabolites: therapeutic and toxic activities, plasma and urine data in man, accumulation in renal failure. Clin Pharmaco kinet 1976;1:426–43.

41. Dupont PJ, Psimenou E, Lord R et al. Late recurrent urinary tract infections may produce renal allograft scarring even in the absence of symptoms or vesicoureteric refux. Transplantation 2007;84:351–355.

42. Eissinger RP, Asghar F, Kolasa C, Weinstein MP. Does pyuria indicate infectionin asymptomatic dialysis patients? Clin Neph 1997;47:50–1.

43. Eknoyan G, Levin NW, National Kidney Foundation. K/DOQI clinical practice guidelines for chronic kidney disease: evaluation, classification, and stratification. Am J Kidney dis 2002;39:S1–266.

44. El Amari EB, Hadaya K, Buhler L et al. Outcome of treated and untreated asymptomatic bacteriuria in renal transplant recipients. Nephrol Dial Transplant 2011;26:4109–4114.

45. ESRD Registry Committee, Korean Society of Nephrology. Current Renal Replacement Therapy in Korea – Insan Memorial Dialysis Registry, 2009. Korean J Nephrol 2010; 29:S525–51.

46. Fayek SA, Keenan J, Haririan A, et al. Ureteral stents are associated with reduced risk of ureteral complications after kidney transplantation: A large single center experience. Transplantation. 2012;93:304–308.

47. Fiorante S, Lóez-Medrano F, Lizasoain M, Lalueza A, Juan RS, Andrés A, et al. Systematic screening and treatment of asymptomatic bacteriuria in renal transplant recipients. Kidney Int 2010;78(8):774–81.

48. Fisher JF, Sobel JD, Kaufman CA, Newman CA. Candida urinary tract infections–treatment. Clin Infect Dis 2011;52 (Suppl 6):S457–S466.

49. Fox BC, Sollinger HW, Belzer FO, Maki DG. A prospective, randomized, double-blind study of trimethoprim-sulfamethoxazole for prophylaxis of infection in renal transplantation: clinical efficacy, absorption of trimethoprim-sulfamethoxazole, effects on the microflora, and the cost-benefit of prophylaxis. Am J Med 1990;89(3):255–74.

50. Frei U, Schober-Halstenberg HJ. Nierenersatztherapie in Deutschland. Berichtuber Dialysebehandlung und Nieren-transplantation in Deutschland 2000 und 2004. Quasi-Niere Gmbh 2001;38&2006:11.

51. Funfstuck R, Naber KG, Bishop MC. Urinary tract infections in renal insufficiency and dialysis. In: Naber KG, Scaeffer AJ, Heyns CF, Matsumoto T, Shosker DA, Bjerklund-Johansen TE, editors. Urogenital infections. 1st ed. Spain; Grafos; 2010. p. 426–37.

52. Gabardi S, Abramson S. Drug dosing in chronic kidney disease. Med Clin North Am 2005;89:649–87.

53. Galindo Sacristan P, Perez Marfil A, Osorio Moratalla JM, et al. Predictive factors of infection in the first year after kidney transplantation. Transplant Proc. 2013;45:3620–3623.

54. George R. Aronoff. Drug Prescribing in Renal Failure, 5th edition.

55. Gibson TP, Demetriades JL, Bland JA. Imipenem/cilastatin: pharmacokinetic profile in renal insufficiency. AmJ Med 1985;78:54–61.

56. Gilbert DN. Urinary tract infections in patients with chronic renal insufficiency. Clin J Am Soc Nephrol 2006;1:327–331.

57. Giral M, Pascuariello G, Karam G, Hourmant M, Cantarovich D, Dantal J, et al. Acute graft pyelonephritis and long-term kidney allograft outcome. Kidney Int 2002;61:1880–6.

58. Golebiewska J, Debska-Slizien A, Zadrozny D, Rutkowski B. Acute graft pyelonephritis during the first year after renal transplantation. Transplant Proc. 2014;46:2743–2747.

59. Grabe M, Bjerklund-Johansen TE, Botto H et al Guidelines on urological infections. European Association of Urology, 2015 London.

60. Green H, Rahamimov R, Gafter U et al. Antibiotic prophylaxis for urinary tract infections in renal transplant recipients: a systematic review and meta-analysis. Transplant Infect Dis 2011;13:441–447.

61. Hamdi M, Mohan P, Little DM, Hickey DP. Successful renal transplantation in children with spina bifida: long term single center experience. Pediatr Transplant 2004;8(2):167–70.

62. Hellerstein S. Long-term consequences of urinary tract infections. Curr Opin Pediatr 2000;12:125–8.

63. Ho E, Teo BW. Assessing kidney function in Asia. Singapore Med J 2010;51:888–93.

64. Horwedel TA, Bowman LJ, Saab G, Brennan DC. Benefts of sulfamethoxazole-trimethoprim prophylaxis on rates of sepsis after kidney transplant. Transplant Infect Dis 2014;16:261–269.

65. Hsiao CY, Lin HL, Lin YK, Chen CW, Cheng YC, Lee WC, Wu TC. Urinary tract infection in patients with chronic kidney disease. Turk J Med Sci. 2014;44(1):145–9.

66. Huang JJ, Tseng CC. Emphysematous pyelonephritis: clinicoradiological classification, management, prognosis, and pathogenesis. Arch Intern Med 2000;160:797–805.

67. Hwang SJ, Lee SJ. The risk factors of renal scar in childhood acute pyelonephritis. J Korean Pediatr Soc 1999;42:545–52.

68. Hyodo T, Yoshida K, Sakai T, Baba S. Asymptomatic hyperleukocyturia in hemodialysis patients analyzed by the automated urinary flow cytometer. Ther Apher Dial 2005;9:402–6.

69. Iqbal T, Naqvi R, Akhter SF. Frequency of urinary tract infection in renal transplant recipients and effect on graft function. J Pak Med Assoc 2010;60:826–9.

70. Ishikawa K. Emphysematous pyelonephritis. In: Naber KG, Scaeffer AJ, Heyns CF, Matsumoto T, Shoskes DA, Johansen TEB, editors. Urogenital infections. 1st ed. Spain: European Association of Urology-International Consultation on Urological Diseases; 2010. p. 404–12.

71. Ishikawa K. Renal abscesses. In: Naber KG, Scaeffer AJ, Heyns CF, Matsumoto T, Shoskes DA, Johansen TEB, editors. Urogenital infections. 1st ed. Spain: European Association of Urology-International Consultation on Urological Diseases; 2010. p. 413–8.

72. Jaik NP, Sajuitha K, Mathew M, Sekar U, Kuruvilla S, Abraham G, et al. Renal abscess. J Assoc Physicians India 2006;54: 241–3.

73. Javaid B, Quigg RJ. Treatmentof glomerulonephritis: will we ever have options other than steroids and cytotoxics? Kidney Int 2005;67:1692–703.

74. John U, Everding AS, Kuwertz-Broking E, Bulla M, Muller-Wiefel DE, Misselwitz J, et al. High prevalence of febrile urinary tract infections after paediatric renal transplantation. Nephrol Dial Transplant 2006;21(11):3269–74.

75. Jung YS, An SJ, Kim SJ, Kwon EH, Lee DW, Lee SB, et al. Asymptomatic Bacteriuria in Patients with Chronic Renal Failure. Korean J Nephrol 2002;21:761–6.

76. Kamath NS, John GT, Neelakantan N et al. Acute graft pyelonephritis following renal transplantation. Transplant Infect Dis 2006;8:140–147.

77. Kaminska W, Patzer J, Dzierzanowska D. Urinary tract infections caused by endemic multi-resistant Enterobacter cloacae in a dialysis and transplantation unit. J Hosp Infect 2002;51:215–20.

78. Karam G, Maillet F, Parant S, Soulillou JP, Giral-Classe M. Ureteral necrosis after kidney transplantation: risk factors and impact on graft and patient survival. Transplantation 2004;78(5):725–9.

79. Kawashima A, LeRoy AJ. Radiologic evaluation of patients with renal infections. Infect Dis Clin North Am 2003;17: 433-56.

80. KDIGO clinical practice guideline for the care of kidney transplant recipients. Am J Transplant 2009;9 Suppl 3:S1-S155.

81. Kessler M, Hoen B, Mayeux D, Hestin D, Fontenaille C. Bacteremia in patients on chronic hemodialysis. A multi-center prospective survey. Nephron 1993;64:95-100.

82. Khosroshahi HT, Mogaddam AN, Shoja MM. Efficacy of high-dose trimethoprim-sulfamethoxazol prophylaxis on early urinary tract infection after renal transplantation. Transplant Proc 2006;38(7):2062-4.

83. Kim KH, Yae SJ, Kim JS, Kwon TG, Chung SK. Clinical experience of 27 pediatric renal transplantation at a single center. Korean J Urol 2007;48:72-6.

84. Kim SH, Min Sk, Ahn MS, Huh S, Ha JW, Jeong JK, et al. Infections of renal transplantation recipients in cyclosporin era. J Korean Soc Transplant 1999;13:269-76.

85. Koh KB, Lam HS, Lee SH. Emphysematous pyelonephritis: drainage or nephrectomy? Br J Urol 1993;71:609-11.

86. Korean Network for Organ Sharing (KONOS). Annual report of the transplant 2012 [Internet]. Seoul (KR): Korean Network for Organ Sharing, c2013 [cited 2013 Dec 22].

87. Krcmery S, Dubrava M, Krcmery V Jr. Fungal urinary tract infections in patients at risk. Int J Antimicrob Agents 1999; 11(3-4):289-91.

88. Kunin CM. Does Kidney Infection Cause Renal Failure? Annu Rev Med 1985;36:165-76.

89. Lansang MC, Ma L, Schold JD, Meier-Kriesche HU, Kaplan B. The relationship between diabetes and infectious hospitali-zations in renal transplant recipients. Diabetes Care 2006; 29(7):1659-60.

90. Lazarus JM. Complication in hemodialysis: An overview. Kidney Int 1980;18:783-96.

91. Lee BE, Seol HY, Kim TK, Seong EY, Song SH, Lee DW, et al. Recent clinical overview of renal and perirenal abscesses in 56 consecutive cases. Korean J Intern Med 2008;23:140-8.

92. Lee JR, Bang H, Dadhania D et al. Independent risk factors for urinary tract infection and for subsequent bacteremia or acute cellular rejection: a single-center report of 1166 kidney allograft recipients. Transplantation 2013;96:732-738.

93. Levey AS, Stevens LA, Schmid CH, Zhang YL, Castro AF, 3rd, Feldman HI, et al. A new equation to estimate glomerular filtration rate. Ann Intern Med. 2009;150(9):604-12.

94. Levey AS, Stevens LA, Schmid CH, Zhang YL, Castro AF, 3rd, Feldman HI, et al. A new equation to estimate glomerular filtration rate. Ann Intern Med. 2009;150(9):604-12.

95. Linares L, Cervera C, Cofan F, Ricart MJ, Esforzado N, Torregrosa V, et al. Epidemiology and outcomes of multiple antibiotic-resistant bacterial infection in renal trans-plantation. Transplant Proc 2007;39(7):2222-4.

96. Livornese LL Jr, Benz RL, Ingerman MJ, Santoro J. Antibacterial agents in renal failure. Infect Dis Clin North Am 1995;9:591-614.

97. Livornese LL Jr, Slavin D, Gilbert B, Robbins P, SantoroJ. Use of antibacterial agents in renal failure. Infect Dis Clin North Am 2004;18:551-79.

98. Maher JF, Ahearn DJ, Bryan CW, Nolph KD. Prognosis of chronic renal failure. Nephron 1975;15:8-11.

99. Mahmoud KM, Sobh MA, El-Agroudy AE, Mostafa FE, Baz ME, Shokeir AA, et al. Impact of schistosomiasis on patient and graft outcome after renal transplantation: 10 years' follow-up. Nephrol Dial Transplant 2001;16(11):2214-21.

100. Maki DG, Fox BC, Kuntz J, Sollinger HW, Belzer FO. A prospective, randomized, double-blind study of trimethoprim-sulfamethoxazole for prophylaxis of infection in renal transplantation. Side effects of trimethoprim-sulfamethoxazole, interaction with cyclosporine. J Lab Clin Med 1992;119(1):11-24.

101. Marenzi G, Marana I, Lauri G, Assanelli E, Grazi M, Campodonico J, et al. The prevention of radiocontrast agent —induced nephropathy by hemofiltration. N Engl J Med 2003;349:1333-40.

102. Marks MI, Hirshfeld S. Neurotoxicity of penicillin. N Engl J Med 1968;279:1002-3.

103. Martinez-Marcos F, Cisneros J, Gentil M, Algarra G, Pereira P, Aznar J, et al. Prospective study of renal transpant infections in 50 consecutive patients. Eur J Clin Microbiol Infect Dis 1994;13(12):1023-8.

104. Meng MV, Mario LA, McAninch JW. Current treatment and outcomes of perinephric abscesses. J Urol 2002;168:1337-40.

105. Michaeli J, Mogle P, Perlberg S, Heiman S, Caine M. Emphysematous pyelonephritis. J Urol 1984;131:203-8.

106. Montgomerie JZ, Kalmanson GM, Guze LB. Renal failure and infection. Medicine 1968;47:1.

107. Moon CS, Kim SH, Ki HK, Oh WS, Peck KR, Lee NY, et al. Infect Chemother 2006;38:123-30.

108. Munar MY, Singh H. Drug dosing adjustments in patients with chronic kidney disease. Am Fam Physician 2007;75:1487-96.

109. Munoz P. Management of urinary tract infections and lymphocele in renal transplant recipients. Clin Infect Dis 2001;33Suppl 1:S53-7.

110. Naber KG, Bishop MC, Bjerklund-Johansen TE, Botto H, Cek M, Grabe M, et al. The management of urinary and male genital tract infections. In: European Association of Urology. European Association of Urology Guidelines. Arnhem: Drukkerij Gelderland; 2006. p. 1-126.

111. Narlawar RS, Rault AA, Nagar A, Hira P, Hanchate V, Asrani A. Imaging features and guided drainage in emphysematous pyelonephritis: a study of 11 cases. Clin Radiol 2004;59:192-7.

112. National Kidney Foundation. K/DOQI clinical practice guidelines for chronic kidney disease: evaluation, classification, and stratification. Am J Kidney Dis. 2002;39:S1–266.

113. Neal DE Jr. Host defense mechanisms in urinary tract infections. Urol Clin North Am 1999;26:677-86.

114. Noh JH, Kwon DD, Oh BR, Ryu SB, Park YI. Availability of percutaneous drainage in the treatment of emphysematous pyelonephritis. Korean J Urol 1998;39:232-5.

115. Paduch DA. Viral lower urinary tract infections. Curr Urol Rep 2007;8(4):324-35.

116. Papasotiriou M, Savvidaki E, Kalliakmani P et al. Predisposing factors to the development of urinary tract infections in renal transplant recipients and the impact on the long-term graft function. Ren Fail 2011;33:405–410.

117. Park BS, Lee SJ, Kim YW, Huh SJ, Kim JI, Chang SG. Outcome of nephrectomy and kidney-preserving procedures for the treatment of emphysematous pyelonephritis. Scand J Urol Nephrol 2006;40:332-8.

118. Pascual J, Galeano C, Royuela A, Zamora J. A systematic review on steroid withdrawal between 3 and 6 months after kidney transplantation. Transplantation 2010;90:343–349

119. Pelle G, Vimont S, Levy PP et al. Acute pyelonephritis represents a risk factor impairing long-term kidney graft function. Am J Transplant 2007;7:899–907.

120. Pellé G, Vimont S, Levy PP, Hertig A, Ouali N, Chassin C, et al. Acute pyelonephritis represents a risk factor impairing long-term kidney graft function. Am J Transplant 2007;7: 899-907.

121. Pereira DA, Barroso U Jr, Machado P, Pestana JO, Rosito TE, Pires J, et al. Effects of urinary tract infection in patients with bladder augmentation and kidney transplantation. J Urol 2008;180(6):2607-10.

122. Persson PB, Hansell P, Liss P. Pathophysiology of contrast medium induced nephropathy. Kidney Int 2005;68:14-22.

123. Poggio ED, Wang X, Greene T, Van Lente F, Hall PM. Performance of the modification of diet in renal disease and Cockcroft-Gault equations in the estimation of GFR in health and in chronic kidney disease. J Am Soc Nephrol 2005;16:459-66.

124. Pontin AR, Barnes RD. Current management of emphy-sematous pyelonephritis. Nat Rev Urol 2009;6:272-9.

125. Prat V, Horcickova M, Matousovic K, Hatala M, Liska M. Urinary tract infection in renal transplant patients. Infection 1985;13(5): 207-10.

126. Puvaneswary M, Bisits A, Hosken B. Renal abscess with paranephric extension in a gravid woman: ultrasound and magnetic resonance imaging findings. Australas Radiol 2005;49:230-2.

127. Rabkin DG, Stifelman MD, Birkhoff J, Richardson KA, Cohen D, Nowygrod R, et al. Early catheter removal decreases incidence of urinary tract infections in renal transplant recipients. Transplant Proc 1998;30(8):4314-6.

128. Ramanathan V, Nguyen PT, Van Nguyen P, Khan A, Musher D. Successful medical management of recurrent emphy-sematous pyelonephritis. Urology 2006;67:e11-3.

129. Ranganathan M, Akbar M, Ilham MA, Chavez R, Kumar N, Asderakis A. Infective complications associated with ureteral stents in renal transplant recipients. Transplant Proc 2009;41:162-4.

130. Rice JC, Peng T, Kuo YF, Pendyala S, Simmons L, Boughton J, et al. Renal allograft injury is associated with urinary tract infection caused by Escherichia coli bearing adherence factors. Am J Transplant 2006;6:2375-83.

131. Ringoir S, Vanholder R. Phagocytic function in the uremic patient. Contrib Nephrol 1992;100:15-24.

132. Saemann M, Horl WH. Urinary tract infection in renal transplant recipients. Eur J Clin Investig 2008;38 (Suppl 2):58-65.

133. Safdar N, Slattery WR, Knasinski V et al. Predictors and outcomes of candiduria in renal transplant recipients. Clin Infect Dis 2005;40:1413-1421.

134. Safdar N, Slattery WR, Knasinski V, Gangnon RE, Li Z, Pirsch JD, et al. Predictors and outcomes of candiduria in renal transplant recipients. Clin Infect Dis 2005;40(10):1413-21.

135. Saitoh H, Nakamura K, Hida M, Satoh T. Urinary tract infection in oliguric patients with chronic renal failure. J Urol 1985;133:990-3.

136. Sampol BJ. Obstructive fungus ball in kidney allografts. Actas Urol Esp 2008;32(2): 267.

137. Schaeffer AJ, Schaeffer EM. Infections of the urinary tract. In: Wein AJ, Kavoussi LR, Novick AC, Partin AW, Peters CA, editors. Campbell-Walsh urology. 9th ed. Philadelphia: Saunders; 2007. p. 271-6.

138. Schaeffer AJ, Stuppy BA. Efficacy and safety of self-start therapy in women with recurrent urinary tract infections. J Urol 1999;161:207-1.

139. Senger SS, Arslan H, Azap OK et al. Urinary tract infections in renal transplant recipients. Transplant Proc 2007;39:1016-1017.

140. Senger SS, Arslan H, Azap OK, Timurkaynak F, Cagir U, Haberal M. Urinary tract infections in renal transplant recipients. Transplant Proc 2007;39(4):1016-7.

141. Seok SJ, Kim JH, Gil HW, Yang JO, Lee EY, Hong SY. Comparison of Patients Starting Hemodialysis with Those Underwent Hemodialysis 15 Years Ago at the Same Dialysis Center in Korea. Korean J intern Med 2010;25:188-94.

142. Sheldon CA, Gonzalez R, Burns MW, Gilbert A, Buson H, Mitchell ME. Renal transplantation into the dysfunctional bladder: the role of adjunctive bladder reconstruction. J Urol 1994;152(3):972-5.

143. Shohab D, Khawaja A, Atif E, Jamil I, Ali I, Akhter S. Frequency of occurrence of urinary tract infection in double J stented versus non-stented renal transplant recipients. Saudi J Kidney Dis Transpl. 2015;26:443-6.

144. Shokeir AA, El-Azab M, Mohsen T, El-Diasty T. Emphy-sematous pyelonephritis: a 15-year experience with 20 cases. Urology 1997;49:343-6.

145. Shu T, Green JM, Orihuela E. Renal and perirenal abscesses in patients with otherwise anatomically normal urinary tracts. J Urol 2004;172:148-50.

146. Siegel JF, Smith A, Moldwin R. Minimally invasive treatment of renal abscess. J Urol 1996;155:52-5.

147. Silva C, Afonso N, Macario F et al. Recurrent urinary tract infections in kidney transplant recipients. Transplant Proc 2013;45:1092-1095.

148. Simon DM, Levin S. Infectious complications of solid organ transplantations. Infect Dis Clin North Am 2001;15(2):521−49.

149. Singh HK, Bubendorf L, Mihatsch MJ, Drachenberg CB, Nickeleit V. Urine cytology findings of polyomavirus infections. Adv Exp Med Biol 2006;577:201−12.

150. Smith JW. Prognosis in pyelonephritis: promise or progress? Am J Med Sci 1989;297:53−61.

151. Splendiani G, Cipriani S, Tisone G, Iorio B, Condo S, Vega A, et al. Infectious complications in renal transplant recipients Transplantation Proceedings 2005;37:2497−9.

152. Sreenarasimhaiah S, Hellerstein S. Urinary tract infection per se do not cause end−stage renal disease. Pediatr Nephrol 1998;12:210−3.

153. Stein G, Eichhorn T, Funfstuck R. Urinary tract infections in patients with renal insufficiency. Nieren and Hoch−druckkrankh 2007;36:288−91.

154. Stein G, Funfstuck R. Asymptomatic bacteriuria. Med Klin (Munich) 2000;95(4):195−200.

155. Stengel B, Billon S, Van Dijk PC, Jager KJ, Dekker FW, Simpson K, Briggs JD. Trends in the incidence of renal replacement therapy for end−stage renal disease in Europe, 1990−1999. Nephrol Dial Transplant 2003;18:1824−33.

156. Stevens LA, Coresh J, Greene T, Levey AS. Assessing kidney function: measured and estimated glomerular filtration rate. N Engl J Med 2006;354:2473−2483.

157. Sung SH, Woo S, Lee SJ. Correlation between Renal Growth Retardation and Apoptosis of Cortical Tubules in Experimentally Induced Acute Ascending Pyelonephritis in Infant Rat. Korean J Pathol 2000;34:1001−8.

158. Suthanthiran M, Strom TB. Renal transplantation. N Engl J Med 1994;331:365−376.

159. Swan SK, Bennett WM. Drug dosing guidelines in patients with renal failure. West J Med 1992;156:633−8.

160. Takai K, Tollemar J, Wilczek HE, Groth CG. Urinary tract infections following renal transplantation. Clin Transpant 1998;12:19−23.

161. Tandogdu Z, Cai T, Koves B, Wagenlehner F, Bjerklund−Johansen TE. Urinary Tract Infections in Immunocompromised Patients with Diabetes, Chronic Kidney Disease, and Kidney Transplant. Eur Urol Focus. 2016 Oct;2(4):394−399.

162. Tang HJ, Li CM, Yen MY, Chen YS, Wann SR, Lin HH, et al. Clinical characteristics of emphysematous pyelonephritis. J Microbiol Immunol Infect 2001;34:125−30.

163. Tawab KA, Gheith O, Al Otaibi T et al. Recurrent urinary tract infection among renal transplant recipients: risk factors and long−term outcome. Exp Clin Transplant 2017;15:157−163.

164. Tolkoff−Rubin NE, Cosimi AB, Russell PS, Rubin RH. A controlled study of trimethoprim−sulfamethoxazole pro−phylaxis of urinary tract infection in renal transplant recipients. Rev Infect Dis 1982;4:614−8.

165. Trouillhet I, Benito N, Cervera C, Rivas P, Cofán F, Almela M, et al. Influence of age in renal transplant infections: cases and controls study. Transplantation 2005;80:989−92.

166. UTIS in renal insufficiency, transplant recipients, diabetes mellitus and immunosuppression. EAU guideline 52−59, 2008.

167. Valera B, Gentil MA, Cabello V et al. Epidemiology of urinary infections in renal transplant recipients. Transplant Proc 2006;38:2414−2415.

168. Valera B, Gentil MA, Cabello V, Fijo J, Cordero E, Cisneros JM. Epidemiology of urinary infections in renal transplant recipients. Transplant Proc 2006;38:2414−5.

169. Vanholder R, Ringoir S, Dhondt A, Hakim R. Phagocytosis in uremic and hemodialysis patients: a prospective and cross sectional study. Kidney Int 1991;39:320−7.

170. Vaziri ND, Cesariot T, Mootoo K, Zeien L, Gordon S, Byrne C. Bacterial infections in patients with chronic renal failure: occurrence with spinal cord injury. Arch Intern Med 1982; 142:1273−6.

171. Verbeeck RK, Musuamba FT. Pharmacokinetics and dosage adjustment in patients with renal dysfunction. Eur J Clin Pharmacol 2009;65:757−73.

172. Vincenti F, Amend W, Feduska NJ, Duca RM, Salvatierra O Jr. Improved outcome following renal transplantation with reduction in the immunosuppression therapy for rejection episodes. Am J Med 1980;69:107-12.

173. Wagenlehner FM, Naber KG. Treatment of bacterial urinary tract infections: presence and future. Eur Urol 2006;49:235-44.

174. Wan YL, Lee TY, Bullard MJ, Tsai CC. Acute gas-producing bacterial renal infection: correlation between imaging findings and clinical outcome. Radiology 1996;198:433-8.

175. Wan YL, Lo SK, Bullard MJ, Chang PL, Lee TY. Predictors of outcome in emphysematous pyelonephritis. J Urol 1998; 159:369-73.

176. Williams DH, Schaeffer AJ. Current concepts in urinary tract infections. Minerva Urol Nephrol 2004;56:15-31.

177. Wilson CH, Bhatti AA, Rix DA, Manas DM. Routine intra-operative ureteric stenting for kidney transplant recipients. Cochrane Database Syst Rev 2005;4:CD004925.

178. Wu YJ, Veale JL, Gritsch HA. Urological complications of renal transplant in patients with prolonged anuria. Transplantation 2008;86(9):1196-8.

179. Yang HI, Ahn JH, Lee TW, Ihm CG, Kim MJ. Urinary tract infection in renal transplant recipients. J Korean Soc Transplant 1990;4:73-96.

Chapter
09

장치 관련 요로감염

유달산, 이천우, 최세영, 송기현

I 개요

요로감염은 인간에게 가장 흔한 미생물 감염 중 하나이며, 항균제 투여로 비교적 용이하게 치유되는 질환으로 취급된다. 대부분의 감염이 급성으로 진행되고 단기간 내에 치유되지만, 경우에 따라서는 치료에 저항할 수도 있으며 신장기능이 손실되거나 심한 경우 생명의 위험을 초래하기도 한다. 이러한 경우 환자들의 신체적 피해가 클 뿐만 아니라 소요되는 경제적, 사회적 비용이 엄청나다.

요로감염은 병원감염의 약 40%를 차지할 정도로 병원 감염의 가장 흔한 원인이며, 요로감염의 80%는 폴리도뇨관*Foley catheter*에 의해 발생한다. 폴리도뇨관 같은 요로생식기 기구는 비뇨의학과에서 일상적으로 사용되는데, 이물질 사용은 언제나 감염 합병증의 위험을 증가시키기 때문에 모든 의료 종사자에게 매우 중요한 문제이다.

입원 환자의 약 12~16%가 폴리도뇨관 유치가 필요한 것으로 알려져 있으며, 폴리도뇨관이 유치되어 있는 환자의 경우 요로감염의 위험이 매일 3~7% 정도 증가한다. 폴리도뇨관으로 인한 요로감염의 대부분은 환자 자신의 대장 내 세균무리에서 유래하며, 감염 경로는 주로 소변주머니가 균에 오염된 후 폴리도뇨관 내로 균이 침투하여 발생한다고 알려져 있다.

폴리도뇨관 관련 요로감염의 위험 인자로 가장 중요한 것은 유치 기간이다. 폴리도뇨관 1회 유치 시의 요로감염 발생률은 1~5% 정도로 알려져 있으며, 여성 환자 및 요정체를 보이는 환자, 당뇨 환자 등에서 감염 위험이 높다. 폴리도뇨관을 장기간 유치하면 환자의 대부분에서 요로감염이 나타나나 증상이 있는 경우는 10% 이하이므로, 폴리도뇨관이 유치되어 있고 발열을 동반하는 환자의 경우 요로감염 이외의 발열 원인을 반드시 밝혀야 한다. 폴리도뇨관 유치 기간 외의 요로감염 위험 인자로는 소변주머니, 폴리도뇨관 및 외요도 주위의 세균집락, 당뇨, 여성, 고령, 신장기능저하, 부적절한 폴리도뇨관 관리, 폐쇄카테터삽입법을 유지하지 않는 경우 등이 있다.

폴리도뇨관을 유치한 환자에서 요로감염이 발생할 때에는 항상 주의 깊은 관심과 지식이 필요하다. 이물질이 없는 환자에서 발생하는 요로감염과는 다른 세균과 항균제감수성이 균막 때문에 나타나기 때문이다. 폴리도뇨관과 연관된 요로감염이 발생하면 소변 균배양검사와 같은 특별한 진단 기법이 필요하며, 일반적인 경우와 다른 항균제 선택과 기간이 요구된다.

일반적인 폴리도뇨관 관련 요로감염의 예방법으로는 무균적 폴리도뇨관 유치, 적절한 윤활액 사용을 통한 요도손상의 최소화, 폐쇄카테터삽입법 유지, 폴리도뇨관 유치 기간의 최소화 등이 제시된다. 항생물질을 도포한 폴리도뇨관은 요로감염 발생을 늦추는 효과는 있으나 요로감염 이환에 대한 효과는 아직 알려져 있지 않다. 폴리도뇨관 관련 요로감염에 대한 치료는 일반적으로 증상이 있는 경우에 한하며, 7일 이상 폴리도뇨관이 유치되어 있는 경우는 폴리도뇨관을 교체하거나 제거를 고려한다.

의료인들은 항상 적응증에 합당한 환자를 선택하여 폴리도뇨관 삽입여부를 결정해야하며, 유치하더라도 단기간 유지 후 제거하도록 노력해야한다. 또한 폴리도뇨관 유치 이외의 방법을 고려하여 증상을 일으키는 감염의 위험성을 낮추도록 노력해야 한다. 환자에게 적합하다면 경요도 유치 폴리도뇨관보다는 치골상방광폴리도뇨관, 콘돔도뇨관 또는 간헐카테터삽입 등을 선호해야 한다.

이 장에서는 폴리도뇨관과 배출기구의 정의, 역학, 위험 인자, 치료 및 예방에 대하여 알아보고자 한다. 또한 폴리도뇨관 관련 요로감염을 예방하기 위해 재료가 발전하는 과정과 기타 비뇨기과 기구와 관련된 요로감염에 대해서도 언급하고자 한다.

II 폴리도뇨관 관련 요로감염

1. 정의와 역학, 위험 인자

1) 폴리도뇨관 관련 감염의 정의

폴리도뇨관을 유치한 환자에서는 세균뇨가 필연적이다. 그러나 세균뇨가 실제 세균혈증 *bacteremia*을 유발하는 경우는 5% 미만으로 알려져 있다. 폴리도뇨관을 유치하지 않은 환자에서는 배뇨통 같은 증상과 농뇨 동반이 감염의 주요한 진단 도구로 사용될 수 있다. 그러나 폴리도뇨관을 유치한 환자들에서는 이러한 도구들이 진단에 큰 도움이 되지 못한다. 또한 폴리도뇨관을 유치한 환자들의 발열이 반드시 신뢰할 수 있는 증상인 것도 아니다. 즉, 폴리도뇨관 유치 환자들에서 필연적으로 발생하는 세균뇨의 경우 임상적으로 유의한 세균뇨를 정의하기란 많은 논란의 여지가 있는 실정이다.

2010년 Infectious Diseases Society of America에서는 폴리도뇨관 관련 요로감염을 요로감염 관련 증상과 함께 한번의 요검체에서 하나 이상의 요로병원균이 세균 수 ≥10^3 CFU/mL 검출으로 정의하였다. 폴리도뇨관 관련 무증상 세균뇨는 임신한 여자나 침습적 시술 같은 특수한 경우외에는 검사를 권고하지 않지만, 한번의 요검체에서 하나이상의 요로병원균이 세균 수 ≥10^5 CFU/mL 검출으로 정의하였다.

2021년 미국질병통제예방센터(CDC)에서는 폴리도뇨관 관련 요로감염을 진단하기 위해서 세 가지 조건을 충족해야한다고 정의하였다.

① 폴리도뇨관을 연속 2일 이상 유치하고 증상 발생이 폴리도뇨관 유치중이나 증상 전날 제거된 상태.

② 적어도 다음 증상 중 하나: 38도 이상 발열, 상치골 압통*, 늑골척수각압통*, 급박뇨^, 빈뇨^, 배뇨통^ (*타원인 없어야함. ^도뇨관 유치중엔 평가할 수 없음.)

③ 요배양검사에서 2개를 초과하지 않는 병원균이 세균 수 ≥10^5 CFU/mL 검출

2) 역학

폴리도뇨관은 오래 전부터 병원감염의 주요한 위험 인자로 알려져왔다. 병원감염의 80% 정도가 폴리도뇨관과 연관 있다는 보고도 있는데, 연구에 따르면 병원감염의 2/3이 폴리도뇨관과 연관 있다고 한다. 입원환자의 약 12~16%는 입원기간 중 폴리도뇨관을 유치하고 있고, 폴

리도뇨관을 유치하는 기간이 하루 길어지면 폴리도뇨관 관련 요로감염의 확률이 3~7% 증가하게 된다.

폴리도뇨관이나 회음 부위의 소독을 불충분하게 하는 경우 폴리도뇨관을 삽입하는 과정에서 세균이 침입할 수 있으며, 이 환자들의 20%에서는 균들이 군락을 이루게 된다. 폴리도뇨관이 없는 사람들의 경우 균이 침범하더라도 몸의 자연적 방어기전인 배뇨로 인해 균이 쉽게 제거되지만, 폴리도뇨관이 유치된 환자들은 이러한 방어기전이 일어나지 않는다. 더불어 폴리도뇨관의 표면에 있는 균막(그림 9-1)이 세균이 침입하기에 좋은 환경을 제공하게 되므로 요로감염 발생에 중요한 역할을 한다.

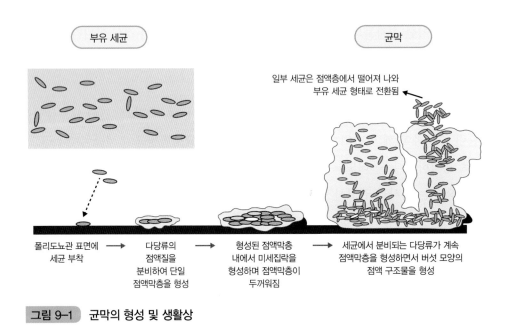

그림 9-1 균막의 형성 및 생활상

3) 위험 인자

(1) 폴리도뇨관 유치 기간

폴리도뇨관 유치 기간이 길어질수록 세균뇨 및 그에 따른 요로감염의 발병 확률이 높다는 것은 명백한 사실이며, 장기간 폴리도뇨관을 유치한 환자들은 세균뇨 발생을 피할 수 없는 것으로 보고되고 있다. 즉, 폴리도뇨관 유치 기간이 감염의 위험 인자임이 명백히 밝혀졌으므로, 폴리도뇨관 유치의 필요성 및 기간에 대해서는 항시 신중한 판단이 필요하다. 그 외에 밝혀진 위험 인자는 ① 소변주머니, 폴리도뇨관, 요도 주위부의 세균집락 형성, ② 당뇨, ③ 여성, ④ 고령, ⑤ 신장기능장애, ⑥ 부적질한 삽입을 포함한 폴리도뇨관 처치, ⑦ 부적절한 항균제 치료 등이 있다.

(2) 도뇨의 형태에 따른 분류

① 일회성 폴리도뇨관 삽입

일회성 폴리도뇨관 삽입 후 세균뇨는 5% 이하에서 발생하는 것으로 보고되고 있다. 일회성 폴리도뇨관 삽입의 경우 감염의 위험은 여성 환자, 요정체, 주산기 도뇨관 삽입, 전립선폐쇄, 당뇨, 그리고 고령인 환자에서 증가한다.

② 단기간 폴리도뇨관 유치

단기간 폴리도뇨관 유치는 일반적으로 7일 이하의 유치 기간으로 정의한다. 단기간 폴리도뇨관 유치의 적응증은 소변 배출량을 측정해야 하는 경우 중 급성기 중증 환자, 요로폐쇄, 수술 전후 환자 관리 및 모니터링을 위한 경우들이다. 단기간 폴리도뇨관 유치의 경우 대부분은 단일 균주의 무증상 감염이지만, 15%의 경우에서 복합감염이 발생한다. 가장 흔한 균주는 대장균*Escherichia coli*이며, 이외에도 폐렴간균*Klebsiella pneumoniae*, 녹농균*Pseudomonas aeruginosa*, 아시네토박테르*Acinetobacter*, 장내세균, 칸디다*Candida* 그리고 장구균*Entero-coccus* 등이 검출되고 있다.

③ 장기간 폴리도뇨관 유치

일반적으로 폴리도뇨관 유치가 30일 이상 지속될 때 '장기' 혹은 '만성'으로 정의하고 있으며, 7~29일 사이의 폴리도뇨관 유치에 대한 분류는 아직 정의되지 않았다. 장기간 폴리도뇨관 유치 자체만으로도 한 종류 이상의 균주에 의해 세균뇨가 발생할 위험이 매우 높으며, 복합감염이 대부분을 차지한다. 가장 흔한 감염균은 대장균이며, 녹농균, 프로비덴치아*Providentia stuartii*, 프로테우스*Proteus*, 모르가넬라*Morganella*, 아시네토박테르, 장구균, 칸디다종 등이 그 뒤를 잇는다.

장기간 폴리도뇨관을 유치한 환자들의 특징은 세균뇨 발병은 매우 많으나 증상성 요로감염의 빈도가 상대적으로 매우 낮다는 점이다. 실제로 장기간 입원 및 요양치료를 받은 환자들에서 발생한 발열의 원인 중 요로감염의 비중은 10%도 되지 않는 것으로 알려져 있다. 그러므로 장기간 폴리도뇨관을 유치한 환자들에서 발열 증상이 발생하는 경우 다른 유발 원인에 대한 고려가 반드시 필요하다.

장기간 폴리도뇨관을 유치한 환자들의 또 다른 임상적 특징 중 하나는 폴리도뇨관 내에서 반복적인 가피 형성이나 막힘 등이 흔히 발생하여 고환염/부고환염, 전립선염과 같은 하부요로감염을 유발할 수 있다는 점이다. 심하면 방광요관역류를 유발하여 상부요로감염까지 나타날 수 있으므로 석설한 관리가 필요하다. 이러한 감염이 발생하면 적절한 항균제 치료 외에 상치골방광창냄술(suprapubic cystostomy), 콘돔카테터, 간헐적 도뇨 등으로 요도 폴리도뇨관을 대체하는 것도 고려의 대상이 될 수 있다.

④ 폴리도뇨관 유치 경로에 따른 비교—경요도적 폴리도뇨관 유치법과 치골위방광창냄술

복부 수술을 받은 환자들을 대상으로 경요도적 폴리도뇨관과 치골위방광창냄술에 따른 세균뇨 발생을 비교한 6개의 무작위 대조군 연구들의 메타분석과 Cochrane Database of Systematic Reviews 분석 결과 치골위방광창냄술에 비해 경요도적 폴리도뇨관을 유치한 환자들에서 세균뇨의 발생률이 높았다. 반면 비뇨생식기 수술을 시행한 환자들을 대상으로 한 4개의 무작위 연구들을 메타분석한 연구에서는 두 군 간의 차이가 명확하지 않고, 다만 치골위 접근이 환자에게 더욱 편안한 것으로 보고되었다. 결론적으로, 치골 위 접근을 통한 폴리도뇨관 유치법이 세균뇨 발생 및 감염 예방에 효과적이라고 단정 짓기에는 증거가 미흡하다.

⑤ 콘돔카테터

콘돔카테터는 대개 요로폐쇄나 요정체가 없을 때, 혹은 환자가 화장실을 가는 데 문제가 있거나 다른 소변 수집 기기를 가지고 있을 때 신뢰할 만한 소변 모니터링으로 사용된다. 그러나 콘돔 배뇨는 환자의 의식이 떨어져 있거나 비협조적인 경우, 또는 비만, 음경이 짧은 경우에는 만족스럽지 못한 결과를 얻을 수 있으며, 피부가 짓무르거나 궤양이 발생할 수 있다.

콘돔카테터 사용 시 발생하는 요로감염에 관한 연구는 매우 드물어서 이와 관련된 정확한 정보를 제공하기는 어려운 실정이나, 최소한의 조작을 가한다면 발생이 비교적 적은 것으로 알려져 있다.

⑥ 간헐적 도뇨

청결간헐도뇨는 신경성방광으로 인한 요실금이나 요정체 등의 배뇨장애 치료에 주로 이용된다. 폴리도뇨관 삽입 시 세균뇨가 약 1~3%의 비율로 발생하지만 일시적이며 여러 차례 반

복해도 위험도가 높아지지 않는다.

2. 치료와 예방

1) 치료

(1) 무증상 세균뇨 치료

일반적으로 폴리도뇨관을 유치한 환자들의 무증상 세균뇨는 항균제 치료를 해도 잘 소멸되지 않고, 소멸되더라도 바로 재발하기 때문에 치료나 소변배양검사에서 소멸 여부를 확인할 필요는 없다. 무증상의 폴리도뇨관 유치 환자들에 대한 전신 항균제 치료는 다음의 경우에 제한적으로 추천된다. ① 비뇨기과 수술 또는 인공 보형물 삽입술을 시행받을 환자, ② 특정 균에 의해 발생한 병원감염에 대한 치료의 일환으로 사용하는 경우, ③ 면역억제 등의 심각한 감염 합병증이 예상되는 환자, ④ 임신부, ⑤ 세균혈증 발생률이 높은 세균에 의한 감염.

(2) 증상이 있는 요로감염의 치료

발열은 폴리도뇨관 유치 환자에서 발생한 요로감염의 임상 발현 양상 중 가장 흔한 증상이다. 일부 환자에서는 패혈증이 발생하는데, 다음 징후 중 최소 2가지를 동반할 경우 패혈증으로 진단할 수 있다. 중심 체온 >38도 or <36도, 빈맥(>90/min), 빈호흡(>20/min 또는 pCO_2 <32 mmHg), 백혈구증가증(>12,000/μL) 또는 백혈구감소증(<4,000/μL).

장기간 폴리도뇨관을 유치한 환자들은 소변배양검사에서 대부분 양성이 나타나기 때문에 이 환자들에서 비뇨생식기 증상이 없는 경우 발열 또는 패혈증이 발생하거나 균혈증의 원인균이 소변배양 균주와 다르면 감염원을 규명하기가 매우 어렵다. 이러한 경우 폴리도뇨관 유치와 관련된 요로감염이 발열의 원인일 수 있지만 요정체, 혈뇨, 갈비척추각 압통 등의 국한된 증상이 없다면 다른 원인을 반드시 고려해야 한다. 환자가 임상적으로 안정적이고 열이 별로 없다면 즉각적인 항균제 치료보다는 경과 관찰을 먼저 시행할 수 있다.

항균제 치료는 증상이 있는 감염(세균혈증, 신우신염, 부고환염, 전립선염)에서만 추천된다. 폴리도뇨관 유치 환자에서 농뇨의 정도 및 유무는 폴리도뇨관 관련 요로감염 및 세균뇨에 대한 감별 및 감염의 임상정보로 사용할 수 없을 뿐만 아니라, 항균제 치료의 적응증도 아니다.

폴리도뇨관 표면에 생성된 균막은 항균제로부터 균을 보호하는 작용을 하고 균이 계속 자랄 수 있는 서식지 역할을 하기 때문에 폴리도뇨관을 교환하거나 제거할 필요가 있다. 지역 기반

세균감수성 자료를 바탕으로 광범위 항균제로 경험적 치료를 시작하는데, 소변배양 결과에 따라 항균제를 교체할 수도 있다. 그러므로 폴리도뇨관 관련 요로감염 환자에 대한 소변 및 혈액의 배양검사는 반드시 항균제 치료 전에 시행해야 한다.

소변배양검사에서 칸디다속이 검출되는 경우가 드물지 않은데, 증상이 없는 칸디다뇨증의 경우는 치료가 필요치 않다. 그러나 이 경우에도 폴리도뇨관 또는 요관스텐트 제거를 고려해야 한다. 또한 배뇨증상이나 전신증상이 동반되는 칸디다뇨증의 경우 항진균제를 이용한 전신 치료가 필요하다.

2) 예방

(1) 세균뇨 방지

폴리도뇨관 유치 시에는 무균적으로 삽관하고, 소변 배액은 폐쇄 배액관을 사용해야 한다. 윤활제를 충분히 사용하고 가능한 작은 폴리도뇨관을 사용하여 요도손상을 최소화해야 한다. 소변통은 항상 방광 및 연결관보다 낮게 유지되어야 한다. 의료인은 이때 두 가지를 항상 주의해야 한다. 폴리도뇨관은 항상 폐쇄되어 있어야 하고, 유치 기간은 최소화해야 한다.

(2) 전신 항균제를 이용한 예방

최근 성인의 방광 단기 폴리도뇨관 유치 시의 항균제 투여 방침에 관한 Cochrane Database of Systematic Reviews에서 저자들은 예방적 항균제 투여가 복부 수술을 받거나 24시간 폴리도뇨관을 유치한 여성 환자에서 증상 있는 요로감염률을 감소시킨다는 증거가 임상적으로 적응증이 있을 때 항균제를 투여하는 방법에 비해 부족하다고 결론지었다. 수술받지 않은 환자의 세균뇨를 예방적 항균제가 감소시킨다는 증거 또한 제한적이다. 따라서 단기 폴리도뇨관 유치에서 예방적 항균제 투여는 추천되지 않는다.

Cochrane Database of Systematic Reviews에 따르면, 장기 폴리도뇨관 유치 환자에서 예방적 항균제 투여와 임상적 적응증이 되는 경우의 항균제 투여에 관한 비교 자료가 부족하다. 따라서 이 경우 또한 추천되지 않는다. 간헐적으로 도뇨하는 환자들의 경우 예방적 항균제 투여가 세균뇨(증상이 있는 경우 및 무증상) 발생률을 감소시킨다는 증거도 제한적이다. 따라서 이 경우 또한 추천되지 않는다. 예방적 항균제의 장점들은 비용 및 항균제 내성 발생 등의 부작용을 감안하여 고려해야 한다. 일주일마다 항균제를 교체하는 방법은 항균제 내성을 감소시킬 수 있는 방법 중 하나지만 추가적인 연구가 진행된 후 추천되어야 할 것이다.

(3) 예방을 위한 추가적인 방법

Cochrane Database of Systematic Reviews에 따르면 크랜베리 제품(주스 또는 알약)은 간헐적 또는 영구적 폴리도뇨관 유치가 필요한 신경성방광 환자에서 폴리도뇨관과 관련된 세균뇨 또는 요로감염의 발생률을 유의하게 감소시키지 않았다. 따라서 크랜베리 제품은 추천되지 않는다. 신경성방광이 없는 환자의 경우 폴리도뇨관과 관련된 세균뇨 또는 요로감염의 예방에 관한 자료가 없기 때문에 어떠한 추천도 할 수 없다.

메테나민염methenamine mandelate(또는 methenamine hippurate)은 비뇨기 계통에 이상이 없으며 수술 후 일주일 이내에 폴리도뇨관을 유치한 환자에서 비증상적 세균뇨 및 증상이 있는 요로감염의 발생률을 감소시켰다. 그러나 경구 메테나민 같은 항균제의 이득은 간헐 도뇨관 환자에서 확인되지 않았다.

포비돈요오드나 클로로헥시딘 또는 항균제를 이용한 폴리도뇨관 세척은 도뇨관과 관련된 세균뇨를 효과적으로 예방하지 못하므로 추천되지 않는다. 항균제로 폴리도뇨관을 세척하면 수술받은 환자가 단기간 폴리도뇨관을 유치하는 경우 세균뇨를 예방할 수 있다는 연구 보고가 몇 가지 있으나, 항균제를 소변주머니에 투여하는 것은 추천되지 않는다.

3. 폴리도뇨관 관련 요로감염 예방을 위한 재료의 진화

폴리도뇨관은 디자인과 재질이 다양하다. 가장 흔하고 일반적인 재질로는 폴리염화비닐polyvinyl chloride, 라텍스, 테플론, 실리콘 등이 있다. 라텍스 폴리도뇨관은 가격이 상대적으로 저렴하지만 자극 및 알레르기 증상이 일어날 수 있다. 실리콘 폴리도뇨관은 생물적합적이고 일반적인 라텍스 폴리도뇨관에 비해 막히는 경우가 적으므로 장기간 사용 시 라텍스보다 많이 추천된다. 테플론 또는 실리콘으로 코팅된 라텍스 폴리도뇨관은 두껍고 응축된 균막인 외피가 형성되는 경향이 있다. 이들은 폴리도뇨관의 안쪽 및 바깥쪽 표면을 막게 된다. 단단한 폴리염화비닐은 방광 세척에 쓰이는 3-way 도뇨관에 종종 사용된다. 이 재료들 중 어느 것이 입원 중인 성인의 요로감염을 감소시키는 데 더 좋은지에 관해서는 규정할 만한 충분한 증거가 부족한 실정이다. 현재까지 어느 재료가 세균뇨 발생률을 감소시키는지는 충분히 연구되지 않았다. 하지만 실리콘 폴리도뇨관은 남성에서 요도합병증을 적게 일으킬 것으로 예상된다.

폴리도뇨관과 관련된 요로감염을 예방하기 위해 많은 혁신적인 방법들이 실험되고 있다. 폴리도뇨관 삽입 시 멸균 윤활제를 사용하는 것도 그중 하나이며, 폴리도뇨관과 소변통 사이를 테이프로 밀봉하는 방법, 항역류 밸브, 항감염 방광 세척 또는 소변통에 멸균제를 투여하는 방법도 있다. 하지만 이 방법들은 폐쇄된 폴리도뇨관과 비교하여 유의한 차이를 보이는 데는 실패했다.

폴리도뇨관에 형성되는 균막이 폴리도뇨관 관련 요로감염 병리의 핵심이며, 치료에서 저항을 나타내는 핵심이다. 그래서 최근에는 폴리도뇨관 표면을 교체하고 코팅하여 균막 형성을 억제하는 데 관심이 쏠리고 있다. 최근에는 폴리도뇨관의 표면을 다양한 재질로 코팅함으로써 요로감염 관련 문제를 해결하려는 시도가 진행되었다. 그 결과들은 다양하지만 아직 문제는 해결되지 않았다.

폴리도뇨관으로 인한 요로감염 발생률을 감소시키고자 많은 전략이 시도되었지만 효과적으로 증명된 것은 얼마 되지 않는다. 은합금 코팅 폴리도뇨관과 항균제 도포 폴리도뇨관은 폴리도뇨관을 단기간 유치하는 경우 요로감염을 예방하거나 지연시킬 수 있다. 이 결과는 폴리도뇨관과 관련된 요로감염의 억제에 대한 가능성을 시사한다. 하지만 요로감염 예방을 위한 이상적인 폴리도뇨관을 개발하기 위해서는 병리학적 수준의 기본 연구와 폴리도뇨관 재질에 관해 체계적으로 디자인된 연구가 필요한 실정이다.

Ⅲ 기타 비뇨의학과 기구

1. 음경보형물과 관련된 감염

1) 서론

1998년 경구용 Phosphodiesterase 5형 억제제인 실데나필*sildenafil*이 등장한 이후 PDE 5 억제제가 발기부전 치료제로 널리 사용되고 있다. 이로 인해 발기부전 환자들의 최초 음경보형물 삽입술이 줄어들기는 했으나 아직도 널리 사용되고 있는 편이며, 기구고장등의 이유로 최근 재삽입술은 늘어나고 있는 추세이다. 음경보형물 삽입은 특히 약제 요법이 실패한 경우나 음경에 상당한 정도의 섬유화가 일어난 경우 특히 효과가 있다고 알려져 있다.

가장 흔히 사용되는 음경보형물의 종류는 크게 세 조각 팽창형 보형물(그림 9-2A), 두 조각 팽창형 보형물(그림 9-2B), 굴곡형 보형물(그림 9-2C) 3가지가 있다. 최근 몇 년 사이에 세 조각 팽창형 보형물이 자주 사용되고 있는데, 다른 종류보다 발기 성공률이 높고 보다 자연스럽게 보이는 미용적 측면과 기능적 측면에서 우월하기 때문이다.

팽창형 음경보형물은 1970년대에 처음 소개되었다. 이후 디자인 및 기계적인 단점이 보완되고 수술의 난이도가 개선되어 기계적 결함이 5% 미만으로 낮아졌다. 그러나 음경보형물이 8~12년 정도까지 기능을 하는 상황에서 감염이 큰 문제로 대두되었다. 음경보형물에 의한 감염률은 0.5~17.7%로 보고되고 있다. 첫 수술로 인한 감염률이 1~3%, 2차 수술의 감염률이 10~13%로 보고되어, 첫 수술보다는 2차 수술에서 감염률이 높은 것으로 알려져 있다.

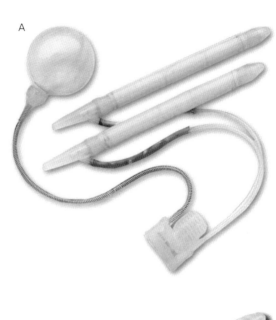

음경보형물로 인한 감염의 경우 전통적으로 보형물을 제거하고 광범위 항균제를 사용하는 방법이 쓰였다. 일반적으로 보형물 재삽입은 2~12개월 뒤에 시행한다. 하지만 보형물을 제거해도 이러한 감염으로 인해 해면체의 섬유화와 흉터가 발생하게 된다. 해면체 섬유화와 흉터는 결국 성기 단축을 일으켜 재삽입 수술 시에 음경해면체의 확장을 어렵게 만들고 가끔은 불가능한 경우도 나타난다. 이에 따라 감염을 줄이고 보형물 제거 후에도 쉽게 재삽입술을 시행할 수 있도록 항균제 또는 친수성 처리를 한 음경보형물이 개발되었다.

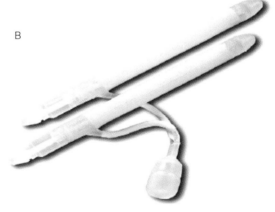

이 단원에서는 음경보형물의 감염 예방과 여러 치료 방법을 알아보고자 한다.

2) 병인 및 역학

음경보형물로 인한 감염에서 가장 흔히 나타나는 균주는 포도구균이며, 이 중 표피포도구균이 음경보형물 삽입 환자의 35~56%에서 동정된다. 최근 보고

그림 9-2 **음경보형물** A. 세 조각 팽창형 보형물 B. 두 조각 팽창형 보형물 C. 굴곡형 보형물

에 따르면, 그람 음성 간균이나 혐기성 균, 곰팡이 등이 원인균으로 늘어나고 있는 추세이다.

프로테우스, 녹농균, 대장균, 세라시아와 같은 그람음성균들도 음경보형물 삽입 환자의 20% 정도에서 동정되는 것으로 알려져 있다. 곰팡이, 항산균, 임균 등도 감염을 유발했다는 보고가 있으며, 박테로이데스*Bacteroides*종 같은 혐기성 그람음성균에 의한 심한 감염은 음경괴사를 일으키기도 한다. 이런 박테리아등은 보형물의 외관에 extracellular polymeric substance를 분비하여 바이오필름을 형성하여 스스로를 보호하고 항생제의 침투나 숙주의 면역작용을 막아 치료를 더욱 어렵게 한다.

음경보형물에 의한 감염은 일반적으로 보형물 삽입 후 12개월 이내에 나타나며, 8주 이내의 경우 즉시 감염으로 분류하며 보형물 삽입시 감염된 것으로 보고 임상적 감염증상이 나타난다. 증상에 따라 크게 임상적 감염과 무증상 감염으로 나뉜다. 임상적 감염은 발열, 음경 통증, 발적, 경화, 수술 부위와 보형물이 개방 돌출된 부위로부터 고름이 나오는 등의 증상이 나타나며, 무증상 감염은 음경보형물과 관련된 만성 통증등 모호한 양상을 나타내는 경우가 많으면 술 후 즉시 나타나지 않고 술 후 1년 뒤에 늦게 나타나는 경우가 많다.

3) 위험 인자

음경보형물 삽입에 의한 감염은 요로감염뿐만 아니라 혈행성 전파를 유발할 수 있는 신체 어느 부위의 감염에 의해서도 발생할 수 있다. 음경재건술이나 재수술을 받은 환자의 경우 시술 시간이 증가와 바이오필름이 형성등으로 처음 음경보형물을 삽입시 감염율이 3%인 것에 반해 당뇨는 잘 알려진 위험 인자이며, 술전 당화 혈색소(glycosylated hemoglobin, HgbA1c)가 높을수록 감염 합병증이 높아진다. 그 외에도 면역억제, 척수손상, 약물오남용 등이 감염 합병증의 위험 인자로 알려져 있다.

4) 예방

(1) 일반적 예방

대부분의 세균 감염은 수술 도중에 발생하므로 수술 전 처치가 중요하다. 수술 전 입원 기간이 짧을수록 감염률이 낮아진다. 또한 수술 전에는 신체검진등을 통해 피부 감염을 제거하고, 특히 진균감염증이 있는 경우는 항진균제로 치료를 한 후 수술을 해야한다. 술 전 요배양검사에서 양성인 경우 항생제 치료를 통해 무균뇨를 확인하는 것이 권유되나 의학적 증거는 확실하지는 않다. 술전 코안 면봉 채취법으로 포도상구균의 검사가 권유된다.

수술 전 비누로 수술 부위를 닦고, 수술실에서 수술 부위를 클로르헥시딘으로 소독하면 기존의 포비돈요오드 소독보다 수술부위의 감염률을 40% 정도 떨어뜨릴 수 있다. 또한 수술 중에는 무균적 시술, 짧은 수술 시간을 엄수하며 조직을 최소한으로 건드리고non-touch technique 창상 봉합을 효과적으로 하는 것이 중요하다. 술 후 고환과 음경전체를 지혈이 될 수 있게 드레싱Henry mummy wrap을 하여 감염의 위험 인자인 혈종이 안 생기게 하는 것이 중요하다.

(2) 예방적 항균제

음경보형물 삽입의 경우 수술 전 예방적 항균제를 사용하는 것이 효과적이라고 증명되지는 않았지만, 1970년대에 인공관절 수술에서 예방적 항생제에 투여에 대한 연구결과로 인공보형물을 삽입하는 수술에서 예방적 항생제 투여는 권고되고 있다. 항균제는 감염을 일으킬 가능성이 가장 많은 균을 목표로 해야 하며, 일반적으로 그람음성균에 대해 아미노글리코시드를 사용하고, 그람양성균에 대해서는 세팔로스포린 또는 반코마이신을 사용한다. 최근의 음경보형물 삽입 술 후 감염증에서 발견되는 균들의 종류가 예전과는 달라지고 있고, 지역마다 배양되는 균의 종류나 항생제 감수성이 다양하여 유럽비뇨의학회 에서는 특정 항생제를 더 이상 권고하지 않고 있다. 미국비뇨의학회에서는 겐타마이신과 같은 아미노글라이코사이드계통의 항생제(신기능 저하 환자에게는 아즈트레오남)와 1세대 또는 2세대 세팔로스포린 항생제 혹은 반코마이신 사용을 권고하고 있다. 재삽입술을 하는 진균감염 고위험군에서는 항진균제 사용도 권고된다. 이때 수술 1~2시간 전에 예방적 항균제를 투여하고, 24시간 이내 투여를 권고한다. 술 후 항생제 사용은 권고되지 않으며 최근 Adamsky 등의 연구결과에 의하면 술 후 먹는 항생제 사용이 감염을 줄여주지 못했다.

(3) 항균제 도포

1995년 Raad 등이 표피포도구균, 황색포도구균, 장구균에 대해 리팜핀rifampin과 미노사이클린minocycline을 도포한 기구의 항균 효과가 단일 약제로 리팜핀, 미노사이클린, 반코마이신 등을 도포한 경우보다 뛰어나다고 발표했다. 추가 실험실 연구와 생체 연구에서도 효과가 인정되었고, 미국 FDA는 리팜핀과 미노사이클린을 도포한 InhibiZone®(그림 9-3)을 승인했다. 이러한 항균제의 농도는 균을 충분히 억제하면서도 혈액에서는 최소 농도로 유지되었다.

Carson 등은 후향적 연구 결과 InhibiZone®이 대조군과 비교하여 감염률을 61.7% 낮추었다고 보고했다. Wilson 등도 항균제 도포 음경보형물과 항균제 미도포 음경보형물의 감염률을 비교한 연구에서 항균제 도포 음경보형물이 감염률 감소에 효과적이라고 보고했다. 따라서 감염 합병증을 줄이기 위해서는 항균제를 도포한 보형물을 사용하는 것이 권장된다.

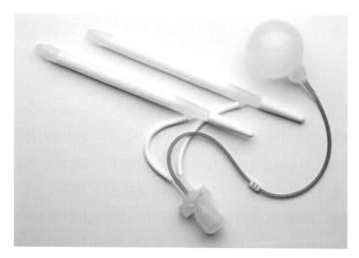

그림 9-3 음경보형물 InhibiZone®

(4) 친수성 처리

친수성 처리된 음경보형물은 Schwarz 등이 2002년에 처음 소개했으며, 동물실험에서 균의 부착이 감소하는 현상이 확인되었다. 친수성 처리된 음경보형물의 장점은 수술 중에 사용한 항균제가 친수성 처리된 음경보형물에 흡수되어 24~72시간 동안 주변 조직의 감염을 방지한다는 점이다.

친수성 처리된 음경보형물에 대한 임상적 자료는 아직 많지 않다. Wolter 등은 친수성 처리된 음경보형물에 대한 1년간의 임상 결과 보고에서 총 2,357명의 환자에서 친수성 처리된 보형물의 감염률은 1.06%였고, 친수성 처리가 되지 않은 보형물의 감염률은 2.07%였다고 발표했다. 친수성 처리된 음경보형물은 감염율을 낮추는 데 효과가 있으며, Lokeshwar 등은 여러항생제 중에서 리팜핀 1~10 mg/mL 와 겐타마이신 1 mg/mL 사용 시 가장 예방적 효과가 좋았다고 발표하였다.

5) 치료

무증상 감염이 임상적 감염보다 흔히 발생한다. 무증상 감염은 많은 경우 보형물과 관련된 만성 통증으로 나타나며, 진단 및 치료가 어렵다. Parson 등은 초기 치료로 경구 항균제(시프로플록사신*ciprofloxacin* 500 mg 2일에 1번)를 장기간(10~12주) 사용하도록 권장했는데, 이 경우 60%의 성공률이 나타난다고 보고했다. 경구 퀴놀론 대신 경구 세팔로스포린(세팔렉신*cephalexin*과 세프라딘*cephradine*)을 사용할 수도 있으나, 성공 비율은 25~30%로 낮은 것으로 알려져 있다. 만약 통증이 지속되고 항균제를 중단한 이후 통증이 다시 생기면 수술적 접근이 필요하다. Parson 등은 수술 전 24~48시간에 반코마이신을 사용한 경우 무증상 감염의 치료 성공률이 90%였다고 보고했다. 또한 무증상 감염이 발생하면 감염된 보형물을 제거하고, 새로운 보형물을 재삽입하기 전까지 반코마이신과 프로타민*protamine*을 이용하여 세척하며, 수술 후 반코마이신과 비경구 항균제를 일주일 동안 지속적으로 사용하면 치료에 도움이 된다고 보고했다.

임상적 감염이 확실하다면 항균제 치료와 함께 수술적 치료가 필수적이다. 전통적인 치료 방법은 감염된 보형물을 제거하고 2~12개월 후에 재삽입하는 것이다. 이 치료 방법의 장점은 감염이 완전히 제거된 이후 새로운 보형물을 삽입할 수 있다는 점이다. 단점은 음경해면체 섬유화가 생겨 음경 단축이 야기되며, 이로 인해 해면체의 확장이 어려워져 결국 보형물 재삽입이 어려워지거나 불가능할 수도 있다는 점이다.

Mulcahy가 보형물 재삽입과 관련된 어려움을 해결하고 음경 길이 연장을 가능케 하기 위한 구제시술을 소개했다. 이는 감염된 보형물과 박테리아등에 의해 형성된 바이오필름을 완전히 제거하고 상처 부위를 항균제로 세척한 후 다시 새로운 보형물을 삽입하는 방법이다. 세척 시에는 처음 생리식염수에 카나마이신*kanamycin* (80 mg/L)과 바시트라신*bacitracin* (1 g/L)을 섞은 용액을 사용한 후 특수 소독제인 half-strength 과산화수소*hydrogen peroxide*와 half-strength 포비돈요오드 용액을 사용해 세척한다. 이어서 반코마이신(1 g)과 겐타마이신*gentamicin* (80 mg)을 섞은 가압 식염수 5 L로 세척한 후 다시 절반 농도의 포비돈요오드 용액과 절반 농도의 과산화수소 용액으로 세척하고 마지막으로 카나마이신/바시트라신 용액으로 마무리하는 조합을 추천한다. 세척 후에는 장갑, 기구, 가운, 수술포*drapes*를 모두 교체한 뒤 즉시 새로운 음경보형물을 삽입한다. 수술 후에는 환자에게 2×500 mg 시프로플록사신을 4~6주 동안 투여하고 배양 결과와 감수성에 따라 항균제를 바꿔야 한다. 이 방법은 일반적으로 지연하여 시행되는 재삽입술에서 발생하는 합병증을 방지할 수 있는 좋은 대체 치료법이며, 성공 확률은 84~91%로 발표되었다. 하지만 패혈증, 당뇨병케톤산증 같은 심한 전신 질환이나 괴사성 감염에 의해 음경 피부에 죽은 조직이 있는 경우에는 권장되지 않는다.

지연성 구제시술은 음경보형물을 제거한 후 배액관을 삽입하고 이를 통해 세척을 하다가 3일 뒤에 새로운 음경보형물을 삽입하는 방법이다. Knoll 등은 환자 41명을 대상으로 Mulcahy가 소개한 일반적인 구제시술과 비교한 연구에서 지연성 구제시술이 치료 효과에서 큰 차이를 보이지 않는다고 보고했다. Gross 등에 의해 2016년에 발표된 연구에 의하면, 구제술 때 굴곡형 보형물로 교체를 하면 93%에서 재감염이 되지 않았으며, 31%에서 세조각 팽창형 보형물을 교체술을 시행하였다고 한다.

2. 인공괄약근과 관련된 감염

1) 서론

복압요실금은 생각보다 흔한 질환이며, 환자가 질환 자체뿐만 아니라 심한 사회적 제약 때문에 완전한 사회적 고립을 경험할 수도 있다. 요실금이 매우 심하거나 덜 침습적인 치료가 실패한 경우는 인공괄약근이 특히 남성에서 표준 치료법이다. 남자의 경우 인공괄약근의 주요 적응증은 전립선절제술 후 발생하는 요실금이다. 근치전립선절제술을 받은 환자의 5~30%에서 요실금이 생기는 것으로 알려져 있다. 1987년에 'narrow back cuff' 기법이 소개된 이후 기구의 내구성이 크게 증가했음에도 불구하고 여러 합병증이 발생했으며, 35%의 환자가 기계적 혹은 비기계적 실패로 인해 재수술을 받았다고 보고되었다. 기계적 실패의 흔한 원인은 장치에서의 누출이었고, 누출이 가장 흔한 곳은 낭대cuff 부분이었다. 기구와는 관련이 없는 비기계적 실패의 흔한 원인은 낭대 밑 요도 조직의 위축이었으며, 이는 반복적인 요실금을 유발한다. 여러 기계적, 비기계적 문제로 야기되는 반복적인 요실금의 가장 심각한 합병증은 기구의 감염이다. 다른 이물 보형물과 같이 인공괄약근도 감염의 위험이 크므로 주의해야 하며, 만약 감염이 발생하면 추가적인 손상을 방지하기 위해 정확한 처치가 필요하다.

2) 감염과 미란

인공괄약근 수술의 감염 합병증은 1~3%로 알려져 있으며, 고위험군에서는 10%까지 보고된다. 흔한 원인균으로는 표피포도상구균과 황생포도구균이다. 기구의 감염이란 기구에 세균이 집락화하는 것을 가리키며, 드물게 나타나지만 심각한 비기계적 합병증이다. 인공괄약근에 감염이 생기는 가장 흔한 원인은 두 가지가 있다. 첫 번째는 시술 도중 세균에 오염되는 경우이며, 증상이 시술 다음 날 혹은 몇 주 뒤에도 나타날 수 있다. 이러한 감염은 대기 중의 세균, 발견되지 않은 요로감염, 또는 피부 병원균에 의해 생길 수 있다. 두 번째는, 드물게 수술 중 발견되지 않은 요도의 미란 때문에 감염되는 경우이다. 요도의 미란이 발견되는 경우에는 커프만 제거하기 보다는 인공괄약근의 모든 구성물이 감염되었을 가능성이 매우 높기 때문에 모든 장치의 제거를 권고한다.

이처럼 인공괄약근 삽입 후 또는 몇 주 내에 감염이 발생하는 경우를 조기 감염이라고 정의한다. 이와 반대로 지연 감염은 술 후 보통 4개월 이후에 생기는 경우를 말하며 다른 감염 원인에 의한 혈행성 전파에 의한 감염으로 여겨지고 있다. 감염이 확인 되는 경우 모든 장치를 제거하여야 하며, 제거시에는 요도의 미란이 있는지를 확인하여야 한다.

3) 임상적 검사 및 위험 요인 평가

인공괄약근에 감염이 발생하는 경우 발생할 수 있는 증상으로는 고환과 회음 그리고 복부의 통증, 발적, 팽창, 배뇨통, 발열 등이 있다. 초음파로 검사하면 감염된 기구 주위로 액체가 고여 있는 모습이 확인되며, 심한 경우에는 농양이 관찰되기도 한다. 백혈구와 C-반응 단백이 많아지는 경우도 있다. 요도경을 통해 인공괄약근 주위의 요도 내에 미란이 보이면 감염이 발생했다고 확진할 수 있다.

감염의 위험 요인으로는 당뇨 및 과거의 방사선 조사 기왕력 등이 있다.

재수술을 하는 경우에는 풍선, 튜브, 낭대, 펌프 등의 장치에서 오염된 부위를 모두 또는 부분적으로 바꿔야 하며, 만약

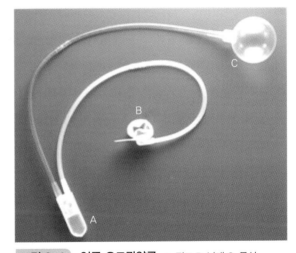

그림 9-4 인공 요도괄약근 A. 펌프 B. 낭대 C. 풍선

세균에 의한 오염이 발견되면 즉시 적합한 항균제로 치료해야 한다(그림 9-4).

4) 예방과 치료

인공괄약근의 감염을 막으려면 엄격한 조치가 필요하다. 임상적으로 진균증 등의 피부 감염이 있는지 확인해야 하며, 소변배양검사는 무균적으로 시행해야 한다. 인공괄약근 삽입술 시행 하루 전에는 환자가 스스로 하복부와 외부생식기 부분을 소독해야 한다. 수술 직전 하복부

와 외부생식기는 일상적으로 소독한 후 살균 비누로 10분 동안 소독한다. 인공괄약근 기구의 구성 요소들은 삽입하기 전까지 항균제 용액에 보관한다. 하지만 Hüsch등의 연구결과에 따르면 항균제를 도포한 인공괄약근 제품(InhibiZone)이 있으나 음경보형물과는 달리 감염 예방 효과가 우수하지는 않았다.

수술 후 감염과 관련된 미란을 방지하기 위해서는 환자에 대한 집중 교육이 필요하다. 환자는 인공괄약근을 다룰 줄 알아야 하고, 기계 작동을 정지하는 방법도 알아야 한다. 폴리도뇨관이나 요도경을 삽입하는 경요도적 시술 시에는 기계 작동을 정지시켜야 한다. 환자는 응급상황을 대비해 기구에 대한 설명과 X선 사진 등의 정보가 들어 있는 수첩을 항상 지니고 있어야 한다.

인공괄약근 삽입 후 미란이나 감염이 발생하면 인공괄약근 기구의 모든 구성 요소를 제거할 필요가 있다. 기구는 3개월 정도 이후에 재삽입해야 하며, 시술할 때 무균수술 시의 권고사항과 같은 조치가 필요하다. 다만, 미란이 없는 인공괄약근 감염의 경우 즉시 구제술식으로 교체가 가능하기도 하다.

적절한 항균제를 이용하여 세척하고 창상을 절제하는 한편 모든 부위를 충분히 배액시켜야 하는데, 수술 부위를 열어둬야 하는 경우도 있다. 요도에 있는 기구에 미란이 나타난 환자의 경우는 치골상 폴리도뇨관 유치나 경요도적 폴리도뇨관 유치가 필요할 수도 있다. 폴리도뇨관을 유치하는 기간은 결손의 정도에 따라 다르지만 최소 2주 동안은 유지해야 한다. 또한 환자가 배뇨를 시작하기 전에 병변이 완전히 닫힌 것을 배뇨방광요도조영술을 통해 확인해야 한다.

만약 감염이 의심되면 전신 항균제로 즉시 치료해야 한다. 병원균이 무엇인지 모를 때에는 그람양성 피부상재균과 요로감염에 흔한 균에 효과적인 항균제를 사용해야 한다.

- 폴리도뇨관을 유치한 환자의 무증상 세균뇨에 대한 항균제 투여는 추천되지 않는다. 항균제 투여는 반드시 증상이 동반된 감염에만 추천되며, 침습적 요로 시술 전이나 전신쇠약 환자 같은 특정 임상상황에 따라 투여할 수 있다.
- 항균제를 투여하기 전에는 반드시 소변배양검사를 시행해야 하며, 패혈증 환자는 혈액배양까지 시행해야 한다.
- 폴리도뇨관과 관련하여 증상을 동반한 요로감염이 나타나는 경우 폴리도뇨관이 7일 이상 유치되어 있었다면 항균제 투여 전에 폴리도뇨관을 교체하거나 제거하는 것이 좋다.
- 초기 치료는 해당 기관이나 지역의 이전 배양검사에 근거하여 투여하며, 배양검사 결과가 나오면 원인균 및 감수성에 맞게 항균제를 선택해야 한다.
- 폴리도뇨관 카테터는 항상 폐쇄된 상태로 유지해야 하며, 유치 기간을 최소화해야 한다.
- 폴리도뇨관 유치 또는 간헐도뇨 중인 환자에게 예방적 항균제를 투여하거나 폴리도뇨관, 소변주머니, 요도 또는 요도 입구 등에 항균제를 국소 도포하는 것은 추천되지 않는다.
- 폴리도뇨관을 장기간 유치할 때는 폴리도뇨관이 막히기 전에 반드시 교체해야 하나, 교체 시기 및 정기적 교체를 권고할 만한 근거는 없으며, 각 환자의 임상상황에 따라 교체 시기를 결정해야 한다.
- 일반적인 폴리도뇨관의 재질은 폴리염화비닐, 라텍스, 테플론, 실리콘 등이다. 이 중 현재까지 특정 재질이 세균뇨 발생 감소에 효과적이라고 결론을 내릴 만한 근거는 부족하다.
- 은합금 폴리도뇨관 또는 항균제 코팅 폴리도뇨관은 단기간(일주일 내외) 사용 시 기존의 일반적인 폴리도뇨관에 비해 무증상 세균뇨 발생률을 유의하게 감소시킨다.
- 음경보형물 시술 전에 생식기 부위를 비누로 씻고, 수술방에서 수술 직전에 제모를 하고 포비돈요오드보다는 클로르헥시딘 용액으로 수술 부위를 10분 이상 소독하는 것이 매우 중요하다.
- 예방적 항균제는 수술 1시간 전에 투여하고, 24시간 이내 동안 투여해야 한다.
- 음경보형물로 인한 감염을 줄이려면 항균제를 도포한 음경보형이나 친수성 처리를 한 음경보형물을 사용하는 것이 좋다.
- 임상증상이 없는 무증상 감염 같은 경우는 처음부터 경구 항균제(시프로플록사신 500 mg 2일에 1번)를 투여하는 것이 권장된다. 항균제 투여는 통증 관리 측면에서 10~12주 동안 지속해야 한다. 통증이 지속되거나 항균제 투여를 멈추자마자 통증이 다시 발생하면 수술이 권장된다.
- 임상적으로 감염이 확실하면 항균제 사용과 함께 수술적 접근을 하는 것이 중요하다.
- 인공괄약근 관련 감염을 예방하려면 시술 중이나 후에 항균제를 적절히 사용한다.
- 인공괄약근의 인공적 손상을 피하기 위해서는 환자와 의사 모두에게 적절한 교육이 필요하다. 또한 응급상황을 대비하여 환자가 인공괄약근 관리 지침과 X선 사진을 항상 지참하도록 교육한다.
- 요도 미란이 나타나면 경요도 폴리도뇨관 또는 치골상 폴리도뇨관 삽입이 필수적이다.
- 인공괄약근을 제거한 경우 3개월 이내에는 재삽입을 피해야 한다.

1. Abouassaly R, Montague DK, Angermeier KW. Antibiotic-coated medical devices: with an emphasis on in-flatable penile prosthesis. Asian J Androl 2004;6;249-7.

2. Abrams P, Khoury S, Grant A. Evidence-based medicine overview of the main steps for developing and grading guideline recommendations. Prog Urol 2007;17;681-4.

3. Adamsky MA, Boysen WR, Cohen AJ, Ham S, Dmochowski RR, Faris SF, et al. Evaluating the Role of Postoperative Oral Antibiotic Administration in Artificial Urinary Sphincter and Inflatable Penile Prosthesis Explantation: A Nationwide Analysis. Urology. 2018;111:92-8.

4. Anthony JS, Edward MS. Infections of the urinary tract. In: Alan JW, Louis RK, Andrew CN, Alan WP, Craig AP, editors. Campbell-Walsh Urology 10th ed. Philadelphia: Saunders Elsevier, 2011. p. 313.

5. Apisarnthanarak A, Thongphubeth K, Sirinvaravong S, Kitkangvan D, Yuekyen C, Warachan B, et al. Effectiveness of multifaceted hospitalwide quality improvement programs featuring an intervention to re-move unnecessary urinary catheters at a tertiary care center in Thailand. Infect Control Hosp Epidemiol 2007;28:791-8.

6. Bakke A, Irgens LM, Malt UF, Hoisaeter PA. Clean intermittent catheterisation-performing abilities, aver-sive experiences and distress. Paraplegia 1993;31;288-97.

7. Ball AJ, Carr TW, Gillespie WA, Kelly M, Simpson RA, Smith PJ. Bladder irrigation with chlorhexidine for the prevention of urinary infection after transurethral operations: a ros-pective controlled study. J Urol 1987;138:491-4.

8. Bettocchi C, Ditonno P, Palumbo F, Lucarelli G, Garaffa G, Giammusso B, et al. Penile Prosthesis: What Should We Do about Complications? Adv Urol 2008: 573560.

9. Biardeau X, Aharony S; AUS Consensus Group, Campeau L, Corcos J. Artificial Urinary Sphincter: Report of the 2015 Consensus Conference. Neurourol Urodyn. 2016;35 Suppl 2:S8-24.

10. Bonkat G, Pickard R, Bartoletti R, Bartoletti R, Bruyére F, Geerlings S. et al. Urological infections. Arnhem: European Association of Urology; 2018.

11. Bryan DE, Mulcahy JJ, Simmons GR. Salvage procedure for infected noneroded artificial urinary sphincters, J Urol 2002;168:2464-6.

12. Cakan M, Demirel F, Karabacak O, Yalcinkaya F, Altug U. Risk factors for penile prosthetic infection. Int Urol Nephrol 2003;35:209-13.

13. Carlsson AK, Lidgren L, Lindberg L. Prophylactic antibiotics against early and late deep infections after total hip replacements. Acta Orthop Scand 1977;48:405-10.

14. Carson C. Antibiotic impregnation of inflatable penile prostheses: effect on perioperative infection. Expert Rev Med Devices 2004;1:165-7.

15. Carson CC 3rd. Efficacy of antibiotic impregnation of inflatable penile prostheses in decreasing infection in original implants. J Urol 2004;171:1611-4.

16. Carson CC, Mulcahy JJ, Govier FE. Efficacy, safety and patient satisfaction outcomes of the AMS 700CX inflatable penile prosthesis: results of a long-term multicenter study. AMS 700CX Study Group. J Urol 2000:164;376-80.

17. Carson CC. Diagnosis, treatment and prevention of penile prosthesis infection. Int J Impot Res 2003;15;139-46.

18. Carson CC. Infections in genitourinary prostheses. Urol Clin North Am 1989;16:139-47.

19. Choong S, Whitfield H. Biofilms and their role in infections in urology. BJU Int 2000;86;935-41.

20. Choong S, Wood S, Fry C, Whitfield H. Catheter associated urinary tract infection and encrustation. Int J Antimicrob Agents 2001;17:305-10.

21. Darouiche RO, Wall MJ Jr, Itani KM, Otterson MF, Webb AL, Carrick MM, et al. Chlorhexidine—Alcohol versus Povidone—Iodine for Surgical—Site Antisepsis. N Engl J Med. 2010;7;362(1):18—26.

22. Davies AJ, Desai HN, Turton S, Dyas A. Does instillation of chlorhexidine into the bladder of catheterized geriatric patients help reduce bacteriuria? J Hosp Infect 1987;9:72—5.

23. Diokno AC, Sonda LP, Hollander JB, Lapides J. Fate of patients started on clean intermittent self—catheterization therapy 10 years ago. J Urol 1983;129:1120—2.

24. Garibaldi RA, Burke JP, Britt MR, Miller MA, Smith CB. Meatal colonization and catheter—associated bacteriuria. N Engl J Med 1980;303:316—8.

25. Gillespie WA, Simpson RA, Jones JE, Nashef L, Teasdale C, Speller DC. Does the addition of disinfectant to urine drainage bags prevent infection in catheterised patients? Lancet 1983;1:1037—9.

26. Gomha MA, Boone TB. Artificial urinary sphincter for post—prostatectomy incontinence in men who had prior radio—therapy: a risk and outcome analysis. J Urol 2002;167:591—6.

27. Griffiths R, Fernandez R. Policies for the removal of short—term indwelling urethral catheters. Cochrane Database Syst Rev 2005(1): CD004011.

28. Gross MS, Phillips EA, Balen A, Eid JF, Yang C, et al. The malleable implant salvage technique: infection outcomes after Mulcahy salvage procedure and replacement of infected inflatable penile prosthesis with malleable prosthesis. J Urol 2016; 195: 694 – 7.

29. Henry GD. The Henry Mummy Wrap™ and the Henry Finger Sweep™ surgical techniques. J Sex Med 2009; 6: 619 – 22.

30. Hirsh DD, Fainstein V, Musher DM. Do condom catheter collecting systems cause urinary tract infection? JAMA 1979;242(4):340—1.

31. Hooton TM, Bradley SF, Cardenas DD, et al. Diagnosis, prevention, and treatment of catheter—associated urinary tract infection in adults: 2009 International Clinical Practice Guidelines from the Infectious Diseases Society of America. Curr Infect Dis. 2010;50(5):625 – 63.

32. Horan TC, Andrus M, Dudeck MA. CDC/NHSN surveillance definition of health care—ssociated infection and criteria for specific types of infections in the acute care setting. Am J Infect Control 2008;36(5):309—32.

33. Hüsch T, Kretschmer A, Thomsen F, Kronlachner D, Kurosch M, Obaje A, et al. Debates On Male Incontinence (DOMINO)—Project. Antibiotic Coating of the Artificial Urinary Sphincter (AMS 800): Is it Worthwhile? Urology. 2017 May;103:179—184.

34. Hussain M, Greenwell TJ, Venn SN, Mundy AR. The current role of the artificial urinary sphincter for the treatment of urinary incontinence. J Urol 2005;174:418—24.

35. Huth TS, Burke JP, Larsen RA, Classen DC, Stevens LE. Clinical trial of junction seals for the prevention of urinary catheter—associated bacteriuria. Arch Intern Med 1992;152: 807—12.

36. Jarow JP. Risk factors for penile prosthetic infection. J Urol 1996;156:402—4.

37. Jepson RG, Craig JC. Cranberries for preventing urinary tract infections. Cochrane Database Syst Rev 2008(1):CD001321.

38. Knoll LD. Penile prosthetic infection: management by delayed and immediate salvage techniques. Urology 1998;52:287—90.

39. Kumon H. Management of biofilm infections in the urinary tract. World J Surg 2000;24:1193—6.

40. Kunin CM, Chin QF, Chambers S. Formation of encrustations on indwelling urinary catheters in the elderly: a comparison of different types of catheter materials in "blockers" and "nonblockers". J Urol 1987;138:899—902.

41. Lee BB, Simpson JM, Craig JC, Bhuta T. Methenamine hippurate for preventing urinary tract infections. Cochrane Database Syst Rev 2007(4):CD003265.

42. Maki DG, Hennekens CG, Phillips CW, Shaw WV, Bennett JV. Nosocomial urinary tract infection with Serratia marcescens: an epidemiologic study. J Infect Dis 1973;128: 579—87.

43. Lightner DJ, Wymer K, Sanchez J, et al. Best practice statement on urologic procedures and antimicrobial prophylaxis. J Urol 2020;203:351-356.

44. Linder BJ, Piotrowski JT, Ziegelmann MJ, Rivera ME, Rangel LJ, Elliott DS. Perioperative Complications following Artificial Urinary Sphincter Placement. J Urol. 2015;194(3):716-20.

45. Lokeshwar SD, Bitran J, Madhusoodanan V, Kava B, Ramasamy R. A Surgeon's Guide to the Various Antibiotic Dips Available During Penile Prosthesis Implantation. Curr Urol Rep. 2019;30;20(2):11.

46. Maki DG, Tambyah PA. Engineering out the risk for infection with urinary catheters. Emerg Infect Dis 2001;7:342-7.

47. McPhail MJ, Abu-Hilal M, Johnson CD. A meta-analysis comparing suprapubic and transurethral catheterization for bladder drainage after abdominal surgery. Br J Surg 2006; 93(9):1038-44.

48. Minervini A, Ralph DJ, Pryor JP. Outcome of penile prosthesis implantation for treating erectile dysfunction: experience with 504 procedures. BJU Int 2006;97:129-33.

49. Montague DK. Periprosthetic infections. J Urol 1987;138;68-9.

50. Mulcahy JJ. Management of the infected penile implant-concepts on salvage techniques. Int J Impot Res 1999;11: S58-9.

51. Mulcahy JJ. Treatment alternatives for the infected penile implant. Int J Impot Res 2003;15;147-9.

52. Nicolle LE. The chronic indwelling catheter and urinary infection in long-term-care facility residents. Infect Control Hosp Epidemiol 2001;22:316-21.

53. Niel-Weise BS, van den Broek PJ. Antibiotic policies for short-term catheter bladder drainage in adults. Cochrane Database Syst Rev 2005(3):CD005428.

54. Niel-Weise BS, van den Broek PJ. Urinary catheter policies for long-term bladder drainage. Cochrane Database Syst Rev 2005(1):CD004201.

55. Parsons CL, Stein PC, Dobke MK, Virden CP, Frank DH. Diagnosis and therapy of subclinically infected prostheses. Surg Gynecol Obstet 1993;177;504-6.

56. Pearman JW. Urological follow-up of 99 spinal cord injured patients initially managed by intermittent catheterisation. Br J Urol 1976;48:297-310.

57. Peyromaure M, Ravery V, Boccon-Gibod L. The management of stress urinary incontinence after radical prostatectomy. BJU Int 2002;90:155-61.

58. Phipps S, Lim YN, McClinton S, Barry C, Rane A, N'Dow J. Short term urinary catheter policies following urogenital surgery in adults. Cochrane Database Syst Rev 2006(2): CD004374.

59. Platt R, Polk BF, Murdock B, Rosner B. Mortality associated with nosocomial urinary-tract infection. N Engl J Med 1982; 307:637-42.

60. Platt R, Polk BF, Murdock B, Rosner B. Risk factors for nosocomial urinary tract infection. Am J Epidemiol 1986; 124:977-85.

61. Quesada ET, Light JK. The AMS 700 inflatable penile prosthesis: long-term experience with the controlled expansion cylinders. J Urol 1993;149:46-8.

62. Raad I, Darouiche R, Hachem R, Sacilowski M, Bodey GP. Antibiotics and prevention of microbial colonization of catheters. Antimicrob Agents Chemother 1995;39:2397-400.

63. Rahav G, Pinco E, Silbaq F, Bercovier H. Molecular epidemiology of catheter-associated bacteriuria in nursing home patients. J Clin Microbiol 1994;32(4):1031-4.

64. Raj GV, Peterson AC, Webster GD. Outcomes following erosions of the artificial urinary sphincter. J Urol 2006;175; 2186-90.

65. Rajpurkar A, Fairfax M, Li H, Dhabuwala CB. Antibiotic soaked hydrophilic coated bioflex: a new strategy in the prevention of penile prosthesis infection. J Sex Med 2004; 1:215-20.

66. Raz P. Urinary tract infection in elderly women. Int J Antimicrob Agents 1998;10:177-9.

67. Richter S, Kotliroff O, Nissenkorn I. Single preoperative bladder instillation of povidone-iodine for the pre-

vention of postprostatectomy bacteriuria and wound infection. Infect Control Hosp Epidemiol 1991;12:579–82.

68. Rutala WA, Kennedy VA, Loflin HB, Sarubbi FA Jr. Serratia marcescens nosocomial infections of the urinary tract associated with urine measuring containers and urinometers. Am J Med 1981;70:659–63.

69. Saint S, Kaufman SR, Thompson M, Rogers MA, Chenoweth CE. A reminder reduces urinary catheterization in hospitalized patients. Jt Comm J Qual Patient Saf 2005;31; 455–62.

70. Salomon J, Denys P, Merle C, Chartier-Kastler E, Perronne C, Gaillard JL, et al. Prevention of urinary tract infection in spinal cord-injured patients: safety and efficacy of a weekly oral cyclic antibiotic (WOCA) programme with a 2 year follow-up. an observational prospective study. J Antimicrob Chemother 2006;57:784–8.

71. Schaberg DR, Weinstein RA, Stamm WE. Epidemics of nosocomial urinary tract infection caused by multiply resistant gram-negative bacilli: epidemiology and control. J Infect Dis 1976;133:363–6.

72. Schierholz JM, Konig DP, Beuth J, Pulverer G. The myth of encrustation inhibiting materials. J Hosp Infect 1999;42:162–3.

73. Schiotz HA, Guttu K. Value of urinary prophylaxis with methenamine in gynecologic surgery. Acta Obstet Gynecol Scand 2002;81:743–6.

74. Schiotz HA. Antiseptic catheter gel and urinary tract infection after short-term postoperative catheterization in women. Arch Gynecol Obstet 1996;258:97–100.

75. Schumm K, Lam TB. Types of urethral catheters for management of shortterm voiding problems in hospitalised adults. Cochrane Database Syst Rev 2008(2):CD004013.

76. Sedor J, Mulholland SG. Hospitalacquired urinary tract infections associated with the indwelling catheter. Urol Clin North Am 1999;26(4):821–8.

77. Sofer M, Denstedt JD. Encrustation of biomaterials in the urinary tract. Curr Opin Urol 2000;10:563–9.

78. Stamm WE, Hooton TM, Johnson JR, Johnson C, Stapleton A, Roberts PL, et al. Urinary tract infections: from patho-genesis to treatment. J Infect Dis 1989;159:400–6.

79. Stamm WE, Martin SM, Bennett JV. Epidemiology of nosocomial infection due to Gram-negative bacilli: aspects relevant to development and use of vaccines. J Infect Dis 1977;136:151–60.

80. Steward DK, Wood GL, Cohen RL, Smith JW, Mackowiak PA. Failure of the urinalysis and quantitative urine culture in diagnosing symptomatic urinary tract infections in patients with long-term urinary catheters. Am J Infect Control 1985;13:154–60.

81. Stickler DJ, Evans A, Morris N, Hughes G. Strategies for the control of catheter encrustation. Int J Antimicrob Agents 2002;19:499–506.

82. Tambyah PA, Knasinski V, Maki DG. The direct costs of nosocomial catheterassociated urinary tract infection in the era of managed care. Infect Control Hosp Epidemiol 2002;23(1):27–31.

83. Tambyah PA, Maki DG. The relationship between pyuria and infection in patients with indwelling urinary catheters: a prospective study of 761 patients. Arch Intern Med 2000; 160:673–7.

84. Tenney JH, Warren JW. Bacteriuria in women with long-term catheters: paired comparison of indwelling and replacement catheters. J Infect Dis 1988;157(1):199–202.

85. Thomas M. Hooton, Suzanne F. Bradley, Diana D. Cardenas, Richard Colgan, Suzanne E. Geerlings, James C. Rice, et al. Diagnosis, Prevention, and Treatment of Catheter-Associated Urinary Tract Infection in Adults: 2009 International Clinical Practice Guidelines from the Infectious Diseases Society of America. Clinical Infectious Diseases 2010:50:625–63

86. Thompson RL, Haley CE, Searcy MA, Guenthner SM, Kaiser DL, Groschel DH, et al. Catheterassociated bacteriuria. Failure to reduce attack rates using periodic instillations of a disinfectant into urinary drainage systems. JAMA 1984; 251:747–51.

87. Walsh IK, Williams SG, Mahendra V, Nambirajan T, Stone AR. Artificial urinary sphincter implantation in

the irradiated patient: safety, efficacy and satisfaction. BJU Int 2002;89: 364-8.

88. Warren J, Bakke A, Desgranchamps F. Catheter-associated bacteriuria and the role of biomaterial in prevention, in: Naber KG, Pechere JC, Kumazawa J, Khoury S, Gerberding IL, Schaeffer AJ. editors. Nosocomial and health care associated infections in urology. Plymouth, UK: Health Publications Ltd.; 2001. p. 207.

89. Warren JW, Platt R, Thomas RJ, Rosner B, Kass EH. Antibiotic irrigation and catheter-associated urinary-tract infections. N Engl J Med 1978; 299(11): 570-3.

90. Warren JW, Tenney JH, Hoopes JM, Muncie HL, Anthony WC. A prospective microbiologic 2 study of bacteriuria in patients with chronic indwelling urethral catheters. J Infect Dis 1982;146:719-23.

91. Warren JW. Catheter-associated urinary tract infections. Int J Antimicrob Agents 2001;17:299-303.

92. Warren JW. Providencia stuartii: a common cause of antibiotic-resistant bacteriuria in patients with long-term indwelling catheters. Rev Infect Dis 1986;8(1):61-7.

93. West DA, Cummings JM, Longo WE, Virgo KS, Johnson FE, Parra RO. Role of chronic catheterization in the develop-ment of bladder cancer in patients with spinal cord injury. Urology 1999;53:292-7.

94. Wilson SK, Delk JR 2nd. Inflatable penile implant infection: predisposing factors and treatment suggestions. J Urol 1995;153:659-61.

95. Wilson SK, Zumbe J, Henry GD, Salem EA, Delk JR, Cleves MA. Infection reduction using antibiotic-coated inflatable penile prosthesis. Urology 2007;70:337-40.

96. Wolter CE, Hellstrom WJ. The hydrophilic-coated inflatable penile prosthesis: 1-year experience. J Sex Med 2004;1: 221-4.

97. Wyndaele JJ, Maes D. Clean intermittent self-catheterization: a 12-year followup. J Urol 1990;143:906-8.

98. Zimakoff JD, Pontoppidan B, Larsen SO, Poulsen KB, Stickler DJ. The management of urinary catheters: compliance of practice in Danish hospitals, nursing homes and home care to national guidelines. Scand J Urol Nephrol 1995;29:299-309.

요로패혈증

유구한, 최정혁, 김양균, 최승권

| 개요 및 역학

2천년 전 히포크라테스는 패혈증*sepsis*은 살이 썩고 상처가 썩는 질병이라고 기록하였고, 19세기에 파스퇴르는 병원균의 침입으로 인한 혈액 중독이 전신 감염을 일으킨다고 보고하였다. 하지만 Bone 등의 연구자들은 원인이 되는 세균을 제거해도 환자들의 다수가 사망하는 것으로 인해 환자의 염증반응이 패혈증의 치료에 더 중요한 요소임을 주장하였다. 1991년에 sepsis-1 정의 이후로 패혈증이 감염에 대한 전신염증반응*systemic inflammatory response syndrome*, SIRS으로 정의하였고, 적절한 수액 치료에도 불구하고 저혈압이 동반되는 경우를 패혈성 쇼크*septic shock*라고 정의하였다.

세균혈증*bacteremia*은 혈액배양 양성으로 혈액 내에 살아 있는 균주가 있음을 의미한다. 전신염증반응은 감염 또는 비감염에 의해 다양한 임상 경과가 초래되는 반응으로, 체온이 38℃ 이상 또는 36℃ 이하, 심장박동수 분당 90회 이상, 분당 호흡수 24회 이상, 백혈구 수 12,000개/mm^3 이상 또는 4,000개/mm^3 이하이거나 미성숙 백혈구가 10% 이상 등의 항목 중 2개 이상을 의미한다. 패혈증은 감염에 의한 전신 염증반응으로 정의했다. 의심되는 감염이 동반되며 전신 염증반응 증후군 중 2개 이상인 경우 패혈증으로 진단할 수 있다. 패혈성 쇼크는 적절한 수액이 들어갔음에도 불구하고 저혈압이 지속되는 상태를 말하며, 수축기 동맥압 <90 mmHg, 평균 동맥압 <60 mmHg, 또는 기준선에서 40 mmHg만큼 수축기 변화인 경우 진단할 수 있다.

하지만 최근 패혈증 환자를 대상으로 진행된 연구에서 염증이 많지 않은 급성 장기 기능 장애acute organ dysfunction 환자들이 많은 것으로 확인되었다. 이러한 연구들은 패혈증의 정의가 새롭게 바뀌어야 한다는 것을 설명해주고 있었다. 결국 1991년과 2003년에 제정된 sepsis-1과 sepsis-2의 기준이 바뀌어야 한다는 것을 여러 연구들이 보여주고 있었고, 2016년에 패혈증 정의 태스크 포스가 sepsis-3라는 새로운 정의를 소개하였다.

빠른 순차적 장기 부전 평가quick sequential organ failure assessment, qSOFA라는 방법을 통해서 수축기 동맥압 100 mmHg 이하, 호흡수가 분당 22회 이상, 의식 변화 GCS점수 14점 이하 중 2개 이상인 경우에 시행한다. 새로운 sepsis-3 기준에 따르면 패혈증은 의심되는 감염과 순차적 장기 부전 평가sequential organ failure assessment, SOFA 점수가 2점 이상인 경우를 말한다. 패혈성 쇼크는 적절한 수액 소생에도 불구하고 평균 동맥압을 65 mmHg 이상 및 혈청 젖산 2.0 mmol/L 이상으로 유지하기 위하여 승압제를 사용해야 하는 상황을 말한다.

미국에서 진행된 코호트 연구에서는 매년 약 2백만명의 패혈증 환자가 생기며 이중 약 30%가 패혈성 쇼크에 빠진다고 한다. 또한 United Healthcare Consortium에 소속된 300개 병원의 데이터분석을 보면 입원환자 1000명당 19명의 패혈증 환자가 발생하였다고 추정했다. 패혈증 및 패혈성 쇼크의 발생률도 지난 10년 동안 거의 50% 정도 증가하였다.

요로패혈증은 요로가 감염원이거나 강하게 의심되는 패혈증을 말한다. 독일에서 진행된 연구에서는 요로패혈증은 전체 패혈증의 약 9~31%를 차지한다고 하였다. 다른 연구에서도 성인 패혈증에서 약 25%가 요로패혈증이라고 하였고, 패혈증 및 패혈성 쇼크의 약 10~30%에서 요로감염이 원인이라고 하였다. 요로결석, 요관 협착 또는 종양과 같은 상부요로의 폐쇄성 질환이 요로패혈증의 주요 원인이다. 고령, 당뇨, 면역 저하, 장기이식 및 후천성면역 결핍 증후군은 체내의 방어 면역을 약화시켜 패혈증으로 진행을 촉진시킨다.

미국의 1050개 병원에서 요로결석으로 인한 패혈증 환자 1712명을 분석한 보고에 따르면 사망률은 10%에 달하며 75세이상의 고령인 경우, 북서부에 사는 경우 그리고 수술적인 감압 처치를 시행하지 않은 경우에 사망률은 높아진다고 한다. 국내에서 발표한 한 코호트 연구에서 폐쇄성 요로병증이 있으며 패혈성 쇼크 발생의 위험도는 4.4배까지 높아진다고 보고하였다.

원인균은 대장균Escherichia coli, 녹농균Pseudomonas aeruginosa, 폐렴간균Klebsiella pneumoniae 등의 그람음성균의 빈도가 높으며 포도구균Staphylococcus, 장구균Enterococcus 같은 그람양성균도 최근 빈도가 증가하고 있다. 이 장에서는 요로패혈증을 일으키는 상황과

표 10-1 빠른 순차적 장기 부전 평가 점수표 Quick SOFA score

Assessment	qSOFA score
Low blood pressure (SBP ≤100mmHg)	1
High respiratory rate (≥22breaths/min)	1
Altered mentation (GCS ≤14)	1

표 10-2 순차적 장기 부전 평가 점수표 SOFA score

측정 변수	SOFA score				
	0	1	2	3	4
호흡기					
PaO2/FIO2	≥400	≤400	≤300	≤200 (호흡보조 동반상태)	≤100 (호흡보조 동반상태)
응고					
Platelets (×10^3 /μL)	≥150	≤150	≤100	≤50	≤20
간					
Bilirubin (μmol/L)	<20	20~32	33~101	102~204	>204
심장혈관					
	MAP≥70 mmHg	MAP<70 mmHg	Dopamine≤ 5 or dobutamine (any dose)[a]	Dopamine>5 or epinephrine≤ 0.1 or norepinephrine ≤0.1[a]	Dopamine>15 or epinephrine> 0.1 or norepinephrine >0.1[a]
중추신경					
Glasgow coma score[b]	15	13~14	10~12	6~9	<6
신장					
Creatinine, mg/dL (μmol/L)	<1.2 (110)	1.2~1.9 (110~170)	2.0~3.4 (171~299)	3.5~4.9 (300~440)	>5.0 (440)
Urine output, ml/d				<500	<200

약어: FIO2, fraction of inspired oxygen; MAP, mean arterial pressure; PaO2, partial pressure of oxygen.

[a]Catecholamine doses are given as μg/kg/min for at least 1 hour.

[b]Glasgow Coma Scale scores range from 3~15; higher score indicates better neurological function.

원인, 기전을 알아보고 임상의가 시행할 수 있는 여러 처치를 알아보고자 한다.

II 패혈증의 발병 기전

1. 병인

병원균 자체나 병원균의 세포벽 구성요소가 면역 과정을 유발하게 된다. 그람음성균에서는 내독소endotoxin로 불리는, 세포외벽 성분인 지질다당질lipopolysaccharide (LPS)의 지질A lipid A을, 그람양성균은 세포벽의 펩티도글리칸peptidoglycan, 테이코산teichoic acid, 리포테이코산lipoteichoic acid을 단핵세포monocyte, 대식세포macrophage, 중성세포neutrophil, 수지상세포dendritic cell, 내피세포endothelial cell 표면에 있는 Toll 유사 수용체Toll-like receptor(TLR) 4 또는 Toll 유사 수용체 2가 감지해서 세포 내에서 신호를 전달한다. 자극을 받은 세포의 핵 내에서 NF-κB(핵인자 kappa B)가 활성화되면서 종양괴사인자tumor necrosis factor(TNF)와 인터루킨interleukin(IL)-1, IL-6, IL-8 등의 시토카인cytokine을 생산하고 이들의 자극에 다른 대식세포와 중성세포, B-림프구lymphocyte, T-림프구 등이 반응하면서 선천면역반응과 후천면역반응이 유도된다.

시토카인은 패혈증에 중요한 역할을 하는 분자물질로서, 인체의 면역반응의 규모와 지속시간을 조절한다. 시토카인 생산은 CD4+ T helper cell이 조절하는데, 이는 TNF-α, 인터페론interferon-γ(IL-γ), IL-2 등의 친염증proinflammatory 시토카인을 분비한다. 이 시토카인들은 대식세포, 내피세포에서도 생산되면서 "시토카인 폭풍cytokine storm"이 일어난다. 최근 연구에서, II형 CD4+ T helper cell에서 분비되는 IL-4, IL-10 같은 항염증antiinflammatory 시토카인도 패혈증 환자에서 높게 나타났으며, 따라서 친염증 시토카인과 항염증 시토카인 모두 초기 패혈증에 기여를 하지만, 이를 치료에 적용하기에는 아직 밝혀지지 않은 부분이 많다.

면역반응이 이뤄지면서 조혈성장인자hematopoietic growth factor가 자극을 받아 새 중성세포가 생산되어 늘어난다. B-림프구와 T-림프구는 항체를 합성하고 세포면역을 일으키며, 근육 단백질을 분해해서 발생한 아미노산을 항체 합성에 이용한다. 혈관내피세포에서는 혈소판활성인자platelet activating factor (PAF)와 일산화질소(NO)가 생산되어 혈관 긴장이 저하되면서 저혈압이 유발됨과 함께 혈관 투과도endothelial permeability가 증가해 조직의 부종이 발생하게 된다.

한편, 패혈증은 염증체계 뿐만 아니라 응고체계, 자율신경계, 내분비계에도 영향을 준다. 패혈증 상태에서 과활성화되는 보체계complement system의 영향으로 혈관내피세포 표면에 위치한 수용체가 상향조정되고 이로 인해 상호 점착성이 증가하게 된다. 또한, 내피세포의 친응고적인 활동과 플라스미노겐활성화억제인자plasminogen activator inhibitor, PAI의 합성이 증가하고 항응고 기전은 억제됨에 따라 혈액 응고계가 활성화된다. 이로 인해 혈전생성과 파종혈관내응고병증disseminated intravascular coagulation, DIC이 발생한다. 이는 조직과 세포의 저산소증hypoxia을 유발한다.

친염증시토카인은 시상하부를 자극해 교감신경계와 시상하부-뇌하수체-부신피질 축을 활성화하고 시상하부의 체온조절중추을 자극해 발열을 일으키고, 시상하부에서 코르티코트로핀 분비호르몬corticotropin-releasing hormone과 부신피질자극호르몬adrenocorticotropic hormone, ACTH을 분비시킨다. 이로 인해 코티졸cortisol이 부신에서 분비되고 NF-κB 억제 및 IL-4, IL-10이 증가하면서 항염증반응이 이루어진다. 또한, 뇌간brain stem의 망상구조 reticular formation에 작용해 졸음을 유발한다.

부교감신경계는 미주신경vagus nerve과 아세틸콜린 수용체acetylcholine receptor가 염증을 감지하고 뇌에 이를 전달하면서 반응한다. 아세틸콜린의 분비가 TNF-α 등 친염증 시토카인을 감소시킨다.

코르티코스테로이드corticosteroid, 성호르몬, 특히 테스토스테론 등 스테로이드 호르몬의 항염증작용은 대식세포억제인자macrophage-inhibitory factor에 의해 저하된다.

초기의 친염증시기 후에는 반대되는 성향의 항염증반응이 이루어진다. 이 과정에서 대식세포와 중성세포는 면역학적으로 기능부전상태가 되고 림프구와 수지상세포는 세포자멸사 apoptosis를 하게 되는데 이러한 반응들은 주변 세포에 손상을 주게 된다. 이 시기에 환자는 면역 억제 상태가 되면서 사망의 가능성이 높은 것으로 알려져 있으나 패혈증에서의 장기기능부전 및 사망 기전은 아직 완전히 확인되지 않았다.

2. 병리 기전에 기초한 항염증 치료

기본적으로 패혈증에 대해서 항생제 투여가 치료의 주축이 되며, 과다한 염증반응을 억제하기 위해 보조적 치료가 연구되었다.

1) 코르티코스테로이드

초기 무작위시험에서 고용량의 스테로이드 투여가 패혈쇼크 치료에 효과가 있다고 나타났으나 이후 CORTICUS (Corticosteroid Therapy of Septic Shock) 연구에서 저용량의 스테로이드 치료 시 중복감염 가능성과 사망률이 상승했다. 이후 유럽의 대규모 다기관 연구 결과, 승압제와 수액 공급으로 혈역학적 안정성 회복한 환자들의 경우 정맥 하이드로코티손hydrocortisone 투여를 추천하지 않으며, 상기 치료에 효과가 없는 패혈쇼크의 경우에 한해 하이드로코티손hydrocortisone (200 mg/d)을 투여하는 것이 권장되었다. 2018 EAU 요로패혈증 가이드라인에서도 승압제와 수액 치료로도 mean arterial pressure가 65 mmHg에 도달하지 않을 경우 하이드로코티손의 투여를 고려할 수 있다고 밝혔다.

2) 인슐린

2001년 대규모의 단일기관 무작위연구에서 고강도의 정맥 인슐린 투여로 중환자실 사망률을 감소시켰다고 밝혔다. 이후 엄격한 혈당을 기준으로 한 인슐린 투여 치료에 대한 연구가 활발히 시행되었는데, 대부분의 연구에서 심각한 저혈당의 가능성이 보고되었으며 몇몇 메타분석에서는 사망률 감소와 연관이 없는 것으로 나타나기도 했다. 2009년 NICE-SUGAR Study Group의 연구에서, 81~108 mg/dL을 기준으로 하는 혈당 조절보다 180 mg/dL 이하를 목표 치로 했을 때 부작용이 적고 유의한 사망률 감소가 나타났다고 보고했다.

3) 면역 글로불린

정맥 면역글로불린immunoglobulin 투여의 패혈증 치료에 대한 다양한 연구가 존재했으나 대부분 작은 규모를 대상으로 해 편향된 결과를 도출했을 가능성이 컸으며, 1개의 대규모 연구에서는 면역글로불린이 효과가 없는 것으로 나타났다.

4) 항응고제

항트롬빈antithrombin은 혈액 내 가장 많은 양을 차지하고 있는 항응고성분으로, 이것의 기능 저하는 파종혈관내응고병증를 유발할 수 있다. 하지만 성인 패혈증 환자에 고용량의 항트롬빈을 투여했을 때 사망률 감소에 영향은 없었으며 출혈 경향 상승이 발생했다. 헤파린에 대한 연구에서는 출혈 위험 증가는 없었지만 이 또한 사망률에는 영향을 주지 않아 권장되지 않는다.

III 내과적 치료

요로감염은 전 세계적으로 가장 흔한 세균감염 중 하나로, 방광염이나 신우신염이 항생제로 잘 치료되지 않을 경우 삶을 위협하는 요로패혈증에 이르게 될 수 있다. 보고에 의하면 입원 환자의 약 2%가 중증 패혈증 환자이며 이 중 50%가 중환자실 치료를 받게 되고, 중증 패혈증 환자는 매년 750,000명 이상 발생한다고 한다. 패혈증 환자들의 사망률을 개선시키기 위해 2004년 최초로 개발된 Surviving Sepsis Campaign 지침서가 최근 2016 개정판까지 나오면서 패혈증 환자의 사망률은 점차 줄어들었으나 아직도 20~30%에 이른다. 본 챕터는 요로패혈증의 내과적 치료에 초점을 맞추어 기술하고자 한다.

1. 요로패혈증의 내과적 치료

요로패혈증의 기본 치료는 일반 패혈증의 치료와 크게 다르지 않아 2016년 Surviving Sepsis Campaign의 가이드라인을 기초로 내과적 치료를 소개하고자 한다.

표 10-3 수액의 종류

크리스탈로이드(Crystalloid)		콜로이드(Colloid)
식염수	등장성식염수(0.9%)	알부민
	저장성식염수(0.45%)	덱스트란(Dextran)
	고장성식염수(3%)	Hydroxyethyl starches (HES)
Balanced crystalloid	Lactated Ringer's	Gelatin solutions
	Hartmann's solution	–
	Plasmanate	–
포도당 수액	5% dextrose water	–
	10% dextrose water	–

1) 초기 소생

초기 수액 요법은 매우 중요하여 정해진 프로토콜을 따를 것을 권유한다. 패혈증으로 인한 조직 관류저하*tissue hypoperfusion*를 피하기 위해 초기 3시간 이내 크리스탈로이드*crystalloid* 수액을 최소 30 mL/kg으로 정맥 주입한다. 수액의 종류는 크리스탈로이드와 콜로이드로 크게 나누며 그 세부 분류는 다음을 참조한다(표 10-3). 이때 수액 소생정도를 파악하기 위한 정보로 중심정맥압*central venous pressure* 단독은 더 이상 권유되지 않는다. 환자의 심박수, 혈압, 동맥 산소포화도, 호흡수, 체온, 소변량과 같은 임상상태를 고려하며 심장초음파를 시행하여 혈역학적 상태를 정확히 파악하는 것이 추천된다. 환자의 다리를 올리거나, 수액을 주입했을 때 심박출량의 변화나 기계 환기로 흉강 내 압력을 변화시켰을 때 수축기 혈압, 맥압, 심박출량의 변화를 보는 것과 같은 역동적인 측정 또한 중요하다. 평균 동맥압*mean arterial pressure*은 조직 관류저하와 가장 관련이 깊은 압력이다. 연구에 의하면 평균 동맥압을 85 mmHg로 맞추려 했을 때 승강제 사용량이 늘며, 부정맥의 위험이 증가했으나, 65 mmHg로 맞춘 것에 비해 생존율의 차이는 없었다. 따라서 평균 동맥압은 65 mmHg을 목표로 하도록 권유한다. 혈액 젖산*lactate*은 조직 관류저하를 반영하는 직접적인 지표로 젖산을 낮추도록 수액 치료를 하는 것이 사망률을 낮추고 중환자실 재원기간을 줄이는 것으로 나타났다.

2) 진단

정확한 원인균을 동정하기 위해 항생제 치료 전에 적절한 배양검사를 진행해야하며, 항생제 투약은 배양검사 결과로 인해 지연되어서는 안된다. 배양검사는 호기성, 혐기성을 포함한 최소 2쌍의 혈액에서 진행되며 다른 감염 부위가 있을 경우 그곳에서도 검사를 시행한다. 요로감염의 경우 소변 배양검사가 필수적이다.

3) 항생제 치료

(1) 패혈증, 패혈증성 쇼크가 진단된 경우 1시간 이내에 정주용 항생제를 사용해야 한다. 항생제 투약이 늦을수록 사망률은 높아진다. 초기 항생제는 가능한 모든 원인균에 대해 살균력이 있고 조직 침투성이 좋은 항생제를 사용해야 한다.

(2) 지역사회, 병원에서 자주 나오는 병원균 및 그 내성기전을 파악하여야 하며, 호중구 저하증, 비장제거, HIV 감염, 면역 글로불린이나 보체, 백혈구 기능 저하 환자와 같은 면역저하 상태를 파악해야 한다. 나이와 만성 질환(예, 당뇨), 만성 장기부전(예, 간, 신장), 침습적 장치(예, 중심정맥 라인, 요 카테터)를 파악해야 한다. 패혈증이 온 환자들은 대부분 1개 이상의 면역 저하요인이 있으므로 의료기관 관련 감염균을 치료할 수 있는 *carbapemem*(예, *meropenem, imipenem/cilastatin, doripenem*)이나 *penicillin/β-lactaminase inhibitor* 조합(예, *piperacillin/tazobactam, ticarcillin/calvulanate*)을 권한다.

(3) 항생제 투약 후, 항생제 내성이나 부작용을 막기 위해 매일 약물을 재평가해야 한다. 병원체가 파악되면, 항생제는 가장 효과가 좋은 약으로 좁혀 투약하여야 한다. 감염이 더 이상 존재하지 않는다고 생각되면, 항생제는 반드시 중단하여야 항생제 내성균의 발생이나 약물 관련 부작용을 최소화할 수 있다.

(4) 항생제의 약동학/약역학적 특성을 고려하여 투약한다. *vancomycin*의 경우 trough level 을 적정선으로 유지하지 않으면 *methicillin resistant staphylococcus aureus*, MRSA 감염의 치료에 실패할 수 있다. *Aminoglycosides*나 *fluoroquinolone*과 같은 농도 의존성 항생제의 경우 최고 약물 농도에 도달하는 것이 중요하여 적은 양을 자주 투약하는 것보다 많은 약을 드물게 투약하는 것이 효과적이다. 반대로 *β-lactams* 의 경우 최저 억제 농도 이상을 오랫동안 유지하는 것이 중요하여 적은 농도의 약물을 자주 혹은 지속 주입하는 것이 효과적이다.

(5) 항생제 사용 기간은 7~10일이 적합하지만, 임상 반응이 적거나 감염 병소 제거가 어려울 경우, *Staphylococcus aureus bacteremia*, 곰팡이나 바이러스 감염의 경우, 혹은 호중구 저하와 같은 면역저하자는 더 장기간 약물을 사용할 수 있다.

4) 감염 출처 조절

감염 출처를 밝혀 가능한 빨리 이를 제거(예, 고름집의 배농, 감염된 괴사 조직 제거, 감염된 자치의 제거)하는 것이 중요하다.

5) 수액요법

초기 소생술에서 수액은 크리스탈로이드가 추천되며, isotonic saline이나 balanced crys-talloids 모두 사용 가능하다(표 10-3). 지속적인 크리스탈로이드 수액이 요구될 경우 알부민을 사용해 볼 수 있으며 몇몇 연구에서 사망률 감소효과를 확인하였다. *hydroxyethyl starches*, HESs의 경우 사망률을 높이거나 투석 가능성을 증가시키는 등 부작용이 많아 사용하지 말 것을 권고 한다.

6) 승강제 사용

승강제로 가장 먼저 노르에피네프린을 사용할 것을 권고한다(표 10-4). 노르에피네프린은 효과적으로 혈압을 상승시키지만 도파민에 비해 심박동수에 영향이 적고 심박출량 증가 효과가 더 큰 것으로 나타났다. 노르에피네프린으로 혈압 상승이 더딜 경우 바소프레신을 0.03 U/min 까지 사용하거나 에피네프린을 추가로 사용하여 중심동맥압을 65 mmHg까지 올릴 것을 권유한다. 빈맥성 부정맥의 위험이 낮거나 서맥이 있는 환자에게 노르에피네프린 대신 도파민을 사용해 볼 수 있다. 신장 보호 목적으로 저용량의 도파민을 사용하는 것은 추천되지 않는다. 승강제를 사용하는 환자는 정확한 혈압 측정을 위해 동맥 카테터를 사용해 볼 수 있다.

표 10-4 승강제 용량

약물 이름	초기용량	유지용량	최고용량
알파1-아드레너직			
노르에피네프린 (norepinephrine)	5~15 μg/m (0.05~0.15 μg/kg/m) 심인성 쇼크: 0.05 μg/kg/m	2~80 μg/m (0.025~1 μg/kg/m) 심인성 쇼크: 0.05~0.4 μg/kg/m	80~250 μg/m (1~3.3 μg/kg/m)
에피네프린 (epinephrine)	1~15 μg/m (0.01~0.2 μg/kg/m)	1~40 μg/m (0.01~0.5 μg/kg/m)	40~160 μg/m (0.5~2 μg/kg/m)
페닐에프린 (phenylephrine)	100~180 μg/m (0.5~2 μg/kg/m)	20~80 μg/m (0.25~1.1 μg/kg/m)	80~360 μg/m (1.1~6 μg/kg/m)
도파민(dopamine)	2~5 μg/kg/m	5/20 μg/kg/m	20~50 μg/kg/m
항이뇨호르몬			
바소프레신 (arginine vasopressine)	0.03 U/m (0.01~0.03 U/m)	0.03~0.04 U/m	0.04~0.07 U/m (>0.0 4U/m: 심장허혈 주의)
베타1-아드레너직			
도부타민(dobutamine)	0.5~1 μg/kg/m	2~20 μg/kg/m	20~40 μg/kg/m (>20 μg/kg/m: 심부전에서 주의)

7) 코르티코스테로이드 사용

코르티코스테로이드는 모든 패혈증 환자에게 권유되지 않지만, 충분한 수액 및 승강제의 사용에도 혈역학적으로 불안정한 환자의 경우, 정주용 하이드로코르티손을 하루 200 mg 용량으로 지속적 정주해 볼 수 있다. 추후 환자가 호전되면 스테로이드를 점차 줄여나가야 한다.

8) 투석치료

패혈증 환자에게 발생한 급성 신손상이 발생할 경우, 지속성 신대체요법(continuous renal replacement therapy, CRRT)이나 간헐적 투석치료(intermittent RRT) 모두 비슷한 생존율을 보여 효과면에서는 비슷하다. 그러나 CRRT가 혈역학적으로 불안정한 패혈증 환자들에게 좀 더 수월할 수 있다.

9) 보존적 치료

(1) 수혈

심근 허혈, 심각한 저산소증, 급성 출혈이 없다면 적혈구 수혈은 헤모글로빈 7.0 g/dL 미만에서 고려한다. 출혈이나 침습적 처치가 없다면 응고 장애를 조절하기 위해 fresh frozen plasma는 수혈하지 않는다. 예방적 혈소판 수혈은 출혈이 없을 때, 혈소판수가 10,000/mm^3 미만이면 시행한다. 출혈의 위험이 있다면 20,000/mm^3 일때 시행하며, 수술이나 침습적 시술 계획이라면 혈소판을 50,000/mm^3 이상으로 맞추는 것이 좋다.

(2) 혈당

중환자실 환자들에게 두 번 이상의 혈당이 180 mg/dL 이상으로 나올 경우, 프로토콜화된 인슐린 치료를 시작하여 혈당을 180 mg/dL 이하로 맞출 것을 권고하고 있다.

(3) 소디움 바이카보네이트

조직저관류로 인한 젖산 산혈증 환자에게 pH가 7.15 이상일 경우 소디움 바이카보네이트를 투약하는 것은 권고하지 않는다.

(4) 심부정맥 혈전증 예방

심부정맥 혈전증 예방을 위해 low-molecular weight heparin (LMWH)을 사용하는 것을 권유한다. 중증 패혈증 환자에서는 가능하면 약물 예방과 intermittent pneumatic compression (IPC)을 함께 사용할 것을 추천한다. 혈소판 감소, 혈액응고장애, 급성 출혈, 뇌출혈이 있을 경우 헤파린 사용 대신 압박스타킹이나 IPC 등의 기계적 예방 요법이 권고된다.

2. 요로패혈증에서의 항생제 사용

요로패혈증의 경우, 패혈증이 없는 요로감염에 비해 항생제 저항균이 나올 확률이 높다. 예를들어, 요로패혈증 환자의 *ceftazidime* 저항성은 46%, *levofloxacin* 저항성은 58%로 패혈증이 없는 신우신염 환자에서 33%와 39%보다 유의하게 높았다. 병원획득 요로감염의 원인균은 *E. coli* (39%), *Klebsiella* spp. (11%), *Proteus* spp. (5.7%), *Enterobacter* spp. (5.3%),

P. aeruginosa (10.8%), *Enterococcus* spp. (10.8%), Enterococcus spp. (11.5%), *Staphylococcus aureus* (3.1%) 순서로 보고되었다. 그람 음성 세균, 특히 *Enterobacteriaceae*는 AmpC *β−lactamase*, extended−sepctrum−lactamases (ESBLs), *carbapanemases*와 같은 다양한 기전으로 저항성을 획득한다. 이러한 저항성은 항생제를 선택하는 과정을 복잡하게 만들며 부적절한 항생제를 장기간 사용하게 되어 재원기간을 늘리는 요인이 된다. 항생제 저항성 병원균으로 인한 요로패혈증의 항생제 사용은 다음과 같다(표 10−5).

표 10−5 요로패혈증의 항생제 사용

항생제	용량	작용범위	참고사항
Ceftazidime	1~2 g IV every 8 h	*E.coil, K. pneumoriae, P. mirabilis, Proteus vulgaris, Enterobacter, Serratia, Citrobacter, Morganella spp., P. stuartii, and P. aeruginosa including some MDR Pseudomonas strains*	Pregnancy B
Cefepime	1~2 g IV every 8 h or 2 g IV every 12 h	*S.saprophytic us, E. coil, K. pneumoriae, AmpC β−lactamase−producing G(−) organisms, and P.aeruginosa*	Pregnancy B
Ceftazidime−avibactam	2.5 g IV every 8 h	*AmpC β−lactamase and ESBL−producing G(−) organisms, CRE, and MDR−P.aeruginosa*	Pregnancy B
Ceftolozane−tazobactam	1.5 g IV every 8 h	*E.coli, K. pneumoriae, AmpC β−lactamase and ESBL−producing G(−) organisms, and MDR−P. aeruginosa*	Pregnancy B
Piperacillin−tazobactam	3.375 g IV every 6 h or 4.5 g every 8 h	*S.saprophytic us, Enterococcus, E.coli, K. pneumoniae, ESBLs−E.coli, AmpC β−lactamase−producing G(−) organisms, and MDR−P.aeruginosa*	Pregnancy B
Carbapenems	Ertapenem 1 g IV daily Meropenem 500 mg every 6 h up to 1 g UV every 8 h Doripenem 500mg IV every 8 h Imipenem/cilastatin 500 mg IV every 8 h	*S.saprophytic us, Enterococcus, E.coli, K. pneumoniae, AmpC β−lactamase−producing G(−) organisms, P.aeruginosa, and A.baumannii*	fist line options for ESBL+ low risk of C.difficile infection Pregnancy B (meropenem, ertapenem, doripenem)
Aminoglycosides	Gentamicin 5 mg/kg IV once daily Tobramycin 5 mg/kg IV once daily Amikacin 15 mg/kg IV one daily	*E.coli, K. pneumoriae, AmpC β−lactamase, ESBL−producing G(−) organisms, and MDR−P.aeruginosa CRE, and A.baumannii*	monitor trough levels low risk of C.difficile infection
Polymixins	Colistin 2.505 mg CBA/kg/day in 2~4 divided doses	*E.coli, K. pneumoriae, AmpC β−lactamase, ESBL−producing G(−) organisms, and MDR−P.aeruginosa CRE, and A.baumannii*	low risk of C.difficile infection bladder irrigation may be an option for those who cannot tolerate IV

IV 비뇨의학과적 관점에서의 요로패혈증과 치료

전체 패혈증 환자의 20~30%, 중증 패혈증 환자의 9% 가량이 신장, 전립선, 고환, 부고환 등의 요로계 감염과 연관된다. 요로패혈증의 흔한 원인으로는 요관결석, 요로계 기형, 전립선 비대증, 종양이나 협착과 같은 요로계의 폐색성 질환이 있다. 이외에도 요로계 수술이나 방광 내시경, 요관내시경 같은 내시경적 검사 혹은 전립선조직검사와 요로계 장기의 실질 감염에 의해서도 요로패혈증이 발생할 수 있다. 비뇨의학과에서 병원성 요로감염으로 치료받는 환자의 요로패혈증 발생률은 약 12% 정도인 반면, 다른 과에서 병원성 요로감염으로 치료받는 환자의 요로패혈증과 패혈성 쇼크의 발생률은 각각 2%와 0.3% 가량이다.

요로패혈증의 진행 과정과 정도는 원인이 되는 균주와, 환자의 면역 반응의 본질과 정도에 따라 달라진다. 연령이 많거나 당뇨병 같은 만성질환 혹은 AIDS 등을 앓는 경우, 장기이식이나 항암요법으로 인해 면역기능이 저하된 경우에 발생할 수 있으며, 요로결석이나 요로폐색, 선천성 기형, 신경인성 방광 또는 내시경 시술 등에 의해서도 발생한다. 요로패혈증은 초기 증상 발견이 특히 중요하며, 감염 원인을 찾아내고 적절히 치료하여 여러 장기의 부전이나 다른 합병증이 발생하지 않도록 해야 한다. 이 글에서는 비뇨의학과 의사의 관점에서 요로패혈증에 접근하고자 한다.

1. 위험 요소

패혈증은 감염에 대한 숙주의 전신 반응으로 심한 경우 감염 자체보다 감염으로 인한 전신 반응으로 인해 사망에 이를 수 있다. 요로패혈증은 비뇨기계 혹은 남성 생식기관의 감염에 의해 발생하는 패혈증을 말한다. 요로패혈증은 다른 패혈증과 마찬가지로 숙주의 반응에 의해 그 정도가 달라지며, 여러 가지 임상적 또는 생물학적 증상을 고려해야 한다. 특히 면역기능이 저하된 환자의 경우 정도가 심하여 사망에 이르기도 한다. 중증 패혈증은 장기부전이 동반된 경우이며, 패혈성 쇼크는 저관류에 의한 저산소혈증이 지속되거나 수액요법에도 불구하고 저혈압이 지속되는 경우이다.

요로패혈증의 위험 인자로 다양한 비뇨생식기 질환이 있다. 특히 요로패혈증은 요정체와 관련된 경우가 많다. 위험 인자로는 고령, 당뇨, 장기이식을 받은 후 면역억제제를 복용하는 경우, AIDS, 면역기능을 떨어뜨릴 수 있는 항암치료를 받고 있는 경우 등이 있으며, 장기간 유치도뇨관을 착용한 경우에도 발생할 수 있다(표 10-6). 요로패혈증을 발생시키는 요로폐색의 원인 중 65%가 요관결석, 21%가 종물, 5%가 임신, 4%가 요로계통의 수술과 연관된다.

표 10-6 요로패혈증의 해부학적 또는 기능적 이상

요로폐색
선천석 요로폐색: 요관 또는 요도 협착, 포경, 요관류, 다낭신
후천적 요로폐색: 요로결석, 전립선비대증, 요로계 종양, 외상, 임신, 방사선치료

요로계 기구 사용
삽입된 요도관, 요관스텐트, 신루관, 비뇨기계 시술

배뇨장애
신경성방광, 방광류, 방광요관역류

대사 이상
신장결석, 당뇨, 질소혈증

면역 이상
면역억제제 사용, 호중구감소증

---

2. 원인균

　요로패혈증은 호흡기계나 소화기계의 패혈증과는 달리 한 가지 균종에 의해 발생하는 경우가 많다. 원인균은 그람음성균이 대부분이며, 대장균(50%), 프로테우스속(15%), 장내세균속과 클레브시엘라 *Klebsiella* spp. 등이 동정되고, 이외에 그람양성균(15%)이 동정된다. 일부 균주는 퀴놀론이나 3세대 세팔로스포린에 내성을 보이며, 메티실린 내성 황색포도구균 MRSA이나 녹농균, 세라시아속처럼 다중약제 내성을 보이는 균주가 동정되어 치료에 어려움을 겪기도 한다.

3. 임상증상

　요로패혈증의 증상은 감염의 원인에 따라 다양하게 나타날 수 있다. 전형적인 발열과 오한, 저혈압은 그람음성균혈증 환자의 약 30%에서만 나타나며, 오한이나 발열 없이 과다호흡에 의한 호흡성 알칼리증만 관찰되기도 한다. 초기에는 심박출량이 증가하고 혈관의 저항성이 떨어져 온쇼크가 발생하며 이후 혈류량 감소로 인해 저혈압을 동반한 냉쇼크가 발생하기도 한다. 이러한 증상이 발생하면 빨리 치료해야 한다. 이외에도 감염 부위에 따라 측와부 통증이나 배뇨통, 급성 요폐색, 고환부 통증이 동반되기도 한다.

4. 진단

요로패혈증 진단에서는 병력 청취를 통하여 요로감염 여부를 확인하는 것이 가장 중요하다. 이전의 감염 병력, 항생제 사용, 증상의 경과 시간 등도 모두 포함되어야 한다. 가능하면 이전의 염증에 나타난 균의 동정 결과를 아는 것도 중요하다. 환자의 증상을 파악하고 골반신체검사를 시행하는데, 남성의 경우 급성전립선염을 감별하기 위해 직장수지검사를 시행하면 진단에 도움이 된다. 진단된 경우에는 다시 직장수지검사를 하는 것을 피해야 한다. 또한 고환 부위의 진찰을 통해 압통이나 붓기 등을 확인하여 급성 부고환-고환염을 감별한다.

1) 소변 · 혈액배양검사

단순 방광염과 패혈증이 있는 신우신염 등의 요로감염을 진단하려면 소변배양검사를 실시한다. 소변배양검사를 통하여 항생제 내성 여부도 관찰해야 한다. 환자가 유치도뇨관이 있는 경우, 유치도뇨관 감염을 확인하기 위한 것이 아니면 유치도뇨관에서의 채혈이나 검체 채취를 피해야 한다. 또한 혈액배양검사와 감수성검사를 즉시 시행하는데, 혈액배양검사는 말초의 서로 다른 부위에서 최소 2회 이상 실시하고, 1회에 10 mL를 채혈해야 한다.

2) 영상검사

요로패혈증이 항상 비뇨기계의 이상을 동반하는 것은 아니지만 30% 가량의 환자에서는 영상검사에서 이상이 발견된다. 가장 흔한 이상 소견은 수신증과 요로결석이며, 적절한 치료를 위해 조기에 영상검사를 시행해야 한다.

단순 복부촬영에서는 신장이나 비뇨기계의 결석 혹은 석회화를 제외하면 정확한 정보를 얻기 어려운 점이 있다. 배설요로조영술에서는 신배, 신우, 요관의 확장 등을 관찰할 수 있으나 요로패혈증 환자에게는 초음파검사, 컴퓨터단층촬영 등이 더욱 유용하다.

초음파는 심한 측와부 통증과 발열이 있는 환자에 대한 응급진단에서 가치가 있으며, 수신증 여부와 신장의 크기와 신장흉터 외에 전립선과 신장의 농양, 기종성신우신염, 신장주위농양 등을 관찰할 수 있다. 컴퓨터단층촬영은 그 외에도 세균성간질신장염과 신장 내 작은 농양 등까지 관찰할 수 있다.

5. 치료

요로패혈증은 단순 요로감염과 달리 요로감염 중 심각한 질환이므로 항균제 투여뿐만 아니라 혈류량 증가와 정상적인 혈당 유지, 심장과 호흡의 유지가 중요하다. 빠른 초기 진단이 특히 중요한데, 진단과 치료의 흐름도가 도움이 된다(그림 10-1).

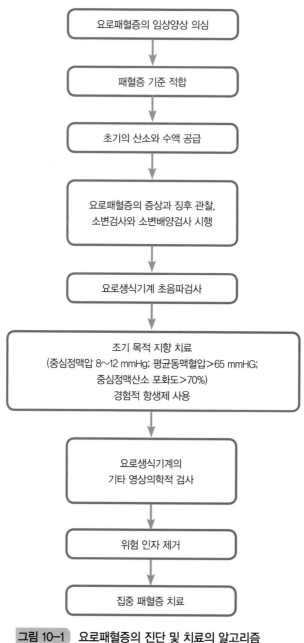

그림 10-1 요로패혈증의 진단 및 치료의 알고리즘

1) 내과적 치료

(1) 초기 치료

환자의 초기 상태가 진단에 도움이 되는데, 패혈증 환자는 대부분 피부가 따뜻하고 빠른 맥박과 과활동적 순환 상태를 보인다. 만약 환자가 저혈량에 빠지거나 패혈증 말기에 처해 있다면 저혈압 외에 혈관수축으로 인한 말초청색증 등이 나타날 수 있다. 패혈증이 의심되면 초기에 적당한 혈류량을 유지시키는 것이 중요하며, 저혈압이 관찰되면 혈관을 통해 수액을 공급하여 혈압을 유지시키는 것이 중요하다. 중심정맥압 8~12 mmHg, 소변량 0.5 mL/kg/hr를 유지하는 것이 좋다. 수축기 혈압은 90 mmHg 이상을 유지해야 하는데, 혈관 내 수액요법으로 이러한 목적을 달성할 수 없다면 혈압을 상승시키는 승압제를 사용해야 한다. 이러한 즉각적인 치료가 사망률을 감소시키는 중요한 요소이다. 인공호흡기는 진행성 저산소증과 고탄산혈증, 호흡 근육의 피로가 발생할 때 사용한다. 적혈구용적률은 30% 이상, 산소분압은 중심정맥 산소포화도 70% 이상으로 유지해야 한다. 인공호흡기를 착용하기 위한 안정제와, 스트레스궤양을 방지하기 위한 약제 등도 투입해야 한다. 혈당은 150 mg/dL 미만으로 유지해야 하며, 인슐린을 사용하는 환자는 저혈당에 빠지지 않도록 혈당검사를 자주 시행해야 한다. 다발성 장기부전인 경우, 파종혈관내응고에서는 신선혈장과 혈소판을 수혈해야 하며, 급성신손상으로 인한 고칼륨혈증인 경우는 혈액투석이 필요하다. 또한 심부정맥혈전 예방을 위한 조치와 영양 공급도 시행해야 한다.

(2) 항생제 치료

소변과 혈액 배양을 위한 검사 이후에는 그람양성균과 그람음성균 모두를 커버하는 경험적 항생제 치료가 즉각 선행되어야 한다. 한 시간 이내에 항생제 치료를 시작하면 패혈증 치료에서 좋은 결과를 얻을 수 있다. 저혈압이 동반된 환자에서도 한 시간 이내에 적절한 항생제를 투여하면 80% 가량의 생존율을 보인다. 패혈증의 경우 신부전과 간부전에 대해서는 용량을 맞추어 최대 허용량의 항생제를 정맥주사해야 하는데, 2가지 이상의 항생제를 병용하기도 한다. 병용요법은 환자의 감염이 복합감염일 가능성을 배제할 수 없는 상황에서 광범위한 항균범위를 얻을 수 있으며, 약물의 상승작용이 나타날 수 있고, 내성균 출현을 방지할 수 있다는 장점이 있으나 약물의 부작용을 증가시키고 중복감염의 원인이 되기도 한다. 심각한 요로감염에서 적절치 않은 항생제를 사용하면 사망률이 높아진다. 경험적 항생제 사용은 예상되는 균주, 병원 내의 내성균 현황, 환자의 특성 등을 모두 고려해야 한다.

패혈증 시 신장의 과부하가 증가하고 전신 부종이 동반될 수 있다. 이로 인해 *β-lactam* 항생제, *aminoglycoside* 같은 친수성 항생제의 경우, 상당수의 양이 체외 공간에 머무르게 되어 그 효과가 낮아질 수 있다. 또한 패혈증 자체와 관련 치료가 항생제의 청소율을 증가시킨다. 따라서 *β-lactam* 항생제, *aminoglycoside* 같은 친수성 항생제의 경우뿐만 아니라 대부분의 항생제 용량을 증가시켜야 할 필요가 있다. 다만 간부전이나 신부전처럼 기능장애가 있는 경우에는 항생제의 청소율이 감소하므로 용량을 감량해야 한다. *Fluoroquinolone* 같은 항생제의 경우 신부전이 동반되어 있지 않다면 체액의 이동에 크게 영향을 받지 않으므로 표준용량을 사용하는 것이 좋다. 혈압을 상승시키는 약제인 도파민, 도부타민 등은 심박출량을 증가시켜 신장 청소율을 높임으로써 항생제의 농도를 감소시켜 치료 실패의 원인이 되기도 한다. 패혈증 환자에 대한 최적의 항생제 치료를 위해서는 혈중 약물농도를 측정하는 것이 좋다. 요로감염에 의한 패혈증은 수많은 세균이 소변 내에 존재할 수 있으므로 신장으로 배설되어 소변 내의 항생제 농도가 높은 약제가 이상적일 수 있다.

비뇨의학과적 관점에서는 환자가 이전에 요로계통 관련 시술이나 수술을 받았거나, 이전에 요로감염이 있었거나, 유치도뇨관이 가지고 있는 환자일수록 항균제에 대한 내성이 있는 감염원일 가능성이 높다는 점을 인지하고 있어야 한다.

(3) 부가적 치료

요로패혈증은 단순감염과 달리 항생제 치료 외에 환자의 상태에 따라 부가적 치료가 필요한 경우가 흔히 발생한다.

- 혈압을 상승시키기 위한 수액 치료로는 크리스탈로이드 수액을 주입하는 것이 좋다. 그러나 크리스탈로이드 수액 치료에도 혈압 증가가 충분하지 않은 경우에는 알부민 주입도 고려해야 한다. 이러한 수액 치료와 함께 환자의 상태에 따라 노르에피네프린을 일차적인 승압제로 사용해야 하며, 심부전이 있는 경우 도부타민 주입을 통해 혈압을 상승시킨다. 코르티코스테로이드는 수액 치료와 승압제 치료에도 중심정맥압이 65 mmHg 미만인 경우에 주입한다.
- 혈색소 수치가 7~9 g/dL 이상 유지되도록 필요시 수혈을 시행해야 한다.
- 호흡부전이 동반되는 경우 인공호흡기를 적용해야 하며 tidal volume 6 mL/kg, plateau pressure 30 cmH2O 이하, 높은 positive end-expiratory pressure (PEEP)를 적용한다.
- 진정치료는 최소한으로 시행하야 하며 신경근계를 차단하는 약물 주입은 피해야 한다.

혈당은 180 mg/dL 이하를 유지하도록 한다.

- 심부정맥을 예방하기 위해 Low‒molecular weight heparin을 주입하는 것이 권유된다.
- 스트레스 위궤양을 예방하기 위해 proton pump inhibitor (PPI) 제재를 사용한다.
- 환자 상태에 따라 조기에 경구 영양을 시작하는 것이 좋다.
- 파종혈관내응고병증을 치료할 때는 혈소판, 동결침전제제, 신선냉동혈장 등을 투여해야 한다.
- 폐색전증 등이 나타나면 헤파린을 체중 1 kg당 50~100단위를 4시간 간격으로 간헐적으로 일시 주사하거나 10,000단위를 4~6시간에 걸쳐 투여하고, 응고 시간이 정상의 2.5배까지 연장되도록 한다.
- 소변이 감소하는 경우 소변을 증가시키는 약제를 투여할 필요가 있다. 도파민 용량을 1 μg/kg/분으로 고정하고 이뇨제*furosemide*를 2, 5, 10 mg/kg으로 증량하면서 지속적으로 투여하는 것이 좋다.
- 동맥혈 pH가 7.2 미만인 대사산증이 발생하는 경우에는 중탄산염을 투여한다.

2) 외과적 치료

요로패혈증에서의 외과적 치료는 감염원이나 요로패혈증의 위험 인자를 제거하는 것이 목적이다. 내과적 치료만으로는 요로패혈증의 호전 가능성이 낮을 경우에 시행하는 것이 일반적이다. 따라서 요로패혈증에서의 외과적 치료는 일부 특수한 경우에 한하여 시행된다.

(1) 요로폐색

요로패혈증에서 요로폐색이 동반된 경우, 그 예후가 좋지 않으므로 외과적 치료를 통해 폐색을 없애야 한다.

신우신염에서 요관 결석이나 요관내 종물 등의 폐색인자가 동반된 경우, 요관스텐트나 경피신루설치술을 통해 폐색을 해결해준다(그림 10-2, 그림 10-3). 관련 연구에 따르면, 두 가지 치료법 모두 환자의 예후에 도움이 되며, 어느 한 가지 치료법이 더 우월하거나 열등하지 않고 동일한 정도의 치료 효과를 갖는다. 따라서 치료의 선택은 환자의 상태나 임상적 상황에 따라 선택하면 된다.

하부요로의 폐색으로 인해 방광내 급성요정체가 동반된 경우에는 유치도뇨관 삽입을 통해 이를 해결할 수 있다. 급성전립선염의 경우, 10% 가량의 환자에서 급성요정체가 나타날 수 있

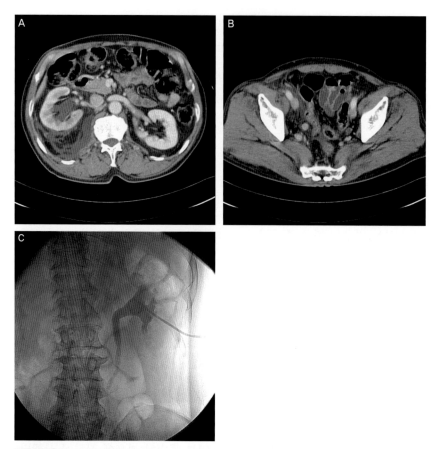

그림 10-2 요관암(흰색 화살표)으로 인해 완전폐색이 나타난 패혈증
환자의 컴퓨터단층촬영 화면(A, B)과 경피신루설치술 치료(C)

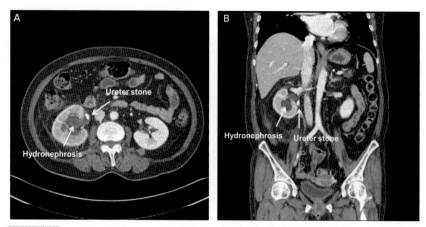

그림 10-3 요로결석으로 인해 요로폐색이 발생한 요로패혈증 환자에서의 컴퓨터단층
촬영 화면 각각의 흰색 화살표가 수신증(hydronephrosis)과 요로결석(ureter stone)을
보여주고 있다.

다. 이러한 경우, 치골상부방광루설치술을 통해 폐색을 해결해주면 환자의 증상이 즉각적으로 개선되며, 유치도뇨관을 삽입했을 때보다 급성기 치료 후 만성전립선염으로의 진행률을 감소시키는 효과가 있다.

(2) 농양

요로패혈증에서 혐기성 세균의 증식으로 인해 농양이 동반되는 경우가 있다. 이는 예후를 악화시키는 감염원으로 외과적 치료를 통해 제거해야 한다.

기종성신우신염에서 신장이나 신장 주변부에 농양이 형성된 경우, 항생제 치료에 잘 반응하지 않고, 농양이 후복막강내로 침투하며, 심하면 복막을 통해 감염이 퍼지게 된다. 따라서 즉각적인 외과적 치료를 시행해야 한다. 1980년대 가량까지는 개복을 통한 수술적 배농술이나 응급 신절제술을 흔히 시행하였다. 그러나 경피배농술의 술기 및 관련 장비가 발달하면서 경피배농술만으로도 기종성신우신염 환자의 사망률이 감소하였다. 이로 인해 최근에는 대부분 초기 치료로 경피배농술을 시행하며 초음파나 컴퓨터단층촬영을 통해 정확도를 높여 시행하고 있다. 그러나 경피배농술을 통한 접근이 어렵거나, 감염의 정도가 심한 경우, 경피배농술 이후에도 치료 반응이 없는 경우에는 신절제술까지 고려해야 한다(그림 10-4).

푸르니에 괴저는 생식기 및 외음부 주변으로 농양과 괴사를 동반하는 경우가 많다. 따라서 즉각적인 변연절제술, 절개 배농술과 같은 외과적 치료를 통해 내부의 농양을 배액시키고, 괴사된 조직을 광범위하게 제거해야 한다. 푸르니에 괴저는 빠르게 진행되는 감염증으로 적절한 치료 시기를 놓치면 신부전과 함께 패혈성 쇼크로 급격히 진행하므로 주의해야 한다. 괴사된 부위가 광범위한 경우, 변연절제술로 노출된 부위에 대하여 전신상태 회복 후 피부이식을 시행하기도 한다 (그림 10-5).

급성전립선염 환자의 3% 가량에서 전립선내 농양이 관찰되는 경우

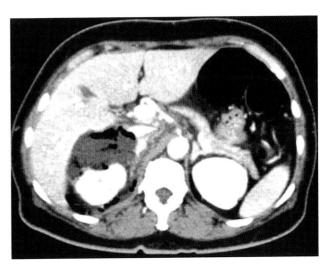

그림 10-4 기종성신우신염으로 인해 패혈증이 나타난 환자의 컴퓨터 단층촬영 화면

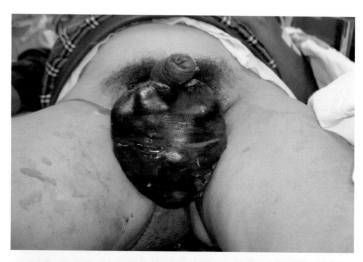

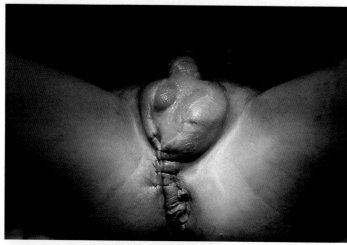

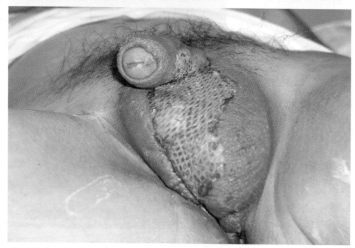

그림 10-5 푸르니에 괴저로 인해 요로패혈증이 나타난 환자의 치료 경과

가 있는데 이러한 경우 급성전립선염이 재발하기도 한다. 따라서 임상 경과에 따라 선택적으로 경요도 배농술을 통해 농양을 배액시키기도 한다.

6. 결론

요로패혈증은 여전히 20~40%에 이르는 높은 사망률을 보이는 질환으로 조기에 패혈증 가능성에 대하여 인지하고 환자의 상태를 모니터링하는 것이 중요하다. 적절한 항생제를 신속하게 주입하는 내과적 치료를 통해 요로패혈증으로 인한 사망률을 낮출 수 있다. 요로폐색이나 요로결석 등과 같은 요로계 이상 소견을 조기에 발견하기 위해 영상검사를 조기에 시행해야 한다. 또한 이러한 이상이 발견된다면 필요시 외과적 치료를 적절한 시기에 시행해야 한다. 이러한 치료 외에도 환자의 상태에 따라 수액이나 승압제, 혈액 제제 등의 부가적인 치료를 시행한다.

요로패혈증으로 인한 위험을 고려했을 때 가장 중요한 것은 패혈증 발생을 예방하는 것이다. 병원성 감염을 막기 위해 불필요한 유치도뇨관 등과 같은 인공 삽입물을 가능한 조기에 제거하거나 무균적으로 처치할 필요가 있으며, 장기적 삽입을 피해야 한다.

- 2016년 패혈증의 새로운 진단 기준 sepsis-3가 도입되었다.
- 요로패혈증은 요로가 감염원이거나 강하게 의심되는 패혈증을 말하며 주로 그람음성균이 원인이다.
- 요로패혈증은 조기 진단, 적절한 수액요법, 신속한 항생제 투여와 감염원 제거가 사망률을 낮추는데 중요하다.
- 요로패혈증 환자에서 필요한 경우, 요관삽입술이나 경피신루술, 괴사조직제거와 같은 침습적 치료를 신속히 진행해야 환자의 회복을 도울 수 있다.

참고문헌

1. A. Kumar, D. Roberts, K.E. Wood, B. Light, J.E. Parrillo, S. Sharma et al. Duration of hypotension before initiation of effective antimicrobial therapy is the critical determinant of survival in human septic shock. Crit Care Med, 2006; 34, pp. 1589-96.

2. Andrew R, Laura EE, Waleed A, et atl. Surviving Sepsis Campaign: International Guidelines for Management of Sepsis and Septic Shock: 2016. Intersive Care Med 2017;43(3):304-377.

3. Angus DC, Linde-Zwirble WT, Lidicker J, Clermont G, Carcillo J, Pinsky MR. Epidemiology of severe sepsis in the United States: Analysis of incidence, outcome, and associated costs of care. Crit Care Med 2001;29:1303.

4. Bjerklund Johansen TE, Cek M, Naber K, Stratchounski L, Svendsen MV, Tenke P. Prevalence of hospital-acquired urinary tract infections in urology departments. Eur. Urol. 2007; 51: 1100-12.5.

5. Bonkat G, Cai T, Veeratterapillay R, Bruyére F, Bartoletti R, Pilatz A, et al. Management of Urosepsis in 2018. Eur Urol Focus. 2019 Jan;5(1):5-9.

6. Bonkat G, Cai T, Veeratterapillay R, Bruyere F, Bartoletti R, Pilatz A, et al. Management of Urosepsis in 2018. European urology focus. 2019;5(1):5-9.

7. Bonkat G, Pickard R, Bartoletti R, Bruyére F, Geerlings S, Wagenlehner F, et al. EAU guidelines on urological infections. European Association of Urology. 2017:22-6.

8. Borofsky MS, Walter D, Shah O, Goldfarb DS, Mues AC, Makarov DV. Surgical decompression is associated with decreased mortality in patients with sepsis and ureteral calculi. J Urol. 2013 Mar;189(3):946-51.

9. Bouza E, San Juan R, Munoz P, Voss A, Kluytmans J. A European perspective on nosocomial urinary tract infections II. Report on incidence, clinical characteristics and outcome (ESGNI-004 study). European Study Group on Nosocomial Infection. Clin. Microbiol. Infect. 2001; 7: 532-42.

10. Brun-Buisson C. The epidemiology of the systemic inflammatory response. Intensive Care Med 2000;26 Suppl 1 Suppl 1:S64-S74.

11. drainage of infected hydronephrosis secondary to ureteric calculi. J Endourol 2010; 24: 185-9.

12. Dreger NM, Degener S, Ahmad-Nejad P, Wöbker G, Roth S. Urosepsis—etiology, diagnosis, and treatment. Deutsches Ärzteblatt International. 2015;112(49):837.

13. Dreger NM, Degener S, Ahmad-Nejad P, Wöbker G, Roth S. Urosepsis--Etiology, Diagnosis, and Treatment. Dtsch Arztebl Int. 2015 Dec 4;112(49):837-47.

14. Elorian ME, Truls EB, Tommaso C, et al. Epidemiology, definition and treatment of complicated urinary tract infections. Nat Rev Urol 2020;17:586-600.

15. Florian ME, Zafer T, Truls EB. An update on classification and management of urosepsis. Curr Opin Urol 2017;(27(2):133-7.

16. Foxman, B. Urinary tract infection syndromes: occurrence, recurrence, bacteriology, risk factors, and disease burden. Infect Dis Clin North Am 2014;28:1-13.

17. Hirsch EB, Zucchi PC, Chen A, et al. Susceptibility of multidrugresistant

18. Gram-negative urine isolates to oral antibiotics. Antimicrob Agents Chemother 2016;60(5):3138-3140.

19. Hotchkiss RS, Karl IE. The pathophysiology and treatment of sepsis. New England journal of medicine. 2003;348(2):138-50.

20. Howell MD, Davis AM. Management of sepsis and septic shock. Jama. 2017;317(8):847-8.

21. Investigators N-SS. Intensive versus conventional glucose control in critically ill patients. New England Journal of Medicine. 2009;360(13):1283-97.

22. Kranz, J. et al. The 2017 update of the German clinical guideline on epidemiology, diagnostics, therapy, prevention, and management of uncomplicated urinary tract infections in adult patients. Part II: therapy and prevention. Urol Int 2018;100:271 – 278.

23. Lee JH, Lee YM, Cho JH. Risk factors of septic shock in bacteremic acute pyelonephritis patients admitted to an ER. J Infect Chemother. 2012 Feb;18(1):130-3.

24. Lee SH, Choi T, Choi J, Yoo KH. Differences between Risk Factors for Sepsis and Septic Shock in Obstructive Urolithiasis. J Korean Med Sci. 2020 Nov 9;35(43):e359.

25. Linhares I, Raposo T, Rodrigues A, et al. Frequency and antimicrobial resistance patterns of bacteria implicated in community urinary tract infections: a ten-year surveillance study (2000-2009). BMC Infect Dis. 2013;13:19.

26. Lipsky BA, Byren I, Hoey CT. Treatment of bacterial prostatitis. Clin Infect Dis. 2010;50(12):1641-52.

27. Mazen SB, Mark L, Annie AB. An update on the management of urinary tract infections in the era of antimicrobial resistance. Postgrad Med 2017;129(2):242-258.

28. Mouncey PR, Osborn TM, Power GS, Harrison DA, Sadique MZ, Grieve RD, et al. Trial of early, goal-directed resuscitation for septic shock. New England Journal of Medicine. 2015;372(14):1301-11.

29. Naber KG, Wagenlehner FM, Weidner W. 2008. Acute bacterial prostatitis. p 17 – 30. In Shoskes DA (ed), Current Clinical Urology Series, Chronic Prostatitis/Chronic Pelvic Pain Syndrome. Humana Press, Totowa, NJ.

30. Ozawa M, Ichiyanagi O, Fujita S, Naito S, Fukuhara H, Suenaga S, et al. Risk of SOFA Deterioration in Conservative Treatment for Emphysematous Pyelonephritis: Pitfalls of Current Trends in Therapeutics from Multicenter Clinical Experience. Curr Urol. 2019 May 10;12(3):134-141.

31. Peach BC, Garvan GJ, Garvan CS. Cimiotti JP. Risk Factors for Urosepsis in Older Adults: A Systematic Review. Gerontol Geriatr Med. 2016;2:1-7.

32. R Phillip Dellinger 1, Mitchell M Levy, Andrew Rhodes, Djillali Annane, Herwig Gerlach, Steven M Opal, et al. Surviving sepsis campaign: international guidelines for management of severe sepsis and septic shock: 2012. Crit Care Med 2013; 41:580 – 637.

33. Ramsey S, Robertson A, Ablett MJ, Meddings RN, Hollins GW, Little B: Evidencebased Rhodes A, Evans LE, Alhazzani W, Levy MM, Antonelli M, Ferrer R, et al. Surviving sepsis campaign: international guidelines for management of sepsis and septic shock: 2016. Intensive care medicine. 2017;43(3):304-77.

34. Seymour CW, Liu VX, Iwashyna TJ, Brunkhorst FM, Rea TD, Scherag A, Rubenfeld G, Kahn JM, Shankar-Hari M, Singer M, Deutschman CS, Escobar GJ, Angus DC. Assessment of Clinical Criteria for Sepsis: For the Third International Consensus Definitions for Sepsis and Septic Shock (Sepsis-3). JAMA. 2016 Feb 23;315(8):762-74.

35. Shankar-Hari M, Phillips GS, Levy ML, Seymour CW, Liu VX, Deutschman CS, Angus DC, Rubenfeld GD, Singer M; Sepsis Definitions Task Force. Developing a New Definition and Assessing New Clinical Criteria for Septic Shock: For the Third International Consensus Definitions for Sepsis and Septic Shock (Sepsis-3). JAMA. 2016 Feb 23;315(8):775-87.

36. Shoshany O, Erlich T, Golan S, Kleinmann N, Baniel J, Rosenzweig B, et al. Ureteric stent versus percutaneous nephrostomy for acute ureteral obstruction - clinical outcome and quality of life: a bi-center prospective study. BMC Urol. 2019 Aug 28;19(1):79.

37. Singer M, Deutschman CS, Seymour CW, Shankar-Hari M, Annane D, Bauer M, Bellomo R, Bernard GR, Chiche JD, Coopersmith CM, Hotchkiss RS, Levy MM, Marshall JC, Martin GS, Opal SM, Rubenfeld GD, van der Poll T, Vincent JL, Angus DC. The Third International Consensus Definitions for Sepsis and Septic Shock (Sepsis-3). JAMA. 2016 Feb 23;315(8):801-10.

38. Sprung CL, Annane D, Keh D, Moreno R, Singer M, Freivogel K, et al. Hydrocortisone therapy for patients with septic shock. New England Journal of Medicine. 2008;358(2):111-24.

39. Ubee SS, McGlynn L, Fordham M. Emphysematous pyelonephritis. BJU Int. 2011 May;107(9):1474-8.

40. Wagenlehner F. M. E., Weidner W., Naber K. G. (2007). Optimal management of urosepsis from the urological perspective. International Journal of Antimicrobial Agents, 30, 390-7.

41. Wagenlehner FM, Lichtenstern C, Rolfes C, Mayer K, Uhle F, Weidner W, et al. Diagnosis and management for urosepsis. Int J Urol 2013;20(10):963-970.

42. Wagenlehner FM, Pilatz A, Weidner W. Urosepsis—from the view of the urologist. International journal of antimicrobial agents. 2011;38:51-7.

43. Wagenlehner FM, Tandogdu Z, Bjerklund Johansen TE. An update on classification and management of urosepsis. Curr Opin Urol. 2017 Mar;27(2):133-7.

44. Wagenlehner FM, Tandogdu Z, Johansen TEB. An update on classification and management of urosepsis. Current opinion in urology. 2017;27(2):133-7.

45. Wagenlehner FME, Pilatz A, Weidner W, Naber KG. Urosepsis: Overview of the Diagnostic and Treatment Challenges. Microbiol Spectr. 2015 Oct;3(5).

46. Wagenlehner, F. M. et al. Epidemiological analysis of the spread of pathogens from a urological ward using genotypic, phenotypic and clinical parameters. Int J Antimicrob Agents 2002;19:583-591.

47. Yasuda, M. et al. Japanese guideline for clinical research of antimicrobial agents on urogenital infections: second edition. J Infect Chemother 2016;22:651-661.

48. Yoon BI, Han DS, Ha US, Lee SJ, Sohn DW, Kim HW, et al. Clinical courses following acute bacterial prostatitis. Prostate Int. 2013;1(2):89-93.

비뇨기계 시술 후의 감염 예방

조석, 이선주, 최훈, 이정우

| 개요

　의료 관련 감염은 최근 수십 년 동안 세계적으로 중요한 문제로 대두했다. 선진국에서는 이환율이 8%로 보고되었고, 전 세계적으로는 6~12%로 보고되었다. 의료 관련 감염은 비뇨기계에서도 흔히 발생하며, 폴리도뇨관 Foley catheter과 관련된 요로감염이 주된 요인으로 30~40%를 차지한다. 대단위 비뇨기과 센터 연구에서 의료 관련 감염을 나타내는 입원 환자의 10~12%가 비뇨기계 감염을 치료받았으며, 이 중 약 10%가 패혈증 증상을 보였다. 따라서 감염에 대한 예방은 환자의 안전과 건강에 가장 중요한 요소라고 할 수 있다. 표 11-1은 비뇨기과 시술 후 접할 수 있는 여러 종류의 감염 합병증을 보여준다.

표 11-1　비뇨기계 시술과 관련된 감염 합병증

감염 부위	경미한 감염	중대한 감염
수술 상처 또는 절개 부위 감염	피부와 피부 하 조직 감염	근막과 절개 부위의 근육을 포함한 감염 수술 부위 농양 근막 또는 근육 봉합 부위 파열
내부 장기 감염	무증상 세균뇨 (요로감염균의 집락화)	신우신염, 열성 요로감염 증상을 동반한 하부요로감염, 신장흉터화
기타 요로생식계	부고환염	급성세균성전립선염
기타 장기/기관	세균혈증	패혈증, 폐렴, 패혈증성 색전

어원상 그리스어로 nosos(질병)와 komil(치료)이라는 단어에서 유래한 'nosokomeon'은 '병원 내 감염'을 가리키며, 병원에서 치료 도중에 환자들 사이에서 전파되어 획득된 질병이라는 의미를 지닌다. 최근에는 의료 관련 감염이라는 용어가 현대적 관점에서 더 좋은 표현이라고 여겨지나, 아직까지도 논쟁이 이어지고 있다. 최근 미국질병관리본부는 다른 연구 결과를 비교하고 용어를 일관화하기 위하여 수술 부위 감염의 정의와 용어를 정립하고 재조명했다. 수술 부위 감염은 전통적으로 감염률 및 감염 방지라는 부분과 연관된 용어로 사용되었다. 수술 부위 감염은 수술 절개 부위 또는 관련 기관이나 장기의 염증으로 정의되는데, 요로계는 광범위한 의미에서 하나의 장기로 간주될 수 있다. 수술 부위 감염은 피부와 피부 하 조직의 표층 감염, 근막과 절개 부위의 근육을 포함한 심부 감염, 내부 장기 감염으로 분류된다. 의료 관련 감염은 환자들 간에 전파되는 감염 또는 환자 치료나 진단적 치료적 시술 도중 발생한 감염으로 나눌 수 있는데, 이러한 감염은 의료진이 인지하지 못한 채 발생하게 된다.

감염은 환자 자체의 문제로도 발생할 수 있으나, 대부분 주위 환경이나 시술 때문에 발생한다. 의료 관련 감염이 발생하면 환자의 재원 기간 증가하고 추가 처치를 필요로 하기 때문에 의료비용이 증가하는 것은 물론, 그 정도가 심할 경우 환자에게 치명적인 후유증을 남길 수 있다. 과거에 비해 의료기관에서 시행하는 침습적 술기 및 검사가 증가하고 있으며, 각종 항생제에 내성을 갖는 균주의 등장으로 의료 관련 감염의 예방의 필요성은 더욱 부각되고 있다. 외국의 경우 의료 관련 감염에 대한 연구들을 기반으로 예방을 위한 지침을 개발하였으며, 국제보건기구(World Health Organization, WHO)는 2018년 수술부위 감염 예방을 위한 지침을 개정, 발표하였으며 미국 질병관리 본부(Centers for Disease Control and prevention, CDC)와 영국의 국립보건임상연구소(National Institute for Health and Care Excellence, NICE)에서도 각각 2017년과 2019년 지침을 개정, 발표하였다. 이 장에서는 언급한 지침을 참고하여 병동과 수술장의 환경을 청결히 유지하는 방법과 기구 소독, 멸균 방법 및 수술 전 환자의 위험 요소를 제어하는 방법, 여러 시술 종류와 연관된 감염의 위험을 줄일 수 있는 방법에 대해 기술하는 한편 미국비뇨의학회(2019)와 유럽비뇨의학회(2021)에서 개정 발표한 비뇨의학 시술에 대한 예방적 항생제 사용에 대한 내용도 기술했다. 여러 학회의 지침마다 견해가 다르므로 우리나라의 현실에 맞는 예방적 항생제 사용에 대한 지침이 필요하다.

II 위생과 교육

환자의 안전을 위해서는 병동 및 수술장의 환경이 중요하다. 위생은 병원 내 감염 방지 전략의 필수적 요소이므로, 각 병원은 청결한 환경을 유지하기 위한 규칙과 권장사항을 정하고 환자와 그 가족 및 방문자, 직원에게 이를 주지시켜야 한다. 병동, 외래 및 수술장 영역에서 모든 환자와 접촉할 때에도 적절한 복장이 추천된다. 각 병원이 주의 깊게 손을 닦고 적절한 복장을 갖추도록 지정한 이유는 교차오염을 줄이기 위해서이다. 또한 건강한 환자의 의료 관련 감염을 줄인다는 목표에 도달하기 위해서는 직원들에 대한 정기적 교육과 훈련이 반드시 필요하다.

1. 병원 환경 위생

병원 위생은 의료 관련 감염 방지를 위해 필수적인 요소이다. 의료 관련 감염을 예방하기 위해서는 병원 환경 위생에서 일상적이고 광범위한 환경 요소를 포괄적으로 고려해야 된다. 미생물의 90%가 가시적인 오염 환경 내에 존재하며, 일반적인 청소의 목적은 이러한 오염물을 제거하는 데 있다. 비누나 세제 모두 항균 활성을 가지고 있지 않기 때문에 세척과 멸균은 각각의 환경에 따라 근본적으로 다르다. 병원마다 벽, 바닥, 창문, 침대, 커튼, 스크린, 비품, 가구, 욕조와 화장실, 모든 재사용 의료기구마다 사용되는 세제 및 세척과 청소의 빈도를 지정하고 규정을 세워야 한다.

2. 수술장 위생

1) 수술장 환경

수술장 환경에서는 공기 중 세균을 최소화하고 환경을 청결히 유지해야 한다. 수술장의 세척 및 소독에 대한 추천 사항은 다음과 같다.

① 수술 시작 전 매일 아침: 모든 수술 도구 표면을 청소

② 수술 사이: 모든 수술 도구(예: 테이블, 버킷) 및 표면을 청소하고 살균

③ 모든 수술 후: 권장 소독제 및 청소기를 사용하여 수술실을 완벽히 청소

④ 일주일에 한 번: 드레싱 룸, 기계실, 기구 수납공간 등 모든 부속 공간을 포함한 수술실 지역 청소

⑤ 온도 20~24도, 습도 20~60%를 유지한다.

2) 환기

공학과 건축 기술의 발전으로 인해 현재는 수술실의 대기 감염을 최소화할 수 있게 되었다. 수술실은 복도나 인접 지역과 비교할 때 양압의 공기 압력이 유지되어야 하는데, 이는 양압이 주변의 오염된 지역에서 청결한 공간으로의 공기 흐름을 방지하기 때문이다. 수술실을 포함한 병원의 모든 환기나 공기 정화 시스템은 30% 이상의 효율성을 지닌 여과 집진 장치와, 90% 이상의 효율성을 지닌 여과 집진 장치 두 가지 시스템으로 구성되어야 한다. 수술실 환기 시스템은 여과된 공기를 시간당 약 15번 이상 교환해야 하며, 그중 3번(20%)의 환기에서 신선한 공기가 유입되어야 한다. 특히 이식수술이나 면역기능 감소환자(면역억제제, 스테로이드 장기투여 환자)의 수술을 시행하는 수술실의 경우 시간당 약 20회 이상 공기순환, 그중 3회 이상 외부공기 유입되어야 한다(의료법 시행규칙, 수술실 시설규격, 기준). 공기는 천장에서 유입되고 바닥 쪽으로 배출되어야 하는데, 판상 공기 흐름이 수술 시 외과적 수술 부위의 감염을 줄이기 위한 추가 조치로 제안되었다. 판상 공기 흐름은 그 경로에 있는 입자를 몰아내고 일정한 속도(0.3~0.5 μm/sec)로 무균 수술실로 들어가도록 설계되었다. 공기의 흐름은 수직 또는 수평으로 이동이 가능하며, 재유입되는 공기는 일반적으로 고효율 미립자 공기필터(High Efficiency Particulate Air filter, HEPA)를 통해 재전달된다. 고효율 미립자 공기필터는 99.97%의 효율로 직경 0.3 μm 이상의 입자를 제거한다.

3) 환경적인 표면

수술실의 테이블, 바닥, 벽, 천장, 조명과 같은 환경적인 표면 부위의 위생은 수술 부위 감염의 중요 원인 인자는 아니지만, 수술 후 청결한 환경을 유지하려면 일상적인 청소를 시행하는 것이 중요하다. 수술 사이에 수술장 환경을 청소하고 수술 도구를 소독하면 오염 방지에 도움이 된다는 자료는 없으나, 살균제를 사용한 바닥의 습식 진공 청소 또는 일회용 대걸레와 공인된 기관의 허가받은 소독제로 마지막 수술 후 정기적으로 시행해야 한다.

4) 수술실 내부 활동

수술실 내부의 공기에는 미생물을 포함한 먼지, 보푸라기, 피부 각질, 호흡기 비말이 포함되어 있다. 수술대의 사람이 많아질수록 멸균 조작의 기회가 줄고 대기 오염이 증가할 것이다. 수술실 공기의 미생물 수준은 사람들의 움직임 수에 비례하므로 수술하는 동안 수술실 내를 출입하는 사람의 수를 최소화하고 불필요한 움직임이나 대화를 피해야 한다.

3. 개인 위생

병원 의료진은 일반적으로 병원에서 사복 위에 흰 가운을 입고 있다. 그러나 박테리아 변종의 증가라는 관점에서 보면, 소매가 짧은 가운을 입고, 환자와 접촉할 때는 일회용 앞치마를 착용하는 것이 추천된다. 세척 및 오염물 제거가 쉬운 소재로 만든 작업복을 입고, 가능하면 매일 세탁하도록 한다. 과도한 발한이 있거나 다른 액체 또는 혈액에 노출된 후에는 가운을 갈아입어야 한다. 모든 직원은 엄격한 개인위생을 유지해야 한다. 손톱을 짧고 청결하게 유지하고, 머리카락은 짧고 단정하게 묶도록 하며, 턱수염과 콧수염은 짧고 깨끗하게 유지해야 한다.

4. 손 위생

손 세척은 필요성에 따라 여러 수준으로 나뉜다.

① 일반적인 환자와의 접촉: 비누로 씻거나 알코올을 포함한 세제로 소독

② 감염된 환자와 접촉 시의 살균: 제조업체의 지침에 따라 살균 비누를 사용하여 세척

③ 수술 시의 팔뚝 세정:

  i) 손위생 전, 인공손톱, 반지, 시계, 장신구를 제거한다.

  ii) 솔을 이용한 손위생은 권고되지 않는다.

  iii) 소독력이 있는 적절한 항균비누나 알코올 함유 손소독제를 이용한다.

  iv) 일반적으로 3~5분(제조업체의 지침) 정도의 충분한 시간 동안 살균 세제로 손과 팔뚝을 세척한다.

  v) 알코올이 포함된 외과적 손소독 제품을 이용할 때는 제조사의 소독력 지속시간을 고려하여 허용하며, 건조한 상태에서 적용한다.

  vi) 알코올을 함유한 외과적 손소독 제품을 적용 후에는 장갑을 착용하기 전 완전히 손과 아래팔이 마르도록 한다.

1) 환자와의 접촉

손 위생은 원내의 병원균 전파를 줄이기 위한 기본적 조치이다. 병원감염 전파에 손이 중요한 역할을 하기 때문에 비누와 물, 살균 소독제로 세척하는 등 적절한 위생을 지키는 것이 중요하다. 환자가 의료인들의 오염된 손에 노출되는 경우, 잠재적인 병원 내 감염의 위험이 나타날 수 있으므로 환자의 피부나 음식, 소독 관련 도구와 접촉하거나 치료를 위한 모든 활동 전에 손을 소독해야 한다. 교차오염을 최소화하기 위해서는 환자 처치 후에도 손 소독이 필요

하다. 손을 멸균하려면 일반 비누와 물, 항균 세척제 및 알코올 솜을 준비해야 한다. 일반적인 액체 비누 세척만으로도 일시적으로 미생물을 제거할 수 있으며, 이것만으로도 외래 환자와의 접촉 및 대부분의 임상 진료 활동에는 충분하다. 항균 액체 비누는 미생물과 잔존 세균을 줄이고 소독 상태로 만들어주며, 알코올은 먼지와 유기 물질 제거에 효과적이지는 않지만 미생물을 일시적으로 상당히 감소시킨다. 알코올 손 소독은 손이 더러워진 상황에서도 사용할 수 있는 실제적인 대안으로 권장된다. 손의 모든 부분을 노출시켜 손목까지 문지르고 완전히 건조시키는 것이 손 소독에서 가장 중요하다.

2) 수술 전 손 씻기

수술 전 손을 씻을 때 포비돈요오드, 클로르헥시딘이나 헥사클로로펜을 이용하면 세균이 없어진 상태가 8시간 동안 지속된다. 수술이 연속될 경우 첫 수술 시에 손을 씻고 장갑을 꼈으므로 다음 수술에서는 그 장갑만 벗고 알코올로 손을 닦아도 세균의 균주 수가 현저히 감소한다고 한다. 손 세척은 첫 번째 수술 혹은 모든 오염된 수술의 경우 5분 동안 시행하며, 연속적인 수술에서는 3분 동안 실시한다.

5. 수술 복장

수술 복장은 수술용 모자, 덧신, 마스크, 장갑, 가운, 수술복 모두를 포함한다. 수술장에서 착용한 복장은 수술장 안에서만 입도록 제한하고, 수술복은 주변 환경의 세균으로부터 오염을 최소화할 수 있도록 디자인해야 한다. 수술복은 환자에 대한 수술 팀원의 피부, 점액, 머리카락 노출을 최소화하고, 수술 팀원을 환자의 혈액과 병원균으로부터 보호하는 기능을 한다.

1) 수술 모자

수술 모자는 의료진의 머리카락과 두피에서 나오는 미생물로 인한 수술 부위 오염을 방지해준다. 수술이 시행되는 동안 수술 모자를 철저히 착용함에도 불구하고 머리카락과 두피에서 나온 황색포도구균과 A군 연쇄구균 같은 균주가 수술 부위를 감염시키기도 한다. 모자를 착용할 때는 구레나룻과 목 주위의 머리카락에 이르는 모든 부위를 덮어야 한다.

2) 마스크

수술용 마스크 착용은 수술 절개 부위의 미생물 오염을 방지하는 방법 중 하나로 오랫동안 시행되어왔다. 마스크 착용은 비용 대비 효과가 뚜렷하다. 마스크는 코와 입에서 돌발적으로 분비되는 체액이 수술 부위에 노출되는 것을 방지한다. 마스크는 입과 코 주변 등 전체를 가릴 수 있어야 한다. 탈지면, 거즈 또는 종이가 일반적인 소재로 사용되는데, 합성 소재 종이 마스크는 미생물이 통과하지 못하도록 효과적인 여과 기능을 발휘한다.

3) 가운과 앞치마

수술복과 수술 장갑은 오염되지 않도록 기술적으로 착용하고, 환자에게 수술포를 올려 놓을 때는 오염되지 않도록 특별한 주의를 기울인다. 혈액이나 체액, 분비물 등으로 의류가 오염되었을 가능성이 있으므로 모든 실무자들이 보호복을 착용해야 한다. 일반적으로 플라스틱 앞치마 사용이 권장된다. 전신가운은 혈액이나 체액 노출이 많은 경우에 사용되며 방수 처리 제품을 사용해야 한다. 수술자의 땀이 수술복 밖으로 흘러나오면 세균도 함께 나오기 때문에 방수가 되는 수술복을 착용하는 것이 원칙이다.

4) 덧신

덧신 착용은 수술 부위의 감염 위험이나 수술실 바닥의 세균 수를 감소시키지 못한다고 알려져 있지만, 수술 도중의 혈액 및 체액 노출로부터 수술자를 보호한다.

5) 수술 장갑

수술 시의 멸균 장갑 착용은 오염 물질과 미생물의 전파를 방지한다. 장갑에 구멍이 나는 경우는 수술마다 11.5%에서 53%까지 발생한다고 알려져 있으므로 HIV, B형 또는 C형 간염처럼 혈액을 매개로 감염된 환자를 수술할 때는 장갑을 2개 착용하는 것이 추천된다. 장갑에 구멍이 나면 즉시 바꾸고, 수술이 끝나면 미생물 오염을 방지하기 위해 폐기해야 한다. 안전한 수술 장갑 착용법은 장갑을 이중으로 끼는 것이다. 이때 본인의 치수보다 1/2 정도 작은 장갑을 안에 착용한다.

6. 수술 전의 준비

장기 입원 환자나 여러 질병이 있는 환자의 대부분은 피부 상재균이 증가되어 있다. 그러므로 가능하면 예정 수술을 하기 전에 피부 감염을 조절하고 치유해야 한다. 특히 예정된 청결 수술 시 다른 부위의 감염은 수술 후 감염률을 두 배로 증가시킨다.

① 수술 30일 전 금연을 환자에게 교육한다.

② 수술 전 일반 비누 혹은 항균비누를 사용하여 목욕이나 샤워를 하도록 권고한다(클로르헥시딘을 포함한 비누의 경우 사용을 권고할 충분한 근거는 없다).

③ 면도: 수술 전날 수술 부위를 면도하면 피부 손상으로 인하여 세균 증식이 야기된다. 수술 전날 면도를 하면 수술 직전에 면도하거나 면도를 전혀 하지 않은 경우보다 감염률이 유의하게 증가했다. 광범위한 제모는 필요하지 않으며, 수술 직전에 수술실에서 전기면도기나 일회용 날을 이용하여 피부에 상처를 주지 않고 면도를 실시해야 한다.

④ 피부 준비: 수술할 모든 부위를 5~7분 동안 살균성 세제로 문지른 후 클로르헥시딘이나 포비돈요오드 같은 항균액을 수술 부위에 도포한다. 금기가 아니라면(예, 신생아, 점막이나 눈주위, 알러지가 있는 환자) 알코올이 함유된 클로르헥시딘을 사용하고, 사용할 수 없는 경우 포비돈요오드를 사용할 수 있다. 수술 전 수술 창상으로부터 피부를 격리시키는 방법은 절개포를 수술 부위에 덮고 절개를 실시하는 것이다.

7. 교육

병원감염 예방을 위해서는 관리 직원들도 수술 부위 감염에 대한 감시 방법을 전문적으로 교육받고 훈련해야 한다. 수술자와 수술실 직원들에게 수술 부위 감염의 위험 최소화에 초점을 맞춘 지침과 권고사항 등을 지속적으로 교육시키는 것도 필수적이다. 쉽게 이해하고 기억할 수 있도록 간결하고 효율적이며 효과적인 권고 사항을 조합하여 교육한다. 이후 환자와 수술자 및 관련 직원의 교육성과를 피드백하고 재평가하여 올바른 교육이 이루어지는지 평가한다.

Ⅲ 비뇨의학과 기구의 살균과 소독

감염의 합병증을 피하기 위해서는 비뇨의학과 기구를 소독하고 멸균하는 것이 중요하다. 비뇨기계 기구 소독과 관리가 부적절하면 조직검사 바늘, 내시경 기구를 통해 녹농균*Pseudomonas aeruginosa*이 전파되어 감염에 대한 위험 환경 요소로 작용할 수 있다. 이 글에서는 일반적으로 외래에서 많이 시행되는 비뇨기계 내시경과 경직장 초음파 유도 전립선생검 후 감염될 수 있는 위험 요소와 멸균 방법을 제시하고자 한다.

1. 비뇨기계 기구에 대한 살균법

1) 비뇨기계 내시경

1968년 Spaulding은 의료기기를 사용과 관련된 위험 인자에 따라 분류하는 체계를 개발하는 한편, 감염 예방을 위한 세척과 멸균 정도에 따라 세 가지 범주(critical, semi-critical, non-critical)로 구분했다. 이 분류에 따르면 복강경, 관절경, 생검 집게 같은 내시경의 일부는 매우 중요한 장비이며, 모든 세균과 미생물을 소독 과정에서 비활성화시키고 멸균해야 한다. 따라서 요로계와 같은 멸균 환경에서 사용되는 내시경 기구를 소독하는 완벽한 절차를 비뇨기과 부서 및 수술실에 구비해야 한다. 요로손상을 방지하고 통증을 줄이기 위해 새롭게 개발된 내시경 기구는 더 얇고 유연하게 설계되었으나, 기존 기구들에 비해 섬세하고 내구성이 떨어지기 때문에 소독 시 파손에 유의해야 한다. 이전에는 증기-포름알데히드가 내시경 소독에 널리 사용되었으나, 발암물질이고 독성이 강하며 소독 후 잔존하는 물질이 인체에 유해하기 때문에 최근에는 사용되지 않는다. 최근 사용되는 비뇨기계 내시경 기구 소독법으로는 고압증기 살균, 에틸렌옥시드(ethylene oxide) 가스 살균, 액체 화학 살균 및 과산화수소 가스 플라스마 살균 등이 있으며 각각 여러 장단점이 있다. 살균 전에 미리 먼지나 오물, 혈액이나 조직 부유물 등을 제거하는 예비세척을 즉시 시행한다. 세척이 불충분하면 제대로 멸균이 되지 않는다. 멸균액에 담그기 전에 기구에서 분리 가능한 부분의 연결을 모두 풀고 내시경의 외관과 내경 부분의 채널을 적절한 크기의 솔로 세척해야 한다. 내경이나 연결 부위가 너무 작은 경우에는 직접 소독액을 넣고 닦아야 한다. 전체 내시경 기구를 멸균된 물로 헹구고 나면 공기를 통과시켜 건조시킨다. 연성 내시경의 경우 제대로 건조되지 않으면 수분이 60시간 이상 기구 안에 남을 수 있으며, 수인성 미생물이 증식하는 요인이 되므로 건조 과정이 중요하다. 에틸렌 가스나 과산화수소 가스 플라스마를 사용하면 내시경의 내외부를 완전히 건조시키고 효과적으로 살균할 수 있다.

2) 고압증기 살균

고압증기 살균은 독성이 없고 저렴한 데다 관리가 용이하고 소독 시간이 짧으며 살균효과도 좋기 때문에 대부분의 병원에서 사용한다. 고압증기는 의료 포장 및 기구의 작은 구멍을 통과해 들어갈 수 있고, 유기물이나 오염물질의 영향을 덜 받는다는 장점이 있다. 하지만 연성 내시경 기구처럼 열에 약한 기구를 소독하는 데는 적절치 않다. 경성 내시경 기구는 고압증기 살균을 사용할 수 있으나, 대부분의 제조업체가 렌즈의 수명 연장을 위해 저온 살균을 권장하고 있다.

3) 에텔렌옥시드(Ethylene oxide) 가스

에틸렌옥시드 가스는 의료 포장이나 플라스틱을 통과할 수 있고 대부분의 의료용품 재료에 적합하기 때문에 고압증기 살균이 되지 않는 의료기구 소독에 가장 유용하다. 운영 및 관리 단계도 간단하지만, 멸균 효과가 가스 농도 및 농도, 노출 시간의 영향을 받기 때문에, 전체 멸균 처리에 소요되는 시간이 14시간까지 이른다는 단점이 있다. 에틸렌옥시드 소독이 필요한 기구는 24시간 동안 한 번만 사용할 수 있으므로 외래 진료에서 방광경을 하루에 1회 이상 사용하려 한다면 쓸 수 없다. 에틸린옥시드 가스는 접촉 시 자극 증세를 일으킬 수 있으며 발암물질로 알려져 있기 때문에 환기가 잘 되는 지역에서 사용해야 한다.

4) 액체 화학 살균제

글루타르알데히드(glutaraldehyde), orthophthalaldehyde, 과산화아세트산(peroxyacetic acid)은 다른 소독제에 비해 쉽고 짧은 시간 안에 멸균이 가능하기 때문에 내시경 기구 소독에 흔히 사용된다. 하지만 화학 물질의 피부자극 때문에 항상 증류수로 완벽하게 씻은 후 사용해야 한다. 글루타르알데히드는 효과적으로 멸균되며 살균 기계 없이 직접 간편하게 사용할 수 있으나 인체에 유해하다는 몇몇 보고가 있다. Orthophthalaldehyde는 일부 환자들이 아나필락시스 반응을 보인 경우가 보고되면서 현재 비뇨기계 내시경 살균제로는 금기이다. 과산화아세트산은 금속 재료를 부식시킬 수 있다. 액체 화학물질의 증기는 눈과 비강 점막을 자극할 수 있기 때문에 환기가 잘 되는 지역에서 사용해야 하며, 가능하다면 자동 내시경 세척기 사용을 권한다. 그동안 포르말린을 이용한 소독 방법이 흔히 쓰였고 지금도 사용되고 있는데, 포름알데히드 가스가 환자와 직원 모두에게 유해하다는 보고가 있다. 살균 효과 면에서도 의문시되기 때문에 포르말린 소독액 사용은 권장하지 않는다.

5) 과산화수소 가스 플라스마

과산화수소 가스 플라스마 멸균은 새로운 의료기구 멸균 방법이다. 독성 잔류 물질이 남지 않으며 환기도 필요하지 않기 때문에 환자와 직원들에게 안전하다. 소독 시간은 60분이 소요되며, 45℃까지 온도를 높여 진행한다. 열에 불안정한 의료기구를 소독하는 데 적합하며 하루에도 여러 번 소독이 가능하기 때문에 편리하다. 그러나 내경이 작은 내시경의 경우 효과적으로 소독되지 않기 때문에 제조업체의 추천 방법으로 소독해야 하는 경우가 있으며, 기계가 고가라는 단점이 있다.

2. 경직장 초음파유도전립선조직검사

전립선조직검사 시에는 대부분 예방적 항생제를 투약하기 때문에 검사 후의 감염이 드물지만, 일부에서 치명적인 감염 합병증이 나타난다. 경직장 초음파유도전립선조직검사의 경우 멸균이 제대로 시행되지 않는 경우 환자들 사이에서 간염이나 HIV처럼 혈액을 매개로 한 질병의 교차감염을 초래할 수 있다.

교차감염의 위험으로부터 환자를 보호하기 위해서는 조직검사 바늘과 직장초음파 탐침을 잘 세척하고 소독해야 한다. 경직장 초음파가 오염되어 전립선조직검사 후 4명의 환자가 녹농균에 감염된 사례가 발생했는데, 모두 입원치료가 필요하였으며 그중 3명이 패혈증으로 진행했다. 감염 원인은 탐침을 수돗물로 세척할 때 오염되었고, 검사 바늘도 수돗물로 세척하고 알코올로 소독했으나 적절히 건조되지 않았기 때문인 것으로 밝혀졌다. 전립선조직검사 시 탐침에 의한 콘돔 천공률은 9%(10/107)로 보고되었으며, 콘돔 천공 후 탐침에서 배양검사를 실시한 결과 세균이 검출되었다. 녹농균에 관한 실험연구에서 조직검사 바늘을 탐침에서 분리한 후 2% 글루타르알데히드에 20분간 소독했더니 멸균되었다는 결과도 보고되었다. 하지만 조직검사 바늘과 탐침을 분리하지 않은 채 글루타르알데히드에 넣어 소독하면 멸균이 되지 않기 때문에 정확한 멸균을 위해서는 항상 두 기구를 분리하여 소독해야 한다. 초음파 탐침의 경우 조직검사 후 부드러운 일회용 천이나 거즈로 젤을 닦아 낸 후 세척하고 높은 수준의 소독을 실시한 후 충분히 헹구는 것이 권장된다. 조직검사 바늘의 경우 최근에는 많은 의료기관에서 전립선 조직검사 시에 일체형 1회용 바늘을 사용하여 시술 후 감염률을 낮추기 위해 노력하고 있다.

Ⅳ 환자 및 위험 인자와 시술장 오염에 대한 사전 평가

수술 부위에 발생하는 감염과 요로감염은 비뇨기과 수술 후 나타날 수 있는 흔한 합병증들 중 하나이다. 2009년 국내의 주요 수술 부위 감염률은 3~5%로 보고되었다. 수술 부위에 발생하는 감염은 복강 밖 청결수술의 5%, 복강 내 수술의 20%에서 발생하는데, 입원 기간과 치료 비용을 증가시키고 치명적인 결과를 유발할 수 있다. 그러므로 감염 발생을 예방하기 위해 수술 전에 환자 또는 수술이 가지고 있는 감염의 위험 요소들을 확인하고, 가능하다면 반드시 수술 전에 교정해야 한다.

수술 부위 감염은 환자, 수술, 집도의사 및 수술 관련 종사자 그리고 수술실 환경의 영향을 받기 때문에 이 요소들을 체계적으로 평가하는 과정이 필요하다. 즉, 수술 부위 감염을 최소화하기 위해서는 모든 요소의 특성을 정확히 평가하여, 교정이 가능한 위험 요소는 수술 전에 교정하고, 필요한 경우에는 수술 전후에 예방적 항생제를 투여하는 처치가 필요하다. 하지만 수술 부위 감염 예방을 위한 예방적 항생제 투여의 효용성은 외과적 수술에서는 잘 알려져 있지만 비뇨기과적 처치 또는 수술에 대한 연구는 제한적인 것이 사실이다.

이 글에서는 미국비뇨의학회와 유럽비뇨의학회, 그리고 일본비뇨의학회에서 발표한 비뇨의학과 수술에 대한 예방적 항생제 사용 지침을 참고로, 비뇨기과적 처치 또는 수술이 계획된 환자에 있어서 수술 전 위험 요소 및 수술장 오염의 사전 평가에 관해 알아보고자 한다.

1. 환자와 관련된 위험 요소들

1) 일반 전신상태

환자의 전신상태 검토는 감염에 대한 위험성을 평가하는 첫 과정이다. 보통 미국마취과학회에서 발표한 5가지 분류법(표 11-2)을 많이 사용한다. 전신상태와 수술 부위 감염의 관련성에 대해서는 다양한 의견이 존재하나, 일반적으로 전신상태가 저하된 환자의 경우, 특히 3군 이상의 환자들은 감염성 합병증에 대한 위험도가 증가한다. 이 환자들은 일반적으로 나이가 많고 동반 질환을 가지고 있으며 병이 많이 진행된 특징이 있다.

표 11-2 미국마취과학회의 환자 상태 분류표(ASA-PS)

분류	정의	성인에서의 예
ASA I	전신질환이 없는 건강한 환자	비흡연, 전혀 음주하지 않거나 최소한으로 음주하는 경우
ASA II	경미한 전신질환이 있는 환자	흡연자, 임신, 비만, 합병증이 없는 고혈압이나 당뇨, 경한 폐질환 등
ASA III	생명을 위협하지 않을 정도의 중등도에서 중증의 전신 질환을 가진 환자	조절되지 않는 당뇨 또는 고혈압, 만성 폐쇄성 폐질환, 고도 비만, 급성 간염, 알코올 의존/남용, 투석 중인 말기신부전, 3개월 이상 경과한 심근경색, 뇌졸중, 심혈관 질환

ASA IV	지속적으로 생명에 위협을 줄 수 잇는 전신질환이 있는 환자	3개월 이내 발생한 심근경색, 뇌졸중, 일과성허혈발작, 패혈증, 파종성혈관내응고장애, 투석 받지 않는 급성신장병 또는 말기신장병
ASA V	수술과 관계없이 동반 질환에 의해 생존을 기대할 수 없는 환자	복부/흉부 동맥류 파열, 뇌압 상승된 두개내 출혈, 다발성 장기/전신 부전 상태의 장관 허혈
ASA VI	장기 공여를 위해 수술 예정인 뇌사자	

American Society of Anesthesiologists. ASA physical Status Classification System.
Available from: https://www.asahq.org/standards-and-guidelines/asa-physical-status-classification-system

2) 일반적 위험 요소들

수술 부위 감염과 관련된 일반적 위험 요소들로는 고령, 영양결핍, 당뇨, 흡연, 과체중, 원격 장기에 동반된 감염, 면역상태의 변화, 수술 전의 긴 입원 기간, 위험 요소 교정의 실패 등이 있다. 이 위험 요소들과 비뇨기과적 처치 및 수술의 관련성에 대해 많이 보고되지는 않았지만, 일반적으로 이 인자들은 감염성 합병증의 위험성을 증가시키는 것으로 여겨진다.

3) 당뇨

수술 부위 감염 발생에서 당뇨가 독립적인 위험 요소인지에 대해서는 아직 논란이 있다. 일본에서 진행된 전향적 연구에서는 수술 후의 부적절한 혈당조절이 수술 부위 감염 발생을 직접적으로 증가시키는 것으로 나타났다. 그러므로 수술 전후에 안정적이며 적절한 혈당 수치를 유지하는 것이 중요한 요소이다. 특히 당뇨 환자에서 일반적으로 세균뇨가 더 흔히 나타나고 정도가 더 심하며 오래 지속된다는 사실은 잘 알려져 있다. 이러한 요소는 특히 요로감염의 위험성을 기본적으로 가지고 있는 비뇨기과적 처치 및 수술에서 매우 중요하다. 세균뇨는 수술 후 감염성 합병증의 위험 요소로 잘 알려져 있다. 그러므로 당뇨 환자의 수술 전 세균뇨에 대해서는 적절한 수술 전 평가 및 치료가 필요하다.

4) 기타 요소들

흡연은 1차적인 상처의 치유를 지연시키고 수술 부위의 감염 위험을 높인다. 이와 비슷한 위험 요소들로는 음주, 스테로이드 사용 또는 영양결핍 등이 있다. 영양 위험 지수와 같은 간이 영양 조사 도구를 통해 알 수 있는 영양결핍은 병원감염의 독립적인 위험 요소이다. 또한 외과적 수술 이후 발생하는 심부 감염에 대한 위험 요소들을 평가한 연구에 의하면, 영양결핍을 나타내는 저알부민혈증과 이전 수술의 과거력만이 심부 감염의 독립적인 위험 요소였다. 그러므로 수술 부위의 감염을 줄이려면 수술 전에 영양을 보충해주는 것을 고려해야 한다.

2. 특별한 위험 요소들

1) 내인성 위험 요소들

내인성 위험 요소란 환자 개개인이 수술 전에 이미 가지고 있는 요소들을 의미한다. 이런 요소들은 비뇨기계의 형태학적 또는 기능적 이상과 동반된 질환들로 인해 발생한다. 병원성 요로감염의 중요한 내인성 위험 요소들로는 폴리도뇨관 삽입, 이전에 입원하거나 항생제 치료를 받았던 기왕력, 요로결석 등이 알려져 있다.

(1) 세균집락화

요도 주위부와 하부요도에는 자연적으로 그람음성균 및 그람양성균이 집락을 이루고 있다. 이 균들은 균 자체의 이동, 폴리도뇨관이나 비뇨기과적 기구 처치에 의해 방광으로 들어갈 수 있다. 세균의 집락화는 나이가 들어감에 따라, 특히 여성의 경우에 증가하게 된다. 폴리도뇨관을 가지고 있지 않으면서 경요도전립선절제술을 받을 예정인 환자의 약 10%에서 수술 전 세균뇨가 관찰되며, 경요도전립선절제술 당시 세균뇨를 가지고 있는 경우는 열성 감염이 발생할 위험이 5~10배 정도 증가한다.

(2) 신장결석

프로테우스와 같은 요소분해세균은 감염석과 사슴뿔결석의 원인으로 잘 알려져 있다. 또한 이런 결석의 30~70%에서 결석에 부착된 세균들을 연속적인 소변배양검사로 확인할 수 있다. 이 경우 수술이나 시술 전 소변배양검사가 반드시 필요하지만, 소변배양검사가 실제 세균의 존재 유무를 확실히 알려주는 좋은 지표가 될 수는 없다. 그러므로 비뇨기계의 폐색이 동반된 모든 요로결석의 처치 및 시술, 수술 전에는 소변배양검사 결과가 음성이더라도 항상 상당한 양의 세균이 존재할 가능성을 고려해야 한다.

(3) 전립선의 염증성 질환

무증상 전립선염과 비뇨기과 내시경수술 후 발생하는 감염성 합병증의 관계에 대해서는 알려진 바가 많지 않다. 그러나 과거에 요로감염 또는 전립선염을 경험한 환자의 경우 전립선조직검사, 경요도전립선절제술 그리고 기타 수술 후에 감염성 합병증이 발생할 위험이 높은 것으로 알려져 있다.

2) 외인성 위험 요소들

요로는 병원감염의 중요한 감염원이며, 특히 폴리도뇨관이 삽입되어 있는 경우는 위험이 더욱 증가한다. 병원감염의 약 40%가 영구적 폴리도뇨관 삽입이나 비뇨기과적 처치에 의해 발생한다는 보고도 있다. 이 경우 대부분의 요로감염은 환자 자신의 장내세균으로 인해 발생하는데, 모든 종류의 폴리도뇨관들(폴리도뇨관, 신루 폴리도뇨관, 요관스텐트 등)이 요로감염의 선행 요인이 될 수 있다. 가장 중요한 위험 요소는 폴리도뇨관이 삽입된 기간이다. 단기간의 폴리도뇨관 유치에서 나타난 세균뇨의 대부분은 무증상이며 단일 균에 의해 발생한다. 하지만 장기간 폴리도뇨관을 유치하는 경우 다양한 종류의 균이 집락을 이루는 경향이 나타난다. 관에 균막과 외피가 형성되면 관의 폐색을 유발할 수 있다. 방광의 결석 형성은 장기간의 폴리도뇨관 유치로 인해 흔히 발생하는 합병증이다.

폴리도뇨관을 제거하지 않은 상태에서는 일반적으로 무증상 감염에 대한 소변배양검사 및 항생제 치료가 권고되지 않는다. 그러나 이런 경우라도 비뇨기과적 처치 또는 수술이 예정되어 있다면 수술 전이나 시술 전 요를 무균상태로 만들고 수술 후 감염 치료의 방침을 결정하기 위하여 소변배양검사가 필수적이다.

3. 비뇨기계 수술 상처의 분류

수술 및 수술 상처의 분류는 일반적으로 수술의 오염 가능성을 기준으로 결정되며, 청결, 청결-오염, 오염, 불결-감염 상처 등 4가지로 나뉜다. 이 분류에 따라 비뇨의학과 영역의 시술을 분류하면 표 11-3과 같다. 일반적으로 비뇨기계를 개방하게 되는 수술의 경우는 수술 전 소변배양검사가 음성이라 하더라도 청결-오염 감염 상처로 분류한다. 2015년 개정된 일본비뇨기과학회는 2011년 개정된 유럽비뇨기과학회의 비뇨기계 수술 및 시술에 대한 상처 분류를 바탕으로 비뇨의학과 영역의 술기를 분류하였다(표 11-4).

표 11-3 수술 상처의 분류

분류	종류	비뇨의학과 시술 예
Class I: 청결 상처	감염되지 않은 수술 상처로서 염증이 없고 호흡기계, 소화기계, 비뇨생식기계를 절개하지 않은 상처	비감염 적응증으로 인한 서혜부와 음낭 시술, 후복막 임파선 절제술
Class II: 청결-오염 상처	특별한 오염이 없고 잘 조절된 상태 하에서 호흡기계, 소화기계, 비뇨생식기계를 절개한 수술 상처	신장적출술, 방광적출술, 전립선적출술, 내시경 시술
Class III: 오염 상처	외부로 노출된 신선한 외상성 상처, 감염석에 대한 시술, 장의 일부를 사용하는 경우	스트루바이트결석에 대한 경피적 신장결석제거수술, 경직장 전립선 초음파 하 전립선 조직검사
Class IV: 불결-감염 상처	개방 손상, 농양 괴사된 조직이 있는 오래된 외상성 상처를 포함.	변연절제술, 수술 이전 이미 수술부위에 감염을 일으키는 세균이 존재하는 경우
보형물 삽입술	음경보형물 삽입, 인공 괄약근 삽입술	감염 합병증은 중대한 문제, 예방적 항생제 사용이 필요

표 11-4 일본 비뇨기과학회의 비뇨기계 수술 상처 분류(2015)

경요도/내시경적 수술(요로감염 확률: 1~4%*, 4~10%**)
경요도 방광종양절제술*, 경요도 전립선절제술**, 경요도적 요관결석 제거술*, 경피적 신장결석제거수술**
개복/복강경 수술
청결(수술부위감염: 1~4%)
신장절제술, 부신절제술, 부분신장절제술, 복강 내 임파선 절제술, 서혜부 및 음낭 수술
청결-오염(수술부위감염: 4~10%)
신장요관적출술, 전립선절제술, 방광요관문합술, 방광부분절제술, 방광절제술(요관-경피문합술), 신이식
오염(장을 이용)(수술부위 감염:10~20%)
방광절제술(회장도관, 정위성신방광), 방광성형술

비뇨기계에 관한 개복술의 경우 오염 유무를 평가하는 항목들로는 다른 종류의 개복술과 마찬가지로 절개 형태, 비뇨기계 개방 유무, 비뇨기계에서 소변의 누출 유무, 수술 부위의 염증이나 감염의 존재 유무 등이 있다. 또한 내시경적 비뇨기과 수술이나 체외충격파쇄석술의 경우에는 요로감염의 기왕력, 결석과 관련된 감염의 과거력, 수술 전의 소변검사 결과, 폴리도뇨관 존재 유무, 수술 진입 부위(요도, 신루, 질 등), 비뇨기계 천공 유무, 수술 중 발견된 감염뇨 등이 평가 요소이다.

4. 비뇨기계 수술과 감염의 위험도

유럽비뇨기과학회의 요로감염 관련 권고안에 따르면, 항생제를 사용하지 않은 경우에 발생한 비뇨기계 시술 및 수술 후 감염성 합병증의 유병률은 표 11-5와 같다. 수술 환경 및 과정에 있어서 감염과 관련된 중요한 요소들은 수술 전의 긴 입원 기간, 수술 시간 연장, 수술 술기의 종류 등이 있다. 수술 전의 장기간 입원은 수술 부위 감염의 위험 요소로 내성균주가 집락화할 가능성이 높고, 또한 수술 전 입원 기간이 길면 병의 중증도가 높고 동반된 질환이 많을 가능성을 시사하기 때문에 이 요소들은 수술 전 진단 과정이나 수술 자체에 영향을 미치는 위험 요소로 작용할 수 있다. 마찬가지로 긴 수술 시간 역시 병의 상태가 더 심각하면 복잡한 수술을 요하기 때문에 위험 요소로 작용할 수 있을 것이다. 조직손상, 부적절한 지혈, 사강(dead space)의 폐쇄 실패, 그리고 수술자의 경험 등도 수술 부위 감염과 관련된 요소들로 알려져 있다.

표 11-5 비뇨기과 수술 후 감염성 합병증의 유병률(예방적 항생제를 사용하지 않는 경우) (2010)

처치	세균뇨	열성 요로감염 증상을 동반한 요로감염	패혈증
방광경검사	1~9%	1~5%	–
요역동학검사	13%	2~3%	–
경직장 전립선조직검사	5~26%	3~10%	≤5%
경요도 방광종양절제술	4~6%	–	–
경요도 전립선절제술	6~70%	5~10%	0~4%
체외충격파쇄석술	0~28%	5~7%	1%
요관경검사	0~13%	–	–
경피적 신장결석제거수술	35%	4~25%	15%
개복/복강경신장절제술	피부 폴리도뇨관 관련	수술 부위 감염 ≤5%	–
개복/복강경/로봇 전립선절제술	피부 폴리도뇨관 관련	수술 부위 감염 ≤5%	–
방광절제술 및 정위방광대치술	피부 폴리도뇨관 관련	수술 부위 감염 10~15%	자료가 제한적임
음낭 부위 수술	피부	수술 부위 감염 3~9%	–
형장치 삽입	피부	1~16.7%	–

V 비뇨기계 수술 전후의 항균제 예방요법

예방적 항생제는 진단적 또는 치료적 술기 전에 감염 합병증을 최소화하기 위해 투여한다. 비뇨의학과는 술기 면에서 괄목할만한 많은 변화가 있었다. 개복을 통한 수술적 처치들의 많은 부분이 내시경이나 복강경을 이용한 방법들로 대체되었고, 최근 노령화로 인해 많은 노인 환자들에 대한 시술 및 수술이 늘고 있다. 비뇨기과의 이러한 발전은 예방적 항생제 선택 지침에도 영향을 미치고 있다. 비뇨기과 시술 분야의 대부분에서 관행적으로 예방적 항생제가 투여되고 있으나, 대개의 경우 그 필요성에 대한 증거가 희박하기 때문에, 그간 다양한 요로계 시술 시 예방적 항생제의 종류와 투여기간, 유용성에 관한 논의가 진행되었고, 여러 저자들이 최근 몇 년간 이 주제에 관한 논문들을 발표했다. 또한 유럽비뇨기과학회와 미국비뇨기과학회는 최근 '요로계 시술 시 예방적 항생제 사용'에 대한 지침을 새로 발표했다(표 11-6, 표 11-7). 이 글에서는 발표된 권고사항을 토대로 비뇨의학과 시술에서의 예방적 항생제 사용에 대해 정리하였다.

본문의 용어 중 '시술 후'는 30일이 지난 후로 정의했으며, '세균뇨'는 증상이 있는 요로감염

표 11-6   유럽비뇨기과학회의 비뇨의학과 시술 전 예방적 항생제 사용 권고안(2021)

시술명	예방 권고	항생제
요역동학검사	권고되지 않음.	해당 사항 없음.
방광내시경		
체외충격파쇄석술		
요관경	권고	트리메소프림 TMP-SPX 2, 3세대 세팔로스포린 아미노페니실린+베타락탐분해효소 저해제
경피적 신장결석 제거수술	권고(1회)	
경요도 전립선 절제술	권고	
경요도 방광종양 절제술	권고(술 후 패혈증 이환될 가능성이 높은 위험 요인을 가지고 있는 환자의 경우)	
경직장 전립선 조직검사	권고	1. 표적 예방요법 – 직장면봉법 또는 대변 배양검사 2. 강화 예방요법 – 2가지 이상의 다른 계열의 항생제 투여 3. 대체 항생제 – 포스포마이신(술전 3 g, 24~48시간 후 3 g) – 세팔로스포린 – 아미노글리코시드

에서 10^3 CFU/mL, 무증상 세균뇨에서 10^5 CFU/mL로 정의했고, '예방적 항생제 요법'은 시술 전후 24시간 이내에 항생제를 사용하는 것으로 정의했다.

표 11-7 미국비뇨기과학회의 비뇨기과 시술 전 예방적 항생제 사용 권고안(2019)

처치	가능성이 있는 균주	예방적 항생제 권고	항생제 선택	대체로 사용할 수 있는 항생제	치료 기간
하부요로계 수술					
작은 조작을 동반한 방광 내시경, 점막방어의 손상, 조직검사, 방전요법(fulguration) 등: 청결-오염	그람음성간균, 드물게 장구균[†]	불분명[§]; 환자 위험 요소 고려 침습정도가 증가할 시 상처 감염 위험 증가	TMP-SMX 아목시실린/클라불라 네이트	1, 2세대 세팔로스포린 아미노글리코시드± 암피실린 아즈트레오남[*]± 암피실린	1회
경요도 수술 예) 방광암 또는 전립선 절제술, 레이저를 통한 절제술 등: 청결-오염	그람음성간균, 드물게 장구균	모든 경우	세파졸린 TMP-SMX	아목실린/클라불라 네이트 아미노글리코시드± 암피실린 아즈트레오남[*]± 암피실린	1회
전립선근접 방사선치료, 동결치료: 청결-오염	황색포도알균, 피부; 그람음성간균	모든 경우	세파졸린	클린다마이신[**]	1회
경직장 전립선 조직검사; 오염	그람음성간균, 혐기균[††]; 6개월 이내 항생제 사용력이 있거나 해외 여행, 의료계 종사자의 경우 다제 내성균 고려	모든 경우	플루오로퀴놀론 1,2세대 세팔로스포린± 아미노글리코시드 3세대 세팔로스포린	아즈트레오남[*]	1회
상부요로계 수술					
경피적 신장수술, 예, 경피적 신석제거술; 청결-오염	그람음성간균, 드물게 장구균, 피부[††], 황색포도알균	모든 경우	1,2 세대 세팔로스포린 아미노글리코시드+ 메트로니다졸 아즈트레오남 + 메트로니다졸 아미노글리코시드 + 클린다마이신 아즈트레오남[*] + 클린다마이신	암피실린/설박탐	≤24시간

요관경(모든 경우); 청결-오염	그람음성간균, 드물게 장구균	모든 경우	TMP-SMX 1, 2세대 세팔로스포린	아미노글리코시드± 암피실린 아즈트레오남* ± 암피실린 아목실린/클라불라 네이트	1회
개복, 복강경, 로봇수술					
요로계를 침범하지 않는 경우, 예)부신절제술, 후복막 또는 골반임파선절제술; 청결	황색포도알균, 피부	모든 경우; 필요하지 않을 수 있다.	세파졸린	클린다마이신	1회
음경수술, 예)포경수술, 음경조직검사 등; 청결-오염	황색포도알균	대개 불필요			
요도성형술; 청결; 오염; 요로계 안으로 들어가는 경우	그람음성간균, 드물게 장구균, 황색포도알균	대개 필요	세파졸린	세폭시틴 세포테탄 암피실린/설박탐	1회
요로계 안으로 들어가는 경우, 예)신장수술, 부분 또는 전신장적출술, 요관절제술, 신우성형술, 근치적 전립선절제술, 부분방광절제술 등; 청결-오염	그람음성간균(대장균), 드물게 장구균	모든 경우	세파졸린 TMP-SMX	암피실린/설박탐 아미노글리코시드 + 메트로니다졸 아즈트레오남* + 메트로니다졸 아미노글리코시드 + 클린다마이신 아즈트레오남* + 클린다마이신	1회
소장수술(요로전환술), 회장도관을 포함한 방광절제술; 신우요관연결술	피부, 황색포도알균, 그람음성간균, 드물게 장구균	모든 경우	세파졸린	클린다마이신+ 아미노글리코시드 2세대 세팔로스포린 아미노페니실린 + 메트로니다졸(선택)	1회
대장수술*; 청결-오염	그람음성간균, 혐기균	모든 경우	세파졸란+메트로니다졸 세폭시탄+메트로니다졸 세포테탄+메트로니다졸 어타페넴	암피실린/설박탐 티카실린/클라불래이트 피페라실린/타조박탐	1회 정주

보형물 삽입: 인공괄약근, 음경보형물삽입, 천골신경 조절기; 청결	그람음성간균, 황색포도알균, 혐기균과 진균 보고가 증가하고 있음.	모든 경우	아미노글리코시드+1,2세대 세팔로스포린 아즈트레오남+1,2세대 세팔로스포린 아미노글리코시드+반코마이신 아즈트레오남+반코마이신*	아미노페니실린 베타락탐분해효소 저해제(암피실린/설박탐, 티카실린, 타조박탐 포함)	≤24시간
서혜부, 음낭; 예) 근치적 고환적출술,	그람음성간균, 황색포도알균		세파졸린	암피실린/설박탐	1회
질수술, 여성요실금, 예)요도슬링, 누공, 요도게실 등; 청결-오염	황색포도알균, 연쇄구균, 장구균, 질 혐기균; 피부	모든 경우	2세대 세팔로스포린 세파졸린도 비슷한 커버력을 가짐	암피실린/설박탐+아미노글리코시드 아즈트레오남+메트로니다졸 아즈트레오남+클린다마이신 클린다마이신	1회

그외

체외충격파쇄석술; 청결	그람음성간균, 드물게 장구균;	위험 요소가 있을 경우에 한해서	TMP-SMX 1세대 세팔로스포린(세파졸린) 2세대 세팔로스포린(세푸록심) 아미노페니실린 베타락탐분해효소 저해제+메트로니다졸	1, 2세대 세팔로스포린 아목실린/클라불라네이트 암피실린+아미노글리코시드 암피실린+아즈트레오남 클린다마이신	1회

† 요로생식계: 대장균, 프로테우스종, 클렙시엘라종, 그람양성구균 장구균이 흔한 균주이다.
§ 소변배양검사에서 균이 자라지 않았다면, 예방적 항생제는 필요하지 않다.
¶ 배양된 균주가 있다면, 감수성에 맞춰 치료 목적으로 항생제를 투여한다.
¥ 신장기능 부전 환자에서 아즈트레오남은 아미노글리코시드를 대체할 수 있다.
‖ 경요도적 방광암 또는 전립선절제술, 조직검사, 조직 절제, 이물 제거, 요도 확장, 요관스텐트 삽입 및 제거 등을 모두 포함한다.
** 페니실린에 대해 과민성이 있는 환자에서 클린다마이신 또는 아미노글리코시드+메트로니다졸 또는 클린다마이신은 일반적인 대체 요법이다.
†† 대장균, 클레브시엘라, 장구균, 세라시아종, 프로테우스종 그리고 혐기성 균은 일반적인 장내세균이다.
‡‡ 황색포도구균, 혈장응고효소*coagulase* 음성 포도구균, A군 연쇄구균종은 일반적인 피부 감염균주이다.
§§ 대장수술이 포함된 경우 경구 네오마이신*neomycin*+에리트로마이신*erythromycin* 또는 메트로니다졸을 사용한 대장정결이 추가될 수 있다.
* 예방항생제 목적으로 반코마이신의 일상적 사용은 권장되지 않는다. 메치실린 감수성 황색포도알균주에 대해서 반코마이신의 항균범위는 덜 효과적이다.

Lightner DJ, Wymer K, Sanchez J, Kavoussi L. Best Practice Statement on Urologic Procedures and Antimicrobial Prophylaxis. J Urol. 2020 Feb;203(2):351-356.

1. 개복 또는 복강경 비뇨기계 수술

수술 부위를 청결, 청결-오염, 오염, 불결-감염 상처로 분류하는 방법으로 사전에 수술 상처를 분류하면 수술 동안 예방적 항생제가 필요한 정도를 추정할 수 있다. 청결수술은 요로계를 열지 않고 감염되지 않은 조직과 상처를 1차 봉합하는 것을 포함한다. 청결- 오염수술은 요로계를 열고 수술을 시행하는 상태이며, 감염된 조직이나 세균뇨가 없는 상태이다. 내장조직을 이용한 수술 또한 청결-오염 상태로 분류된다. 요로감염과 같이 치료되지 않은 감염이 있는 상태에서 수술할 때는 오염수술로 분류된다. 고름이 있는 경우는 불결수술로 분류된다. 보철물 삽입은 앞의 분류들에 포함되지 않는다. 보철물과 연관된 감염 합병증들은 매우 심각하기 때문에 항생제를 수술의 오염도 분류와 관계없이 사용한다. 예방적 항생제 사용은 청결-오염 상처와 보철수술에서 적응증이 되며, 오염과 불결 상처 수술 시에는 예방적 용량보다 치료적 용량으로 예방적 항생제를 사용해야 한다.

2. 방광경

여러 무작위 대조연구 결과를 요약하면 방광경 시술 시 예방적 항생제 사용에 대한 증거 수준은 중간 또는 낮은 수준이었고, 예방적 항생제 사용 여부와 무관하게 방광경 시행 후 세균뇨와 증상 요로감염의 발생률이 낮았다. 또한 2013년 추가된 대규모 무작위대조군연구와 2014년 발표된 체계적 문헌 고찰과 메타분석에서도 결과는 크게 다르지 않았다. 이는 요로감염 발생의 위험 요소가 없는 경우에는 항생제 내성율을 높이기 때문에 방광경 시술 시 항생제 예방요법이 권고되지 않음을 의미한다.

3. 전립선생검

전립선생검 후 예방적 항생제를 사용한 군과 대조군을 비교한 6개의 무작위 연구 결과, 대조군에 비해 예방적 항생제를 사용한 군에서 전립선생검 후의 세균뇨 발생이 현저히 감소했다.

2020년 11개의 무작위대조군연구, 1,753명의 대상자의 데이터를 포함한 메타연구는 경직장 전립선 생검 시에 예방적 항생제의 사용이 위약군에 비해 뚜렷한 감염률을 낮춘 것을 보고하였다. 더불어 2020년 8개의 무작위대조군연구, 1,786명의 데이터를 포함한 메타연구는 경직장 시술보다는 회음경유를 통한 생검, 예방적 항생제의 사용과 포비돈요오드를 이용한 장 정결이 감염합병증을 뚜렷하게 낮추는 것을 보고하였다. 이에 유럽비뇨의학회는 경직장 전립선생검 시, 직장면봉법 또는 대변배양검사를 통한 표적 예방요법을 권장하며, 경직장 전립선 생검보다는 회음경유법(transperineal approach)을 통한 전립선 생검을 권장하였다. 미국비뇨의학회 또한 경직장 전립선 생검을 감염 고위험 수술군으로 분류하고 예방적 항생제 투여를 권고하였다. 다만 항생제의 종류에서는 두 학회에서 플루오로퀴놀론에 대한 입장에 차이가 있어, 국내 내성율에 관련한 연구와 전립선 생검 시 적합한 항생제에 대한 추가 연구가 필요하다.

4. 요역동학검사

요역동학검사 전의 항생제 사용에 관한 연구 결과 보고는 거의 없으나, 환자 대조군 연구에서는 요역동학검사 전 세균뇨의 발생 정도가 1.9~10.3%였다. 예방적 항생제를 사용하지 않은 경우에는 요역동학검사를 한 후의 세균뇨 빈도가 2~3일 후에 1.1~19.6%, 1주 후에는 4.1~13.9%였고, 항생제를 사용한 경우는 여성에서는 평균 1.8~4%, 남성에서는 3.6~6.2%였다. 부가적으로 연령 증가도 요역동학검사를 한 후 세균뇨를 발생시키는 위험 인자였다. 2012년 Foon등은 이전에 발표된 9개의 무작위대조군연구를 분석하였으며, 그 중 4개의 연구에서 요역동학 검사 후에 요로감염이 있었으나, 대조약과 비교하였을 때 예방적 항생제 복용이 이익이 없었으며, 9개의 전체를 비교하였을 때, 항생제 복용이 감염률은 낮추지만, 증상이 있는 요로감염을 줄이는 효과를 제시하기에는 근거가 부족하다고 결론지었다. 이후에 발표된 2개의 무작위대조군연구에서도 예방적 항생제의 효과는 증명되지 못했다.

대부분의 연구에서 요역동학검사 후 세균뇨의 발생률은 적었고, 예방적 항생제를 사용하지 않은 경우 세균뇨 발생률이 약간 증가했다. 이러한 결과들은 요역동학검사 시 예방적 항생제 사용이 불필요하다는 것을 암시한다. 그러나 신경성방광, 이식 환자, 면역억제 환자, 방광요관역류가 있는 환자처럼 감염 위험이 있는 환자에서는 예방적 항생제 사용이 도움이 된다.

5. 경요도전립선절제술

경요도전립선절제술에 대한 예방적 항생제 사용 여부는 비뇨기과에서 가장 많이 연구된 분야이다. 2005년 이전에 알려진 수많은 무작위 대조연구 결과는 경요도전립선절제술에서 항생제를 예방적으로 사용하는 것이 낫다는 결론을 보여주었다. 예방적 항생제 사용이 경요도전립선절제술 후 세균뇨, 열, 패혈증 그리고 항생제 사용의 필요성을 감소시킨다고 보고되었다. 이때 72시간 동안의 단기간 예방적 항생제 사용이 1회 항생제 사용 요법보다 효과적이라고 알려져 있다. 2017년 39개의 무작위 대조군연구에 대한 체계적 문헌고찰에서 예방적 항생제 사용은 패혈증 발병을 포함, 발열과 세균뇨 등의 감염합병증을 낮추는 것으로 보고하였다. 이에 유럽비뇨의학회는 경요도전립선절제술 시에 예방적 항생제 사용을 권장하였으며, 미국비뇨의학회는 경요도전립선절제술을 감염 고위험수술로 분류하고 예방적 항생제 하용을 권장하였다.

6. 경요도방광종양절제술

경요도방광종양절제술에 대한 4개의 연구 중 2개만이 의미 있는 결과를 발표하였다. 이러한 결과로 인해 경요도방광종양절제술에서 예방적 항생제가 필요하다는 증거는 부족하다. 유럽비뇨의학회에서는 낮은 권고수준으로 감염 위험 요인을 가지고 잇는 환자의 경요도방광종양절제술 시에 예방적 항생제 사용을 권고하였으며, 미국비뇨의학회에서는 경요도방광종양절제술을 중등도위험군으로 분류하고 예방적 항생제 사용을 권고하였다. 다만, 연구 결과가 아직 부족하기 때문에 추가적인 대단위 연구가 필요하다.

7. 체외충격파쇄석술

체외충격파쇄석술은 1980년대에 신장과 요관의 결석에 대한 치료 방법으로 개발되었다. 이후 체외충격파쇄석술을 시행하기 전에 예방적 항생제 사용이 필요한지에 관한 연구들이 진행되었다. 여러 연구 중 한 연구에서만 예방적 항생제 사용 시 체외충격파쇄석술 시행 후 증상이 있는 환자의 발생률이 의미 있게 감소했다는 결과가 나왔다. 체외충격파쇄석술 시행 후에 증상이 있는 요로감염이 나타나는 비율은 항생제 사용 여부와 관계 없이 낮게 보고되었다. 여러 무작위 대조군 연구 결과에서 체외충격파 쇄석술 시행 후의 세균뇨 발생률은 일관적으로 0~5.1%였다. 대체로 체외충격파쇄석술 시행 후 세균뇨와 증상이 있는 요로감염이 발생하는 비율이 적으며, 예방적 항생제 사용이 요로감염 발생률을 낮추지는 못한다. 비교적 최근에 시행된 무작위대조군연구에서도 시술 전 소변배양검사 결과가 음성이면 체외충격파쇄석술을 받는 환자에게는 예방적 항생제 투여가 필요하지 않다고 보고하였다. 그러나 체외충격파쇄석술의 경우 다양한 시술 방법과 특정 시술의 효율성을 일관적으로 평가하기 위한 조사가 시행되지 못했기 때문에, 예방적 항생제 사용에 관한 결론을 내리려면 더 많은 연구가 시행되어야 할 것으로 생각된다.

8. 요관신장경

요관신장경은 일반적으로 진단과 치료법으로 사용되고 있다. 진단적 목적으로 사용할 때의 예방적 항생제 사용에 관한 연구는 없으며, 내시경적 결석 제거 시의 예방적 항생제 사용에 관해서는 2개의 소규모 무작위 대조군 연구가 있다. 이들 연구에서는 예방적 항생제 사용 결과 증상이 있는 요로감염이 발생하지 않음으로써 요관신장경 시술 이후의 세균뇨 예방에 긍정적인 결과가 보고되었다. 이후에 체계적 문헌 고찰을 통한 연구에서는 요관경을 이용한 수술 시에 예방적 항생제가 임상증상이 있는 요감염의 발생을 낮추는 효과는 없었다고 보고하였다. 이를 근거로 유럽비뇨의학회는 요관경 전에 예방적항생제 사용의 권고수준은 매우 약하게 제시하고 있다. 그러나 미국비뇨기과학회의 권고안은 요관경을 이용한 수술이 청결-오염 수술군에 해당하지만, 중등도 감염 위험도를 가지는 수술로 분류하고, 예방적 항생제 사용이 필요하다는 입장을 견지하고 있다. 이러한 결과를 종합하면 요관신장경을 통한 결석을 제거하는 수술 전에는 예방적 항생제의 사용이 권고되고 있다.

9. 경피신장절개결석제거술

한 무작위 대조군 연구에서 경피신장절개결석제거술과 요관신장경 수술에 대한 예방적 항생제 사용의 필요성을 위약군과 비교했으나 각 군의 규모가 작았기 때문에 통계학적인 차이에 대한 의미는 없었다. Charton 등은 수술 전 무균뇨를 보인 환자 107명에게 경피신장절개결석제거술을 시행한 후 35%에서 세균뇨를 발견했고, 10%에서는 패혈증과 균혈증이 아닌 상태에서 발열이 나타났다고 보고했다. 반면 Osman은 경피신장절개결석제거술 시행 후 환자 315명 중 32.1%가 발열 증상을 보였고, 3.5%가 증상이 있는 요로감염을 나타냈으며, 이들은 항생제 치료가 필요했다고 보고했다. 2개의 무작위대조군연구에서 1회의 적절한 약제의 투여가 수술 후 감염에 대한 예방효과가 적절한 것으로 보고되어 유럽비뇨의학회에서는 경피적 신장절개 결석 제거술 시에 술 전 예방적 항생제 투여를 권고하고 있으며, 미국비뇨의학회에서도 경피적 신장절개 결석 제거술을 고위험군으로 분류하고 예방적 항생제 투여를 권고하였다.

- 병원 환경 위생을 위해서는 우선 먼지와 오염물을 깨끗이 청소해야 한다.
- 수술장 위생을 위해서는 주기적인 청소가 필요하다.
  ① 수술 시작 전 매일 아침: 모든 수술 도구 표면 청소.
  ② 수술 사이: 모든 수술 도구(테이블, 버킷 등) 및 표면을 청소하고 살균.
  ③ 모든 수술 후: 권장 소독제 및 청소기를 사용한 수술실 청소.
  ④ 일주일에 한 번: 모든 부속 공간을 포함한 수술실 전역 청소.
- 수술실은 양압의 공기 압력을 유지하고 여과된 공기를 시간당 약 15번 이상 교환하는데, 그중 3번(20%)은 신선한 공기를 유입해야 한다. 공기의 흐름은 천장에서 바닥 방향으로 유지되게 하며, 재유입되는 공기는 필터를 통해 여과해야 한다.
- 수술실 내 출입을 제한하여 대기 중 오염을 최소화한다.
- 환자와의 접촉 시 손 씻기
  ① 일반적인 환자와의 접촉: 비누나 알코올을 포함한 세제로 씻기.
  ② 감염된 환자와의 접촉: 살균 비누를 제조업체의 지침에 따라 사용하여 씻기.
  ③ 수술 시의 팔뚝 세정: 수술 시 손과 팔뚝을 일반적으로 3~5분 정도 씻고, 알코올을 함유한 외과적 손소독 제품을 이용 시에는 장갑을 착용 전 완전히 건조시킨다.
- 수술복장은 수술용 모자, 덧신, 마스크, 장갑, 가운, 수술복 모두를 포함하며 수술장 안에서만 입도록 제한하고, 주변 환경의 오염을 최소화한다.
- 환자의 수술 부위 면도는 수술 직전에 시행하고, 5~7분간 항균액으로 세척하여 피부 상재균을 줄인다.
- 비뇨기계 내시경 기구를 살균하려면 우선 먼지나 오물을 완벽히 제거한 다음 연결 부위를 모두 분리하여 내경을 세척한 후 건조시킨다.
- 고압증기 살균법은 소독 시간이 짧고 독성이 없으며 저렴하고 살균효과도 좋으나 기구의 내구성을 떨어뜨리는 단점이 있으며 열에 약한 기구에는 사용하면 안 된다.
- 에틸렌옥시드 가스 소독은 고압증기 살균이 어려운 모든 기구에 적합하지만 소독 시간이 길다는 단점이 있다.
- 액체 화학 살균제는 글루타르알데히드, 과산화아세트산이 있으며, 반드시 환기가 잘되는 공간에서 사용해야 한다.
- 과산화수소 가스 플라스마 멸균은 안전하고 저온에서 짧은 시간 내에 소독이 가능하나, 내경이 작은 기구는 소독을 제대로 하지 못하며 고가라는 단점이 있다.
- 포름알데히드, orthophthalaldehyde는 독성으로 인해 금기시되고 있다.
- 전립선조직검사 시 감염을 방지하려면 초음파 탐침과 조직검사 바늘을 분리하여 글루타르알데히드와 같은 멸균 액체로 소독해야 한다.
- 수술 후 이환율 및 사망률과 밀접한 감염성 합병증을 예방하기 위해서는 모든 비뇨기과 수술 전에 환자에 대한 평가를 해야 한다.
- 수술 전 환자의 전신상태 분류상 3군 이상의 환자들은 감염성 합병증의 위험도가 증가한다.
- 일반적인 위험 요소들은 고령, 영양결핍, 당뇨, 흡연, 과체중, 원격 장기에 동반된 감염, 면역 상태의 변화, 수술 전의 긴 입원 기간, 위험 요소 교정의 실패 등이 있다.
- 국소적 세균의 수나 세균의 종류를 증가시키는 위험 인자는 폴리도뇨관 유치, 균이 집락화 된 내인적 또는 외인적 물질, 다른 부위의 동반 감염 및 장기 입원 등이 있다.
- 수술 및 수술 상처의 분류는 일반적으로 수술이 가지는 오염 가능성에 의해 결정되며, 청결, 청결-오염, 오염, 불결-감염 상처 4가지로 나눈다.

- 감염의 위험 요인에서 수술 전 요인으로는 수술 부위의 털 제거, 환자의 피부 소독, 수술 관련자들의 손 및 전박 소독, 예방적 항생제 투여 등이 있으며, 수술 중 요인에는 수술실의 환기, 수술 술기가 해당되고, 수술 후 요인에는 수술 후의 절개 부위 관리 등이 포함된다.
- 예방적 항생제 사용은 청결-오염 상처와 보철수술에서 적응되며, 오염과 불결 상처 수술 시에는 예방적 용량보다 치료적 용량으로 항생제를 사용해야 한다.
- 요로감염 발생의 위험 요소가 없는 경우에는 방광경 시술 시 항생제 예방요법이 필요하지 않다.
- 전립선생검 시에는 예방적 항생제 요법이 필요하다.
- 요역동학검사 시 신경성방광, 이식, 면역억제, 방광요관역류 등으로 인해 감염 위험이 있는 경우는 예방적 항생제 사용이 도움이 된다.
- 경요도전립선절제술을 시행하기 전에 예방적으로 항생제를 사용하면 세균뇨와 임상적인 감염 합병증이 감소한다.
- 요관신장경의 경우 근거는 약하지만 예방적 항생제 사용이 권고된다.
- 경피신장절개결석제거술은 추가적인 근거가 제시되면서 최근에는 예방적 항생제 사용이 권고된다.
- 경요도방광종양절제술, 체외충격파쇄석술은 예방적 항생제 사용 여부에 대한 연구 결과가 부족하기 때문에 추가 연구가 진행된 후 사용 여부에 대한 결론을 내려야 할 것으로 사료된다.

참고문헌

1. 질병관리본부. 의료기관의 손위생 지침. 오송; 2014.
2. AIA Academy of Architecture for Health, U.S. Dept. of Health and Human Services. Guidelines for design and construction of hospital and health care facilities. 1996-97. Washington, D.C.: American Institute of Architects Press; 1996. p. 143.
3. Ambiru S, Kato A, Kimura F, Shimizu H, Yoshidome H, Otsuka M, et al. Poor postoperative blood glucose control increases surgical site infections after surgery for hepato-biliary-pancreatic cancer: a prospective study in a high-volume institute in Japan. J Hosp Infect 2008;68:230-3.
4. American Society of Anesthesiologists. ASA physical Status Classification System. Available from: https://www.asahq.org/standards-and-guidelines/asa-physical-status-classification-system
5. Amis S, Ruddy M, Kibbler CC, Economides DL, MacLean AB. Assessment of condoms as probe covers for transvaginal sonography. J Clin Ultrasound 2000;28(6):295-8.
6. Aron M, Rajeev TP, Gupta NP. Antibiotic prophylaxis for transrectal needle biopsy of the prostate: a randomized controlled study. BJU Int 2000;85:682-5.
7. Ayliffe GA. Role of the environment of the operating suite in surgical wound infection. Rev Infect Dis 1991;13 Suppl 10: S800-4.
8. Ayliffe GA. The use of ethylene oxide and low temperature steam/formaldehyde in hospitals. Infection 1989;17(2):109-10
9. Babb JR, Lynam P, Ayliffe GA. Risk of airborne transmission in an operating theatre containing four ultraclean air units. J Hosp Infect 1995;31(3):159-68.
10. Berríos-Torres SI, Umscheid CA, Bratzler DW, et al. Centers for Disease Control and Prevention Guideline

for the Prevention of Surgical Site Infection, 2017. JAMA Surg. 2017;152(8):784-791.

11. Binsaleh S, Al-Assiri M, Aronson S, Steinberg A. Septic shock after transrectal ultrasound guided prostate biopsy. Is ciprofloxacin prophylaxis always protecting? Can J Urol 2004;11(4):2352-3.

12. Bjerklund Johansen TE, Cek M, Naber K, Stratchounski L, Svendsen MV, Tenke P; PEP and PEAP study; European Society of Infections in Urology. Prevalence of hospital-acquired urinary tract infections in urology departments. Eur Urol 2007;51(4):1100-11.

13. Bootsma AM, Laguna Pes MP, Geerlings SE, Goossens A. Antibiotic prophylaxis in urologic procedures: a systematic review. Eur Urol. 2008 Dec;54(6):1270-86.

14. Boyce JM, Pittet D. Guideline for hand hygiene in health-care settings. Recommendations of the healthcare Infection control practices advisory committee and the HICPAC/ SHEA/APIC/IDSA hand hygiene task force. Society for healthcare epidemiology of America/association for professionals in infection control/infectious diseases society of America. MMWR Recomm Rep 2002;51(RR-16):1-45, quiz CE1-4.

15. Bratzler DW, Houck PM. Antimicrobial prophylaxis for surgery: an advisory statement from the National Surgical Infection Prevention Project. Am J Surg 2005;189:395-404.

16. Brown RW, Warner JJ, Turner BI, Harris LF, Alford RH. Bacteremia and bacteriuria after transrectal prostatic biopsy. Urology 1981;18:145-8.

17. Caillot JL, Cote C, Abidi H, Fabry J. Electronic evaluation of the value of double gloving. Br J Surg 1999;86(11):1387-90.

18. Carey M, M, Zreik A, Fenn N, J, Chlosta P, L, Aboumarzouk O, M: Should We Use Antibiotic Prophylaxis for Flexible Cystoscopy? A Systematic Review and Meta-Analysis. Urol Int 2015;95:249-259.

19. Charton M, Vallancien G, Veillon B, Brisset JM. Urinary tract infection in percutaneous surgery for renal calculi. J Urol 1986;135:15-7.

20. Charton M, Vallancien G, Veillon B, Prapotnich D, Mombet A, Brisset JM. Use of antibiotics in the conjunction with extracorporeal lithotripsy. Eur Urol 1990;17:134-8.

21. Cheadle WG. Risk factors for surgical site infection. Surg Infect (Larchmt) 2006;7 Suppl 1:S7-11.

22. Chew BH, Flannigan R, Kurtz M, Gershman B, Arsovska O, Paterson RF, Eisner BH, Lange D. A Single Dose of Intraoperative Antibiotics Is Sufficient to Prevent Urinary Tract Infection During Ureteroscopy. J Endourol. 2016 Jan;30(1):63-8.

23. Claes H, Vandeursen R, Baert L. Amoxycillin/clavulanate prophylaxis for extracorporeal shock wave lithotripsy—a comparative study. J Antimicrob Chemother 1989;24(suppl B):217-20.

24. Clemens JQ, Dowling R, Foley F. Joint AUA/SUNA white paper on reprocessing of flexible cystoscopes. J of Urol 2010;184:2241-5.

25. Cooper DE, White AA, Werkema AN, Auge BK. Anaphylaxis following cystoscopy with equipment sterilized with Cidex OPA (ortho-phthalaldehyde): a review of two cases. J Endourol 2008;22(9):2181-4.

26. Cormio L, Berardi B, Callea A, Fiorentino N, Sblendorio D, Zizzi V, et al. Antimicrobial prophylaxis for transrectal prostatic biopsy: a prospective study of ciprofloxacin vs piperacillin/tazobactam. BJU Int 2002;90(7):700-2.

27. Courtney MT. Surgical infections and choice of antibiotics. In: Sabiston DC Jr, editor. Textbook of surgery: Biologiccal basis of modern surgical practice, 18ed. Philadelphia: W. B. Saunders; 2008. p. 303.

28. Crawford ED, Haynes AL Jr, Story MW, Borden TA. Prevention of urinary tract infection and sepsis following transrectal prostatic biopsy. J Urol 1982;127:449-51.

29. Culver DH, Horan TC, Gaynes RP, Martone WJ, Jarvis WR, Emori TG, et al. Surgical wound infection rates by wound class, operative procedure, and patient risk index. National Nosocomial Infections Surveillance System. Am J Med 1991;91:152S-7S.

30. Cutinha PE, Potts LK, Fleet C, Rosario D, Chapple CR. Morbidity following pressure flow studies. Are prophylactic antibiotics necessary? Neurourol Urodyn 1996;15:304-5.

31. Dancer SJ. Mopping up hospital infection. J Hosp Infect 1999;43(2):85-100.

32. Delavierre D, Huiban B, Fournier G, Le GG, Tande D, Mangin P. The value of antibiotic prophylaxis in trans-urethral resection of bladder tumors. Apropos of 61 cases. Prog Urol 1993;3:577-82.

33. Deliveliotis C, Giftopoulos A, Koutsokalis G, Raptidis G, Kostakopoulos A. The necessity of prophylactic antibiotics during extracorporeal shock wave lithotripsy. Int Urol Nephrol 1997;29:517-21.

34. Dincel C, Ozdiler E, Ozenci H, Tazici N, Kosar A. Incidence of urinary tract infection in patients without bacteriuria undergoing SWL: comparison of stone types. J Endourol 1998;12:1-3.

35. Dineen P, Drusin L. Epidemics of postoperative wound infections associated with hair carriers. Lancet 1973;2(7839): 1157-9.

36. Dineen P. The role of impervious drapes and gowns preventing surgical infection. Clin Orthop Relat Res 1973; (96):210-2.

37. Dodds RD, Guy PJ, Peacock AM, Duffy SR, Barker SG, Thomas MH. Surgical glove perforation. Br J Surg 1988; 75(10):966-8.

38. Dronge AS, Perkal MF, Kancir S, Concato J, Aslan M, Rosenthal RA. Long-term glycemic control and postoperative infectious complications. Arch Surg 2006;141:375-80;discussion 80.

39. Ducel G, Fabry J, Nicolle LE; World Health Organization. Prevention of hospital-acquired infections: a practical guide. 2nd ed. 2002; Geneva: World Health Organization. vi, 64.

40. EAU Guidelines. Edn. presented at the EAU Annual Congress Milan Italy 2021.

41. Foon R, Toozs-Hobson P, Latthe P. Prophylactic antibiotics to reduce the risk of urinary tract infections after urodynamic studies. Cochrane Database Syst Rev. 2012 Oct 17;10:CD008224.

42. Fourcade RO. Antibiotic prophylaxis with cefotaxime in endoscopic extraction of upper urinary tract stones: a randomized study. The Cefotaxime Cooperative Group. J Antimicrob Chemother 1990;26(suppl A):77-83.

43. Foxman B. Epidemiology of urinary tract infections: incidence, morbidity, and economic costs. Am J Med 2002; 113 Suppl 1A:5S-13S.

44. Garner JS, Favero MS. CDC Guideline for hand washing and hospital environmental control, 1985. Infect Control 1986; 7(4):231-43.

45. Garner JS. Guideline for isolation precautions in hospitals. The Hospital Infection Control Practices Advisory Committee. Infect Control Hosp Epidemiol 1996;17(1):53-80.

46. García-Perdomo, H.A., López, H., Carbonell, J. et al. Efficacy of antibiotic prophylaxis in patients undergoing cystoscopy: a randomized clinical trial. World J Urol 31, 1433-39 (2013).

47. Geerlings SE. Urinary tract infections in patients with diabetes mellitus: epidemiology, pathogenesis and treatment. Int J Antimicrob Agents 2008;31 Suppl 1:S54-7.

48. Gilad J, Borer A, Maimon N, Riesenberg K, Klein M, Schlaeffer F. Failure of ciprofloxacin prophylaxis for ultra-sound guided transrectal prostatic biopsy in the era of multiresistant enterobacteriaceae. J Urol 1999;161(1):222.

49. Gillespie JL, Arnold KE, Noble-Wang J, Jensen B, Arduino M, Hageman J, et al. Outbreak of Pseudomonas aeruginosa infections after transrectal ultrasound-guided prostate biopsy. Urology 2007;69(5):912-4.

50. Global Guidelines for the Prevention of Surgical Site Infection. Geneva: World Health Organization; 2018. .

51. Grabe M. Antimicrobial agents in transurethral prostatic resection. J Urol 1987;138: 245-52.

52. Grabe M. Controversies in antibiotic prophylaxis in urology. Int J Antimicrob Agents 2004;23(suppl 1):S17-23.

53. Grabe M. Perioperative antibiotic prophylaxis in urology. Curr Opin Urol 2001;11:81-5.

54. Great Britain Expert Advisory Group on AIDS. Guidance for clinical health care workers: protection against infection with HIV and hepatitis viruses. London: H.M.S.O; 1990. p. 52.

55. Gregory E, Simmons D, Weinberg JJ. Care and sterilization of endourologic instruments. Urol Clin North Am 1988;15: 541-6.

56. Griffith BC, Morey AF, Ali-Khan MM, Canby-Hagino E, Foley JP, Rozanski TA. Single dose levofloxacin prophylaxis for prostate biopsy in patients at low risk. J Urol 2002;168(3): 1021-3.

57. Gurbuz C, Canat L, Bayram G, Gokhan A, Samet G, Caskurlu T. Visual pain score during transrectal ultrasound-guided prostate biopsy using no anaesthesia or three different types of local anaesthetic application. Scand J Urol Nephrol. 2010 Sep;44(4):212-6.

58. Ha'eri GB, Wiley AM. The efficacy of standard surgical face masks: an investigation using "tracer particles". Clin Orthop Relat Res 1980;(148):160-2.

59. Hamasuna R, Nose K, Osada Y, Muscarella LF. Correction: high-level disinfection of cystoscopic equipment with ortho-phthalaldehyde solution. J Hosp Infect 2005;61(4): 363-4.

60. Hambraeus A. Aerobiology in the operating room—a review. J Hosp Infect 1988;11 Suppl A: 68-76.

61. Haridas M, Malangoni MA. Predictive factors for surgical site infection in general surgery. Surgery 2008;144:496-501; discussion 501-3.

62. Helmholz HF Sr. Determination of the bacterial content of the urethra: a new method, with results of a study of 82 men. J Urol 1950;64:158-66.

63. Hirakauva EY, Bianchi-Ferraro AMHM, Zucchi EVM, Kajikawa MM, Girão MJBC, Sartori MGF, Jarmy-Di Bella ZIK. Incidence of Bacteriuria after Urodynamic Study with or without Antibiotic Prophylaxis in Women with Urinary Incontinence. Rev Bras Ginecol Obstet. 2017 Oct;39(10):534-540.

64. Hsieh CH, Yang SS, Chang SJ. The Effectiveness of Prophylactic Antibiotics with Oral Levofloxacin against Post-Shock Wave Lithotripsy Infectious Complications: A Randomized Controlled Trial. Surg Infect (Larchmt). 2016 Jun;17(3):346-51.

65. Hugosson J, Grenabo L, Hedelin H, Pettersson S, Seeberg S. Bacteriology of upper urinary tract stones. J Urol 1990;143: 965-8.

66. Humphreys H, Marshall RJ, Ricketts VE, Russell AJ, Reeves DS. Theatre over-shoes do not reduce operating theatre floor bacterial counts. J Hosp Infect 1991;17(2):117-23.

67. Isen K, Kupeli B, Sinik Z, Sozen S, Bozkirli I. Antibiotic prophylaxis for transrectal biopsy of the prostate: a prospective randomized study of the prophylactic use of single dose oral fluoroquinolone versus trimethoprim-sulfamethoxazole. Int Urol Nephrol 1999;31:491-5.

68. Jiménez Cruz JF, Sanz Chinesta S, Otero G, et al. Profilaxis antimicrobiana en uretrocistoscopias. Estudio comparativo [Antimicrobial prophylaxis in urethrocystoscopy. Comparative study]. Actas Urol Esp. 1993;17(3):172-175.

69. Kapoor DA, Klimberg IW, Malek GH, Wegenke JD, Cox CE, Patterson AL, et al. Single-dose oral ciprofloxacin versus placebo for prophylaxis during transrectal prostate biopsy. Urology 1998;52:552-8.

70. Kattan S, Husain I, el-Faqih SR, Atassi R. Incidence of bacteremia and bacteriuria in patients with non-infection-related urinary stones undergoing extracorporeal shock wave lithotripsy. J Endourol 1993;7:449-51.

71. Kayabas U, Bayraktar M, Otlu B, Ugras M, Ersoy Y, Bayindir Y, et al. An outbreak of Pseudomonas aeruginosa because of inadequate disinfection procedures in a urology unit: a pulsed-field gel electrophoresis-based epidemiologic study. Am J Infect Control 2008;36(1): 33-8.

72. Kirkland KB, Briggs JP, Trivette SL, Wilkinson WE, Sexton DJ. The impact of surgical-site infections in the 1990s: attributable mortality, excess length of hospitalization, and extra costs. Infect Control Hosp Epidemiol 1999;20:725-30.

73. Knopf HJ, Graff HJ, Schulze H. Perioperative antibiotic prophylaxis in ureteroscopic stone removal. Eur Urol 2003; 44:115-8.

74. Larson EL. APIC guideline for handwashing and hand antisepsis in health care settings. Am J Infect Control 1995; 23(4):251-69.

75. Laufman H. The operating room. in: Bennett JV, Brachman PS, editors. Hospital infections. 2nd ed. Boston: Little, Brown; 1986. p. 315-23

76. Lidwell OM. Clean air at operation and subsequent sepsis in the joint. Clin Orthop Relat Res 1986;(211):91–102.

77. Lightner DJ, Wymer K, Sanchez J et al: Best practice statement on urologic procedures and antimicrobial prophylaxis. J Urol 2020; 203: 351.

78. Lindstedt S, Lindstrom U, Ljunggren E, Wullt B, Grabe M. Single-dose antibiotic prophylaxis in core prostate biopsy: Impact of timing and identification of risk factors. Eur Urol 2006;50:832–7.

79. Lo CW, Yang SS, Hsieh CH, Chang SJ. Effectiveness of Prophylactic Antibiotics against Post-Ureteroscopic Lithotripsy Infections: Systematic Review and Meta-Analysis. Surg Infect (Larchmt). 2015 Aug;16(4):415–20.

80. MacDermott JP, Ewing RE, Somerville JF, Gray BK. Cephradine prophylaxis in transurethral procedures for carcinoma of the bladder. Br J Urol 1988;62:136–9.

81. Mangram AJ, Horan TC, Pearson ML, Silver LC, Jarvis WR. Guideline for prevention of surgical site infection, 1999. Hospital Infection Control Practices Advisory Committee. Infect Control Hosp Epidemiol 1999;20(4):250–78.

82. Marcel JP, Alfa M, Baquero F, Etienne J, Goossens H, Harbarth S, et al. Healthcare-associated infections: think globally, act locally. Clin Microbiol Infect 2008;14(10):895–907.

83. Mariappan P, Smith G, Bariol SV, Moussa SA, Tolley DA. Stone and pelvic urine culture and sensitivity are better than bladder urine as predictors of urosepsis following per-cutaneous nephrolithotomy: a prospective clinical study. J Urol 2005;173:1610–4.

84. Masood J, Voulgaris S, Awogu O, Younis C, Ball AJ, Carr TW. Condom perforation during transrectal ultrasound guided (TRUS) prostate biopsies: a potential infection risk. Int Urol Nephrol 2007;39(4):1121–4.

85. Mastro TD, Farley TA, Elliott JA, Facklam RR, Perks JR, Hadler JL, et al. An outbreak of surgical-wound infections due to group A streptococcus carried on the scalp. N Engl J Med 1990;323(14):968–72.

86. Melekos MD. Efficacy of prophylactic antimicrobial regimens in preventing infectious complications after transrectal biopsy of the prostate. Int Urol Nephrol 1990;22:257–62.

87. Naber KG, Hofstetter AG, Bruhl P, Bichler K, Lebert C. Guidelines for the perioperative prophylaxis in urological interventions of the urinary and male genital tract. Int J Antimicrob Agents 2001;17:321–6.

88. National Nosocomial Infections Surveillance (NNIS) System Report, data summary from January 1992 through June 2004, issued October 2004. Am J Infect Control 2004;32: 470–85.

89. National Toxicology Program. Final report on carcinogens background document for formaldehyde. Rep Carcinog Backgr Doc 2010;512.

90. Nichols RL. The operating room. in: Bennett JV, Brachman PS, editors. Hospital infections. 3rd ed. Boston: Little, Brown; 1992. p. 461–73.

91. Okorocha I, Cumming G, Gould I. Female urodynamics and lower urinary tract infection. BJU Int 2002;89:863–7.

92. Olsen MA, Higham-Kessler J, Yokoe DS, Butler AM, Vostok J, Stevenson KB, et al. Developing a risk stratification model for surgical site infection after abdominal hysterectomy. Prevention Epicenter Program, Centers for Disease Control and Prevention. Infect Control Hosp Epidemiol 2009; 30(11):1077–83.

93. Onur R, Ozden M, Orhan I, Kalkan A, Semercioz A. Incidence of bacteraemia after urodynamic study. J Hosp Infect 2004;57:241–4.

94. Orr NW. Is a mask necessary in the operating theatre? Ann R Coll Surg Engl 1981;63(6): 390–2.

95. Osman M, Wendt-Nordahl G, Heger K, Michel MS, Alken P, Knoll T. Percutaneous nephrolithotomy with ultra-sonography-guided renal access: experience from over 300 cases. BJU Int 2005;96:875–8.

96. Pena C, Dominguez MA, Pujol M, Verdaguer R, Gudiol F, Ariza J. An outbreak of carbapenem-resistant Pseudomonas aeruginosa in a urology ward. Clin Microbiol Infect 2003; 9(9):938–43.

97. Pilatz A, Dimitropoulos K, Veeratterapillay R, Yuan Y, Omar MI, MacLennan S, Cai T, Bruyère F, Bar-

toletti R, Köves B, Wagenlehner F, Bonkat G, Pradere B. Antibiotic Prophylaxis for the Prevention of Infectious Complications following Prostate Biopsy: A Systematic Review and Meta-Analysis. J Urol. 2020 Aug;204(2):224-230.

98. Pittet D, Mourouga P, Perneger TV. Compliance with hand-washing in a teaching hospital. Infection Control Program. Ann Intern Med 1999;130(2):126-30.

99. Pradere B, Veeratterapillay R, Dimitropoulos K, Yuan Y, Omar MI, MacLennan S, Cai T, Bruyère F, Bartoletti R, Köves B, Wagenlehner F, Bonkat G, Pilatz A. Nonantibiotic Strategies for the Prevention of Infectious Complications following Prostate Biopsy: A Systematic Review and Meta-Analysis. J Urol. 2021 Mar;205(3):653-663.

100. Pratt RJ, Pellowe C, Loveday HP, Robinson N, Smith GW, Barrett S, et al. The epic project: developing national evidence-based guidelines for preventing healthcare associated infections. Phase I: Guidelines for preventing hospital-acquired infections. Department of Health (England). J Hosp Infect 2001;47:S3-82.

101. Rao PN, Dube DA, Weightman NC, Oppenheim BA, Morris J. Prediction of septicemia following endourological mani-pulation for stones in the upper urinary tract. J Urol 1991; 146:955-60.

102. Raz R, Zoabi A, Sudarsky M, Shental J. The incidence of urinary tract infection in patients without bacteriuria who underwent extracorporeal shock wave lithotripsy. J Urol 1994;151:329-30.

103. Robinson MR, Arudpragasam ST, Sahgal SM, Cross RJ, Akdas A, Fittal B, et al. Bacteraemia resulting from prostatic surgery: the source of bacteria. Br J Urol 1982;54:542-6.

104. Rudnick JR, Beck-Sague CM, Anderson RL, Schable B, Miller JM, et al. Gram-negative bacteremia in open-heart-surgery patients traced to probable tap-water contamination of pressure-monitoring equipment. Infect Control Hosp Epidemiol 1996;17(5):281-5.

105. Rutala WA, Gergen MF, Weber DJ. Disinfection of a probe used in ultrasound guided prostate biopsy. Infect Control Hosp Epidemiol 2007;28(8):916-9.

106. Sakong P, Lee JS, Lee EJ, Ko KP, Kim CH, Kim Y, et al. Association between the pattern of prophylactic antibiotic use and surgical site infection rate for major surgeries in Korea]. J Prev Med Public Health 2009;42:12-20.

107. Schaeffer EM. Prophylactic use of antimicrobials in commonly performed outpatient urologic procedures. Nat Clin Pract Urol 2006;3:24-31.

108. Schneider SM, Veyres P, Pivot X, Soummer AM, Jambou P, Filippi J, et al. Malnutrition is an independent factor associated with nosocomial infections. Br J Nutr 2004;92: 105-11.

109. Sessler DI, McGuire J, Hynson J, Moayeri A, Heier T. Thermoregulatory vaso constriction during isoflurane anesthesia minimally decreases cutaneous heat loss. Anesthesiology 1992;76(5):670-5.

110. Seyrek M, Binbay M, Yuruk E, Akman T, Aslan R, Yazici O, Berberoglu Y, Muslumanoglu AY. Perioperative prophylaxis for percutaneous nephrolithotomy: randomized study concerning the drug and dosage. J Endourol. 2012 Nov;26(11):1431-6.

111. Shilling AM, Raphael J. Diabetes, hyperglycemia, and infections. Best Pract Res Clin Anaesthesiol 2008;22:519-35.

112. Sokol WN. Nine episodes of anaphylaxis following cystoscopy caused by Cidex OPA (ortho-phthalaldehyde) high-level disinfectant in 4 patients after cytoscopy. J Allergy Clin Immunol 2004;114(2):392-7.

113. Spaulding EH. Chemical disinfection of medical and surgical materials. in: Lawrence CA, Block SS, Editors. Disinfection, Sterilization, and Preservation. Philadelphia; Lea & Febiger: 1968. p. 808.

114. Stapleton A. Urinary tract infections in patients with diabetes. Am J Med 2002;113 Suppl 1A:80S-4S.

115. Takigawa T, Endo Y. Effects of glutaraldehyde exposure on human health. J Occup Health 2006;48:75-87.

116. Tenke P, Kovacs B, Bjerklund Johansen TE, Matsumoto T, Tambyah PA, Naber KG. European and Asian guidelines on management and prevention of catheter-associated urinary tract infections. Int J Antimicrob Agents 2008;31 Suppl 1:S68-78.

117. Tuzel E, Aktepe OC, Akdogan B. Prospective comparative study of two protocols of antibiotic prophylaxis in percutaneous nephrolithotomy. J Endourol. 2013 Feb;27(2):172-6.
118. Clark R, Violette P. Antibiotic prophylaxis in urological surgery. Evidence-Based Urology; 2018. p. 65-87.
119. van Kasteren ME, Mannien J, Kullberg BJ, de Boer AS, Nagelkerke NJ, Ridderhof M, et al. Quality improvement of surgical prophylaxis in Dutch hospitals: evaluation of a multi-site intervention by time series analysis. J Antimicrob Chemother 2005;56(6):1094-102.
120. Vink P. Residual formaldehyde in steam-formaldehyde sterilized materials. Biomaterials 1986;7(3):221-4.
121. Wagenlehner FME, Wagenlehner C, Schinzel S, Naber KG. Prospective, randomized, multicentric, open, comparative study on the efficacy of a prophylactic single dose of 500 mg levofloxacin versus 1920 mg trimethoprim-sulfamethoxazole versus a control group in patients undergoing TUR of the prostate. Eur Urol 2005;47:549-56.
122. Ward V, Great Britain. Public Health Laboratory Service. Preventing hospital acquired infection: clinical guidelines. London: Public Health Laboratory Service; 1997. p. 42.
123. Weightman NC, Banfield KR. Protective over-shoes are unnecessary in a day surgery unit. J Hosp Infect 1994;28(1): 1-3.
124. Wilson L, Ryan J, Thelning C, Masters J, Tuckey J. Is antibiotic prophylaxis required for flexible cystoscopy? A truncated randomized double-blind controlled trial. J Endourol 2005;19:1006-8.
125. Wolf JS Jr, Bennett CJ, Dmochowski RR, Hollenbeck BK, Pearle MS, Schaeffer AJ; Urologic Surgery Antimicrobial Prophylaxis Best Practice Policy Panel. Best practice policy statement on urologic surgery antimicrobial prophylaxis. J Urol 2008; 179(4):1379-90.
126. Woodfield JC, Beshay NM, Pettigrew RA, Plank LD, van Rij AM. American Society of Anesthesiologists classification of physical status as a predictor of wound infection. ANZ J Surg 2007;77:738-41.
127. Yamamoto S, Shigemura K, Kiyota H, Wada K, Hayami H, Yasuda M, Takahashi S, Ishikawa K, Hamasuna R, Arakawa S, Matsumoto T; Japanese Research Group for UTI. Essential Japanese guidelines for the prevention of perioperative infections in the urological field: 2015 edition. Int J Urol. 2016 Oct;23(10):814-824.
128. Yip SK, Fung K, Pang MW, Leung P, Chan D, Sahota D. A study of female urinary tract infection caused by urodynamic investigation. Am J Obstet Gynecol 2004;190:1234-40.
129. 2019 except ional surveillance of surgical site infections: prevention and treatment (NICE guideline NG125) [Internet]. London: National Institute for Health and Care Excellence (UK); 2019 Apr 11.

부고환염, 고환염, 전립선염

조인래, 송기학, 정재흥, 민승기

┃ 개요

남성의 요로생식기 중 고환, 부고환, 전립선 등의 생식 기관에 염증이 생기면 1차적으로 정액 성상의 변화가 초래되어 불임 등의 문제가 발생한다. 남성생식기 감염은 환자의 약 15%에서 정액 성상의 변화를 초래하는데, 특히 전립선염은 정자의 운동성을 감소시켜 자연적인 임신 성공률을 낮춘다. 남성생식기 감염은 정액검사와 세균배양검사 등의 검사실검사로 진단할 수 있으나 감염된 생식기의 위치를 파악하기는 어렵다. 그 이유는 세균 외에 원인이 명확하지 않은 경우가 있기 때문이다.

남성생식기 염증 중 하나인 전립선염은 사춘기 이전에는 드물지만 성인에서 5~9% 정도의 유병률을 보이며, 비뇨기과 외래 환자의 25%, 우리나라의 비뇨기과 개원의를 방문한 환자의 약 15~25%가 전립선염 환자로 추정될 만큼 매우 흔한 요로질환이다. 이러한 유병률은 당뇨나 심근경색증의 유병률과 비슷한 정도이다. 비뇨기과 의사들은 전립선염 환자들을 자주 접하지만 진단 및 치료 효과가 만족스럽지 못하기 때문에 의사나 환자 모두가 곤혹감을 느끼고 있다. 그 이유는 만성비세균성전립선염/만성골반통증후군에 대하여 많은 연구가 진행되었는데도 불구하고 아직도 병인 및 치료에서 밝혀지지 않은 점이 많기 때문이다.

전립선염은 환자의 임상양상과 전립선액 내의 백혈구, 세균의 존재 여부로 분류하는데, 미국국립보건원NIH의 분류에 따라 4가지 카테고리로 나눌 수 있다(표 12-1). 무증상 전립선염은 전립선비대증 환자 또는 전립선암 환자에서 조직검사나 수술을 시행한 후 우연히 진단되는 경우가 대부분이다. 또한 불임 환자에서 정액검사를 시행한 후에 우연히 진단되는 농정액증도 포함된다.

표 12-1 **전립선염의 분류**(NIH, 1999)

카테고리 1. 급성세균성전립선염	급성 증상을 동반한 세균 감염
카테고리 2. 만성세균성전립선염	재발성 전립선 감염
카테고리 3. 만성비세균성전립선염/만성골반통증후군 　3a. 염증성 만성골반통증후군 　3b. 비염증성 만성골반통증후군	명확하게 확인할 수 없는 감염 정액이나 전립선액 혹은 전립선마사지 후의 첫 소변에서 백혈구 증가 정액이나 전립선액혹은 전립선마사지 후의 첫 소변에서 백혈구가 증가하지 않음
카테고리 4. 무증상성 염증성전립선염	주관적 증상이 없으나 전립선액에서 백혈구가 증가하거나 전립선 조직에서 염증 소견을 보임

한편 부고환염과 고환염의 원인균은 대부분 밝혀져 있으며, 치료도 잘된다. 하지만 만성으로 진행되는 과정은 아직 명확하게 밝혀지지 않았다. 이 글에서는 원인균이 비교적 명확한 급성세균성전립선염, 만성세균성전립선염, 고환염, 부고환염에 대하여 구체적으로 살펴보고자 한다.

II 급성세균성전립선염

급성세균성전립선염은 심한 하부요로기관 폐쇄증상 및 자극증상, 전립선 부위의 통증과 전신 증상을 동반한 급성 세균성 요로감염으로 비뇨기계 병원균에 의해 전립선의 모든 부위에 발생한다. 급성전립선염은 전립선염 분류에서 5% 미만을 차지하며 비교적 드물지만, 이를 일으키는 세균들이 방광요도염을 일으키기도 하며 세균혈증이나 패혈증으로 이어질 수도 있다. 갑작스런 고열과 오한, 하부요통, 회음 통증, 빈뇨, 요절박, 야간뇨, 배뇨통 및 배뇨곤란 등의 방광 하부요로 증상과 근육통, 관절통이 나타나므로 임상증상으로 진단이 가능하고 치료가 잘된다고 알려져 있다.

급성세균성전립선염은 치료하지 않고 방치하면 생명을 위협할 정도의 패혈증이나 전립선농양을 형성하여 환자에게 치명적인 결과를 초래할 수도 있으나, 현재는 치료법이 향상되어 대부분 호전된다. 전립선염의 분류에서 대부분을 차지하는 만성세균성전립선염과 만성비세균성전립선염/만성골반통증후군과는 전혀 다른 병인과 진행 및 질병 양상을 보인다.

1. 원인 및 원인균

급성전립선염은 세균에 의해 발생하지만 발병을 일으키는 원인은 대부분 미상이며, 일부에서는 요로생식기에 대한 방광경검사 등의 시술이나 조작 후에 발생한다. 특히 전립선특이항원의 증가로 인해 전립선암을 감별하기 위해 시행되는 전립선조직검사 후 1~2%에서 급성세균성전립선염이 발생할 수 있다. Kim 등은 2%(18/923명) 정도에서, Shigehara 등은 1차 조직검사에서는 0.5%(2/371명)에서, 2차 조직검사에서는 4.7%(4/86명)에서 발생했다고 보고했다.

원인균으로는 대장균Escherichia coli이 60% 이상으로 가장 흔하고, 다음으로 그람음성균인 녹농균종Pseudomonas spp., 막대균종(클레브시엘라종Klebsiella spp.) 등이 10~20%로 흔하며, 그 밖에 프로테우스종Proteus spp., 장구균Enterococci 등이 있다. 장기간 폴리도뇨관을 유치한 경우에는 황색포도구균Staphylococcus aureus이 원인균이 되기도 한다. 드물게는 혐기성 균인 박테로이데스종Bacteroides spp., 코리네박테륨종Corynebacterium spp.이 원인균으로 검출된다. 또한 클라미디아트라코마티스Chlamydia trachomatis, 우레아플라스마우레알리티쿰Ureaplasma urealyticum, 미코플라스마호미니스Mycoplasma Hominis 등도 드물지만 원인균으로 판단된다. 그람양성균이 원인균인지는 아직 논란이 되고 있으나, 매우 드물게 원인균인 것으로 판단하고 있다(표 12-2).

표 12-2 세균성전립선염의 원인균

확인된 원인균	논쟁 중인 원인균
대장균 막대균종 프로테우스미라빌리스 엔테로코쿠스패칼리스균 녹농균	포도구균 연쇄구균 코리네박테륨종 클라미디아트라코마티스 우레아플라스마우레알리티쿰 미코플라스마호미니스

2. 임상증상

급성세균성전립선염은 급성 중증 전신질환이며, 요로감염에 의한 배뇨통, 빈뇨, 요절박, 야간뇨, 배뇨곤란 등의 배뇨 증상과 전립선염에 의한 회음 통증, 성기 통증, 요통, 직장 통증 등의 증상, 그리고 세균혈증에 의한 고열, 오한, 관절통, 근육통 등의 증상이 나타날 수 있다. 고열과 배뇨통이 70% 이상에서 발현하고, 증상 발현 후 대부분 3일 이내에 외래나 응급실을 경유하여 입원하며, 평균 8일 이내에 퇴원한다.

3. 진단

급성세균성전립선염에 대한 병리적 진단은 전립선조직검사에서 다핵세포 등의 백혈구가 관찰될 때 이루어지지만 진단을 위한 조직검사는 시행하지 않는다. 급성세균성전립선염에 대한 임상적 진단은 특징적인 임상증상과 함께 미생물학적으로 중간뇨에서 세균성전립선염의 병원균을 발견하는 것을 의미한다. 소변검사에서 대부분 농뇨가 나타나나 일반적인 배양 방법으로는 40% 정도에서만 균이 배양되므로 임상증상을 참고하여 진단한다. 고열과 오한 등의 세균혈증 증상이 보이면 혈액배양검사를 실시한다. 직장수지검사에서는 전립선이 화끈거리고 단단하며 부어 있고, 환자는 극심한 통증을 호소한다. 따라서 전립선액검사(전립선마사지검사)는 통증이 심하고 세균혈증을 유발할 수 있으므로 금기이다.

특징적인 증상이 없거나 증상이 호전된 후 내원했을 때는 단순한 요도염인지 만성세균성전립선염인지를 감별하기 위해 4배분뇨법을 시행할 수 있다(그림 12-1). 이 검사는 요와 균에

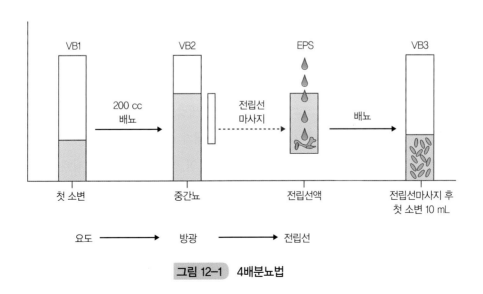

그림 12-1 4배분뇨법

대한 배양검사를 여러 번 실시해야 하므로 현재는 간단하게 전립선마사지 전후의 소변검체로 시행하는 2배분뇨법이 사용되고 있다.

급성세균성전립선염은 혈청에서 전립선특이항원의 증가 소견이 보이며, 이는 항균제 치료로 대부분 감소한다. 하지만 전립선특이항원 수치는 전립선염의 정도와 비례하지 않기 때문에 지표로 이용하는 데는 문제점이 있다. 경직장전립선초음파검사 혹은 컴퓨터단층촬영은 전립선농양의 존재 유무를 확인하기 위해 시행할 수 있다.

4. 치료

급성세균성전립선염 치료에 대한 메타분석 혹은 무작위 대조군 연구는 아직 시행되지 않았다. 국내외의 후향적 증례 조사 문헌들과 전문가들의 의견을 반영한 지침들에 따르면 소변과 혈액의 배양검체를 얻은 후 즉시 경험적인 항생제 치료를 시작해야 한다. 급성세균성전립선염은 대부분의 항생제에 신속히 반응한다. 치료 항생제로는 광범위한 항균력을 가진 페니실린 유도체나 3세대 세팔로스포린cephalosporin 제제, 플루오로퀴놀론fluroroquinolone 제제를 단독으로 사용할 수 있고, 세팔로스포린 제제를 아미노글리코시드와 병용 투여할 수도 있다. 특히 이전에 하부요로 조작을 한 환자에서는 병용요법이 효과적이다. Lee 등은 급성전립선염 환자들 중 균이 배양된 환자들이 더욱 증상이 심하고 더 오래 입원했으며, 균이 배양된 환자에서도 병용요법이 필요하다고 보고했다.

급성전립선염은 정맥 내 항생제 치료가 필요하지만 세균혈증 증상이 심하지 않으면 대부분 경구용 항생제로 치료할 수 있다. 정맥 내 항생제 치료를 하다가 환자가 임상적으로 호전을 나타낼 때 신속하게 경구용 항생제로 바꿀 필요가 있다. Cho 등의 국내 보고에 따르면 환자의 입원 시에 사용된 주사용 항생제는 세팔로스포린 제제가 68%, 플루오로퀴놀론 제제가 43%였고, 외래에서 사용된 경구용 항생제는 플루오로퀴놀론 제제가 91%에서 사용되어 9%의 세팔로스포린 제제보다 월등히 많았다. 입원 시에 세팔로스포린 제제가 많이 사용된 이유는 고열을 동반한 세균혈증에 대한 치료 개념으로 약제가 선택되었기 때문이며, 외래에서 플루오로퀴놀론 제제가 많이 사용된 이유는 전립선 내로의 침투력이 다른 약제에 비해 매우 우수하기 때문이다.

급성기 이후 만성으로 이행되는 것을 막기 위해서는 항생제 투여 기간이 충분해야 하는데, 유럽비뇨기과학회 지침에서는 2~3주 투여를 권장했고, 다른 보고에서는 통상 4주 정도 항생제를 투여했다. 따라서 경구 항균제 요법을 최소 2주에서 4주까지 시행하여 만성세균성전립선염 발생을 예방해야 한다.

급성세균성전립선염 초기부터 환자가 심한 배뇨 증상을 호소하면 α 차단제를 투여해야 하며, 급성기 이후에도 만약 잔뇨가 있다면 α 차단제를 투여해야 한다. 초기에 급성요정체가 있을 때에는 치골상방광창냄술(suprapubic cystostomy)로 폴리도뇨관을 유치해야 한다.

적절한 항균제 요법에도 불구하고 임상적 호전이 완전하지 않으면 전립선농양 발생을 의심해야 하며, 경직장전립선초음파검사 또는 컴퓨터단층촬영을 시행한다. 만약 전립선농양이 발견되면 회음 또는 요도를 통한 천자 및 배농을 고려해야 한다.

5. 경과 및 합병증

급성세균성전립선염은 대부분 잘 치료되므로 전립선염 분류에서 대부분을 차지하는 만성세균성 혹은 비세균성전립선염과는 전혀 다른 경과를 보인다.

급성세균성전립선염의 합병증으로는 급성요정체, 부고환염, 전립선농양, 패혈증, 만성세균성전립선염 등이 있으나, 대부분 적절한 항생제 치료로 예방이 가능하다. 전립선농양은 급성세균성전립선염의 2~18%에서 발생하며, 특히 요로생식기 조작 후에 발생한 전립선염에서 더 흔히 나타난다.

급성세균성전립선염에서 만성세균성전립선염으로 진행되는 비율은 4~8%로 보고되는데, 요로생식기 조작 후에 발생한 경우에서 더 많이 진행하는 것으로 보고되었다.

전립선염과 전립선암의 연관성에 대하여 Dennis 등은 11개의 환자 대조군 연구를 통한 메타분석에서 전립선염 병력이 있는 경우 전립선암의 위험도가 1.6배 정도 높다고 보고했으나, Cho 등은 청장년의 만성전립선염 과거력은 전립선암과 관련이 없다고 보고했다. Roberts 등은 의무기록으로 확인된 비세균성전립선염과 전립선암은 관련성이 없지만 급성전립선염과 전립선암은 상관관계가 있다고 주장했다. 따라서 급성전립선염 병력이 있는 환자와 전립선암에 대해서는 향후 추가적인 연구가 필요하다.

III 만성세균성전립선염

1. 정의 및 원인균

만성세균성전립선염은 미생물학적으로 증명된 균이 전립선에 감염된 상태가 3개월 이상, 즉 만성적으로 지속될 때로 정의할 수 있다. 대부분 남성에서 발생하는 재발성 요로감염의 가장 흔한 원인 질환이며, 증상은 종종 없을 수도 있다.

전립선염 분류에서 만성전립선염 증상을 호소하는 환자의 10% 이하가 4배분뇨법을 통해 세균성전립선염으로 진단되고, 나머지 대부분은 요로감염이 확인되지 않는 비세균성 만성전립선염/만성골반통증후군이다.

원인균은 급성세균성전립선염과 동일하며, 일반적으로 해부학적 이상이 없는 재발성 요로감염 환자의 전립선에서 동일한 균이 검출된다. 원인균으로는 대장균이 가장 흔하며, 황색포도구균, 엔테로코쿠스패칼리스균Enterococcus faecalis과 같은 그람양성균도 원인이 되는데, 그람음성균과 그람양성균이 복합감염 형태로 나타나기도 한다.

하지만 전립선염의 원인균에 대하여 아직 정립되지 않은 부분이 있다. 클라미디아트라코마티스, 코리네박테륨속 등이 원인균인지는 현재 연구 중이다. 또한 정상인의 요도에 존재할 수 있는 균에 대해서도 아직 이견이 많다. 왜냐하면 전립선액이나 정액을 배양할 때 요도의 균이 오염될 수 있기 때문인데, 이에 대해서도 연구가 진행되고 있다. 예를 들어 우레아플라스마와 미코플라스마는 건강한 성인에서도 흔히 검출될 수 있는 균주이다. 두 균 모두 다양한 아형이 존재하며, 아형의 특징적인 병원성에 따라 인체에서 독성 유무가 다르게 나타난다. 우레아플라스마의 경우 Biovar 1(우레아플라스마파르붐Ureaplasma parvum)은 유해성이 없으나, Biovar 2(우레아플라스마우레알리티쿰)는 유해성이 있다. 미코플라스마의 경우 미코플라스마 제니탈륨Mycoplasma genitalium은 유해성이 있으나, 미코플라스마호미니스는 병원성이 없다.

2. 임상증상

만성세균성전립선염의 증상은 만성골반통증후군과 구분되지 않으며, 3개월 이상의 통증이나 불쾌감, 배뇨 증상, 성에 관련한 증상 등이 다양하게 나타난다. 만성전립선염의 특징적인 증상인 회음 통증, 성기 끝의 통증, 고환통, 아랫배 통증, 배뇨통과 사정통의 6가지가 다양하게 나타날 수 있으며, 이 중에서 골반 및 회음의 통증이 가장 흔하다.

전립선염의 다양한 증상들을 정량화하는 작업을 진행한 Litwin 등은 통증 또는 불편감, 배
뇨 증상, 삶의 질에 미치는 영향의 3가지 분야로 크게 나뉘고 모두 9가지 항목으로 이루어진
미국국립보건원의 만성전립선염 증상 점수표를 제시했다(표 12-3). 이 점수표는 통증 또는 불
편감에 대한 점수가 0~21점이고, 배뇨 증상의 점수가 0~10점이며, 삶의 질에 관한 점수가
0~12로 분류되어 총 점수가 0~43점으로 구성되어 있다. 점수가 많을수록 증상이 심한 것을
의미하며, 환자에 대한 초기 평가와 치료 반응 평가에 유용하다.

표 12-3 미국국립보건원 만성전립선염 증상 점수표

통증 또는 불쾌감

1. 지난 일주일 동안 다음의 부위에서 통증이나 불쾌감을 경험한 적이 있습니까?　예, 아니오
   가. 고환과 항문 사이(샅)　□ 1 □ 0
   나. 고환　□ 1 □ 0
   다. 성기의 끝(소변보는 것과 관계없이)　□ 1 □ 0
   라. 허리 이하의 두덩뼈(두덩 위) 또는 방광 부위(아랫배)　□ 1 □ 0
2. 지난 일주일 동안 다음의 증상이 있었습니까?　예, 아니오
   가. 소변을 볼 때 통증이나 뜨끔뜨끔한 느낌　□ 1 □ 0
   나. 성관계 시 절정감을 느낄 때(사정 시) 또는 그 이후의 통증이나 불쾌한 느낌　□ 1 □ 0
3. 위의 부위에서 통증이나 불쾌감을 느낀 적이 있다면 지난 일주일 동안 얼마나 자주 느꼈습니까?
   □ 0 전혀 없음　□ 1 드묾　□ 2 가끔　□ 3 자주　□ 4 매우 자주　□ 5 항상
4. 지난 일주일 동안 느낀 통증이나 불쾌감의 정도를 숫자로 바꾼다면 평균적으로 어디에 해당됩니까?

   0　1　2　3　4　5　6　7　8　9　10
   □　□　□　□　□　□　□　□　□　□　□
   ↑　　　　　　　　　　　　　　　　　　↑
   전혀 없음　　　　　　　　　　상상할 수 있는 가장 심한 통증

배뇨

5. 지난 일주일 동안 소변을 본 후에도 소변이 방광에 남아 있는 것처럼 느끼는 경우가 얼마나 자주 있었습니까?
   □ 0 전혀 없음　□ 1 5번 중에 한 번 이하　□ 2 반 이하　□ 3 반 정도　□ 4 반 이상　□ 5 거의 항상
6. 지난 일주일 동안 소변을 본 뒤 2시간이 채 지나기도 전에 또 소변을 본 경우가 얼마나 자주 있었습니까?
   □ 0 전혀 없음　□ 1 5번 중에 한 번 이하　□ 2 반 이하　□ 3 반 정도　□ 4 반 이상　□ 5 거의 항상

증상들의 영향

7. 지난 일주일 동안 상기 증상으로 인해 일상생활에 지장을 받은 적이 어느 정도 됩니까?
   □ 0 없음　□ 1 약간　□ 2 어느 정도　□ 3 아주 많이
8. 지난 일주일 동안 얼마나 자주 상기 증상으로 고민했습니까?
   □ 0 없음　□ 1 약간　□ 2 어느 정도　□ 3 아주 많이

삶의 질

9. 만약 지난 일주일 동안의 증상이 남은 평생 지속된다면 이것을 어떻게 생각하십니까?
   □ 0 매우 기쁘다　□ 1 기쁘다　□ 2 대체로 만족스럽다　□ 3 반반이다(만족, 불만족)
   □ 4 대체로 불만족스럽다　□ 5 불행하다　□ 6 끔찍하다

만성전립선염 증상 점수

통증: 질문 1~4의 점수 합계 = _____
배뇨 증상: 질문 5~6의 점수 합계 = _____
삶의 질에 대한 영향: 질문 7~9의 점수 합계 = _____

적절한 항균제 치료를 시행한 후에도 재발성요로감염의 소견이 자주 나타난다. 일부 환자에서는 무증상이며, 증상이 있는 세균성전립선염 환자에서도 요로감염, 특히 요도염이 없을 때는 증상이 나타나지 않는 경우가 있다. 보통 항균제 치료를 시작한 후에도 증상의 완화와 악화가 반복되는 경향이 있다. 발열 등의 전신 증상은 나타나지 않으며, 직장수지검사에서도 특이한 소견은 없다.

3. 진단

만성세균성전립선염은 대개 동일 균에 의한 재발성요로감염의 과거력이 있으면서 다른 원인(특히 영상의학적인 해부학적 이상)이 없고 만성전립선염 증상을 보이는 경우 진단할 수 있다.

전립선염은 전립선액(EPS), 전립선마사지 후의 첫 소변(VB3), 혹은 정액에 나타난 세균 여부와 백혈구의 증가 여부로 진단하며, 진단 방법은 주로 4배분뇨법과 정액검사로 세분된다. 하지만 4배분뇨법은 시간이 오래 걸리고 여러 번 소변을 받아야 하기 때문에 많이 시행되지 않으며, 최근에는 전립선마사지 전후에 소변검사 및 일반 세균배양검사를 시행하는 2배분뇨법이 활용되고 있다. 2배분뇨법은 4배분뇨법과 비교했을 때 동일한 환자에서 매우 높은 일치율이 나타나 전립선염 진단과 분류에 쓰이고 있다.

만성세균성전립선염은 전립선마사지 이후 배출된 소변 혹은 전립선분비액을 4배분뇨법 혹은 2배분뇨법으로 검사하여 중간뇨보다 10배 이상의 세균이 검출될 때 진단한다.

최근에는 분자생물학적 검사 방법을 이용한 균검사도 많이 시행되고 있다. 이 검사는 대부분 DNA 중합효소의 연속적인 반응을 이용하여 단기간에 소량의 DNA를 대량으로 증폭하는 중합효소연쇄반응법을 사용한다. 중합효소연쇄반응법과 같이 핵산을 증폭하여 그 산물을 진단하는 방법들을 통틀어 핵산증폭검사법이라고 한다. 중합효소연쇄반응법 외에 TMA (transcription mediated amplification), SDA (strand displacement amplification) 등의 방법들도 상용화되어 있다. 이러한 핵산증폭검사법은 민감도가 높기 때문에 균의 여부를 쉽게 알 수 있지만 가양성과 가음성의 가능성이 높다는 단점이 있다. 가양성은 검체의 오염이나 검사실에서의 오염에서 비롯되며, 가음성은 시발체나 시약의 문제 등 검사 자체와 검체 채취의 문제에서 비롯된다. 또한 여러 균주가 존재할 수 있으므로 연쇄 벡터에 중합효소연쇄반응 산물을 결합하여 배양하고, 다시 중합효소연쇄반응에서 염기서열을 해독하고 균주를 파악하는 등의 검사 과정에서 꽤 많은 시간과 비용이 소요된다.

Krieger 등은 검사 과정에서 요도상재균에 오염될 가능성을 방지하기 위해 비세균성전립선염 환자들과 전립선통 환자들에 대해 회음 천자로 전립선조직검사를 시행하고 미생물에서만 나타나는 16S rRNA를 중합효소연쇄반응으로 검사한 결과 77%에서 양성 반응이 나타났다고 보고했다. 회음천자검사법은 환자에게 고통을 주며, 죽은 균이 있어도 양성으로 나오는 단점이 있다. 그러나 이러한 연구를 통해, 전립선 내에 숨은 균이 많이 있음을 알 수 있다. 중합효소연쇄반응검사로 배양되지는 않지만 많은 미생물들이 생태계에 존재하고 있음이 알려졌고, 전립선염 환자에서도 배양되지는 않지만 숨은 균이 발견되었다. 하지만 이러한 균들이 만성전립선염의 원인균인지에 대해서는 추가 연구가 필요하다.

대부분의 병원이 전립선 조직에 대한 혐기성 배양이나 분자생물학적 검사를 시행하지 않고 있으며, 검사 전 최소한 2주간의 항생제 금지 기간을 지키지 않고, 일반배지에서 전립선액으로 시행한 배양검사에서 균이 자라지 않으면 비세균성전립선염으로 진단하고 있다. 또한 많은 병원들이 오염된 검체를 정도 관리가 이루어지지 않는 업체들에 의뢰하여 분자생물학적으로 원인균 검사를 하고 있어 문제가 되고 있다. 앞으로 분자생물학적 진단 방법이 더 정확하고 편리해지면 명확한 전립선염 원인균들이 밝혀질 것으로 생각한다.

4. 치료

1) 항생제 치료

균검사에서 양성으로 나타나는 세균성전립선염은 재발성요도염의 가장 흔한 원인이며, 항생제 치료가 필요하다. 1980년대 중반에 등장한 퀴놀론계 약물은 전립선 조직 내로의 침투력이 매우 우수하여 혈장 농도보다 전립선 조직 내의 항생제 농도가 높아 전립선염에서 우선적으로 사용된다.

퀴놀론계 항생제의 부작용은 오심, 구토, 설사 등의 소화기계 부작용과 두통, 현훈, 수면장애 등의 중추신경계 부작용, 그리고 발진, 소양감, 여드름, 광과민성 피부질환 등의 피부 부작용, sparfloxacin에서 나타나는 것과 같이 심전도에서 QT 간격을 연장시키는 심혈관계 부작용, 드물지 않게 나타나는 관절통, 건막염 등과 같은 근골격계 부작용 등이 있다. 퀴놀론계 항생제를 소아나 청소년, 임신 중이거나 수유 중인 여성에서 금기하는 이유는 근골격계 부작용 때문이다. 노인에서 약물 복용 후 근육통이나 관절통이 심해지는지에 대해서도 주의 깊게 관찰할 필요가 있다. 주요 부작용의 발현 빈도를 살펴보면 소화기계 부작용은 *fleroxacin* > *sparfloxacin* > *ciprofloxacin*, *levofloxacin* 순이며, 중추신경계 부작용은 *fleroxacin* > *spar-*

floxacin>*ciprofloxacin*>*levofloxacin* 순이다. 피부 부작용은 *fleroxacin*, *lomefloxa-cin*>*sparfloxacin*>*ciprofloxacin*>*levofloxacin* 순으로 나타난다. *Levofloxacin*은 신장 배설률이 84%로 높고 부작용의 빈도가 가장 낮으므로 우선 사용하기가 용이하다.

플루오로퀴놀론 제제가 사용되기 이전에는 트라이메토프림-술파메톡사졸*trimethoprim-sul-famethoxazole*, TMP-SMX이 만성세균성전립선염의 주요 항균제였다. 그러나 플루오로퀴놀론 제제가 다른 항균제에 비해 전립선 내로 잘 투과되며 항균 범위도 넓어 만성세균성전립선염에 대한 선택적 약물이 되었다. 대조군 또는 비교연구에 대한 체계적 고찰을 통해 세균성전립선염을 포함한 요로감염에서 플루오로퀴놀론 제제가 TMP-SMX와 비교했을 때 치료 효과가 같거나 더 좋다고 보고되었다. 전향적 다기관 임상연구를 통해 시프로플록사신*ciprofloxacin* 500 mg 1일 2회 4주 요법이 만성세균성전립선염에 대한 표준요법으로 권장되었고, 이후 무작위 대조군 연구를 통해 레보플록사신*levofloxacin* 500 mg 1일 1회 4주 요법이 시프로플록사신 4주 요법과 동일한 효과를 나타낸다고 보고되었다. 다른 플루오로퀴놀론 제제인 로메플록사신*lomefloxacin*, 프룰리플록사신*prulifloxacin* 4주 요법도 무작위 대조군 연구를 통해 시프로플록사신, 레보플록사신과 동일한 효과가 있음이 밝혀졌다.

플루오로퀴놀론 제제는 만성세균성전립선염에서 경구로 4주간 투여한다. 실제 미생물학적 치료율도 2주 요법보다 4주 요법이 더 높다고 보고되었다. 일반적으로 플루오로퀴놀론 제제가 TMP-SMX보다 우월하지만, 병원균이 플루오로퀴놀론 제제에 내성이 있는 경우에는 TMP-SMX 3개월 요법을 고려할 수 있다.

4주간의 치료에도 불구하고 재발성 요로감염이 발생하면 원인 규명을 위한 추가 검사를 고려해야 한다. 항균제감수성검사 후 재치료를 시작하는데, 3~6개월간의 오랜 항균제 치료가 권장되기도 하지만, 체계적으로 연구한 결과는 아직 발표되지 않았다.

클라미디아트라코마티스에 의해 발생한 만성세균성전립선염에 관한 무작위 대조군 연구에서는 플루오로퀴놀론 제제에 비해 아지트로마이신*azithromycin* 1 g 일주일 1회 4주 요법, 독시사이클린*doxycycline* 100 mg 1일 2회 4주 요법, 그리고 클래리트로마이신*clarithromycin* 500 mg 1일 2회 2~4주 요법이 더욱 효과적이었다.

퀴놀론계 항생제의 만성세균성전립선염 치료 효과는 단기 추적 시에 80~90%이나, 장기 추적 시에는 60% 정도로 보고되고 있다. 따라서 최근에는 고용량의 플루오로퀴놀론 제제 치료가 시도되고 있다. Naber 등은 레보플록사신 500 mg 1회 요법 치료에서 1개월 후 79%가 치료되었으나, 6개월 후에는 62%로 감소했다고 발표했다. 또한 Paglia 등은 레보플록사신 750 mg 2

주 투여군과 3주 투여군, 그리고 500 mg 4주 투여군을 6개월 후에 비교한 결과 레보플록사신 500 mg 4주 투여군에서 치료 효과가 우수했다고 보고했다. 따라서 만성세균성전립선염에 대한 항생제 투여 시 고용량보다 장기적인 투약이 필요하고, 투여 기간은 최소 4주에서 8주가 필요하다고 볼 수 있다.

장기간의 항생제 요법이 실패하여 요도염이 자주 재발하거나, 항생제를 중단하면 전립선염 증상이 심해지는 환자에게는 저용량 항생제를 지속적으로 투여한다. 이를 억제요법이라고 하는데, 근본적으로 전립선염을 완치하지 못하므로 재발하는 요도염을 예방하고자 하는 방법이다. 박트림bactrim(매일 1회), 니트로푸란토인nitrofurantoin, 테트라사이클린tetracycline, 시프로플록사신(매일 250 mg) 등이 주로 사용된다.

퀴놀론계 약물이 나오기 전에는 혈장-전립선 장벽을 지나 전립선 내로 약물을 직접 투여하는 전립선내항생제주입법이 많이 시행되었다. 이러한 치료법은 주로 난치성 세균성전립선염에서 선택적으로 사용되었다. 하지만 퀴놀론계 약물이 등장한 이후 전립선내항생제주입법은 퀴놀론계 약물에 알레르기가 있거나 소화기 계통의 질환 때문에 약을 복용할 수 없는 경우, 전립선 수술을 할 수 없는 경우에 선택적으로 적응되고 있다. 왜냐하면 혈중 농도보다 전립선 조직 내의 농도가 더 높기 때문이다. 하지만 직접주입법에 관하여 최근 많은 연구가 시도되고 있다. 항생제의 소염효과 등을 고려하면 이 방법도 나름대로 유용할 것으로 생각된다.

2) α 차단제, 소염제

α 차단제가 만성전립선염 치료에서 차지하는 역할은 최근 수 년간 다양한 위약 대조군 임상 연구에서 실험되었다. 이러한 환자들의 치료에 대한 논문들은 대부분 대상 환자의 수가 적거나, 추적관찰 기간이 짧고, 대조군이 제대로 설정되지 않았으며, 연구 대상으로 포함하거나 제외하는 기준이 명확하지 않다는 제한점이 있다. 하지만 지금까지 나온 자료들을 종합하면 방광경부와 전립선에 위치한 α 수용체를 차단하자 배뇨 증상이 개선되고 통증이 완화되었으며, 항생제를 병용하는 경우는 전립선염 치료 효과가 우수했다.

항염증제와 진통제는 프로스타글란딘 생성을 억제함으로써 통증을 줄인다. 진통제는 장기간 투여하지 않도록 하며, 마약성 진통제는 피하는 것이 좋다.

3) 수술적 요법

경요도전립선절제술 등의 수술은 최후의 방법으로 고려될 수 있지만 일반적인 치료로 권장되지는 않는다. 경요도전립선절제술은 전립선염이 주로 생기는 말초대를 절제하기가 매우 힘들고, 수술 후에는 역행성 사정과 성기능저하 등이 발생할 수 있다. 이를 고려하여 만성세균성 전립선염 환자 중에서 전립선결석이 동반되고, 결혼하여 자녀가 있으며, 사회생활을 할 수 없을 정도의 통증을 호소하는 경우 선택적으로 시행한다.

Ⅳ 고환염, 부고환염

고환염과 부고환염은 고환이나 부고환에 염증이 있는 상태를 의미하며, 원인은 세균이나 바이러스 혹은 곰팡이에 의한 감염성 원인, 외상성 원인, 자가면역 및 원인 불명으로 나눌 수 있다. 감염성 고환염은 대부분 부고환염을 동반한다. 세균성부고환염/고환염의 가장 흔한 원인균은 대장균이며, 성전파성인 경우는 임균*Neisseria gonorrhea*과 클라미디아트라코마티스가 흔한 원인이다. 바이러스성인 경우는 볼거리바이러스*mumps virus*와 단핵증을 생각해야 하며, 결핵균도 부고환염/고환염을 유발할 수 있다. 부고환염/고환염은 남성 불임과 밀접한 관련이 있는데, 급성부고환염/고환염의 원인 및 치료법은 비교적 잘 알려져 있으나 만성부고환염/고환염의 병인과 치료법은 아직 명확히 밝혀지지 않았다. 최근 밝혀진 연구 결과에 따르면, 고환의 만성 염증은 국소면역조절장애와 관련 있으며 고환 내 침윤성 염증세포의 활동이 고환의 정상적인 면역억제 작용보다 증가되어 있었다.

급성부고환염은 부고환의 염증, 통증 및 종창을 동반하는 임상증후군이다. 증상이 6주 이상 지속되면 만성부고환염으로 분류되는데, 이 경우는 통증은 있으나 종창은 동반되지 않는 것이 특징이다. 감별 질환은 고환꼬임과 고환종물이므로, 급성 고환통이 발생하면 고환꼬임과 고환종물을 감별하기 위한 음낭초음파검사가 필요하다. 급성부고환염 치료는 기본적으로 항생제 치료에 기반을 두고 있으며 경구 플루오로퀴놀론이 1차 약제로 널리 쓰인다. 중증 감염의 경우 입원 치료가 필요하며, 플루오로퀴놀론이나 3세대 세팔로스포린 제제를 정맥주사한다. 항생제는 반드시 원인균에 따라 적절히 선택해야 하며, 필요에 따라 얼음주머니 사용 등의 대증 치료도 시행해야 한다. 부고환염 없이 1차적으로 고환만 침습된 고환염은 드문데, 주로 볼거리 등의 바이러스 감염에 기인한다. 중증 고환염의 경우 고환 조직이 파괴될 수도 있으며 이는 불임의 원인이 될 수 있다. 인터페론*interferon-α-2B* 치료에 있어서 인터페론이 고환 조직을 보호하고 정충 형성 기능을 유지하는 것에 대해서는 아직도 논란이 있다.

급성부고환염은 대개 한쪽 고환에 발생하는 급성 통증성 종창이다. 대부분은 고환으로 염증이 파급되어 급성부고환염/고환염으로 진행하는데, 이는 신속한 치료가 필요한 세균성 감염이다.

만성부고환염은 부고환의 결절과 통증, 그리고 음낭 부위의 불편감이 임상적인 특징이다. 원인은 불분명하나, 급성부고환염/고환염이 나타나면 이후 환자의 약 15%에서 지속적인 세균뇨가 관찰된다. 결핵, 매독 그리고 브루셀라증 등의 특정 세균에 의한 부고환염/고환염은 조직학적 특성에 따라 진단할 수 있다. 결핵성 부고환염 등의 경우는 증상 완화를 위해 항균제 치료와 함께 부고환절제술을 고려할 수 있다.

바이러스성고환염은 대개 부고환을 침범하지 않으며, 염증 진행이 주로 고환 조직에서 이루어진다. 바이러스성고환염은 대개 고환 자체에 국한되어 발생하지만 라사바이러스*lassa virus* 혹은 에볼라바이러스*ebola virus*의 경우 출혈열과 같이 전신염증반응의 일환으로 고환염을 유발할 수도 있다.

1. 원인

고환염과 부고환염은 각각의 원인과 임상적 특징에 따라 급성 혹은 만성 염증 과정으로 분류된다. 경화를 동반한 만성 염증은 급성부고환염의 약 15%에서 발생한다. 고환의 바이러스와 세균성 염증은 고환 위축과 정자 형성 저해를 유발하나, 질병의 중증도와 증상을 통해 이를 예측할 수는 없다.

일반적으로 급성부고환염과 부고환염/고환염은 35세 이하의 젊은 남성의 경우 성전파성인 경우가 많으며, 원인균은 임균와 클라미디아가 흔하다. 부고환염은 특히 성적 배우자가 많은 경우 더욱 흔하며, 군인들의 경우 응급으로 입원 치료를 하게 되는 원인이 된다. 임질 혹은 클라미디아요도염이 있는 환자의 1~2%에서 발생하며, 각각의 원인균에서 같은 비율로 발생한다. 대개 한쪽 부고환에 발병하는데, 이는 요도염이 정관을 통해 부고환까지 상행성 감염을 일으키는 경로에 의해 나타나는 것으로 생각된다.

35세 이상 남성의 경우 부고환염의 원인균은 대개 요로감염을 일으키는 세균과 동일하며, 방광하부폐색이 있거나 요도관을 유치한 경우에 많이 발생한다. 방광하부폐색과 하부요로증상은 부고환염/고환염의 위험 인자이기도 하다.

만성부고환염의 유병률은 잘 알려져 있지 않으며, 급성부고환염이 나타난 후 증상이 만성화되는 과정도 잘 알려져 있지 않다. Nickel 등은 캐나다에서 2004년 4월부터 6월까지 연속 2

주 동안 외래 환자를 대상으로 설문지 조사를 시행하여 전립선염, 간질성방광염 및 고환염의 분포를 연구했는데, 외래 환자의 0.9%가 부고환염 환자였으며, 그중 80.7%가 만성부고환염 환자였다. 볼거리고환염mumps orchitis은 소아백신이 일반화되기 전에 흔했던 질환으로, 파라믹소바이러스paramyxovirus의 일종이 유발하는 볼거리의 주요 합병증으로 생각된다. 1990년대 들어 서구사회에서 백신접종이 일반화되면서 유병률이 감소했으나 최근 다시 증가하는 추세이다. 볼거리고환염은 사춘기가 지난 남아의 20~30%에서 볼거리 감염 후 약 10일 내에 발병하며 약 30%가 양측 고환에 이환되는 것으로 알려져 있으나, 볼거리 없이도 고환염이 발생할 수 있다.

다른 바이러스 감염 역시 고환염을 유발할 수 있는데, 대표적인 것이 장바이러스이다. 고환염은 부고환염의 침범으로 발생할 수 있으며, 특히 화농성 요로감염 세균이 원인일 경우 가능성이 높다. 육아종성고환염은 흔하지 않으며, 원인 미상인 만성 염증의 일종으로 자가면역고환염이 보고된 바 있다.

부고환염/고환염은 농양, 고환경색, 고환위축, 만성부고환염, 불임, 성선기능저하증을 유발할 수 있다. 무정자증을 호소하는 환자의 경우 때로는 수술적 치료를 통해 염증성 부고환폐색을 완치시킬 수 있다.

2. 임상증상 및 진단

부고환염의 특징적인 소견은 부고환의 염증과 통증, 음낭의 종창 및 압통이다. 부고환의 미부가 주로 침범되며 10% 이하에서 양측성이고, 정삭은 대개 압통이 있으며 이후 커지게 된다. 고환은 침범하지 않는 경우도 있으며, 때로는 고환과 부고환이 구별되지 않을 정도로 하나의 큰 덩어리로 만져지기도 하고, 고환염은 약 60%에서 동반된다. 급성부고환염과 부고환염/고환염의 경우는 고환꼬임과 감별하기 위해 즉각 도플러음낭초음파를 시행해야 한다. 이때 혈청 C-반응 단백이 고환꼬임과 부고환염 감별에 도움을 줄 수 있다.

고환꼬임은 고환경색과 비가역적인 조직 괴사를 막기 위한 응급수술이 필요하다. 부고환염은 염증성 음낭수종이 자주 동반되기도 하나, 고환꼬임과 감별되는 소견은 아니다.

모든 환자에게 미생물학적 검사를 시행하고, 요도분비물 및 요도 내 면봉 채취를 이용하여 임질과 클라미디아 등을 동정하는 그람염색, 소변배양검사 및 PCR 같은 분자생물학검사 등의 진단적 검사를 시행해야 한다. 발열이 동반되거나 전신염증의 징후가 있는 경우는 혈액배양검사가 필요하다. 세계보건기구WHO의 진단 기준에 따른 백혈구검사를 포함한 정액검사가 도움이 될 수 있으나 급성기에는 시행하기 어려우며, 일시적인 정자 감소나 무정자증이 흔히 발견된다. 폐쇄성 무정자증으로 인한 불임은 양측성이 아닌 한 드물게 나타나는 합병증이다.

만성부고환염은 부고환의 비후와 결절이 특징이다. 특히 불임 환자에서는 무정자증과 정충 성숙도의 변화를 배제하기 위해 정액검사를 반드시 시행해야 한다.

고환에 국한된 고환염은 드물게 나타나며, 대개 부고환염/고환염 등과 같이 부고환염과 관련하여 발생한다. 고환부종을 동반한 발열이 전형적이며, 볼거리, 장바이러스 등의 바이러스를 동정하기 위한 항체검사 등의 혈청검사가 필수적이다. 만성 염증 시 정액검사를 시행하면 정자의 구조적 손상으로 인해 정자의 운동성과 수가 감소할 수도 있다. 고환조직검사를 시행하면 국소적 염증, 혼합성 위축, 버팀세포증후군 등의 소견을 보일 수 있다. 볼거리고환염은 고환에 국한된 고환염 중 가장 흔하다. 전형적으로 사춘기 후의 남아가 볼거리에 이환된 후 발생하게 되는데, 일부는 볼거리를 앓지 않고 발생한다. 임상적인 특징은 고환의 부종(약 30%에서 양측성)과 통증 및 발열이며, 부고환은 침범하지 않는다. 혈청 IgM 항체를 검출하여 확진할 수 있으며, 고환 위축은 급성기 이후 2~3개월이 지나 발생할 수 있다.

3. 치료

급성부고환염과 부고환염/고환염을 치료하려면 병원균에 따라 광범위 항생제를 선택하여 사용해야 한다. 임질과 클라미디아 등의 성전파 질환의 위험이 있는 남성에 대해서는 성전파 질환을 치료할 수 있는 약제를 택해야 한다. 임질의 경우 지난 수 년간 항생제 내성이 급증했는데, 2005년에 WHO가 서태평양 지역에서 시행한 연구에 따르면 페니실린과 퀴놀론 제제에 대해서는 100%까지, 테트라사이클린에 대해서는 80%까지 내성이 생겼다고 보고되었다. 페니실린과 퀴놀론 저항균주는 이미 서구 여러 나라에서도 보고되었다. 미국질병관리본부는 세프트리악손*ceftriaxone* 250 mg 근육주사를 임질에 의한 급성부고환염에 사용하는 1차 약제로 추천하고 있다. 비임질성 성전파 질환의 경우는 독시사이클린 100 mg을 하루에 두 번 10일 동안 복용하는 것이 권장된다.

보조적인 치료로는 음낭 거상, 침상 안정 등의 치료가 가능하다. 농양이 형성된 경우는 수술적 배농이 필요하나, 부고환에 국한된 미세 농양은 자연적으로 호전될 수 있다. 장내세균이 원인으로 판단되는 경우에는 플루오로퀴놀론계 약물(오플록사신*ofloxacin* 600 mg #2 PO/일, 10일간 혹은 레보플록사신 500 mg #1 PO/일, 10일간)이 1차 약제로 추천된다. 시프로플록사신보다 오플록사신, 레보플록사신이 추천되는 이유는 요로감염뿐만 아니라 비전형적 세균과

성전파 질환에 대해서도 효과적이기 때문이다. 그러나 퀴놀론 저항성 요로감염균이 급증하면서 광범위 항생제 선택에도 어려움이 커지고 있다. 전향적 무작위 연구에서 증명되지는 않았지만, 항생제와 메틸프레드니솔론*methylprednisolone* (40 mg/일) 병용치료를 고려할 수 있다.

급성볼거리고환염에서는 인터페론-α-2B (3×10^6 IU/일, 7일간)가 고환 염증으로 인한 고환손상과 정자 생성 저하에 대한 예방으로 사용될 수 있으나, 인터페론-α-2B 치료 후 고환 조직검사를 시행한 임상연구 결과 볼거리고환염 후 고환 위축을 완전히 막지는 못했다고 보고되었다. 인터페론-α-2B 대신 비스테로이드성 소염제 및 성선 자극 호르몬 분비 호르몬 제제를 이용한 치료를 고려할 수 있다.

요약정리

- 급성세균성전립선염은 비뇨기계 병원균에 의해 모든 전립선 부위에 발생하는 급성 세균성 요로감염이다.
- 급성세균성전립선염은 급성 중증 질환이므로 입원 치료와 즉각적인 경험적 항균제 투여가 필요하다.
- 항균제는 3세대 세팔로스포린 제제 또는 플루오로퀴놀론 제제를 단독으로 사용하거나, 세팔로스포린 제제를 아미노글리코시드 제제와 병용 투여하는 것이 권장된다.
- 부고환염, 전립선농양, 패혈증 등의 합병증이 발생하지 않도록 항균제감수성검사 결과가 나올 때까지 경험적 항균제 투여를 지속하며, 결과에 따라 항균제를 바꾼다.
- 급성요정체가 있을 때에는 치골상 폴리도뇨관을 유치해야 한다. 항균제 치료에 반응하지 않는 전립선농양에 대해서는 천자 및 배농을 고려한다.
- 급성전립선염은 대부분 잘 치료되므로 전립선염 분류에서 대부분을 차지하는 만성세균성 혹은 비세균성전립선염과는 전혀 다른 경과를 보인다.
- 만성세균성전립선염은 재발성 요로감염의 가장 흔한 원인 질환이지만 증상은 만성골반통증후군과 구분되지 않으며, 3개월 이상의 통증이나 불쾌감, 배뇨 증상, 성에 관련된 증상 등이 다양하게 나타난다.
- 만성세균성전립선염은 동일 균에 의한 재발성 요로감염의 과거력이 있으며 다른 원인 질환 없이 만성전립선염 증상이 나타나는 경우 진단할 수 있다.
- 플루오로퀴놀론 제제는 전립선 내로 비교적 잘 투과되므로 만성세균성전립선염의 선택적 약물이다. 경구 복용이 권장되며, 4주간의 복용 기간이 필요하다.
- 적절한 항균제 치료에도 불구하고 반복되는 재발성 만성세균성전립선염에 대해서는 전립선절제술 등의 수술적 치료가 최후의 방법으로 고려될 수 있지만, 일반적으로 만성세균성전립선염 치료에서는 권장되지 않는다
- 만성세균성전립선염은 항생제 외에 소염제, 진통제, α 차단제 등을 병용하여 치료한다.
- 급성부고환염/고환염 진단을 위해서는 기본적인 이학적 검사, 음낭초음파검사, 색도플러초음파검사 및 소변배양검사가 필수적이다.
- 세균성부고환염/고환염은 성전파성 및 요로감염 균주가 원인이며, 원인균에 따라 적절한 항생제를 사용해야 한다. 요로감염이 의심될 때 1차 약제로는 플루오로퀴놀론이 추천되며, 임균이나 클라미디아 감염이 의심될 때는 3세대 세팔로스포린과 독시사이클린이 추천된다.

- 해열제나 음낭 얼음찜질 등의 보존적 치료는 증상을 빨리 호전시킬 수 있다.
- 고환염만 있을 때는 바이러스도 원인으로 생각해야 하며, 볼거리고환염의 경우 고환기능의 유지를 위해 인터페론-α- 2B 사용을 고려해야 한다.
- 급성부고환염/고환염은 부고환폐색을 일으킬 수 있다. 폐쇄성무정자증은 부고환염 발생 후 드물게 나타나며, 불임 환자에 대해서는 정충 채취 및 현미경적 재건술이 권장된다.
- 농양이 크거나 고환 괴사 등이 나타나면 수술적 치료를 추천한다.

참고문헌

1. Aitchison M, Mufti GR, Farrell J, Paterson PJ, Scott R. Granulomatous orchitis. Review of 15 cases. Br J Urol 1990;66:312-4.
2. Akinci E, Bodur H, Cevik MA, Erbay A, Eren SS, Ziraman I, et al. A complication of brucellosis: epididymoorchitis. Int J Infect Dis 2006;10:171-7.
3. Alexander RB, Propert KJ, Schaeffer AJ, Landis JR, Nickel JC, O'Leary MP, et al. Ciprofloxacin or tamsulosin in men with chronic prostatitis/chronic pelvic pain syndrome. Ann Intern Med 2004;141:581-9.
4. Baert L, De Ridder D. In loco antibiotics in chronic bacterial prostatitis. In: Weider W, Madsen PO, Schiefer HG, editors. Prostatitis. 1st ed. Berlin: Springer-Verlag; 1994. p. 191-6.
5. Barbalias GA, Nikiforidis G, Liatsikos EN. α-blockers for the treatment of chronic prostatitis in combination with antibiotics. J Urol 1998;159:883-7.
6. Benway BM, Moon TD. Bacterial prostatitis. Urol Clin North Am 2008;35:23-32.
7. Bhushan S, Schuppe HC, Fijak M, Meinhardt A. Testicular infection: microorganisms, clinical implications and host-pathogen interaction. J Reprod Immunol 2009;83:164-7.
8. Bjerklund Johansen TE, Gruneberg RN, Guibert J, Hofstetter A, Lobel B, Naber KG, et al. The role of antibiotics in the treatment of chronic prostatitis: a consensus statement. Eur Urol 1998;34:457-66.
9. Brook I. Urinary tract and genito-urinary suppurative infections due to anaerobic bacteria. Int J Urol 2004;11: 133-41.
10. Bundrick W, Heron SP, Ray P, Schiff WM, Tennenberg AM, Wiesinger BA, et al. Levofloxacin versus ciprofloxacin in the treatment of chronic bacterial prostatitis: a randomised double-blind multicenter study. Urology 2003;62:537-41.
11. Chan PT, Schlegel PN. Inflammatory conditions of the male excurrent ductal system. Part I. J Androl 2002;23:453-60.
12. Cho IR, Chang YS, Roh JS, Jeon JS, Park SS. Change of PSA and PSAD after antibiotic treatment in patients with prostatitis. Korean J Androl 2002;20:100-5.
13. Cho IR, Keener TS, Nghiem HV, Winter T, Krieger JN. Prostate blood flow characteristics in the chronic prostatitis/ pelvic pain syndrome. J Urol 2000;163:1130-3.
14. Cho IR, Kim GJ, Park SS, Choi HS. Serum PSA and prostatitis in men under 45 years old. Korean J Urol 1998;39:633-7.
15. Cho IR, Lee KC, Lee SE, Jeon JS, Park SS, Sung LH, et al. Clinical outcome of acute bacterial prostatitis, a multicenter study. Korean J Urol 2005;46:1034-9.
16. Cho IR. Chronic prostatitis/chronic pelvic pain syndrome: guidelines for antibiotic therapy. Korean J UTII 2006;1:39-44.

17. Cho IR. Evaluation and treatment of patients with prostatitis. Korean J Androl 2005;23:1-11.

18. Cho IR. The present and future of prostatitis. Korean J Urol 2008;49:475-89.

19. Cho SY, Bae WJ, Cho YH, Lee SJ. Clinical characteristics and treatment results of acute bacterial prostatitis. Infect Chemother 2009;41:36-41.

20. Cho SY, Song HD, Cho IR. The influence of past history of prostatitis on the risk factor of prostate cancer. Korean J UTII 2008;3:197-201.

21. Collins MM, Fowler FJ Jr, Elliott DB, Albertsen PC, Barry MJ. Diagnosis and treating chronic prostatitis: Do urologists use the four-glass test? Urology 2000;55:403-7

22. Dennis LK, Lynch CF, Torner JC. Epidemiologic association between prostatitis and prostate cancer. Urology 2002;60: 78-83.

23. Doehn C, Fornara P, Kausch I, Buttner H, Friedrich HJ, Jocham D. Value of acute-phase proteins in the differential diagnosis of acute scrotum. Eur Urol 2001;39:215-21.

24. Dohle GR, Colpi GM, Hargreave TB, Papp GK, Jungwirth A, Weidner W. EAU guidelines on male infertility. Eur Urol 2005;48:703-11.

25. Drury NE, Dyer JP, Breitenfeldt N, Adamson AS, Harrison GS. Management of acute epididymitis: are European guidelines being followed? Eur Urol 2004;46:522-4; discussion 524-5.

26. Eickhoff JH, Frimodt-Moller N, Walter S, Frimodt-Moller C. A double-blind, randomized, controlled multicentre study to compare the efficacy of ciprofloxacin with pivampicillin as oral therapy for epididymitis in men over 40 years of age. BJU Int 1999;84:827-34.

27. Eley A, Oxley KM, Spencer RC, Kinghorn GR, Ben-Ahmeida ET, Potter CW. Detection of Chlamydia trachomatis by the polymerase chain reaction in young patients with acute epididymitis. Eur J Clin Microbiol Infect Dis 1992;11:620-3.

28. Etienne M, Chavanet P, Sibert L, Michel F, Levesque H, Lorcerie B, et al. Acute bacterial prostatitis: heterogeneity in diagnostic criteria and management. Retrospective multi-centric analysis of 371 patients diagnosed with acute prostatitis. BMC Infect Dis 2008;8:12.

29. Fall M, Baranowski AP, Elneil S, Engeler D, Hughes J, Messelink EJ, et al. Guidelines on chronic pelvic pain. In: EAU Healthcare Office, editor. Guidelines. 9th ed. Arnhem: EAU; 2009. p. 1-90.

30. Farriol VG, Comella XP, Agromayor EG, Creixams XS, Martinez De La Torre IB. Gray-scale and power Doppler sonographic appearances of acute inflammatory diseases of the scrotum. J Clin Ultrasound 2000;28:67-72.

31. Frazier HA, Spalding TH, Paulson DF. Total prostatoseminal vesiculectomy in the treatment of debilitating perineal pain. J Urol 1992;148:409-11.

32. Giannarini G, Mogorovich A, Valent F, Morelli G, De Maria M, Manassero F, et al. Prulifloxacin versus levofloxacin in the treatment of chronic bacterial prostatitis: a prospective, randomized, double-blind trial. J Chemother 2007;19:304-8.

33. Goldstraw MA, Fitzpatrick JM, Kirby RS. What is the role of inflammation in the pathogenesis of prostate cancer? BJU Int 2007;99:966-8.

34. Grabe M, Bjerklund-Johansen TE, Botto H, Wullt B, çek M, Naber KG, et al. Guidelines on urological infections. In: EAU Healthcare Office, editor, Guidelines. 9th ed. Arnhem: EAU; 2010. p. 65-72.

35. Ha US, Cho YH. Epididymitis, orchitis, prostatitis (male adnexitis): acute bacterial prostatitis. In: Naber KG, Schaeffer AJ, Heyns CF, Matsumoto T, Shoskes DA, Bjerklund Johansen TE, editors. Urogenital infections edition 2010. 1st ed. Arnhem: EAU; 2010. p. 714-27.

36. Ha US, Kim ME, Kim CS, Shim BS, Han CH, Lee SD, et al. Acute bacterial prostatitis in Korea: clinical outcome, including symptoms, management, microbiology and course of disease. Int J Antimicrob Agents 2008;31(Suppl 1):S96-101.

37. Haidl G, Opper C. Changes in lipids and membrane anisotropy in human spermatozoa during epididymal maturation. Hum Reprod 1997;12:2720-3.

38. Hendry WF, Levison DA, Parkinson MC, Parslow JM, Royle MG. Testicular obstruction: clinicopathological studies. Ann R Coll Surg Engl 1990;72:396-407.

39. Horner PJ. European guideline for the management of epididymo-orchitis and syndromic management of acute scrotal swelling. Int J STD AIDS 2001;12(Suppl 3):88-93.

40. Jang JH, Kim SJ. Anaerobic bacterial isolation in patients with chronic prostatitis syndrome. Korean J Urol 1994;35:640-5.

41. Karmazyn B, Steinberg R, Kornreich L, Freud E, Grozovski S, Schwarz M, et al. Clinical and sonographic criteria of acute scrotum in children: a retrospective study of 172 boys. Pediatr Radiol 2005;35:302-10.

42. Kim SJ, Kim SI, Ahn HS, Choi JB, Kim YS, Kim SJ. Risk factors for acute prostatitis after transrectal biopsy of the prostate. Korean J Urol 2010;51:426-30.

43. Kim YJ, Ryu JK, Lee HJ, Choi WS, Suh JK. Comparison of the efficacy of transperineal intraprostatic injection and oral administration of fluoroquinolone in men with chronic bacterial prostatitis-seminal vesiculitis. Korean J Urol 2006;47:1185-90.

44. Kravchick S, Cytron S, Agulansky L, Ben-Dor D. Acute prostatitis in middle-aged men: a prospective study. BJU Int 2004;93:93-6.

45. Krieger JN, Nyberg L Jr, Nickel JC. NIH consensus definition and classification of prostatitis. JAMA 1999;282:236-7.

46. Krieger JN, Riley DE, Roberts MC, Berger RE. Prokaryotic DNA sequences in patients with chronic idiopathic prostatitis. J Clin Microbiol 1996;34:3120-8.

47. Krieger JN, Riley DE. Bacteria in the chronic prostatitis-chronic pelvic pain syndrome: molecular approaches to critical research questions. J Urol 2002;167:2574-83.

48. Krieger JN, Riley DE. Prostatitis: What is the role of infection. Int J Antimicrob Agents 2002;19:475-9.

49. Ku JH, Kim YH, Jeon YS, Lee NK. The preventive effect of systemic treatment with interferon-alpha 2B for infertility from mumps orchitis. BJU Int 1999;84:839-42.

50. Kurzer E, Kaplan S. Cost effectiveness model comparing trimethoprim sulfamethoxazole and ciprofloxacin for the treatment of chronic bacterial prostatits. Eur Urol 2002;42: 163-6.

51. Lee JH, Jeon JS, Cho IR. Characteristic symptoms of chronic prostatitis/chronic pelvic pain syndrome. Korean J Urol 2002;43:852-7.

52. Lee SJ, Cho YH, Kim CS, Shim BS, Cho IR, Chung JI, et al. Screening for Chlamydia and Gonorrhea by strand displacement amplification in homeless adolescents attending youth shelters in Korea. J Korean Med Sci 2004;19:495-500.

53. Lee SJ, Lee DH, Park YY, Shim BS. A comparative study of clinical symptoms and treatment outcomes of acute bacterial prostatitis according to urine culture. Korean J Urol 2011;52:119-23.

54. Litwin MS, Collins MM, Fowler FJ Jr, Nickel JC, Calhoun EA, Pontari MA, et al. The national institutes of health chronic prostatitis symptom index: development and validation of a new outcome measure. J Urol 1999;162:369-75.

55. Liu CC, Huang SP, Chou YH, Li CC, Wu MT, Huang CH, et al. Clinical presentation of acute scrotum in young males. Kaohsiung J Med Sci 2007;23:281-6.

56. Ludwig M, Schroeder-Printzen I, Ludecke G, Weidner W. Comparison of expressed prostatic secretions with urine after prostatic massage-a means to diagnose chronic prostatitis/ inflammatory chronic pelvic pain syndrome. Urology 2000; 55:175-77.

57. Ludwig M. Diagnosis and therapy of acute prostatitis, epididymitis and orchitis. Andrologia 2008;40:76-80.

58. Luzzi GA, O'Brien TS. Acute epididymitis. BJU Int 2001; 87:747-55.

59. Magri V, Wagenlehner FM, Montanari E, Marras E, Orlandi V, Restelli A, et al. Semen analysis in chronic bacterial prostatitis: diagnostic and therapeutic implications. Asian J Androl 2009;11:461-77.

60. Malinverni R, Glauser MP. Comparative studies of fluoro-quinolones in the treatment of urinary tract infections. Rev Infect Dis 1988;10(Suppl 1):S153-63.

61. Meares EM, Stamey TA. Bacteriologic localization patterns in bacterial prostatitis and urethritis. Invest Urol 1968;5:492-518.

62. Melekos MD, Asbach HW. Epididymitis: aspects concerning etiology and treatment. J Urol 1987;138:83-6.

63. Millan-Rodriguez F, Palou J, Bujons-Tur A, Musquera-Felip M, Sevilla-Cecilia C, Serrallach-Orejas M, et al. Acute bacterial prostatitis: two different subcategories according to a previous manipulation of the lower urinary tract. World J Urol 2006;24:45-50.

64. Naber KG, Adam D. Classification of fluoroquinolones. Int J Antimicrobial Agents 1998;10:255-7.

65. Naber KG, Bergman B, Bishop MC, Bjerklund-Johansen TE, Botto H, Lobel B, et al. EAU guidelines for the management of urinary and male genital tract infections. Urinary Tract Infection (UTI) Working Group of the Health Care Office (HCO) of the European Association of Urology (EAU). Eur Urol 2001;40:576-88.

66. Naber KG, Busch W, Focht J. Ciprofloxacin in the treatment of chronic bacterial prosatatitis: A prospective, non-comparative multicentre clinical trial with long-term follow-up. The German Prostatitis Study Group. Int J Antimicrob Agents 2000;14:143-9.

67. Naber KG, Roscher K, Botto H, Schaefer V. Oral levofloxacin 500 mg once daily in the treatment of chronic bacterial prostatitis. Int J Antimicrob Agents 2008;32:145-53.

68. Naber KG, Weidner W. Chronic prostatitis - an infectious disease? J Antimicrob Chemother 2000;46:157-61.

69. Naber KG. Antibiotic treatment of chronic bacterial prostatitis. In: Nickel JC, editor. Textbook of Prostatitis. Oxford: Isis Medical Media; 1999. p. 285-92.

70. Naber KG. Management of bacterial prostatitis: What's new? BJU Int 2008;101(Suppl 3):7-10.

71. Naber KG; European Lomefloxacin Prostatitis Study Group. Lomefloxacin versus ciprofloxacin in the treatment of chronic bacterial prostatitis. Int J Antimicrob Agents 2002; 20:18-27.

72. Neal DE Jr. Acute bacterial prostatitis. In: Nicket JC, editor. Textbook of prostatitis. 1st ed. Oxford: Isis Medical Media; 1999. p. 115-21.

73. Nickel JC, Moon T. Chronic bacterial prostatitis: An evolving clinical enigma. Urology 2005;66:2-8.

74. Nickel JC, Shoskes D, Wang Y, Alexander RB, Fowler JE Jr, Zeitlin S, et al. How does the pre-massage and post-massage 2-glass test compare to the Meares-Stamey 4-glass test in men with chronic prostatitis/chronic pelvic pain syndrome? J Urol 2006;176:119-24.

75. Nickel JC, Teichman JM, Gregoire M, Clark J, Downey J. Prevalence, diagnosis, characterization, and treatment of prostatitis, interstitial cystitis, and epididymitis in outpatient urological practice: the Canadian PIE Study. Urology 2005; 66:935-40.

76. Nickel JC. Pre and post massage test (PPMT): a simple screen for prostatitis. Tech Urology 1997;3:38-43.

77. Nickel JC. Prostatitis and related conditions, orchitis, and epididymitis. In: Wein AJ, Kavoussi LR, Novick AC, Partin AW, Peters CA, editors. Campbell-Walsh Urology. 10th ed. Philadelphia: Saunders; 2012. p. 327-56.

78. Nickel JC. Prostatitis: evolving management strategies. Urol Clin North Am 1999;26:737-51.

79. Oh CS, Cheon SH, Park RJ, Lee MS. The Efficacy of Oral Levofloxacin in the Treatment of Patient with Chronic Prostatitis. Infect Chemother 2005;37:99-103.

80. Osegbe DN. Testicular function after unilateral bacterial epididymo-orchitis. Eur Urol 1991;19: 204-8.

81. Paglia M, Peterson J, Fisher AC, Qin Z, Nicholson SC, Kahn JB. Safety and efficacy of levofloxacin 750 mg for 2 weeks or 3 weeks compared with levofloxacin 500 mg for 4 weeks in treating chronic bacterial prostatitis. Current Medical Research & Opinion Vol. 26, No. 6, 2010;1433-441.

82. Park JO, Yoon DK. Clinical characteristics of prostatic abscess. Korean J Urol 1999;40:5-9.

83. Paulson DF, White RD. Trimethoprim-sulfamethoxazole and minocycline-hydrochloride in the treatment of culture-proved bacterial prostatitis. J Urol 1978;120:184-5.

84. Peppas T, Petrikkos G, Deliganni V, Zoumboulis P, Koulentianos E, Giamarellou H. Efficacy of long-term therapy with norfloxacin in chronic bacterial prostatitis. J Chemother 1989;1(4 Suppl):867-8.

85. Pewitt EB, Schaeffer AJ. Urinary tract infection in urology, including acute and chronic prostatitis. Infect Dis Clin North Am 1997;11:623–46.

86. Pfau A. The treatment of chronic bacterial prostatitis. Infection 1991;19 (Suppl 3):S160–4.

87. Povlsen K, Bjornelius E, Lidbrink P, Lind I. Relationship of Ureaplasma urealyticum biovar 2 to nongonococcal urethritis. Eur. J Clin Microbiol Infect Dis 2002;21:97–101.

88. Public Health Agency of Canada. Canadian guidelines on sexually transmitted infections.1st ed. Canada: Public Health Agency of Canada; 2006. p. 80–91.

89. Pust RA, Ackenheil-Koppe HR, Gilbert P, Weidner W. Clinical efficacy of ofloxacin (tarivid) in patients with chronic bacterial prostatitis: preliminary results. J Chemother 1989;1(4 Suppl):869–71.

90. Raynor MC, Carson CC 3rd. Urinary infections in men. Med Clin North Am 2011;95:50–1.

91. Roberts RO, Bergstralh EJ, Bass SE, Lieber MM, Jacobsen SJ. Prostatitis as a risk factor for prostate cancer. Epidemiology 2004;15:93–9.

92. Schaeffer AJ, Anderson RU, Krieger JN, Lobel B, Naber K, Nakagawa M, et al. The assessment and management of male pelvic pain syndrome including prostatitis. In: McConnell J, Abrams P, Denis L, Khoury S, Roehrborn C, editors. Male lower uninary tract dysfunction, evaluation and management; 6th international consultation on new developments in prostate cancer and prostate disease. 1st ed. Paris: Health Publications; 2006. p. 341–85.

93. Schalamon J, Ainoedhofer H, Schleef J, Singer G, Haxhija EQ, Hollwarth ME. Management of acute scrotum in children— the impact of Doppler ultrasound. J Pediatr Surg 2006;41: 1377–80.

94. Schneider H, Ludwig M, Hossain HM, Diemer T, Weidner W. The 2001 Giessen Cohort Study on patients with prostatitis syndrome − an evaluation of inflammatory status and search for microorganisms 10 years after a first analysis. Andrologia 2003;35:258–62.

95. Scholz M, Graf N, Steffens J, Schonkofer H, Jeanelle JP, Schofer O, et al. Mumpsorchitis im Jugend und Erwachsenenalter. Dt. Arztbl 1996;93:2087–90.

96. Schroeder-Printzen I, Zumbe J, Bispink L, Palm S, Schneider U, Engelmann U, et al. Microsurgical epididymal sperm aspiration: aspirate analysis and straws available after cryopreservation in patients with non-reconstructable obstructive azoospermia. MESA/TESE Group Giessen. Hum Reprod 2000;15:2531–5.

97. Shigehara K, Miyagi T, Nakashima T, Shimamura M. Acute bacterial prostatitis after transrectal prostate needle biopsy: clinical analysis. J Infect Chemother. 2008;14:40–3.

98. Skerk V, Krhen I, Lisicc M, Begovac J, Roglicc S, Skerk V, et al. Comparative randomized pilot study of azithromycin and doxycycline efficacy in the treatment of prostate infection caused by Chlamydia trachomatis. Int J Antimicrob Agents 2004;24:188–91.

99. Skerk V, Schonwald S, Krhen I, Markovinovicc L, Barsicc B, Marekovicc I, et al. Comparative analysis of azithromycin and clarithromycin efficacy and tolerability in the treatment of chronic prostatitis caused by Chlamydia trachomatis. J Chemother 2002;14:384–9.

100. Song YS, Cho IR, Lee MS. Changes in biochemical seminal composition in chronic prostatitis. Korean J Urol 1996;37: 192–6.

101. The Korean Society of Infectious Diseases, The Korean Society for Chemotherapy, The Korean Association of Urogenital Tract Infection and Inflammation, The Korean Society of Clinical Microbiology. Clinical guideline for the diagnosis and treatment of urinary tract infections: asymptomatic bacteriuria, uncomplicated and complicated urinary tract infections, bacterial prostatitis. Infect Chemother 2011;43:1–25.

102. Vicari E, Mongioi A. Effectiveness of long-acting gonadotrophin-releasing hormone agonist treatment in combination with conventional therapy on testicular outcome in human orchitis/epididymo-orchitis. Hum Reprod 1995;10:2072–8.

103. Vieler E, Jantos C, Schmidts HL, Weidner W, Schiefer HG. Comparative efficacies of ofloxacin, cefotaxime, and doxycycline for treatment of experimental epididymitis due to Escherichia coli in rats. Antimicrob Agents Chemother 1993;37:846–50.

104. Wagenlehner FM, Naber KG. Prostatitis: the role of antibiotic treatment. World J Urol 2003;21:105-8.

105. Wagenlehner FM, Weidner W, Naber KG. Chlamydial infections in urology. World J Urol 2006;24:4-12.

106. Wagenlehner FM, Weidner W, Sorgel F, Naber KG. The role of antibiotics in chronic bacterial prostatitis. Int J Antimicrob Agents 2005;6:1-7.

107. Wagenlehner FME, Krieger JN. Epididymitis, orchitis, prostatitis (male adnexitis): treatment of chronic bacterial prostatitis. In: Naber KG, Schaeffer AJ, Heyns CF, Matsumoto T, Shoskes DA, Bjerklund Johansen TE, editors. Urogenital infections edition 2010. 1st ed. Arnhem: EAU; 2010. p. 728-43.

108. Ward BB. How many species of prokaryotes are there? Proc Natl Acad Sci USA 2002;99:10234-6.

109. Weidner W, Garbe C, Weissbach L, arbrecht J, Kleinschmidt K, Schiefer G, et al. Initial therapy of acute unilateral epididymitis using ofloxacin. I. Clinical and microbiological findings. Urologe A 1990;29:272-6.

110. Weidner W, Garbe C, Weissbach L, Harbrecht J, Kleinschmidt K, Schiefer HG, et al. Initial therapy of acute unilateral epididymitis using ofloxacin. II. Andrological findings. Urologe A 1990;29:277-80.

111. Weidner W, Krause W, Ludwig M. Relevance of male accessory gland infection for subsequent fertility with specialfocus on prostatitis. Hum Reprod Update 1999;5:421 -32.

112. Weidner W, Krause W. Orchitis. in: Knobil E, Neill JD, editors. Encyclopedia of Reproduction. 1st ed. Philadelphia: Academic Press; 1998. p. 524-7.

113. Weidner W, Schiefer HG, Dalhoff A. Treatment of chronic bacterial prostatitis with ciprofloxacin. Results of a one-year follow-up study. Am J Med 1987;82:280-3.

114. Weidner W, Schiefer HG, Garbe C. Acute nongonococcal epididymitis. Aetiological and therapeutic aspects. Drugs 1987;34 (Suppl 1):111-7.

115. Weidner W, Schiefer HG, Krauss H, Jantos C, Friedrich HJ, Altmannsberger M. Chronic prostatitis: a thorough search for etiologically involved microorganisms in 1,461 patients. Infection 1991;19(Suppl 3):S119-25.

116. Weidner W, Wagenlehner FM, Marconi M, Pilatz A, Pantke KH, Diemer T. Acute bacterial prostatitis and chronic prostatitis/chronic pelvic pain syndrome: andrological implications. Andrologia 2008;40:105-12.

117. Weidner W. Epididymitis in diagnostik und therapie sexuell ubertragbarer erkrankungen. In: Petzold D, Gross G, editors. Leitlinien 2001 der Deutschen STD Gesellschaft. 1st ed. Berlin: Springer; 2001. p. 13-8.

118. Workowski KA, Berman S; Centers for Disease Control and Prevention (CDC). Sexually transmitted diseases treatment guidelines, 2010. MMWR Recomm Rep 2010;17;59(RR-12):67-69.

119. Yeniyol CO, Sorguc S, Minareci S, Ayder AR. Role of interferon-alpha-2B in prevention of testicular atrophy with unilateral mumps orchitis. Urology 2000;55:931-3.

성매개감염

최현섭, 이승주, 김광택, 배상락, 송기현, 송재연, 기은영

Ⅰ 개요

성매개감염*sexually transmitted infections*의 원인 병원체는 현재 35종 이상이 알려져 있다 (표 13-1). 물론 이 중에는 아직 성매개 전파의 직접적인 증거가 불충분한 것도 있지만, 임상 적으로나 역학적으로 볼 때 성매개 가능성에 대한 간접적인 증거는 충분하다. 이러한 원인 병 원체들에 의한 임상적 증후군 또는 질환은 진료과나 의료기관의 수준에 관계없이 다양하게 나 타날 수 있다. 우리나라의 성매개감염에 대한 역학 연구는 아직 부족하지만, 젊은 연령에서 성 매개감염 관련 질환이 전 세계적으로 지속적이고 높은 유병률을 보이고 있다. 또한 성인의 매 독*syphilis*도 최근 증가하는 추세이고, 특히 생식기 단순헤르페스*herpes simplex*와 첨규콘딜로 마*condyloma acuminatum*는 나이에 비례하여 발생률과 유병률 모두 증가하고 있다. 최근에는 발기부전 치료제 사용이 일반화되면서 노인의 성매개감염 증가도 예측되고 있는 실정이다. 따 라서 성매개감염은 바야흐로 성적 활동이 가능한 모든 연령에서 흔히 나타나는 중요한 감염 질환이 되었으며, 공중보건학적 중요성도 한층 높아졌다.

우리나라에서는 성매개감염 진료가 주로 1차 의료기관과 공공보건기관에서 시행되고 있다. 우리나라에서는 성매개감염을 다루는 진료과가 특별히 정해져 있지 않고, 대학이나 수련 과정 을 통한 교육도 제대로 시행되지 않았다. 하지만 실제 의료 현장에서는 성매개감염 환자를 자 주 접하게 되는데, 진료는 주로 의료인들의 경험적 원칙을 통해 이루어졌을 것으로 여겨진다. 선진 외국에서는 이미 오래 전부터 진료 지침이 보급되었고, 우리나라에서도 2011년부터 질병

관리본부와 대한요로생식기감염학회의 주관으로 성매개감염 진료지침 발간이 시작되어 현재 지속적인 개정 증보 작업이 이루어지고 있다. 향후 표준화된 성매개감염 진단과 치료를 통해 성매개감염 관리가 이루어질 것으로 기대된다.

표 13-1 성매개감염의 원인이 되는 병원체

세균	바이러스	원충, 기생충, 진균
대부분 성매개로 전파되는 미생물		
Neisseria gonorrheae	HIV (type 1, 2)	Trichomonas vaginalis
Chlamydia trachomatis	Human T cell lymphotropic virus type I	Phthirus pubis
Treponema pallidum	Herpes simplex virus type 2	
Haemophilus ducreyi	Human papillomavirus (multiple genotypes	
Klebsiella granulomatis	involved in genital infection)	
(Calymmatobacterium granulomatis)	Hepatitis B virus	
Ureaplasma urealyticum	Molluscum contagiosum virus	
Ureaplasma parvum		
Mycoplasma genitalium		
직접적 증거는 불충분하지만 성매개 전파 가능성이 있는 미생물		
Mycoplasma hominis	Cytomegalovirus	Candida albicans
Gardnerella vaginalis	Human T cell lymphotropic virus type II	Sarcoptes scabiei
Group B Streptococcus	Hepatitis C, D viruses	
Mobiluncus spp.	Herpes simplex virus type 1	
Helicobacter cinaedi	Epstein-Barr virus	
Helicobacter fennelliae	Human herpesvirus type 8	
주로 남성 동성애자에서 구강 또는 항문성교에 의해 전파되는 미생물		
Shigella spp.	Hepatitis A virus	Candida lamblia
Campylobacter spp.		Entamoeba histolytica

II 성매개감염의 역학

성매개감염은 성병venereal disease, VD 또는 성전파성 질환sexually transmitted diseases, STDs이라는 용어와 혼용되기도 하지만 개념에 차이가 있다. 과거에 널리 사용되던 성병이라는 용어의 경우 임질gonorrhea, 매독, 무른궤양(연성하감)chancroid 등 주로 성기 자체에 특징적인 병변이 나타나는 질환들을 지칭하는 반면, 성전파성 질환은 성기 자체의 병변 여부를 떠나 성접촉이 주된 전파 경로로 작용하는 질환을 의미한다. 그러나 이러한 질환들도 전신감염증 양상을 보이거나 무증상 상태를 오랫동안 유지하는 경우가 있고, 다른 감염성 질환에 비해 사람에서 사람으로의 전파가 그리 쉽지 않은 것들도 있다. 따라서 최근에는 성병이나 성전파성 질환이라는 용어보다 성매개감염이라는 용어가 선호되고 있다. 성매개감염은 환자와 무증상자들을 포괄하는 개념이다.

의학적 또는 보건학적으로 문제시되는 성매개감염을 유발하는 것들 중 표 13-2에 정리된 병원체들이 특히 중요하게 거론된다. 그중 사람면역결핍바이러스human immunodeficiency virus, HIV 감염의 경우 규모와 심각성이 크기 때문에 여타 성매개감염과 구분하기도 하지만 개념적으로는 가장 전형적인 바이러스성 성매개감염이라고 할 수 있다. 우리나라에서는 '감염병의 예방 및 관리에 관한 법률'에 근거하여 성접촉을 통하여 전파될 수 있는 감염병 중 보건복지부 장관이 고시한 매독, 임질, 무른궤양, 클라미디아감염증, 생식기 단순헤르페스, 첨규콘딜로마, 사람유두종바이러스감염증을 성매개감염병이라고 규정하고 있다. HIV 감염의 경우 '후천성면역결핍증 예방법'을 통해 관련 사항이 다루어지고 있다.

성매개감염은 성인 인구집단의 흔한 건강 문제이기도 하지만 불임, 자궁외임신, 항문생식기 계통의 암, 그리고 태아 사망과 기형아 출산 등의 중증 합병증을 초래하기도 한다는 점에서 그 중요성이 더욱 부각되고 있다. 이는 우리나라를 포함한 전 세계 차원의 보편적 현상이다. 세계보건기구WHO에서는 매일 전 세계 인구 중 100만여 명이 HIV를 포함한 성매개감염 원인 병원체에 감염되는 것으로 추계하고 있으며, 성매개감염 예방 및 관리를 위한 전략적 대응에 각국 보건당국이 적극 나설 것을 권고하고 있다.

1. 성매개감염의 세계적 현황

오늘날의 거의 모든 건강 관련 현상들을 의학적 지식만으로 설명할 수는 없으며, 그 대책을 강구하는 데서도 의학 지식과 기술의 한계가 크다. 성매개감염도 예외는 아니다. 인구사회학적 특성과 사람들의 행태가 성매개감염 발생 및 분포에 미치는 영향은 그 어느 질병보다 크다고 할 수 있다. 빠르게 진행된 세계화, 사회적 양극화 심화, 성행태의 변화, 그리고 의학기술 발전 등으로 인해 성매개감염의 세계적 유행 양상도 뚜렷이 변화했다.

매독과 임질, 무른궤양 등 과거에 흔했던 세균성 성매개감염의 경우 최근 30~40여년 동안 대부분의 국가에서 지속적인 감소 추세를 보였다. 항균제가 개발되고 사용이 확대되는 한편 1980년대 이후 AIDS의 유행으로 인해 성행태가 개선된 것이 주요 요인으로 이해되고 있다. 다만 국가 또는 사회 전체 차원에서는 세균성 성매개감염 발생이 감소 추세를 유지하고 있으나, 최근에는 특정 소집단 내에서 발생이 증가하고 있다. 미국의 흑인 여성 청소년, 미국

표 13-2	주요 성매개감염의 원인 병원체와 이들이 유발하는 질환

병원체 종류		주요 질환
세균 bacteria	임균Neisseria gonorrhoeae	임질gonorrhea 남성: 요도염, 부고환염, 고환염, 불임 여성: 자궁경부염, 자궁내막염, 난관염, 골반염질환, 불임, 조기양막파열, 간주위염 남녀 공통: 직장염, 인두염, 파종성 임균 감염 신생아: 결막염, 각막 흉터 및 실명
	클라미디아트라코마티스균 Chlamydia trachomatis	클라미디아감염증chlamydial infection 남성: 요도염, 부고환염, 고환염, 불임 여성: 자궁경부염, 자궁내막염, 난관염, 골반염질환, 불임, 조기양막파열 남녀 공통: 직장염, 인두염, 라이터증후군 클라미디아림프육아종(strain L1~L3에 의한 감염) 신생아: 결막염, 폐렴
	매독균Treponema pallidum	매독syphilis 여성: 유산, 사산, 미숙아 분만 남녀 공통: 궤양, 무통성 굳은궤양chancre, 피부 발진, 편평콘딜로마condylomata lata (뼈, 심혈관계 및 신경계) 신생아: 사산, 선천매독
	헤모필루스듀크레이균Haemophilus ducreyi	무른궤양chancroid 남녀 공통: 통증성 생식기 궤양, 가래톳bubo
	육아종 피막성 구균Klebsiella granulomatis (Calymmatobacterium granulomatis)	서혜육아종granuloma inguinale, donovanosis 남녀 공통: 서혜부와 항문 부위 림프절종창 및 궤양
	Mycoplasma genitalium	남성: 비임균요도염 여성: 세균질증, 골반염질환
	우레아플라스마우레알리티쿰 Ureaplasma urealyticum	남성: 비임균요도염 여성: 세균질증, 골반염질환
바이러스 virus	사람면역결핍바이러스 human immunodeficiency virus, HIV	후천성면역결핍증후군acquired immunodeficiency syndrome, AIDS 남녀 공통: HIV 관련 질환, AIDS
	제2형 단순헤르페스바이러스 herpes simplex virus type 2 제1형 단순헤르페스바이러스 herpes simplex virus type 1 (드묾)	생식기 단순헤르페스, 생식기헤르페스genital herpes 남녀 공통: 항문 성기 부위의 수포 및 궤양성 병변 신생아: 신생아 헤르페스
	사람유두종바이러스 human papilloma virus, HPV	첨규콘딜로마, 생식기사마귀genital warts 남성: 성기 및 항문 부위 사마귀, 성기의 상피세포암 여성: 성기 및 항문 부위 사마귀, 자궁경부암, 성기의 상피세포암, 항문 부위 상피세포암 신생아: 후두유두종
	B형간염바이러스hepatitis B virus	바이러스성 간염viral hepatitis 남녀 공통: 급성간염, 간경화, 간암
	거대세포바이러스cytomegalovirus	거대세포바이러스 감염증cytomegalovirus infection 남녀 공통: 비특이성 발열, 광범위 림프절종창, 간질환 등
	전염성 연속종 바이러스 molluscum contagiosum virus	전염성 연속종molluscum contagiosum 남녀 공통: 성기와 전신에 나타나는 배꼽 모양의 단단한 피부 결절
	제6형 사람헤르페스바이러스 human herpes virus type 8	카포시육종Kaposi sarcoma 남녀 공통: 면역기능저하 환자들에서 나타나는 피부의 진행성 혈관종
원충 protozoa	질편모충Trichomonas vaginlis	트리코모나스증trichomoniasis 남성: 비임균요도염(무증상이 흔함) 여성: 다량의 거품성 질분비물을 동반한 질증, 조기 분만, 저체중아 출산 신생아: 저체중
진균 fungus	칸디다알비칸스Candida albicans	칸디다증candidiasis 남성: 귀두 부위의 표재성 감염 여성: 부드러운 치즈 모양의 질분비물을 동반하는 음문 질염, 음부 소양 또는 작열감
기생충 parasite	사면발이Phthirus pubis	사면발이증public lice infestation
	옴진드기Sarcoptes scabiei	옴scabies

과 유럽의 남성 동성애자들이 세균성 성매개감염 발생이 증가하고 있는 대표적인 소집단이다.

한편 생식기 단순헤르페스와 첨규콘딜로마 등과 같은 바이러스성 성매개감염의 경우 최근 10여년 동안 전 세계 대부분의 국가에서 완만히 증가하고 있다. 이는 진단 기술의 발전과 검사 서비스 활성화로 인한 환자 발견 증가, 그리고 면역기능이 손상된 HIV 감염인들의 바이러스성 성매개감염 재발 증가 등이 원인이라고 판단된다.

WHO는 2018년 전 세계 차원의 성매개감염 발생 및 유병 환자 규모를 추계한 바 있다. 이 결과에 의하면 연간 전세계에서 발생하는 매독, 임질, 클라미디아감염증, 무른궤양, 트리코모나스증 대략 3억 7천만 건에 이른다. 종류별로는 트리코모나스증의 발생건수가 1억 5천 6백만 건으로 가장 많고, 클라미디아 감염증이 8억 7천, 임질은 8억 7천만 건, 그리고 매독이 6백만 순이다.

표 13-3 전세계 대륙 지역별 HIV/AIDS 관련 현황 통계

구분	HIV 감염인	신규 HIV 감염인	감염률(%)	AIDS 관련 사망자
아시아 태평양	5,800,000 [4,300,000~7,200,000]	300,000 [210,000~390,000]	0.2 [0.1~0.3]	160,000 [94,000~240,000]
카리브해 지역	330,000 [270,000~400,000]	13,000 [8,700~19,000]	1.1 [0.9~.4]	6,900 [4,900~10,000]
동유럽 및 중앙아시아	1,700,000 [1,400,000~ 1,900,000]	170,000 [140,000~190,000]	0.9 [0.8~1]	35,000 [26,000~45,000]
동부 남부 아프리카	20,700,000 [18,400,000~23,000,000]	730,000 [580,000~940,000]	6.7 [5.7~7.6]	300,000 [230,000~390,000]
라틴 아메리카	2,100,000 [1,400,000~2,800,000]	120,000 [73,000~180,000]	0.4 [0.3~0.6]	37,000 [23,000~56,000]
중동 및 북아프리카	240,000 [170,000~400,000]	20,000 [11,000~38,000]	0.1 [0.1~0.1]	8,000 [4,900~14,000]
서부 및 중앙 아프리카	4,900,000 [3,900,000~ 6,200,000]	240,000 [150,000~390,000]	1.4 [1~1.7]	140,000 [100,000~210,000]
북미와 중부 서유럽	2,200,000 [1,700,000~2,600,000]	65,000 [49,000~87,000]	0.2 [0.2~0.3]	12,000 [8,700~19,000]

UNAIDS AIDSinfo 2019.

2. 성매개감염의 국내 현황

1) 성매개감염 감시체계

우리나라에서 성매개감염 유행 양상과 원인을 파악하기 위하여 가동 중인 감시체계는 표 13-4와 같다.

2020년 1월 이후 사람유두종바이러스 감염증이 신설되면서 6종에서 7종으로 확대하여 매독, 임질, 클라미디아감염증, 연성하감, 성기단순포진, 첨규콘딜롬 및 사람유두종바이러스감

표 13-4 우리나라의 성매개감염 감시체계

구분		감시대상정보		비고
수동적 감시체계 (법정감염병 신고제도)	표본감시	매독	1기, 2기, 선천매독	표본감시 보건의료기관에서 주 1회 실적 보고
		임질	환자, 의사환자	
		무른궤양	환자	
		클라미디아감염증	환자	
		생식기 단순헤르페스	환자, 의사환자	
		첨규콘딜로마	환자, 의사환자	
		사람유두종바이러스감염증	병원체보유자	
능동적 감시체계	성행태감시	성인들의 성행태, 성매개감염 이환 경험 등		전국 성인 표본 인구집단 대상으로 '에이즈에 대한 지식, 태도, 신념 및 행태 조사' 매년 실시
	위험 인구집단 성병 이환	성매매 여성, 남성 동성애자, 노인 등의 성병 이환 실태		부정기적으로 실시하며, 검진 조사 를 병행하기도 함
	일반 성인 성병 이환	성인 인구집단의 성병 이환 실태		일과성으로 실시한 바 있으며, 검진 조사를 병행했음

염증에 대한 감시를 하고 있다. 이 중 매독은 2019년까지 모든 의료기관에서 신고 받는 전수 감시 대상이었으나 2020년부터 일부 의료기관 신고인 표본감시로 변경되었으며 법정 감염병 3군에서 삭제되었다.

한편 질병관리본부 차원에서 2007년부터 매년 실시하고 있는 '에이즈에 대한 지식, 태도, 신념 및 행태 조사'는 전국 성인 표본 인구집단을 대상으로 성행태와 성매개감염 이환 경험 등을 조사하고 있다. 이 조사는 면접 또는 전화 조사 방식으로 진행되고 있다. 또한 성매개감염 취약 집단과 일반 성인을 대상으로 한 검진 및 성행태 조사도 간헐적으로 실시되고 있는데, 남성 동성애자, 성매매 여성, 노인, 도시 지역 거주 성인 등이 주요 대상이다.

국가 성매개감염병 감시연혁

- 1954년 「전염병예방법」 제정 시 제3종 법정전염병으로 지정
- ※성병(6종) : 매독, 임질, 연성하감, 비임균성요도염, 성병성임파육아종, 서혜임파종
- 1969년 성병검진규칙 제정(현, 성매개감염병 및 후천성면역결핍증 건강진단규칙)
- 2000년 제3군전염병으로 분류 후 종류 변경, 표본감시를 도입하여 2001년 표본감시(7 종) 시작

※성병임파육아종, 서혜임파종 삭제→ 클라미디아감염증, 성기단순포진, 첨규콘딜롬 추가

- 2010년 군 분류 개편 : 매독 제3군 전수보고로 전환, 임질 등 5종 지정감염병으로 표본

  감시 유지, 비임균성요도염 삭제(성병 → 성매개감염병으로 명칭 변경)

- 2011년~2019년 성매개감염병은 6종으로 매독은 전수보고, 임질 등 5종은 표본감시

※성매개감염병 : 매독, 임질, 클라미디아, 연성하감, 성기단순포진, 첨규콘딜롬

- 2020년 급 분류 개편 : 매독 제4급 표본감시로 전환, 임질 등 5종도 제4급으로 표본감

  시 유지, 사람유두종바이러스감염증(HPV) 제4급으로 표본감시 신설

질병관리본부, 최근 5년간(2014~2018) 국내 성매개감염병 신고발생동향. 2020

2) 성매개감염 현황

보건의료기관을 통한 일반 인구집단 성매개감염 발생 표본감시 활동은 지난 2001년도부터 시작되었으며, 국내 모든 대학병원과 보건소 그리고 각 시군구별로 지정된 일부 의료기관이 표본감시 보건의료기관으로 지정받아 참여하고 있다. 2018년 말 기준으로 총 586개의 보건 의료기관이 성매개감염 표본감시 활동을 전개하고 있다. 이들 표본감시 보건의료기관으로부 터 보고된 성매개감염 환자 발생 실적은 표 13-5와 같다. 2002년도에 가장 많은 수가 보고된 임질의 경우 2003년 이후 계속 감소, 안정된 추세를 유지하고 있으나, 클라미디아감염증의 경우 2004년 이후 감소하다 2010년 이후 지속적으로 증가하여 최근에는 가장 많이 보고되는 성매개감염이 되었는데, 연평균 28% 이상 증가하였고 여성에서 발생이 높으며(2018년 남성 의 1.5배) 연령별로는 남녀모두에서 10대, 20대와 60대가 3.3~3.5배 증가하였다. 생식기 단 순헤르페스와 첨규콘딜로마와 같은 바이러스 성매개감염 발생도 점차 증가하고 있다. 이러한 일반 인구집단 대상의 성매개감염 표본감시 결과는 앞서 기술한 전 세계적 양상과 유사하다.

2010년에 성인 표본 인구집단을 대상으로 조사한 결과에 의하면 우리나라 성인의 13.9%가 최근 1년 내에 고정적인 성 파트너 이외의 상대와 성관계한 경험이 있는 것으로 나타났으며, 이 들 중 70.7%가 비고정적인 파트너와의 성관계 시 콘돔을 사용하지 않는 경우가 있다고 한다.

한편, 성매개감염 고위험군인 성매매 여성 1,100명을 지난 2008년에 조사한 검진 결과에 따 르면 매독, 임질, 클라미디아감염증 검진 유병률이 각각 9.8%, 2.6%, 12.5%였다. 또한 2006

표 13-5 성매개감염 표본감시 실적 단위: 총 보고건수

구분	임질	클라미디아 감염증	무른궤양	성기단순 헤르페스	첨규콘딜롬	매독 (1기, 2기)	사람유두종 바이러스감염증	계
2012년	1,615	3,510	0	2,618	1,495	0	0	9,238
2013년	1,613	3,733	3	2,870	1,688	0	0	9,907
2014년	1,698	3,955	0	3,550	2,197	0	0	11,400
2015년	2,331	6,602	2	5,019	3,484	0	0	17,438
2016년	3,615	8,438	0	6,702	4,202	0	0	22,957
2017년	2,103	8,567	2	6,657	4,206	0	0	21,535
2018년	2,361	10,606	5	10,347	5,395	0	0	28,714
2019년	2,675	11,518	4	11,229	5,878	0	0	31,304
2020년	2,199	8,960	0	10,759	4,864	327	10,945	38,057
2021년	192	807	0	1,033	459	22	1,381	3,895

매독은 2010년 12월 30일 '감염병의 예방 및 관리에 관한 법률' 시행을 계기로 전수보고 대상으로 전환되었다가 2020년 표본감시로 개정되었다.
사람유두종바이러스의 경우 2020년 1월 1일부터 표본감시체계에 포함되었다.
질병관리본부, 감염병 웹 통계 시스템 통계자료(2021)

년에 서울, 부산, 광주, 원주 등 4개 도시에 거주하는 일반 성인 남녀 1,922명을 대상으로 한 검진 조사에서는 클라미디아감염증 유병률이 3.4%로 집계되었으며, 임질은 남성 중 단 1명에서만 양성이 확인되었다. 클라미디아감염증의 경우 남성의 유병률은 30대에서 3.1%로 가장 높았으며, 여성은 20대에서 5.9%로 가장 높았다. 결혼 상태에 따른 유병률은 남성의 경우 기혼자(1.7%)보다 미혼/이혼/사별군(2.8%)에서 더 높았으며, 여성의 경우도 유사한 결과를 보였다. 월 가구 소득별 클라미디아 유병률의 차이는 남성의 경우 100만 원 미만군이 3.7%로 가장 높았으나, 여성의 경우는 400만 원 이상 군이 8.1%로 가장 높았다. 교육 수준에 따라서는 남녀 모두 대졸보다 고졸 이하 군의 유병률이 높았다. 제14차(2018) 청소년건강행태조사에서 우리나라 청소년들의 성경험 시작 연령이 만 13.6세로 조사되어, 최근 성문화가 급속도로 변화되고 있으며 이로 인한 감염병 노출 위험에 대한 연령 범위가 확대되고 있음을 알 수 있었다.

지난 2009년 서울, 경기도, 부산 등 6개 광역시, 도에 소재한 14개 병의원(비뇨기과, 산부인과)에서 진행된 연구 결과에 의하면, 연구 기간 중 이 의료기관들에 내원한 총 167,767명의

환자 중 4,452명이 성매개감염에 이환된 것으로 확인된 바 있다. 즉, 의료기관 내원 환자의 2.7%가 성매개감염에 이환된 상태였으며, 이를 바이러스성(생식기 단순헤르페스와 첨규콘딜로마)과 세균성(매독, 임질, 무른궤양, 클라미디아감염증, 남성 비임균요도염, 여성 트리코모나스증) 성매개감염으로 구분하여 유병률을 산출해보면 각각 1.0%와 1.7%였다. 또한 최근 건강검진을 목적으로 의료기관에 내원한 표본인구집단과 건강보험공단 심사평가원 진료 기록을 검토하여 추계한 결과에 따르면 우리나라 60세 이상 노령 인구의 0.22%, 0.01%, 2.37%가 각각 매독, 임질, 클라미디아감염증에 이환된 것으로 나타났다.

3. AIDS

1) 세계적 현황

WHO와 UNAIDS의 연례 보고서에 따르면 2016년 말을 기준으로 전 세계에는 약 3,670만 명(3,080만~4,290만 명)의 HIV 감염인이 생존해 있는 것으로 추계된다(그림 13-1). AIDS로 인한 사망은 2016년 100만 명(83~120만 명)으로 2005년 190만 명(170~220만 명)에 비해 무려 48% 감소되었으며, 예방 및 치료 프로그램이 강화되면서 타인으로의 전파 위험이 감소되어 2016년 전 세계 HIV 신규 감염인 수는 180만 명(160만~210만 명)으로, 2010년 이후로 16%가 감소되었고 1996년도의 350만 명을 정점으로 하여 지속적으로 감소하는 추세가 유지되고 있음을 보여준다.

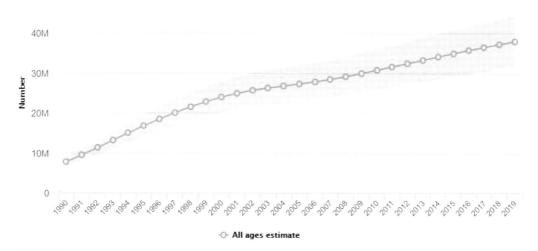

그림 13-1 연도별 전 세계 HIV 감염인의 수, UNAIDS. (Report on the Global AIDS Epidemic 2020)

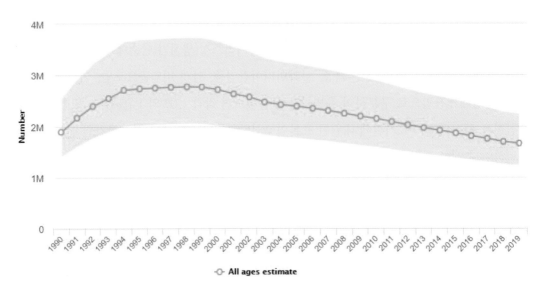

◇ All ages estimate

그림 13-2 연도별로 새로 확인된 전 세계 HIV 감염인의 수, UNAIDS. (Report on the Global AIDS Epidemic 2020)

그러나 이러한 성과에도 불구하고 남동부 아프리카와 같이 HIV/AIDS 발생률이 높은 국가에서는 젊은 여성(15~24세)에서 발생 빈도가 높고, HIV/AIDS 발병률이 낮은 국가에서는 마약사용자, 성매매 종사자(sex workers), 트랜스젠더, 수감자, MSM (Men who have sex with men) 및 그들의 성 파트너와 같은 핵심 인구집단(key population)에서 HIV가 주로 발생하고 있다. 대륙별 신규 HIV 감염 현황을 살펴보면, 남동부 아프리카는 2010년에서 2016년에 약 29% 감소하여 가장 빠른 감소세를 보였고, 아시아·태평양 지역은 동기간 동안 13% 감소, 서·중앙 아프리카, 서유럽, 중앙 유럽, 북아메리카는 9% 감소, 캐리비안은 5%, 중동 및 북아프리카가 4% 감소한 반면 라틴아메리카는 변화가 없었고, 동유럽과 중앙아시아에서는 신규 감염이 60%나 증가하였다.

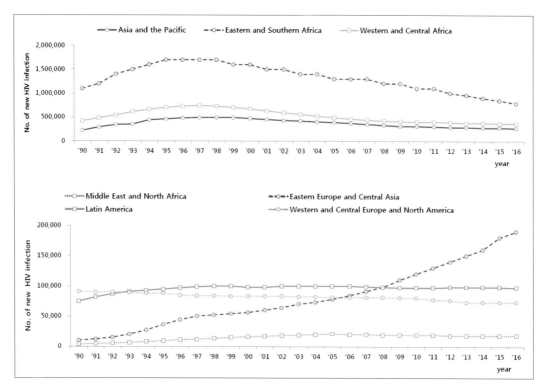

HIV 신규 감염 인구 동향(1990~2016)

2) 우리나라의 현황

(1) HIV 감염 신고 현황

AIDS를 포함한 HIV 감염은 제3군 감염병의 하나로서 의사 등이 즉시 신고해야 하는 질병이다. 이러한 신고제도는 우리나라 HIV 감염 감시체계의 근간을 이룬다. 신고된 HIV 감염 현황에 의하면 우리나라 성인의 HIV 감염률은 전 세계 차원에서는 물론 상대적으로 HIV 감염률이 낮은 동아시아 국가 중에서도 최저 수준이다. 2017년 기준 한국의 HIV 감염인은 1,009명, 10만 명 중 HIV 감염인은 2.0명으로 OECD 국가 전체 36개국 중 4위로 낮은 수치를 보이고 있다. 2019년 신규 HIV 감염인은 1,222명이며, 이중 내국인은 1,005명(82.2%), 외국인은 217명(17.8%)로 추정된다. 전세계 HIV 신규 감염인은 감소추세이지만 국내의 HIV 신규 감염인은 1.3%(16명) 증가하였다. 2019년 12월 말을 기준으로 한 내국인 누적 HIV 감염인 수는 13,857명으로, 성별로는 남자 93.3%(12,926명), 여자 6.7%(931명)이다(표 13-6). 그러나 이러한 통계는 여러 경로를 통하여 HIV에 감염되었음을 진단받은 사례들만 집계된 것이다. HIV에 감염되더라도 상당한 무증상 잠복 기간을 거치게 됨을 고려하면, 이 결과만으로 우리나라

성인들의 HIV 감염률이 우려할 바가 아니라고 단정해서는 안 된다.

2019년 말까지의 내국인 누적 HIV 감염 사례(13,857명) 중 남성이 12,926명(92.0%)으로 대다수를 차지하고 있다(성비 14:1). 전 세계 15세 이상의 HIV 감염인 중 52%가 여성이라는 통계와 차이가 뚜렷하다(표 13-7). 또한 역학조사를 통하여 감염 경로가 파악된 사례들의 대부분은 성접촉에 의한 것으로 나타났으며 혈액제제에 의한 감염은 1995년, 수혈로 인한 감염은 2006년 이후 보고 사례가 없다(표 13-8).

표 13-6 연도별 신규 HIV/AIDS 신고 현황(1985~2019) (단위 : 명)

연도	전체			내국인			외국인		
	계	남자	여자	소계	남자	여자	소계	남자	여자
1985	2	2	0	1	1	0	1	1	0
1986	3	0	3	3	0	3	0	0	0
1987	9	4	5	9	4	5	0	0	0
1988	23	18	5	22	17	5	1	1	0
1989	40	38	2	37	35	2	3	3	0
1990	54	50	4	52	48	4	2	2	0
1991	51	47	4	46	42	4	5	5	0
1992	92	84	8	81	77	4	11	7	4
1993	87	79	8	69	62	7	18	17	1
1994	99	87	12	89	78	11	10	9	1
1995	114	94	20	108	89	19	6	5	1
1996	112	101	11	104	93	11	8	8	0
1997	144	126	18	125	107	18	19	19	0
1998	137	118	19	129	111	18	8	7	1
1999	199	171	28	186	160	26	13	11	2
2000	244	211	33	219	194	25	25	17	8
2001	384	336	48	327	292	35	57	44	13
2002	457	402	55	397	363	34	60	39	21
2003	592	543	49	533	502	31	59	41	18
2004	763	672	91	610	557	53	153	115	38
2005	734	673	61	680	640	40	54	33	21
2006	796	717	79	749	687	62	47	30	17
2007	828	759	69	740	698	42	88	61	27
2008	900	814	86	797	743	54	103	71	32
2009	839	759	80	768	710	58	71	49	22
2010	837	762	75	773	723	50	64	39	25
2011	959	877	82	888	827	61	71	50	21
2012	953	864	89	868	808	60	85	56	29
2013	1,114	1,016	98	1,013	946	67	101	70	31
2014	1,191	1,100	91	1,081	1,016	65	110	84	26
2015	1,152	1,080	72	1,018	974	44	134	106	28
2016	1,197	1,103	94	1,060	1,000	60	137	103	34
2017	1,190	1,088	102	1,008	958	50	182	130	52
2018	1,206	1,100	106	989	945	44	217	155	62
2019	1,222	1,111	111	1,005	952	53	217	159	58

표 13-7 2019년 HIV/AIDS 내국인 현황 (단위 : 명)

구분		전체	남자	여자
계		13,875	12,926	931
연령	0~4세	0	0	0
	5~9세	1	1	0
	10~14세	1	1	0
	15~19세	48	43	5
	20~24세	500	485	15
	25~29세	1,672	1,635	37
	30~34세	1,700	1,633	67
	35~39세	1,433	1,350	93
	40~44세	1,663	1,567	96
	45~49세	1,726	1,605	121
	50~54세	1,626	1,520	106
	55~59세	1,332	1,235	97
	60~64세	992	865	127
	65~69세	546	476	70
	70세 이상	607	510	97

1985년~2019년 발견 신고된 감염 내국인에서 사망으로 신고된 감염인을 제외하였고, 2019년 통계청 사망원인통계('20.9월 발표)와 연계 시 변동될 수 있음

표 13-8 연도별 HIV/AIDS 내국인 감염경로 분포 (단위 : 명)

연도	전체							
	계	성 접촉			수직 감염	마약주사 공동사용	수혈/ 혈액제제	무응답
		소계	이성	동성				
1985	1	1	7	0	0	0	0	0
1986	3	3	3	0	0	0	0	0
1987	9	6	6	0	0	0	3	0
1988	22	20	18	2	0	0	2	0
1989	37	34	27	7	0	0	3	0
1990	52	51	47	4	0	0	1	0
1991	46	35	29	6	0	0	9	2
1992	81	66	38	28	0	1	10	4
1993	69	63	50	13	0	0	5	1
1994	89	83	61	22	0	0	3	3
1995	108	101	80	21	1	0	2	4
1996	104	90	69	21	0	0	0	14
1997	125	114	73	41	0	0	0	11
1998	129	107	73	34	0	0	0	22

1999	186	156	105	51	1	0	0	29
2000	219	190	130	60	0	1	0	28
2001	327	283	188	95	0	0	0	44
2002	397	352	205	147	1	0	2	42
2003	533	470	238	232	2	0	4	57
2004	610	535	279	256	0	0	1	74
2005	680	609	328	281	0	0	1	70
2006	749	659	375	284	1	0	0	89
2007	740	626	406	220	0	0	0	114
2008	797	593	349	244	0	1	0	203
2009	768	562	339	223	0	0	0	206
2010	773	577	354	223	1	1	0	194
2011	888	649	359	290	0	0	0	239
2012	868	541	321	220	1	0	0	326
2013	1,013	599	357	242	0	0	0	414
2014	1,081	652	368	284	1	0	0	428
2015	1,018	652	364	288	0	0	0	366
2016	1,060	712	387	325	0	0	0	348
2017	1,008	752	394	358	0	1	0	255
2018	989	799	425	374	0	0	0	190
2019	1,005	821	379	442	0	2	0	182

HIV/AIDS의 발생 양상은 통상적으로 다음과 같은 단계를 따라 변천하는 것으로 알려져 있다.

1단계: 주로 남성 동성애자들 간의 성접촉을 통해 확산되는 단계.

2단계: 주사기를 공동 사용하는 마약 중독자들의 감염 사례가 급증하는 단계.

3단계: 직업 여성들의 감염이 뚜렷이 증가하는 단계.

4단계: 직업 여성들과 성접촉을 한 일반 남성들에서 광범위하게 유행하는 단계.

5단계: 직업 여성들과의 성접촉으로 감염된 일반 남성들의 배우자 또는 파트너들의 감염 사례가 느는 단계.

6단계: 감염된 산모들로부터 출생한 신생아들의 감염 사례가 빈번해지는 단계.

따라서 역학조사 결과만 놓고 본다면 우리나라는 HIV/AIDS 역학적 변천의 4단계와 5단계 사이에 걸쳐 있다고 간주할 수 있다.

이성 간의 성접촉을 통한 감염이 가장 많다는 사실이 역학조사 결과 집계로 확인되었으나, 다음과 같은 사실들은 동성 간의 성접촉이 현재까지 우리나라에서 HIV 확산의 가장 흔한 경로임을 시사한다.

첫째, 성매매 여성 등을 대상으로 HIV 검사가 의무적으로 시행되고 있으며, 거의 모든 산모들에게 HIV 검사가 필수 기본 검사로 적용되고 있음에도 불구하고 누적 HIV 감염 통계에서 여성은 6.7%밖에 되지 않는다.

둘째, 전국의 HIV 감염인들이 집중되고 있는 서울 지역의 주요 대학병원 감염내과 전문의들이 체감하는 남성 감염인 구성비는 최소 60.0% 이상인 것으로 알려져 있다.

셋째, 보건소 역학조사를 통해 이성 간의 성접촉으로 전파된 것으로 잠정 판단되었던 사례가 추후 남성 동성애자 간의 성접촉에 의한 것으로 정정되는 경우가 빈번하다는 점도 이를 뒷받침한다. 이와 같은 발생 양상을 고려한다면 우리나라는 아직 AIDS의 역학적 변천 과정 1단계에 머물러 있다고 판단하는 것이 합리적이다.

한편 WHO와 UNAIDS는 HIV 감염 현황 수준에 따라 '낮은 유행 수준low level epidemic', '국소적 유행 수준concentrated epidemic', '광범위한 유행 수준generalized epidemic'으로 단계를 구분하고 있다. '낮은 유행 수준'이란 산발적으로 HIV 감염 사례가 발생하는 단계로써, 상대적으로 감염 위험이 높은 남성 동성애자와 같은 취약 집단이라 할지라도 HIV 감염률이 5.0% 이하인 상태를 말한다. '국소적 유행 수준'에는 일반 인구집단의 감염률은 여전히 매우 낮은 수준이지만 특정 취약 집단의 HIV 감염률이 5.0% 이상인 국가 또는 사회가 해당한다. 그리고 '광범위한 유행 수준'이란 산모들의 HIV 감염률이 1.0% 이상에 이를 정도로 일반 인구집단에서 HIV 감염이 만연한 상태를 의미한다. 우리나라는 신고된 누적 HIV 감염인 수가 13,857명에 불과하고, WHO와 UNAIDS 추계 방법에 따라 성인의 실제 HIV 감염률을 추정해봐도 0.05% 미만 수준이며, 위험 성행동을 한 남성 동성애자들이 주로 이용하는 상담 검진소의 사업 실적에서도 이들의 HIV 감염률은 대략 4.0%(2005년: 3.96%, 2006년: 4.43%)인 것으로 알려져 있다. 따라서 우리나라는 낮은 유행 수준에서 국소적 유행 수준으로 이행하는 과정에 있다고 할 수 있다.

이러한 역학적 특성은 HIV 감염인 및 남성 동성애자 등과 같은 감염 취약 집단에 대한 집중적인 예방/지원 프로그램의 필요성과 효율성이 우리나라에서 특히 강조되어야 한다는 것을 보여준다.

III 성매개감염의 예방

성매개감염은 단순히 개인의 건강 문제가 아니라 출산 과정과 영유아 건강과도 관련 있으며 사회경제적으로도 큰 영향을 미치는 질환이다. 또한 HIV를 전파시킬 수 있는 가능성으로 인해 지역에 따라서는 전 국가적인 이환율이나 사망률과 연관이 있다. 이러한 성매개감염의 중요성에 비해 전 세계적으로 유병 현황이 명확히 파악되지 못하고 있는데, 이는 해당 지역의 여건상 진단되지 않거나 보고에서 누락되는 경우가 아직 많고, 후유증이나 부인과적, 소아과적 합병증 또는 종양처럼 연관되어 발생하는 질병들을 연구의 범주에 포함하지 않는 경향 때문이기도 하다.

많은 국가가 HIV 전파를 예방하려는 노력과 함께 성매개감염 관리 프로그램을 시행하여 세균성 성매개감염이 감소 추세를 보이고 있다. 최근에는 바이러스성 성매개감염 관리에도 관심이 쏠리고 있다. 하지만 이러한 노력들은 성매개감염 관리의 근본 원칙이 지켜지지 못하면 성과를 거두기 어렵다는 특징이 있다.

1. 성매개감염과 HIV

성매개감염과 HIV의 생물학적 관계는 논란의 여지가 없지만, 특정 집단에서 성매개감염을 계획적으로 관리하면 HIV 전파 감소에 효과가 있다는 것을 입증하기는 쉽지 않다. 성매개감염을 치료한 후 요로생식기계의 HIV 발현이 감소하였다는 연구 결과가 있지만 일부 임상연구에서는 성매개감염 치료와 HIV 전파는 관계가 없다는 결과가 나타나기도 했다. 이러한 상반되는 결과는 각 연구 대상 집단의 차이, 즉 그 집단이 가진 성매개감염의 특성, HIV의 역학적 특성, 성행태의 위험도 차이 등에 의해 발생한다고 생각된다.

HIV 예방을 위해 특정 집단에서 정책적으로 성매개감염을 관리하는 일의 성패는 그 집단 내 HIV의 역학적 특성과 성매개감염의 관리 정도를 정확히 파악하는 것에서부터 시작될 것이다.

2. 성매개감염과 HIV 예방을 위한 원칙 및 우선순위

성매개감염 관리 프로그램의 목적은 다양한 예방법과 치료 전략들을 통해 감염률을 떨어뜨리는 것이다. 이는 위험한 성행태의 감소, 콘돔 사용, 성매개감염 환자 치료 등 가능한 모든 방법을 동원하여 이루어지는데, 최근에는 성매개감염 전파에 대한 연구가 발달하여 억제요법, 예방요법, 예방적 포경수술, 성매개감염 백신 등의 많은 방법이 더해지고 있다.

1) 성매개감염 전파의 역동학

성매개감염 예방의 역동학은 전파를 억제하는 원칙에 따라 수립되었다. Anderson과 May의 전통적인 성매개감염 예방 역동학 공식($R_0 = c \times \beta \times D$)에 따르면, 특정 인구집단 내에서 성매개감염의 확산을 방지할 수 있는 방법은 ① 성매개감염에 노출될 확률을 줄이는 것, ② 전염 가능성을 떨어뜨리는 것, ③ 적절한 치료를 통해 성매개감염의 유병 기간을 줄이는 것이다.

$R_0 = c\beta D$
c: 고위험 집단 관리, 성관계 파트너의 수 감소 등
β: 콘돔 사용, 예방백신 사용 등
D: 즉각적인 치료, 교육활동, 파트너에게 알리는 일 등

최근에는 좀 더 세밀한 성매개감염 전파 연구 결과가 나왔는데, 그 전제는 인구집단이 다양한 소집단들로 구성되며 이들은 각각 특징이 다르고 성매개감염의 형태도 다양하다는 개념이 기반이다. 인구집단 내의 성행태 패턴이 성매개감염의 전파에 핵심적이며, 집단 내 개인의 위치나 역할이 각 개인이 성매개감염에 노출되거나 질환을 전파하는 데 중요한 요소가 된다는 것이다. 또한 특정 성매개감염 원인균의 특징(전파 가능성이나 감염 가능 기간 등), 성관계 파트너의 수, 공공보건시스템이 성매개감염 역동학과 관련 있음이 알려져 있다.

2) 성매개감염 관리 프로그램의 우선순위

성매개감염에 대한 예방의 우선순위는 특정 국가나 지역의 성매개감염 역학에 바탕을 두고 결정해야 한다. 최근에는 곳곳에서 HIV 통제 프로그램이 진행된 결과 인구학적, 행동학적 자료가 늘고 있으며 대규모 연구 결과도 계속 축적되고 있다. 대개 성매매 종사자 관련 역학이나, 성관계 파트너의 수와 성매개감염의 관계와 같은 분야에서 많은 결과가 나타나고 있다. 또한 성행태의 특징과 연관된 특정 성매개감염이나 HIV의 유병률도 보고되고 있다.

고위험군(성매매 종사자, 동성애자, 마약 중독자 등)은 성매개감염과 HIV 전파에 중요한 역할을 하기 때문에 전염을 차단하고 치료를 개시하는 사업을 수행할 때 주로 초점이 맞춰진다. 그다음으로는 성매개감염 증상을 보이는 각 개인, 특히 생식기 궤양이나 요도분비물 증상이 있는 환자들, 그리고 고위험군과 접촉한 후 내원한 환자들에게 우선적으로 효과적인 처치를 제공해야 한다. 성매개감염 환자들 중에서 급성기 HIV 감염자들, 즉 HIV 임상 경과 중 가장

감염력이 높은 시기의 환자들이 확인된다는 것은 HIV가 성매개감염의 전파를 따라 동시에 전염된다는 것을 의미한다. 즉, 성매개감염 관리 프로그램은 간접적으로 HIV 감염 환자에게 즉각적이고 효과적인 치료를 가능하게 함으로써 HIV 전파에 영향을 준다.

치료 과정에서 성매개감염 환자들을 통해 성관계 파트너도 치료받도록 유도하는데, 이 과정에서 고위험 집단의 범위 확인이 가능해진다. 고위험 집단이 파악된 후에는 증상이 있는 환자들이나 HIV 감염자들에게 초점을 맞추고 어떤 질환에 대해 어떤 식으로 성매개감염 관리 프로그램을 적용할지를 결정해야 한다.

성매개감염 관리 프로그램 결정을 위한 고려사항은 다음과 같다.

① 전반적인 발생률, 유병률, 질환의 분포 상황, 특정 성매개감염이 공공보건에 미치는 영향
② 성매개감염의 임상적 특성과 증상, 후유증
③ 예방책의 적용 가능 여부, 빠르고 정확한 진단이 가능한 기술 수준, 비용, 가급적 단회 요법이 가능한지 여부, 백신의 유무
④ 보건시스템이 새로운 예방법, 실행 계획, 모니터링, 관리법을 받아들이는 정도
⑤ 성매개감염 관리에 대해 해당 인구집단 및 관련 집단이 정책적, 문화적으로 받아들이는 정도

예를 들어, 선천매독을 예방한다면 현재 가능한 모든 방법을 동원해야 할 것이다. 자궁경부암 예방 목적으로 최근 사용 허가를 받은 사람유두종바이러스*human papilloma virus*, HPV 백신은 질병 예방효과가 뛰어나지만 비용 문제를 감안해야 하고, 정책적인 배려도 필요하다. 클라미디아 감염의 경우 감염자 대부분은 증상이 없지만 (특히 여성에 있어서) 개인의 이환*morbidity*과 사망*mortality* 문제를 무시하지 못할 뿐만 아니라 불임으로 유발되는 사회경제적 문제도 중요하므로 이러한 문제를 고려해야 한다.

3) 인권문제와 성평등

성매개감염 관리 프로그램은 일반적으로 사회적 소외계층에 적용되는 경우가 많다. 이들은 빈약한 사회적 지위로 인해 자신의 권리를 주장하기 어려운 위치이므로 성매개감염 관리 프로그램을 실행할 때는 인권과 관련된 문제를 특히 염두에 두어야 한다. 성매개감염 관리 프로그램을 이들에게 적용할 때는 인권 보호의 원칙 안에서 여러 건강 문제와 안전 문제도 함께 다뤄야 참여자들의 협조를 얻을 수 있으며 강압적인 분위기도 해소할 수 있다. 여성과 어린이들은 성적 평등이라는 문제에서 HIV를 포함한 성매개감염에 더욱 취약하다. 일부 국가에서는 남녀에 대한 사회적 규범과 결혼제도를 둘러싼 여러 문제들, 나쁜 인습, 교육 기회의 부족이 심각

한 상황이다. 이런 지역에서는 성적 학대를 없애고 건강한 성에 대해 남녀가 동등한 기회를 가질 수 있도록 유도하는 것이 성매개감염 관리에서 매우 중요한 사안이 된다.

3. 성매개감염과 HIV 관리에 사용되는 주요 예방책

관리 정책의 핵심은 개인과 사회가 성매개감염이나 HIV에 이환되지 않도록 하는 것이다. 특히 진단이나 치료에 필요한 자원이 한정적인 여건에서는 1차적 예방 사업이 매우 중요하다. 1차 예방 사업은, 원인균에 초점을 맞춘 백신 사용이나 억제요법, 각종 선별검사와는 달리 성관계 파트너의 수를 줄여 각 개인이 성매개감염에 노출되는 경우를 감소시키고 콘돔 사용을 통해 질병 전파를 줄이는 등의 성행태 교정 사업이다. HIV 예방과 교육 프로그램을 시행한 결과 일부 국가에서는 성관계를 시작하는 나이가 늦춰지고 일부일처제가 많아졌으며, 성관계 파트너가 줄고 콘돔 사용률이 높아지는 한편 성매매가 줄어듦으로써 부정적인 성행태가 감소했다.

1) 행동 변화 프로그램

효과적인 행동 변화 프로그램 또는 건강한 성생활 증진 운동의 목표는 여러 가지다. 개인적 차원에서는 HIV나 기타 성매개감염에 노출될 수 있는 부정적 성행태의 감소가 목표인데, 이는 보다 안전한 성행태, 즉 금욕을 유지한다거나 성관계 시작 시기를 늦추고 성관계 파트너 수를 줄이며 콘돔을 매번 정확하게 사용하는 것 등을 포함한다. 또한 이러한 프로그램은 공개적 토론을 통해 부정적 성행태에 수반된 근본적인 문제, 해결책, 반대급부, 사회적 영향 등에 영향을 끼치기도 한다. 이러한 운동의 최종 목표는 사람들에게 원칙을 알리고 행동을 수정하게 하여 예방 차원의 사회적 규범에 변화를 이끌어내는 데 있다. 즉, 행동 변화 프로그램을 통해 그 집단의 태도를 변화시키고 사회적 낙인과 차별을 감소시키며, 사람들이 성매개감염과 HIV에 관련된 정보와 서비스를 활용하도록 만드는 것이다.

위험한 성행태에 쉽게 노출되는 그룹인 성매매 종사자, 동성애자, 마약 중독자, 이주노동자, 성적으로 왕성한 청소년은 사회적 이슈 때문에 건강관리 프로그램을 접할 기회가 더 적다. 그러므로 이들을 위한 지원 활동, 교육에 대한 배려 등의 소통 전략이 성매개감염 관리의 초석이 된다. 활발한 지원 활동이야말로 고위험 집단에 쉽게 다가갈 수 있는 지름길인 것이다.

2) 구조적 개입

구조적 개입은 행동 변화 프로그램의 목적에 부합되도록 질병 예방에 관한 환경을 변화시킬 수 있는데, 이는 서비스 제공 단계부터 사회적, 정책적 단계까지 다양하다. 이러한 접근은 건강한 행동들을 실행하는 데 필요한 물품과 재료, 시스템 들을 이용 가능하게 하는 데 초점을 맞출 수 있다. 즉, 적재적소에 콘돔을 비치하고 성매개감염 센터를 운영하여 HIV 상담과 검사를 하는 등의 일을 포함하는 것이다. 콘돔 사용을 정부 차원에서 추진하여 성매매 지역의 업주들로 하여금 손님들에게 콘돔을 사용할 것을 권하게 만든 타이의 100% 콘돔 사용 정책이 좋은 예다. 정책 차원의 또 다른 예를 들면, 성매매 종사자, 동성애자들을 처벌하지 않고 합법화한다거나, 예방활동이 미진할 경우 호텔이나 성매매업소 업주들에게 추가 부담금을 매기는 활동 등이 있다.

정책적인 개입은 성매매업소 관리, 소외계층이 줄어들도록 노력하는 일, 주류세 매기기, 성폭력 근절 캠페인 활동 등이 있다. 이런 활동들은 비용효과적이며, 특히 HIV의 유병률은 낮지만 관리가 취약한 집단에서 유용한 것으로 밝혀졌다.

인도의 경우 캘커타의 성매매업소 밀집 지역의 소외계층을 지원하고 그들이 사회적, 경제적, 정책적 목소리를 낼 수 있도록 배려한 결과, 그 집단의 환경이 개선되고 성매개감염과 HIV 감염도 줄어든 것으로 나타났다.

3) 예방책의 구체적인 방법

(1) 차단법barrier methods
① 남성용 콘돔

남성용 라텍스 콘돔은 원치 않는 임신을 방지하는 데 확실한 효과가 있으며, HIV 전파를 80~85%가량 줄이고, 임질과 클라미디아, 생식기헤르페스, HSV, HPV의 전파를 막는다. 콘돔 사용 시의 실패는 방법적인 문제나 제품 하자로 인해 발생한다. 콘돔의 효과를 높기 위해서는 콘돔 자체의 질적 향상, 적재적소 비치, 그리고 지속적이고 정확한 사용에 대한 교육이 필요하다.

② 여성용 페미돔

여성용 페미돔은 성관계 도중 남성 파트너가 콘돔 사용에 동의하지 않을 때 사용할 수 있다. 여러 연구 결과에 따르면 안전성 면에서 남성용 콘돔과 효과가 동등했다. 하지만 여성용 페미돔 사용을 널리 보급하는 데는 몇 가지 제한점이 있다. 첫째는 남성용 콘돔에 비해 비용이 많이 들고, 비용효과적 측면에서 연구가 충분하지 않다는 점이다. 둘째는 남성 콘돔에 비해 사용법이 어려워 보급 사업이 더 복잡하다는 점이다.

페서리*diaphragm*의 유용성에 대한 관찰 연구에서는 임질과 골반염, 자궁경부이형성증*cervical dysplasia*에 예방 효과가 있는 것으로 나타났다. 남부 아프리카에서 페서리의 HIV 예방 효과를 확인하기 위해 무작위 대조연구가 시행되었으나 콘돔에 비해 더 우수하지는 않은 정도인 것으로 밝혀졌다.

(2) 기타 예방법들
① 백신

자궁경부암은 전 세계 여성들에서 두 번째로 많은 암인데, 2006년에 HPV와 관련된 자궁경부암 예방백신이 미국, 영국 등지에서 승인을 받았다. B형간염의 성매개 전파는 선진국에서도 문제가 되고 있는데, B형간염 예방백신은 오랫동안 사용되어왔고 권장되고 있다. HSV-2의 경우는 백신이 개발되고 있으며, HIV 백신 역시 개발 중이다.

② 포경수술

포경수술을 받은 남성은 매독, 무른궤양, HSV-2 감염 위험이 낮은 것으로 알려져 있다. 최근 시행된 3종류의 cross trial에 따르면 사하라 이남 지역의 아프리카에서 포경수술이 여성으로부터 HIV에 전염될 가능성을 50~60%가량 낮추는 것으로 밝혀졌다. 현재 포경수술은 공공보건의 한 방법으로서 지위를 차지하고 있으며 질병 예방을 위해 권장되고 있지만, 각 나라마다 문화적, 종교적 관습이 다르기 때문에 포경수술 시행 현황도 각기 다른 실정이다.

③ HSV-2 (herpes simplex virus type 2) 억제요법

HSV-2는 생식기 궤양의 주요 원인이며, 현재 증상을 가진 개인들 간에 주로 전파된다. HSV-2 억제요법은 이성간의 성접촉에서 일어날 수 있는 전염 가능성을 떨어뜨리는 것으로 알려져 있으며, 감염자의 경우 매일 억제요법을 받고 성관계 시 콘돔을 사용하는 것이 권장된다. 최근 연구에 따르면 HIV와 동시 감염된 환자에 대한 HSV-2 억제요법이 HIV까지 억제하는 것으로 보고되었고, HIV의 전파와 면역도 활발히 연구되고 있다.

4. 성매개감염 관리에 어떤 방식으로 접근할 것인가

소득수준이 높지 않은 타이, 나이로비, 보츠와나 및 남부 아프리카 주변국들에서 시행된 성매개감염 관리 경험을 살펴보면, 전염력이 높은 질환도 포괄적인 예방 및 치료 방법을 동원하면 감염 통제가 가능한 것으로 알려져 있다. 장비가 잘 갖춰진 성병 클리닉이 있더라도 성매개감염 방지 활동이 빈약하면 효과를 보기 어렵다. 다시 말해, 즉각적이고 효과적이며 포괄적인 성매개감염 관리 방법을 총동원하는 것이 성매개감염 통제에 가장 중요한 원리인 것이다 (표 13-9).

환자의 증상 정도는 성매개감염의 원인균에 따라 달라지는데, 치료에 대한 환자의 동기부여에 큰 영향을 주게 된다. 남성의 경우 임균에 감염되면 증상이 발생하는 빈도가 높지만, 여성의 경우 클라미디아에 감염되었더라도 증상이 발현되는 정도가 매우 낮다. 이 때문에 각 질환을 관리하기 위해서는 서로 다른 접근이 필요하다. 임균에 감염된 남성 환자를 관리하려면 즉각적인 조치가 가능하도록 준비해야 하며, 여성 클라미디아는 질환 선별검사를 통해 환자를 찾아내고 치료하는 것이 중요하다.

표 13-9 포괄적인 성매개감염 관리 방안의 예

```
즉각적이고 정확한 진단
때맞춰서 제공되는 효과적인 치료법(특히 단회 요법)
교육과 상담
  − 감염의 형태
  − 전염 방식
  − 치료에 순응할 필요성
  − 위험 감소 방법
  − 적절한 콘돔 사용
  − 성관계 파트너의 동시 치료 필요성
  − HIV 검사 권장
  − 3개월간 콘돔 사용 유지 및 HIV 재검
콘돔 제공과 사용법 알림
성관계 파트너 치료
치료 결과 확인을 위한 경과 관찰
```

1) 증상이 있는 환자의 성매개감염 관리

성매개감염 증상이 있는 사람들은 스스로 증상을 인지하고 치료법을 찾게 되는데, 이들에게는 즉각적인 조치를 제공하고 그 파트너들은 성매개감염 관리 프로그램의 일순위에 두어야 한다. 세균성 감염과 원충 감염 질환은 치료가 용이하지만, 바이러스 성매개감염은 증상을 가라

앞히고 재발을 억제하는 정도에 그치기도 한다. 하지만 이 경우에도 성매개감염 관리 프로그램을 통해 안전한 성관계와 파트너에게 알리는 것에 관한 상담, HIV 검사 상담, 그리고 일반 건강정보 제공 등을 통해 도움을 줄 수 있다. 이처럼 성매개감염 관리 활동은 단순한 질환 치료가 아니라 다음과 같은 것들을 지향한다.

① 적절한 치료 제공

② 위험한 성행태 줄이기

③ 질병 전파 방지를 위한 성관계 파트너 치료

④ HIV 전파 감소

현재 진단 기법이 제대로 갖춰지지 않은 경우 성매개감염 관리의 표준이 되고 있는 것은 1990년대 초에 WHO/UNAIDS가 정립한 증상에 따른 치료 체계이다. 진단 여건이 부족한 상황을 감안하여 수립된 이 방법은 임상적 추정 진단에 기초를 두고 있다. 즉, 증상이 있어 찾아오는 환자들을 임상의사들이 어떻게 치료할 것인가를 염두에 두고 만들어졌으며, 환자를 진단해내거나 무증상 환자를 선별검사해서 질환을 밝혀내는 용도는 아니다.

성매개감염으로 증상이 발현되는 경우의 치료는 해당 증상을 일으키는 가장 흔한 원인균을 치료하는 방법을 제공하는 것이다. 주요 성매개감염의 증상에 대한 치료 방법은 알고리즘을 통해 구성되는데, 해당 증상은 요도분비물, 생식기 궤양, 질분비물, 음낭부종, 하복부 동통 등이다. 해당 집단의 위험 인자를 파악하고 이를 활용하면 임균과 클라미디아 등을 추정할 때 정확도가 높아진다. 증상에 따른 치료의 장점과 단점은 표 13-10과 같다.

표 13-10 증상에 따른 치료의 장점과 단점

> **장점:** 환자의 필요에 대응함
> 즉각적인 치료를 제공
> 가장 가능성이 높은 감염질환을 치료
> 진단검사의 비용이 들지 않음
> 1차 진료에 활용 가능함
> 유병 현황 보고, 질병 관리, 질 관리, 실적 관리의 표준화 등에 활용 가능함
> 단순한 검사들을 추가할 수도 있음
> 요도분비물과 생식기 궤양 질환에서 민감도와 특이도가 높음
>
> **단점:** 과잉 진료로 인한 약제비 증가, 약물 부작용, 질 내 정상세균 무리 변화
> 항균제 내성 증가 가능성
> 여성의 질분비물 증상에서는 적용이 제한적임(성매개감염 유병률이 낮은 집단에서는 적용가능)
> 따로 수련 과정이 필요함
> 임상 현장에서 사용에 비협조적일 수 있음
> 보건당국이 증상에 따른 치료의 목적을 잘못 이해할 수 있음

증상에 따른 치료는 특히 요도분비물과 생식기 궤양 질환에 효과적이며, 비용대비 효과도 우수하다. 하지만 헤르페스 감염을 관리하는 데에는 효과가 다소 부족하며, 임균 감염 또는 클라미디아자궁경부염은 무증상인 경우가 많으므로 질분비물 알고리즘은 해당 질환에 그리 효과적이지 않다. 자궁경부염 질환의 경우 위험 요소를 면밀히 파악하고 임상증상과 연결시키면 진단하는 데 큰 도움이 된다. 질분비물 증상은 질의 감염, 즉 트리코모나스증이나 세균성 질염bacterial vaginosis, 칸디다질염으로 인해 발생하는데, 임균 또는 클라미디아 감염률이 낮은 여성 인구집단에서는 증상에 따른 치료가 질의 감염질환 관리에서 권장될 수 있다. 유병률이 높은 경우에도 증상에 따른 치료 또는 추정 진단에 의한 치료가 고려될 수 있다. 또한 일반적인 유병률을 보이는 경우에도 특정 질환에서는 선별 치료가 유용한데, 여성의 임균이나 클라미디아 감염의 경우, 성관계 파트너인 남성이 증상을 보인다면 함께 치료하고 관리하는 경우가 있다.

알고리즘은 해당 지역의 성매개감염 현황, 주요 원인균, 항균제 내성, 성행태, 기타 위험 요소들에 맞추어 조정하고 정기적으로 업데이트해야 한다. 성매개감염 증상의 주요 원인이 변한다면, 예를 들어 생식기 궤양의 원인으로 매독뿐만 아니라 HSV-2가 늘면 알고리즘을 수정할 필요가 있는 것이다.

증상에 따른 치료는 완벽한 매뉴얼은 아니지만 진료 현장에서 비용효과적이고 즉각 활용할 수 있는 것이 장점이다. 저렴하고 단순하며 정확한 성매개감염 진단기법이 개발되고 저개발국가에까지 널리 활용되기 전까지는, 증상에 따른 치료를 지속적으로 개정하고 활용하는 것이야말로 증상을 보이는 환자에 대한 관리에 가장 현실적인 접근법이다.

2) 선별검사 및 환자 발견

대부분의 성매개감염 질환은 무증상이지만 조기에 치료하지 않으면 심각한 후유증이 발생할 수 있다. 성매개감염 환자를 선별하는 목표는 증상이 모호하거나 무증상인 환자를 찾아내고 치료하는 것이다. 감염 위험이 높은 개인들을 대상으로 민감도가 높은 검사와 면담을 시행하면 성매개감염 선별검사 프로그램의 비용을 줄이는 데 도움이 된다. 무증상인 개개인들을 선별검사하는 것 외에 증상이 있는 환자들이 다른 성매개 질환에 동시에 감염되어 있는지 알아내는 것도 필수적이다. 예를 들어 남성 요도염 환자는 매독에도 감염되었을 가능성이 있으므로 매독검사를 시행한다거나 HIV 검사도 받게 하는 것 등이다.

임신부에 대한 매독 선별검사 및 치료 프로그램도 비용효과적 측면에서 모든 성매개감염 관리 프로그램에 반드시 포함해야 한다. 고위험군에 대한 선별검사는 특히 효과적인데, 한 사람을 치료하고 예방함으로써 다른 여러 사람에 대한 질환 전파를 미리 차단할 수 있기 때문이다. 연구에 따르면 고위험군의 세균성 성매개감염을 치료했을 때의 이점은 일반적인 경우보다 10배 효과적인데, 이는 질환 전파를 차단하는 효과 때문이라고 한다.

(1) 출산 전의 매독 선별검사

임신부의 출산 전에 시행하는 매독 선별검사의 비용효과적 측면은 널리 알려져 있다. 활성 매독에 감염된 여성의 80%에서 사산, 주산기사망, 심각한 신생아 감염과 같은 임신 관련 문제점들이 생긴다. 매독 선별검사는 유병률이 낮은 곳에서도 비용효과적 측면이 큰데, 선천매독이 의학적으로나 사회경제적으로 매우 심각한 질환이기 때문이다.

선천매독 선별검사의 비용효과적 측면에도 불구하고 일부 국가에서는 여전히 제대로 시행되지 못하고 있으며, 이 때문에 1차 진료 현장에서 활용 가능한 권고 방안들이 제시되고 있다 (표 13-11).

표 13-11 **1차 진료 현장에서 매독 선별검사 효과를 높이기 위한 방법**

Promote: 임신 4개월 이전에 산전 검사를 받을 것
Train: 산모 개인의 매독검사와 치료
Integrate: 산전 검사에서 매독 스크리닝 받기
Ensure: 원활한 검사 장비와 시약 조달
Provide: 검사 당일 결과를 확인하고 치료받을 수 있도록 함
Implement: 검사 결과 양성으로 나온 산모들의 남편도 치료
Revise: 임신 후반기에도 추가적 검사를 받을 수 있도록 함
Improve: 임신, 출산, 신생아기의 건강 수준 향상

(2) 고위험군에 대한 선별검사

① 여성 성매매 종사자

치료 가능한 많은 성매개감염이 성매매 종사자들에서 확인되는데, 특히 콘돔 사용률이 낮거나 성매개감염 치료를 적절히 받지 못하는 환경일수록 더욱 그렇다. 성매매 종사자들에게 효과적인 예방과 치료를 시행하기 위해서는 증상이 있는 감염뿐만 아니라 무증상 감염에 대해서도 주의를 기울여야 한다. 무증상 감염에 대한 정기적 선별검사는 감염률이 높은 집단에서 비용효과적이며, 일정 시간이 흐른 후에 유병률을 줄이는 효과도 얻을 수 있다.

세계 각국에서 성매매 종사자들에 대한 HIV 예방 프로그램의 일환으로 시행된 방법들은 정기적인 선별검사, 성매개감염 증상 치료, 성행태 수정, 콘돔 사용 권장 등이며, 이는 현재까지 지속되고 있다. 이 방법은 콘돔 사용률을 높이고 성매개감염과 HIV 모두를 감소시키는 결과를 가져왔다. 성매매 종사자에 대한 성매개감염 관리 프로그램의 대부분은 증상 혹은 무증상 감염 모두를 치료하는 형태이며, 성병 위험도 조사와 질경을 통한 시진 및 도말검사, 매독혈청검사를 포함한다. 이 조치들은 이상적이라고 할 수는 없지만 현실적으로 대부분의 실정에서 유용하고 실행 가능한 방법이다.

일부 개발도상국들은 성매개감염 관리를 위해 성매매 종사자들을 등록시키고 정기 검진을 필수 항목으로 지정하고 있다. 연구 결과 오히려 이런 지역에서는 미성년자나 기타 문제로 등록하지 않은 채로 성매매에 종사하는 여성들에서 매우 높은 성매개감염 유병률이 나타났는데, 등록되지 않으면 성매개감염 관리를 받을 기회조차 없기 때문이다. 따라서 성매매 종사자들에게 보다 적절하고 우수하며 접근성 높은 성매개감염 관리 프로그램이 필요할 것이다.

② 남성 동성애자

남성 동성애자 집단의 성매개감염과 HIV 감염률의 증가는 이들이 고위험군으로 분류될 수 있음을 반영한다. 그러나 남성 동성애자 집단에 대한 선별검사나 치료 결과를 조사한 연구가 부족할 뿐만 아니라 항문 성매개감염의 평가와 관리 체계도 현재로서는 없는 실정이다. 그나마 사용되고 있는 진료 지침은 미국 내 진료의사들의 임상 경험을 토대로 한 일부 논문들에 의존하고 있는 실정이다.

③ 마약 주사제 사용자

마약 주사제 사용자들은 주로 HIV의 예방 차원에서만 관리되고 있으나, 실제로 이들은 다른 성매개감염에도 노출되어 있으며 다른 인구집단에 HIV와 성매개감염을 함께 전파하는 역할을 한다고 알려져 있다. 포괄적인 예방 차원에서 마약 주사제 사용자들에게도 성매개감염 관리 프로그램을 적용하여 콘돔을 사용하도록 유도하며 질환이 있는 경우 치료받도록 하는 것이 필요하다.

④ 성적 활동이 왕성한 청소년들

성적 활동이 왕성한 청소년들은 성매개감염과 HIV 감염률이 높지만 충분한 관리를 받지 못하고 있다. 관리 프로그램이 주로 성인들에게 집중되어 있으며, 도덕적, 비용적, 시간적 문제로 인해 청소년들은 무심결에 지나치기 쉽기 때문이다. 현재의 성매개감염 관리 프로그램은 청소년들이 건강한 성인으로 성장할 수 있도록 돕는 방향으로 재조정되어야 할 것이다.

(3) 역학적/추정 치료

개인이나 집단에 대한 역학적 치료 또는 추정 치료는 감염되었을 가능성이 매우 높을 때 시행된다. 증상의 유무 또는 검사 결과에 관계없이, 현재 시점에서 높은 감염 위험이 증명되면 치료를 시작한다. 즉, 역학적/추정 치료는 무증상 감염의 문제점까지 염두에 두고 시행한다. 대표적인 예가 성매개감염에 이환된 사람의 성관계 파트너를 치료하는 것인데, 이는 같은 질환에 걸려 있을 확률이 매우 높기 때문이다.

추정 치료는 현재에도 시행되고 있으며, 성매매 종사자들 같은 고위험 인구집단의 성매개감염 관리 프로그램의 일환으로 진행되기도 한다. 마다가스카르와 필리핀에서 여성 성매매 종사자들에게 임균과 클라미디아에 대한 추정 치료가 시행되었는데, 이후 성매개감염률이 급격히 감소했다고 보고되었다. 당시의 감염 유병률 감소는 정기적인 관리 프로그램을 통해 지속적으로 유지되었다. 성매매 종사자들에 대한 관리 프로그램이 확립된 라오스에서는 성매매 종사자들에 대해 단기간의 추정 치료를 시행했는데, 역시 성매개감염이 급격히 감소했다. 또한 남부 아프리카 일대에서 여성 성매매 종사자들에게 정기적으로 추정 치료를 시행하자 임균과 클라미디아 유병률이 감소했고, 더불어 이 지역 광부들에서 세균성 생식기 궤양과 요도분비물 증상의 감소도 가져왔다. 남부 아프리카의 사례는 성매매 여성들에 대한 이러한 조치가 비용대비 효과적임을 보여주는 한편, 정기적이고 지속적인 관리가 그러한 효과를 강화시킨다는 사실을 보여주었다. 그와는 반대로 짐바브웨 등에서는 지속적인 조치가 이어지지 않아 유병률이 관리 전 상태로 돌아가고 말았다.

추정 치료가 성매개감염 관리 프로그램의 전부인 것은 아니다. 역학적/추정 치료는 단지 일시적인 유병률 감소를 가져오는 방법일 뿐이며, 정례화된 성매개감염 관리 프로그램을 통해서만 효과가 지속된다.

5. 포괄적 관리의 기타 요소들

1) 건강 교육과 상담

　성매개감염 상담은 질환을 진단하고 치료하는 기회를 제공할 뿐만 아니라 미래의 감염을 예방하는 효과도 있다. 환자가 병원에 내원하기로 결정했다는 것은 교육이나 상담을 받아들일 가능성이 있음을 뜻한다. 이는 또한 질환의 치료 방법, 성관계 파트너의 치료, 콘돔 사용, HIV 감염의 위험성 등에 대해 알게 되는 기회이기도 하다. 상담 과정에서는 성매개감염과 HIV의 위험을 경감하는 방법의 일환으로 성매개감염과 HIV 감염의 가능성, 성관계를 통한 HIV의 전파 양식 등의 여러 정보를 제공하고 각 개인이 자발적으로 검사받도록 유도해야 한다.

　일반적인 건강 교육과 달리, 성매개감염에 대한 상담은 질환에 걸릴 위험을 경감하는 동시에 심리사회적으로 배려해야 한다. 상담에는 특수한 기법이 요구되며, 충분한 시간이 보장되어야 하는데, 일반적인 진료 환경은 이러한 여건을 제대로 갖추기 어려우므로 보건당국이 상담 시설과 인력 제공에 대해 노력을 기울여야 한다. 일부 사례에서는 고위험 인구집단 출신인 상담가가 자신이 속했던 집단 내의 진료 시설에서 일하기도 하는데, 이 경우는 상담가 양성과 관리가 어렵지만 상담 내용이 환자들에게 더욱 받아들여지기 쉽다는 장점이 있다.

2) 성관계 파트너에게 통보하기

　성관계 파트너에게 성매개감염 사실을 알리는 것은 잘 알려진 성매개감염 관리법이지만 막상 시행하기는 쉽지 않다. 성매개감염 환자의 파트너에게 사실을 알리는 방법은 다음 몇 가지가 있다.

① 환자 주도: 환자가 스스로 파트너에게 알리고 내원하도록 조치한다(의뢰서 발급으로 내원을 유도).

② 의료진 주도: 환자에게 파트너의 인적사항을 제공받고 파트너에게 연락을 취한다. 이때의 제한점은 추가적인 비용 부담이나 개인정보 유출 우려, 일부 국가에서는 연락망이 갖춰지지 않은 점 등이다.

③ 조건부: 환자가 파트너에게 특정한 날에 병원을 방문하도록 유도하고, 내원한 파트너에게 의료진이 성매개감염을 알린다.

　파트너에 대한 통보를 어렵게 하는 이유는 환자 스스로 다툼이 생기거나 폭력적인 상황이 발생할 것을 우려해서일 수도 있고, 파트너가 여럿이거나 즉흥적인 파트너인 경우, 또는 경제적인 부담을 느껴서일 수도 있다.

우간다의 연구 결과에 따르면 환자를 통해 파트너에게 치료제를 전해주는 것이 파트너가 직접 내원하도록 유도하는 것보다 효과적이었다. 이런 방법은 앞서 언급한 어려움들이나 비용적 측면을 극복하고 환자에게 잘 받아들여질 가능성이 있다.

파트너에 대한 통보는 남성 요도염 환자나, 남녀 공히 생식기 궤양이 있거나, 매독검사에서 양성으로 판정받은 경우 등에서 우선 시행되어야 한다. 여성 질분비물과 같이 증상과 진단 간의 관계가 불명확한 경우는 남성 파트너에게 알릴 만한 근거가 되지 못한다. 성관계 파트너에게 알리는 일이 사회적으로 부정적인 결과를 초래할 수도 있으므로 비밀이 유지되어야 하며, 해당 환자가 자발적이 되고 파트너의 치료를 포기하지 않도록 배려해야 한다.

3) 항균제 처방과 순응도의 향상

개발도상국에서는 의료진 또는 환자가 부적절하게 약제를 사용하는 일이 종종 발생한다. 환자의 입장에서는 항균제가 만병통치약이라는 환상을 가질 수 있고, 주사제가 경구용 제제보다 더욱 효과적이라고 오인하기도 한다. 항균제 자가복용이 용이한 경우에는 위험한 성행태를 전후하여 치료적, 예방적 목적의 항균제 오남용이 일어나기도 한다. 또한 의약품이 처방되더라도 환자들이 복용법을 제대로 이해하지 못하거나 경제적 이유로 인해 부족한 용량을 복용하는 경우도 발생한다. 의료진의 입장에서는 훈련 부족, 질환에 대한 지식의 부족, 환자의 상황에 대한 잘못된 이해, 경제적 문제에 대한 무관심, 사회적 규범에 대한 무지 등으로 인해 약제 사용에 오류를 범하기도 한다.

이런 문제를 극복하기 위해 증상에 따른 성매개감염 패키지가 개발되었고, 일선 현장에서 환자의 순응도를 높이고 의료진의 처방을 돕는 데 활용되고 있다.

패키지에는 수일분의 항균제를 비롯하여 콘돔과 질병 교육 자료가 함께 들어 있으며, 파트너를 위한 진료 의뢰서도 포함되어 있다. 남성 요도염 패키지 처방에 대한 연구 결과, 항균제 복용에 대한 환자의 순응도가 높았으며, 파트너의 진료기관 내원율과 콘돔 사용률 역시 높다고 보고되었다.

4) 성매개감염 클리닉의 HIV 예방과 역할

성매개감염 클리닉은 HIV 검사, HIV 감염자 관리와 상담 등을 통해 HIV 감염 예방에 중요한 역할을 하고 있다. HIV 유병률에 대한 연구 결과, 성매개감염 클리닉 방문자들의 HIV 유병률은 일반 인구집단에 비해 매우 높았다. 성매개감염 환자들은 이미 HIV 고위험군에 속해 있기 때문이다. 성매개감염 환자의 복합감염을 검사할 때는 HIV 검사 역시 우선적으로 고려해야 한다.

성매개감염의 증상이 나타나는 시점에 시행하는 혈액검사에서는 HIV에 감염되었더라도 결과가 음성으로 나타날 수 있다. 혈액검사 결과가 음성으로 나타나는 급성기 HIV 감염 시기는 매우 전염력이 높으므로, 환자와 상담할 때는 콘돔을 지속적으로 사용할 것과 3개월 뒤에 추적 검사를 받을 것을 반드시 강조해야 한다. 급성기 HIV 감염에 대해 말라위 지역의 성매개감염 클리닉에서 시행한 연구에 따르면 혈액에서 채취한 표준 p24 항원검사를 통해 90%의 급성기 HIV 감염을 밝혀낼 수 있었다. 이러한 방법은 장비가 잘 갖춰진 일부 국가에서 급성기 감염을 증명하는 데 유용하지만, 많은 국가가 성매개감염 클리닉에서 HIV 검사와 상담을 충분히 시행하지 못하고 있으며 국가적으로도 구체적 계획을 수립하지 못한 실정이다.

6. 성매개감염 관리 프로그램 운영

성매개감염 예방과 관리의 효율을 높이는 데는 효과적인 프로그램 수행 체계가 필수적이다. 각 성매개감염 관리 프로그램은 특정 국가와 특정 지역의 HIV 역학과 성매개감염의 전반적 현황에 대한 명확한 이해를 바탕으로 설계되어야 한다. 중복투자를 방지하고 우선순위를 설정하기 위해서는 정부와 민간 부문의 협조가 필수적이다. 이러한 협조 체계는 국가적인 성매개감염 예방과 관리 정책, 임상진료 지침, 의료 전달 체계에 따른 수련 프로그램, 잘 정비된 감시체계가 있는 경우 보다 용이하게 구성된다.

또한 성매개감염 관리 프로그램은 해당 전문가 단체를 통해 기술적, 관리적, 정책적 측면에서 전문가의 협조를 구해야 한다. 효율적인 체계를 통해 제한된 자원 내에서 최대한의 예방과 관리 효과를 창출할 필요가 있는 것이다. 필수적인 약제, 콘돔, 윤활제, 진단 키트, 의료기구, 상담 도구들을 활용하기 위해서는 전문인력과 그에 따른 인력 관리 체계가 요구된다.

1) 수행 능력 향상

인적 자원과 기관의 수행 능력 향상이 효과적인 성매개감염 관리의 전제조건이다. 이는 단순히 수련 프로그램을 운영하는 것뿐만 아니라 인적 자원들이 최대한 효율적으로 일할 수 있도록 우수한 기반시설과 관리 체계를 확립하는 것을 뜻한다. 일례로 인도는 과업 수행 지침과 관리도구를 개발하고 훈련시키며 정례화된 지원 체계를 갖춤으로써 감염 관리의 급속한 질적 향상과 표준화를 이루었으며, 18만 3,000명으로 추산되는 여성 성매매 종사자의 70%를 단기 간에 관리 프로그램으로 이끄는 성과를 거두었다.

인적 자원에 대한 수련 프로그램은 교육과정에 기초하고 구체적인 실무 능력 향상에 중점을 두어야 한다. 그리고 단기 재교육 코스에서는 기존에 시행한 교육을 강화하고 인적 자원들 간의 네트워크 형성을 염두에 둘 필요가 있다. 또한 전문가 단체들의 참여나 인터넷을 통해 기술적이고 체계적인 갱신이 이루어져야 한다. 이러한 프로그램은 1차 진료 담당 의료진들에게 특히 잘 전달되어야 하는데, 그들이 실제 성매개감염 관리의 일선에서 활동하기 때문이다.

2) 서비스의 질 관리

1차 보건기관에서 질적으로 우수한 서비스를 제공하면 성매개감염 환자들이 이 보건기관들을 다시 찾는 원동력이 된다. 질적으로 우수하다는 것은 표준화된 지침과 업무 수행 능력, 효율성, 비용효과성, 접근성을 갖추고 있으며, 환자들이 수긍할 만한 점이 많고, 윤리적으로도 합당하며, 비밀 보장이 유지되는 것 등을 가리킨다. 이러한 요소들을 통해 환자들은 만족감을 느끼게 된다. 일선 현장의 업무 수행 지침은 성매개감염 관리 및 기타 진료 업무에 근거하여 개발해야 한다. 질적 수준을 감독하는 여러 도구 역시 지침과 표준에 근거하여 개발해야 하며, 개별 기관에서 진단검사를 직접 시행하는 경우에는 품질 인증 과정을 거쳐야 한다. 이러한 지침 개발에서 고려해야 할 점들은 표 13-12와 같다.

3) 정책 결정을 위해 필요한 정보 수집

국가적인 성매개감염 관리 프로그램을 효과적으로 수립하여 수행하고 평가하기 위해서는

표 13-12 명문화된 업무 지침과 표준화 작업이 필요한 성매개감염 관리 영역

기관의 업무
- 지역사회와의 소통
- 원조, 봉사 활동과의 협력체계
- 기관의 조직과 구성
- 기관의 설비
- 인적 구성
- 수련 과정, 술기

성매개감염 관리
- 성매매 종사자 관리
- 남성 동성애자 관리
- 증상이 있는 환자 관리
- 표준 치료
- 약제 및 물자 관리
- 알레르기 반응 또는 아나필락시스 대처
- 환자의 전원
- 의무기록

환자 교육과 상담
- 건강교육과 상담 내용의 구성 항목
- 윤활제와 콘돔 보급
- 각종 질병 정보, 교육자료
- HIV 상담과 검사 유도

진단검사
- 단순 검사 항목
- 정밀 검사 항목
- 표준 검사법, 질 관리 체계

감염 통제
- 일반적 주의사항
- 시설과 장비의 위생관리, 소독
- 의료폐기물 관리
- 감염 노출 후의 예방 관리

윤리적 기준, 비밀 보장, 환자의 권리 준수
점검, 평가, 보고
기술적 지원, 감독

각 프로그램의 단계에 따라 특정한 정보들이 필요하지만 흔히 간과된다. 특히 업무 전반에 걸친 관리감독과 자료 분석이 프로그램의 유지와 발전에 필수적이다. 정책 결정의 바탕이 되는 정보들은 구성 분석*formative assessments*, 프로세스 점검*process monitoring*, 효율성 평가 *effectiveness evaluation*, 특수 연구*special studies* 분야로 나뉜다(표 13-13).

표 13-13 성매개감염 관리 프로그램의 정책 결정을 위한 정보들의 예

구성 분석	프로세스 점검	효율성 평가	특수 연구
HIV 유병률 성매개감염 유병률 질적 수준의 평가 병의원에 내원하는 행태 고위험집단 지도화	수련 내용 관리 봉사자 교육 서비스 활용도 분석 증상의 지속 기간 분석 환자의 규모와 분포 파악 초진+재진 숫자 -성별, 연령별 분포 콘돔 사용률, 판매량 항균제 처방 건수 서비스의 질 평가	표본감시체계 정기적 성행태 분석 정기적 유병률 분석 정기적 증상 현황 분석 증례 보고 항균제 내성 파악	치료 알고리즘 개정 비용효과 연구 골반염, 선천매독 등 성매개감염 후유증의 발생률과 유병률 분석 바이러스 성매개감염(HSV, HPV, HBV) 유병률 분석 발병의 유행성 조사 경제적 비용 산출 새로운 진단 기법 평가 보건 시스템의 제한점에 대한 개선 방안 연구 HIV 조기진단과 예방 프로그램 연구 (비용, 활용도 등)

(1) 구성 분석

프로그램의 구성 분석과 평가는 정책 결정의 첫 번째 단계이다. 이때 성매개감염과 HIV의 유병률, 발생률, 성매개감염 관리의 질적 수준, 관리 상태, 접근성 및 적절성을 우선적으로 고려해야 한다. 구성 분석에는 고위험 인구집단을 확인하고 해당 인구집단의 영향력과 크기를 측정하기 위한 사회구성원들의 지도화*mapping* 수행도 포함된다. 이러한 정보들은 성매개감염 관리 프로그램의 목표를 세우고 표적 대상을 분명히 하며 프로그램 수행 계획과 예산을 수립하는 데 활용된다.

(2) 프로세스 점검

올바른 정책 결정을 위해서는 프로그램의 수행, 질 관리, 투입과 산출 부문 모두에 주의를 기울일 필요가 있다. 대개 수행 과정의 일부를 지표로 삼고 전담 인력이 관리하게 되는데, 수치화되고 계량화된 지표들이 흔히 활용된다. 성매개감염 관리의 질적 수준을 감독하기 위해서는 질 관리에 대한 주요 정보 수집이 가능하도록 고안된 체크리스트가 사용된다.

(3) 효율성 평가

성매개감염 관리 프로그램의 효율성에 대한 평가는 프로그램이 얼마나 국가나 사회에 영향을 끼치고 있는지 평가하는 것이다. 이때 성매개감염의 유병률과 발생률, 후유증 현황, 구성원들의 행동양식(병원에 내원하거나 콘돔을 사용하고 HIV 검사를 받는 등)에 어느 정도 변화를 주었는지를 확인하게 된다. 하지만 이러한 자료들은 수집하기 쉽지 않고 비용이 많이 들기 때문에 대개 수동적인 자료 수집에 의존하게 되며, 증례 보고나 미생물 연구, 항균제 내성 연구 등 다른 특수한 연구 결과에서 간접적으로 자료를 얻는 경우가 많다. 이러한 자료 수집의 일환으로 시행되는 표본감시체계 자료는 프로그램 평가뿐만 아니라 공공보건정책의 변화를 이끌어내는 데도 활용된다.

(4) 특수 연구

프로그램 수행 과정에 대한 감독과 평가를 보조하고 프로그램을 향상시키기 위하여 임상적, 미생물학적, 사회행동학적, 경영학적 연구들이 필요한 경우가 있다.

4) 진단검사 활용

진단검사가 용이하지 못한 지역사회적 여건에 따라 증상에 따른 치료 체계를 채택한 경우 진단검사가 꾸준히 활용되지 못할 수 있다. 진단검사는 대개 비용이 많이 든다는 오해와 함께 필요성이 간과되는 경우도 있어서 기초적인 검사 여건이 갖춰지지 않은 곳이 많다. 하지만 진단검사 서비스는 성매개감염 관리 프로그램에서 반드시 지속되고 강화되어야 하는 부분이다. 관리 프로그램이 자리를 잡아감에 따라 최소한 매독 혈청검사, HIV 검사, 기본 현미경검사와 같은 기본적인 진단은 지역 보건기관에서도 가능하도록 해야 한다.

핵산증폭검사는 소변이나 질도말표본과 같은 단순한 검체로도 시행할 수 있으며 민감도나 특이도가 높다. 하지만 비용이 많이 들고 정교한 시스템이 필요한 까닭에 일부 국가에서는 기본검사로 활용하는 데 제약이 따르기도 하며, 주로 정책 입안을 위한 기초 역학조사나 표본조사에 사용되고 있다. 성매개감염 관리를 위해 중요한 사안 중 하나는 민감도와 특이도가 높은 현장검사법을 확보하는 일인데, 특히 진료 현장에서 즉시 결과를 확인할 수 있는 임균과 클라미디아 검사 방법의 개발이 시급하다.

Ⅳ 매독

매독은 매독균*Treponema pallidum*에 의한 성매개감염 질환이며, 인간에게 가장 특이하고 흥미로운 질환 중 하나이다. 선천매독을 제외하면 대부분 성접촉에 의해 전염되고 증상이 나타났다가 사라지는 것을 반복하는 특이한 임상 경과를 보이며, 세균이 수십 년간 숙주의 면역반응을 피할 수 있고 생체 외*in vitro*에서는 배양이 되지 않는다는 사실은 매독균만의 특성이다. 15세기 말 유럽에서 매독이 크게 유행했는데, 매독의 기원에 대해서는 몇 가지 가설이 있다. 1493년 콜럼버스가 아메리카대륙에서 유럽으로 귀환했는데, 이는 매독의 급속한 확산 시점과 일치한다. 아메리카대륙의 풍토병이 콜럼버스 일행을 통하여 면역성이 없는 유럽인들에게 전파되었다는 가장 유력한 가설이 나온 이유이다. 당시 많은 문학작가들이 작품에서 자주 매독을 언급했다. 1530년 이탈리아의 의사이자 시인인 프라카스토로*Girolamo Fracastoro* (1473~1553)는 매독에 걸린 양치기 'Syphilis'에 대한 시를 발표했고, 이는 매독이란 병명의 기원이 되었다.

치료받지 않은 매독은 1, 2, 3기라는 여러 임상 병기를 거치며, 각 병기 사이에는 아무런 임상증상이나 징후가 나타나지 않는 잠복기가 있다. 또한 각 잠복기도 다양하여 1기와 2기 사이는 불과 수주 또는 수개월 정도지만 2기에서 3기에 도달하는 데는 수년 이상이 걸린다. 결국 치료받지 않은 매독은 대부분의 다른 감염질환과 달리 다양한 양상으로 아주 오랫동안 지속되는데, 이는 매독균의 생물학적 특이성, 숙주와의 독특한 상호작용 때문이다.

1. 트레포네마균

트레포네마균은 스피로헤타과*Spirochaetaceae*와 같은 군에 속하며, 속명*genus*은 *Treponema*, 종명*species*은 *Treponema pallidum*이다. *T. pallidum*은 형태학적으로 동일한 세 가지 아종*sub-species*으로 다시 분류되며, 이 중 *T. pallidum pallidum*이 인간의 매독을 일으킨다(표 13-14).

표 13-14 트레포네마속에 속하는 종과 관련 질환

속	종	질병
Treponema	*T. pallidum pallidum*	Syphilis
	T. pallidum endemicum	Bejel
	T. pallidum pertenue	Yaws
	T. carateum	Pinta

1) 균의 구조

트레포네마균과 같은 스피로헤타*spirochete*는 'coiled hair'라는 의미를 가진 그리스어에서 이름이 유래된 바와 같이 나선형의 코르크따개*corkscrew* 모양이다. 길이는 약 $10 \sim 14$ μm, 지름은 약 $0.1 \sim 0.2$ μm로 매우 길고 가늘어 광학현미경의 해상도를 넘어서기 때문에 암시야현미경검사*darkfield microscopy*나 위상차현미경검사*phase contrast microscopy*를 통해서만 관찰이 가능하다. 세포 구조는 그람음성균과 비슷하여 세포질막*cytoplasmic membrane*, 얇은 펩티드글리칸*peptidoglycan* 세포벽, 외막*outer membrane*으로 구성되어 있다. 외막 아래에는 원형질막주위공간*periplasmic space*이 존재하며, 여기에는 원형질막주위편모*periplasmic flagella* 또는 *endoflagella*가 있어 균의 운동성을 담당한다(그림 13-4).

매독균의 외막은 지질다당질*lipopolysaccharide*이 존재하지 않고 integral outer membrane protein의 결핍이 관찰된다는 두 가지가 대부분의 그람음성균과 크게 다르다. 이러한 구조 때문에 매독균은 상대적으로 둔한 항원성과 오랜 잠복기를 나타내며, 항체가 표면에 결합하기 어렵다.

매독균은 운동성이 매우 활발하다. 코르크따개와 같은 회전운동과, 구부렸다 펴지는 운동에 의해 일정한 방향으로 이동하며, 이러한 회전운동은 균의 침입에 의한 발병 기전에 중요한 역할을 한다. 하지만 병진운동*transitional motion*은 거의 일어나지 않는 것이 암시야현미경검사에서 다른 트레포네마균과 구별되는 특징이다.

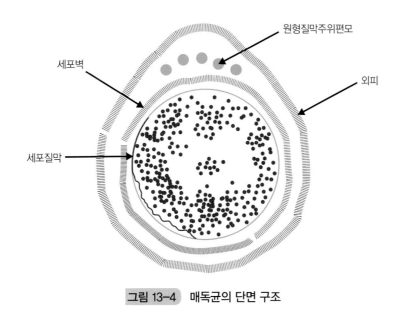

그림 13-4 매독균의 단면 구조

2) 균의 대사와 생체 외 생존

매독균이 다른 균종과 구별되는 또 다른 특징은 불완전한 대사 능력과 느린 증식률growth rate이다. 해당작용glycolysis을 통해 당을 분해하여 에너지를 얻는 대사 과정에서 세균들은 포도당 분자당 보통 36~38개의 ATP 분자를 생산해내지만, 매독균은 Krebs cycle에 관여하는 유전자와 전자 운반을 담당하는 헴heme 단백질이 결여되어 오직 2개의 ATP 분자를 생산한다. 이는 느린 증식으로 이어져, 개체가 두 배가 되는 세대시간generation time이 대장균 Escherichia coli의 30분에 비해 약 90배 느린 30~33시간이나 된다. 뿐만 아니라 매독균은 대부분의 아미노산과 퓨린purine, 피리미딘pyrimidine, 지질lipid 합성에 관여하는 유전자도 결여되어 생합성 능력이 제한되어 있다.

매독균은 대기 중의 산소에 의해 생존이 저해된다. 대기 환경에서 살아가는 일반적인 세균들은 산소라디칼oxygen radical의 독성 효과로부터 스스로를 보호할 수 있는 초과산화물디스뮤타아제superoxide dismutase, 카탈라아제catalase, 과산화효소peroxidase 등의 효소를 가지고 있지만, 매독균은 이러한 효소에 관한 유전자가 없다. 지난 수십 년간 산소를 제한한 생체 외 환경에서 매독균을 배양하려는 시도가 이어졌다. 1981년 Fieldsteel 등이 부분적인 성공을 보고했지만, 아직까지 생체 외 배양을 통한 매독균의 완전한 증식은 불가능하다. 이 점이 바로 매독 연구의 가장 큰 어려움 중 하나이다.

2. 발병 기전

1) 전파

매독은 주로 성접촉에 의해 전파되는 성매개감염 질환이다. 물론 매독에 걸린 산모의 태반을 통해 태아에게 전파되는 선천매독이라는 중요한 예외가 있지만, 주요 감염경로는 성접촉이다. 그러나 병기가 다양한 매독에서 모든 환자가 전파자가 되는 것은 아니다. 점막이나 피부에 병변을 가지고 있는 1기 또는 2기 매독 환자와 접촉해야만 매독균이 전파된다. 조기매독으로 분류되는 감염 후 1~2년 이내에는 1기 매독의 굳은궤양(하감)chancre이 나타나고 2기 매독의 피부병변이 나타났다가 사라지는 것을 반복할 수 있다. 따라서 치료받지 않은 매독 환자에서 이러한 병변이 나타나는 감염 후 1~2년이 바로 전염력을 가지는 시기이다. 감염된 성 파트너와의 접촉에 의해 매독이 전염되는 확률은 성접촉 1회당 30% 정도이다.

매독은 전신질환이다. 점막이나 피부를 통해 감염된 매독은 잠복 기간에 혈류를 통해 전신으로 확산된다. 감염된 산모에서 태반을 통해 자궁 안 태아로 매독이 전파되는 현상은 임신의 첫 3분기에 시작되는 것으로 보이며, 임신 9주까지 보고되고 있다. 감염 후 시간이 경과할수록 임신 시 태아로 매독이 전파될 위험이 줄어들지만, 치료받지 않은 여성은 수 년이 지난 후에도 선천매독을 발생시킬 가능성이 있다.

2) 부착, 침입, 확산

매독균에 의한 성매개감염의 첫 번째 단계는 숙주의 점막이나 손상된 피부를 통한 부착이다. 부착에는 세균의 부착소adhesin와 세포의 수용체가 필요하다. 매독균의 부착소는 세포외 기질 성분인 라미닌laminin과 섬유결합소fibronectin에 부착한다고 알려져 있다. 부착소 중 특히 Tp0751은 라미닌에, Tp0155와 Tp0483은 섬유결합소에 결합한다.

부착된 균은 빠르게 생식기 점막을 통과하여 혈관이나 림프절에 도달한다. 토끼의 고환에 매독균을 접종한 생체 내 실험 결과 접종 후 수 시간 만에 국소림프절에서 균이 관찰되었다. 이러한 빠른 침입과 확산은 아마도 매독균의 활발한 운동성 때문일 것으로 생각되는데, 실제로 매독균 유전자의 5~6%가 운동성과 관련되어 있다.

3) 면역

매독에 대한 인체의 면역반응은 비특이항원 또는 특이항원에 대한 항체 형성으로 나타난다. 항체는 비특이항체인 항카디오리핀cardiolipin 항체와 특이 항트레포네마 항체로 나뉜다. 매독 감염에 대한 최초의 반응은 특이 항트레포네마 IgM의 생성인데, 이는 감염 2주 후에 나타난다. 이후 감염 약 4주째에 항트레포네마 IgG가 생성된다. 따라서 증상이 나타날 때에는 대부분의 환자에서 IgG와 IgM이 측정된다. 이러한 항체의 역가는 매독 치료와 HIV 감염의 영향을 받을 수 있다. 조기매독 때 적절한 치료를 받으면 비특이항체와 특이 항트레포네마 IgM이 빠르게 감소하지만 특이 항트레포네마 IgG는 대부분 지속된다. HIV 감염 시에는 1기 매독에서 항체 생성이 감소되거나 지연될 수 있지만, 대부분의 병기에서는 항체 반응이 정상과 같거나 증가한다.

3. 역학

1) 국내

매독은 이전에는 우리나라에서 '감염병의 예방 및 관리에 관한 법률'에 따라 제3군 감염병에 속했기때문에 전수조사 대상이었으나 2020년 제4급감염병으로 개편 되었으며 표본감시체계에 의해 표본감시기관으로 지정된 의료기관으로 지정된 의료기관에서 7일 이내에 관할보건소로 신고하는 것으로 변경되었다. 신고 범위는 1기와 2기 매독 그리고 선천매독이다.

매독 발생률은 1960년대에 2.8~10.0%였으나, 1990년대까지 0.2~0.8%로 점차 감소한 것으로 보고되었다. 그러나 2014~2018년 신고된 매독을 연도별로 분석한 결과 연평균 22.4% 증가하였고, 매독 신고환자 전 연령대(10대 이하 제외)에서 남성발생이 높았다. 특히 60대 이상 노인층이 22.6배 증가하였고 20,30대 젊은층은 2.4배 증가하였다. 매독을 세부적으로 살펴보면 선천성 매독은 연평균 1.7% 감소하였고, 성별에 대한 특이점은 없이 주로 10세 미만이었다. 1기 매독은 연평균 21.3% 증가하였고, 60대 이상의 연령대가 14년 대비 19.5배 증가하였다. 20~30대는 14년 대비 2.3배 증가하였다. 2기 매독은 연평균 27.4% 증가하였고, 60대 이상의 연령대가 14년 대비 40배 증가하였고, 20~30대는 14년 대비 2.7 배 증가하였다. 2015년도 매독의 남녀 발생 빈도는 남성에서 582명, 여성에서 391명으로 보고되었다. 성매개감염 위험 인구집단, 즉 성매매 여성, 성구매자, 동성애자를 대상으로 한 조사에서 매독의 유병률은 9.8%로 보고되었다. 최근에는 국내 증상기(또는 조기) 매독의 증가, 청년층 환자의 증가 경향과 HIV 환자에서 동반된 매독의 유행도 보고되었다. 「감염병의 예방 및 관리에 관한 법률」 제19조, 「후천성면역결핍증 예방법」 제8조제2항제2호 및 같은 법 시행령 제10조에 따라 성매개감염병 및 후천성면역결핍증에 관한 건강진단을 받아야 하는 직업에 종사하는 사람은 6개월에 1회 건강진단을 받도록 되어있다.

2) 국외

세계보건기구(WHO)는 2016년 전 세계적으로 15~49세 사이의 청소년 및 성인에서 1,990만 건의 매독 사례가 있었으며, 630만 건의 새로운 사례가 발생한 것으로 추정했다. 2014년 기준, 전 세계의 매독 발병률 중앙값은 여성 10만 명당 17.2건, 남성 10만 명당 17.7건이었다. 가장 높은 유병률은 WHO 서태평양 지역으로 성인 인구 10만 명당 93.0건으로 보고 되었으며, 아프리카 지역은 성인 인구 10만 명당 46.6건, 미주 지역은 성인 인구 10만 명당 34.1건으로 그 뒤를 이었다. 미국에서는 2001년부터 매독 환자가 거의 매년 증가 추세를 보이고 있다. 2018년까지 보고된 1차 및 2차 매독 사례의 전체 수는 35,063건으로 인구 10만 명 당 10.8건이 보고되었으며 이 중 약 86%가 남성에서 발생했다. 2000년부터 2018년까지 보고된 1차 및 2차 매독 사례 비율의 증가는 주로 남성 동성애자와 관련 있었으며 이는 인터넷을 통한 신원 불명의 파트너와의 성행위와 관련이 있었다.

4. 병기에 따른 임상소견

노르웨이 오슬로대학의 피부과학 교수 보에크*Caesar Boeck* (1845~1917)는 당시 매독 치료에 주로 사용되었던 비소나 수은이 효과적이지 않다는 확신을 가지고 1891년 1월부터 1910년 12월까지 20년 동안 약 2,000명의 매독 환자를 입원시켜 비소나 수은 치료를 중단하고 증상 치료만으로 경과를 관찰했다. 뒤를 이은 브루스가르*Edvin Bruusgaard* (1869~1934)는 보에크의 기록을 바탕으로 하여 매독의 자연 경과에 대한 최초의 연구 결과를 발표했다. '오슬로

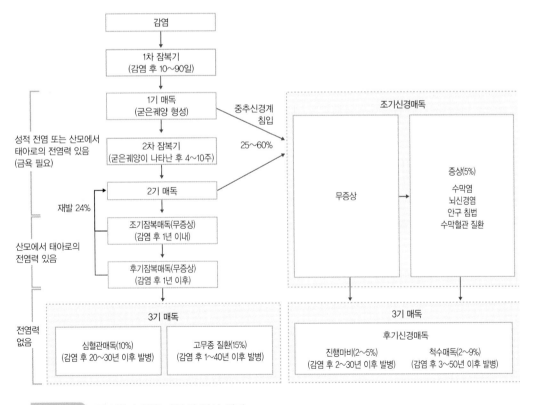

그림 13-5 치료받지 않은 매독의 임상 경과

연구*The Oslo study*'라고 불리는 이 연구는 항균제가 사용되기 이전에 적어도 3년에서 40년까지 추적 관찰한 매독 환자 473명의 임상기록을 바탕으로 하였으며, 치료받지 않은 매독의 임상 경과와 병기에 대한 개념을 확립하는 데 크게 기여했다(그림 13-5).

1) 1기 매독

매독의 첫 번째 병변은 성접촉에 의해 균이 침입한 부위에 나타나는 구진이며, 감염 후 10~90일(평균 3주)의 잠복기를 거친 다음 나타난다. 구진은 지름이 0.5~1.5cm 정도까지 자라는데, 일주일 정도 후에 궤양이 발생하면서 1기 매독의 특징적인 증상인 굳은궤양이 나타난다(그림 13-6). 지름 1~2cm 정도의 원형 또는 타원형인 굳은궤양은 궤양 바닥이 삼출물 없이 깨끗하고 경계가 단단하며 통증이 없는 것이 특징이다. 굳은궤양은

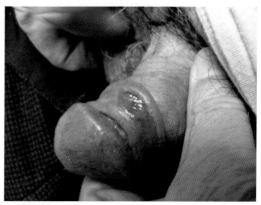

그림 13-6 남성 성기에 나타난 전형적인 1기 매독의 굳은궤양

보통 1개가 관찰되지만, 때로는 여러 개가 동시에 관찰된다(그림 13-7). 굳은궤양을 가진 환자들의 대부분에서 단측 또는 양측 서혜부 림프절비대가 관찰된다.

매독은 기본적으로 성매개감염이므로 굳은궤양이 주로 생식기나 그 주변에 나타나지만, 감염 경로에 따라 몸 어디에서든 발생할 수 있다. 이성애적*heterosexual* 성접촉에서는 남성의 성기와 여성의 음부, 음순소대*fourchette*, 자궁경부가 호발 부위이다. 따라서 임상적으로 남성의 경우 성기의 굳은궤양으로 인해 1기 매독이 가장 흔히 진단되며, 여성의 경우 궤양이 잘 보이지 않고 통증이 없기 때문에 2기 매독까지 진단되지 않는 경우가 많다(그림 13-8). 남성 동성애자의 경우 항문이나 직장에 굳은궤양이 흔하며, 이때는 배변 시 통증이나 직장출혈 등이 나타날 수 있지만 치질이나 다른 질환으로 오진되거나 여성의 경우처럼 진단이 늦어지는 경우가 많다. 구강성교를 통해 혀에 굳은궤양이 나타나는 경우도 있다(그림 13-9).

매독의 굳은궤양은 치료하지 않아도 3~6주 이내에 자연소실된다. 자연소실에 대한 면역반응의 정확한 기전은 아직 밝혀지지 않았지만, 세포 면역과 체액 면역반응이 모두 관여하는 것으로 추정된다.

일반적으로 생식기를 포함하여 성접촉과 관련된 모든 부위의 궤양 병변을 감별 진단할 때는

매독의 가능성을 고려해야 한다. 1기 매독의 굳은궤양과 감별해야 할 질환 중 하나는 헤모필루스듀크레이*Haemophilus ducreyi*에 의한 무른궤양이다. 무른궤양은 통증이 있고, 부드럽고 뾰족한 경계를 보이며, 궤양 바닥에서 누런 삼출물이 나온다. 또한 서혜부 림프절병*lymph-adenopathy*이 나타나며, 대개 통증이 있다. 이러한 차이에도 불구하고 실제 임상에서는 구별하기 어려운 경우가 많다.

단순헤르페스바이러스*herpes simplex virus*, HSV에 의한 생식기 단순헤르페스는 작고 얕은 다발성 궤양과 수포가 관찰되기 때문에 비교적 구별이 쉽다. 하지만 매독균과 HSV가 동시에 감염될 수 있고, 생식기 단순헤르페스에 2차 세균감염이 일어나면 작은 궤양들이 서로 융합되어 굳은궤양처럼 보일 수 있다. 또한 재발성 생식기 단순헤르페스의 경우 궤양이 단 하나만

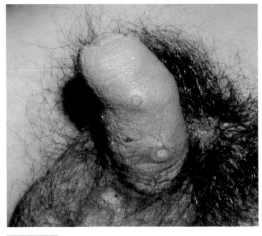
그림 13-7　남성 성기에 나타난 전형적인 1기 매독의 굳은궤양

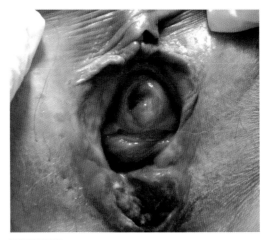
그림 13-8　여성 외음부에 나타난 굳은궤양

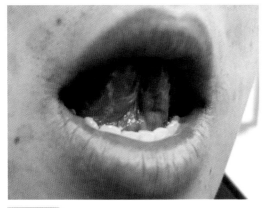
그림 13-9　혀의 점막에 나타난 굳은궤양

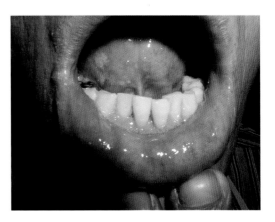

나타날 수 있어 감별이 필요하다. 그 밖에 단순 외상이나 고정약진fixed drug eruption 등도 굳은궤양과 감별해야 하는 병변이다.

2) 2기 매독

감염 후 수주에서 수개월 내에 미열, 권태감malaise, 인후통sore throat, 두통, 선병증ade-nopathy, 그리고 피부 또는 점막의 발진 등의 다양한 전신증상이 나타나게 된다. 이러한 2기 매독의 병변은 혈액과 림프를 통한 매독균의 파종dissemination을 의미하며, 동물실험을 통해 혈액, 림프절, 간, 뇌척수액cerebrospinal fluid, CSF로의 파종이 증명되었다. 적어도 25%의 2기 매독 환자에서 세포 및 단백질 증가, 매독균 양성 PCR 소견과 같은 비정상적 CSF 소견이 나타난다. 이때는 보통 신경학적 징후가 동반되지 않으며, 조기매독의 표준치료에도 CSF 소견과 관계없이 똑같이 반응한다.

파종된 2기 매독에서는 초기 증상으로 희미한 구릿빛 반점이 나타나나, 대개 환자나 의사에게 간과된다. 며칠 후 전신성 구진 발적이 몸통 전체와 손바닥, 발바닥을 포함한 사지에 나타난다(그림 13-10). 구진은 붉거나 적갈색이고, 하나 하나가 구별되며, 지름은 0.5~2cm 정도이다. 대개 인설성scaly이지만 때로는 부드러운 난포성이며, 드물게 농포로도 나타날 수 있다. 손바닥과 발바닥에 나타난다는 것을 제외하면 장미색잔비늘증pityriasis rosea이나 건선psoriasis과 감별하기 어렵다. 신생아의 선천매독을 제외하면 소수포vesicle나 수포bulla는 나타나지 않는다. 얼굴에도 탈색 또는 착색된 원형의 피부병변이 나타날 수 있으며, 일부에서는 탈모도 나타난다(그림 13-11). 혀 등의 점막에서도 작고 얕은 궤양 형태의 병변이 나타날 수 있으며, 드물게 미란성 위염erosive gastritis도 발생한다.

편평콘딜로마condyloma lata는 2기 매독의 가장 심한 형태이다. 크고 융기된 흰색 또는 회색의 병변이 따뜻하고 습한 회음이나 항문 주위에 주로 나타난다(그림 13-12). 이 병변은 2기 매독의 구진이 나타나기 직전이나 직후에 나타나며, 1기 매독의 병변으로부터 직접 전파되는 것으로 생각된다. 매독의 전염력이 가장 큰 병변이다.

2기 매독은 전신질환이므로, 피부 증상에 대한 관심 때문에 권태감, 인후통, 두통, 체중감소, 미열, 근육통 등의 전신 증상을 무시해서는 안 된다. 환자 대부분에서 림프절비대가 나타나는데, 한 전향적 연구에 따르면 환자의 75%에서 서혜부, 38%에서 겨드랑이, 28%에서 경부, 18%에서 대퇴부, 17%에서 팔꿈치epitrochlear의 림프절이 만져졌다. 증상이 있는 골병변은 드물지만, 뼈스캔bone scan에서 이상 소견이 나타나기도 한다. 혈액화학검사상 알칼리인

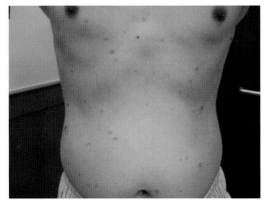

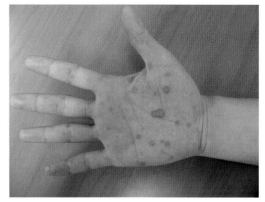

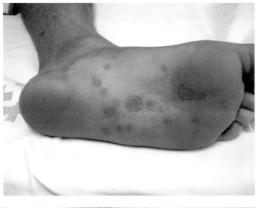

그림 13-10   몸통과 손바닥, 발바닥에 나타난 2기 매독의 구진

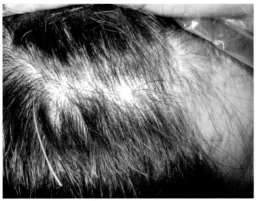

그림 13-11   2기 매독에 나타난 탈모

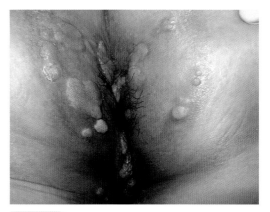

그림 13-12   항문 주위에 나타난 2기 매독의 편평콘딜로마

산분해효소*alkaline phosphatase*와 같은 간효소 증가가 환자의 20%에서 관찰되며, 증상이 있는 간염 소견도 나타날 수 있다.

2기 매독에는 순환면역복합체*circulating immune complex*가 존재하는데, 이들의 침착이 매독 병변 발병에 중요한 역할을 하는 것으로 생각된다. 홍채염*iritis*, 전포도막염*anterior uve-*

itis, 사구체신염*glomerulonephritis*, 신증후군*nephrotic syndrome* 등이 2기 매독에 나타나면 순환면역복합체의 침착 때문인 것으로 추정한다.

2기 매독의 피부발진은 감별 진단 시 장미색잔비늘증, 건선과 혼동하기 쉽다. 인설이 존재하는 경우는 다형홍반*erythema multiforme*, 약진과 감별해야 한다. 손바닥과 발바닥에 피부발진이 없다면 다른 여러 피부질환과 감별하기 힘들다. 인후통, 열, 선병증 등은 전염성단핵구증*infectious mononucleosis*, 급성 HIV 감염에서도 나타나며, 이때 간염, 황달 증상이 동반되기도 한다. 2기 매독에 발생할 수 있는 수막염은 다른 림프구성 무균수막염과 비슷하다.

이처럼 임상증상만으로는 2기 매독을 진단하기 어려우며, 관심 있는 의료진이 아니라면 매독의 가능성을 간과하기 쉽다. 따라서 성적 활동을 하는 성인에서 전신 피부발진이 나타나면 감별진단에 반드시 매독을 포함시켜 혈청학적 검사를 시행해야 한다.

3) 잠복매독

잠복매독의 정의는 과거에 매독 진단을 받았거나 혈청학적 검사 결과 매독 감염이 추정되지만 치료받은 적이 없고 현재 임상적으로 아무런 증상이나 징후가 나타나지 않는 상태이다. 정확한 잠복매독 진단을 위해서는 무증상 신경매독이 배제되어야 하지만, 실제 임상에서는 대부분의 경우 신경매독 진단을 위한 요추천자*lumbar puncture*는 시행되지 않고 있으며, 잠복매독을 추정 진단하고 있다.

잠복매독은 감염 시점으로부터의 기간에 따라 조기 잠복매독과 후기 잠복매독으로 나뉘며, 그 기준은 1년(또는 2년)이다. 조기 잠복매독의 중요한 특징은 2기 매독이 재발할 수 있고, 그 때문에 성접촉에 의한 감염력*infectivity*을 가질 수 있다는 점이다(그림 13-5). 오슬로 연구에 따르면 치료받지 않은 매독 환자 중 25%에서 2기 매독 재발이 일어났고, 대부분 감염 후 1년 안에 발생했다.

4) 3기 매독

치료받지 않은 매독은 20년 이상에 걸쳐 임상소견이 나타날 수 있는 만성 감염질환이다. 조기매독에서 나타날 수 있는 1, 2기 매독 증상은 치료받지 않아도 저절로 사라지며, 성인 매독 환자들은 대부분의 시기를 잠복상태로 보내게 된다. 따라서 실제 주된 이환과 사망은 3기 매독 때문에 발생하며, 피부, 뼈, 중추신경계, 내장, 특히 심장과 큰 혈관들이 이환을 나타내는 주요 부위이다.

항균제가 발견되기 이전의 시대에는 치료받지 않은 매독 환자의 약 1/3이 3기 매독으로 이환되었으며, 이 중 신경매독이 가장 흔했고, 고무종gumma과 심혈관질환도 흔히 관찰되었다. 하지만 항균제가 개발된 이후인 현재에는 일부 저개발국가를 제외하면 신경매독 이외의 다른 3기 매독 증후군들을 만나기 힘들다. 아마도 다른 질환 때문에 간헐적으로 사용하는 항균제에 의해 고무종이나 심혈관질환 발생이 억제되었기 때문으로 생각된다.

3기 매독은 다양한 임상적 증후군으로 나타나며, 전통적으로 신경매독, 심혈관매독, 후기 양성매독의 3가지 범주로 나뉜다.

5. 진단

대부분의 감염질환은 병원균이 그 병을 앓은 환자에서 반드시 분리되어야 한다는 코흐의 가설Koch's postulates을 따라, 실제 감염된 조직이나 체액의 배양검사를 통해 질환을 진단한다. 하지만 매독은 예외이다. 현재까지 매독균은 실험실이나 검사실의 배양에 성공하지 못했다. 따라서 배양검사를 통한 확진이 불가능하다. 다만 1기 매독 굳은궤양의 궤양부나 점막의 병변에서 채취한 삼출액의 암시야현미경검사 또는 직접형광항체검사direct fluorescent antibody test를 통해 균을 직접 확인할 수 있다. 하지만 이러한 방법들은 민감도가 낮은데다 특별한 설비가 필요하기 때문에 실제 임상에서는 잘 사용되지 않으며, 매독의 검사실 진단은 혈청학적 검사를 통한 추정진단이 대부분이다.

1) 암시야현미경검사

매독균을 직접 확인할 수 있는 직접 검사이며, 검사 방법 중 특이도가 가장 높다. 병변에서 삼출물을 얻어야 검사가 가능하기 때문에 1기 매독의 굳은궤양과 2기매독의 편평콘딜로마가 거의 유일한 검체이며, 2기 매독의 나머지 병변들과 3기 매독에서는 검사하기 어렵다. 암시야현미경검사에서 나타난 매독균은 끝이 가늘고 날카로우며 16번 정도 회전한 코르크따개 모양이고, 활발하게 움직인다. 항균제나 연고 치료를 받지 않은 검체를 숙련된 검사자가 검사하는 경우 진단율이 매우 높다. 삼출액이 없는 경우 한두 방울의 식염수를 첨가하면 적절한 검체를 얻기가 쉬워진다. 비병원성 트레포네마균이 상재할 수 있는 구강과 항문의 검체는 암시야현미경검사가 적합하지 않다.

2) 핵산증폭검사

PCR 기반의 분자생물학적 핵산증폭검사nucleic acid amplification test도 연구기반으로 매독 진단에 사용된다. 생식기 병변뿐만 아니라 구강과 항문 검체, 3기 매독과 선천매독의 병변에 대한 검사도 가능하며, CSF 검사도 가능하다. 하지만 아직까지 임상에서 일상적으로 사용되지 않는다.

3) 혈청학적 검사

매독의 혈청학적 진단은 항원 항체의 반응에 따라 비트레포네마검사와 트레포네마검사로 나뉜다.

(1) 비트레포네마검사

약 100년 전 바서만Wassermann이 diphosphatidy-lcholine 또는 카디오리핀cardiolipin에 대한 항체 측정을 처음 소개한 이후, 현재 이용되는 모든 비트레포네마검사는 카디오리핀cardiolipin, 레시틴lecithin, 콜레스테롤cholesterol을 항원으로 사용한다. 매독 감염으로 인해 숙주세포 손상이 발생하고 매독균의 세포 표면에서 지질 성분이 탈락되면 숙주의 면역반응이 유발되어 항지질 항체 IgG와 IgM이 생성되는데, 이를 카디오리핀-레시틴-콜레스테롤 항원과 응집반응을 일으켜 항체를 측정하는 것이다. 응집반응을 현미경하에서 관찰하는 방법이 VDRL (venereal diseases research laboratory) 검사이며, 검사 카드 위에서 육안으로 관찰하는 방법이 RPR (rapid plasma regain) 검사이다. 비트레포네마검사는 정성검사와 역가 측정을 통한 정량검사 모두가 가능하며, 항체의 역가는 매독의 활성도activity를 잘 반영한다. 따라서 정량검사를 통해 치료 전과 치료 후의 역가를 측정하면 치료에 대한 반응을 확인할 수 있으므로 환자에 대한 모니터링이 가능하다. 1기 매독의 민감도는 78~86% 정도이며, 2기 매독에서는 100%, 잠복 매독에서는 95~98%의 민감도를 보인다(표 13-15).

표 13-15 비트레포네마검사의 민감도 및 특이도

검사방법	병기별 민감도(%)				특이도(%)
	1기	2기	조기 잠복매독	후기 매독	
RPR	86(77~100)	100	98(95~100)	73(57~85)	98(93~99)
VDRL	78(74~87)	100	95(88~100)	71(37~94)	98(96~99)

카디오리핀에 대한 항체는 어떤 의미에서는 자가항체이며, 매독이 아닌 다른 질환이나 상황에서 오랫동안 양성 반응이 나타날 수 있다. 매독 진단에서 비트레포네마 검사 가양성이 나타나는 경우는 표 13-16과 같다. 가양성 반응의 역가는 대부분 1:8 이하이다. 비트레포네마검사 중 약 1~2% 정도가 가양성 반응을 보이는 것으로 알려져 있으며, 가양성 가능성이 있더라도 항상 매독의 가능성과 치료를 염두에 두어야 한다.

역가가 너무 높은 경우 RPR이나 VDRL 검사 결과가 오히려 가음성으로 나타날 수 있다(전지대현상prozone phenomenon). 매독의 활성도가 매우 높은 2기 매독, 조기 잠복매독, 조기 신경매독에서 혈청을 희석하지 않고 검사할 때 비트레포네마 항원-항체 반응이 너무 심하게 나타나 RPR/VDRL 검사가 음성처럼 보이는 경우이다. 이때는 혈청을 충분히 희석하여 다시 검사하면 양성을 확인할 수 있다. 후천매독에서 감염 직후 2~4주간 트레포네마검사 음성 기간이 나타날 수 있으며(window period), 이후 IgM과 IgG가 충분히 형성되면 양성으로 바뀐다. HIV 감염이나 기타 면역억제 환자에서도 가음성 반응이 유발될 수 있다.

앞에서 언급한 바와 같이 비트레포네마검사는 매독의 활성도를 반영하며, 원칙적으로 매독 치료 후에는 RPR/VDRL의 역가가 감소하게 된다. 실제 감염 후 빠른 시기, 즉 1기 매독이나 2기 매독의 초기에 치료가 이루어진 경우 RPR/VDRL 역가는 대부분 치료 후 1~2년에 걸쳐 음성으로 전환된다. 하지만 일부에서는 36개월 이상 양성 반응이 지속된다.

감염으로부터 치료 시기가 늦어지면 성공적인 치료에도 불구하고 지속적으로 RPR/VDRL 역가가 양성으로 측정되며, 대부분 1:8 이하의 낮은 역가가 평생 지속될 수도 있다. 이를 'serofast state'라 하는데, 잠복매독이나 후기 매독의 치료 후에 나타난다. Serofast state는 치료 실패와 감별하기 어렵다. 특히 치료 전 기준 역가가 1:256 이상으로 매우 높은 경우에는 성공적인 치료 후 4배 이상의 역가가 감소하더라도 1:32 정도의 높은 역가가 지속될 수 있으므로 주의해야 한다.

표 13-16 비트레포네마검사 가양성

급성 가양성 반응(6개월 이내 지속)
acute febrile illnesses, hepatitis, mononucleosis, viral pneumonia, chicken pox,
measles, herpes, other viruses, LGV (lymphogranuloma venereum), immunizations (especially small pox), pregnancy

만성 가양성 반응(6개월 이상 지속)
autoimmune diseases, immunoglobulin abnormalities, narcotic addiction, aging, malignancy, leprosy

(2) 트레포네마검사

트레포네마검사는 다른 세균 항원에 대한 교차반응항체cross-reacting antibody들을 흡수 제거한 후 매독균의 표면 노출 단백을 항원으로 하여 매독 특이항체를 검출하는 방법이다. 검사 방법에 따라 세 가지로 나뉘는데, 간접면역형광검사indirect immunofluorescence를 이용한 FTA-ABS (fluorescent treponemal antibody absorbed), 적혈구 응집hemagglutination을 이용한 TPHA (Treponema pallidum microhemagglutination), TPPA (Treponema pallidum particle agglutination), 그리고 효소면역분석법인 EIA (enzyme immunoassay)이다. 1970년대까지는 높은 민감도와 특이도 때문에 FTA-ABS가 표준검사 방법이었지만, 형광현미경fluorescent microscope이 필요하고 검사에 숙련된 기술이 필요하다는 점 때문에 보다 간편하고 민감도와 특이도가 동일한 적혈구 응집법으로 대체되고 있다.

가양성 반응이 아주 드물게 관찰되며, SLE (systemic lupus erythematosis), 헤르페스, 라임병Lyme disease, 단핵구증mononucleosis, 자가면역질환autoimmune disease, 임신 등과 관련이 있다. 매독 특이항체는 면역기억반응immunologic memory이 있으므로, 원칙적으로 매독에 한 번 감염되면 트레포네마검사 결과는 평생 양성을 보이게 된다. 트레포네마검사의 역가는 RPR/VDRL과는 달리 매독의 활성도와 치료에 대한 반응을 반영하지 않기 때문에 치료 후 환자 모니터링에 사용할 수 없다.

(3) 매독의 활성 검사

확진 검사 양성인 경우에는 매독의 활성 검사를 시행해야 한다. 매독의 활성도는 감염력과 관계 있으며, 치료 여부를 결정하게 된다. 비트레포네마검사인 RPR 또는 VDRL의 역가는 매독의 활성도를 반영하며, 동일 환자에서 VDRL에 비해 RPR 역가가 약간 높게 나타나는 경향이 있다. 적절한 치료가 이루어진 경우에는 RPR/VDRL 역가가 16 이상인 경우가 드물고, 대부분 8 이하에 머물게 된다. 하지만 드물게 활성 매독에서 8 이하의 역가나 RPR/VDRL 음성이 나타날 수 있다. 따라서 임상적으로 활성 매독이 의심되는 환자에서 낮은 RPR/VDRL 역가나 음성 소견이 나타나면 항트레포네마 IgM 검사를 추가하여 활성도를 검사한다. 혈청 내 항트레포네마 IgM의 검출은 감염력을 가진 초기 감염을 시사하는데, 조기에 적절하게 치료하면 약 3~9개월 후 측정되지 않지만, 치료가 늦어지면 12~18개월까지 지속된다. 따라서 최근의 치료 경력이 없는 환자에서 항트레포네마 IgM이 검출된다는 것은 활성 감염을 의미하므로, 즉각적인 치료가 필요하다.

(4) 치료 후 반응 검사

매독 치료에 대한 반응은 RPR/VDRL의 역가 감소로 나타난다. 성공적인 치료의 기준은 RPR 또는 VDRL이 음성으로 전환하거나 역가가 4배 이상 감소하는 경우이다. 치료 후 반응 검사는 되도록 동일 기관에서 동일한 검사 방법으로 시행한다. RPR/VDRL 음성인 1기 매독을 치료한 경우에는 항트레포네마 IgM 검사를 통해 치료 반응을 추적할 수 있다.

6. 치료

매독 치료에서 수십 년간 변함없이 첫 번째로 선택되는 약제는 페니실린 주사제이다. 페니실린에 대한 과민반응 등이 나타나면 다른 약제들이 대체 약제로 추천되지만, 페니실린을 제외한 모든 약제들의 효과는 아직 검증이 부족한 상태이다. 또한 임신부나 선천매독의 경우는 페니실린만이 치료제로 유효하다. 따라서 대체 약제 등으로 인해 치료에 실패하면 페니실린 투여를 고려해야 하며, 페니실린 과민반응이 문제가 되는 경우는 탈감작하여 치료한다. 하지만 탈감작 동안 심각한 IgE 매개 과민반응이 일어날 수 있으므로 반드시 환자를 병원급 시설에

표 13–17 병기에 따라 권장되는 매독 치료 요법

병기	권장 요법	대체 요법
조기매독 (1, 2기 조기 잠복매독)	벤자신 페니실린 G benzathine penicillin G 240만U 근육주사 단회 요법	독시사이클린doxycycline 100 mg 1일 2회 또는 200 mg 1일 1회 경구 14일 요법 에리트로마이신erytromycin 500 mg 1일 4회 경구 14일 요법 아지트로마이신azithromycin 2 g 경구 단회 요법
후기 잠복매독, 지속 기간을 모르는 잠복매독, 심혈관매독	벤자신 페니실린 G 240만U근육주사 일주일 간격으로 3회 요법	독시사이클린 100 mg 1일 2회 또는 200 mg 1일 1회 경구 28일 요법 에리트로마이신 500 mg 1일 4회 경구 28일 요법
신경매독	페니실린 G potassium crystal 300만~400만U정맥주사 4시간 간격으로 18~21일 요법(1일 투여량 1,800만~2,400만U)	페니실린 탈감작 후 페니실린 투여를 우선 고려 세프트리악손ceftriaxone 2 g 1일 1회 정맥주사 14일 요법
임신부 조기매독 (1, 2기 조기 잠복매독)	벤자신 페니실린 G 240만U 근육주사 단회 요법 임신으로 인한 약물역동학의 변화가 예상되는 임신 20주 이상의 조기매독에서는 벤자신 페니실린 G 240만U 근육주사 일주일 간격으로 2회 요법	임신부에서는 대체 치료제 없음 페니실린 탈감작 후 페니실린 투여
임신부 후기 잠복매독, 지속 기간을 모르는 잠복매독, 심혈관매독	벤자신 페니실린 G 240만U 근육주사 일주일 간격으로 3회 요법	임신부에서는 대체 치료제 없음 페니실린 탈감작 후 페니실린 투여

입원시켜 탈감작을 시행해야 한다. 감염성이 있는 조기매독의 경우 후기매독과 달리 매독균의 활성이 증가된 상태이므로 치료에 쉽게 반응하며 치료 기간도 짧다(표 13-17).

1) 페니실린 과민반응

페니실린 요법 시 약 2%에서 과민반응이 나타날 수 있다. 피부반응검사 등을 통해 페니실린 과민반응 위험이 있는 사람을 확인할 수 있다. 매독 치료는 페니실린 요법이 원칙이므로, 페니실린 과민반응이 예상되는 경우 탈감작 시행을 우선 고려한다. 경구 탈감작이 정맥 탈감작보다 안전하고 경제적이지만, 우리나라에는 경구 탈감작을 시행할 수 있는 약물이 없으므로 정맥 탈감작을 시행할 수밖에 없다.

과민반응은 두드러기urticaria가 가장 흔히 나타난다. 아나필락시스 쇼크anaphylactic shock가 가장 심한 형태인데, 사망에 이를 수도 있다. 과민반응이 의심되는 경우 에피네프린epinephrine 1:1000 0.3 mL 근육주사나 항히스타민제와 메틸프레드니솔론methylprednisolone 40 mg 또는 히드로코르티손hydrocortisone 100 mg의 정맥주사가 필요하다.

2) 야리슈-헤르크스하이머 반응

1기 또는 2기 매독 치료 후에는 1/3~2/3 정도의 환자에서 열, 오한, 관절통, 두통 등과 함께 병변의 일시적인 융기가 나타나는데, 이를 야리슈-헤르크스하이머Jarisch-Herxheimer 반응이라고 한다. 이 반응은 매독균의 성분들이 배출되면서 나타나는 현상이다. 보통 치료 후 4~12시간 이내에 나타나고, 24시간 이내에 사라진다. 증상이 아주 심해 39℃ 이상의 고열이 나타나는 경우도 있지만, 대부분 해열제와 안심시키기만으로 환자를 처치할 수 있다. 페니실린 과민반응과 혼동하지 말아야 하며, 이 반응 때문에 페니실린 치료를 중단해서는 안 된다. 심한 반응이 나타나는 경우, 특히 신경매독에서는 짧은 기간의 프레드니솔론prednisone 치료가 권장되기도 한다.

7. 추적관찰

매독 치료 후에는 완치를 증명할 만한 직접적인 검사가 없기 때문에 6개월마다 비트레포네마검사인 RPR/VDRL의 역가 측정으로 치료에 대한 추적관찰을 시행한다. 조기매독 환자들은 대부분 12개월 이내에 RPR/VDRL 검사가 음성으로 전환되지만, 일부에서는 낮은 역가가 유지될 수 있다. 잠복매독이나 후기매독 환자들은 치료 후 대부분 낮은 역가로 고정되며, 역가

변화가 없는 한 재치료는 필요없다.

RPR/VDRL 역가를 추적관찰할 때 주의할 점은 이 검사가 주관적이며, 검사 키트나 판독자에 따라 결과가 다양하게 나타날 수 있다는 것이다. 동일한 검체에서 RPR의 역가가 VDRL의 역가에 비해 높은 경향이 있고, 같은 방법이라도 검사 상황에 따라 역가가 2배까지 차이가 날 수 있으므로, 항상 동일 기관에서 동일한 검사 방법으로 추적검사하는 것이 권장된다.

페니실린 이외의 약제로 치료하는 경우와 태아의 선천매독, HIV 감염자 등은 치료에 실패할 확률이 높으므로 보다 주의깊은 추적관찰이 필요하다. 추적관찰 기간은 조기매독의 경우는 적어도 12개월까지, 후기매독이나 신경매독의 경우는 24개월까지이다. 처음 1년은 3개월마다, 다음 1년은 6개월마다 임상적 관찰 및 RPR/VDRL 역가 검사가 필요하다.

V 요도염

요도염*urethritis*이란 요도분비물, 배뇨통, 요도 끝부분의 소양감을 나타내는 요도의 염증성 질환이며, 일반적으로 남성의 요도염을 일컫는다. 요도염은 도말표본검사 소견 또는 첫 소변 *first-voided urine*의 침사*sediment* 소견에서 백혈구가 증가되었을 때 확진할 수 있다. 요도염의 병인에서 가장 중요한 균주는 임균과 클라미디아 트라코마티스*Chlamydia trachomatis*로 알려져 있으며, 미코플라스마*Mycoplasma genitalium*는 그다음으로 흔히 분리된다. 남성 요도염의 원인 균주들을 표 13-18에 정리하였다.

표 13-18 남성 요도염의 원인균

임균요도염*gonococcal urethritis*, GU
Neisseria gonorrheae
비임균요도염*non-gonococcal urethritis*, NGU
Chlamydia trachomatis
Mycoplasma genitalium
Ureaplasma urealyticum (biovar 2)
Trichomonas vaginalis
Neisseria meningitides
Haemophilus species
Gardnerella vaginalis
Candida species
Herpes simplex virus 1
Herpes simplex virus 2
Adenovirus

1. 역학

요도염은 임균요도염과 비임균요도염으로 구분되는데, 임균요도염의 빈도는 아시아, 미국, 유럽, 남아프리카에서 보고된 전체 요도염의 9~45%, 12~35%, 2~21%, 22~52%를 각각 차지하며, 비임균요도염에서 가장 큰 비중을 차지하는 클라미디아요도염은 아시아, 미국, 유럽, 남아프리카 전체 요도염의 6~38%, 11~35%, 4~26%, 4~16%로 나타났다. 비임균요도염에서 *M. genitalium*이 차지하는 비율은 아시아, 미국, 유럽, 남아프리카에서 각각 4~27%, 8~22%, 8~12%, 5~7%로 나타나 비임균요도염에서 클라미디아 다음으로 흔한 원인균이다. 국내 표본감시 체계에 의하면 임균요도염이 전체 성매개감염 요도염의 34.2%로 가장 높은 비율을 나타내고, 연령별로는 20대의 유병률이 가장 높으며, 남자에서 3배 이상 많다. 미국에서는 최근 10년 이상 매년 30만 명 이상의 새로운 임균 감염 환자가 지속적으로 발생하고 있으며, 전체 성매개감염에서 클라미디아감염증 다음으로 흔하다. 해외여행의 증가로 선진국에서는 대부분 임균 감염이 개발도상국을 여행한 사람에서 발생하고 있는데, 대표적인 여행지 중 하나인 필리핀의 경우 일반인에서 성매개감염 유병율이 클라미디아 4.4~9%, 임질 0.7~1.7%, 매독 0.2%이고, 향락업소 종사자의 경우 클라미디아 21%, 임질 15~31%, 매독 1~7%로 높은 유병율을 보이고 있다. 클라미디아의 경우 국내 표본감시체계 보고에 따르면 전체 요도염의 46.9% 정도를 차지하고 있고, 연령별로는 20대에서 현저히 많으며, 여성에서 8배 이상 많은 것으로 알려졌다. 또한 클라미디아는 무증상 인구집단에서도 2~5% 정도의 유병률을 보이며 미국의 경우는 최근 10년간 두 배 이상의 증가를 보이고 있고, 최근에는 한 해 100만 명 이상의 환자가 보고되고 있다.

2. 요도염의 증상 및 징후

요도염 환자들의 가장 특징적인 증상은 배뇨통과 요도분비물이며, 요도 끝부분의 소양증을 호소할 수도 있다. 그 외 혈뇨, 오한, 발열, 빈뇨, 요주저, 야간뇨, 요절박, 회음부 통증, 음낭 종괴, 성기 통증은 요도염의 전형적 증상이 아니며, 이러한 증상들은 오히려 요로감염, 급성전립선염, 만성전립선염, 급성부고환염/고환염을 시사한다.

요도분비물은 요도로부터 저절로 흘러나올 정도로 다량이 나올 수도 있고, 요도를 짜내야만 나올 정도로 거의 없을 수도 있다. 요도분비물이 없다고 해서 요도염이 없을 것이라고 단정해서는 안 된다. 노란색 또는 연녹색 분비물을 화농성 분비물이라 하고 회색 또는 흰색 분비물을 점액성 또는 혼합성이라고 하는데, 신체검사를 할 때 반드시 기록해야 한다. 요도 개구부의 염증 여부도 반드시 기록해야 하고, 생식기 부종이나 림프절비대 여부도 반드시 확인해야 한다.

환자가 배뇨통이나 요도분비물을 호소하면 분비물이 관찰되지 않더라도 확실한 검사를 위해 야간에 배뇨하지 않도록 하고 다음 날 아침에 다시 검사하는 것이 좋다. 요로생식기 감염 증상이 있으나 요도도말표본검사에서 음성이었던 환자는 오랫동안 배뇨를 하지 않고 재검하는 것이 중요하다.

드물기는 하지만 임균요도염 환자나 클라미디아요도염 환자는 임균이나 클라미디아에 의한 결막염에 이환될 수 있다. 그 외에 부고환염, 반응성 관절염*Reiter's syndrome*, 서혜부 림프절병증, 인두염, 직장염, 파종성 감염증 등이 나타날 수 있다. 요도염과 관련된 증상 및 합병증은 표 13-19와 같다.

표 13-19 임균 감염증의 임상소견 및 합병증

	소아	여성	남성
임상소견	요도염 질염 안염 및 결막염 안두 감염 직장염 파종성 임균 감염	요도염 골반엽 바르톨린샘염 결막염 직장염 파종성 임균 감염 – 관절염 – 심내막염 – 뇌수막염	요도염 부고환염 결막염 직장염 파종성 임균 감염 – 관절염 – 심내막염 – 뇌수막염
합병증		불임 자궁외임신 라이터증후군 파종성 임균 감염	부고환염/고환염 불임(드묾) 라이터증후군 파종성 임균 감염

3. 요도염의 병인

1) 임균요도염

임균요도염은 성매개감염에 의한 요도염 중 클라미디아로 인한 비임균요도염 다음으로 흔하며, 보통 2~7일 정도의 잠복기를 보이지만 30일 이후에도 증상이 나타날 수 있다. 약 70~90%의 환자가 증상을 보이며, 이때는 다른 원인균에 의한 경우보다 증상이 심하다. 남성 요도염의 주요 증상은 배뇨통 및 요도분비물인데, 요도분비물은 대개 다량의 화농성 분비물이 특징이다(그림 13-13). 임균 감염증은 페니실린이나 플루오로퀴놀론 같은 고식적 항균제 치료에 저항하는 경우가 많고 클라미디아와 동시감염이 흔하므로 가능하면 치료 전에 항균제감수성검사를 시행하고 클라미디아 감염 여부를 파악하는 것이 좋다. 임질후요도염*postgonococcal urethritis*, PGU은 임균요도염을 앓았던 환자가 임균을 치료하여 일시적으로 증상이 호전된 후 다시 요도염 증상을 호소하는 경우를 일컫는데, 대개 클라미디아에 동시감염된 임균요도

염인 경우이다.

성인의 임균결막염은 아주 드물게 발생하는데, 대부분 감염된 소변이나 생식기 분비물에 직접 접촉하거나 손이 오염된 경우 감염된다. 균이 짧은 기간 동안은 체외에서 생존할 수 있기 때문에 다른 매개물을 통한 감염이 가능하며, 잠복 기간은 평균 3일 이내지만 2~3주까지도 경과할 수 있다. 임균에 의해 안감염이 발생한 경우, 다량의 화농성 삼출물, 심한 결막부종과 충혈, 안검의 부

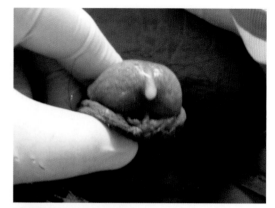

그림 13-13 임균요도염
다량의 화농성 요도분비물이 관찰된다.

종과 홍반, 각막상피나 실질의 염증을 동반한다. 치료가 적절하지 않거나 늦어지면 각막염이 진행하여 각막궤양, 각막천공을 야기할 수도 있다. 따라서 임균결막염은 즉각적인 치료가 필요하며, 다른 성병과의 동시감염을 고려하여 클라미디아와 매독에 대한 검사를 동시에 시행하여야 한다.

부고환염은 일반적인 요로감염의 원인균, 특히 대장균에 의해 발생할 수 있으나 성적으로 활발한 35세 미만 남성의 경우 임균이나 클라미디아에 의해 발생할 수 있다.

임신부에서 임균 감염은 심각한 합병증을 초래할 수 있는데, 약 13%에서 패혈성 유산, 23%에서 조기 진통, 29%에서 조기양막파열을 일으킨다. 그러므로 특히 성매개감염과 관련하여 고위험군인 임신부는 조기에 임균 감염 여부를 파악하는 것이 중요하다.

파종성 임균 감염은 임질 환자의 0.5~3%에서 발생하며 관절염-피부염 증후군이 특징인데, 드물게 심내막염, 수막염, 간주위염, 화농성근염, 골수염 등을 유발할 수 있다. 파종형은 19세에서 30세의 젊은 성인에서 주로 발생하며, 남녀 비율은 1:3~1:4정도로 여성에서 많다. 임신 중이거나 생리 중인 여성, 무증상 국소 감염자, 성 파트너가 다수인 사람, 낮은 사회경제적 상태, 약물중독자, 보체결핍, AIDS 환자, 전신성홍반성낭창 환자 등이 위험 인자이다.

2) 비임균요도염

비임균요도염 환자들의 대부분은 증상이 경미하며, 배뇨통, 요도분비물이 주요 증상이다. 요도분비물은 맑고 투명한 점액성 혹은 회백색이지만 뚜렷하지 않은 경우도 많으며, 아침에만 보이거나 속옷에만 묻는 정도인 경우도 있다(그림 13-14). 비임균요도염 환자 중 무증상 감염

자의 비율은 60~70%이다.

비임균요도염의 30% 정도에서 클라미디아트라코마티스가, 19%에서 *M. genitalium*이, 10~20%에서 질편모충*Trichomonas vaginalis*이 검출된다. 또한 10~20%에서 우레아플라스마우레알리티쿰*Ureaplasma urealyticum*이 발견된다.

클라미디아요도염 환자의 82%에서 요도분비물이 관찰되나, 트리코모나스요도염은 55%에서만 요도분비물이 관찰된다고 한다. 트리코모나스요도염 및 미코플라스마요도

그림 13-14 비임균요도염

비임균요도염에서도 점액성 요도분비물이 관찰되는데, 요도분비물이 관찰되지 않는 경우도 있다.

염의 경우 요도분비물은 거의 없거나 많지 않은 경우가 종종 있고, 투명하거나 점액성을 띠고 있어 클라미디아요도염과는 육안적 감별이 힘들다.

(1) 클라미디아요도염

클라미디아요도염은 비임균요도염의 25~60%(보통 30~40%)에서 관찰되고 있다. 임질 환자의 4~35%(보통 15~25%)에서 동시감염이 보고되며, 무증상 남성의 0~7%에서 분리된다. 클라미디아요도염의 잠복기는 보통 2~3주가량이다. 보통 클라미디아요도염 환자에서 증상이 있는 경우 '배뇨통과 요도분비물을 호소하는데, 분비물은 점액성이며 거의 관찰되지 않는 경우도 있다. 클라미디아에 감염되더라도 40% 이상에서는 증상이 나타나지 않을 수 있으며, 신체검사를 통해 요도분비물이 관찰되는 경우가 82% 정도라고 한다.

1965년에 클라미디아를 처음으로 분리 배양하는 데 성공하였으나 이후에도 임상적으로 클라미디아를 배양하는 것은 쉽지 않았다. 1984년 미국 CDC에서 클라미디아 배양을 위해 Mc-Coy cell line을 개발함에 따라 클라미디아 배양법이 한층 발전한 것은 사실이지만, 여전히 임상적으로 이용하기에 어려운 점이 있다. 한편 미세면역형광법*micro-immunofluorescence*을 통해서도 비임균요도염 환자의 급성기 혈장에서 클라미디아에 대한 항체를 발견할 수 있는데, IgM micro-IF antibody는 급성기에 발견되는 항체로서 기존에 항체가 존재하더라도 최근의 감염을 진단하는 데 도움을 줄 수 있다. 그러나 이 방법은 임상에서 흔히 이용되지는 않고 있다. 최근에는 핵산증폭검사법*nucleic acid amplification tests*, NAATs이 발달하여 손쉽게 클

라미디아를 진단할 수 있게 되었고, 현재 이 방법이 가장 추천되는 검사법으로 자리 잡았다. 클라미디아에 의한 임상소견 또는 합병증은 표 13-20과 같다.

표 13-20 클라미디아감염증의 임상소견 및 합병증

	소아	여성	남성
임상소견	신생아 결막염 유아 폐렴	70% 무증상 요도염 골반염 질염 결막염 직장염	40~50% 무증상 요도염 부고환염 결막염 직장염
합병증		골반염증성질환 불임 자궁외임신 만성 골반통 라이터증후군	부고환염/고환염 라이터증후군

(2) 미코플라스마요도염

13종의 미코플라스마 중 인간의 요로생식기에 감염을 일으키거나 집락을 형성하는 균은 4 종류(*M. hominis, M. genitalium, U. parvum, U. urealyticum*)로 알려져 있다. 미코플라스마호미니스Mycoplasma hominis는 비임균요도염의 병인에 중요한 역할을 하지는 않는 것으로 생각되며, 인간의 요도 내에서 집락을 형성하여 생존하지만 특별한 증상을 일으키지 않는 공생미생물*commensal microorganism*로 알려져 있다. 이는 요도염이 있는 사람과 요도염이 없는 사람에서 미코플라스마호미니스가 같은 정도의 비율로 관찰되는 사실로부터 알 수 있다.

일반적으로 요도염이 없는 남성에서 우레아플라스마가 흔히 검출되므로 우레아플라스마 역시 공생미생물 역할을 하는 것으로 생각되나, 성 파트너가 많거나 성적 활동성이 높은 집단에서는 우레아플라스마가 비임균요도염의 원인이 될 수 있다고 밝혀졌다. 더구나 비교적 성적 경험이 없고 처음으로 요도염에 이환된 환자에서 이 균주가 관찰된다는 사실과, 우레아플라스마가 분리된 요도염 환자에서 선택적 우레아플라스마 치료가 요도염 증상을 호전시키는 사실은 비임균요도염에서 우레아플라스마의 병인적 역할을 암시하는 결과라고 할 수 있다. 그러므로 증상이 있는 환자에서 먼저 요도염이 있는지를 파악하고 요도염을 일으키는 다른 균주가 배제된 후 우레아플라스마가 병인 균주인지 공생 균주인지를 판단하는 것이 중요하다. 우레아플라스마속genus은 두 종species을 포함하는데, U. urealyticum과 U. pavium이 그것이다. 현재까지는 U. urealyticum이 비임균요도염의 병인으로서 관련성이 있다고 생각된다.

M. genitalium은 1981년 이후 비임균요도염의 한 원인균으로 제시되었고, 현재 비임균요도염에서 클라미디아요도염 다음으로 흔한 균으로 알려져 있다. M. genitalium은 베로세포배양Vero cell culture에 의해 직접 배양될 수 있으며 액체배지희석법broth-dilution method으로 항균제감수성검사를 시행할 수 있으나, 시간적인 문제와 배양의 어려움 때문에 일반적으로 추천되지 않는다. M. genitalium을 진단할 때는 핵산증폭검사를 이용하는 것이 좋다. M. genitalium에 의한 요도염은 아지트로마이신azithromycin으로 치료하는 경우가 일반적이나, 최근 아지트로마이신에 저항성을 가진 M. genitalium이 점차 증가하는 양상이다. 현재까지 알려진 바에 의하면 M. genitalium은 요도염이 없는 사람에서 6% 정도 검출되나, 비임균요도염 환자에서는 25%가 검출된다.

(3) 트리코모나스요도염

질편모충은 크기가 5~15 μm정도이며 4개의 편모를 가진 원충이다. 1950년대까지 질편모충은 공생균주로 생각되었으나, 현재 남성 비임균요도염의 한 원인균으로 분류되고 있다. 비임균요도염이 있는 남성의 18%에서 질편모충이 검출되었으나, 요도염이 없는 경우 8%에서만 발견된다. 핵산증폭검사를 통한 연구에서도 요도염이 있는 경우 17%, 요도염이 없는 경우 12%가 검출되어 질편모충이 비임균요도염의 한 원인으로 제시되었다. Schwebke 등은 남성 요도염으로 병원을 찾는 환자들 중 실제 질편모충의 빈도는 임균요도염 환자나 클라미디아요도염 환자의 빈도와 차이가 크지 않다고 보고했다. 트리코모나스요도염 환자의 40% 이상에서 증상이 없을 수 있으며, 요도분비물이 점액성이거나 거의 없는 경우가 있으므로 증상만으로는 감별 진단이 어려울 수 있다. 현미경적 진단을 위해 요도분비물이나 전립선분비물을 0.85% 식염수에 부유시켜 원충을 확인할 수 있다. 요도분비물이 없는 경우 현미경적 진단이 불가능할 수도 있는데, 이때는 배양을 통해 균을 확인하거나 핵산증폭검사를 시행한다. 배양검사는 다이아몬드 배지Diamond's modified media를 사용하는 것이 추천된다. 치료 성공률은 90%이나, 5% 내외에서 메트로니다졸metronidazole 저항성 질편모충이 보고되고 있다.

(4) 바이러스성 요도염

생식기헤르페스에 감염된 환자의 30%에서 요도염이 발생한다. 생식기헤르페스에 감염된 모두가 성기에 병변을 가지고 있지는 않다. 그러므로 헤르페스는 요도염의 감별 진단에 포함되어야 한다. 최근 핵산증폭검사를 통해 조사한 바에 따르면 요도염의 2~3%가 헤르페스로 인한 것으로 나타났으며, HSV-1이 더 흔한 것으로 나타나 구강성교로 인한 바이러스의 전파가 그 위험 인자라고 보고되었다.

헤르페스, 아데노바이러스 등의 바이러스성 요도염은 일반적인 세균성 요도염보다 증상이 심하다. 증상에 비해 요도분비물은 거의 없거나 점액성으로 나타난다. 또한 세균성 요도염과 달리 대부분의 바이러스성 요도염 환자는 요도구염을 동반한다. 아데노바이러스요도염은 결막염과 종종 동반될 수 있으며, 가을과 겨울철에 발생하는 경향이 있다. 헤르페스요도염은 주위 림프절비대 및 전신증상을 동반할 수 있다.

(5) 무증상성 요도염

무증상성 요도염 환자는 비교적 흔히 발견되며, 클라미디아요도염이 임균요도염보다 흔하다. 일반 인구집단에서 무증상 환자들은 성매개감염의 저장소로서 매우 중요한 의미를 지닌다. 최근 핵산증폭검사를 통해 무증상 클라미디아요도염 환자 및 무증상 임균요도염 환자의 유병률이 각각 2.2~4.7%, 0.1~0.2%로 보고된 바 있다. 그러므로 클라미디아 감염증 또는 임균 감염증 환자가 치료를 받을 경우 그 성 파트너가 무증상 감염일 가능성을 항상 고려해야 할 것이다.

4. 진단

임균요도염이 의심되면 그람염색, 배양 또는 핵산증폭검사 등을 통해 진단해야 한다. 그러나 인두, 결막, 직장 등의 감염이나 파종성 감염증이 있을 때에는 핵산증폭검사 등의 비배양 방법이 추천되지 않는다. 파종성 감염이 의심될 때에는 확진하기 위해 배양을 시행해야 하는데, 활액 배양에서 25~50%, 혈액 배양에서 20~30%에서만 양성이 나타나기 때문에 균배양은 혈액, 활액, 피부병변, 인두, 자궁경부, 요관, 직장 등 가능한 모든 곳에서 시행할 것을 권장한다.

비임균요도염의 진단 시에는 도말표본검사를 통해 임균에 의한 요도 감염을 배제해야 한다. 클라미디아 감염증 진단의 경우 그람염색이나 일반 배양법은 핵산증폭검사에 비해 민감도가 떨어진다. 클라미디아요도염 진단의 경우 남성에서 검체를 채취할 때 도말표본검사 또는 배양검사를 시행하기 위해서는 면봉 채취법이 진단율을 더 높일 수 있으나 핵산증폭검사 시행에서는 첫 소변검체로도 충분하다. 최근 클라미디아 및 미코플라스마요도염의 진단은 핵산증폭검사가 권장된다.

트리코모나스요도염은 요도분비물이 있는 경우 현미경검사*wet mount preparation*가 시간적 및 금전적인 효용성이 있으므로 1차적으로 추천되나, 요도분비물이나 소변검체로 진단하기가 어려우면 배양검사 또는 핵산증폭검사로 진단한다.

미코플라스마에 의한 요도염이나 바이러스성 요도염 진단은 핵산증폭검사를 통해 시행한다.

1) 도말표본검사를 통한 요도염 진단 기준

성매개감염의 원인균을 알기 이전에 먼저 요도염 유무를 확인해야 한다. 요도염을 진단하기 위해서는 요도분비물이 관찰되며 4시간 이상 배뇨하지 않은 상태에서 첫 소변의 10~15 mL를 채취했을 때 고배율(×400)에서 20개 이상의 다핵백혈구가 관찰되어야 한다. 요도분비물이 거의 없는 환자에서는 고배율에서 15개 이상의 다핵백혈구가 관찰되거나 최소 5개 이상의 유침*oil immersion*(×1,000) 현미경 시야에서 5개 이상의 다핵백혈구가 관찰되어야 한다.

클라미디아요도염 환자는 소변이나 요도도말검사에서 다핵백혈구가 관찰되지 않을 수 있다. 명확한 요도염의 증거(요도분비물이 없고 요도도말표본검사에서 다핵백혈구가 관찰되지 않는 경우)는 없으나 증상이 있는 환자에 대해서는 소변을 오래 참게 한 후 재검사하는 것이 권장된다. 이때 요도분비물을 보다 정확히 채취하기 위해 요도를 근위부로부터 요도구까지 3회 이상 짜내면 도움이 된다. 그람염색을 위한 검체는 요도분비물이 충분한 경우 요도구에서 채취하는데, 요도분비물이 거의 없으면 면봉을 요도구로부터 3~4 cm 깊이로 삽입하여 채취해야 한다. 환자에게는 검체 채취 과정이 통증을 유발할 수 있고, 이후 배뇨 시 일시적으로 배뇨통이 나타날 수 있다는 점을 설명해야 한다. 면봉 채취법으로 검체를 채취한 후에는 도말표본검사를 위해 면봉을 슬라이드 글라스 위에 굴려서 1 cm² 이상의 검사 면적을 확보해야 한다. 그람염색을 시행한 후 100배의 시야에서 다핵백혈구가 가장 많은 곳을 최소 5군데 관찰하고 이 부분에 1,000배의 유침 현미경검사를 시행하여 다핵백혈구의 수를 기록한다. 다핵백혈구가 관찰될 때 그람음성쌍구균도 관찰해야 한다. 소변으로 검체를 채취하는 경우는 첫 소변의 10~15 mL를 채취하여 400×g로 10분간 원심분리한 후 검사한다. 이때 0.5 mL를 제외한 모든 상층액을 부어내고 남은 소변 내 침전물을 검사하는데, 1 cm² 이상의 면적을 확보하여 슬라이드 글라스에 도말한다. 400배의 고배율로 임의의 다섯 군데를 관찰하여 다핵백혈구의 수를 기록한다.

최근에는 기존의 검사실 진단 기준에 부합하지는 않지만 요도염이 의심되는 환자들을 핵산증폭검사를 통해 보다 정확히 진단할 수 있게 되었다.

2) 임균의 배양검사

보통 요도분비물이나 요도 내부 면봉채취법을 통해 얻은 검체는 도말표본검사법을 통해 그람염색을 시행하는데, 임균은 그람음성 소견으로 다핵백혈구 내부에서 쌍구균 형태로 발견된다. 포도구균도 때로는 다핵백혈구 내부에서 구균의 형태로 발견되지만 모양이 임균과 다르다. 검사자에 따라서 임균을 명확히 확인하기 위해 그람염색 대신 메틸렌 블루*methylene blue* 염색을 선호하는 경우도 있다. 숙련된 임상병리사의 경우 도말표본검사에서 양성을 보인 환자의 94.8%에서 배양검사 양성 소견을 보이며, 도말표본검사 음성을 보인 환자의 7.4%에서 배양검사 양성 소견을 보인다.

임균은 건조하고 산소가 많으면 금방 죽는 까다로운 균주이기 때문에 배양을 위해서는 습한 조건에서 영양배지에 이산화탄소를 공급해야 한다. 일반적으로 배양을 위한 조건은 3~10%의 이산화탄소, 35~36℃의 온도에 습한 환경이다. 이산화탄소를 발생시켜 공급하는 배양기는 많은 종류가 상용화되어 있다. 영양배지로는 chocolate blood agar 등이 있으며 혈청이나 효모 추출물 등이 첨가되기도 한다. 또한 임균만을 배양하기 위해 배지에 선택적인 항균제가 첨가되기도 하는데, 반코마이신*vancomycin* 2~3 μg/mL, 콜리스틴*colistin* 67.5 μg/mL, 트라이메토프림*trimethoprim* 1.5~8 μg/mL, 니스타틴*nystatin*(또는 암포테리신*amphotericin* B 1 μg/mL) 12.5 μg/mL 등이 주로 첨가된다. 그러나 선택적인 배지에서 임균이 배양되지 않고 죽을 수 있으므로 항균제 농도나 종류를 줄이거나 비선택적인 영양배지를 선택하기도 한다.

한편, 검체가 즉각적으로 검사실에서 영양배지에 접종될 수 없는 상태라면 균이 죽거나 다른 균에 오염되지 않게 할 운반배지가 필요하다. 이를 위해 반고형의 완충 비영양 시스템*semi-solid buffered non-nutrient system*에 균을 보관하는데, 임균은 4℃에서 72시간 동안 생존이 가능하다. 운반배지를 통해 전달된 임균이 배양을 위해 영양배지에 접종되면 최소 접종 2시간 이내에 이산화탄소 발생 배양기로 넣어야 한다. 영양배지에 접종된 균은 24~48시간 후에 검사하는데, 배지 위의 임균은 녹백색 집락을 형성한다.

임균 감염증의 유병률이 낮은 지역에서는 핵산증폭검사로 임균을 진단할 때 위양성률이 높을 수 있다. 임균 감염증의 유병률이 1% 이하인 곳에서는 핵산증폭검사의 양성 예측률이 50% 정도라고 한다. 따라서 임균 감염증의 유병률이 낮은 지역에서는 핵산증폭검사보다 임균을 직접 배양하는 진단법이 선호될 수 있으나, 적절한 임균 채취와 수송, 접종 및 배양 등을 통해 종료되는 시점까지의 과정에서 임균이 생존한다고 보장할 수 없다. 일부 보고에 따르면 고식적 배양법을 통한 임균 감염증 진단은 60~70%의 민감도를 보였다. 그런데 검체 채취 2시간 이내에 검사실에서 배양이 이루어진 경우 배양의 민감도는 85.1%이므로, 도말표본검사에서 양성 소견을 보인 경우 검체가 즉각 배양될 수 있다면 배양을 통해 항균제감수성을 파악하는 것도 상당히 도움이 되리라 생각된다.

임균요도염에서 항균제 저항성이 우려되어 항균제감수성검사가 필요하거나 요도 외 임균 감염증 또는 전격성 임균 감염증이 있어 항균제 선택이 중요할 때는 반드시 배양검사가 필요하다. 그러므로 이때도 검체 보관이나 수송 없이 즉각 배양이 되는 곳에서 검사를 시행하는 것이 바람직하다. 또한 임균에 대한 항균제감수성 모니터링 시스템을 구축하여 범국가적으로 관리하기 위해서도 배양검사를 고려해야 한다.

3) 클라미디아 배양검사

클라미디아는 세포 내에서 기생하는 세균이며, 광학현미경상에서 분홍색을 띤다. 클라미디아를 배양할 때는 특수세포 또는 조직을 배양하고 그 내부에 있는 봉입체를 관찰한다. 검체에 있는 클라미디아를 검사실까지 생존시키기 위해서는 −70℃의 온도에서 2SP (0.02 mol/L phosphate buffer 내 0.2 mol/L sucrose)를 운반배지로 사용하고, 배양을 위해 배지에 사용되는 특수 세포주를 이용할 수 있다. 배지로는 Hela cell 배지나 McCoy cell 배지를 이용할 수 있으며, 이때 소위 CMGA(culture minimal essential medium supplemented with glucose and antibiotic)를 배양액에 첨가할 수 있다. 과거에는 48~72시간 배양 후 암시야에서 Giemsa 염색으로 봉입체를 관찰했으나, 1980년대 이후에는 fluorescein-conjugated monoclonal antibody를 통해 세포 내 봉입체를 관찰하는 것이 추천된다. 일반적으로 배양검사의 민감도는 60~75%로 핵산증폭검사가 80~90%인 것에 비해 10% 이하가 낮은 것으로 알려져 있으며, 검사의 특이도는 97%로 핵산증폭검사의 90~99%와 차이가 나지 않는다.

4) 핵산증폭검사

1980년대에 Mullis와 Faloona이 개발한 중합효소연쇄반응*polymerase chain reaction*, PCR은 진단의학 분야에 큰 발전을 가져왔다. 이후 LCR (ligase chain reaction), SDA (strand displacement amplification), TMA (transcription-mediated amplification), NASBA (nucleic acid sequence based amplification) 등의 방법이 연이어 개발되었으나 편리함과 가격적인 측면 때문에 현재에도 PCR이 가장 많이 사용되고 있다. PCR은 열을 이용하여 이중가닥의 DNA를 분리하는 과정을 거친 후 다시 온도를 낮추어 시발체*primer*가 분리된 DNA

에서 원하는 서열 말단에 결합하게 하고 다시 열을 올려 DNA를 합성하는 방법으로, 1회의 중합효소연쇄반응으로 유전물질이 2배가 된다. DNA의 특정 절편을 찾기 위해 특정 DNA 절편에 삽입되어 발광하게 하는 염료인 ethidium bromide를 사용하기도 하며, reporter molecule이 탐침자에 의해 quencher molecule과 분리됨으로써 특정 부위에서 발광을 띠게 하는 Taqman 방법이 이용되기도 한다.

핵산증폭검사법은 전술한 바와 같이 염기배열nucleic acid sequences을 증폭하여 균을 찾아내는 것으로, 살아 있는 균이 아니라도 양성으로 나타난다. 비록 위양성의 가능성은 있으나 목표로 하는 DNA나 RNA가 단 하나라도 존재할 경우 양성으로 판정될 수 있으므로 민감도가 매우 높다고 할 수 있다(그림 13-15).

Lane	L2		L3		L4		L5		L6		L7	
Sample ID	B1:		C1:		D1:		E1:		F1:		G1:	
Internal control	+	102	+	103	+	103	+	107	+	101	−	
T. vaginalis	−		−		−		−		+	107	−	
M. hominis	−		+	108	−				−			
M. genitalium	+	107	−		+	95	−		−		−	
C. trachomatis	−		−		−		+	28	+	110	−	
N. gonorrheae	+	67	−		+	111	−		−		−	
U. urealyticum	−		−		+	57	+	112	−		−	
Unidentified	−		−		−		−		−		−	

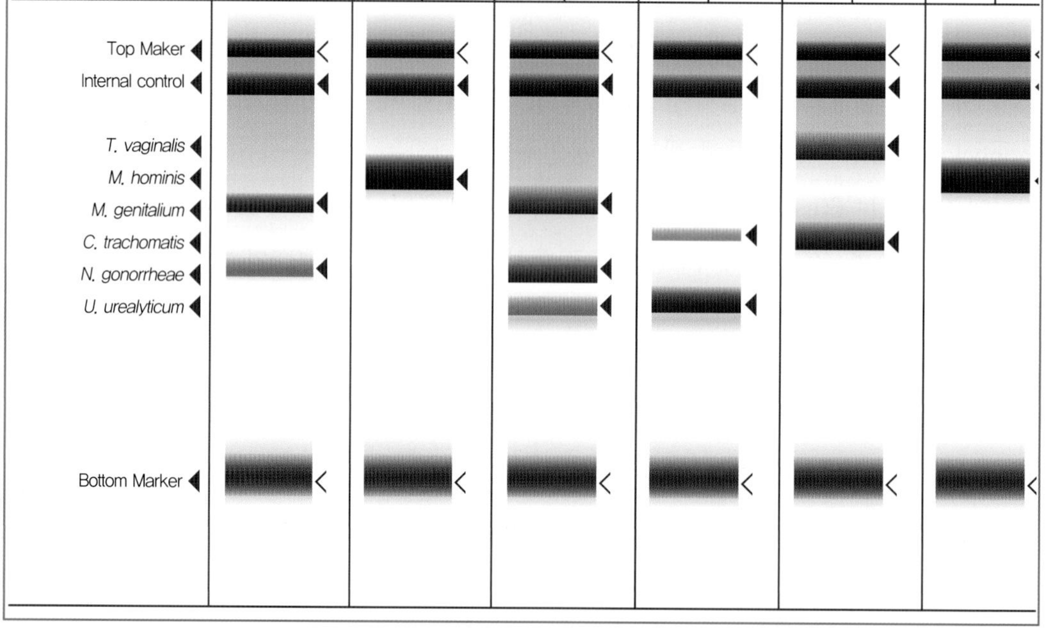

그림 13-15 핵산증폭검사
첫 소변 또는 요도도발표본을 이용하여 핵산증폭검사를 시행할 수 있으며, 민감도와 특이도가 매우 높고 임상적으로 간편하다.

5) 비임균요도염에서 특정 균주의 검출

클라미디아요도염의 일부는 혈청검사로도 진단할 수 있으나 임상적으로 흔히 이용되지는 않는다. 클라미디아는 원주세포의 안에 기생하므로 요도분비물을 바로 이용하기보다는 면봉을 통해 요도 내 검체를 채취한 다음 도말표본검사를 시행하는 것이 적절하다. 그러나 클라미디아의 분리 배양은 결코 쉬운 일이 아니며 임상적으로 널리 이용하기도 어렵다. 최근 클라미디아 진단을 위한 핵산증폭검사가 민감도와 특이도가 우수하여 1차 진단법으로 추천되며 널리 상용화되고 있다. 대부분 임상에서 클라미디아의 존재 여부와 관계없이 비임균요도염에 대한 1차 치료는 동일하므로 비임균요도염에서 특정 균주의 동정이 반드시 필요한 것은 아니다. 그러나 비임균요도염이 재발하는 경우에는 트리코모나스 감염증에 대한 검사가 필요하다.

5. 치료

요도염의 원인균에 대한 진단적 검사가 불충분하더라도 성매개감염에 의한 요도염이 의심되는 경우에는 임균과 클라미디아를 목표로 1차 치료를 시행해야 한다(표 13-21, 22).

표 13-21 요도염의 1차 치료

	추천요법	대체요법
임균요도염	세프트리악손*ceftriaxone* 500 mg 또는 1 g 정맥 또는 근육주사 단회 + 아지트로마이신*azithromycin* 1 g 경구 단회 요법	스펙티노마이신*spectinomycin* 2 g 근육주사 단회 + 아지트로마이신*azithromycin* 1 g 경구 단회 요법
비임균요도염	아지트로마이신*azithromycin* 1 g 경구 단회 또는 독시사이클린*doxycycline* 100 mg 1일 2회 경구 7일 요법	에리트로마이신*erythromycin* base 500 mg 1일 4회 경구 7일요법 에리트로마이신 에틸석신산염*ethylsuccinate* 800 mg 1일 4회 경구 7일 요법

임균요도염으로 진단되는 경우 경험적으로 클라미디아 요도염에 대한 치료를 병행할 것을 권장한다.

표 13-22 특수 상황에서의 성매개감염 치료

성매개감염의 특수상황		추천요법
요도 외 임균감염	임신	세프트리악손 500 mg 또는 1 g 정맥 또는 근육주사 단회 + 아지트로마이신 1 g 경구 단회요법
	인두염	세프트리악손 500 mg 또는 1 g 정맥 또는 근육주사 단회 + 아지트로마이신 1 g 경구 단회요법
	부고환염	세프트리악손 500 mg 또는 1 g 정맥 또는 근육주사 단회 + 독시사이클린 100 mg 1일 2회 경구 14일간
	결막염	전문가의 자문 하에 세프트리악손 2 g 정맥 주사 + 아지트로마이신 1 g 단회 또는 독시사이클린 100 mg 1일 2회 요법
	신생아 안염	세프트리악손 IM 혹은 IV 25~50 mg/kg 단회 (최대 125 mg)
	직장염	세프트리악손 500 mg 또는 1 g 정맥 또는 근육주사 단회 + 아지트로마이신 1 g 경구 단회요법
	파종성 임균감염	입원 후 세프트리악손 1~2 g 정맥내 주사 12시간마다 + 아지트로마이신 1 g 경구 단회 또는 세포탁심cefotaxime 1 g 정맥내 주사 8시간마다 + 아지트로마이신 1 g 경구 단회 또는 스펙티노마이신 2 g 근육내 주사 12시간마다 + 아지트로마이신 1 g 경구 단회 증상 완화 24~48시간 후 세픽심cefixime 400 mg 1일 2회 경구 7일 이상
요도 외 클라미디아 감염	임신	아지트로마이신 1 g 경구 단회 요법 또는 아목시실린amoxicillin 500 mg 1일 3회 경구 7일 요법
	부고환염	독시사이클린 100 mg 1일 2회 경구 14일 요법
	전립선염	아지트로마이신 500 mg 3days per week 3주간 혹은 1 g 1day per week 4주간
	PID 혹은 난관염	독시사이클린 100 mg 1일 2회 경구 14일간 + 메트로니다졸 400 mg 1일 2회 경구 14일간
	직장염	독시사이클린 100 mg 1일 2회 경구 7일 요법 또는 아지트로마이신 1 g 경구 단회 요법 (표준처방으로 독시사이클린을 우선 권고, 아지트로마이신을 대체처방으로 권고)
	결막염	아지트로마이신 1 g 경구 단회 요법 또는 독시사이클린 100 mg 1일 2회 경구 7~14일 요법
	신생아 안염	에리트로마이신 50 mg/kg/day (경구로 4회 분할 투여) 14일요법
	Lymphogranuloma venerum	독시사이클린 100 mg 1일 2회 경구 21일 요법

1) 임균요도염의 치료

임균요도염은 임상적으로 원인균에 관계없이 증상이 비특이적인 경우가 많다. 1980년대부터 임균 치료의 세계적 추세는 미국 보건복지부 치료지침에 의거하여 병합치료dual-antibiotic therapy가 강조되었다. 그 근거는 임균 감염이 있는 여성의 15~40%에서 클라미디아가 발견되고 남성 임균요도염 환자의 15~25%가 클라미디아 동시감염을 보였기 때문이다. 따라서 임균 감염증이 있는 환자에서 클라미디아에 대한 치료를 병행하면 임질후요도염의 발생을 예방하고 성 파트너에 대한 클라미디아 전파를 예방할 수 있다.

임균 감염증에 가장 효과적인 약제는 3세대 세프트리악손ceftriaxone 주사제이다. 과거 많이 사용되었던 플루오로퀴놀론 제제는 현재 내성균주가 매우 흔하므로 항생제 감수성을 시험하지 않고 경험적으로 이 약제를 사용해서는 안된다. 또한 경구용 세팔로스포린 항생제 역시 내성균으로 인한 치료 실패 가능성이 있어 1차 약제로 추천되지 않는다. 전세계적으로 임균의 항생제 내성 문제가 심각하며, 최근들어 빠르게 진행되고 있으므로 임균에 대한 효과적인 치료와 그 내성발생을 최대한 억제하는 요법으로 고용량의 세프트리악손과 아지트로마이신 azithromycin 병합요법이 권장되고 있다. 대부분의 나라들이 이미 세프트리악손 500 mg을 1차 표준치료로 권장하고 있고, 최근 일본(2011년), 독일(2016년), 아시아(2016년) 진료지침에서는 세프트리악손 권장용량을 1 g까지 올리고 있는 추세이다. 또한 미국 CDC 가이드라인에서는 최근 연구 결과를 토대로 세프트리악손 사용이 어려운 경우 겐타마이신gentamicin 240 mg 근육주사 단회 + 아지트로마이신 2 g 경구 단회 복합요법을 사용할 수 있다고 하였다.

2) 요도 외 임균 감염증의 치료

인두 임균 감염 치료에서는 많은 항균제들이 생식기 감염의 치료율보다 낮은 성공률(≤90%)을 나타냈다. 이는 항균제의 약물역동학적 성상 때문인데, 특히 페니실린과 스펙티노마이신 spectinomycin 단회 요법은 인두 임균 감염에 효과적이지 않으며, 세프트리악손만이 충분한 항균력을 보인다. 임균성 부고환염, 임균 직장 감염에도 세프트리악손 500 mg 또는 1 g 정맥 또는 근육주사 단회 + 아지트로마이신 1g 경구 단회요법이 권고된다. 이는 임신부에서도 동일하다. 파종성 감염이 의심되는 경우 입원치료를 해야 하며, 초기 권장 요법으로는 세프트리악손 1~2 g을 12시간마다 또는 세포탁심cefotaxime 1 g을 8시간마다 정맥주사하고 아지트로마이신 1 g을 경구 단회 투여하거나 스펙티노마이신 2 g을 12시간마다 근육주사하고 역시 아지트로마이신 1 g을 경구 단회투여한다. 증상이 완화되고 나면 세픽심 400 mg을 하루 2회로 일주일간 경구투여한다.

임균성 결막염이 있는 경우에는 즉각 전문가와 상의해야 하며, 그 동안 세프트리악손 2 g을 정맥주사하고 아지트로마이신 1 g도 단회 요법으로 투여한다. 신생아의 임균성 결막염은 주로 임균 감염 임신부에서 출생한 신생아가 감염된 경우이다. 이에 대해 예방적으로 2% 질산은 silver nitrate용액을 투여할 수 있으며, 1% 질산은용액과 1% 테트라사이클린tetracycline 안연고를 함께 쓰거나 0.5% 에리트로마이신erythromycin 안연고를 써도 된다. 질산은용액은 자극이 적고 세균저항성이 낮으며 가격이 저렴하여 널리 쓰인다. 그러나 결막 자극 증상이 있으므로 분비물을 호소할 수 있다. 신생아의 화학성 결막염chemical conjunctivitis 대부분이 이러한 약제 투여 후 발생하는 것으로 알려져 있다. 약제로 인한 결막염은 대부분 48시간 이내에 호전되지만, 부종과 화농성 분비물 등 지속적인 증상이 있는 경우 감염에 의한 결막염을 의심해야 한다. 보통 임균성 결막염은 생후 2~5일에 발생하는데, 치료가 지연되면 각막 손상이 진행되어 실명을 초래할 수 있으나, 치료를 시작하면 결과가 대부분 양호하다. 치료제는 정맥 또는 근육주사용 세프트리악손 제제를 25~50 mg/kg으로 투여한다. 임균성 결막염이 이미 발생한 후에는 예방적 안약제는 효과가 없다.

3) 비임균요도염 치료

비임균요도염 치료는 경구용 아지트로마이신 1g 단회 요법 또는 경구용 독시사이클린*dox-ycycline* 100 mg 하루 2회 7일 요법이 추천되고 있다. 아지트로마이신 1 g 단회 요법과 독시사이클린 100 mg 하루 2회 7일 요법은 클라미디아의 여부와 관계없이 비임균요도염에 효과적이다.

테트라사이클린, 독시사이클린, 아지트로마이신은 임균 감염증에서 클라미디아의 동시치료를 위해 사용 가능한 약제들이다. 그러나 테트라사이클린은 공복에 복용해야 하며, 하루 500 mg을 4회에 걸쳐 복용해야 하고, *M. genitalium* 및 우레아플라스마우레알리티쿰에서 일부 저항성이 발견되었다. 에리트로마이신은 임신부 또는 수유부에 투여 가능하나, 하루 4회 투여해야 하고 위장관계 자극 증상이 있어 복약 순응도가 감소될 우려가 있다. 독시사이클린은 식사 여부와 관계없이 100 mg을 하루 2회 복용하므로 편리하나 임신 가능성이 있을 때는 피해야 한다. 경구용 아지트로마이신 1 g 단회 요법은 매우 효과적이고 임신부 및 수유부에서도 안전하며 미코플라스마요도염에 의한 재발성 요도염의 빈도가 낮아 최근 많이 권장되고 있다. 하지만 최근 독시사이클린과 아지트로마이신 역시 저항성이 조금씩 증가하는 추세가 확인되어 전 세계적으로 모니터링을 강화하고 있는 실정이다.

트라이메토프림-술파메톡사졸*Trimethoprim-sulfamethoxazole*, TMP-SMX은 클라미디아에 반응성이 좋으나 미코플라스마에 대한 반응성은 떨어진다. 시프로플록사신*ciprofloxacin*은 클라미디아 감염증 환자의 경우 치료 실패율이 높다.

현재 트리코모나스 감염증에 대해서는 메트로니다졸 250 mg을 하루 3회 일주일간 투여하거나 500 mg을 하루 2회 일주일 투여하거나 2 g을 단회 요법으로 투여하도록 되어 있다. 성 파트너도 동시에 치료하도록 권고되고 있으며, category B 등급으로 지정되어 있으므로 임신부도 사용 가능하나 되도록 첫 3개월간은 피하도록 한다. 수유부의 경우 단회 요법 투약 후 24시간 동안은 수유를 하지 않도록 한다.

4) 요도 외 클라미디아감염증의 치료

클라미디아에 의한 난관염에는 독시사이클린 100 mg을 하루 2회 경구로 14일 복용하는 동시에 메트로니다졸 400 mg을 1일 2회 경구로 14일 동안 복용하는 것이 권장된다. 또한 클라미디아부고환염/고환염의 경우 독시사이클린 100 mg을 하루 2회 경구로 14일 복용하도록 권장된다.

클라미디아결막염은 주로 클라미디아에 감염된 산모에서 출생한 신생아에서 나타나는데, 신생아 결막염의 10~30%를 차지한다. 신생아 결막염은 보통 생후 5일 이후, 2주 이내에 발생하는데, 치료로는 에리트로마이신 50 mg/kg/day을 하루에 4회 분할하여 2주간 투여하는 방법이 권장된다. 성인에서도 클라미디아결막염이 가끔 발견되는데, 독시사이클린 100 mg을 하루 2회 7~14일간 투여하거나 아지트로마이신 1 g 단회 요법으로 치료한다. 이때 안과 의의 자문이 필요하다.

클라미디아요도염이 치료에 반응하지 않는 경우 클라미디아에 의한 전립선염을 고려할 수 있다. 클라미디아에 의한 전립선염에는 3~4주간의 항균제 치료가 추천된다. 이때 아지트로마이신 500 mg을 3주간 주 3회 투여하거나 1 g을 4주간 주 1회 투여할 수 있다.

5) 성 파트너의 치료

요도염 환자의 성 파트너도 반드시 치료해야 한다. 남성 환자가 임균요도염 또는 비임균요도염에 이환되었을 때 그 성 파트너인 여성에서 클라미디아가 검출될 확률은 30~60%나 되며, 이후 여성에게 골반염, 불임, 자궁외임신 등의 심각한 합병증을 남기게 된다. 더구나 감염된 성 파트너는 클라미디아의 감염원으로 남아 이후 지역사회로의 전파의 원인이 된다. 일반적으로 성 파트너 치료 방법은 환자와 같으나, 임신한 여성은 테트라사이클린, 독시사이클린 등의 일부 약제를 피해야 한다.

6) 재발성 요도염 치료

요도염이 재발하는 시기는 대개 치료가 종결되고 2주 정도가 지난 무렵이다. 임균요도염 치료를 종결한 후 요도염이 재발하면 먼저 배양검사 또는 핵산증폭검사를 시행하여 원인균이 임균이 아님을 확인해야 한다. 만약 임균요도염이 지속되면 항균제감수성검사를 시행하여 적절한 항균제를 다시 투여한다. 임균요도염에서 클라미디아에 대한 동시치료가 이루어지지 않은 경우 임질후요도염이 10~20%에서 발생하므로 클라미디아에 대한 검사도 시행한다. *M.*

*genitalium*도 임질후요도염의 원인 중 하나로 알려져 있고 그 빈도는 12~41% 정도로 보고되었다. *M. genitalium*은 독시사이클린에 저항성을 띨 수 있으므로 독시사이클린 투여 후 발생한 임질후요도염의 경우 *M. genitalium*에 대한 핵산증폭검사를 시행할 수 있다. 이 경우 아지트로마이신을 투여한다. 2021 미국 CDC 성매개감염 진료지침에 따르면 요도염의 재발 및 지속 시 *M. genitalium* 검사를 권고하고있고, 만약 독시사이클린은 초기 치료로 사용하였다면, 아지트로마이신 1 g 이나 500 mg 후 250 mg 4일, 아지트로마이신으로 초기치료시에는 독시사이클린 12시간 간격 100 mg 2회 7일 요법후 목시플록사신 400 mg 1회 7일요법을 권고하였다.

비임균요도염 환자가 치료를 종결한 지 오래 지나지 않아 재발하는 경우는 보통 치료받지 않은 성 파트너와 가진 성관계가 원인이다. 증상은 있으나 감염증이 없거나 심리적 문제로 환자가 내원하는 경우가 종종 있으므로 환자가 증상 재발로 내원하면 요도분비물 또는 면봉 채취법으로 얻은 검체의 도말표본검사에서 다핵백혈구가 보이는지를 확인하여 요도염이 있는지의 여부부터 확인해야 한다. 요도염이 확인되면 성 파트너도 치료를 받았는지 알아보고, 그렇지 않은 경우에는 최근 콘돔 등의 보호기구 없이 성 파트너와 관계를 가졌는지 확인해야 한다.

비임균요도염에 대한 초기 치료 시 독시사이클린이나 테트라사이클린을 사용하면 환자의 복약 순응도가 떨어지거나 *M. genitalium* 혹은 우레아플라스마우레알리티쿰 약제에 대한 저항성으로 인해 치료가 불충분해지는 경우가 종종 있다. 이 경우에도 아지트로마이신으로 치료한다. 상황에 따라 *M. genitalium*이나 우레아플라스마우레알리티쿰에 대한 핵산증폭검사를 시행할 수 있다.

요도염 초기 치료제로 메트로니다졸은 추천되지 않는다. 그러나 재발성 또는 지속성 요도염이 발생한 경우 질편모충이 존재할 가능성이 있으므로, 삼출물이 있으면 질편모충을 검사하고, 가능하면 질편모충을 배양해야 하며, 이와 동시에 경험적으로 경구 메트로니다졸 2g을 단회 요법으로 투여한다.

7) 지속성 요도염 또는 지속적인 재발성 요도염의 치료

배양검사 또는 핵산증폭검사를 통해 임균과 클라미디아에 대한 동정을 반복해야 한다. 클라미디아 또는 임균을 치료한 후 시행한 배양검사에서 이 균주들이 동정되지 않은 경우에는 질편모충에 대한 동정이 필요하다. 만약 지속성 요도염이 보일 때, 첫 재발 시에 경험적으로 메트로니다졸을 투여했다면 메트로니다졸에 저항성이 있는 질편모충이 원인일 수 있다. 또한 성 파트너나 성관계 노출 시기를 고려하여 재감염의 소지를 확실히 제거해야 한다. 요로감염 및 재발성 헤르페스는 배양검사 또는 핵산증폭검사를 통해 확인해야 한다. 지속성 요도염 환자에서 전립선염증의 증거가 발견되기도 하므로 3주간(또는 3주기)의 치료가 권장되기도 한다. *M. genitalium*은 항균제에 대한 저항성이 존재할 수 있으므로 아지트로마이신 5일 요법이나 목시플록사신*moxifloxacin* 10일 요법이 권장된다. 비뇨기과적으로 요도 내의 구조적인 문제(게실, 협착, 농양)도 치료해야 한다.

지속성 또는 재발성 증상을 가진 환자를 자세히 검사해도 염증에 대한 증거가 없는 경우가 많다. 이러한 환자들은 대개 교육 수준이 높고 강박적인 경우가 많으며, 비정상적 성접촉에 대한 죄책감을 표현하는 경우가 많다. 이러한 환자들은 대개 여러 병원을 방문하여 요도염의 증거를 찾으려 하지 않고 단순히 지속적인 항균제 처방을 받으려 한다. 이러한 환자들에 대해서는 비뇨기과적 검사가 때로는 안심할 수 있도록 해주므로 도움이 된다. 객관적으로 요도염의 증거가 없으며 증상을 가진 환자들에 대해서는 초기에 면담을 시행하는 것이 중요하다.

VI 여성 하부생식기감염

여성은 해부학적, 생식생리학적인 조건이 남성과 다르기 때문에 요로생식기 감염 진단이 쉽지 않고 성매개감염의 합병증 위험도 더욱 높다. 그러므로 여성생식기의 성매개감염은 진단과 치료가 늦어지는 경우가 많고, 그로 인해 합병증 위험이 높아지며 인지되지 못한 감염이 전파되기도 쉬워진다.

남성은 요도의 임균 혹은 클라미디아 감염이 있으면 특징적인 요도분비물이 나타나므로 환자의 자각이 쉽고 임상의도 어떤 종류의 감염인지 쉽게 의심할 수 있다. 그러나 여성의 요로생식기 감염은 어느 곳에서 발생하든 요도, 자궁경부, 직장 등의 동시 감염이 가능하고 인접한 장기에 유사한 증상을 일으키기도 하여 감염된 장기를 명확히 판별하기 힘들기 때문에 임상의의 경험이 부족하거나 진단 장비가 구비되어 있지 않은 경우 정확한 진단을 하기 힘들다는 문제가 있다.

그러나 최근에는 새로운 검사기법이 발달하여 임균, 클라미디아 등 일반적인 방법으로 잘 검출되지 않는 병원균의 검출이 비교적 쉬워짐으로써 요로생식기감염의 진단과 치료에 많은 변화가 일어났다.

여성이 요도의 자극증상, 빈뇨, 배뇨통, 성교통, 질분비물 등을 호소할 때 감염성 원인과 비감염성 원인을 생각할 수 있다(표 13-23).

표 13-23 폐경 전 여성 하부요로생식기감염의 감염성 원인과 비감염성 원인

증상군	흔한 원인 세균	기타/특발성 원인
방광염	대장균류, 부생성 포도구균*Staphylococcus saprophyticus*	
요도염	임균, 클라미디아트라코마티스, HSV	
외음부염	HSV, 칸디다알비칸스*Candida albicans*	외음부 유두종증*vulvar papilomatosis*, 외음부 질전정염*vulvar vestibulitis*, 외음부 동통*essential vulvodynia*, 외음부 괴사성 근막염*vulvar necrotizing fasciitis*
바르톨린샘염	임균, 클라미디아트라코마티스, 혐기성균	박리염증성질염*desquamative inflammatory vaginitis*
질염/질분비물	질편모충, 칸디다알비칸스, *Gardnerella vaginalis*, 미코플라스마*mycoplasmas*, 혐기성균	독성쇼크증후군 피부용제 탐폰 사용 기타 자궁 내 이물질(자궁 내 장치, 페미돔 등) 알레르기성 질염
경부내염*endocervicitis*	임균, 클라미디아트라코마티스, *Mycoplasma genitalium*, HSV	
경부외염*ectocervicitis*	HSV, 질편모충, 칸디다알비칸스	

1. 외음부염 및 질염과 질분비물

여성의 질은 정상적인 경우 유산균*Lactobacilli*의 존재로 인해 pH 4.0~4.5의 약산성을 유지한다. 질의 산도 유지는 질 건강에 중요한 상주균의 조절에 중요한 인자로 작용한다. 신생아나 유아, 사춘기 이전 여아의 질 상주균에 대한 연구가 광범위하게 시행되지는 않았으나, 현재까지 밝혀진 바에 따르면 가장 흔한 세균은 유산균, 디프테로이드균*diphtheroid*, 표피포도구균 *Staphylococcus epidermidis*, γ-용혈연쇄구균*hemolytic streptococci*, 대장균군*colifroms* 등이다. 사춘기 이후 성인 여성의 질에는 대장균군보다는 유산균이 더 많이 존재한다.

1) 사춘기 이전 여아의 질염

신생아의 질상피는 임신부가 임신 중에 감염된 임균이나 클라미디아트라코마티스에는 내성이 있지만 질칸디다증에는 취약하다. 좀 더 자란 영아의 경우는 반대가 된다. 초경을 하기 전인 여아의 질감염의 원인은 사춘기 발달 정도와 비정상적인 질분비물의 주관적 증상 유무에 따라 달라지는데, 사춘기 전 질분비물이 있는 경우에는 임균 감염이 많지만, 사춘기 시기에는

칸디다 감염이 더 흔하다. 사춘기 전 여아에서는 클라미디아트라코마티스에 의한 감염이 드물지만, 최근에는 성폭행을 당한 경우 감염이 보고된 경우들이 있다.

2) 성인 여성의 외음부염과 질염

(1) 원인

성인 여성에서 질증은 다양한 원인으로 발생한다. 특히 감염성 질증의 가장 흔한 세 가지 원인은 세균성질염, 질칸디다증, 그리고 트리코모나스질염이다. 질분비물은 때로 임균 혹은 클라미디아트라코마티스에 의해 비롯된 자궁경부염에서 볼 수 있다. 그 외에 미생물이나 화학물질의 독소 등에 의한 질염 증후군도 나타날 수 있는데, 대표적인 예가 황색포도구균*Staphylococcus aureus*에 의한 독성쇼크증후군*toxic shock syndrome*이다. 또한 탐폰을 사용하거나 질 내에 이물질이 삽입되어 있는 경우 질궤양, 복합감염 등이 발생할 수 있다. 그 외에 질분비물의 비감염성 원인으로는 과도한 생체 분비, 박리염증성질염*desquamative inflammatory vaginitis*, 위축성질염*atrophic vaginitis*, 이물질 등이 있다. 각종 질 세정제나 개발도상국에서 사용하는 전통적인 질 제제 역시 질궤양과 질염의 원인이 된다. 폐경 후 여성은 여성호르몬 감소로 인해 질점막이 위축되는데, 이로 인한 증상과 실제 감염을 구분해야 한다. 폐경 후에는 질의 정상균무리인 유산균이 감소하기 때문에 질에 대장균이 더 높은 빈도로 존재하게 된다.

분비물 없이 질 부위에 소양증이 있는 경우에는 비감염성 원인인 자극성 또는 알레르기성 피부염, 상피각화증, 편평상피세포과다증식증, 편평태선*lichen planus*, 건선 등의 피부질환을 생각해볼 수 있다.

(2) 질분비물의 감별 진단

질분비물의 증상과 징후는 대개 질의 감염을 시사한다. 분비물의 양상과 특징에 따라 감염 원인을 어느 정도 분별할 수 있다(표 13-24). 다량의 질분비물은 질편모충 감염, 질분비물에 10% KOH를 첨가했을 때 생선 냄새나 역한 냄새가 나는 분비물은 세균성질염과 질편모충을 강력히 의심하게 한다. 또한 노란 분비물은 HSV, 질편모충, 임균, 클라미디아트라코마티스를 강력히 시사한다. 최근의 몇몇 연구에서는 질분비물의 정도와 자궁경부 감염이 의미 있는 상관관계를 보였으며, 비정상적으로 많은 질분비물이나 냄새가 동반되는 경우 자궁경부의 임균 감염이나 클라미디아 감염이 동반되는 경우가 많았다.

① 문진과 분비물 검사

외음부 질 감염이 의심되는 여성이 외래로 방문하였을 때 진단을 위해 효과적인 정보를 얻기 위해서는 주소*chief complaint*에 대해 보다 열린 질문을 해야 한다. 예를 들어 "질에서 분비물이 나옵니까?"보다는 "질 감염이나 성병을 의심할 만한 새로운 증상이 있습니까?"라고 묻는 것이 질분비물의 특성을 파악하고 감염의 원인을 감별하는 다음 단계로 진행하는 데 도움이 된다.

환자에게 확인해야 할 것은 질분비물의 양, 냄새, 색깔, 가려움이나 통증의 위치와 양상, 질 입구 부위에 헐거나 아픈 부분은 없는지, 경화나 부어오른 부분은 없는지 등이다.

외음부와 회음부 진찰과 질경을 이용한 내진은 외음부 질염을 확인할 수 있을 뿐 아니라 동반될 수 있는 자궁경부염이나 궤양, 상피이상화증*epithelial dysplasia*, 악성 조양 여부도 확인할 수 있다는 장점이 있다. 또한 질분비물의 양, 성상, 질에서 분비물이 나오는 곳을 확인하는 것도 중요하다. 질분비물을 검사할 때는 자궁경부의 점액과 섞이지 않도록 면봉에 잘 묻혀서 색을 확인하고 바로 산지에 묻혀 pH를 확인한다. 질분비물의 pH는 4.5 전후여야 한다. 질 도말을 한 번 더 하여 식염수 한 방울과 섞은 슬라이드와 10% KOH 한 방울을 섞은 슬라이드를 만들어 정상적인 상피세포, clue cell, 다형핵백혈구, 운동성 세모편모충*trichomonad, fungal hyphae* 등의 여부와 수 등을 관찰한다. Amsel 등이 정한 다음의 사항 중 세 가지 이상에 해당되면 세균성질염으로 진단할 수 있다. ① 균질한 백색의 끈적한 분비물, ② pH>4.5, ③ clue cell 존재, ④ 10% KOH 첨가 후 아민*amine* 냄새(생선 비린내)가 나는 경우(whiff 검사).

일반적으로 질분비물의 증상과 징후로만 진단하는 경우는 민감도와 특이도가 낮지만, 증상과 징후와 함께 위험도를 분석하고 pH 검사, whiff 검사, 그리고 습식도말검사가 일정한 패턴을 보이면 더 이상의 추가 검사는 필요하지 않다. 그러나 질감염이 의심되나 습식도말검사로 원인이 확진되지 않으면 추가 검사가 필요한 경우가 있다. 이는 임상적으로 칸디다알비칸스나 질편모충에 의한 감염을 확인하기 위해 배양을 하거나 상주균과 다른 원인균에 의한 질염을 감별하기 위해 그람염색을 하는 경우가 해당된다.

질염 증상이 매우 뚜렷한데 모든 관련 검사에서 아무런 이상이 없는 경우는 정신의학적 혹은 성심리학적*psychosexual* 인자를 고려해야 한다.

② 질의 산도 측정

정상적인 질의 산도는 pH 4~4.5의 약산성을 유지하고 있다. 대부분의 여성은 생리기간 동안 이 산도가 약간 상승한다. 이러한 질의 산도 변화의 이유를 알면 임상적으로 감염을 감별해내는 데 도움이 될 것이다.

질의 산도를 측정하는 바른 방법은 질경의 하부에 고이는 질액이나 자궁경부의 점액이 묻지 않도록 하고 질 중간 1/3 부분을 면봉으로 촉촉해질때까지 도말하여 즉시 산도 측정지에 대는 것이다. 생리적으로 산도가 상승하는 경우는 생리, 출혈, 정액의 존재(8~12시간 정도 가능), 최근 또는 장기적인 항균제의 사용(국소적, 전신적 모두 가능) 등이 있는데, 이 경우 질의 정상적인 상주균이 적어지기 때문에 여성호르몬이 부족하지 않아도 질의 산도가 상승한다. 폐경 여성에서도 에스트로겐이 부족하여 질의 산도가 상승한다. 잦은 질 세척(뒷물)도 산도 상승의 원인이 될 수 있다.

질 감염 증상이 있으면서 질 산도가 정상이면 세균성질염, 트리코모나스질염, 또는 위축성질염일 가능성이 떨어진다. 드문 질환이지만 박리염증성질염 역시 정상 질 산도에서는 드물다. 반면, 질 산도가 상승하면 질칸디다증을 완전히 배제하지는 못해도 세균성질염이나 트리코모나스질염일 가능성이 높아진다(그림 13-16). 그러나 일단 4.5보다 높아지면 산도가 더욱 높아지더라도 진단적 의미가 더 크지는 않다.

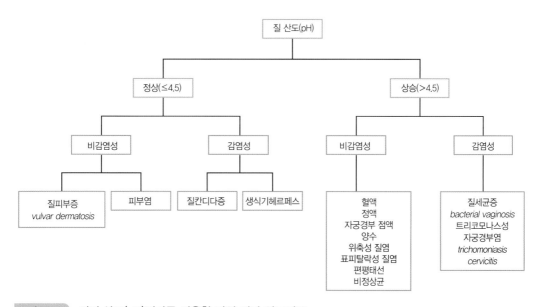

그림 13-16 질의 산도(pH)검사를 이용한 감염 진단 알고리즘

③ 외음부의 증상

외음부의 소양증, 타는 듯한 느낌, 통증성 병변, 바깥으로 뻗는 배뇨통 등은 음부포진*HSV*이

나 칸디다증에 흔히 동반되는 증상이다. 1차성 생식기헤르페스와 자궁경부염이 동반된 경우 노란 분비물이 보이기도 하는데, 이는 외음부 칸디다증에서는 흔하지 않은 증상이다.

3) 세균성질염

(1) 역학과 증상

　세균성질염은 질분비물에서 가장 흔한 원인이다. 성 전파성 질환으로 분류되지는 않으나 질 삽입 성교의 빈도나 성 파트너의 수가 많을수록, 성 파트너가 자주 바뀔수록 발생 빈도가 많다. 임신한 여성의 10~30%에서 볼 수 있으며, 세균성질염 환자의 10%에서 가족력이 있다. 임신 기간 동안의 감염은 양막의 조기 파열, 융모양막염chorioamnionitis, 조기 진통, 조산 및 제왕절개 후 자궁내막염 등과 연관된다. 또한 자궁 내 장치IUD 삽입, 자궁내막 조직검사 혹은 자궁소파술 등과 같은 침습적인 시술 시 감염될 수 있으며, HIV에 걸릴 가능성이 높아지는 것과도 연관 있다고 알려져 있다.

표 13-24 질염의 증상별 특징

	세균성질염	칸디다질염	트리코모나스질염
성 전파	흔하지 않음	흔하지 않음	흔함
호발인자	성적으로 활발할 때 잘 발생 자궁 내 장치	성적으로 활발할 때 잘 발생 항생제 사용 관련, 임신, 스테로이드제, 조절되지 않는 당뇨, 면역 결핍	다수의 성 상대자
증상	생선 비린내가 나는 질분비물 50%는 무증상	질분비물 가려움증 외요도부의 배뇨통 20% 정도에서는 표재성 성교통 호소 무증상	질분비물 가려움증 배뇨통(10~50%) 무증상
질분비물	흰색 또는 회색의 대량 분비물	응고된 흰색 분비물	흰색 혹은 노란색 분비물
소견		질 및 외음부의 발적과 부종	딸기 모양 경부strawberry cervix
질의 산도	>4.5	<4.5	>4.5
습식도말검사	다형백혈구 Clue 세포	발아효모budding yeast 가성균사pseudohyphae	운동성 편모가 있는 원충(민감도 38~82%)
그람염색	Clue 세포 정상세균무리의 감소 그람음성균 우세	다형백혈구 발아효모 가성균사	다형백혈구 세포편모충Trichomonads
Whiff 검사	양성	음성	양성

증상으로 성교 후 질분비물에서 생선 냄새가 나거나 색깔이 회색으로 나타나며, 분비물이 질벽을 살짝 덮고 있기도 하다.

질분비물의 성상과 증상, 질의 산도에 대한 검사, 습식도말검사, 그람염색, whiff test 등을 통해 질염의 원인을 어느 정도 감별 진단할 수 있다(표 13-24).

(2) 치료

① 증상성 세균성질염의 치료

세균성질염이 진단되면 메트로니다졸metronidazole 500 mg을 1일 2회 7일간 경구복용하거나 메트로니다졸 겔 0.75% 5 g을 1일 1회 5일간 질 내에 도포하는 요법, 또는 클린다마이신 크림 2% 5 g을 1일 1회 7일간 질 내에 도포하는 요법이 권장된다(표 13-25).

표 13-25 **세균성질염의 치료**

	치료
초기	메트로니다졸 500 mg 1일 2회 7일간 경구복용 메트로니다졸 겔 0.75%, 5 g을 1일 1회 5일간 질 내 도포 클린다마이신 크림 2%, 5 g을 1일 1회 7일간 질 내 도포
재발 시	메트로니다졸 500 mg을 1일 2회 10~14일간 복용 메트로니다졸 겔 0.75%, 5 g을 질 내에 1일 1회 10일간 도포, 이후 억제치료로 주 2회 4~6개월간 도포

혹은 메트로니다졸 2 g 1회 경구복용 요법이나 클린다마이신 300 mg 1일 2회 7일 경구복용 요법으로 대치할 수 있다. 메트로니다졸의 경우 복용 중 또는 복용 후 24시간 이내에는 알코올 섭취가 절대 금기이다.

② 무증상 세균성질염의 치료

증상이 없어도 세균성질염의 합병증의 고위험군인 경우 치료가 필요하다. 고위험 임신, 자궁 내 장치 삽입, 부인과적 수술의 과거력이 있는 경우, 치료적 목적의 유산 또는 상부요로의 기구 삽입 치료 과거력이 있는 경우에는 현재 증상이 없어도 예방적 치료의 적응증이 된다.

(3) 재발성 세균성질염

환자의 15~30%가 치료 후 첫 1~3개월 안에 재발한다. 재발할 경우 메트로니다졸 500 mg

을 1일 2회 10~14일간 복용하도록 하거나, 메트로니다졸 겔 0.75% 5 g을 질 내로 1일 1회 10일간 도포한다. 이후 억제치료로 주 2회 4~6개월간 도포한다.

(4) 성 파트너의 관리 및 추적관찰

일반적으로 남성 성생활 상대자에 대한 치료는 필요하지 않으며, 재발을 예방해주지 않는다. 환자가 임신하거나 증상이 재발하지 않는 한 치료 후 추적관찰은 필요하지 않다.

4) 외음부 및 질의 칸디다증

(1) 역학 및 증상

외음부 질칸디다증의 90% 정도는 칸디다알비칸스에 의해, 그 외의 경우는 다른 칸디다*C. glabrata* 혹은 *Saccharomyces cerevisiae*에 의해 유발된다. 대개 성생활로 인해 감염되는 것은 아니다. 여성의 75% 가까이가 평생 동안 적어도 한 번은 경험하게 되는데, 그중 5~10%는 한 번 이상 경험하게 된다. 스테로이드를 복용하고 있거나 당뇨가 잘 조절되지 않는 환자는 건강한 환자보다 쉽게 생기며, 균주는 *C. glabrata* 및 다른 non-albicans species가 훨씬 흔하게 분리된다.

증상으로 외음부 소양감과 치즈 형태의 질분비물이 나타나며, 분비물 외에 질통증, 성교통, 외음부의 따가움과 자극, 배뇨통 등이 있다. 외음부 피부의 부종과 홍반이 나타날 수도 있다.

(2) 치료

① 무증상 칸디다증

무증상 칸디다증은 치료할 필요가 없다.

② 증상이 있는 경우

질 내에 아졸*azole*제제(클로트리마졸*clotrimazole*, 미코나졸*miconazole* 등)의 질정을 삽입하거나 크림을 도포한다. 또는 플루코나졸*fluconazole* 150 mg을 1회 경구복용하도록 한다(표 13-26). 아졸 제제 경구복용과 크림 도포의 효과는 비슷하며, 대개 2~3일 내로 증상이 호전된다.

	치료
초기	질 내에 아졸azole 제제(클로트리마졸clotrimazole, 미코나졸miconazole) 질정 삽입 혹은 크림 도포 플루코나졸 fluconazole 150 mg을 1회 경구복용(임신 중에는 금기)
재발 시	1) 초기 유도 치료 　플루코나졸 150 mg을 72시간 간격으로 세 번 경구 복용 　아졸 제제를 10~14일간 도포 2) 유지치료 　플루코나졸 150 mg 일주일에 한 번 경구복용, 재발율은 약 10% 　케토코나졸ketoconazole 100 mg 하루 한 번 경구복용 　이트라코나졸itraconazole 200~400 mg 한 달에 한 번 경구복용, 재발률은 36% 　클로트리마졸 500 mg 한 달에 한 번 질 내로 삽입 3) 치료 시 주의사항 　유지요법 기간은 최소 6개월이며, 6개월 후에는 치료를 중단하고 관찰한다. 　유지요법을 중단하는 경우 약 60%의 여성이 1~2달 이내에 재발한다. 　재발 시 유지요법을 다시 시작한다.

(3) 재발성 외음부질칸디다증

재발성 외음부질칸디다의 발생률은(1년에 4번 이상의 증상 있는 감염) 가임기 여성의 경우 5% 정도로 추정된다. non-albicans species는 재발성 외음부질칸디다 환자의 10~20%에서 발견된다. 일반적인 곰팡이균 치료는 이들에게 효과적이지 않고, 유도요법induction이 필요하다. 이후에 6개월간 유지치료를 한다(표 13-26).

(4) 성 파트너의 관리 및 추적관찰

외음부질칸디다증은 성 파트너에게 보고할 만한 질병은 아니며, 성 파트너에 대한 검사 및 치료도 필요하지 않다. 그러나 남성 파트너에게 칸디다성 귀두포피염이 있는 경우는 치료가 필요하다. 이 경우 7일 동안 하루에 두 번 국소적으로 아졸을 사용한다. 증상이 재발하지 않는 한 치료 후 추적관찰은 필요하지 않다.

5) 트리코모나스질염

(1) 역학 및 증상

트리코모나스질염Trichomonas vaginitis은 편모가 있는 기생충인 질편모충으로 인한 성병이다. 미국의 연구에 따르면 트리코모나스질염은 유병률이 10~35%로 추정된다. 감염된 여성은 다른 성병, 특히 임질, 클라미디아, 매독, HIV 감염 및 전파의 위험성도 높으므로 이에 대한 검사도 필요하다.

증상으로 화농성 냄새가 나는 질분비물과 가려움증이 나타날 수 있다. 질경검사에서 반점형 질홍반을 보이는 딸기 모양의 경부*strawberry cervix*를 관찰할 수 있다. 질의 산도는 5.0보다 높으며, whiff test에서 양성으로 나올 수 있다. 세균성질염과 공존할 수 있어 습식도말검사에서 clue cell이 보일 수 있지만, 움직이는 트리코모나스가 관찰된다.

(2) 치료

메트로니다졸 2 g을 한 번 경구복용하거나 메트로니다졸 500 mg을 하루 두 번 7일간 복용한다(표 13-27). 트리코모나스질염은 성 파트너와 같이 치료하면 치료 효과가 95%로 증가한다. 트리코모나스에 감염된 남성은 대부분 증상이 없다. 한편 메트로니다졸 겔의 질 내 도포는 치료 효과가 없다고 알려져 있다.

(3) 성 파트너의 관리 및 추적관찰

성 파트너는 증상에 상관없이 반드시 치료받아야 한다. 질편모충에 감염된 남성들은 대부분 증상이 없으나, 어떤 경우에는 경한 소양증을 호소할 수 있다. 성생활 상대자와 같은 치료를 받아야 한다. 증상이 재발하지 않는 한 추적관찰은 필요하지 않다. 재발은 대개 재감염에 의해 나타나며, 메트로니다졸 저항성 *T. vaginalis*의 유병률은 5% 정도로 추정된다. 대부분 고용량 메트로니다졸에 반응한다.

표 13-27 트리코모나스질염의 치료

	치료
초기	메트로니다졸 2 g을 한 번 경구복용 메트로니다졸 500 mg을 하루 두 번 7일간 복용 티니다졸 2 g 한 번 경구복용 성 상대자도 함께 치료
재발 시	초기 치료와 동일

2. 바르톨린샘염

바르톨린*Bartholin's*샘이 감염되면 분비선의 출구 부위를 막아 농양이나 낭종을 형성할 수 있는데, 크기가 1~8cm에 달하기도 한다. 바르톨린샘염*Bartholinitis*의 흔한 원인균으로는 임균, 클라미디아트라코마티스가 있으며, 농양은 그람음성간균이나 장내세균, 혐기성 세균을 포함하기도 한다. 바르톨린샘 감염에서 *M. genitalium*이 하는 역할은 아직 규명되지 않았다. 세균성질염이 바르톨린샘 감염에 위험 인자로 관여하는지에 대해서도 명확히 규명되지 않았다. 드물게 호흡기 감염균인 폐렴연쇄구균*Streptococcus pneumoniae*이나 헤모필루스*Hemophilus* 균종도 바르톨린샘 감염을 일으킨다.

바르톨린샘 감염이나 바르톨린샘 농양을 치료할 때는 혐기성 세균과 함께 임균과 클라미디아균 감염 여부를 고려해야 한다. 배농과 낭종의 절개 또는 주머니형성술*marsupialization*도 흔한 치료법이다.

3. 여성 하부요로감염의 예방

콘돔은 적절히 사용하면 가장 효과적으로 성전파성 질환을 예방한다. 특히 요도와 자궁경부의 원주상피에 잘 부착하는 임균이나 클라미디아트라코마티스, 그리고 외음부와 음경의 편평상피에 잘 부착하는 HPV와 HSV의 예방에 효과적이라고 알려져 있다.

Ⅶ 골반염 질환

골반염 질환*pelvic inflammatory disease*, PID은 여성 상부생식기 염증 질환을 대표하며, 자궁내막염*endometritis*, 난관염*salpingitis*, 난소난관농양*tuboovarian abscess*과 골반복막염 *pelvic peritonitis*을 포함한다. 골반염 질환의 진단은 주로 질이나 자궁경부로부터의 상행성 세균 감염에 국한되어 이루어지며, 결핵 등에 의한 혈행성 세균 감염은 제외된다. 또한 출산이나 유산과 관련되어 발생한 감염은 따로 산후기 감염*puerperal infection* 또는 유산 후 감염 *postabortion infection*으로 구별한다.

난관염은 골반염 질환의 가장 중요한 소견이며, 임상적으로 진단된 골반염 질환 환자의 약 2/3에서 나타난다. 난관염 또는 골반염 질환을 가진 여성들의 증상 정도는 무증상에서 심한 경우까지 다양하다. 따라서 골반염 질환의 특유 증상이나 징후 또는 검사 결과 등은 단정짓기 어렵다. 무증상 또는 경한 증상을 보이는 경우는 진단이 어려우며, 실제로 골반염 질환의 2/3 는 진단되지 않는 것으로 추정된다.

이전의 골반염 질환 병력과 골반유착 등으로 인한 만성 골반통 또는 불임을 가진 환자에게는 만성골반염 질환이라고 진단하고 있지만, 진단 기준은 아직 완전히 확립되지 않았다.

1. 세균학적 원인

골반염 질환은 질이나 자궁경부로부터 자궁내막, 난관 및 인접 장기로의 상행성 세균 감염에 의해 발생한다. 질이나 자궁경부에는 많은 종류의 균무리flora가 존재하기 때문에 자궁경부를 통한 자궁내막조직검사, cul-de-sac 천자를 통한 복강액검사나 질을 통한 배농액검사 등을 할 때 이러한 균무리에 오염될 수 있다. 따라서 오염되지 않은 검체를 채취하기 위해서는 복강경이나 개복술을 통한 직접 채취가 필요하다.

상부생식기와 복강으로부터 분리된 균주는 성매개균sexually transmitted organism과 내인균endogenous organism으로 나뉜다. 성매개균은 정상적으로는 생식기에서 분리되지 않아야 하는 성접촉에 의한 병원균이고, 내인균은 성접촉에 의해 전파될 수도 있지만 주로 하부생식기에 정상적으로 존재하는 균무리이다.

1) 성매개균

클라미디아트라코마티스와 임균은 골반염 질환의 원인이 되는 대표적인 성매개균이다. 생식기 미코플라스마genital mycoplasma의 골반염 질환 원인균에 대한 역할은 아직 논란이 있으며 HSV, 거대세포바이러스cytomegalovirus, 질편모충 등과 같은 바이러스와 원충은 골반에서 분리되기도 하지만 아직 골반염 질환의 원인 미생물로서의 증거는 부족하다.

급성골반염 질환 환자는 하부생식기 성매개감염이 흔하다. 골반염 질환 환자의 1/4~3/4에서 하부생식기 클라미디아트라코마티스 또는 임균의 감염이 관찰되며, 이 성매개균은 더 적은 빈도지만 상부생식기에서도 분리된다. 또한 미코플라스마호미니스, *M. genitalium*, 우레아플라스마우레알리티쿰, 질편모충 등도 골반염 질환 여성의 하부생식기에서 흔히 발견되는 성매개 미생물이다.

(1) 임균

임균은 오래전부터 알려진 골반염 질환의 고전적 원인균으로, 골반염 질환 여성의 자궁경부, 자궁내막, 난관, 복강액, 간 표면 등에서 발견된다. 임균은 정상 여성의 난관에서는 발견되지 않는 성매개 병원균이며, 임균 내독소gonococcal endotoxin에 의한 세포독성효과로 난관 섬모를 손상시키는 것이 인체조직배양실험을 통해 증명되었다.

임균으로 인한 자궁경부염을 가진 여성의 10~19%에서 급성골반염 질환 징후가 나타난다. 임균 골반염 질환은 월경 주기의 초기에 통증이 나타나는 경향이 있는데, 이는 월경 후 자궁경부의 점액 소실로 인해 임균이 상부생식기로 빠르게 상행 이동하기 때문인 것으로 생각된다. 임균성 자궁경부염 여성에서 난관 등의 상부생식기 임균이 증명되는 비율은 증상 기간과 역비례하여 증상이 나타난 기간이 짧을수록 더 높다.

단순 자궁경부염과 그 합병증인 난관염의 관계에 있어서 자궁내막은 일종의 이행 부위 역할을 한다. 임균성 자궁경부염은 무증상이 흔하며, 증상이 나타난 임균 감염은 이미 상부생식시기에 임균이 도달했음을 의미할 수 있다. 자궁경부염을 일으킨 임균은 자궁내막의 상피 섬모와 분비 세포와 관련 있는 여러 기전들을 이용하여 상부생식기 임균 감염을 일으키기 때문에, 임균성 자궁내막염은 난관염, 난소난관농양, 골반복막염과 함께 골반염 질환의 주요 임상소견이다.

과거 자료들에 따르면 임균성 자궁경부염을 가진 골반염 질환 여성의 약 40%에서 난관이나 cul-de-sac 검사를 통해 임균이 검출되는 것으로 보고되었다. 그러나 최근 성매개감염에서 임균 유병률이 감소하면서 미국과 같은 임균 유행 지역이 아닌 경우 골반염 질환 여성의 임균 검출률은 5% 미만으로 나타나고 있다. 임균은 클라미디아트라코마티스와 동시 감염되는 경우가 많다고 보고되고 있다. 임균에 의한 골반염 질환은 복막염처럼 심각한 임상 발현을 보이는 경우가 많으므로 입원치료가 필요할 수 있다.

(2) 클라미디아트라코마티스

클라미디아는 최근 골반염 질환의 가장 중요한 원인균으로 인식되고 있다. 클라미디아는 임균과 마찬가지로 골반염 질환 여성의 자궁경부, 자궁내막, 난관, 복강액, 간 표면 등에서 발견된다. 임균성 골반염 질환이 난관손상은 경하지만 심한 증상을 나타내는 데 반해, 클라미디아난관염은 심한 난관손상에 비해 증상이 가벼운 경향이 있다. 클라미디아에 의한 골반염 질환의 발생 연령 분포는 클라미디아 단순 자궁경부염과 동일하며, 성접촉이 많은 젊은 여성에서 가장 흔하다.

클라미디아 자궁경부염의 약 10%가 상부생식기로 상행하여 골반염 질환을 일으키는 것으로 알려져 있다. 하지만 최근 민감도가 높은 핵산증폭검사법이 클라미디아 진단에 상용화되고 아지트로마이신 단회 요법이 클라미디아 감염증 치료에 효과적으로 사용되면서 클라미디아 골반염 질환의 발생 빈도가 감소하는 듯하다.

임균 감염과 마찬가지로 클라미디아 자궁경부염을 가진 급성난관염 여성에 대한 난관검사 결과 약 40%에서 클라미디아트라코마티스가 검출되었다. 클라미디아는 만성골반염 질환 여성의 난관에서 흔히 발견되고, 때로는 정상으로 보이는 난관에서도 검출되지만, cul-de-sac에서는 드물게 발견된다.

(3) 미코플라스마와 우레아플라스마

미코플라스마호미니스는 자궁경부, 자궁내막과 복강경으로 확인된 난관염 여성의 난관에서 분리되지만 정상 난관에서는 분리되지 않는다. 그러나 동물실험과 인체조직 배양실험에서 미코플라스마호미니스가 난관의 세포 변성을 일으켜 난관염을 유발하는 것이 증명되었다. 미코플라스마호미니스는 성접촉이 활발한 여성의 자궁경부와 하부생식기에서 흔히 검출되지만, 골반염 질환 여성의 상부생식기에서 검출되는 비율은 0~17%로서 흔하지 않다. 미코플라스마호미니스는 세균성질염과 연관 있는데, 세균성질염은 골반염 질환의 위험 인자로 인식되고 있다. 하지만 골반염 질환에 대한 미코플라스마호미니스의 직접적인 역할은 아직 논쟁 중이다.

*M. genitalium*은 비임균요도염의 원인균이며, 동물실험과 인체조직배양실험에서 난관상피세포에 부착되어 난관염을 유발했다. *M. genitalium*은 배양검사가 어려워 PCR을 이용하여 검출하는데, 복강경으로 확인된 급성난관염 여성의 질, 자궁경부, 자궁내막 등에서 검출된다. *M. genitalium*의 정확한 골반염 질환 발병 기전과 치료를 위한 항균제 선택에 대해서는 더 많은 연구가 필요하다.

우레아플라스마우레알리티쿰은 골반염 질환 여성의 2~20%에서 난관으로부터 분리되지만, 동물실험에서는 우레아플라스마우레알리티쿰이 난관염을 일으키는지 증명해내지 못했다. 성접촉이 활발한 여성의 하부생식기에서 흔히 검출되지만 그 비율은 건강한 여성과 골반염 질환 여성에서 차이가 없기 때문에 골반염 질환 발생의 원인균으로서의 증거는 아직 부족하다. 그러나 골반염 질환 여성에서 이 균이 검출되면 항균제 치료가 필요하다.

2) 내인균과 다른 미생물

급성골반염 질환 여성의 자궁내막, 난관, cul-de-sac, 농양 등에서는 조건병원체facultative pathogen와 혐기균anaerobic bacteria이 흔히 검출된다. 대장균, *Bacteroides species* (disiens, fragilis, melaninogenicus), *Prevotella bivius*, *Gardnella vaginalis*, Peptostreptococcus species (asaccharolyticus, anaerobius, magnus), group B-D streptococci,

Actinomyces israeli, *Campylobacter fetus*, staphylococci, clostridiae 등이 상부생식기에서 검출된다. 이러한 세균들은 대부분 정상 질세균무리로 존재하다가 농도가 증가하게 되면 세균성질염을 일으킨다. 호흡기 병원균인 인플루엔자균*Haemophilus influenzae*, 폐렴연쇄구균, A군 연쇄구균*group A streptococci* 등도 경우에 따라 난관염을 일으킬 수 있다. 내인균들은 보통 2개 이상의 균이 복합 감염되는 경우가 많은데, 이를 복합균감염 골반염질환*polymicrobial PID*라고 한다.

급성골반염 질환 환자의 상부생식기 또는 cul-de-sac 검체에서는 세균성질염과 관련 있는 균주들이 흔히 검출된다. 세균성질염은 골반염 질환의 임상적 진단과 조직학적 자궁내막염과 연관이 있다. 세균성질염을 가진 여성에서는 H2O2-생산 유산균의 감소와 세균성질염 원인균의 증가로 인해 *sialidase*와 같은 효소와 시토카인이 증가하고, 이로 인해 자궁경부와 상부생식기 세포의 세균 침입과 부착에 대한 감수성이 증가하게 된다. 내인균에 의한 상부생식기 감염은 여성 노인에서 더 흔하며, 이는 심한 화농성 질환, 자궁 내 장치 사용, 재발성 골반염 질환, 난관난소농양과 관련 있다.

3) 원인이 확실하지 않은 골반염 질환

골반염 질환 여성에서 원인균이 규명되지 않는 경우는 약 20~30%이다. 원인균이 규명된 경우와 비교할 때 원인균이 규명되지 않는 여성은 더 나이가 많고, 골반통 유병 기간이 더 길며, 복강경상 상대적으로 가벼운 염증반응을 보이는 경향이 있다. 최근 연구에 따르면 원인균이 규명되지 않은 경우의 상당수가 배양이 불가능하거나 어려운 균주에 의한 복합 감염이다. 이때는 PCR 같은 분자생물학적 검사법이나 항원검출 등으로 진단할 수 있다.

2. 발병 기전

성매개감염에 기인한 골반염 질환은 성매개균에 의한 하부생식기로부터 상부생식기로의 상행성 감염이다. 상행성 감염은 질 또는 자궁경부의 점막에서 시작하여 자궁내막, 난관을 통해 복강까지 이어진다.

하부생식기로부터 세균이 상행 이동한다고 해서 반드시 감염이 일어나는 것은 아니다. 월경 때 점액전*mucus plug*이 소실되면서 세균을 자궁내막으로 접근시키는 경우도 있고, 월경혈이 복강에서 발견되는 경우도 있어 상행 이동 자체는 월경적 현상으로 받아들이는 견해도 있다. 따라서 골반염 질환의 발생 여부는 세균의 상행 이동뿐만 아니라 세균의 독성*virulence*과 부하

load 그리고 국소방어기전local defense mechanism에 따라 좌우된다.

최근 클라미디아 감염에서의 면역반응이 중요한 발병 기전으로 대두하고 있다. 세포내병원 균intracellular pathogen인 클라미디아트라코마티스는 항원특이세포 매개 면역반응을 유발하며, CHSP60 (chlamydial heat shock protein)은 체액과 세포 매개 면역반응이 모두 작용하는 주요 표적항원이다. 따라서 클라미디아 감염은 세균의 독성뿐만 아니라 숙주의 면역반응에 의해 결과가 좌우된다.

3. 상행성 감염에 영향을 주는 인자

1) 성교 관련 인자

골반염 질환은 성경험이 없는 처녀에서는 드물고, 성접촉이 시작된 후에는 접촉 횟수와 관련이 있다. 세균의 상행 이동에 있어서 정자의 역할은 아직 확실치 않지만 세균정액증bacte-riospermia에서 세균이 부착된 정자는 자궁경부 분비물을 따라 이동한다. 클라미디아트라코마티스가 부착된 정자가 cul-de-sac액에서 발견되고, 자궁경부염을 일으킨 동물실험에서 성교가 이루어진 경우에만 난관염이 일어난 것으로 보아, 성교가 클라미디아와 같은 세균을 난관으로 이동시키는 것으로 생각된다.

2) 생식기에 대한 시술

자궁경부확장 및 소파술, 유도유산, 자궁 내 장치 삽입, 자궁난관조영술hysterosalpingog-raphy과 같은 진단적 또는 치료적 시술은 자궁경부의 방어장벽을 손상시켜 세균을 자궁내막강으로 이동시키는 역할을 한다. 골반염 질환 여성의 약 12%에서 이러한 시술들이 선행된 것으로 나타났다. 따라서 이러한 시술들이 계획되어 있는 경우 세균성질염의 원인균에 의한 감염을 예방하기 위해 메트로니다졸 등의 예방적 항균제가 필요하다.

3) 성호르몬

성호르몬은 골반염 질환의 발병에 영향을 준다. 자궁경부의 점액은 세균의 자궁내막으로의 상행성 감염을 막는 중요한 장벽 역할을 하는데, 이 점액은 성호르몬의 영향을 받는다. 월경주기 중 에스트로겐기estrogen phase 동안에는 자궁경부 점액이 수성watery을 띠게 되어 정자의 이동을 돕는다. 하지만 프로게스테론 중심의 황체기luteal phase에는 수성 분비물이 감소하고 당단백질glycoprotein의 배열이 그물 형태를 이루어 정자의 이동을 막는다. 따라서 자궁경부로부터 자궁내막으로의 상행성 세균 감염은 황체기보다는 난포기follicular phase 때 더 잘일어난다. 실제로 성매개 관련 난관염의 증상은 황체기보다 월경 때나 월경 직후에 흔히 나타나는데, 이는 역행성 월경retrograde menstruation이 난관으로 세균이 이동하는 것을 돕는 역할을 할 수 있음을 시사한다.

복합피임제combination oral contraceptive pill, OCP는 급성난관염 예방에 효과가 있다. 프로제스틴progestin은 황체기 때와 같은 자궁경부 점액을 생산하여 세균의 침입을 막고 자궁내막을 비활성화시켜 세균의 부착을 막는다. 실제로 복합피임제가 클라미디아 감염과 연관된 골반염 질환을 예방하는 효과가 있다고 보고되었다. 그러나 임균에 대해서는 예방 효과가 나타나지 않았는데, 그 기전은 아직 확실치 않다.

4) 그 밖의 인자들

질 내의 정상세균무리는 세균성질염 및 상부생식기감염의 예방에 중요한 역할을 한다. 질세정douche을 많이 하는 여성은 골반염 질환 발생이 증가한다. 유도유산 또한 자궁경부나 질 내세균의 상행성 감염을 유도하기 때문에 골반염 질환 발생의 위험 인자이다.

자궁 내 장치가 상행성 감염에서 하는 역할에 대해서는 아직 논란이 있다. 그러나 많은 보고에서 자궁 내 장치를 사용한 여성들이 사용하지 않은 여성에 비하여 골반염 질환의 유병률이 높은 것으로 나타났다. 자궁 내 장치는 삽입 과정에서 자궁경부나 질의 균을 자궁내막으로 유입시킬 수 있다. 골반염 질환은 자궁 내 장치 후 처음 3개월에 주로 발생하지만, 수 개월에서 수 년 후에도 장치 표면에서 세균 증식이 관찰된다. 또한 자궁 내 장치는 방선균actinomyces과 같은 세균의 증식을 촉진할 수 있으며, 이는 세균성질염이나 골반염 질환의 위험을 초래한다.

4. 임상소견

1) 병력 청취

골반염 질환을 시사하는 병력은 지난 2주간의 열 발생 여부, 전신권태general malaise, 양측하복부 통증 또는 움직일 때 나타나는 통증 등이며, 질분비물의 양과 양상, 성교 후 출혈 여부, 성교통, 대퇴부 내측의 방사통증radiating pain 등도 확인해야 한다. 이러한 증상들은 특징적으로 월경 후 처음 일주일간 주로 나타난다. 특히 앞에서 언급한 위험 인자들을 가지고 있는 경우 골반염 질환일 가능성이 많다. 적어도 골반염 질환 환자의 1/3은 불규칙적인 질출혈을 보인다. 따라서 자궁출혈metorrhagia, 성교 후 또는 월경간 출혈intermenstrual bleeding, 월경과다 등을 보이는 환자는 항상 골반염 질환 가능성을 염두에 두어야 한다.

2) 임상양상

골반염 질환을 확진할 수 있는 임상적 기준은 아직 없다. 다만 촉진 시 하복부의 민감성lower abdominal sensitivity과 자궁부속기 또는 자궁의 통증은 진단의 최소 요건이 된다. 이때 요로감염, 요추간판탈출증, 난소염전ovarian torsion은 반드시 배제되어야 한다. 골반염 질환을 시사하는 추가적인 소견은 38.5℃ 이상의 열, 현미경검사상 화농성purulent 자궁분비물, 골반영상검사에서 난소난관농양 의심, 혈액검사에서 C-반응 단백C-reactive protein, CRP의 상승, 백혈구 증가(>10,000/mL), 적혈구침강속도erythrocyte sedimentation rate, ESR 상승 등의 염증 소견과 클라미디아트라코마티스, 임균, M. genitalium 등의 검출, 병리조직검사의 자궁내막염 증거 등이다.

과거의 연구에 따르면 복강경검사로 확인된 골반염 질환 환자의 65%가 ESR 상승, 38.5℃ 이상의 열, 그리고 자궁부속기 압통을 보였다. 하지만 최근에는 CRP가 ESR보다 정확한 염증표지자로 간주되며 환자 모니터링에 사용되고 있다.

(1) 복부 검진

복부를 촉진하는 동안에는 근육의 저항, 반동압통rebound tenderness, 타진 시 통증 등이 있는지 등에 집중해야 하며, 우측 상복부에 통증이 나타난다면 Fitz-Hugh Curtis 증후군 같은 간 주위 염증에 의한 국소적 유착 가능성을 생각해야 한다. 골반염 질환이 처음 발생한 경우는 통증이 보통 2주 이상 지속되지 않는다.

(2) 생식기 검진

생식기 검진에서는 외부생식기와 질의 발적과 부종, 특히 자궁경부의 염증 소견이 중요하다. 질분비물은 회색의 물성 분비물에서 황록색, 그리고 점액농성까지 다양하다. 염증성 자궁경부는 진홍색이나 청색을 띠며, 부종을 보이고 쉽게 출혈이 나타난다. 특징적으로 두꺼운 녹황색 점액이 나타날 수 있다. 하지만 정상적인 점액을 보이더라도 현미경적으로 자궁경부염이 진단되는 경우도 있다.

두손질복부촉진bimanual vagino-abdominal palpation 시 운동압통motion tenderness을 시행하거나 자궁을 상방으로 밀어 올릴 때 통증이 유발된다. 자궁부속기 부위 압통이나 통증이 나타나면 부속기 주변의 농양 형성 여부도 의심해봐야 한다. 단측보다는 양측 통증이 진단에 더 의미가 있다. 자궁이나 자궁부속기 압통의 진단 민감도는 96% 정도이나, 특이도는 4% 정도로 매우 낮다. 그러므로 오직 이 증상만으로 항균제 치료를 시작한다면 과잉치료가 될 가능성이 많으므로 삼가야 한다.

골반염 질환의 임상적 진단은 부정확하며, 실제로 임상증상이 있는 환자의 1/3만이 복강경검사에서 확인된다. 따라서 복강경검사를 통한 진단이 아직까지 최적 표준이며, 임상적으로 확실하지 않은 경우에는 치료 전 복강경검사를 시행해야 한다. 치료 전의 질, 자궁경부, 요도 등에 대한 배양검사 결과는 항균제 치료에 실패하는 경우 유용하게 사용될 수 있다.

(3) 열

열은 골반염 질환 여성의 50%에서만 관찰되기 때문에 그 자체는 신뢰할 만한 징후가 아니다. 그러나 38.5℃ 이상의 열이 발생할 경우에는 반드시 진단적 과정이 필요하다.

5. 진단 검사

1) 검사실검사

(1) 혈액검사

급성 염증에 대한 징후는 정도의 차이는 있지만 >10,000/mL의 백혈구 증가와 CRP 상승이 대표적이다. CRP는 염증질환 치료에 대한 추적검사에서 좋은 지표가 된다. 임상 징후와 백혈구 증가가 소실된 후에도 CRP 상승이 지속된다면 농양 형성이 시작되었을 가능성이 있다. 임상적으로 골반염 질환과 임상양상이 유사한 자궁외임신, 임박유산imminent abortion, 또는 패혈유산septic abortion 등과 감별하기 위해서는 ß-hCG (beta human chorionic gonadotropin) 검사가 필요하다.

혈청 CA125는 난소 및 자궁, 간이나 췌장의 악성종양 여부를 감별하는 데 사용되지만, 일반적으로 골반염 질환의 치료 효과에 대한 추적검사 표지로도 사용된다. 그러나 CA125는 폐경 여성의 경우 자궁내막증이나 골반염 질환에서 드물기는 해도 상승이 가능하며, 간염 등이 있는 경우에도 상승할 수 있으므로 반드시 감별 진단을 위한 정밀 검사를 추가해야 한다.

(2) 미생물학 검사

소변배양검사뿐만 아니라 자궁경부에서 임균과 호기성세균에 대한 배양검사와 클라미디아
트라코마티스에 대한 PCR 검사 등의 핵산증폭검사가 반드시 필요하다. 골반염 질환 환자의
자궁경관도말표본 현미경검사에서는 보통 >30/HPF 또는 >10/epithelium cell의 백혈구
가 관찰된다. 이러한 백혈구 증가 소견은 자궁경부염 진단에 높은 민감도(91%)와 음성예상치
negative predictive value (90%)를 보이지만 특이도(19%)는 낮으므로 20%에서 잘못된 골반염
질환 진단을 내릴 수 있다. 진단에 도움을 주는 추가적인 미생물학 검사 두 가지는 비정상적
질세균무리(유산균의 감소 및 구균 또는 혐기성 세균 증가 형태)와 자궁경부 점액에서 백혈구
가 울타리처럼 빽빽히 늘어선 소견이다. 후자는 특징적인 소견으로 간주되지만 대규모 연구를
통해 확인이 필요한 실정이다. 그러나 만약 유산균이 정상적인 소견을 보이고 백혈구 증가가
없다면 대부분 자궁경부염과 골반염 질환을 배제할 수 있다.

복강경검사에서 채취한 직장자궁오목Douglas pouch 검체와 난관내강 검체의 호기성, 혐기
성 세균배양검사와 클라미디아트라코마티스 PCR도 권장된다. 결핵균 감염이 의심된다면 병
리조직검사가 필요하다.

기본적으로 골반염 질환은 성매개감염의 연속으로 간주해야 하며, 다른 성매개감염에 대
한 동시 선별검사가 필요하다. 따라서 HPV 감염에 대한 자궁경부검사뿐만 아니라 HIV, B형
과 C형 간염, 매독에 대한 혈액검사가 권장된다. 만약 성적 접촉이 아닌 다른 원인, 즉 생식
기에 대한 시술, 분만 등에 의한 골반 감염이라면 생매개 감염 검사가 필수적인 것은 아니다.

골반염 질환에 대한 임상적 진단은 현재 민감도나 특이도가 보장되지 않아 어렵다. 하지만
심각한 후유증 가능성을 생각한다면 임상적 진단을 주저하지 말아야 하며, 필요한 여러 검사
를 통해 진단을 확보해야 한다.

2) 영상의학적 검사

(1) 초음파검사

임상적 진찰 후 다음 단계로 골반초음파검사를 시행한다. 감염 정도에 따라 골반염 질환의
초음파적 등급을 나누기도 하지만 민감도와 특이도가 아직 확립되지 않았다.

경증의 골반염 질환에서는 초음파검사 시 복부 또는 질 탐촉자probe로 인해 자궁 통증이 유
발되기도 하지만, 자궁부속기와 직장자궁오목은 보통 정상이거나 약간의 액체가 고여 있는
소견을 보인다. 만약 난관벽이 비후하여 난관이 보이거나 도플러초음파검사에서 혈관 분포

vascularity 증가 소견이 보인다면 대부분 중증도의 소견이다. 이 경우 'cogwheel sign'이 관찰될 수 있다(그림 13–17).

그림 13–17 Cogwheel sign

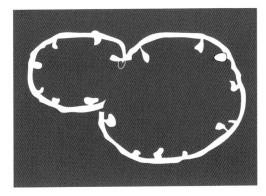

그림 13–18 Beads–on–a–string sign

중증 골반염 질환에서는 난관의 확장과 균일하지 않은 액체 고임이 나타나고 화농난관*pyosal-pinx* 소견인 공기액체층*air–fluid level*이 관찰된다. 만성난관염의 경우 화농난관이 점점 무에코 액체*anechoic fluid*로 대체되어 특징적인 'beads–on–a–string' 소견이 나타난다(그림 13–18).

질환이 진행되면서 난관벽은 더욱 얇아지며(<3 mm), 장관, 내부 생식기, 골반벽이 서로 유착되면서 발생한 주머니에 복막액이 갇혀 있는 가성낭종*pseudocyst*이 형성되기도 한다.

난소난관농양의 초음파 소견은 두껍고 혈관 분포가 증가된 벽 안에 고름이 고여 있는 것이다. 고름의 액체 음영은 균일하지 않으며, 때로 공기액체층이 관찰된다. 난소난관농양 복합체가 형성되면 난관과 자궁, 난소가 서로 엉겨붙어 분리되지 않고 질 탐촉자에 의해 한 덩어리 *en bloc*로 움직인다. 골반유착으로 인한 골반 액체의 고임을 'flapping sail sign'이라고 한다.

이러한 골반유착은 또한 자궁의 후굴*retroversion*과 고정*fixation*의 원인이 되며, 운동성 감소로 인한 통증을 유발한다. 이러한 자궁후굴의 특징적인 초음파 소견은 마치 귓바퀴*auricle* 같다고 하여 'ear–sign'이라고 한다.

(2) 컴퓨터단층촬영

컴퓨터단층촬영은 골반염 질환 진단에서 선택적으로 도움이 된다. 골반염 질환 진단을 위한 컴퓨터단층촬영의 적응증은 표 13–28과 같다.

난소정맥의 혈전증*thrombosis*은 흔히 분만 후에 나타나는데, 그 비율은 1/3,000 정도이다.

그러나 골반수술이나 골반염 질환의 합병증으로도 나타날 수 있다. 약 80~90%의 혈전증이 오른쪽에 나타나는데, 이러한 합병증을 진단하는 데는 도플러검사보다 컴퓨터단층촬영 스캔이 더 정확하다.

표 13-28 골반염 질환이 의심되는 환자의 CT 적응증

적절한 초음파검사가 불가능할 때(stenotic vagina)
임상소견과 초음파검사상 진단이 불확실할 때
항균제 치료에 실패하였을 때
Fitz-Hugh-Curtis 증후군 같은 간 주위염의 확실한 병기를 얻고자 할 때
가능한 합병증을 파악하고자 할 때(패혈성 혈전정맥염*septic thrombophlebitis* 등)
다른 복강 내 질환과 감별이 필요할 때(appendicular plastron, 유피낭종*dermoid cyst*, 난소자궁내막증*ovarian endometriosis* 등)

(3) 자기공명영상

자기공명영상은 자궁 주위 조직*parametrium*의 염증을 진단하는 데 매우 특이적이다. 지방음영을 억제시킨 T2 강조 영상은 희미한 과조영 증강 부위가 나타나는데, 이를 'halo'라고 부른다. 농양은 자궁부속기 위치에 두꺼운 벽을 가지며 내부가 액체로 채워진 덩어리 형태로 관찰된다. 자기공명영상에서 매우 확실하게 관찰되는 화농난관은 뒤틀려 확장되고 액체가 고여있다. 이러한 농양은 보통 T1 강조영상에서 약간 조영 증강되고 T2 강조영상에서는 조영 감소되는데, 이는 혈액이나 염증성 조직 파편*debris*을 의미한다.

6. 치료

치료의 목적은 중요한 원인균을 제거하고 불임, 자궁외임신, 만성골반통 등의 장기적인 후유증을 최소화하는 데 있다. 대부분의 초기 골반염 질환 환자는 심한 증상을 느끼지 못하기 때문에 진단과 치료가 늦어져 골반유착과 후유증을 유발할 가능성이 많다. 따라서 조기진단과 치료가 가임의 유지에 매우 중요하다. 치료의 효과는 CRP와 백혈구 변화로 추적관찰할 수 있다. 임상적으로 매우 심하거나 치료 효과가 없는 경우에는 초음파 또는 컴퓨터단층촬영, 자기공명영상으로 난소난관농양을 확인해야 한다. 일부 특수한 경우를 제외하면 성매개감염과 HIV 감염에 대한 선별검사를 치료 전에 모든 환자에게 시행해야 한다.

1) 항균제

배양검사 결과가 나오기 전에 예상되는 원인 미생물에 대한 경험적 항균제 치료를 시작한다. 국가별, 지역별로 항균제감수성 양상이 다르므로 이에 대한 확인이 필요하다. 흔히 권장되는 경험적 항균제 치료는 호기성, 혐기성 세균과 클로미디아트라코마티스가 대상이다.

경구요법과 비경구요법, 외래치료와 입원치료 간의 치료 효과 및 장기적인 후유증 발생률에는 유의한 차이가 없다. 외래에서 치료받는 환자들은 주의 깊은 추적관찰이 필요하며, 치료를 시작한 지 2~3일 후에 다시 내원하여 진찰받도록 한다. 입원치료가 권장되는 경우는 표 13-29에 정리되어 있다.

표 13-29 골반염 질환 환자에서 입원치료 및 주사요법이 필요한 경우

급성충수염 등의 외과적 응급질환이 배제되지 않을 때
임신
경구용 항균제에 반응하지 않은 경우
환자에게 통원치료나 경구용 항균제 치료를 할 수 없는 경우
오심, 구토 또는 고열 등 중증의 증상이 동반되는 경우
난소난관농양이 있는 경우
면역저하 환자(HIV, 장기이식 등)
치료 순응도가 문제되는 환자(청소년 등)

주사요법의 경우 환자가 임상적으로 호전되면 24시간 후에 경구요법으로의 전환을 고려할 수 있으며, 경구용 항균제는 적어도 14일간 투여한다. 만약 적절한 기간 동안 치료해도 회복되지 않는다면 다른 원인을 생각해봐야 하며, 복강경검사를 고려한다. 대부분의 항균제 치료지침에서 권장하는 일관된 사항들은 표 13-30과 같다.

표 13-30 골반염 질환에 대해 권장되는 항균제 복합요법

외래치료			
1안	세프트리악손ceftriaxone 목시플록사신moxifloxacin 5-니트로이미다졸nitro-imidazole(메트로니다졸metronidazole, 오르니다졸ornidazole, 티니다졸tinidazole)	1 g IV 400 mg PO 500 mg bid PO	단회 14일 14일
2안	세프트리악손 레보플록사신levofloxacin 5-니트로이미다졸(메트로니다졸, 오르니다졸, 티니다졸)	1 g IV 400 mg PO 500 mg bid PO	단회 14일 14일
입원치료*			
1안	세프트리악손 레보플록사신levofloxacin 5-니트로이미다졸(메트로니다졸, 오르니다졸, 티니다졸)	1 g IV 500 mg IV 1 g IV	단회 임상적 호전 후 24시간까지 임상적 호전 후 24시간까지
2안	세프트리악손 아목시실린/클라불라네이트amoxicillin-clavulanate 레보플록사신	1 g IV 1 g qid IV 500 mg IV	단회 임상적 호전 후 24시간까지 임상적 호전 후 24시간까지
3안	세프트리악손 아목시실린/클라불라네이트 독시사이클린	1 g IV 1 g qid IV 100 mg bid PO	단회 임상적 호전 후 24시간까지 14일

임상적으로 호전된 지 24시간 후에 경구요법으로의 전환 및 퇴원을 고려한다.

배양검사 및 항균제감수성검사의 결과가 나오면 그에 따라 항균제를 선택할 수 있다. 하지만 이때에도 반드시 혐기성 세균에 대한 치료는 지속해야 하며, 일반적인 배양검사로 검출되지 않는 균주에 대한 감염 가능성을 항상 염두에 두어 호전이 없을 경우 대체하여 치료해야 한다.

7. 장기적 후유증

가장 흔하고 중요한 골반염 질환의 후유증으로는 난관불임을 들 수 있다. 질환이 난관불임으로 진행되는 과정은 반복적인 클라미디아 감염에서 가장 잘 이해할 수 있다. 즉, 면역체계의 둔화로 인하여 세포 내 잠복감염을 인지하지 못하게 되고 반복되는 무증상 감염은 난관 내에 흉터 조직을 만들어 난관의 기능을 상실하게 만든다. 반복감염으로 인한 복강 내 유착의 대표적인 예로는 Fitz-Hugh-Curtis 증후군을 들 수 있다. Fitz-Hugh-Curtis 증후군은 상복부의 동통을 동반하며, 복강경을 통해 간 주변과 상복부의 특징적인 유착이 관찰된다(그림 13-19). 클라미디아 감염 외에 임균이나 M. genitalium균의 감염도 난관불임을 초래할 수 있다.

두 번째로 심각한 후유증으로는 자궁외임신을 들 수 있다. 자궁외임신은 골반염 질환으로 인하여 난관 점막이 손상되어 초래된다. 자궁외임신과 연관성이 가장 높은 균주로는 클라미디아를 들 수 있다. *M. genitalium* 감염과 자궁외임신의 연관성은 아직까지 완전히 규명되지 않았으나, 복강경에서 *M. genitalium*이 동정된 예에서 후에 자궁외임신의 위험 요소가 된다고 보고된 바 있다.

이러한 장기적인 후유증과 감별되어야 할 질환으로는 간질성방광염*interstitial cystitis*, 울혈성골반증후군*pelvic congestion syndrome*, 자궁내막증*endometriosis* 등이 있다.

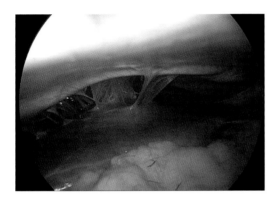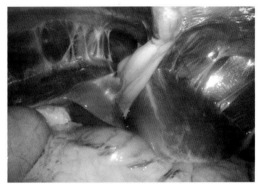

그림 13-19 Fitz-Hugh-Curtis 증후군으로 인한 간 주변 및 상복부 유착

VIII 생식기 HPV 감염

사람유두종바이러스*Human papillomvisurs*, HPV는 남성과 여성에서 여러 질환을 일으키는 원인 바이러스이다. WHO에 따르면 성기 쪽의 전 세계적인 HPV 감염빈도는 9~13%이다. HPV는 성적인 접촉에 의하여 전파되는 가장 흔한 성적 감염 질환 중 하나로 매년 600만 명이 감염되고 있으며, 평생 동안의 HPV 감염 위험도는 약 50%이다. HPV 감염은 성적 접촉 후 2~10년 내에 일어난다. 미국 워싱턴 주에서 시행된 연구에 의하면 14~59세 여성의 전체적인 HPV 발견 빈도는 약 27%이며, 가장 양성률이 높은 나이는 20~24세(45%)였다. 즉, 14~24세에 걸쳐 HPV 유병률이 증가하며, 이후에는 감소 추세를 보인다. 누적빈도는 그림 13-20과 같다.

HPV는 100여 종 이상의 아형이 존재하는 double-stranded DNA 바이러스로 편평상피세포squamous epithelial cell, 또는 편평상피세포로의 변화를 겪는 상피세포에 감염된다. HPV는 또한 자궁경부암 외에 질암이나 두경부암, 음경암penile cancer, 항문암anal cancer을 일으키기도 한다. 자궁경부암은 2018년에만 전 세계적으로 약 57만 건의 신환이 발생했으며, 약 31만 명이 이 병으로 사망했다. 자궁경부암은 10만 명당 발생빈도가 2~75까지 매우 다양하며, 아프리카 지역과 중국, 인도, 싱가포르 등에서 발생 빈도가 매우 높다.

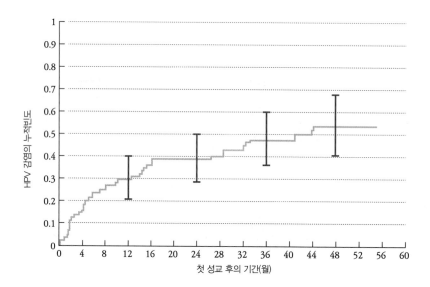

그림 13-20 미국 워싱턴 주의 여성 94명을 첫 성교 시기부터 추적관찰하고 HPV 감염의 누적빈도를 나타낸 그래프
수직선은 12, 24, 36, 48개월의 95% 신뢰 구간을 나타낸다.

HPV 유병률은 14~60세 여성의 경우 약 25~30%에 이르며, 남성의 감염 빈도도 이와 비슷하다. HPV 감염은 과거의 천연두variola 바이러스 감염보다 흔하므로 감염 근절을 위한 노력이 매우 필요하다. 성적으로 활발한 여성은 일생 동안의 HPV 감염 누적 위험률lifetime cumula-tive incidence이 80~90%에 달한다. 대부분의 HPV 감염은 무증상이며 80%의 경우 약 2년 이내에 자연 소멸되지만, 면역기능이 저하된 여성이나 나이 든 여성에서는 지속감염이 되기 쉽다.

HPV형 유전형은 이들의 DNA 염기서열에 따라 정해지며, 발견된 순서에 따라 번호가 매겨져 있다. 수많은 HPVsms가 크게 2개의 군으로 나뉘는데, 피부 감염을 일으키는 군과 점막squamous mucosa 감염군이 존재한다. 또한 양성 병변을 일으키는 저위험군과, 암이나 전암병변precancerous lesion을 일으키는 고위험군으로도 나눌 수 있다. 생식기 감염을 일으키는

40여 종의 HPV형 중 저위험군인 HPV6, HPV11은 생식기 사마귀*genital warts*를 일으키며, 고위험 바이러스인 HPV16, HPV18 및 이들과 유사한 HPV-31, 33, 35, 52, 58, 39, 45, 59, 56, 66, 51 등은 자궁경부암을 일으킨다.

1. HPV란?

HPV DNA는 자궁경부암의 90% 이상에서 발견되어 자궁경부의 상피이형증과 자궁경부암의 주된 발생 원인으로 알려지고 있다. HPV는 사람의 편평상피를 침범하는 직경 55 nm 크기의 약 8kb의 유전체를 가진 double strand circular DNA 바이러스이며, 자궁경부암의 95% 이상에서 발견된다. 현재까지 약 100여 종의 HPV 아형이 알려져 있으며, 이 중 40개 이상의 아형이 자궁경부암과 관련된다. HPV는 조직배양법 사용이나 실험 동물에서 자라게 하는 것이 불가능하나, 최근에는 분자생물학적 방법으로 PCR법을 이용하여 여러 아형을 구분할 수 있게 되었다. 각 바이러스는 DNA 염기서열의 상동성*homology*이 90% 미만인 경우에 다른 아형으로 정의된다. HPV형의 경우 자궁경부암과의 관련 정도에 따라 HPV-16, 18, 31, 33, 35, 39, 45, 51, 52, 56, 58, 59, 68, 73 등은 고위험 바이러스로 불리며, HPV-6, 11, 40, 42, 43, 44, 54, 61, 70, 72, 81, CP6108 등은 저위험 바이러스로 구분한다.

자궁경부암과 관련된 HPV 아형은 일반적으로 HPV16(46~63%), HPV18(10~14%), HPV145(2~8%), HPV131(2~7%), HPV133(3~5%)이며, 감염 후 암 발생까지의 기간도 아형에 따라 3~15년까지 다양하다(그림 13-21). 이들 중 고위험 바이러스를 대표하는 HPV16과

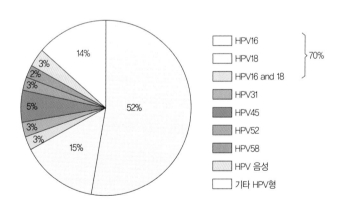

그림 13-21 자궁경부암에서 HPV형의 세계적 분표

적어도 15종류의 고위험 HPV형이 있지만, 자궁경부암을 일으키는 HPV 종류는 비교적 소수이다. Munoz 등은 9개국에서 11예의 연구로부터 나온 데이터를 분석했다. HPV16으로 인한 편평상피세포암의 비율은 52%로, HPV18로 인한 비율은 15%로, 16과 18로 인한 비율은 3%로 표시되어 있다. 전 세계적으로 HPV16과 HPV180이 각각 혹은 동시에 자궁경부암을 일으키는 경우는 대략 70%에 이른다.

18형이 전체의 70~80%를 차지하고, 나머지 20~30%는 HPV58, 52, 31, 33, 35(interme-diate risk HPV)형 등 다양한 아형에 의하여 발생한다. 그러나 HPV 아형은 지역에 따라 각기 다른 분포를 나타낸다. 자궁경부의 편평상피암에서 HPV16의 발견 빈도는 북미에서는 54.9% 정도이나 아시아권에서는 43.4%에 불과하다. 아시아권의 편평상피암은 HPV16(43.4%), HPV18(15.3%), HPV58(5.4%), HPV45(4.2%) 등이 관련 있다(그림 13-22).

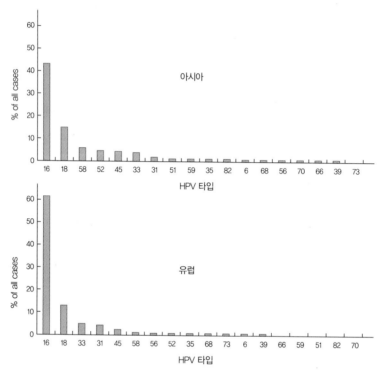

지역별 자궁경부암과 편평세포암 8,550례에서 나타난 HPV의 종류별 유병률

HPV는 외곽이 없는 바이러스로 정20면체 캡시드*icosahedral capsids* 형태이며, 감염된 숙주세포의 핵 내에서 증식한다. 원형의 DNA 유전자는 크기가 8 kb정도이며, 세포의 히스톤 *histone*과 관계하여 chromatin-like complexes를 형성한다.

HPV DNA 유전체는 크게 3개의 도메인*domain*으로 나눌 수 있다. 약 1 kb의 비전사 조절 부위noncoding URR (upstream regulatory region), 초기 유전자로 일컬어지는 6개의 유전자인 E6, E7, E1, E2, E4, E5와 후기 유전자로 일컬어지며 바이러스 외곽 단백을 생산하는 L1 (major capsid protein 생산), L2 (minor capsid protein 생산)가 있어 여덟 부분의 주요 ORFs (open reading frames)가 형성된다(그림 13-23).

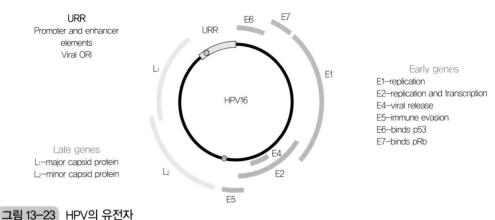

그림 13-23 HPV의 유전자

ORI: origin, pRb: 망막모세포종 단백, URR: upstream regulatory region(전사 조절 부위)

HPV의 ORF는 자신의 DNA 복제와 세포의 형질전환에 작용하는 E1, E2, E4, E5, E6, E7 유전자와, 오직 분화하는 상피세포에서만 발현하여 캡시드*capsid* 단백질을 만드는 L1, L2 유전자로 나뉜다. HPV16과 HPV18은 자궁경부암을 유발할 수 있는 생화학적 특성을 가진 고위험군 바이러스이며, 이 고위험 HPV의 암화 특성은 E6와 E7 두 가지 바이러스 유전자의 발현에 의존한다. 여러 유전학적, 생화학적 연구에 따르면, E6와 E7 단백이 세포 내 종양 억제 단백질인 p53과 Rb 단백의 기능을 각각 방해하여 세포의 불멸화와 암화 변형에 작용하는 것으로 여겨지고 있다. E6 단백은 p53에 결합하여 프로테아좀*proteasome*에 의한 유비퀴틴*ubiquitin*-의존성 분해를 촉진한다. p53 단백은 세포 주기의 조절과 세포자멸사*apoptosis*, 유전적 안정성 유지에 관여하는데, E6에 의해 p53 단백이 분해되면 이러한 생물학적 기능이 방해받는다. E7 단백은 pRb의 hypophosphorylated form과 작용하여 E2F와의 결합을 방해하는데, E2F의 방출은 late G1과 S phase를 통한 세포 주기의 진행에 필수적인 유전자들과 DNA 복제, 세포 주기 조절, 전암유전자*proto-oncogene*인 c-myc와 B-myb을 활성화시킨다. 일반적으로 E6와 E7가 p53과 pRb를 불활성화하고 세포 주기의 조절 기능을 파괴함으로써 종양세포의 성장이 촉진된다. 이 과정에서 p16INK4a(p16) 이 증가하게 되고, p16 면역 염색은 자궁경부의 병변이 있는 환자의 예후 판정이나, 고등급 자궁경부 병변을 진단하는 생물학적 표지자로 사용되고 있다.

HPV16 E6, E7 종양유전자들의 표현은 촉진자*promoter* p97에 의해 매개된다. 촉진자 p97은 URR의 E6-근위부 끝에 위치하며, HPV 융합에 의해 E2 ORF가 파괴되어 E2 단백질이 표현되지 않으면 p97 촉진자의 하향 조절*down regulation*을 일으킨다고 알려져 있다. 바이러스 E2 단백질은 URR 근위부에 있는 특정 인식 부위에 부착되어 전사의 음성 조절자로 작용한다고 알려져 있다. 광범위한 연구 결과, NF-IL6 (nuclear factor for interleukin-6 expression), Oct-1 (octamer-binding factor 1), 전사 조절 단백질 YY1 등이 HPV16 URR에 부착되어 p97 활성도를 하향 조절시킬 수 있다고 밝혀졌다. E6, E7의 발현은 상피세포의 염색체에 대한 HPV 유전자의 융합 여부에 따라 두 가지 방법에 의해 조절된다. HPV DNA의 발암 유전자인 E6, E7의 발현 조절은 URR의 proximal part에 있는 cognate sequences에 결합하는 전사transcription의 음성 조절 인자인 E2 ORF에 의해 이루어진다. 융합에 의한 E2 DNA의 부분적 소실은 E6, E7 유전자의 전사를 활성화한다. 드물게 HPV16 DNA가 자궁경부암에서 부체형episomal state으로 존재하면서 E6, E7 유전자를 발현하는 경우가 있는데, 이때에는 음성 전사 조절 인자의 인식 부위에서 URR 염기서열 변이가 일어나야 한다. 이 두 가지 경우에 HPV E6와 E7이 쉽게 발현되며, 각각 p53과 pRb를 불활성화시키고 자궁경부세포의 불멸화와 암화 변형을 이끈다.

1) HPV의 생활사

HPV 감염은 기저막 세포basal epithelium에서 일어난다. 물리적 외상 또는 염증에 의해 이 세포가 감염에 노출될 수 있는데, 바이러스들은 이 상피들 내에 남아 있으며 그 자체가 혈관으로 들어가지는 않는다. 이 바이러스들은 클라미디아트라코마티스처럼 전형적인 염증반응을 보이지는 않는다. 바이러스가 세포의 핵으로 들어가면 숙주의 핵 내 물질들을 자신의 증폭replication을 위하여 사용하게 된다. HPV 유전자의 발현은 상피세포의 성숙maturation에 의존하는데, 초기 감염에서는 기저막 근처의 세포인 parabasal cell이 있는 곳에서 바이러스 E6, E7가 발현하며, 이들은 비정상적인 세포 증식을 일으키게 된다. 세포가 상피세포층에서 성숙하면서 또 다른 바이러스 단백이 발현되며 비정상적인 조직학적 소견을 보이게 된다. 이러한 지속적인 바이러스 유전자의 발현이 성숙세포에서 이루어지면 세포학적 검사상 상피내병변squamous intraepithelial lesions, SIL 모양을 나타내게 되고, 이들은 비정상세포의 증식, 크기 증가, 후기 발현 바이러스 유전자late viral genes, 즉 L1, L2의 발현 등을 유발한다. 가장 마지막까지 분화를 마친 상피세포는 감염성이 있는 바이러스 입자virion를 생산하며, 정상적인 세포 각화desquamation를 통하여 감염성이 있는 바이러스를 방출한다(그림 13-24).

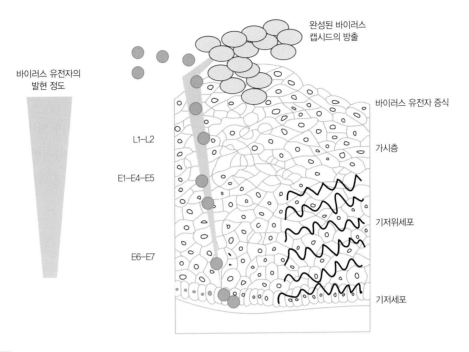

완성된 바이러스
캡시드의 방출

바이러스 유전자의
발현 정도

바이러스 유전자 증식

L1-L2

가시층

E1-E4-E5

기저위세포

E6-E7

기저세포

그림 13-24 HPV의 생활주기

HPV는 상처나 염증을 통해 기저세포와 직접적으로 접촉한다. HPV는 자신의 전사나 복제 과정을 위해 세포분열이 필요하다. 세포가 성장하고 상치를 통해 움직이는 동안, 감염된 세포는 기저세포층에 존재하는 반면 E6과 E7 같은 초기 단백질이 발현된다. 감염된 세포가 자라는 동안 원반세포증*koilocytosis*으로 불리는 세포효과를 유발한다고 알려진 E4를 포함한 다른 단백질들이 표현된다. 바깥쪽 캡시드를 담당하는 L1과 L2 같은 후기 단백질은 세포가 완전히 성숙할 때까지 표현되지 않는다. 비핵화세포가 상피세포층에서 떨어질 때, 감염성 바이러스 입자가 같이 방출된다.

2) HPV의 감염 경로와 임상적 양상

HPV 감염의 임상적 양상은 매우 다양하며, 특히 무증상 감염이 매우 광범위하게 발생한다. 미국 여성의 8%가 파파니콜로퍼바른표본*Pap smear*검사에서 HPV 감염을 의심할 만한 병리학적 소견을 보이고 있으며, HPV를 PCR법으로 분석할 경우 유병률은 여성에서 46% 이상, 남성에서 33%에 이른다. HPV는 성적으로 활발하고 25세 미만인 미국이나 유럽의 여성에서 높게 나타나고 있다. HPV는 직접적인 피부 접촉에 의해 감염되기 때문에 콘돔을 사용하면 HPV로부터 약간 보호받기는 하지만, 완전히 예방되지는 않는다. 이러한 이유 때문에 성적으로 활발한 여성과 남성의 경우 일생 동안의 HPV 감염 위험도는 대략 50%에 이른다.

HPV 감염은 매우 전염성이 강하며 미세 조직 미란*erosions*에 의해 조직-조직 간에 직접 전파된다. 전파력이 높아서 질-남성 성기 간 성교 방식에 의해 생식기 사마귀에 노출된 60%의 환자에서 병변이 발생하며, 삽입이 이루어지지 않은 성교에 의해서도 전파가 가능하다. 콘돔을 항상 사용하는 남성의 경우 새로운 HPV 감염을 방지하는 효과는 약 70%로 알려져 있다. HPV 감염에 의해 질환이 진전되는 과정에는 여러 위험 인자가 존재한다. 특히 젊은 나이에 시작하는 성교와 성적 대상자의 수 등이 유의한 인자이다. 또한 고위험 바이러스의 지속적 감염이 병변의 진행에 필수적이며, 많은 나이, 흡연, HIV 감염 등의 면역결핍 상태, 영양결핍, 다른 성적 매개성 질환의 존재 유무, 피임약 사용 등이 HPV 감염의 지속과 병변의 진행에 부가적인 위험 인자이다. 수직감염은 다양하게 보고되고 있지만, 심각한 임상질환, 즉 호흡기유두종respiratory papillomatosis, 신생아 생식기 사마귀pediatric genital warts 등은 상대적으로 많지 않은 것으로 보고되고 있다.

3) HPV 감염의 자연사

HPV 감염의 자연사natural history는 그림 13-25와 같다. HPV 감염은 젊은 여성과 남성에서 매우 흔하다. 대부분이 무증상 상태의 일시적 감염이며, 질확대경검사colposcopy로 발견되는 병변도 대개 저등급 자궁경부 이형성증low grade intraepithelial lesion, LSIL 정도의 저위험 상피내 병변이다. 대부분의 HPV 감염과 저위험 상피내 병변은 세포 면역의 역할에 의해 자연 소멸되며, 체내에서 HPV의 주요 외곽 단백인 HPV L1 단백에 대한 항체가 생성된다 (그림 13-25). 그러나 소수의 여성(약 10~15%)은 성공적인 세포 면역이 발생하지 않아 HPV DNA 양성인 상태가 지속되면서 감염성 바이러스를 지속적으로 생성하게 된다. 이러한 고위험 HPV 지속 상태는 고등급 상피내 병변, high grade intraepithelial lesion, HSIL 과 침윤성 자궁경부암의 발전에 위험성으로 존재한다(그림 13-25).

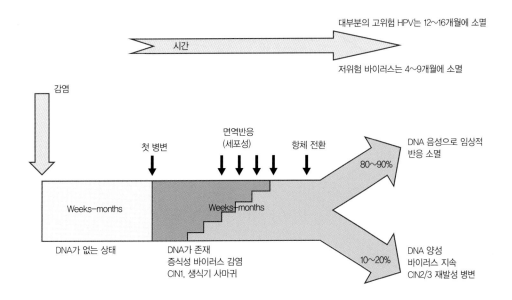

그림 13-25 생식기 HPV 감염의 자연사

HPV는 3주~8개월 혹은 그 이상의 잠복기를 가지며 전염성이 높다. 생식기 사마귀로 진행하는 경우는 대부분 감염 후 2~3개월 무렵이다. 자연 퇴행은 3개월 이내에 10~30%에서 나타난다. 이는 적절한 세포 매개 면역 반응과 연관 있는데, 자연 퇴행 이후 HPV 무증상 감염 상태가 평생동안 지속될 수도 있다. HPV16, HPV18형과 같은 고위험 HPV의 감염도 HPV6, HPV11형 같은 저위험 HPV 감염과 비슷한 양상을 보이지만, 소멸되는 기간은 12~18개월이다. 불행히도, 이러한 고위험 HPV 감염의 지속은 CIN 2, CIN 3, 침윤성 암으로의 진행과 연관 있다.

HPV 감염의 평균 기간은 약 8개월인데, 고위험 바이러스들의 지속 기간 중앙값*median duration*은 약 13개월로 추정된다. 저위험 바이러스의 지속 기간은 약 8개월이며, 소실 기간도 고위험 바이러스들은 8개월, 저위험 바이러스들은 5개월이다. Ludiwig-McGill 코호트 연구에서 HPV 감염 기간을 각 아형별로 조사한 결과에 의하면 HPV16 단독 감염의 평균 지속 기간은 11개월, HPV16 복합 감염의 경우는 15.4개월이었다. 저위험 HPV의 감염 기간은 10.5개월로 약간 짧았다.

각 HPV형의 감염 기간을 phylogenetic cluster에 따라 비교한 결과에서 α-HPV군 9 (HPV types 16, 31, 33, 35, 52, 58, 67)는 다른 그룹보다 기간이 길었다(13.3개월). phylogenetic cluster, 즉 ICTV (International Committee on the Taxonomy of Viruses)의 표준화 분류에 따라 'genera', 'species'로 명명하는 방식으로 수많은 HPV의 염기서열, 특히 L1 ORF 서열을 비교하여 96종류의 HPV와 22종류의 동물 유두종바이러스*animal papillomavirus*를 분기도*cladogram*로 나타낸 것이 그림 13-26이다.

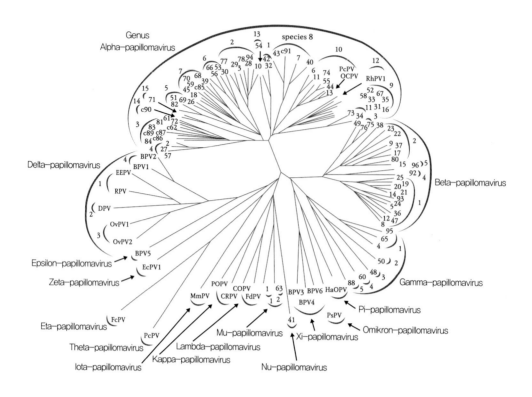

그림 13-26 118종류의 HPV 서열을 포함하는 계통수*phylogenetic tree*

L1 ORF 서열은 Phylip 버전*version* 3.572의 변형된 버전에서 사용되었으며, neighbor-joining 분석법 중 가중 버전을 기반으로 한다. 이 계통수는 글래스고대학의 Treeview 프로그램을 사용하여 만들어졌다. 각 가지 끝의 숫자는 HPV형을 나타낸다. 예를 들어 c-번호는 candidate HPV형을 나타낸다. 가장 바깥쪽의 반원 기호는 α-HPV속 같은 속*gener*을 나타낸다. 안쪽 반원 기호의 숫자는 HPV의 종을 의미한다. 이 자료는 α-HPV종을 나타낸다.
HPV-61, 62, 72, 81, 83, 84, 89: α-HPV종 3
HPV-26, 51, 69, 82: α-HPV종 5
HPV-53, 56, 66: α-HPV종 6
HPV-18, 39, 45, 59, 68, 70: α-HPV종 7
HPV-16, 31, 33, 35, 52, 58, 67: α-HPV종 9
HPV-6, 11, 44, 55: α-HPV종 10

    각 형에 따른 HPV 감염 지속 기간은 나이에 따라 현저한 차이를 나타낸다(그림 13-27). 상대적으로 나이가 많은 여성은 HPV 감염의 지속 기간이 길어지는 경향이 있다. 특히 가장 흔한 고위험 바이러스인 HPV16형의 경우, 25세 미만은 감염의 지속이 15.2%, 25~34세는 25.4%, 35~44세는 26.9%, 45~64세는 41.7%, 65세 이상의 경우는 70%로 현저한 차이를 보였다. 이러한 연령별 차이는 상대적으로 나이가 많은 여성에서 자궁경부암 검사를 위한 선별검사로서의 HPV 검사의 유용성을 제시하고 있다.

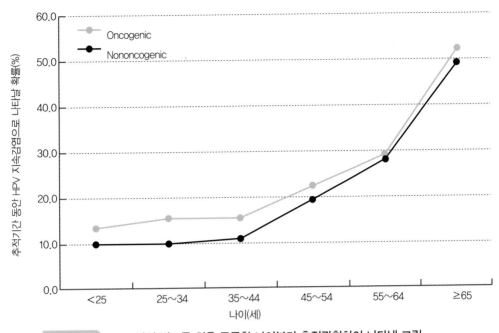

그림 13-27 HPV 감염 빈도를 처음 등록한 나이부터 추적관찰하여 나타낸 그림

등록 당시부터 지속적 감염으로 인해 나타난 결과이며, 나이 그룹은 등록될 당시의 나이로 정의된다.

4) HPV- 관련 자궁경부 병변의 용어의 변천

1900년대 초반부터 현재까지 자궁경부의 이상을 지칭하는 용어는 꾸준히 재정비되었다. 1901년에는 병변의 심각도에 상관없이 surface or intraepithelial carcinoma 한 가지로 명명하였으며 이후 병리 진단기법의 변천에 따라 적게는 2단계(carcinoma in situ, CIS vs Not CIS) 많게는 4단계(mild /moderate/ severe dysplasia and CIS)까지 세분화하였다. 2000년대 들어서면서 자궁경부의 병변을 3단계로 나눠 cervical intraepithelial neoplasia (CIN) 1,2,3으로 구분하여 사용하였으며 CIN1은 저등급 CIN2,3는 고등급으로 분류하였다. 최근 들어 p16 면역 염색이 도입이 되면서 American Society for Colposcopy and Cervical Payhology (ASCCP)와 College of American Pathologists (CAP)에서 Lower Anogenital Squamous Terminology Standardization (LAST) project에서 자궁경부 병변의 진단을 p16 면역 염색 성상에 따라 LSIL과 HSIL로 이분화 하였다. P16 면역 염색이 음성인 경우는 LSIL로 양성인 경우 HSIL로 진단한다. 기존의 CIN1,2,3을 p16 면역 염색상에 따라 분류하면 CIN1은 대부분 LSIL에 해당하고 CIN2,3는 대부분 HSIL에 해당한다. 기존의 H&E 염색으로 CIN1 또는 CIN2 진단이 애매한 경우 p16 면역 염색상에 따라 음성이면 LSIL, 양성이면

HSIL로 진단 할 수 있다.

자궁경부의 조직학적 SIL은 세포 도말검사의 LSIL/ HSIL과는 다른 개념이며, 현재 HPV 감염 상태가 반영되어 있다.

5) HPV-관련성 자궁경부 질환의 병리생태

HPV 감염 중 저위험 바이러스 감염과 젊은 여성의 감염은 바이러스의 소멸 정도가 매우 높으며, 병변의 퇴행도 관찰된다. 감염의 90%는 저위험 바이러스이며, 2년 이내에 거의 소멸되고, 1% 이내의 환자에서만 침윤성 암으로 진행된다.

바이러스는 부체형 상태*episomal state*에서 완전한 복제 사이클을 가지게 되며, E6, E7 등의 발암 유전자 발현은 엄격하게 통제된다. HSIL은 대부분이 고위험 HPV와 관련 있으며 후기 발현 유전자들의 발현이 거의 없거나 감소되어 있고, 숙주 유전자에 바이러스 DNA가 융합되어 E6, E7 암유전자의 유전자 산물들이 발현된다. 이러한 HSIL은 퇴행 가능성이 낮으며, 병변이 지속되거나 암으로 진행될 가능성이 있다.

저위험 상피내 병변인 LSIL에서 고위험 병변인 HSIL으로의 진행에서 결정적인 단계는 유전자 불안전성, 즉 유전자 혼란*genomic chaos* 획득 단계이다. 이 불안정한 단계에서 숙주 유전자에 일어나는 추가적인 변이에 의하여 침윤성 암으로 진행될 가능성이 나타난다.

6) HPV에 의한 분자병리학적 기전

고위험 HPV의 E6, E7 유전자는 조직배양실험에서 각질형성세포*keratinocytes*를 효과적으로 불멸화시킬 수 있다. 그러나 이러한 불멸화된 각질형성세포를 면역억제가 된 쥐에 주사하면 HSIL 정도의 병변이 생기더라도 침윤성 암이 즉각 발생하지는 않는다. 침윤성 암은 조직배양에서 세포를 여러 단계로 계대*passage*한 경우나 추가적인 종양유전자를 넣은 경우에만 드물게 일어난다. 이러한 현상은 생체 내에서도 같은 양식으로 발생하는데, 장기간의 역학연구에 의하면 HPV 감염은 대부분 청소년기에 일어나며, HSIL으로 진행하는 데는 약 7~15년이 걸리는 것으로 보고되고 있다.

침윤성 자궁경부암으로 발전하는 데 걸리는 시간은 10~20년이며, HSIL의 2~5%만 침윤성 자궁경부암으로 진행된다고 보고되고 있다. 대부분의 자궁경부암과 HSIL에서 HPV 유전자가 숙주 유전자에 융합되어 있으며, 고위험 바이러스의 E6, E7의 역할은 세포 주기를 억제하는 숙주 단백*host protein*과 작용하여 나타난다.

2. 생식기 사마귀

생식기 사마귀는 매우 흔한 성적 감염 질환으로, 미국의 경우 성적으로 활발한 15~49세 연령의 유병률은 1%로 추정된다. 생식기 사마귀는 HPV6, HPV11과 관련 있으며, 외부 돌출형 *exophytic* 생식기 사마귀조직의 70~100%에서 이들 중 한 종류가 발견되고 있다. Cook 등은 생식기 사마귀를 가진 남성의 대부분에서 가장 호발하는 부위는 음경 부위이며, 포경수술을 받지 않은 남성이 포경수술을 받은 남성보다 원위부 음경 사마귀가 더 많다고 보고했다. 미국과 유럽의 연구 결과, 생식기 사마귀가 가장 호발하는 연령은 남성과 여성 모두 20~24세였다.

HPV 감염과 관련된 이러한 생식기 사마귀는 대부분 증상이 없다. 그러나 종종 통증이나 자극증상, 소양증, 소변 시의 통증이나 출혈이 나타나며, 커다란 내부 사마귀는 폐색증상, 즉 성관계 시의 통증이나(질이나 항문 병변의 경우) 요정체, 또는 항문 주위 통증을 유발할 수도 있다.

여성의 경우 생식기 사마귀의 호발 부위는 외음부인데, 최대 50%의 여성에서 여러 군데에서 동시에 발생하는 병변이 나타나며, 25%에서 항문 주위 병변을 보인다. 생식기 사마귀는 모습이 다양하여, 전형적인 사마귀나 양배추 모양의 구진*papule*부터 두껍게 비후된 각화 사마귀*horny keratotic warts*와 편평 사마귀*flat warts* 모양도 나타난다. 진단은 병변을 자세히 살펴봄으로써 이루어지며, 현미경이나 콜포스코피*colposcopy* 등을 사용할 수도 있다. 아세틱산을 병변에 바르면 표면이 흰색으로 변하는데, 이러한 현상은 HPV와 관련이 없는 염증이나 미세손상을 입은 조직에서도 나타날 수 있다. 생식기 사마귀에 대한 검진 방법은 없다. HPV형을 알아보는 검사는 임상적으로 적응증이 되지 않고 비싸며, 치료나 병변의 예후에 영향을 주지 않는다. 그러나 조직생검은 병변의 모양이 비정형적이거나 색소 침착, 경화 또는 고정 양상을 나타내며 표준치료에 반응하지 않거나, 환자의 나이가 40세 이상인 경우와, 면역억제된 환자의 경우에는 적응증이 된다.

HPV 감염으로 인한 사마귀에서는 상피세포들이 증식하고 원반세포증*koilocytosis*을 보이는 세포들(세포가 커지고, 핵주위무리*perinuclear halo*와 작고 진한 다염색성핵*hyperchromatic nuclei*을 나타낸다)이 나타난다. 이러한 생식기 사마귀와 감별 진단해야 하는 병변들은 음경 진주종 병변*pearly penile papules*, 외음부유두종*vulvar papillomatosis*, *Fordyce spots*, 쥐젖 *skin tags* (fibroepithelial polyps), 지루각화증*seborrheic keratoses*, 모반*nevi*, *microglandular hyperplasia* 등이 있다. 또 다른 감염병, 즉 편평콘딜로마*secondary syphilis*, 물사마귀 *molluscum contagiosum*, HSV 감염(granulomatous 또는 nodular)도 HPV와 혼동될 수 있다. 좀 더 심각한 전암 병변과 암 병변으로 외음부상피내종양*vulvar intraepithelial neoplasia*,

VIN, bowenoid papulosis, 외음부암*vulvar carcinoma*, extramammary Paget's disease, 비흑색종 피부암*nonmelanoma skin cancer*, 흑색종*melanoma*, Buschke-Lowenstein tumor 등도 고려될 수 있다.

HPV 감염 병변을 치료하는 1차적 목적은 증상을 완화시키고 바이러스의 양을 줄여 병변의 진행과 전파를 막는 것이다. 또한 치료는 정신적 스트레스를 줄여주는 것 외에 미용적인 목적도 있다. 병변 제거가 HPV 감염 자체의 완치라는 증거는 없지만, 생검과 조직파괴적 치료*cytodestructive treatment*는 병변의 퇴행을 유도하고 혈류를 증진시켜 환자의 면역반응을 촉진할 수 있다. 그러나 이러한 생식기 사마귀 파괴가 전파를 막아줄 가능성이 있는지는 확실하지 않다. 치료를 계획할 때에는 각 치료법의 장점과 위험도를 잘 비교하여 선택해야 한다.

2006년 미국 질병통제예방센터CDC의 성매개감염성 질환 치료지침에 따르면, HPV 치료는 환자의 선호도에 따라 시행해야 하며, 어떠한 단독 치료 방법도 생식기 사마귀 치료에서 가장 좋은 방법이라고 할 수 없다. 치료 방법의 대부분은 자극증상과 염증(홍반, 부종, 미란, 상피 탈락*desquamation*) 등의 부작용이 있다. 통증과 소양증, 염증은 일시적으로 약물을 중단하거나 다른 약물로 바꾸며 관리할 수 있다. 환자가 3차례의 치료 후에도 반응하지 않으면 조직생검을 하거나 치료법을 바꿔야 한다.

환자가 직접 사용할 수 있는 이미퀴모드*imiquimod*(알다라*Aldara* 5% 크림) 약제는 직접적인 항바이러스 효과는 없으나 면역반응 조절 효과가 있기 때문에 인터페론*interferon-α*, 종양괴사인자*tumor necrosis factor*, TNF, 인터루킨*interleukin* 등의 시토카인 분비를 자극하여 세포 매개성 면역 반응을 증진시킨다. 다른 생식기 사마귀 치료법들처럼 병변 소멸 효과가 매우 범위가 넓어 70% 이상으로 여겨지고 있으며, 남성보다 여성에서 반응이 좋은 것으로 알려져 있다. 재발률도 역시 다양하게 보고되고 있으며 약 20%이다. 이미퀴모드는 반드시 눈에 보이는 외부 병변에만 사용해야 하며, 질이나 자궁경부 등의 병변에 직접 사용해서는 안 된다. 이미퀴모드는 또한 콘돔을 약화시킬 수 있으며, 치료 중에는 직접적인 성관계를 피하는 것이 좋다.

또 다른 치료제인 순수 포도필록스*podofilox* 0.5%(콘딜록스*Condylox*)는 튜불린*tubulin* 중합을 막고 세포분열을 억제하여 생식기 사마귀의 세포 괴사를 야기한다. 이 약제는 세포의 모양을 암처럼 변화시켜 인터루킨 등의 생산을 자극하기 때문에 종종 투여 후 조직검사를 한 경우에는 결과에 혼동을 줄 수도 있다. 포도필록스는 생식기 사마귀를 수일 내에 파괴하지만 정상조직도 파괴하며, 임신 중에는 사용을 금해야 한다. 폐쇄된 병변이나 점막에 과량 투여한 경우 사망한 부작용도 보고되어 있다. 또한 질, 자궁경부, 요도, 항문 주위 병변에는 사용 금기이다.

임신 중에도 안전하게 시행할 수 있는 방법은 두 가지로, 산과 액상 질소nitrogen를 국소적 도포법으로 사용하는 것이다. 삼염화아세트산trichloroacetic acid이나 bichloroacetic acid 등의 산을 직접 도포하는 방법은 생식기 HPV 감염 병변의 국소적 파괴에 효과적이면서도 안전하다. 그러나 질이나 자궁경부, 요도 입구 병변 등에는 사용이 금기이다. 이 산들은 빠른 속도로 불활성화되며 전신적인 독성이 없고 주변의 정상 조직을 적게 손상시키는 편이다. 또한 과량의 산은 비누나 물로 중화시킬 수 있으며, 조직 파괴의 깊이도 조절할 수 있다. 액상 질소 또는 냉동요법cryotherapy은 외음부, 질, 음경, 회음, 항문 주위 병변 등에 흔히 사용되는 효과적인 방법이다. 레이저 치료(arbon dioxide laser ablasion) 또는 수술적 제거는 국소적 치료가 실패하는 경우 사용 가능하다. 덜 효과적인 방법은 병변 부위에 인터페론-α, 5-플루오로우라실fluorouracil 등을 직접 주사하거나 국소적으로 도포하는 것이다. 포도필린podophyllin 용액(10~25% tincture of benzoin)은 성공률이 낮으며 종종 심각한 부작용 및 전신반응, 사망까지 일으킬 수 있으므로 주의해야 한다.

3. 여성에서 HPV 감염의 임상적 양상

1) 여성 자궁경부암에서 HPV의 역할

지속적인 고위험 HPV 감염에 의한 자궁경부 변형대transformation zone의 변화, 즉 전암 단계인 자궁경부암으로의 암화 과정carcinognensis은 그림 13-28과 같다. 자궁경부질세포진 검사Pap test 결과 정상 소견이면서 HPV 감염이 있는 경우 자궁경부에 병변이 생길 누적 위험 확률은 1~3년 동안에 약 25~40%이다. 저위험 자궁경부상피내 병변low-grade squamous intraepithelial lesion, LSIL은 약 4년에 걸쳐 퇴행할 수도 있다. HPV 지속감염이란 주어진 일정한 기간 동안에 두 번 이상 같은 종류의 HPV가 발견되는 경우를 의미하며, 관찰되는 HPV 감염의 소멸 기간 중앙값은 4~6개월에서 1~2년까지 모든 연구에서 다양하게 나타난다. 이처럼 다양한 시기가 보고되지만, 특정 HPV 감염은 90% 이상이 2년 이내에 소멸된다. HPV16형은 감염 지속 기간이 다른 형보다 평균적으로 긴 것으로 알려져 있다.

고등급 자궁경부상피내 병변 HSIL 과 자궁경부암은 이수성aneuploidy과 유전적 불안전성 등이 특징인데, 이는 부적절하게 높이 발현되는 고위험 바이러스(HPV)의 종양유전자인 E6, E7과 텔로머레이스telomerase 활성화, centrosomal 증폭 등의 결과이다. HPV 감염에서 HSIL 병변까지 이르는 시간은 약 7~15년으로 추정되며, 이러한 이유로 HSIL이 호발하는 연령은 대개 25~30세이다. 그러나 일부 전향적 코호트 연구 결과, 감염에서 HSIL 병변으로 진행하는 데 수개월이 걸렸다고 보고된 경우도 있다. 자궁경부암 환지의 평균 연령은 국가별로 다양하지만, HSIL 여성의 평균 연령인 27~30세보다 높다. 침윤성 자궁경부암 환자의 평균 연령은 선별검사의 질에 따라 좀 더 높아진다.

자궁경부암은 1950년대에 세포검사를 통한 검진이 도입된 이후 사망률이 꾸준히 낮아졌고, 그 결과 선진국은 75% 이상의 감소를 이루었다. 미국은 자궁경부질세포진검사를 매년 시행하고 엄격히 추적 관리하여 자궁경부암의 발생률을 10만 명당 35~40명에 달하던 상태에서 10만 명당 10례 정도로 감소시켰다. 자궁경부암 조기 검진의 1차적 목적은 자궁경부암 전암 병변인 고위험 상피내 병변을 조기에 발견하고 조직을 파괴하는 치료나 절제 등을 통해 제거함으로써, 검진을 한 여성들에서 자궁경부암의 발전을 막는 데 있다. 우리나라의 자궁경부암 검진은 1988년부터 매년 시행하는 건강검진의 한 부분으로서 국민건강보험공단에서 권유하고 있으며 2004년부터 NCS 프로그램의 대상을 늘리고 있다. 2018년 통계의 경우 자궁경부암은 발생률은 여성의 주요 암종 분율에서 8위를 차지하고 있다. 우리나라 주요 암종별 연령 표준화 발생률 추이에 따르면 자궁 경부암의 경우 1999년~2007년 동안 연간 4.6% 감소 하였으며, 2007년~2017년 동안 연간 2.3% 감소하였다. 이는 HPV 백신이 보급화 된것과 건강 검진을 통해 자궁경부암 전암 병변에서 많이 발견되어 치료가 되는 것도 중요한 감소 요인이라 할 수 있다.

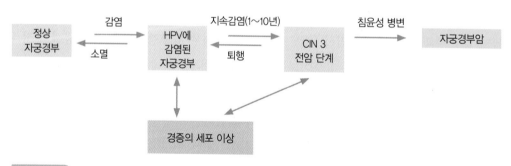

그림 13-28 자궁경부암에서 지속적인 HPV 감염의 역할

2) 침윤성 자궁경부암과 HPV

침윤성 자궁경부암은 세포형태에 따라 편평세포암*squamous cell carcinoma*과 선암*adeno-carcinoma*으로 나눌수 있다. HPV16형은 침윤성 자궁경부암에서 가장 흔히 발견되며(62.6%), 그다음으로 HPV18형(15.7%)이 자주 발견된다. 전 세계적으로 약간의 차이는 있지만 전체 자궁

경부암의 약 80% 이상이 이 두 종류에 의하여 발생한다. HPV33, HPV45, HPV31형도 다음으로 많이 발견되는 아형이며, 아시아권에서는 HPV58, HPV33, HPV52형이 HPV16, HPV18의 뒤를 이어 흔히 나타난다(그림 13−29). 그러나 이러한 아형들은 4%를 넘지 않으며, 자궁경부의 선암adenocarcinoma은 HPV16(48%), HPV18(36%), HPV45 (6%)가 주요 형이다.

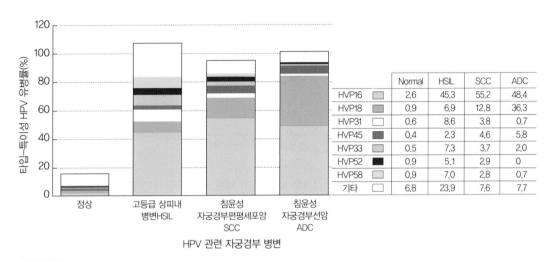

	Normal	HSIL	SCC	ADC
HVP16	2.6	45.3	55.2	48.4
HVP18	0.9	6.9	12.8	36.3
HVP31	0.6	8.6	3.8	0.7
HVP45	0.4	2.3	4.6	5.8
HVP33	0.5	7.3	3.7	2.0
HVP52	0.9	5.1	2.9	0
HVP58	0.9	7.0	2.8	0.7
기타	6.8	23.9	7.6	7.7

그림 13−29 정상, 고등급 CIN, 침윤성 자궁경부암에서의 HPV형 특이적 유병률
다발 감염은 횟수대로 계산함.

3) 자궁경부질세포진검사상 정상인 여성의 HPV 감염

HPV 감염은 매우 흔하게 나타나며, 일생 동안의 감염 위험도는 50~80%에 이른다. 한 시점의 여성, 특히 자궁경부질세포진검사상 정상인 여성의 HPV DNA 양성률은 약 10.2%이며, 지역에 따라 약간 차이를 보인다. 감염의 양상은 젊은 여성(25세 미만)에서 가장 많이 나타나고 30~40대에 급격히 떨어지나, 폐경 연령에서 약간 상승한다(그림 13−30). 젊은 여성에서는 감염률도 높고 대부분 일시적 감염(transient infection)이기 때문에 30세 이상 여성과는 달리, 일반적인 선별 검사로 HPV 검사만을 시행하지 않는다. 이처럼 노인 연령에서 소폭 증가하는 원인으로 성관계 양상의 변화 등에 의한 HPV 재감염, 잠재적인 HPV 감염의 재활성화, 연령에 따른 면역체계의 변화 등이 제시되고 있다.

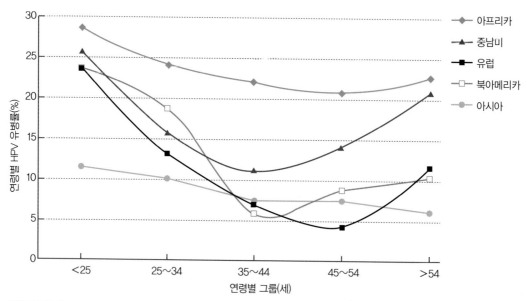

그림 13-30 자궁경부질세포진검사상 '정상' 결과를 보이는 전 세계 여성에서 나타난 생식기 HPV 감염의 나이-특이적 유병률

18~30세에서 절정을 보인 후 성인 연령 중반기인 35~44세까지 감소하는 경향을 보이며, 폐경 후에 약간 상승한다.

4) HPV 전파

HPV 감염 전파의 1차적인 요인은 성교, 항문성교 등의 성관계이다. 이때 피부 접촉을 통해 전파되며, 질이나 항문에 대한 삽입이 반드시 전제 조건인 것은 아니다. 남성의 포경수술은 예방 효과가 있다. 음경 상피내종양*penile intraepithelial neoplasia*의 퇴행을 촉진할 수 있다. 그러나 콘돔을 사용하더라도 HPV 감염 예방 효과는 69%에 불과하며, HPV는 보호되지 않는 외음부 피부 등을 통하여 전파될 수 있다. 전파를 촉진하는 인자는 성관계 시작 연령, 성관계 상대자의 숫자, 새로운 상대자를 만나는 것 등이 있다.

5) HPV 관련성 자궁경부질환에 대한 검진

자궁경부질세포진검사는 가임기 여성의 자궁경부암에 대한 표준적인 검사법이다. 효과적인 자궁경부암 검진을 위해서는 일정 기간을 두고 반복적으로 자궁경부질세포진검사를 시행하는 것이 필수적이다. 고위험 HPV형(종양발생바이러스형)의 존재와 이 바이러스들의 지속 감염, 상대적으로 많은 나이, 면역학적 손상(HIV 감염 등), 흡연 등이 이러한 HPV 관련성 자궁경부 질환의 빈도를 높이는 위험 인자로 알려져 있다. 30세 이후 여성에서 비정상 세포검사 결과 HPV가 나온 경우 검사법을 추가로 사용하여 고위험 HPV가 발견되면 고위험 자궁경부상피내 병변으로의 진행을 예측하는 데 도움이 될 수 있다(표 13-31).

최근 미국에서 30세 이후 여성에 대한 자궁경부질세포진검사에서 HPV DNA 검사가 부가적인 방법으로 권유되고 있다. 또한 25세 이후 여성에서 자궁경부질세포진검사 결과가 의미미결정비정형편평세포*atypical squamous cells of undetermined significance*, ASCUS로 나온 경우 '분류*triage*'를 도와주는 방법으로 권유되고 있다. 현재 미국 Food Drug Association (FDA)에서 승인 받은 HPV 검사법은 hybrid capture II, Cervista, Cobas 4800 HPV test, Aptima HPV test 등이 있다. 임상적 무증상인 '무증상 HPV 감염'이나, 이들의 파트너에 대한 치료법으로 권고되는 것은 없다.

표 13-31 HPV 관련 자궁경부질 세포진검사의 개요 및 추천되는 관리 지침

검사 연령	미국 ASCCP, ACS (2020)	대한 부인 종양 학회 (2011)
25세 미만	선별검사 필요 없음	20세미만에서는 선별 검사 필요 없음 선별 검사 시작은 20세 이상 성경험이 있는 여성
25-65세	25세에 선별검사 시작 매 3년마다 자궁경부 세포 도말 검사 또는 매 5년 마다 자궁경부 세포 도말 검사와 HPV test 같이 시행	20세 이상의 성경험이 있는 여성은 매년 30세 이상 여성에서 자궁경부 세포 도말 검사와 HPV 검사 모두 음성이면 검사 주기를 2년 간격으로 늘리 수 있다
65세 초과	HPV co test 하는 경우 최근 2번 연속검사 음성인 경우 종료 세포도말 검사 단독으로 하는 경우, 최근 3번 연속 검사 음성인 경우 종료	65~70세 : 기존 스케줄에 따라 선별 검사 진행 70세 넘으면 최근 10년간 세번 이상의 연속검사에서 음성인 경우 종료 고령이라도 최근 20년동안 중등도 이상의 자궁경부이 형성증이 있는 경우 검사 지속한다
Hysterectomy 한 경우	지난 25년간 자궁경부에 병변이 없었고 고등급 자궁경부 이형성증 이상이 없었으면 중단 할 수 있다.	양성질환으로 수술한 경우, 자궁경부에 중등도 이상의 병변이 없었던 경우 중단 할 수 있다.
HPV vaccinated	백신 여부와 상관 없이 나이에 맞게 선별 프로그램에 따라 진행	

4. 남성의 HPV 감염

여성의 HPV 감염의 역학과 발병 기전에 관한 논문들은 계속 많이 나오고 있지만, 남성의 HPV 감염에 대해서는 많이 알려져 있지 않다. 그러나 현재까지 보고된 바에 의하면 남성의 HPV 감염은 뚜렷한 임상적 증상이 없으며, HPV16형이 가장 흔한 종류로 알려져 있다.

1) 남성의 HPV 감염과 음경암

남성의 음경 조직*penile tissue*은 HPV에 의한 암화 가능성이 낮다. 여성의 경우 40년간 시행된 자궁경부질세포진검사 및 자궁경부 전암 병변에 대한 조기 치료가 자궁경부암의 발생빈도를 현저히 낮추었지만, 아직도 남성의 음경암보다 빈도가 높다(그림 13-31). 정확한 기전은 아직 보고되지 않았지만, HPV 감염에 예민한 자궁경부 변형대가 상대적으로 넓기 때문으로 생각되고 있다.

남성 외부생식기에 조직학적으로 제자리암종 양상을 보이는 세 종류의 병변으로는 보엔병 *Bowen's disease*, 퀴라홍색형성증*erythroplasia of Queyrat*, 보웬모양구진증*bowenoid papulosis*이 있다. 이들은 모두 HPV 감염과 강력한 관련성이 보고되고 있으며, 가장 흔한 형은 HPV16형이다.

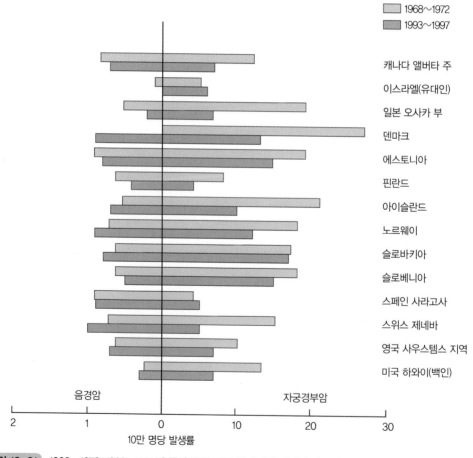

그림 13-31 1968~1972, 1993~1997년 동안 종양 등록 국가에서 나타난 자궁경부암과 음경암의 연령-조정 발생률

2) 남성의 HPV 항체 양성률

HPV 감염의 분자생물학적 증거가 되는 HPV VLP ELISA법은 혈청의 HPV 항체 양성률*se-roprevalence*을 측정하며, 예민도가 50~60%, 특이도가 90% 이상에 달한다. 여성에서 HPV DNA 양성인 경우 항체 양성률은 1/3에서 매우 늦게 나타나거나 반응이 지연된다. 그러나 일시적인 HPV감염보다 감염의 기간이 긴 여성에서 항체 양성률이 높기 때문에, 자연 감염에서의 HPV 항체 양성률이 반드시 질환의 예방을 의미하는 것은 아니다. HPV에 감염된 여성에서 혈청 항체 양성이 나타나지 않는 이유가 반드시 검사의 예민도가 떨어지거나 항체가 매우 낮은 상황이어서인지는 단정하기 어렵다. 또한 검사의 특이도 면에서도, 자연 감염에서는 각 HPV형에 대한 항체 반응이 각 HPV형의 VLP에 의하여 유도되기는 하지만, HPV6과 HPV11, HPV31과 HPV33, HPV45와 HPV18형끼리는 일부 교차 반응이 일어난다. 항체 양성이 반드시 HPV 발견과 연관되는 것은 아니지만, HPV DNA가 발견되고 혈청 항체가 처음 나타나는 데 약간의 시간적 지연이 있음을 감안하면 부분적으로는 일치한다.

남성은 여성에 비하여 HPV 항체 반응이 낮다고 보고되고 있다. 또한 여성은 항체 양성률이 정점을 나타내는 연령이 남성보다 낮은 편이다(그림 13-32). 비슷한 연령대의 여성에 비해 HPV에 대한 항체 양성률이 남성에서 낮은 이유는 HPV 감염이 일시적인 경우가 많거나, 바이러스의 양이 적거나, 남성의 항체 반응이 여성보다 낮기 때문인 것으로 추정된다. 국내 남성의 HPV 항체 양성률에 관한 논문은 많지 않으나, 2007년에 보고된 논문에 의하면 817명의 여성 대학생과 518명의 남성 대학생이 각각 15%와 12%로 큰 차이가 없었다(그림 13-33).

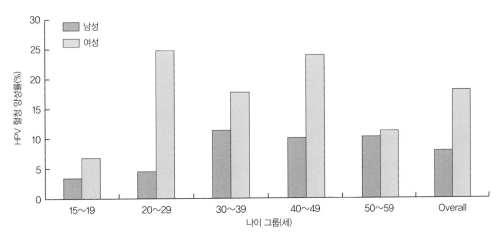

그림 13-32 미국 남성과 여성의 연령에 따른 HPV16의 혈청 양성률. 1991~1994년 동안의 건강 및 영양평가 조사 자료

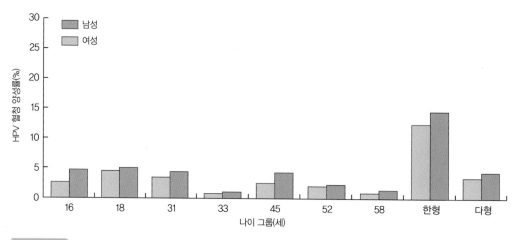

그림 13-33 부산의 남녀 대학생의 HPV형 특이적 양성률

3) 남성의 HPV 감염 빈도와 자연 소멸

여성의 HPV 감염이 연령 증가에 따라 위험도가 감소하는 것과 달리, 18~44세의 남성은 나이에 관계없이 위험도가 일정하다는 연구 결과가 보고된 적이 있다. 최근 브라질, 멕시코, 미국 등에서 18~70세의 전 연령대에 대하여 시행한 연구에 의하면 남성 HPV 감염은 나이에 관계없이 비슷한 빈도를 보였다(그림 13-34). 새로운 HPV 감염이 남성과 여성의 성적인 행동 양상과 관련이 깊은 것처럼 HPV 감염의 소멸에도 성적인 활동 양상이 영향을 미친다고 알려져 있다. 이처럼 연령에 상관없이 일정한 HPV 감염 양상이 나타나는 이유는 연구 대상자들의 최근 3개월간의 성적 파트너 수가 나이와 관계없이 일정했다는 요인도 있지만, HPV 감염에 대한 면역반응이 남성과 여성에서 다르기 때문이기도 하다. 또한 남성 성기의 경우 각질화 상피세포*keratinised epithelium*여서 여성의 자궁경부 점막상피와 달리 면역반응이 약하며, 남성이 여성보다 매우 높은 성기 HPV 양성률에 비하여 항체가 낮다는 점도 원인이다.

3개국 1,159명의 남성을 평균 27.5개월(18.0~31.2개월)간 추적관찰하는 동안 새로운 HPV 감염자는 매월 38.4/1000명(95% CI 34.3~43.0)이 생겼으며, 남성 HPV 감염의 지속 기간은 중앙값으로 7.52개월(6.80~8.61)이었고, HPV16에 대하여는 12.19개월(7.16~18.17)이었다. HPV 감염의 소실 평균 기간은 18~30세에서 유의하게 더욱 길었다(그림 13-35).

고위험 HPV 감염의 소실은 생애 평균 여성 파트너의 수가 많을수록 감소하는 양상을 보였다. 1명의 파트너만 있는 경우에 비하여 최소 50명의 파트너를 가진 남성에서 소멸 가능성이 0.49(0.31~0.76)였으며, 나이의 증가에 따라 소멸이 좀 더 빠른 양상을 보였다(1.02;

$1.01\sim1.03$).

이처럼 나이 많은 남성에서 HPV가 빨리 소멸하는 이유는 높은 HPV 항체 양성률과 관련 있는 것으로 생각된다. 또한 HPV16 감염의 경우는 남성에서도 여성 HPV 감염과 마찬가지로 평균 소멸 기간이 다른 고위험 HPV형보다 2배 이상 길었다(HPV16은 12개월, HPV18은 6.3개월).

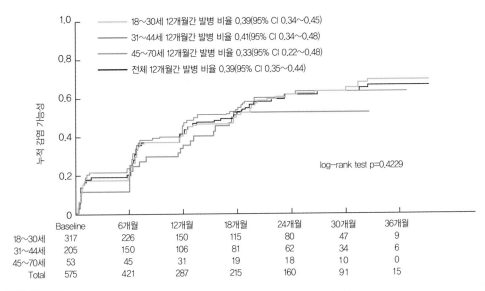

	Baseline	6개월	12개월	18개월	24개월	30개월	36개월
18~30세	317	226	150	115	80	47	9
31~44세	205	150	106	81	62	34	6
45~70세	53	45	31	19	18	10	0
Total	575	421	287	215	160	91	15

그림 13-34 연령별 HPV 감염의 누적유병률에 대한 Kaplan-Meier 분석

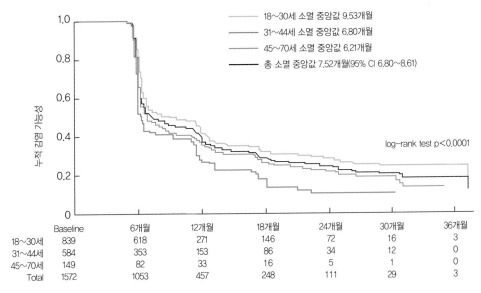

	Baseline	6개월	12개월	18개월	24개월	30개월	36개월
18~30세	839	618	271	146	72	16	3
31~44세	584	353	153	86	34	12	0
45~70세	149	82	33	16	5	1	0
Total	1572	1053	457	248	111	29	3

그림 13-35 연령에 따른 HPV 감염 소실 정도에 대한 Kaplan-Meier 분석

남성에서는 이러한 HPV 감염에 의한 암이 여성에서처럼 많이 나타나지는 않지만, HPV 감염의 발생 기간과 감염 기간을 고려하면 성행위 시작 연령 이전에 시행하는 HPV 예방접종 등의 비용/효과를 직극 고려할 필요가 있다.

5. HPV 백신

예방적 HPV 백신접종은 HPV 관련 질환의 전파를 막는 가장 성공적인 방법이다. 현재 상용화되어 있는 HPV 백신은 종양유전자인 E6, E7 등이 없는 HPV 외곽 단백인 L1이 스스로 모여서 만들어진 바이러스양 입자*DNA free virus-like particles*, VLP이다. HPV L1 VLP는 형태학적 구조상으로는 외곽 단백만으로 만들어진 캡시드지만, 형태학적, 항원적인 면에서는 바이러스 입자와 거의 비슷하다. 이들은 내부에 DNA가 들어 있지 않기 때문에 감염성이 없다. 현재 국내 및 전 세계적으로 시판되고 있는 가다실*Gardasil* (Merck, West Point, PA)(4가*quadri-valent* HPV16, 18, 6, 11 L1 VLP 백신. 동유럽 지역 등 일부에서는 실가드*Silgard*로 명명, 9가 nine-valent, HPV 16, 18, 31, 33, 45, 52, 58, 6, 11)과 서바릭스*Cervarix (GlaxoSmith-Kline, London*, UK)(2가*bivalent* HPV16, 18 L1 VLP 백신) 모두 L1단백만으로 이루어진 VLP 백신이다(표 13-32). 서바릭스는 자궁경부암 원인의 70%로 지목되는 HPV16, HPV18에 대한 백신이며, 가다실 4가는 이 두 종류 외에 외부 생식기 사마귀의 원인의 75~90%를 차지하는 HPV6, HPV11에 대한 VLP도 추가되어 있으며 9가 가다실은 기존의 4가 가다실에 HPV 31,33,45,52,58 형의 다섯 가지 고위험 바이러스에 대한 VLP가 추가되었으며, 추가된 다섯 가지는 여성에서 14%의 암과 남성에서 5%의 침윤성암을 유발하는 것으로 알려져 있다. 가다실 9가는 2016년 이후로 기존 가다실 4가를 대체하고 있는 추세이다. 이들은 모두 냉장 상태로 이송해야 하며 어깨의 삼각근에 근육주사하는데, 접종 스케줄은 약간씩 다르다.

백신의 안정성에 있어서 2017년에 WHO 국제백신 안정성 자문위원회 GACVS(Gloval Advisory Committee on Vaccine Safety) meeting에서 HPV백신은 아나필락시스의 위험이 백만도즈당 약 1.7건이고, 실신의 경우 주사에 대한 불안 또는 스트레스 관련 반응임을 발표하였고, 결론적으로 백신의 안전성에 문제가 없음을 밝혔다. 국내 2021년 1월 기준 국가예방접종 도입 후 약 180만 건 접종 후 122건(0.007%)의 이상반응이 신고되었고, 이 중 심인성 반응인 일시적인 실긴 및 실신 전 어지어움 등의 증상(62건)이 가장 많았다.

가다실(4가, 9가)은 항원증강제로 aluminum hydroxyphosphate sulfate만을 사용하며, 서바릭스는 AS04로 불리는 복합 항원증강제를 사용한다. ASO4는 LPS (lipopolysachharide)의 독성을 제거한 MPL (monophosphosphoryl lipid) A와 수산화알루미늄*aluminum hydroxide*으로 구성되어 있다. 이러한 aluminum salt에 근거한 항원증강제들은 전형적으로 세포면역반응 중 Th2 반응을 일으킨다. 서바릭스의 MPL 항원증강제는 Toll 유사 수용체 *toll-like receptor* 분자를 통해 선천면역을 활성화시켜 세포면역 중 T-세포의 Th1, Th2 분화를 야기하는 복합적인 양상을 보인다. HPV 예방백신으로 이용되는 Th2 면역반응과 달리 서바릭스의 이러한 Th1 면역반응은 치료용 백신에서 세포성 면역을 유도하기 위하여 찾게 되는 방법이다.

글락소스미스클라인*GlaxoSmithKline* 사는 최근 1,106명의 여성에 대한 1:1 무작위 맹검 3b상 연구를 통해 서바릭스(HPV16, 18 L1 AS04 adjuvanted 백신)와 가다실(HPV6, 11, 16, 18 L1 AAHS adjuvanted 백신)을 각각의 일정대로 3회 투여했다. 마지막 백신 투여 후 1개월째에 항체를 측정하는 면역원성 및 안정성 임상시험을 통하여 18~26세, 27~35세, 36~45세군에서 HPV16에 대한 중화항체*neutralizing antibody*는 서바릭스가 2.3~4.8배 높았으며, HPV18에 대한 중화항체는 6.8~9.1배 높았다고 보고되었다.

HPV 백신에 의한 항체가의 증가는 효과의 증대 및 활성화된 면역 기억세포*active memory cells*의 존재를 의미한다. 가다실을 첫 3회 접종하고 5년 후에 4번째로 주사하면 매우 즉각적이고 높은 면역항체 증가를 관찰할 수 있다. 가다실에 함유된 전통적인 aluminum hydroxy-

표 13-32 HPV VLP 백신의 특징

	가다실 9가	가다실 4가	서바릭스
제조사	Merck & Co, Inc	Merck & Co, Inc	GlaxoSmithKelin
VLP에 포함된 HPV 유형	HPV 6/11/16/18/31/33/45/52/58	HPV 6/11/16/18	HPV 16/18
L1 펩티드의 양	30/40/60/40/20/20/20/20/20 μg	20/40/40/20 μg	20/20 μg
생산을 위해 사용된 세포	aluminum hydroxyphosphate sulfate adjuvant	aluminum hydroxyphosphate sulfate adjuvant	Trichoplusia ni (Hi-5) insect cell line infected with L1 recombinant baculovirus
면역증강제	500 μg aluminum hydroxyphosphate sulfate	225 μg aluminum hydroxyphosphate sulfate	0.5 mg aluminium hydroxide, 50 μg 3-O-desacyl-4'-monophosphoryl lipid A
접종 간격	0, 6~12개월 (만 9~14세 여아/남아) 0, 2, 6개월 (만 9~45세 여성/만 9~26세 남성)	0, 6개월 (만 9~13세 여아/남아) 0, 2, 6개월 (만 9~26세 여성/남성)	0, 6~12개월 (만 9~14세 여아/남아) 0, 1, 6개월 (만 9~25세 여성/남성)

VLP : 바이러스양 입자(Virus-Like Particle)
Gardasil 9/Gardasil (Merck & Co., Inc., Whitehouse Station, NJ USA), Cervarix (GlaxoSmithKline Biologicals, Rixensart, Belgium)

phosphate sulfate 면역증강제도 초기 예방접종 이후 5년 뒤까지 강력한 면역 기억능이 지속된다고 보고되었다.

1) 백신 저장과 투여 방법

서바릭스(2가 백신)와 가다실(4가, 9가 백신)은 모두 1회용 약제가 미리 채워진 주사기*pre-filled syring*나 1회용 유리바이알*glass vial*에 무균상태로 녹은*sterile suspension* 형태로 공급되며, 반드시 냉장 상태인 2~8℃로 보존해야 한다. 두 가지 모두 여성의 첫 성적 접촉 이전에 접종하는 것이 좋기 때문에 대부분의 백신 허가국에서는 10~14세에 첫 접종을 하도록 권유하고 있으며, 예방접종이 도입되는 초기에는 권장 연령보다 나이가 많은 여성에 대해서도 '정기적인 또는 일시적인 따라잡기 백신 접종'을 권유한다.

2007년 발표된 국내 대도시 6곳의 12~29세 여성 2,400명에 대한 연구 결과에서 평균적인 성관계 시작 연령은 21세로 나타났다(그림 13-36). 2014년에 조사된 청소년건강행태온라인 조사 통계에 따르면 전체 중고생의 5.3%가 성관계 경험이 있으며, 여학생은 3.2%이고 남학생은 7.3%였고 이 중 남자 고등학생은 평균 10.1%였다. 매년 조사 결과 처음 성관계를 하는 연령이 낮아 지고 있는 추세이다.

국내 허가사항은 9~26세 여성 및 남성에게 접종할 수 있는 것으로 되어 있으며, 질병관리본부와 대한요로생식기감염학회에서는 만 11~12세 여아 및 남아에게백신 접종을 권장하고 있다. 해당 시기에 접종을 받지 않았거나 백신 접종을 완료하지 못한 만 13~26세 여성및 남성에게도 백신 접종을 권장하고 있다. 국내에서는 가다실 9가의 경우는 여성에게서만 만 45세까지 접종이 허가되어 있으나 미국에서는 남녀 모두에게 허가 되어있다. 현재 국내 국가예방접종에서는 2가 서바릭스와 4가 가다실이 여아에서만 2016년 이후로 실시 되고 있다. 미국, 영국, 호주 등 2021년 현재 약 22개국에서 남아도 국가예방접종사업으로 접종을 실시하고 있다.

가다실은 0, 2, 6개월째에 예방접종을 하며, 첫 주사와 두 번째 주사 사이의 최소 간격은 4주이다. 두 번째와 세 번째 주사의 최소 간격은 12주이다. 서바릭스는 0, 1, 6개월째에 예방접종을 하는데, 만약 스케줄에 변화가 필요하면 두 번째 주사를 첫 주사로부터 1~2.5개월 후에 줄 수도 있다. 그러나 예방접종 스케줄이 중단된 경우라도 세 번의 주사를 처음부터 시작할 필요는 없으며, 남은 예방접종을 가능하면 권장 스케줄에 맞춰 시행한다. 이러한 한 사이클의 예방접종 후에 추가접종을 하는 것은 권장되지 않는다.

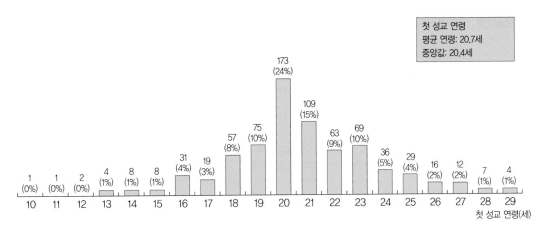

첫 성교 연령
평균 연령: 20.7세
중앙값: 20.4세

첫 성교 연령(세)

그림 13-36 한국 여성 2,400명에 대한 조사 결과 나타난 첫 성경험의 나이(2007)

2) 백신 효과 판정을 위한 과거의 임상연구

서바릭스와 가다실의 최근 임상연구 결과를 표 13-33과 표 13-34에 정리했다. HPV 010을 제외한 모든 연구는 평균 20세의 젊은 여성들을 대상으로 한 무작위 위약 맹검 연구였다. HPV6, 11, 16, 18 4가 백신은 성적 대상자의 수를 5명 이내로, HPV-16, 18 2가 백신은 6명 이내로 정하여 연구했다. 2상 연구들은 대개 HPV 감염 예방을 최종 목표로 정하여 보고하였으나, 중요한 3상 연구들은 모두 CIN 2 이상의 질환을 끝점으로 정하여 효과를 분석했다. 이러한 CIN 2 이상의 질환은 미국 FDA나 다른 국가에서도 임상적으로 자궁경부암을 대치하는 임상적 최종 목표로 여겨진다(표 13-33). 각 임상연구의 검사 간격은 6~12개월이었다. 이러한 간격은 매우 중요한데, 추적관찰 기간이 짧을수록 더욱 많은 감염과 질환이 발생할 수 있기 때문이다.

표 13-33　여성에 대한 가다실 임상연구 개요

	Merck 007 (P007: NCT00365716)	FUTURE I (P013: NCT00092521)	FUTURE II (P015: NCT00092534	Broad spectrum HPV vaccine study (NCT00543543)
사용 백신	가다실	가다실	가다실	Gardasil 9
Study phase	II b	III	III	IIb-3
대조군	225 μg aluminum hydroxyl-phosphate sulfate	225 μg aluminum hydroxyl-phosphate sulfate	225 μg aluminum hydroxyl-phosphate sulfate	Gardasil 4
참여자 수	552명	5,455명	12,167명	14,215명
평균 연령(연령 범위)	20(16~23세)	20(16~24세)	20(15~26세)	22(16~26세)
검사 간격	6개월	6개월	12개월	6개월
평균 추적검사 기간	60개월	36개월	36개월	59개월
1차적 효과 판정 목표	HPV-6/11/16/18 지속 감염과 이와 관련된 이상의 병변과 자궁경부 및 외음부 질환	HPV-6/11/16/18 CIN 1+와 외음부 질환	HPV-16/18 CIN 2+	자궁경부의 고등급 병변, 외음부 또는 질의 이형성증의 발생 4가와 9가 백신의 효능 비교
2차적 목표	부작용	부작용	부작용	부작용

표 13-34　여성에 대한 서바릭스 시험의 개요

	HPV-001/007	PATRICIA (HPV-008: 젊은 성인에서 자궁경부암 예방을 위한 Papilloma 시도)	HPV-010
백신	서바릭스	서바릭스	서바릭스 대 가다실
연구 단계	II	III	III b
목표	효과와 안정성	효과와 안정성	서바릭스와 가다실의 면역성 비교
대조군	500 g aluminum hydroxide	A형 간염 백신	2개의 그룹 서바릭스와 가다실
참여 인원	1,113명(HPV-001) 776명(HPV-007)	18,644명(135개의 센터, 아시아의 14개국, 태평양, 유럽, 라틴아메리카, 북아메리카)	1,106명
평균 연령(연령: 범위)	20.2세(HPV-001; 15~25세) 23.2세(HPV-007; 17~29세)	20세(15~25세)	18~45세 사이의 여성 연령 층화: 18~26년/27~35년 36~45년
평생 성관계 파트너 수	≤6명	≤6명	
검진 간격	6개월	12개월	

추적관찰한 평균 기간	48개월	34.9개월	3개 스케줄 용량이 완료된 뒤 1개월
1차적 효과 판정 목표 시점	Incident-16/18 감염	HPV-16/18 CIN 2+	방법: PBNA(psuedovirion-based neutralization assay) against HPV16 혹은 HPV18
2차적 목표 시점	지속감염, CIN 1+ 이상의 병변, 부작용	지속감염 혹은 CIN 1+ 부작용	안전성이 관찰됨

3) 백신 종류에 따른 예방효과

가다실의 표적 HPV형의 감염 및 이와 관련된 질환에 대한 예방효과는 표 13-35와 같다. 가다실 관련 임상연구 논문에서 자주 등장하는 단어로 ATP (according-to-protocol), MITT (modified intention-to-treat), ITT (intention-to-treat)가 있는데, ATP 분석이란 가장 엄격한 군으로 연구 참여 대상자 중 가장 '이상적'인, 즉 임상연구 시작 시점에서부터 3회의 접종을 모두 시행받은 사람만을 분석하는 것이다. 연구 시작 단계에서 백신의 HPV형과 같은 종류에 대하여 혈청반응 음성이면서 백신 투여 7개월째에 백신형에 대하여 PCR 음성인 연구 대상에 대한 연구로서 가장 좋은 결과를 내는 방법으로 여겨지고 있다. 이와 정반대되는 개념으로 ITT 분석법이 있는데, 이는 모든 연구 대상자를 포함한다. 즉, 이 중에는 예방접종을 첫 1회만 받은 사람도 포함된다. 이러한 ITT 분석법은 일반적인 대중을 대상으로 한 효과 분석이다. MITT 분석법은 이 두 방법의 중간에 해당하며, 연구의 특정한 규제를 어긴 사람만 제외하고 분석하는 방법이다. MITT-2군은 1회 이상 예방접종을 받은 여성들로, 연구 시작 단계에서 백신의 HPV-6, 11, 16, 18형에 대하여 혈청반응 음성이면서 백신 투여 첫날 백신형에 대하여 PCR 음성이면서 자궁경부질세포진검사상 정상인 경우이며, MITT-3(ITT)군은 1회 이상 예방접종을 받은 여성들로, 연구 시작 단계에서 혈청반응 음성 상태에 대한 언급이 없으며 백신 투여 첫날의 PCR 상태와도 관계없는 전체 연구 대상을 의미한다.

가다실 임상연구의 ATP 분석에서 여러 연구가 모두 95% 이상의 높은 효과를 나타냈다. 그러나 MITT 분석에서 그 효과가 떨어졌는데, 이는 연구 대상에 포함된 첫 1개월 이내에 정도가 매우 낮은 HPV 감염을 가진 여성이 포함되었을 가능성도 있기 때문이다.

표 13-35 HPV 감염과 자궁 경부 병변에서 HPV 타입에 따른 가다실 예방효과

연구	분류		마지막 효과 판정 질환	백신 효과 (95% CI)		
	Study group (명)	Control group(명)		ATP	MITT	ITT
P007	235	233	HPV 지속감염 (4개월)	96(83~98)	94(83~98)	NR
P007	235	233	외부 생식기 병변	100(<0~100)	100(<0~100)	NR
P007	235	233	CIN1+AIS이상 병변	100(<0~100)	100(<0~100)	NR
FUTURE I (P013)	2,241	2,258	CIN1+ AIS	100(94~100)	98(92~100)	55(40~66)
FUTURE I(P013)	2,261	2,279	외부 생식기 병변	100(94~100)	95(87~99)	73(58~83)
FUTURE III(P019)	6,087	6,080	CIN2+AIS	98(86~100)	95(85~99)	44(26~58)
Broad Spectrum HPV Study (NCT00543543)	7,106	7,109	HSIL 이상 병변	NR	96(80~100)	NR

(1) Gardasil 4가/9가 백신

FUTURE-1 연구에 의하면 16~24세 여성 5,455명에 대한 연구에서 HPV16, HPV18에 의한 CIN 2, CIN 3, AIS 예방효과는 평균 3년의 추적관찰 기간 중 100%(95% CI, 94~100%)였다. FUTURE-II 연구에 따르면 15~26세 여성 12,167명에 대한 임상 3상 연구에서 첫 주사를 투여하고 나서 평균 3년 후 HPV16 또는 HPV18에 의한 CIN2, CIN3, AIS 예방효과는 98%(95% CI 86~100%)였다(표 13-35).

Merck 사가 시행한 세 종류의 가다실 관련 임상연구, 즉 P-007과 FUTURE-I(P-013), FUTURE-II(P-015) 연구와 HPV16 단가*monovalent* 백신 연구를 포함하여 16~26세 여성 20,583명을 분석한 연구에 따르면, 백신에 포함된 HPV형과 관련된 CIN 3에 대한 예방효과는 ATP 분석 결과 98%(95% CI 89~100)였다. 백신 접종 당시에 HPV16 또는 HPV18에 이미 감염되었을 수도 있는 ITT군에서는 HPV16, HPV18 관련 CIN 3에 대한 효과가 44%(95% CI 31~55)였다. 고위험 외음부 병변(VIN2/3와 VaIN2/3)의 ATP 분석에 의하면 HPV16, HPV18 관련 VIN2, VIN3 혹은 Va2, Va3는 100% 효과(95% CI 72~100), MITT 코호트에서는 71%의 효과(95% CI 37~88)를 보였다. 2015년 9가 백신으로 무작위 다국적 이중맹검 임상 IIb 시험을 실시 하였다(Broad spectrum HPV vaccine study). 만 16세~26세 총 14,215명 여성이 대상이 되어 9가 백신의 효능과 면역성 분석을 위해 실시되었다. 9가 백신을 맞은 군에서 HPV 31,33,45,52,58과 관련된 고등급 이형성증, 외음부또는 질내 이형성증의 발생은

100명당 0.1명 이었으며 4가 백신을 맞은 군에서는 1000명당 1.6명 이었다(9가 백신의 예방 효과 96.7%, 95% CI 80.9–99.8).

5년간의 추적관찰 기간 동안 4가 백신은 지속적인 효과와 면역원성*immunogenicity*을 보였고, 예방접종을 받은 16~23세 여성의 경우 HPV6, 11, 16, 18 관련 지속 감염이나 질환에 대한 감소 효과는 96%, 100%(CIN 1~3)였다. 예방접종 후 시간이 지나도 접종으로 인한 anti-HPV 기하평균 역가*geometric mean titer*는 자연 감염보다 그 정도가 높았다. 최근의 연구에 의하면 HPV16 VLP의 효과는 8.5년까지도 관찰되었으며, 예방접종을 받은 누구에게서도 HPV16 관련성 CIN이 발견되지 않았다. Broad spectrum HPV vaccine study 에서 접종 후 7개월 시점에서 4가 백신과 9바 백신을 투여 받은 군에서 항체가를 비교 분석하였다. HPV 6과 관련한 항체는 4가 백신 그룹에서 99.8%, 9가 그룹에서 99.8%, HPV 11 관련 항체는 4가 그룹에서 99.9%, 9가 그룹에서 100%, HPV 16 관련 항체는 4가 그룹에서 100%, 9가 그룹에서 100%, HPV 18 관련 항체는 4가 그룹에서 99.7%, 9가 그룹에서 99.8% 확인되었다. 두 그룹간의 유의할만한 차이는 없어 9가 백신이 4가 백신보다 열등하지 않다는 결과를 도출하였다.

예방접종자문위원회*ACIP*에 의하면 가다실은 2006년 6월에 미국 FDA로부터 9~26세 여성의 사용에 대한 허가를 받았다. 2008년 9월에 9~26세 여성의 외음부암과 질암에 대한 예방 효과를 인정받았고, 2009년 10월에는 9~26세 남성에서 HPV6, HPV11로 인한 생식기 사마귀에 대한 예방효과를 인정받았다. 이어 2011년 4월에는 27~45세 여성에 대하여 사용 허가를 받았다. 가다실은 현재 전 세계 108개국 이상에서 허가를 받았으며, 미국 외에 캐나다, 오스트레일리아, 덴마크, 프랑스 등의 국가에서 11세 연령부터 접종이 권유되고 있다. 비교적 자궁경부암의 빈도가 낮은 선진국에서는 매우 비용 효과적으로 우수하다고 발표되어, 최근 여러 국가에서 국가적 예방접종을 위한 적정 연령 추정에 관한 연구가 시행되고 있다.

FUTURE III(P-019) 연구에서 만 27~45세 여성 대상 10년 장기 추적 연구결과 HPV 6,11,16,18 형 지속적 감염, 자궁경부 병변 또는 외음부 생식기 질환에 대한 높은 효능을 보여주었다[88.7% (95% CI: 78.1,94.8)].

(2) HPV 2가 백신

서바릭스의 예방효과를 알아본 연구로는 2상 연구, PATRICIA 임상연구(Papilloma Trial Against Cancer in Young Adults)가 있으며, 단일 맹검 3상 연구로 서바릭스와 HPV6, 11,

16, 18 4가 백신을 비교한 연구가 있다.

PATRICIA 임상연구는 모두 ATP군이 대상이었다. ATP군이 되는 여성은 백신이 목표하는 HPV 아형에 대하여 첫 연구 시작 당시 혈청반응 음성이면서 예방접종을 받는 연구 기간 동안 DNA-음성인 경우로 정한 연구였으며, GSK001/007 연구도 이에 해당한다. GSK007과 PATRICIA 연구 결과에 따르면 백신에 포함된 아형에 대한 분석에서 ATP군에 대한 효과는 95%를 넘었다(표 13-36). PATRICIA 연구는 15~25세의 여성 중 백신 투여군 8,093명, 대조군 8,069명으로 이루어진 임상 3상 이중 맹검 연구이다. 백신의 예방효과를 알아보기 위한 목표는 CIN 2 이상의 병변으로 정했으며, 연구 초기 단계와 6개월째에 DNA 음성, 혈청반응 음성인 여성을 ATP군으로 정했다. 마지막 주사 후 평균 34.9개월(SD 6.4)의 추적관찰 기간을 가졌으며, HPV16, HPV18 관련성 CIN2+ 병변에 대한 효과는 92.9%(96.1% CI 79.9~98.3)였다. 서바릭스의 효과는 6.4년까지 지속된다고 보고되었다.

15~25세 여성으로 HPV16, HPV18 혈청반응 음성, 14종류의 종양 유발 HPV DNA 음성인 경우에 서바릭스, 위약을 투여한 2상 연구를 6.4년까지 연장한 연구 결과에 의하면, ATP군(최소 1회 이상의 서바릭스 접종을 한 경우)에서 12개월 이상 지속되는 HPV16, HPV18 감염에 대한 백신의 예방효과는 100%(96.1% CI 81.8~100)였으며, HPV16, HPV18 관련성 CIN 2 이상의 병변에 대한 효과도는 100%(96.1% CI 51~100)였다. 또한 자연 감염보다 HPV16, HPV18에 대한 항체(ELISA titer)가 12배 이상 높게 유지되는 것이 관찰되었다.

HPV16, HPV18 이외의 아형인 HPV31, 33, 45형에 대한 12개월 이상의 지속감염에 대한 서바릭스의 예방효과 및 CIN 2 이상의 병변 예방효과도 보고되었다. 이러한 교차 예방효과에 의하여 TVC-naive군(예방접종 시작 단계에서 oncogenic HPV 감염이 없고 성적으로 노출되지 않은 여성)에서 HPV 아형에 관계없이 CIN 2 이상의 병변에 대한 예방효과가 70.2%(96.1% CI 54.7~80.9), CIN 3 이상의 자궁경부 병변에 대한 예방효과는 87.0%(54.9~97.7)였다.

서바릭스(2가 백신)는 EU 27개국에서 HPV16, HPV18 관련성 자궁경부암과 자궁경부 전암병변의 예방에 관하여 허가를 받았고, 2008년 6월 영국의 국가적 면역 프로그램*Department of Health's Immunization Program*에 의해 12~13세 여성에 대한 국가 백신으로 선정되었다. 또한 HPV16, HPV18형이라는 가장 흔한 고위험형 외에 서바릭스가 HPV31, 33, 45형에 대해 나타내는 교차면역 효과로 인해 유럽집행위원회*European Commission*는 최근 허가 적응증을 개정했다. 2009년 10월에는 미국 FDA가 10~25세 여성의 자궁경부암, CIN 1, 2, 3, AIS를 예방한다는 적응증으로 서바릭스를 허가했다.

표 13-36 HPV 감염과 자궁경부 병변에서 HPV형에 대한 서바릭스의 예방효과

연구	분류		마지막 효과 판정 질환	백신 효과(95% CI)		
	백신 그룹(명)	위약 그룹(명)		ATP	MITT	ITT
GSK001/007	414	385	HPV 지속(6개월)	96(75~100)	94(78~99)	NR
GSK001/007	414	385	HPV 지속(6개월)	100(52~100)	94(61~100)	NR
GSK001/007	481	470	CIN 1+	NR	100(42~100)	NR
GSK001/007	481	470	CIN 2+	NR	100(-8~100)	NR
PATRICIA	7,344	7,312	CIN 2+	98.1(88.4~100)	97.7(91~99.8)	NR
PATRICIA	7,344	7,312	CIN 3+	100(36.4~100)	100(78.1~100)	NR

GSK: GlaxoSmithKline Biologicals, Rixensart, Belgium, PATRICIA: Papilloma trial against cancer in young adults, ATP: acording to protocol, MITT: modified intention to treat, ITT: intention to treat, CIN1+: CIN grade 1 or worse, CIN grade 1 or worse, CIN2+: CIN grade 2 or worse, CI: confidence interval, NR: not reported. 95% CI, except 97.9% confidence intervals used in PATRICIA.
A post-hoc analyses of PATRICIA including HPV-specific causal attribution in 3 CIN 2/3 cases with multiple HPV types generated efficacy estimates of 100%(97.9% CI 74.2~100).

(3) HPV 9가 백신

가다실 9가(Gardasil 9, Merck & Co.)는 미국에서 2014년 12월에 FDA (Food and Drug Administration)에서 남성과 여성의 대상으로 허가가 났다. HPV 2가나 4가와 마찬가지로 자궁경부암의 66%의 원인인 HPV 16, 18의 예방을 하며 15%의 자궁경부암의 원인인 HPV 31, 33, 45, 52, 58의 예방도 추가로 한다. 가다실 9가는 가다실 4가를 대조군으로 만 16세에서 26세 여성을 대상으로 한 001 비교연구에서 HPV 6, 11, 16, 18형에서는 중화항체 수준이 7개월째 비교한 결과 가다실 4가와 비슷한 수준을 보였다. CIN2+에 96.3%(CI 95%, 79.5~99.8%)의 효과를 보였으며, 모든 CIN에서는 97.7%(CI 95%, 92.2~99.6%)를 보였다. 여성외성기와 질 질병인 VIN2/3+ or VaIN2/3+ 에서는 100% (CI 95%, 71.5~100%)를 보였고, 모든 VIN 또는 VaIN에서는 93.8%(CI 95%, 61.5~99.7%)를 보였다. 가다실 9가의 생식기 사마귀의 감소는 93.8%였다. 002연구에서는 만 16세에서 26세 여성과 여아 9~15세, 남아 9~15세의 3회 접종완료후 7개월째 면역원성을 비교한 결과 비열등한 면역원성의 결과를 보여주었으며, 36개월 간 장기 추적결과에서도 남아 여아 모두에서 HPV 6, 11, 16, 18형의 면역반응이 90% 이상에서 유지되었으며, HPV 31, 33, 45, 52, 58형에서도 36개월간 90%이상에서 유지되는 것이 관찰되었다. 010연구에서는 002연구의 소아에서의 3회접종이 아닌 2회 접종한 군과 만

16~26세 여성의 3회 접종과 비열등성 연구를 시행하였다. 결과는 남아와 여아 모두에서 2회 접종시 면역원성이 만 16~26세 여성 3회 접종시에 비해 비열등하였다. 이런 연구 결과를 바탕으로 현재 만 9~14세 남아 여아 모두에서 2회 접종일정(0, 6~12개월)에 따라 접종할 수 있다. 다만 1차 접종 후 5개월 이전에 2차 접종이 이루어진 경우는 2차 접종 후 최소 4개월 간격을 두고 3차 접종하도록 권장하고 있다. 004연구에서는 가다실 9가를 접종 받은 만 16~26세 여성 대비 만 27~45세 여성에서 HPV 16, 18, 31, 33, 45, 52, 58형에 대한 항체가가 비열등성을 보이는지 확인한 연구로 비열등한 면역원성을 보여 주었다.

(4) ACIP 권고안

2005년 이후 미국 ACIP의 권고안에 추가된 청소년기 예방백신 중 하나가 HPV 백신이다. HPV 예방백신은 미국에서는 11~12세를 권장 연령으로, 9세부터 가능하다. 이 연령대에 접종을 적절히 하지 못한 경우에는 26세까지 HPV 예방백신이 남녀 모두에게 권고된다. 26세 이상에서 권고되지 않으나, 남녀 모두에서 45세까지는 HPV 감염의 위험 인자 관련하여 환자와 상의하에 고려해볼 수 있으며, 46세 이상은 권고하지 않는다. 임신한 경우에는 임신 후 예방접종이 권장되며, 모유수유 중에는 예방접종이 가능하다. 9~14세까지는 6개월에서 12개월 간격을 둔 2회 접종이 권장되며, 최소 5개월 간격이 권고되며, 5개월 이전에 2회 접종이 이루어졌다며 3차 접종을 시행하여야 한다. 15~26세는 3회 접종법이 권고되며, 1회 접종 후 1~2개월 후 2회 접종, 1회 접종 후 6개월 후 3회 접종이 권장된다(0,1~2,6개월 스케줄).

과거 두 종류의 HPV 예방백신이나 백신 구성성분에 대한 알레르기, 즉 가다실의 경우 효모균yeast 알레르기, 서바릭스의 경우 라텍스latex 알레르기가 있었던 환자에게는 예방접종이 절대 금기사항이다. 과거력상 비정상 자궁경부질세포진검사 결과가 있어도 HPV 예방백신의 절대 금기는 아니지만, 이 백신이 치료 경과에 전혀 영향을 주지 않는다는 사실을 알려야 하며, 예방접종 후에도 반드시 자궁경부질세포진검사를 변화없이 시행해야 한다.

(5) 우리나라 백신 권고안

사람유두종바이러스 감염증은 4급감염병(제1급~제3급 감염병 외에 유행 여부를 조사하기 위해 표본감시 활동이 필요한 감염병)으로 분류되어 있으며, 국가 무료 예방접종으로 현재는 여아에서만 가다실 4가와 서바릭스(2가) 접종이 가능하며 가다실 9가는 아직 무료 접종은 지원하지 않고 있다. 대한산부인과학회와 대한부인종양학회에서는 2011년 처음 백신 접종 권고안을 제시하였고 꾸준히 임상 가이드라인을 재정비 하고 있다. 4가/9가 가다실의 경우 만 9세~26세 여성, 만 9세~15세 남성을 대상 연령으로 정하였으며, 최적 접종 연령은 만 15~17세 여성을 최종 접종연령으로 권장하고 있다. 따라잡기 접종 권장 대상은 만 18~26세 여성, 만 27세~45세 여성을 권장하고 있다. 2가 백신의 경우 접종 대상연령은 만 10세~25세 여성을 권고하고 있도 최적 접종 연령은 만 15세~17세 여성이다. 따라잡기 접종은 만 18세~25세 여성과 만 26세~55세 여성을 권장하고 있다. 미국, 영국, 오스트리아 등 40여개국에서는 남아에서도 필수 무료 접종으로 지원하는 반면 국내에서는 필요성은 대두되고 있으나 아직은 남아에서는 지원되지 않고 있는 실정이다(다만 한국의 질병관리청에서는 11세 12세의 여아에서 국가필수접종으로 권고하고 있으며, 남아에서도 동일 연령대에서의 예방접종은 권고되고 있다). 서바릭스의 경우 만 9세~14세 사이, 가다실의 경우 만9~13세 사이에서 3회 접종 대신 2회 접종으로 동등한 효과를 기대해 볼 수 있다. 이에 가다실 4가는 만 9세에서 13세 이하에서는 6개월 간격 2회 접종이, 만 14세에서 26세까지는 0, 2, 6개월 간격으로 3회 접종이 권고되고 있으며, 서바릭스는 만 9세에서 14세 이하에서 6개월 간격 2회 접종이, 만 15세에서 25세 연령에서는 0, 1, 6개월 간격으로 3회 접종이 권고된다. 가다실 9가는 만 9세에서 14세 연령에서 6개월 간격으로 2회 접종이, 만 15세에서 26세 연령에서는 0, 2, 6개월 간격으로 3회 접종이 권고된다. HPV 백신은 권장 연령이 25세 또는 26세 이하를 권고하고 있으나 45세 이하에서도 접종 후 예방 효과를 기대해 볼 수 있다.

IX 생식기 단순헤르페스

생식기 단순헤르페스바이러스*genital herpes simplex virus*, HSV 감염은 주요한 보건학적 중요성을 갖는 질병으로, 최근 40여 년 동안 전 세계적으로 증가하는 추세이다. 이 감염은 높은 이환율과 재발, 신생아로의 수직감염, 무균수막염 등과 같은 합병증으로 인하여 최근 관심이 증대되고 있다.

1. 생식기 단순헤르페스의 병인과 역학

생식기 단순헤르페스 감염의 약 85%는 HSV-2가 원인이며, 나머지는 HSV-1이다. 정확한 발생빈도는 알려지지 않았으나 지난 30여 년 동안 현저히 증가하는 추세이다. 대부분의 국가에서 신고 대상 질병이 아니어서 전 세계적인 발생 규모를 추정하기 어려우며 국가 간에 현저한 차이는 있지만 최근 HSV의 감염 빈도와 유병률이 전 세계적으로 증가하고 있다. 선진국의 경우 성병으로 내원한 환자의 6~8%를 차지하며, 성인의 항체 양성률은 5~20%로 보고되고 있다. HSV에 대한 항체 양성 유병률은 나이에 비례하여 증가하고, 사회경제학적 상태에 반비례하여 증가한다. 제2차 세계대전 이후 세대인 중년의 유럽인들을 대상으로 시행된 연구에 따르면 사회경제학적 수준이 낮은 군의 경우 HSV에 대한 항체는 80~100%로서, 사회경제적 수준이 높은 군의 30~50%에 비하여 높게 나타났다. 미국에서는 연간 164만 명 정도가 HSV-2에 감염되는 것으로 추정되며, 12세 이상의 HSV-2 감염인은 1976년 16.4-21.9%에서 1994년 30%로 증가하였다.

우리나라에서는 감염병의 예방 및 관리에 관한 법률에 따라 지정감염병에 속하며, 표본감시체계에 의해 전국 보건소 및 300여 개 표본의료기관을 중심으로 발생현황을 파악하고 있는 성매개감염병이다. 2001년 표본감시전염병으로 지정된 이후 매년 600~700명이 보고되나 2005년 이후 증가양상을 보이고 있으며, 2015년 5,019명으로 꾸준한 증가추세에 있다. 2009년 비뇨의학과와 산부인과 내원환자를 대상으로 한 역학조사에서 성기 단순포진 감염증의 유병률은 0.58%였다. 2006년 부산 지역에서 고위험군 여성을 대상으로 바이러스성 성병 감염 양상에 대해 연구한 결과 혈청 HSV-2 IgG가 23%에서 검출되었다.

HSV-2의 성매개 전파 빈도는 환자의 성별, HSV-1 감염 과거력, 감염된 환자와의 성접촉 빈도 등의 영향을 받는다. 성 배우자가 HSV에 감염되지 않는 경우, 남성에서 여성으로 HSV-2가 전파되는 비율은 11~17%로서 여성에서 남성으로 전파되는 비율인 3~4%보다 높은 것으로 나타났다.

HSV 감염자는 피부나 점막 표면 또는 질분비물이나 타액 등으로부터 바이러스를 흘릴 수 있으며, 비감염자가 이러한 감염자와 접촉할 때 HSV가 전파된다. HSV는 대개 실온이나 건조 상태에서 쉽게 불활성화되기 때문에 공기를 통해 전파될 가능성은 매우 낮다. 감염은 바이러스가 피부의 상처나 자궁경부, 인두중앙부, 결막과 같은 민감한 점막 등에 부착함으로써 이루어진다.

2. 생식기 단순헤르페스의 임상소견

생식기 단순헤르페스는 HSV에 의한 재발성 만성 질환이며, 평균 잠복기는 6일(1~26일)

이다. 혈청검사로 새로 진단된 HSV-2 환자의 약 60%는 무증상이고 약 40%는 증상이 있다. 특징적인 병변은 홍반성 병변 위에 나타나는 수포성 군집이다. 농포와 궤양이 생기며 병변이 진행되고, 최종 단계에서 딱지가 형성된다. 증상이 있는 군의 약 80%가 전형적인 생식기 증상 및 징후를 나타내지만, 20%는 생식기에 HSV의 병소가 나타나지 않고 생식기 통증이나 요도염, 무균수막염, 자궁경부염과 같은 초감염의 합병증으로 알려진 비특이적 증상을 보인다.

1) 최초 발현 감염

증상을 처음 인지한 경우를 최초 발현 감염이라 하지만, 실제 HSV 항체의 존재 여부에 따라 최초 발현 감염을 다음과 같이 분류한다.

(1) 원발성 감염

원발성 감염(primary HSV-1 or HSV-2)은 HSV 항체가 음성인 사람에서 처음 감염되어 임상증상이 나타나는 경우로서, 광범위한 통증성 수포 및 궤양성 생식기 병변이 나타난다. 발열, 근육통 등의 전신 증상이 58~62%에서 나타나며, 압통성 림프절종창이 80% 정도에서 동반된다. 남성 환자의 40%, 여성 환자의 80%가 요도나 방광의 병변, 질의 궤양성 점막에 대한 소변 자극으로 인한 배뇨통을 호소한다. 일부 환자에서 전형적인 생식기 수포성 병변이 생긴 후 2~7일 정도 요정체가 올 수 있는데, 이 경우 천수신경절과 후방신경을 침범하여 요정체 증상과 방광 무반사가 발생할 수 있다. 여성의 경우 자궁경부까지 침범하여 70~90%에서 자궁경부염이 동반된다. 합병증으로 원발성 감염 여성 환자의 35%, 남성 환자의 13%에서 무균성 수막염이 나타날 수 있는데, 주로 HSV-1과 관련되며 사망률이 70%로 매우 높다. 무균성 수막염 환자의 뇌척수액 소견의 경우 세포는 주로 림프구(200~1000/mm^3)이며, 단백이 100 mg/dL까지 상승하고 당은 40 mg 이하로 감소한다.

(2) 비원발성 최초 발현 감염

비원발성 최초 발현 감염(non-primary initial HSV-2)은 이미 HSV 이종항체, 즉 HSV-1 항체를 가진 사람이 HSV-2에 처음 감염되어 증상이 나타나는 경우이다. 일반적으로 원발성 감염보다는 증상이 경하고 합병증의 빈도가 낮으며 질병의 경과가 짧은 것이 특징이다. 이는 기존에 존재하는 이종항체의 면역력 때문인데, HSV에 대한 중화 항체가 세포 외 바이러스를 불활성화시키고 HSV 감염 전파를 차단하여 나타나는 현상이다. 또한 원발성 감염에 비해

HSV 항원에 대한 세포면역반응이 좀 더 일찍 시작되어 증상을 완화시킨다.

(3) 재발성 최초 발현 감염

재발성 최초 발현 감염(first recognized recurrence of HSV-1 or HSV-2)은 생식기 단순헤르페스 증상을 처음 경험하는 환자의 약 10% 정도에서 나타날 수 있다. 이미 동종 항체를 가지고 있는 경우, 즉 처음으로 인지한 생식기 단순헤르페스 병변을 배양하여 HSV-2를 진단했는데 혈청검사에서 HSV-2 항체가 증명된 경우이다. 이는 과거에 HSV-2 감염이 확인되지 않고 있었다는 것을 의미한다. 이렇듯이 임상적으로 원발성 감염과 이전에 감염되었던 경우를 구별하기 어려울 수 있다. 이 경우 혈청에서 분리된 바이러스의 아형을 검사하고 아형 특이항체검사를 시행하면 원발성 및 비원발성 최초 발현 감염과 재발성 최초 발현 감염을 감별하는 데 도움이 된다.

2) 재발성 감염

HSV는 최초 감염 후 무증상으로 오랫동안 신경절에 잠복하였다가 감염자의 면역력이 저하될 경우 재활성화되어 신경섬유를 타고 피부 병소에서 바이러스 증식에 의한 수포를 형성한다. 이와 같은 잠복성 천추감각 신경절 감염에 의한 재발성 감염은 항바이러스 제제를 조기에 사용하거나 다른 어떤 치료를 시행해도 예방할 수 없다. 재발은 천추신경에 의해 지배되는 조직에서 발생하는 경향이 있다. 재발성 감염 환자의 50%에서 국소적인 작열감이나 소양증(가장 흔함), 따끔거림, 모호한 불편감과 같은 전구 증상이, 병소가 나타나기 수 분에서 수일 전에 선행할 수 있다. 바이러스의 재활성화는 자외선 조사, 고열, 감정적 스트레스, 피로, 외상, 월경, 임신 등 감염자의 면역상태가 저하되는 경우와 성행위, 수술 및 특정 약물 투여와 같은 유발 인자와 관련될 수 있다. 이러한 잠복감염과 재활성화 상태가 감염자에서 평생 동안 반복하여 일어날 수 있다.

재발성 감염의 병변은 최초 발현 감염 시보다 주로 생식기 주위로 국소화되어 수포, 농포, 표재성 궤양으로 발생하며, 평균 원발성 생식기 단순헤르페스 병변의 10% 정도의 크기로 나타난다. 동통은 보통 심하지 않고 전신증상은 5~10%에서 일어나며, 자궁경부 병변은 12% 정도로 드물게 나타난다. 증상은 보통 7일경에 가장 심하고 9~10일경에 소실되어 평균 9.3~10.6일의 짧은 임상 경과를 보인다.

생식기 단순헤르페스의 초기 평균 재발률은 개인별로 차이가 크다. 연간 1%인 HSV-1 감염에 비해 HSV-2 감염이 연간 4%로 더 높고, 구강-질 감염보다 생식기 감염에서 더 흔하다. 일반적으로 최초 발현 감염 후 1년 이내에 50~80%에서 일어나며, 1년에 3~4회 정도 재발한다. 평균적으로 매년 약 0.8%씩 재발률이 감소하는 양상이 나타난다.

3) 무증상흘림

무증상흘림asymptomatic shedding이란 감염된 환자에서 임상징후나 증상이 없이 바이러스가 만들어지는 경우로, 전염성이 있으므로 성매개 전파 가능성의 위험이 높은 시기이다. 한 연구에 의하면 바이러스의 무증상흘림 기간에 성접촉을 한 경우 70%에서 전파되는 것으로 나타났다. 생식기 HSV-2형에 감염된 여성이 HSV-1형에 감염된 여성보다 높은 무증상흘림 유병률을 나타낸다. 무증상흘림은 평균 감염 기간의 2%, 약 1.5일 정도에 일어나며, 처음 감염 후 12개월 이내에 가장 빈번하다고 알려져 있다. HSV가 여성의 외음부, 질, 자궁경부, 직장에서 분리되고, 남성에서는 음경, 회음, 요도와 소변에서 분리된다.

3. 생식기 단순헤르페스의 진단

1) 임상적 진단

생식기 단순헤르페스에 대한 임상적 진단clinical diagnosis에서 생식기 궤양성 병변은 매독, 무른궤양 또는 성병림프육아종에 의해서도 발생할 수 있으므로 이들에 대한 검사와 감별도 고려해야 하는데, 역학적으로 선진국과 개발도상국 모두에서 매독균과 헤모필루스듀크레이 감염이 감소하고 있는 추세이므로 HSV 감염이 생식기 궤양의 가장 주된 원인이라고 볼 수 있다. 따라서 다수의 군집을 이루는 생식기 궤양이 있는 경우 임상적으로 생식기 단순헤르페스로 진단할 수 있다. 또한 생식기 단순헤르페스 병변의 경우는 접촉할 때 대부분 통증이 동반되므로 매독균 등에 의한 무통성 궤양 병변과 감별하는 데 도움이 된다. 하지만 동일 병변에 HSV와 매독균이 동시에 존재할 수 있다는 점도 명심해야 한다. 즉, 무통성의 서혜부 양측 림프절병증이 존재하는 환자에서 지속적이고 통증을 동반한 광범위한 궤양이 존재하는 경우 두 가지 병원균을 의심해야 한다. 또한 생식기 궤양을 일으키는 비감염성 질환인 크론병Crohn's disease, 베체트증후군Behcet's syndrome이 점막 궤양 등을 동반하면 생식기 단순헤르페스와 감별하기 어려울 수 있다. 이러한 질병들의 궤양은 생식기 단순헤르페스의 궤양에 비하여 더 깊고 넓으며 증상 기간도 길다.

2) 검사실 진단

(1) 바이러스배양검사

바이러스배양검사*viral culture*는 HSV 감염 확인을 위해 가장 일반적으로 사용되는 민감한 검사 방법으로, HSV의 아형도 알 수 있다. 수포가 있는 경우에는 25 G 주삿바늘로 큰 수포를 터뜨려 삼출되는 액을 면봉에 묻히거나 주사기로 흡입하여 수포액을 채취한다. 궤양이 있는 경우에는 궤사 조직을 생리식염수로 가볍게 씻어낸 후 궤양의 바닥을 면봉으로 세게 문질러 검체를 채취한다. 바이러스배양검사는 생식기 궤양이나 피부점막에 다른 병소가 있는 경우 진단을 위해 가장 선호되는 바이러스 검출 방법이지만, 병소가 치유되기 시작하거나 재발성 질환인 경우 민감도가 떨어진다는 단점이 있다. 또한 HSV는 환경에 쉽게 불안정해지므로 검체 수집과 운반, 그리고 검사실의 검사 능력에 따라 성공적인 배양이 결정된다.

(2) PCR 검사

PCR 검사는 HSV DNA를 증폭하여 검출하는 방법으로, 바이러스배양검사에 비하여 4배 이상 민감하며, 중추신경계나 뇌척수액의 HSV 감염 진단에 가장 적합하다. HSV가 불활성화되더라도 HSV의 DNA는 안정적이므로 검체의 운반 시간이나 환경에 크게 영향을 받지 않는다. 단점은 PCR을 통한 바이러스의 검출로는 감염성을 파악할 수 없다는 점이다.

(3) Tzanck 도말검사

진단 가능한 다핵성 각질형성 거대세포가 40~68%에서 나타나고, 직접형광항체법의 민감도는 58%로 세포배양검사만큼 민감하나, 검사실 소견만으로는 확진을 내릴 수 없다.

(4) 혈청학적 항체검사

원발성 감염의 급성기 검체에 HSV 항체가 없으나 회복기에 혈액검체에서 항체가 존재한다면 진단할 수 있다. 3~6주 내에 대부분의 환자에서 항체가 생성되기 시작하고, 12주에는 70% 이상에서 항체가 생성된다. HSV-2 항체의 분리는 잠재된 생식기 단순헤르페스 감염을 정확히 진단한다고 간주되나, HSV-1 항체는 무증상의 구순단순헤르페스 감염이 흔하여 생식기 감염 진단에 유용하지 못하다. 원발성 감염 초기에 나타나는 항체는 IgM이 특징적이고, 이후 IgG 항체가 생성된다. 일반적으로 IgM 항체는 감염 후 수개월 내에 소실되므로, IgM 항체가 존재하면 최근에 감염되었음을 의미한다.

4. 생식기 단순헤르페스의 치료

생식기 단순헤르페스의 치료 목표는 감염을 억제하고, 뇌수막염이나 요정체와 같은 최초 발현 감염 시 나타날 수 있는 합병증의 빈도와 질병의 임상경과 기간을 줄이며, 최초 감염 이후 빈번한 재발이나 잠복 기간의 발달을 억제하고, 질병의 전파를 줄이며, 잠복감염을 근절하는 데 있다.

진단된 생식기 단순헤르페스는 임상적으로 중요한 증상에 맞게 치료해야 하는데, 항바이러스제 요법이 매우 효과적이므로 치료의 중심이 된다. 드물지만 배뇨신경 침범으로 인해 요정체가 발생하여 폴리도뇨관 유치와 입원치료가 필요한 경우가 있는데, 이 경우에는 생식기로부터의 상행감염 예방 및 폴리도뇨관 유치로 인한 통증 등의 이유 때문에 치골상 폴리도뇨관이 요도 폴리도뇨관보다 선호된다. 뇌수막 자극증세가 나타나거나 증상이 심한 경우에도 입원치료가 필요할 수 있다.

1) 치료 약물

(1) Acyclovir

Acyclovir; ACV는 처음으로 개발된 항바이러스 제제로서 생식기 단순헤르페스 치료에 사용되어왔다. ACV는 HSV에 특정한 티미딘 키나아제*thymidine kinase*에 기질로 작용하는 비고리형 뉴클레오시드이다. ACV는 HSV에 감염된 세포에 의해 선택적으로 인산화되어 ACV-monophosphate로 전환되고, 세포의 효소에 의해 인산화되어 바이러스의 DNA 중합효소*polymerase*의 경쟁적 억제제로 작용하는 ACV-삼인산염*triphosphate*으로 전환된다. ACV는 생체 외에서 HSV-1과 HSV-2에 대하여 강력한 활성을 보인다. 생식기 단순헤르페스의 최초 발현 감염이나 재발성 감염에 대한 ACV의 치료 효과에 대해 많은 연구가 수행되었다. 최초 발현 감염에서 정맥 ACV 주사요법(5 mg/kg 8시간 5일), 경구 ACV 200 mg(하루 5번 10~14일)와 국소적 ACV 요법(5% in polyethyleneglycol ointment) 모두가 증상의 기간과 바이러스의 흘림현상을 감소시키고 병변을 신속히 치유시켜주었다. ACV의 전신적 치료는 새로운 병변의 형성을 억제하고 전신적인 증상을 경감하는 데 효과적이다. 약물 투여 후 48시간 이내에 체질적인 증상이나 열감을 줄이며 빠르게 증상을 완화시킨다. 바르는 국소 항바이러스 요법은 전신적 치료에 비해 임상적 효과가 떨어지므로 권장되지 않는다.

(2) Valacyclovir

ACV의 최대 단점은 경구복용 시 유효성이 매우 떨어져 10~20% 정도만이 흡수된다는 점이다. 이러한 단점을 극복하여 ACV의 혈중 농도를 높이기 위해 개발된 항바이러스 제제가 valacyclovir이다. Valacyclovir는 ACV의 에스테르로서 대부분이 장내 효소와 간의 효소에 의해 신속하게 ACV로 전환되므로 약물의 생물학적 이용 가능성이 54%에 이른다.

Valacyclovir는 복용 횟수를 줄여주므로 항바이러스 제제를 복용하는 환자에게 적절하며, 여러 연구에서 생식기 단순헤르페스 환자에 대한 효과가 입증되어 미국 FDA와 CDC STD 가이드라인에서 최초 발현 감염과 재발성 감염에 대한 억제요법 치료에서 추천되고 있다. 또한 항바이러스 제제 중 유일하게 성접촉으로 인한 HSV-2의 전파 가능성을 감소시키는 효과가 입증되었는데, 500 mg 1일 1회 경구요법 시 HSV-2의 성매개 전파 가능성을 48%까지 감소시킨다. Valacyclovir의 부작용은 거의 없으나, 신장기능이 매우 저하되어 있는 환자에서는 용량 조절이 필요하다.

(3) Famciclovir

Famciclovir는 penciclovir의 전구물질로서, 효과적으로 HSV-1과 HSV-2에 작용한다. ACV와 마찬가지로 monophosphate로 인산화되기 위해서는 바이러스의 티미딘 키나아제가 필요하며 ACV에 대한 교차내성이 빈번하다. Penciclovir 삼인산염은 바이러스의 DNA 합성을 억제하며 생체 외에서 ACV와 비슷한 활성도를 나타낸다. Penciclovir의 세포 내 반감기는 ACV보다 10시간 정도 길며 경구용 famciclovir의 생물학적 이용 가능성은 77% 정도이다. Famciclovir에 대한 효과는 최초 발현 감염에서 ACV와 비교 시 비슷하나 재발성 감염에 대한 억제요법으로 투여하면 ACV나 valacyclovir에 비해 효과적이지 않으며, 성접촉으로 인한 바이러스의 성매개 전파 가능성의 위험도 감소시키지 못한다고 알려져 있다.

2) 상황별 치료

(1) 최초 발현 감염에 대한 치료

항바이러스제 요법이 환자의 증상을 경감하고 부작용을 예방하는 데 매우 효과적이므로 임상적 진단만으로도 항바이러스 요법을 시작할 수 있는데, 임상증상이 시작되면 되도록 빠른 시간 내에 시작해야 효과적이다. ACV, valacyclovir, famciclovir의 임상적 효과는 유사하지만, 1일 투여 횟수가 다르기 때문에 환자의 복약 순응도와 가격 등을 고려하여 약제를 선택한다. 입원이 필요한 심한 원발성 생식기 단순헤르페스의 경우 ACV 5~10 mg/kg을 8시간 간격으로 60분 이상에 걸쳐 정맥주사하고, 2~7일 또는 실질적인 증세 호전이 있을 때까지 투여한다. 정맥주사 기간이 끝난 후에는 경구요법을 총 치료 기간이 10일 이상이 되도록 지속한다. 일반적인 최초 발현 생식기 단순헤르페스에 대해 권장되는 항바이러스 요법은 다음과 같다. ACV 200 mg 1일 5회 경구 5일 요법(임상증상 시작 후 5~7일 이내), 또는 valacyclovir 500 mg 1일 2회 경구 5~10일 요법(임상증상 시작 후 3일 이내), 또는 famciclovir 250 mg 1일 3회 경구 5일 요법(임상증상 시작 후 5일 이내).

(2) 재발성 감염에 대한 치료

재발성 감염을 치료하면 증상의 기간을 1~2일가량 줄일 수 있다. 단기 요법을 시행하는 것이 환자 순응도 측면에서 좀 더 용이하고 경제적이다. 재발성 감염에 대한 치료도 임상증상이 나타나는 대로 항바이러스제 요법을 시작해야 효과적이며, ACV, valacyclovir, famciclovir 의 임상적 효과는 유사하다. 재발성 생식기 단순헤르페스에 대한 권장 항바이러스 요법은 다음과 같다. ACV 200 mg 1일 5회 경구 5일 요법, 또는 valacyclovir 500 mg 1일 2회 경구 5일 요법(임상증상 시작 후 12시간 이내) 또는 famciclovir 250 mg 1일 2회 경구 5일 요법(임상증상 시작 후 6시간 이내).

(3) 재발성 감염에 대한 억제요법

빈번하게 생식기 단순헤르페스가 재발하는 경우는 1일 1회 경구 ACV 치료가 재발 억제에 효과적이라는 여러 연구 결과들이 있다. 재발성 생식기 단순헤르페스에 대한 억제요법은 매 2개월 이내에 재발하거나 연 6회 이상 자주 재발하는 환자들에서 적응이 되며, 재발을 억제하고 환자의 삶의 질을 개선시킨다. 하지만 바이러스의 무증상흘림까지 완전히 억제하지는 못한다. 우리나라의 경우 재발성 생식기 단순헤르페스에 대한 항바이러스제 억제요법은 건강보험 급여 혜택을 받을 수 없다. 재발성 생식기 단순헤르페스에 대해 권장되는 항바이러스제 억제요법에는 valacyclovir 500 mg 혹은 1,000 mg(1년에 10회 이상 재발하는 경우) 1일 1회 경구요법, famciclovir 250 mg 1일 2회 경구요법, ACV 450 mg 1일 2회 경구요법 등이 있으며, 안전성과 효과가 입증된 투여 기간은 valacyclovir가 1년, famciclovir 4개월, ACV는 6년이다.

3) 생식기 단순헤르페스 환자 상담과 교육

생식기 단순헤르페스의 치료에는 약물요법 외에 환자 상담과 교육이 필수적이다. 급성기 질환이 호전되고 난 후에는 감염된 모든 환자와 배우자에게 질환의 만성적 측면에 대하여 교육하는 것이 중요하다. 가능한 감염 원인, 바이러스의 무증상흘림 등을 포함한 질환의 자연경과, 치료요법, 성접촉으로 인한 전파 위험, 신생아로의 수직감염 위험, 예방 그리고 성 배우자에 대한 통보 등에 대한 상담 및 교육이 이루어져야 한다.

이때 생식기 단순헤르페스가 대부분 무증상흘림에 의해 전파된다는 것을 강조해야 한다. 병소의 바이러스흘림이 명백한 시기(재상피화 전까지)에는 병소와의 접촉을 피하는 것이 중요하며, 전구증상이 시작될 때부터 병소가 완전히 치료될 때까지 금욕적인 생활을 하는 것이 바람직함을 주지시킨다. 콘돔 사용과 항바이러스 제제 억제요법은 성매개 전파의 위험성을 감소시킨다. 콘돔을 사용하면 생식기에 HSV-2가 감염된 남성에서 여성으로의 전파가 50% 감소하고, 감염된 여성에서 남성으로의 전파도 비슷한 비율로 감소한다. 그러나 콘돔은 지속적으로 사용하지 않는 경우가 많고, 병소의 위치에 따른 제한점, 구강성교 중의 전파 위험성 등으로 인해 제한점이 많다. 그러므로 환자에게 구강성교를 통한 HSV-1의 성기 감염 증가와 같은 여러 위험 인자 등에 대해 충고할 필요가 있다.

생식기 단순헤르페스에 감염된 환자는 이 사실을 성 배우자에게 알려야 한다. 성 배우자 역시 HSV-1 혹은 HSV-2에 대한 혈청학적 검사의 필요성과 질환에 대한 정보를 상담하는 것이 중요하며, 증상이 있는 성 배우자는 환자와 같은 방법으로 치료받아야 한다. HSV 항체에 대한 아형 특이항체검사는 성 배우자에게 감염 여부에 대한 정보를 제공하며, 전파의 위험에 관한 두 사람 간의 상담에 유용하게 쓰일 수 있다.

빈번하게 재발하는 경우 항바이러스 요법이 증상을 호전시키고 병소의 회복을 도우며, 억제요법이 재발 빈도를 감소시키거나 증상을 약화시키고 성매개 전파 가능성을 감소시킨다는 점도 환자와 성 배우자에게 설명해야 한다.

HSV 감염자는 HIV 감염과 전파의 위험을 증가시킬 수 있으므로 HIV 검사를 반드시 고려해야 하며, 클라미디아나 임질 같은 기타 성매개감염에 대한 검사도 고려해야 한다. B형간염 백신을 접종하지 않은 HSV 감염자는 백신접종의 적응이 된다.

5. 특수한 상황의 생식기 단순헤르페스 감염

1) 임신부의 단순헤르페스 감염

HSV 감염은 매우 흔하여 가임 여성의 5%가 생식기 단순헤르페스를 경험하고, 30%가 HSV-2에 대한 항체를 가지고 있다. 임신 전에 생식기 단순헤르페스에 감염되었던 여성의 약 80%가 임신 기간 동안 2~4회의 재발을 경험하며, 약 15%에서 바이러스가 검출된다. 임신 동안 생식기 단순헤르페스의 임상증상이 처음 발생하는 경우에는 경구 ACV 제제로 치료할 수 있으나, 재발성 감염 병력이 있는 모든 임신부에 대한 ACV 투여는 추천되지 않는다. 임신 말기의 ACV 치료는 재발을 줄임으로써 제왕절개의 빈도를 줄일 수 있어서 사용되기도 하지만, 생식기 단순헤르페스의 기왕력이 없는 HSV 혈청 양성 여성에게 항바이러스제 요법을 시행하는 것은 바람직하지 않다.

출산을 앞두고 원발성으로 감염된 산모가 질식 분만을 하면 신생아 단순헤르페스 감염의 위험성이 증가한다. 하지만 재발성 감염의 경우에는 감염의 위험성이 매우 낮고, 임신 후기에 배양검사로 분만 중 바이러스흘림을 예측하는 것은 부적합하다. 따라서 세밀한 과거력에 대한 문진과 이학적 검사를 통해 생식기 단순헤르페스 병소를 가진 임신부에 대한 제왕절개의 필요성을 고려해야 한다.

임신부에 대한 ACV, valacyclovir 그리고 famciclovir의 전신적 사용은 안정성이 아직 확립되지 않았다. 그러나 임신 초기에 ACV를 사용해도 주요 태아 기형을 증가시키지는 않는 것으로 보고되고 있으며, valacyclovir와 famciclovir에 대한 자료는 아직까지 제한적이다. ACV는 첫 감염이나 중증의 재발성 생식기 단순헤르페스의 경우는 경구투여가 적절하며, 중증 HSV 감염의 경우에는 정맥투여가 좋다.

2) 신생아의 단순헤르페스 감염

신생아 단순헤르페스 감염의 위험 요인에 대한 최근의 역학적 연구에 의하면, 신생아 감염의 가장 큰 위험 인자는 임신 중 생식기 단순헤르페스에 처음 감염된 후 분만 시기까지 모체의 면역력이 충분히 형성되지 않아 항체가 신생아에게 충분히 전달되지 않은 상태에서 분만하는 경우이다. 이 경우에는 9명 중 4명에서 신생아 단순헤르페스 감염이 나타났다고 보고되었다. 이와 달리 과거에 생식기 단순헤르페스에 감염되었던 산모의 분만 시에는 생식기에 병변이 있거나 HSV의 무증상흘림 같은 재활성화에서도 질식 분만한 경우 2%(92명 중 2명)에서

만 신생아 단순헤르페스 감염이 나타났다. 즉, 산모의 생식기 단순헤르페스 과거력보다는 임신 후반부에 처음 발생한 모체 감염이 신생아 단순헤르페스 감염의 위험성을 높인다. 임신 후반기에 산모가 원발성 생식기 단순헤르페스에 감염되면 질식 분만 시 신생아의 감염 위험성이 50% 이상으로 증가하며, 신생아 감염이 일어난 산모의 70% 이상이 생식기 단순헤르페스의 과거력이 없었다. 따라서 신생아의 생식기 단순헤르페스 감염을 예방하려면 과거력이 없는 산모의 임신 후반기 감염을 막는 것과, 분만 시 산모의 병변으로부터의 전파를 막는 것에 중점을 둬야 한다. 태아 감염이 이루어지는 경로는 자궁 내 5%, 분만 전후 85%, 생후 10%이며, 대부분이 양막 파열이나 질식 분만 시 산도에 존재하는 바이러스에 의해 감염된다. 진통이 있거나 양막 파열이 일어날 때 원발성 또는 재발성 병변이 있는 경우에는 제왕절개술을 고려한다. 하지만 분만 시점에 단순헤르페스 병변이 없거나 전구증상만 존재한다면 제왕절개술은 필요하지 않다. 대부분의 신생아 단순헤르페스 증상은 건강한 신생아가 병원에서 퇴원한 후 시작되고, 잠복기는 1~28일(평균 4일) 정도이다. 임상적으로 신생아 감염은 피부-눈-입skin-eye-mouth, SEM (45%), 중추신경계CNS (30%) 또는 파종성 감염(25%)으로 분류된다. 사망률은 각각 0%, 15%, 47%이고, 1년간 비정상적인 성장 발달이 각각 2%, 70%, 25%에서 나타났으나, SEM 감염된 소아의 30% 이상이 CNS 질환으로 진행하는 등의 중복감염이 많으므로 정확하지는 않다. 소수포성 피부 병변은 SEM 감염에서 83%, CNS 감염에서 68%, 신생아 파종성 감염에서는 61%가 관찰되었다.

3) HSV 감염과 HIV 감염

면역결핍 환자는 HSV 감염 시 지속적이고 심한 증상을 보이며, 항문 주위, 음낭, 음경에서 넓은 피부점막 궤양이 발견된다. 병소는 통증이 있으나 비정형적이므로 진단이 까다로울 수 있고, 단순헤르페스 감염의 자연경과와 모순될 수 있다. HIV 감염 환자의 단순헤르페스 감염 병소는 ACV, famciclovir 및 valaciclovir 같은 약제에 잘 반응하지만, 표준 치료보다는 장기간 치료를 해야 하고 용량도 증가시켜야 한다. 동시에 장기적으로 억제요법을 시행할 수 있지만, 경우에 따라 항바이러스제에 대한 내성으로 인해 효과가 없을 수도 있다. 또한 생식기 단순헤르페스는 HIV 감염을 2배 증가시킨다.

- 성매개감염은 매년 전 세계적으로 3억 4천만 명 이상의 인구가 이환될 정도로 규모가 매우 크다.
- 매독균에 감염된 임신부가 적절한 치료를 받지 않을 경우 주산기 사망률이 최고 40%에 이르기도 하므로 성매개감염은 모자보건 차원에서도 최우선적으로 관리해야 한다. 임질과 클라미디아감염증에 걸린 여성이 적절한 치료를 받지 않는 경우 최대 40% 정도에서 골반 내 염증이 발생하며, 그중 1/4이 불임증으로 악화되기도 한다. 또한 불임 여성의 30~40%는 성매개감염의 합병증 발생이 원인인 것으로 평가된다.
- 매독, 임질 등과 같은 성매개감염에 이환된 사람들이 HIV 감염인들과 성접촉을 하면 HIV에 감염될 위험이 건강한 사람들에 비해 최고 50배 높아진다.
- 현재 신규 HIV 감염자 수가 감소하는 경향이 유지되고 있다. 이러한 추세는 AIDS가 만연한 아프리카 사하라 남부 지역의 국가들에서 더욱 뚜렷하다. 반면 동유럽과 중앙아시아 일부 국가들은 최근 HIV 감염인 수가 증가 추세를 보이고 있다.
- 수직감염 예방사업의 성과로 인하여 수직감염 사례도 감소하고 있다. 2009년 한 해 동안 전 세계에서 모유 수유 전파를 포함한 수직감염 사례는 37만 건 정도로 추정되는데, 이는 2001년도의 50만 건보다 26% 정도 감소된 수치이다. 한편 2009년을 기준으로 전 세계 15세 이하의 어린이 감염인 수는 대략 250만 명 수준이다.
- AIDS로 인한 사망자 수도 감소하고 있다. 전 세계에서 AIDS로 사망한 사례는 2004년도의 210만 명을 정점으로 하여 줄어들기 시작했다. 이는 항바이러스 제제 보급, HIV 감염인에 대한 지원 서비스 확대, 그리고 신규 HIV 감염 사례 감소 등의 결과이다.
- 성매개감염 관리 프로그램 운영에서 비용 대비 효과가 높은 분야는 고위험 인구집단의 성매개감염 치료, 증상이 있는 성매개감염의 포괄적인 관리, 선천매독 선별검사와 치료, 콘돔 사용률 증대, 위험한 성행태에 대한 상담 등이다.
- 성매개감염에 대한 효율적이고 적절한 관리와 예방을 위해 진단과 치료, 상담이 주로 이루어지는 1차 의료기관의 역할이 강조되고 있다.
- 성매개감염 관리의 기본 원칙에 대한 충분한 이해를 바탕으로 합당한 수행과 평가가 전제된다면 성매개감염 관리와 예방이 공공보건의 목표에 부합하며 시행될 수 있을 것이다.
- 매독의 1차 선별검사로 RPR 또는 VDRL 단독 검사는 권장되지 않는다.
- TPHA(또는 TPPA)+RPR(또는 VDRL) 복합 검사가 1차 선별검사 및 확진 검사로 권장된다.
- 감염 직후인 초기에 검사하면 'window period'의 가음성이 나타날 가능성이 있으므로, 이 경우가 의심되면 2~4주 후 재검사를 시행한다.
- 매독 치료를 시작할 때는 치료 전에 반드시 VDRL 또는 RPR 역가검사를 시행하여 기준 역가를 결정한다.
- 비트레포네마검사의 혈청학적 역가는 주로 매독의 활성도와 관련 있으며, 치료에 대한 반응을 모니터링하고 재감염을 평가하기 위해 사용된다.
- 조기매독을 적절히 치료하면 비트레포네마검사 결과가 음성으로 전환될 수 있다. 하지만 후기매독을 치료하는 경우에는 역가가 감소하지만 낮게 지속될 수 있다(serofast state).
- 트레포네마검사 결과는 대부분 치료와 관계 없이 평생 동안 양성 반응을 유지한다. 따라서 트레포네마검사의 혈청학적 역가는 임상적으로 의미가 없으며, 매독의 활성 감염과 치료받은 과거의 감염을 구별하지 못한다.
- 권고 사항에 따라 충분한 시간을 가지고 추적관찰한다.
- 완치 판정을 위한 역가 감소에 1~2년이 걸리는 경우가 많다는 것을 염두에 둔다.
- 후기매독의 경우처럼 매독에 감염된 지 오래될수록 역가 감소에 더 많은 시간이 필요하다.
- 치료 실패가 의심되는 경우에는 신경매독을 배제하기 위한 뇌척수액검사를 반드시 고려한다.

- Serofast state와 치료 실패의 감별이 중요하다. 감별이 어려운 경우 벤자신 페니실린 G 240만IU 근육주사 일주일 간격 3회 요법으로 치료한다. 이때 신경매독을 배제하기 위한 뇌척수액검사도 고려한다.
- 후기 잠복매독은 치료 전 기준 역가가 1:2 또는 1:4 정도로 낮은 경우가 많으며, 완치의 기준인 4배 이상의 역가 감소에도 시간이 오래 걸린다. 또한 완치 판정 기준 시점인 24개월에도 4배 이상의 감소 없이 1:1 또는 1:2에 머무르는 경우가 많다. 이 경우에 대한 적절한 조치는 아직 확립되어 있지 않기 때문에 전문가와 상담하여 지속적인 추적관찰을 하거나 벤자신 페니실린 G 240만IU 근육주사 일주일 간격 3회 요법으로 재치료한다.
- 성매개감염으로 인한 요도염의 주요 증상은 배뇨통과 요도분비물이다.
- 클라미디아는 요도염의 가장 흔한 원인균이며, 무증상 집단에서도 2~5%의 유병률이 나타난다.
- 요도염이 의심되면 반드시 요도분비물을 확인하고, 요도분비물이 관찰되지 않더라도 요도면봉채취법을 통해 도말표본검사를 하는 것이 좋다. 도말표본검사에서 임균이 증명되지 않은 경우에는 도말표본검사를 재시행하거나 핵산증폭검사를 시행하여 임균 감염 여부를 확인하는 것이 중요하다. 도말표본검사에서 임균이 증명되지 않더라도 임상적으로 임균요도염이 의심되면 치료를 시작한다. 치료는 세프트리악손 500 mg 또는 1 g 정맥 또는 근육주사 단회 요법 + 아지트로마이신 1 g 경구 단회요법을 시행한다.
- 비임균요도염의 진단 방법으로는 핵산증폭검사가 추천된다. 아지트로마이신 1 g 단회 요법과 독시사이클린 100 mg 하루 2회 7일 요법은 클라미디아의 여부와 관계없이 비임균요도염 치료에도 효과적이다. 트리코모나스요도염에 대해서는 초기 검사 및 치료가 추천되지 않는다.
- 재발성 또는 지속성 요도염의 경우 임균, 클라미디아 및 미코플라스마제니탈리움에 대한 검사를 시행하여 감염 여부를 확인한다. 성 파트너도 치료되었는지 반드시 확인할 필요가 있다. 트리코모나스 감염증에 대한 검사도 시행한다. 임균 감염증에 대해서는 항균제감수성검사를 시행하고, 클라미디아요도염인 경우 테트라사이클린 또는 독시사이클린 내성일 가능성이 있으므로 아지트로마이신으로 치료한다. 트리코모나스요도염은 경구 메트로니다졸 2 g을 단회 요법으로 투여한다.
- 여성은 해부학적, 생식생리학적 조건이 다르기 때문에 남성보다 요로생식기감염 진단이 쉽지 않고 성매개감염의 합병증 위험도 더욱 높다.
- 질은 정상적일 때 pH 4.0~4.5의 약산성을 유지하며, 질산도의 유지는 질 건강에 중요한 상주균의 조절에 중요한 인자로 작용한다
- 사춘기 전 질분비물이 있는 경우에는 임균 감염이 많지만, 사춘기 시기에는 칸디다 감염이 더 흔하다.
- 사춘기 전 여아에서 클라미디아트라코마티스에 의한 감염이 나타나면 성폭행을 당한 경우도 의심해야 한다.
- 성인 여성에서 감염성 질증의 가장 흔한 원인은 세균성질염, 질칸디다증, 트리코모나스질염이다.
- 분비물 없는 질소양증은 비감염성 원인인 자극성 또는 알레르기성 피부염, 상피각화증, 편평상피세포 과다증식증, 편평태선, 건선 등의 피부질환을 의심해야 한다.
- 트리코모나스질염을 성 파트너와 같이 치료하면 치료 효과가 95%로 증가한다
- 콘돔은 가장 효과적인 성전파성 질환 예방법이다.
- 골반염 질환이란 여성 상부생기의 급성 상행성 세균 감염을 말하며, 흔히 성매개균인 임균 또는 클라미디아 감염과 관련이 있다.
- 골반염 질환의 증상과 신체검사 소견은 매우 다양하며, 하복부 압통, 자궁부속기 또는 자궁의 운동성 압통이 주로 포함된다. 경우에 따라서는 고열과 화농성 자궁 또는 질분비물이 동반된다.
- 증상 정도의 범위가 넓고 비특이적일 수 있기 때문에 진단에 어려움이 많다. 예상되는 검사실검사 소견은 혈액 내 백혈구 증가와 CRP 상승이며, 자궁경관도말표본에서 백혈구 증가를 보이거나 PCR 등의 핵산증폭검사로 임균이나 클라미디아 감염이 확인되면 진단에 도움이 된다. 복강경검사는 확진을 위해 필요하지만 침습적이기 때문에 일상 검사로 권장되지는 않는다.
- 성경험이 있는 여성이 골반통을 호소하고 자궁 또는 자궁부속기의 운동성 압통이 관찰될 때는 특별히 다

른 원인이 발견되지 않는 한 즉시 항균제 치료를 시작해야 한다. 경우에 따라서는 입원치료 및 주사요법이 필요하다.

- 골반염 질환의 중요한 후유증은 난소난관농양, 난관의 흉터 또는 협착 등으로 인한 불임과 자궁외임신이다.
- 사람유두종바이러스 감염은 가장 흔한 성적 감염 전파 질환으로, 14~60세 여성의 유병률은 약 25~30%이다.
- 여성의 자궁경부암 발생빈도는 10만 명당 1~50명까지 매우 다양하며, 자궁경부 전암 병변으로 알려져 있는 자궁경부 상피내 이형증CIN의 약 90% 이상은 HPV 감염에 의하여 발생한다. 여러 종류의 HPV 중 고위험형으로 알려진 특정 형들, 즉 HPV16, 18, 31, 33, 35, 39, 45, 51, 52, 56, 58 등이 중등도 이상의 상피내 병변과 자궁경부암을 일으킨다. 특히 HPV16은 자궁경부암과 CIN 2, CIN 3에서 가장 흔히 발견된다.
- HPV는 icosahedral capsids 형태로 감염된 숙주세포의 핵 내에서 증식하며 원형의 DNA 유전자를 가지고 있는데, 분화하는 상피세포에서만 발현하여 외곽 캡시드 단백질을 만드는 L1, L2 유전자와, 고위험 HPV의 암화 특성을 발현시킬 수 있는 E6와 E7 유전자가 특징적이다. E6와 E7 단백은 세포 내 종양 억제 단백질인 p53과 Rb 단백의 기능을 각각 방해하여 세포의 불멸화와 암화 변형에 작용하는 것으로 여겨진다.
- HPV 감염은 매우 전염성이 강하며, 미세 조직 미란micro-abrasion에 의하여 조직-조직 간에 직접 전파된다. 이러한 질환의 전파력은 생식기 사마귀에 노출된 60%의 환자에서 병변이 나타나는 것으로 알 수 있다. 지속적인 고위험 바이러스 감염이 병변의 진행에 필수적이다. HPV 감염의 지속과 자궁경부 병변의 진행에 흡연, HIV 감염 등의 면역결핍상태, 다른 성적 매개성 질환의 존재 유무, 피임약 사용 등이 부가적인 위험 인자가 된다.
- HPV 감염의 평균 기간은 약 8개월이지만, 대표적 고위험 바이러스인 HPV16 단독 감염의 평균 지속 기간은 11개월, HPV16 복합 감염은 이보다 긴 약 15개월이다. 각 형에 따른 HPV 감염의 지속 기간은 나이에 따라 현저한 차이를 보이는데, 상대적으로 나이가 많은 여성에서 HPV 감염의 지속 기간이 길어진다. 이처럼 연령별 HPV 감염의 지속 기간이 다르기 때문에 상대적으로 나이 많은 여성에서 자궁경부암 검사를 위한 검진법으로서 HPV 검사의 필요성이 제시되고 있다.
- 생식기 사마귀는 매우 흔한 성적 감염 질환이다. 미국의 경우 성적으로 활발한 연령인 15~49세의 유병률은 약 1%로 추정된다. 생식기 사마귀는 HPV6, HPV11과 관련 있다. 여성에서 생식기 사마귀의 호발 부위는 외음부이지만, 최대 50%의 여성에서 여러 군데에 동시에 발생하는 병변이 나타나며, 25%가 항문 주위 병변을 보인다. 생식기 사마귀와 관련하여 HPV 감염 병변을 치료하는 1차적 목적은 증상을 완화하고 바이러스의 양을 줄여 병변의 진행과 전파를 막는 것이다. 어떠한 단독 치료 방법도 생식기 사마귀 치료에서 가장 좋은 방법이라고 할 수 없다. 치료는 환자의 선호도에 따라 이루어져야 한다. 환자가 직접 사용할 수 있는 이미퀴모드(알다라 5% 크림) 약제는 직접적인 항바이러스 효과는 없으나 면역반응 조절 효과가 있다. 포도필록스 0.5%(콘딜록스)는 튜불린 중합을 막고 세포분열mitotic cell division을 억제하여 세포 괴사와 생식기 사마귀의 소멸을 촉진한다 이 약제는 생식기 사마귀를 수일 내에 파괴하지만 정상 조직도 파괴하며, 임신 중에는 사용 금기이다. 안전하여 임신 중에도 사용이 가능한 두 가지 방법은 국소적 도포법으로 사용하는 삼염화아세트산 등의 산성 용액과 액상 질소이다.
- HPV DNA가 발견되고 혈청항체가 처음 보이기까지는 약간의 시간적 지연이 나타난다. 남성은 여성에 비하여 HPV 항체 반응이 낮은 것으로 보고되고 있으며, 국내 여성과 남성의 HPV 혈청 양성률은 각각 15%와 12%였다. 여성 HPV 감염이 연령 증가에 따라 위험도가 감소하는 것과 달리, 남성은 18~70세의 전 연령대에서 나이와 관계없이 비슷한 빈도를 보였다. 남성 HPV 감염의 지속 기간은 중앙값으로 7.5 개월이며, HPV16에 대하여는 약 12개월(범위: 7.16~18.17)이었다. 또한 HPV 감염의 소실 평균 기간은 나이가 상대적으로 젊은 18~30세에서 유의하게 더 길었다.
- 예방적 HPV 백신접종은 HPV와 관련된 질환의 전파를 막는 가장 성공적인 방법이다. 현재 상용화되어 있는 HPV 예방백신은 E6, E7 등이 없는 HPV 외곽 단백인 L1이 스스로 모여서 만들어진 바이러스양 입자(VLP)이다. 현재 국내 및 전 세계적으로 시판되고 있는 HPV 예방백신은 가다실(4가 HPV16/18/6/11 L1

VLP 백신, 동유럽 지역 등 일부에서는 실가드로 명명), 서바릭스(2가 HPV16, 18 L1 VLP 백신)과 가다실 9가(HPV 16, 18, 6, 11, 31, 33, 45, 52, 58 L1 VLP) 3종류이며, 모두 L1 단백만으로 이루어진 VLP 백신이다.

- 서바릭스는 자궁경부암의 원인 중 70%를 차지한다고 지목되는 HPV16, HPV18에 대한 예방백신이며, 가다실은 두 가지 형 외에 외부 생식기 사마귀 원인의 75~90%를 차지하는 HPV6, HPV11에 대한 VLP도 추가되어 있다. 가다실 9가는 고위험 HPV종류인 31, 33, 45, 52, 58이 기존 가다실 4가에 추가되었으며 추가된 5가지는 여성에서 14%의 암과 남성에서 5%의 침윤성암을 유발하는 것으로 알려져 있다.
- 2005년 이후 미국 ACIP의 권고안에는 HPV 예방백신이 청소년기 백신으로 추가되었다. HPV 예방백신은 미국에서는 11~12세를 권장 연령으로 정하고 있다. 2가 백신은 10~25세의 여성, 4가 백신은 9~26세의 여성과 남성에 대하여 허가되어 있다. 미국 ACIP 권고안에서 가다실 9가 백신은 45세까지 남성 여성 모두에게 허가되어 있다. 한국의 질병관리청에서는 만 11세 12세에 예방접종이 여아에서는 국가필수접종이며, 남아에서도 동일 연령대에 예방접종이 권고된다.
- 9세 이상부터 접종이 가능하며, 따라잡기 백신 접종은 18~26세를 권고하고 있다. 가다실 4가는 만 9세에서 13세 이하에서는 6개월 간격 2회 접종이 만 14세에서 26세까지는 0, 2, 6개월 간격은로 3회 접종이 권고되고 있으며, 서바릭스는 만 9세에서 14세 이하에서 6개월 간격 2회 접종이, 만 15세에서 25세 연령에서는 0, 1, 6개월 간격으로 3회 접종이 권고된다. 가다실 9가는 만 9세에서 14세 연령에서 6개월 간격으로 2회 접종이, 만 15세에서 26세 연령에서는 0, 2, 6개월 간격으로 3회 접종이 권고된다. 가다실 9가 백신 허가상항으로 만 45세 여성에게 허가되어 있다.
- 가다실 9가의 경우 HPV 6, 11, 16, 18형에서 중화항체 수준이 접종 완료 후 7개월째 비교한 결과 가다실 4가와 비슷한 수준을 보였으며, 생식기 사마귀의 감소는 93.8%를 보였다. 만 16세에서 26세 여성과 여아 9~15세, 남아 9~15세의 3회 접종완료후 7개월째 면연원성을 비교한 결과 비열등한 면역원성의 결과를 보여주었고, 36개월 간 장기 추적결과에서도 남아 여아 모두에서 HPV 6, 11, 16, 18형의 면역반응이 90% 이상에서 유지되었으며, HPV 31, 33, 45, 52, 58형에서도 36개월간 90%이상에서 유지되는 것이 관찰되었다. 소아에서 2회 접종 연구에서는 남아와 여아 모두에서 2회 접종시 면역원성이 만 16~26세 여성 3회 접종시에 비해 비열등하였다.
- 비정상 자궁경부질세포진검사의 과거력이 있어도 가다실과 서바릭스 투여의 절대 금기는 아니지만, 이 백신들이 치료 경과에 전혀 영향을 주지 않는다는 사실을 반드시 알려야 하며, 예방접종 후에도 반드시 자궁경부질세포진검사를 변함없이 시행해야 한다.
- 생식기 단순헤르페스 감염은 높은 이환율과 재발, 신생아로의 수직감염, 무균수막염 등과 같은 합병증을 나타내는 주요 성매개감염 중 하나이다.
- 생식기 단순헤르페스 감염의 약 85%는 HSV-2가 원인이며, 성매개 전파 빈도는 환자의 성별, HSV-1 감염 과거력, 감염된 환자와 성접촉 빈도 등의 영향을 받는다. HSV 감염자의 피부나 점막 표면 또는 질분비물이나 타액 등을 비감염자가 접촉하였을 때 HSV가 전파된다.
- 생식기 단순헤르페스의 특징적인 임상소견은 홍반성 병변 위에 나타나는 수포성 군집이며, 농포와 궤양이 진행되고 최종 단계로 딱지가 형성된다. 최초 발현 감염보다 재발성 감염 병변이 생식기 주위로 국소화되며 크기도 더 작다. 일반적으로 최초 발현 감염 후 1년 이내에 50~80%에서 재발한다.
- 다수의 군집을 이루는 생식기 궤양이 있는 경우 임상적으로 진단할 수 있으며, 확진을 위해 가장 일반적으로 쓰이는 방법은 바이러스배양검사이다.
- 생식기 단순헤르페스의 치료 목표는 감염을 억제하고 뇌수막염, 요정체와 같은 최초 발현 감염 시의 합병증의 빈도와 질병의 임상경과 기간을 줄이며, 빈번한 재발이나 잠복기간의 발달을 억제하고, 전파를 줄이며, 잠복감염을 근절하는 데 있다.
- 생식기 단순헤르페스 치료 시에는 *acyclovir, valacyclovir, famciclovir* 등의 항바이러스제가 매우 효과적이며 치료의 중심이 된다.
- 생식기 단순헤르페스 치료 시에는 약물요법 외에 환자 상담과 교육이 필수적이다.

참고문헌

1. 1998 guidelines for treatment of sexually transmitted diseases. Centers for Disease Control and Prevention. MMWR Recomm Rep 1998;47(RR-1):1-111.
2. 대한부인종양학회, 자궁 경부암 예방 백신 가다실 임상 권고안(2011)
3. 대한부인종양학회, 자궁 경부암 예방 백신 서바릭스 임상 권고안(2011)
4. 대한부인종양학회, 자궁 경부암 예방 백신 권고안- 의사용 (2016)
5. 식품의약품안전처, 가다실 9 허가사항 (2020).
6. 질병관리본부, 대한민국 성매개감염 진료지침 2016
7. Advisory Committee on Immunization Practices, Current HPV Vaccine Recommendations: http://www.cdc.gov/vaccines/hcp/acip-recs/vacc-specific/hpv.html
8. Advisory Committee on Immunization Practices, Current HPV Vaccine Recommendations: http://www.cdc.gov/vaccines/hcp/acip-recs/vacc-specific/hpv.html
9. Akduman D, Ehret JM, Messina K, Ragsdale S, Judson FN. Evaluation of a strand displacement amplification assay (BD ProbeTec-SDA) for detection of Neisseria gonorrhoeae in urine specimens. J Clin Microbiol 2002;40:281.
10. Alary M, Mukenge-Tshibaka L, Bernier F, Geraldo N, Lowndes CM, Meda H, et al. Decline in the prevalence of HIV and sexually transmitted diseases among female sex workers in Cotonou, Benin, 1993-1999. AIDS 2002;16:463-70.
11. American Academy of Pediatrics. Chlamydial infections. In: Pickering LK, editor. 2000: Red Book: Report of the Committee on Infectious Diseases. 25th ed. Elk Grove Village, IL: American Academy of Pediatrics; 2000. p. 208-11.
12. American Academy of Pediatrics. Gonococcal infections. In: Pickering LK, editor. 2000 Red Book: Report of the Committee on Infectious Diseases. 25th ed. Elk Grove Village, IL: American Academy of Pediatrics; 2000. p. 254-60.
13. American Cancer Society. American Cancer Society guidelines for the early detection of cancer. Available from: http://www.cancer.org/healthy/findcancerearly/cancerscreeningguidelines/american-cancer-society-guidelines-for-the-early-detection-of-cancer.
14. American College of Gynecology and Obstetrics. Opinion #641, September 2015: http://www.acog.org/Resources-And-Publications/Committee-Opinions/Committee-on-Adolescent-Health-Care/Human-Papillomavirus-Vaccination
15. American College of Obstetrics and Gynecologists. Cervical cytology screening. ACOG practice bulletin No. 109. Obstet Gynecol 2009;114:1409-20.
16. American College of Obstetrics and Gynecology. ACOG practice bulletin management of abnormal cervical cytology and histology. ACOG 2008;112:1419-44.
17. Amies CR. A modified formula for the preparation of Stuart's transport medium. Can Jf Public Health 1967;58:296-300.
18. Amsel R, Totten PA, Spiegel CA, Chen KC, Eschenbach D, Holmes KK. Nonspecific vaginitis: Diagnostic criteria and microbial and epidemiological associations. Am J Med 1983;74:14-22.
19. Androphy EJ, Hubbert NL, Schiller JT, Lowy DR. Identification of the HPV-16 E6 protein from transformed mouse cells and human cervical carcinoma cell lines. EMBO J 1987;6:989-92.
20. Antson AA, Burns JE, Moroz OV, Scott DJ, Sanders CM. Structure of the intact transactivation domain of the human papillomavirus E2 protein. Nature 2000;403:805-9.
21. Arbyn M, Weiderpass E, Bruni L, de Sanjosé S, Saraiya M, Ferlay J, Bray F. Estimates of incidence and mortality of cervical cancer in 2018: a worldwide analysis Lancet Glob Health. 2020 Feb;8(2):e191-e203

22. Arya OP, Hobson D, Hart CA, Bartzokas C, Pratt BC. Evaluation of ciprofloxacin 500mg twice daily for one week in treating uncomplicated gonococcal chlamydial and non-specific urethritis in men. Genitourin Med 1986;62:170.

23. Ashley RL, Eagleton M, Pfeiffer N. Ability of a rapid serology test to detect seroconversion to herpes simplex virus type 2 glycoprotein G soon after infection. J Clin Microbiol 1999; 37:1632-3.

24. Ashley RL. Progress and pitfalls in serological testing for genital herpes. Herpes 1994;1:49-51.

25. Auvert B, Taljaard D, Lagarde E, Sobngwi-Tambekou J, Sitta R, Puren A. Randomized, controlled intervention trial of male circumcision for reduction of HIV infection risk: the ANRS 1265 Trial. PLoS Med 2005;2:e298.

26. Baek JO, Jee HJ, Kim TK, Kim HS, Lee MG. Recent Trends of Syphilis Prevalence in Normal Population in Korea: A Single Center Study in Seoul. Korean J Dermatol 2011;49:106-10.

27. Bailey RC, Moses S, Parker CB, Agot K, Maclean I, Krieger JN, et al. Male circumcision for HIV prevention in young men in Kisumu, Kenya: a randomised controlled trial. Lancet 2007; 369:643-56.

28. Baker CC, Phelps WC, Lindgren V, Braun MJ, Gonda MA, Howley PM. Structural and transcriptional analysis of human papillomavirus type 16 sequences in cervical carcinoma cell lines. J Virol 1987;61:962-71.

29. Barr E, Tamms G. Quadrivalent human papillomavirus vaccine. Clin Infect Dis 2007;45(5):609-17.

30. Baughn RE, McNeely MC, Jorizzo JL, Musher DM. Characterization of the antigenic determinants and host components in immune complexes from patients with secondary syphilis. J Immunol 1986;136:1406-14.

31. Bechtel K. Sexual abuse and sexually transmitted infections in children and adolescents. Curr Opin Pediatr 2010;22(1):94-9.

32. Behets FM, Rasolofomanana JR, Van Damme K, Vaovola G, Andriamiadana J, Ranaivo A, et al; Mad-STI Working Group. Evidence-based treatment guidelines for sexually transmitted infections developed with and for female sex workers. Trop Med Int Health 2003;8:251-8.

33. Benedetti JK, Zeh J, Corey L. Clinical reactivation of genital herpes simplex virus infection decreases in frequency over time. Ann Intern Med 1999;131:14-20.

34. Björnelius E, Lidbrink P, Jensen JS. Mycoplasma genitalium in non-gonococcal urethritis-a study in Swedish male STD patients. Int J STD AIDS 2000;11(5):292-6.

35. Blandford JM, Gift TL, Vasaikar S, Mwesigwa-Kayongo D, Dlali P, Bronzan RN. Cost-effectiveness of on-site antenatal screening to prevent congenital syphilis in rural eastern Cape Province, Republic of South Africa. Sex Transm Dis 2007;34(Suppl 7):S61-6.

36. Blankenship KM, Bray SJ, Merson MH. Structural interventions in public health. AIDS 2000;14(Suppl 1):S11-21.

37. Bleeker MC, Hogewoning CJ, Voorhorst FJ, van den Brule AJ, Snijders PJ, Starink TM, et al. Condom use promotes regression of human papillomavirus-associated penile lesions in male sexual partners of women with cervical intraepithelial neoplasia. Int J Cancer 2003;107:804-10.

38. Bodsworth NJ, Crooks RJ, Borelli S, Vejisgaard G, Paavonen J, Worm AM, et al. Valacylovir versus acyclovir in patient-initiated treatment of recurrent genital herpes: A randomized, double-blind clinical trial. International Valacylovir HSV Study Group. Genitourin Med 1997;73:110-6.

39. Bosch FX, Burchell AN, Schiffman M, Giuliano AR, de Sanjose S, Bruni L, et al. Epidemiology and natural history of human papillomavirus infections and type-specific implications in cervical neoplasia. Vaccine 2008;26(Suppl 10):K1-16.

40. Bosch FX, de Sanjose S. Chapter 1: human papillomavirus and cervical cancer-burden and assessment of causality. J Natl Cancer Inst Monogr 2003;(31):3-13.

41. Bowie WR, Caldwell HD, Jones RP, Mardh P, Ridgway GL, Schachter J, et al. Treatment of chlamydial infections. In: Bowie WR, Caldwell HD, Jones RP, Mardh P, Ridgway GL, Schachter J, et al, editors. Chlamydial Infections. New York: Elsevier; 1982. p. 231.

42. Bowie WR, Wang SP, Alexander ER, Floyd J, Forsyth PS, Pollock HM, et al. Etiology of nongonococcal urethritis. Evidence for Chlamydia trachomatis and Ureaplasma urealyticum. J Clin Invest 1977;59:735.

43. Bowie WR, Alexander ER, Stimson JB, Floyd JF, Holmes KK. Therapy for nongonococcal urethritis: Double-blind randomized comparison of two doses and two durations of minocycline. Ann Intern Med 1981;95:306.

44. Bowie WR, Floyd JF, Miller Y, Alexander ER, Holmes J, Holmes KK. Differential response of chlamydial and ureaplasma-associated urethritis to sulphurazole (sulfi-soxazole) and aminocyclitols. Lancet 1976;2:1276.

45. Bowie WR. Comparison of Gram stain and first-voided urine sediment in the diagnosis of urethritis. Sex Transm Dis 1978;5:39.

46. Bradshaw CS, Denham IM, Fairley CK. Characteristics of adenovirus associated urethritis. Sex Transm Infect 2002;78: 445.

47. Bradshaw CS, Jensen JS, Tabrizi SN, Read TR, Garland SM, Hopkins CA, et al. Azithromycin failure in Mycoplasma genitalium urethritis. Emerg Infect Dis 2006;12:1149.

48. Bradshaw, C.S., M.Y. Chen, and C.K. Fairley, Persistence of Mycoplasma genitalium following azithromycin therapy. PLoS One, 2008. 3(11): p. e3618.

49. Bradshaw CS, Tabrizi SN, Read TR, Garland SM, Hopkins CA, Moss LM, et al. Etiologies of nongonococcal urethritis: Bacteria, viruses, and the association with orogenital exposure. J Infect Dis 2006;193:336.

50. Brigden D, Whiteman P. The clinical pharmacology of acyclovir and its prodrug. Scan J Infect Dis Suppl 1985;47: 33-9.

51. Brihmer C, Kallings I, Nord CE, Brundin J. Salpingitis; aspects of diagnosis and etiology: a 4-year study from a Swedish capital hospital. Eur J Obstet Gynecol Reprod Biol 1987; 24(3):211-20.

52. British Association for Sexual Health and HIV (BASHH). 2001 National Guideline for the Management of epididymo-orchitis. London: BASHH; 2001.

53. Bronzan RN, Mwesigwa-Kayongo DC, Narkunas D, Schmid GP, Neilsen GA, Ballard RC, et al. On-site rapid antenatal syphilis screening with an immunochromatographic strip improves case detection and treatment in rural South African clinics. Sex Transm Dis 2007;34(Suppl 7):S55-60.

54. Brorson JE, Holmberg I, Nygren B, Seeberg S. Vancomycin sensitive strains of Neisseria gonorrhoeae. A problem for the diagnostic laboratory. Br J Vener DTs 1973;49:452-3.

55. Brown DR, Schroeder JM, Bryan JT, Stoler MH, Fife KH. Detection of multiple human papillomavirus types in condylomata acuminate lesions from otherwise healthy and immunosuppressed patients. J Clin Microbiol 1999;37:3316-22.

56. Brown ST. Adverse reactions in syphilis therapy. J Am Vener Dis Assoc 1976;3:172-6.

57. Brown WH, Pearce L. A note on the dissemination of Spirochaeta pallid from the primary focus of infection. Arch Derm Syphilol 1920;2:470-2.

58. Bruins SC, Tight RR. Laboratory-acquired gonococcal conjunctivitis. JAMA 1979;241:274-9.

59. Bryson Y, Dillon M, Bernstein DI, Radolf J, Zakowski P, Garratty E. Risk of acquisition of genital herpes simplex virus type 2 in sex partners of persons with genital herpes : a prospective couple study. J Infect Dis 1993;167:942-6.

60. Bryson YJ, Dillon M, Lovett M, Acuna G, Taylor S, Cherry JD, et al. Treatments of first episodes of genital herpes simplex virus infections with oral acyclovir: A randomized double-blind controlled trial in normal subjects. N Engl J Med 1983;308:916-20.

61. Budai I. "Chlamydia trachomatis: milestones in clinical and microbiological diagnostics in the last hundred years: a review". Acta microbiologica et immunologica Hungarica 2007;54:5-22.

62. Burchell AN, Winer RL, de Sanjosé S, Franco EL. Chapter 6: epidemiology and transmission dynamics of genital HPV infection. Vaccine 2006;24(Suppl 3)S3/52-61.

63. Burnette TC, Harrington JA, Reardon JE, Merrill BM, de Miranda P. Purification and characterization

of a rat liver enzyme that hydrolyzes valaciclovir, the L-valyl ester prodrug of acyclovir. J Biol Chem 1995;270:15827-31.

64. Byrne MA, MØler BR, Taylor-Robinson D, Harris JR, Wickenden C, Malcolm AD, et al. The effect of interferon on human papillomaviruses associated with cervical intra-epithelial neoplasia. Coleman DV. Br J Obstet Gynaecol 1986;93(11):1136-44.

65. Cameron CE, Brown EL, Kuroiwa JM, Schnapp LM, Brouwer NL. Treponema pallidum fibronectin-binding proteins. J Bacteriol 2004;186:7019-22.

66. Cameron CE. Identification of a Treponema pallidum laminin-binding protein. Infect Immun 2003;71:2525-33.

67. Castle PE, Adcock R,Wentzensen N et al., Relationship of p16 immunohistochemistry and other biomarker with diagnosed of cervical abnormalities: implication for LAST terminology. Arch Pathol Lab Med 2020;144(6):725-34.

68. Carter JJ, Koutsky LA, Hughes JP, Lee SK, Kuypers J, Kiviat N, Galloway DA. Comparison of human papillomavirus types 16, 18, and 6 capsid antibody responses following incident infection. J Infect Dis 2000;181:1911-19.

69. Cassidy DE, Drewry J, Fanning JP. Podophyllum toxicity: a report of a fatal case and a review of the literature. J Toxicol Clin Toxicol 1982;19:35-44.

70. Castellsagué X, Díaz M, de Sanjosé S, Muñz N, Herrero R, Franceschi S, et al. Worldwide human papillomavirus etiology of cervical adenocarcinoma and its cofactors: implications for screening and prevention. J Natl Cancer Inst 2006;98:303-15.

71. Castle PE, Schiffman M, Herrero R, Hildesheim A, Rodriguez AC, Bratti MC, et al. A prospective study of age trends in cervical human papillomavirus acquisition and persistence in Guanacaste, Costa Rica. The Journal of Infectious Diseases 2005;191:1808-16.

72. Castle PE, Schiffman M, Herrero R, Hildesheim A, Rodriguez AC, Bratti MC, et al. A prospective study of age trends in cervical human papillomavirus acquisition and persistence in Guanacaste, Costa Rica. J Infect Dis 2005;191:1808-16.

73. Castle PE, Shields T, Kirnbauer R, Manos MM, Burk RD, Glass AG, et al. Sexual behavior, human papillomavirus type 16 (HPV 16) infection, and HPV 16 seropositivity. Sex Transm Dis 2002;29:182-87.

74. Castle PE, Wacholder S, Sherman ME, Lorincz AT, Glass AG, Scott DR, et al. Absolute risk of a subsequent abnormal pap among oncogenic human papillomavirus DNA-positive, cytologically negative women. Cancer 2002;95(10):2145-51.

75. CDC. Quadrivalent human papillomavirus vaccine: re-commendations of the advisory committee on immunization practices. MMWR 2007;56:1-24.

76. Cecil JA, Howell MR, Tawes JJ, Gaydos JC, McKee KT Jr, Quinn TC. Features of Chlamydia trachomatis and Neisseria gonorrhoeae infection in male Army recruits. J Infect Dis 2001;184:1216-9.

77. Centers for Disease Control and Prevention. Genital HPV infection-STD fact sheet. Available from: http://www.cdc. gov/STD/ HPV/STDFact-HPV.htm. Accessed September 2, 2010.

78. Centers for Disease Control and Prevention. Screening Tests To Detect Chlamydia trachomatis and Neisseria gonorr-hoeae Infections 2002;51:1-27.

79. Centers for Disease Control and Prevention. Sexually transmitted disease surveillance 2003 supplement. Syphilis Surveillance Report. December 2004. Atlanta, GA: Centers for Disease Control and Prevention; 2004.

80. Centers for Disease Control and Prevention. Sexually transmitted diseases surveillance 2007: National profile. p.7-8. Available from: http://www.cdc.gov/std/stats07/Surv2007 -NationalProfile.pdf.

81. Centers for Disease Control and Prevention. Sexually transmitted disease surveillance, 2018 https://www.cdc.gov/std/stats18/Syphilis.htm (Accessed on October 17, 2019).

82. Centers for disease control and prevention. Sexually transmitted disease guidelines 2002. MMWR 2002;51(RR6): 1–80.

83. Centers for Disease Control and Prevention. Sexually transmitted disease treatment guidelines 2006. Genital warts. MMWR 2006;55(RR–11):62–7.

84. Centers for Disease Control and Prevention. Update to CDC's sexually transmitted diseases treatment guidelines 2006: Fluoroquinolones no longer recommended for treatment of gonococcal infections. MMWR 2007;56:332–6.

85. Cesario TC, Poland JD, Wulff H, Chin TD, Wenner HA. Six years experience with herpes simplex virus in a children's home. Am J Epidemiol 1969;90:416–22.

86. Chapel TA, Jeffries CD, Brown WJ. Simultaneous infection with Treponema pallidum and herpes simplex virus. Cutis 1979;24:191–2.

87. Chapel TA. The signs and symptoms of secondary syphilis. Sex Transm Dis 1980;7:161–4.

88. Cheetham DR. Bartholin's cyst: Marsupialization or aspiration? Am J Obstet Gynecol 1985;152(5):569–70.

89. Chin-Hong PV, Palefsky JM. Natural history and clinical management of anal human papillomavirus disease in men and women infected with human immunodeficiency virus. Clin Infect Dis 2002;35:1127–1134.

90. Chlamydia, gonorrhoea, trichomoniasis and syphilis: global prevalence and incidence estimates, 2016. Rowley J, Vander Hoorn S, Korenromp E, Low N, Unemo M, Abu-Raddad LJ, Chico RM, Smolak A, Newman L, Gottlieb S, Thwin SS, Broutet N, Taylor MM

91. Cho KS, Na YR, Joe HC, Lee JH, Jung MJ. Distribution of Sexually Transmitted Viral Disease in Busan. Korean J microbiol 2006;42(3):177–84.

92. Choi YS, Yu HJ, Son SJ. Prevalence of syphilis in normal population in Korea (1987–1991). Korean J Dermatol 1994; 32(5):866–71.

93. Christensen JJ, Kirkegaard E, Korner B. Hemophilus isolated from unusual anatomical sites. Scand J Infect Dis 1990; 22(4):437–44.

94. Chuang TY, Perry HO, Kurland LT, Ilstrup DM. Condyloma acuminatum in Rochester, Minn., 1950–1978. I. Epidemiology and clinical features. Arch Dermatol 1984;120:469–75.

95. Chung HH, Jang MJ, Jung KW, Won YJ, Shin HR, Kim JW, et al. Cervical cancer incidence and survival in Korea: 1993–2002. Int J Gynecol Cancer 2006;16(5):1833–8.

96. Clifford G, Franceschi S. Chapter 3: HPV type-distribution in women with and without cervical neoplastic diseases. Vaccine 2006;24(3):S26–34.

97. Clifford GM, Gallus S, Herrero R, Muñz N, Snijders PJ, Vaccarella S, et al. Worldwide distribution of human papillomavirus types in cytologically normal women in the International Agency for Research on Cancer HPV prevalence surveys: a pooled analysis. Lancet 2005;366:991–8.

98. Clifford GM, Shin HR, Oh JK, Waterboer T, Ju YH, Vaccarella S, et al. Serologic response to oncogenic human papilloma-virus types in male and female university students in Busan, South Korea. Cancer Epidemiol Biomarkers Prev 2007; 16(9):1874–9.

99. Clifford GM, Smith JS, Plummer M, Muñz N, Franceschi S. Human papillomavirus types in invasive cervical cancer worldwide: a meta-analysis. Br J Cancer 2003;88(1):63–73.

100. Cohen DA, Wu SY, Farley TA. Comparing the cost-effectiveness of HIV prevention interventions. J Acquir Immune Defic Syndr 2004;37:1404–14.

101. Cohen MS, Hoffman IF, Royce RA, Kazembe P, Dyer JR, Daly CC, et al. Reduction of concentration of HIV-1 in semen after treatment of urethritis: implications for prevention of sexual transmission of HIV-1. AIDSCAP Malawi Research Group. Lancet 1997;349:1868–73.

102. Coleman N, Birley HD, Renton AM, Hanna NF, Ryait BK, Byrne M, et al. Immunological events in regressing genital warts. Am J Clin Pathol 1994;102:768–74.

103. Colvin M, Bachmann MO, Homan RK, Nsibande D, Nkwanyana NM, Connolly C, et al. Effectiveness and

cost effectiveness of syndromic sexually transmitted infection packages in South African primary care: cluster randomised trial. Sex Transm Infect 2006;82:290-4.

104. Cook LS, Koutsky LA, Holmes KK. Clinical presentation of genital warts among circumcised and uncircumcised hetero-sexual men attending an urban STD clinic. Genitourin Med 1993;69:262-64.

105. Corey L, Adams HG, Brown ZA, Holmes KK. Genital herpes simplex virus infection: clnical manifestations, course, and complications. Ann Intern Med 1983;98:958-72.

106. Corey L, Fife KH, Benedetti JK, Winter CA, Fahnlander A, Cennor JD, et al. Intravenous acyclovir for the treatment of primary genital herpes. Ann Intern Med 1983;98:914-21.

107. Corey L, Holmes KK. Genital Herpes Simplex virus infections: current concepts in diagnosis, theraphy, and prevention. Ann Intern Med 1983;98:973-83.

108. Corey L, Nahmias AJ, Guinan ME, Benedetti JK, Critchlow CW, Holmes KK. A trial of topical acyclovir in genital herpes simplex virus infections. N Engl J Med 1982;306:1313-9.

109. Corey L, Wald A, Celum CL, Quinn TC. The effects of herpes simplex virus-2 on HIV-1 acquisition and transmission: a review of two overlapping epidemics. J Acquir Immune Defic Syndr 2004;35:435-45.

110. Corey L, Wald A, Patel R, Sacks SL, Tyring SK, Warren T, et al; Valacyclovir HSV Transmission Study Group. Once-daily valacyclovir to reduce the risk of transmission of genital herpes. N Engl J Med 2004;350(1):11-20.

111. Coufalik ED, Taylor-Robinson D, Csonka GW. Treatment of nongonococcal urethritis with rifampicin as a means of defining the role of Ureaplasma urealyticum. Br J Vener Dis 1979;55:36.

112. Cowan FM, Hargrove JW, Langhaug LF, Jaffar S, Mhuriyengwe L, Swarthout TD, et al. The appropriateness of core group interventions using presumptive periodic treatment among rural Zimbabwean women who exchange sex for gifts or money. J Acquir Immune Defic Syndr 2005;38:202-7.

113. Crabbé F, Tchupo JP, Manchester T, Gruber-Tapsoba T, Mugrditchian D, Timyan J, et al. Prepackaged therapy for urethritis: the "MSTOP" experience in Cameroon. Sex Transm Infect 1998;74:249-52.

114. Credé C. Reports from the obstetrical clinic in Leipzig: Prevention of eye inflammation in the newborn. Am J Dis Child 1971;121:3-4.

115. Crumpacker CS, Schnipper LE, Zaia JA, Levin MJ. Growth inhibition by acycloguanosine of herpes viruses isolated from human infections. Antimicrob Agents Chemother 1979;15:642-5.

116. Cucurull E, Espinoza LR. Gonococcal arthritis. Rheum Dis Clin North Am 1998;24:305-22.

117. Cudmore SL, Delgaty KL, Hayward-McClelland SF, Petrin DP, Garber GE. Treatment of infections caused by metronidazole -resistant Trichomonas vaginalis. Clin Microbiol Rev 2004;17:783-93.

118. Cullen AP, Reid R, Campion M, Lorincz AT. Analysis of the physical state of different human papillomavirus DNAs in intraepithelial and invasive cervical neoplasm. J Virol 1991;65:606-12.

119. Cumberland MC, Turner TB. The rate of multiplication of Treponema pallidum in normal and immune rabbits. Am J Syph Gonorrhea Vener Dis 1949;33:201-12.

120. Cupp MR, Malek RS, Goellner JR, Smith TF, Espy MJ. The detection of human papillomavirus deoxyribonucleic acid in intraepithelial, in situ, verrucous and invasive carcinoma of the penis. J Urol 1995;154:1024-29.

121. Cuschieri KS, Cubie HA, Whitley MW, Gilkison G, Arends MJ, Graham C, et al. Persistent high risk HPV infection associated with development of cervical neoplasia in a prospective population study. J Clin Pathol 2005;58:946-50.

122. Dallabetta G, Steen R, Saidel T, Meheus A. Evaluating sexually transmitted infection control programs. In: Rehle T, Saidel T, Mills S, Magnani R, editors. Evaluating Programs for HIV/AIDS Prevention and Care in Developing Countries: A Handbook for Program Managers and Decision Makers. Arlington: Family Health International; 2001. p. 49-64.

123. Dallabetta GA, Gerbase AC, Holmes KK. Problems, solutions, and challenges in syndromic management of sexually transmitted diseases. Sex Transm Infect 1998;74(Suppl 1):S1-11.

124. de Miranda P, Good S. Species differences in the metabolism and disposition of antiviral necleoside an-logues: 1. Acyclovir. Antiv Chem Chemother 1992;3:1-8.

125. Darragh TS, Colgan TJ, Cox T et al., The lower anogenital squamous terminology standardization proj-ect for HPV associated lesions: Background and consensus recommendation from College of American Pathologists and the American Society for Colposcopy and Cervical Pathology. Arch Patholo Lab Med 2012;136(10): 1266-97.

126. de Sanjosé S, Diaz M, Castellsagué X, Clifford G, Bruni L, Muñz N, et al. Worldwide prevalence and geno-type distribution of cervical human papillomavirus DNA in women with normal cytology: a meta-analysis. Lancet Infect Dis 2007;7:453-9.

127. de Villiers EM, Fauquet C, Broker TR. Classification of papillomaviruses. Virology 2004;324(1):17-27.

128. Deguchi T, Yoshida T, Miyazawa T, Yasuda M, Tamaki M, Ishiko H, et al. Association of Ureaplasma urealyticum (biovar 2) with nongonococcal urethritis. Sex Transm Dis 2004;31:192.

129. Dehne KL, Riedner G. Sexually Transmitted Infections Among Adolescents: The Need for Adequate Health Services. World Health Organization and Deutsche Geselleschaft fuer Technische Zusammenarbeit (GTZ). 2005.

130. Department of Health. Further guidance on the implementation of the HPV vaccination catch-up cam-paign. Gateway reference no. 11185. London: Department of Health; 2009. Available from: http://www.immunisation. nhs.uk/Publications/ DS_HPV_letter_30Jan09.pdf.

131. Desai VK, Kosambiya JK, Thakor HG, Umrigar DD, Khandwala BR, Bhuyan KK. Prevalence of sexually transmitted infections and performance of STI syndromes against aetiological diagnosis, in female sex workers of red light area in Surat, India. Sex Transm Infect 2003;79:111-5.

132. Dickson KE, Ashton J, Smith JM. Does setting adolescent-friendly standards improve the quality of care in clinics? Evidence from South Africa. Int J Qual Health Care 2007; 19:80-9.

133. Dillner J. The serological response to papillomaviruses. Semin Cancer Biol 1999;9:423-30.

134. Doherty IA, Shiboski S, Ellen JM, Adimora AA, Padian NS. Sexual bridging socially and over time: a simulation model exploring the relative effects of mixing and concurrency on viral sexually transmitted infection transmission. Sex Transm Dis 2006;33:368-73.

135. Donders GG. Management of genital infections in pregnant women. Curr Opin Infect Dis 2006;19:55-61.

136. Donders GG. Microscopy of the bacterial flora on fresh vaginal smears. Infect Dis Obstet Gynecol 1999;7(4):177-9.

137. Doorbar J. Molecular biology of human papillomavirus infection and cervical cancer. Clin Sci(Lond) 2006;110:525-41.

138. Doorbar J. The papillomavirus life cycle. J Clin Virol 2005; 32(Suppl 1):S7-15.

139. Dorsky DI, Crumpacker CS. Acyclovir: Drugs five years later. Ann Intern Med 1987;107:859-74.

140. Douglas-Punktion. In: Kaser O, Ikle FA. editors. Atlas der gynekologischen Operationen, Vol.2. Stuttgart: Georgr Thimem Verlag; 1982. p.15.

141. Douglas JM, Critchlow C, Benedetti J, Mertz GJ, Conner JD, Hintz MA, et al. A double-blind study of oral acyclovir for suppression of recurrences of genital herpes simplex virus infection. N Engl J Med 1984;310:1551-6.

142. Duenas A, Adam E, Melnick JL, Rawls WE. Herpes virus type 2 in a prostitute population. Am J Epidemiol 1972;98:483-9.

143. Duensing S, Munger K. Human papillomaviruses and centrosome duplication errors: modeling the origins of genomic instability. Oncogene 2002;21(40):6241-8.

144. Duke-Elder S. System of Ophthalmology. Vol. 8. 1st ed. London: Henry Kimpton; 1965. p.167-74.

145. Dunne EF, Nielson CM, Stone KM, Markowitz LE, Giuliano AR. Prevalence of HPV infection among men: a systematic review of the literature. J Infect Dis 2006;194:1044-57.

146. Dunne EF, Unger ER, Sternberg M, McQuillan G, Swan DC, Patel SS, et al. Prevalence of HPV infection among females in the United States. JAMA 2007;297:813–19.

147. Edwards L, Ferenczy A, Eron L, Baker D, Owens ML, Fox TL, et al. Self-administered topical 5% imiquimod cream for external anogenital warts. Arch Dermatol 1998;134:25–30.

148. Einstein MH, Baron M, Levin MJ, Chatterjee A, Edwards RP, Zepp F, et al; HPV-010 Study Group. Comparison of the immunogenicity and safety of Cervarix and Gardasil human papillomavirus (HPV) cervical cancer vaccines in healthy women aged 18–45 years. Hum Vaccines 2009;5(10):705–19

149. Einstein MH, on behalf of the HPV-010 study group. 25th International Papillomavirus Conference (Abstract O-01.02), 2009.

150. Electronic Medicines Compendium. GlaxoSmithKline: Cervarix [online]. Available from: http://www.medicines.org.uk/ EMC/medicine/20204/SPC/Cervarix.

151. Elion GB, Furman PA, Fyfe JA, de Miranda P, Beauchamp L, Schaeffer H. The selectivity of action of an antiherpetic agent, 9-(hydroxyethoxymethyl)guanine. Proc Natl Acad Sci USA 1977;74:5716–20.

152. Epidemiology, sexual risk behavior, and HIV prevention practices of men who have sex with men using GRINDR in Los Angeles, California. Landovitz RJ, Tseng CH, Weissman M, Haymer M, Mendenhall B, Rogers K, Veniegas R, Gorbach PM, Reback CJ, Shoptaw S J Urban Health. 2013 Aug;90(4):729–39.

153. Erbelding EJ, Vlahov D, Nelson KE, Rompalo AM, Cohn S, Sanchez P, et al. Syphilis serology in human immuno-deficiency virus infection: evidence for false-negative fluorescent treponemal testing. J Infect Dis 1997;176:1397–400.

154. Erlich KS, Mills J, Chatis P, Mertz GJ, Busch DF, Follansbee SE, et al. Acyclovir-resistent herpes simplex virus infection in patients with the acquired immunodeficiency syndrome. N Engl J Med 1989;320:293–6.

155. Eschenbach DA, Buchanan TM, Pollock HM, Forsyth PS, Alexander ER, Lin JS, et al. Polymicrobial etiology of acute pelvic inflammatory disease. N Engl J Med 1975;293(4):166–71.

156. Eschenbach DA, Davick PR, Williams BL, Klebanoff SJ, Young-Smith K, Critchlow CM, et al. Prevalenc of hyrogen peroxide producing Lactobacillus species in normal women and women with bacterial vaginosis. J Clini Microbiol 1989;27:251.

157. Eschenbach DA. Acute pelvic inflammatory disease: etiology, risk factors and pathogenesis. Clin Obstet Gynecol 1976;19(1):147–69.

158. Eschenbach DA. Vaginitis including bacterial vaginosis. Curr Opin Obstet Gynecol 1994;6(4):389–9.

159. Evans RT, Taylor-Robinson D. Comparison of various McCoy-cell treatment procedures used for detection of Chlamydia trachomatis. J Clin Microbiol 1979;10:198–201.

160. Fethers KA, Fairley CK, Hocking JS, Gurrin LC, Bradshaw CS. Sexual risk factors and bacterial vaginosis: a systematic review and meta-analysis. Clin Infect Dis 2008;47(11):1426–35.

161. Fieldsteel AH, Cox DL, Moeckli RA. Cultivation of virulent Treponema pallidum in tissue culture. Infect Immun 1981; 32:908–15.

162. Figueroa JP. An overview of HIV/AIDS in Jamaica: strengthening the response. West Indian Med J 2004;53: 277–82.

163. Filley CM, Graff-Richard NR, Lacy JR, Heitner MA, Earnest MP. Neurologic manifestations of podophyllin toxicity. Neurology 1982;32:308–311.

164. Fiscus SA, Pilcher CD, Miller WC, Powers KA, Hoffman IF, Price M, et al; Malawi-University of North Carolina Project Acute HIV Infection Study Team. Rapid, real-time detection of acute HIV infection in patients in Africa. J Infect Dis 2007;195:416–24.

165. Fisher BK, Margesson LJ. Skin colored lesions. In: Edwards L, editor. Genital dermatology atlas. New York: Lippincott Williams Wilkins; 2004. p.150.

166. Fitz-Hugh T Jr. Acute gonococcic peritonitis of the right uppe quadrant of women, JAMA 1934;102:2094.

167. Fitzgerald DW, Behets F, Preval J, Schulwolf L, Bommi V, Chaillet P. Decreased congenital syphilis in-

cidence in Haiti's rural Artibonite region following decentralized prenatal screening. Am J Public Health 2003;93:444-6.

168. Fleming DT, Wasserheit JN. From epidemiological synergy to public health policy and practice: the contribution of other sexually transmitted diseases to sexual transmission of HIV infection. Sex Transm Infect 1999;75:3-17.

169. Fonck K, Claeys P, Bashir F, Bwayo J, Fransen L, Temmerman M. Syphilis control during pregnancy: effectiveness and sustainability of a decentralized program. Am J Public Health 2001;91:705-7.

170. Franco EL, Villa LL, Sobrinho JP, Prado JM, Rousseau MC, Déy M, et al. Epidemiology of acquisition and clearance of cervical human papillomavirus infection in women from a high-risk area for cervical cancer. J Infect Dis 1999;180: 1415-23.

171. Fraser CM, Norris SJ, Weinstock GM, White O, Sutton GG, Dodson R, et al. Complete genome sequence of Treponema pallidum, the syphilis spirochete. Science 1998;281:375-88.

172. Fredricks DN, Fiedler TL, Marrazzo JM. Molecular identi-fication of bacteria associated with bacterial vaginosis. N Engl J Med 2005;353(18):1899-911.

173. French KM, Barnabas RV, Lehtinen M, Kontula O, Pukkala E, Dillner J, et al. Strategies for the introduction of human-papillomavirus vaccination: modeling the optimum age- and sex-specific pattern of vaccination in Finland. Br J Cancer 2007;96(3):514-8.

174. Gamble CN, Reardan JB. Immunopathogenesis of syphilitic glomerulonephritis. Elution of antitreponemal antibody from glomerular immune-complex deposits. N Engl J Med 1975;292:449-54.

175. Garcí-Calleja JM, Gouws E, Ghys PD. National population based HIV prevalence surveys in sub-Saharan Africa: results and implications for HIV and AIDS estimates. Sex Transm Infect 2006;82(Suppl 3):iii64-70.

176. Garland SM, Hernandez-Avila M, Wheeler CM, Perez G, Harper DM, Leodolter S, et al. Quadrivalent vaccine against human papillomavirus to prevent anogenital diseases. N Engl J Med 2007;356(19):1928-43.

177. Garnett GP. The geographical and temporal evolution of sexually transmitted disease epidemics. Sex Transm Infect 2002;78(Suppl 1):i14-9.

178. Gerber GS. Carcinoma in situ of the penis. J Urol 1994;151: 829-33.

179. Ghys PD, Diallo MO, Ettiéne-Traoré V, Kalé K, Tawil O, Caraë M, et al. Increase in condom use and decline in HIV and sexually transmitted diseases among female sex workers in Abidjan, Côte d'Ivoire, 1991-1998. AIDS 2002; 16:251-8.

180. Ghys PD, Fransen K, Diallo MO, Ettiéne-Traoré V, Coulibaly IM, Yeboué KM, et al. The associations between cervicovaginal HIV shedding, sexually transmitted diseases and immunosuppression in female sex workers in Abidjan, Côte d'Ivoire. AIDS 1997;11:F85-93.

181. Giuliano AR, Lee JH, Fulp W, Villa LL, Lazcano E, Papenfuss MR, et al. Incidence and clearance of genital human papillomavirus infection in men (HIM): a cohort study. Lancet 2011;377(9769):932-40.

182. Giuliano AR, Lu B, Nielson CM, Flores R, Papenfuss MR, Lee JH, et al. Age-specific prevalence, incidence, and duration of human papillomavirus infections in a cohort of 290 US men. J Infect Dis 2008;198:827-35.

183. Giuliano AR, Sedjo RL, Roe DJ, Harri R, Baldwi S, Papenfuss MR, et al. Clearance of oncogenic human papillomavirus (HPV) infection: effect of smoking (United States). Cancer Causes Control 2002;13:839-46.

184. Gjestland T. The Oslo study of untreated syphilis: an epidemiologic investigation of the natural course of the syphilitic infection based upon a re-study of the Boeck-Bruusgaard material. Acta Derm Venereol Suppl (Stockh) 1955;35(Suppl 34):3-368;Annex I-LVI.

185. GlaxoSmithKline Australia. Cervarix product information: human papillomavirus vaccine type 16 and 18 (Recombinant AS04 adjuvanted), 2007. Boronia, Victoria, Australia, 2007. Available from: http://www.gsk.com.au/resources.ashx/vaccineproductschilddataproinfo/94/FileName/7A14FBAEA16635A2DD-7A68ED78E8FDDC/P1_Cervarix.pdf.

186. GlaxoSmithKline Vaccine HPV-007 Study Group, Romanowski B, de Borba PC, Naud PS, Roteli-Martins

CM, De Carvalho NS, Teixeira JC, et al. Sustained efficacy and immunogenicity of the human papilloma-virus (HPV)−16/18 AS04−adjuvanted vaccine: analysis of a randomised placebo−controlled trial up to 6.4 years. Lancet 2009;374(9706):1975−85.

187. Goodhart ME, Ogden J, Zaidi AA, Kraus SJ. Factors affecting the performance of smear and culture tests for the detection of Neisseria gonorrhoeae. Sex Transm Dis 1982;9:63−9.

188. Gorbach PM, Sopheab H, Chhorvann C, Weiss RE, Vun MC. Changing behaviors and patterns among Cambodian sex workers: 1997 2003. J Acquir Immune Defic Syndr 2006;42: 242−7.

189. Gordon FB, Quan AL. Isolation of the trachoma agent in cell culture. Proc Soc Exp Biol Med 1965;118:354.

190. Götz HM, van Bergen JE, Veldhuijzen IK, Broer J, Hoebe CJ, Steyerberg EW, et al. A prediction rule for selective screening of Chlamydia trachomatis infection. Sex Transm Infect 2005;81:24−30.

191. Gray RH, Kigozi G, Serwadda D, Makumbi F, Watya S, Nalugoda F, et al. Male circumcision for HIV pre-vention in men in Rakai, Uganda: a randomised trial. Lancet 2007;369: 657−66.

192. Greer CE, Wheeler CM, Ladner MB, Beutner K, Coyne MY, Liang H, et al. Human papillomavirus (HPV) type distribution and serological response to HPV type 6 virus−like particles in patients with genital warts. J Clin Microbiol 1995;33:2058−63.

193. Gregson S, Garnett GP, Nyamukapa CA, Hallett TB, Lewis JJ, Mason PR, et al. HIV decline associated with behavior change in eastern Zimbabwe. Science 2006;311:664−6.

194. Grosskurth H, Mosha F, Todd J, Mwijarubi E, Klokke A, Senkoro K, et al. Impact of improved treatment of sexually transmitted diseases on HIV infection in rural Tanzania: randomised controlled trial. Lancet 1995;346:530−6.

195. Guan P, Jones RH, Li N et al., Human papillomavirus types in 115,789 HPV− positive women: a meta analysis from cervical infection to cancer. Int J Cancer, 2012;131(10): 2349−59

196. Guinan ME, Wolinsky SM, Reichman RC. Epidemiology of genital herpes simplex virus infection. Epidemiol Rev 1985; 7:127−46.

197. Guinana M, MacCalman J, Kern E, Overall J, Spruance S. The course of untreated recurrent genital herpes simplex infection in 27 women. N Engl J Med 1981;304:759−63.

198. Guinto−Ocampo H, Friedland LR. Disseminated gonococcal infection in three adolescents. Pediatr Emerg Care 2001;17: 441−3.

199. Gunter J. 5 Genital and perianal warts: new treatment opportunities for human papilloma infection. Am J Obstet Gynecol 2003:189(3 Suppl):S3−11.

200. Gutman LT. Gonococcal infections. In: Remington JS, Klein JO, editors. Infectious Diseases of the Fetus and Newborn Infant. 5th ed. Philadelphia, Saunders; 2001. p.1199−215.

201. Hadgu A, Koch G, Westrom L. Analysis of ectopic pregnancy data using marginal and conditional models. Stat Med 1997;16(21):2403−17.

202. Haggerty CL, Ness RB. Epidemiology, pathogenesis and treatment of pelvic inflammatory disease. Expert Rev AntiInfect Ther 2006;4(2):235−47.

203. Haimovici R, Roussel TJ. Treatment of gonococcal con−junctivitis with single−dose intramuscular ceftri-axone. Am J Ophthalmol 1989;107:511−4.

204. Halsos AM, Salo OP, Lassus A, Tiotta EA, Hovi T, Gabrielsen BO, et al. Oral acyclovir suppression of recurrent genital herpes: A double−blind, placebo−controlled crossover study. Acta Derm Venereol 1985;65:59−63.

205. Hamasuna R, Osada Y, Jensen JS. Antibiotic susceptibility testing of Mycoplasma genitalium by TaqMan 5' nuclease real−time PCR. Antimicrob Agents Chemother 2005;49: 4993−8.

206. Hamasuna R, Tsukino H. Urethritis. In: Naber KG, Schaeffer AJ, Heyns CF, Matsumoto T, Shoskes DA, Bjerklund Johansen TE, editors. Urogenital Infections. 1st ed. Arnhem, the Netherlands: European Asso-ciation of Urology−International Consultation on Urological Diseases; 2010. p. 777−803.

207. Hammerschlag MR, Alpert S, Rosner I, Thurston P, Semine D, McComb D, et al. Microbiology of the vagina in children: Normal and potentially pathogenic organisms. Pediatrics 1978;62:57–62.

208. Hardy GC. Vaginal flora in children. Am J Dis Child 1941; 62:939.

209. Hardy PH Jr, Levin J. Lack of endotoxin in Borrelia hispanica and Treponema pallidum. Proc Soc Exp Biol Med 1983;174: 47–52.

210. Harger JH, Amortegui AJ, Meyer MP, Pazin GJ. Characteristics of recurrent genital herpes simplex infections in pregnant women. Obstet Gynecol 1989;73: 367–72.

211. Harper DM, Franco EL, Wheeler C, Ferris DG, Jenkins D, Schuind A, et al; GlaxoSmithKline HPV Vaccine Study Group. Efficacy of a bivalent L1 virus-like particle vaccine in prevention of infection with human papillomavirus types 16 and 18 in young women: a randomised controlled trial. Lancet 2004;364(9447):1757–65.

212. Harper DM, Franco EL, Wheeler CM, Moscicki AB, Romanowski B, Roteli-Martins CM, et al; HPV Vaccine Study group. Sustained efficacy up to 4.5 years of a bivalent L1 virus-like particle vaccine against human papillomavirus types 16 and 18: follow-up from a randomised control trial. Lancet 2006;367(9518):1247–55.

213. Harrison A, Karim SA, Floyd K, Lombard C, Lurie M, Ntuli N, et al. Syndrome packets and health worker training improve sexually transmitted disease case management in rural South Africa: randomized controlled trial. AIDS 2000;14: 2769–79.

214. Harter C, Benirschke K. Fetal syphilis in the first trimester. Am J Obstet Gynecol 1976;124:705–11.

215. Hartman KE, Hall SA, Nanda K, Boggess JF, Zolnoun D. Screening for cervical cancer. Systematic Evidence Review. No. 25. (Prepared by the Research Triangle Institute-University of North Carolina Evidence-based Practice Center under contract No. 290-97-0011). Rockville, MD: Agency for Healthcare Research and Quality, January 2002. Available from: http://www.ahrq.gov/clinic/serfiles.htm.

216. Hearst N, Chen S. Condom promotion for AIDS prevention in the developing world: is it working? Stud Fam Plann 2004;35:39–47.

217. Hemila M, Henriksson L, Ylikorkala O. Serum CRP in the diagnosis and treatment of pelvic inflammatory disease. Arch Gynecol Obstet 1987;241(3):177–82.

218. Henry-Suchet J, Utzmann C, De Brux J, Ardoin P, Catalan F. Microbiologic study of chronic inflammation associated with tubal factor infertility: role of Chlamydia trachomatis. Fertil Steril 1987;47(2):274–7.

219. Hicks CB, Benson PM, Lupton GP, Tramont EC. Seronegative secondary syphilis in a patient infected with the human immunodeficiency virus (HIV) with Kaposi sarcoma. A diagnostic dilemma. Ann Intern Med 1987;107:492–5.

220. Higuchi R, Dollinger G, Walsh PS, Griffith R. Simultaneous amplification and detection of specific DNA sequences. Biotechnology 1992;10:413–417.

221. Hillier SL, Krohn MA, Cassen E, Easterling TR, Rabe LK, Eschenbach DA. The role of bacterial vaginosis and vaginal bacteria in amniotic fluid infection in women in preterm labor with intact fetal membranes. Clin Infect Dis 1995;20 Suppl 2:S276–8.

222. Hillis SD, Joesoef R, Marchbanks PA, Wasserheit JN, Cates W Jr, Westrom L. Delayed care of pelvic infl ammatory disease as a risk factor for impaired fertility. Am J Obstet Gynecol 1993;168(5):1503–9.

223. Ho GY, Bierman R, Beardsley L, Chang CJ, Burk RD. Natural history of cervicovaginal papillomavirus infection in young women. N Engl J Med 1998;338:423–28.

224. Hodge RA, Cheng YC. The mode of action of penciclovir. Antivir Chem Chemother 1993;4(S1):13–24.

225. Hogewoning CJ, Bleeker MC, van den Brule AJ, Voorhorst FJ, Snijders PJ, Berkhof J, et al. Condom use promotes regression of cervical intraepithelial neoplasia and clearance of human papillomavirus: a randomized clinical trial. Int J Cancer 2003;107:811–16.

226. Holmes K, DeLay R, Cohen M. STD control: a public health priority. In: Dallabetta G, Laga M, Lamptey

P, editors. Control of Sexually Transmitted Disease: A Handbook for the Design and Management of Programs. Arlington, VA: Family Health International; 2007. p. V—XII.

227. Holmes KK, Eschenbach DA, Knapp JS. Salpingitis: overview of etiology and epidemiology. Am J Obstet Gynecol 1980;138(7 Pt 2):893—900.

228. Holmes KK, Handsfield HH, Wang SP, Wentworth BB, Turck M, Anderson JB, et al. Etiology of nongonococcal urethritis. N Engl J Med 1975;292:1199.

229. Holmes KK, Levine R, Weaver M. Effectiveness of condoms inpreventing sexualyy transmitted infections. Bull World Health Organ 2004;82(6)454—61.

230. Holmes KK, Sparling PF, Stamm WE, Peter P, Judith W, Lawrence C, et al, editors. Sexually Transmitted Diseases. 4th ed. New York: McGraw Hill, Inc.; 2008.

231. Hooton TM, Rogers ME, Medina TG, Kuwamura LE, Ewers C, Roberts PL, et al. Ciprofloxacin compared with doxycycline for nongonococcal urethritis. Ineffectiveness against Chlamydia trachomatis due to relapsing infection. JAMA 1990;264:1418.

232. Hooton TM, Wong ES, Barnes RC, Roberts PL, Stamm WE. Erythromycin for persistent of recurrent nongonococcal urethritis. A randomized placebo—controlled trial. Ann Intern Med 1990;113:21.

233. Horner, P., et al., Role of Mycoplasma genitalium and Ureaplasma urealyticum in acute and chronic nongonococcal urethritis. Clin Infect Dis, 2001. 32(7): p. 995—1003.

234. Howley PM. 1996. Papillomaviridae: the viruses and their replication, In Fields BN, Knipe DM, Howley PM, editors. Fields virology, 3rd ed. Philadelphia: Lippincott—Raven Publishers; 1996.

235. Huh WK, Joura EA, Giuliano AR, Iversen OE, de Andrade RP, Ault KA, B, et al. Final efficacy, immunogenicity, and safety analyses of a nine—valent human papillomavirus vaccine in women aged 16—26 years: a randomised, double—blind trial. Lancet. 2017;390(10108):2143—59.

236. Human capacity development. In: Lamptey P, Zeitz P, Larivee C, editors. Strategies for an Expanded and Comprehensive Response (ECR) to a National HIV/AIDS Epidemic. North Carolina: Family Health International; 2001. p. 69—75.

237. Human papillomaviruses. IARC Monogr Eval Carcinog Risks Hum 2007;90:16—36.

238. Hundley JM Jr, Diehl WK, Baggott JW. Bacteriological studies in salpingitis with special reference to gonococcal viability. Am J Obstet Gynecol 1950;60(5):977—84.

239. Iftner T, Villa LL. Human papillomavirus technologies. J Natl Cancer Inst Monogr 2003;(31):80—88.

240. Infection—free sex and reproduction. In: Tsui AO, Wasserheit JN, Haaga JG, editors. Reproductive Health in Developing Countries: Expanding Dimensions, Building Solutions. 1st ed. Washington, DC: National Academy Press; 1997. p. 40—84.

241. Inglis S, Shaw A, Koenig S. Chapter 11: HPV vaccines: Commercial Research & Development. Vaccine 2006; 24(Suppl. 3):S99—105.

242. Ison C. GC NAATs: is the time right? Sex Transm Infect 2006;82:515.

243. IUSTI. STI Global Update 2011. 2011. Available from: http://www.iusti.org/newsletter/IUSTI_Global_Update_2011_2.pdf.(accessed 1 March 2012)

244. Iversen OE, Miranda MJ, Ulied A, Soerdal T, Lazarus E, Chokephaibulkit K, et al. Immunogenicity of the 9—Valent HPV Vaccine Using 2—Dose Regimens in Girls and Boys vs a 3—Dose Regimen in Women. JAMA 2016;316(22):2411—21.

245. Jackson DJ, Rakwar JP, Chohan B, Mandaliya K, Bwayo JJ, Ndinya—Achola JO, et al. Urethral infection in a workplace population of East African men: evaluation of strategies for screening and management. J Infect Dis 1997;175:833—8.

246. Jacobs B, Kambugu FS, Whitworth JA, Ochwo M, Pool R, Lwanga A, et al. Social marketing of pre—packaged treatment for men with urethral discharge (Clear Seven) in Uganda. Int J STD AIDS 2003;14:216—21.

247. Jacobs NF, Kraus SJ. Gonococcal and nongonococcal urethritis in men. Clinical and laboratory differentiation. Ann Intern Med 1975;82:7.

248. Jacobson L, Weströ L. Objectivized diagnosis of acute pelvic inflammatory disease. Diagnostic and prognostic value of routine laparoscopy. Am J Obstet Gynecol 1969;105(7):1088 −98.

249. Jacqueline DS, Gordon F. Infertility and sexually transmitted disease: a public health challenge. Popul Rep L 1983(4): L114−51.

250. Jana S, Basu I, Rotheram−Borus MJ, Newman PA. The Sonagachi Project: a sustainable community intervention program. AIDS Educ Prev 2004;16:405−14.

251. Janier M, Lassau F, Casin I, Grillot P, Scieux C, Zavaro A, et al. Male urethritis with or without discharge: A clinical and microbiological study. Sex Transm Dis 1995;22:244.

252. Jensen JS, Bradshaw CS, Tabrizi SN, Fairley CK, Hamasuna R. Azithromycin Treatment Failure in Mycoplasma genitalium−Positive Patients with Nongonococcal Urethritis Is Associated with Induced Macrolide Resistance. Clin Infect Dis 2008;47:1546−53.

253. Jensen JS, Orsum R, Dohn B, Uldum S, Worm AM, Lind K. Mycoplasma genitalium: A cause of male urethritis? Genitourin Med 1993;69:265.

254. Jephcott AE. Microbiological diagnosis of gonorrhea. Genitourin Med 1997;73:245−52.

255. Jones RB, Mammel JB, Shepard MK, Fisher RR. Recovery of Chlamydia trachomatis from the endometrium of women at risk for chlamydial infection. Am J Obstet Gynecol 1986; 155(1):35−9.

256. Josey WE, Nahmias AJ, Naib ZM. The epidemiology of type 2 (genital) herpes simplex virus infection. Obstet Gynecol Surv 1972;27:295−302.

257. Joura EA, Giuliano AR, Iversen OE et al., A9−valent HPV vaccine against infection and intraepitheluual neopalsia in women. NEJM 2015 327:8:711−23

258. Joura EA, Leodolter S, Hernandez−Avila M, Wheeler CM, Perez G, Koutsky LA. Efficacy of a quadrivalent prophylactic human papillomavirus (types 6, 11, 16, and 18) L1 virus−like−particle vaccine against high−grade vulval and vaginal lesions: a combined analysis of three randomised clinical trials. Lancet 2007;369(9574):1693−702.

259. Kamali A, Quigley M, Nakiyingi J, Kinsman J, Kengeya−Kayondo J, Gopal R, et al. Syndromic management of sexually−transmitted infections and behaviour change interventions on transmission of HIV−1 in rural Uganda: a community randomised trial. Lancet 2003;361:645−52.

260. Kang SK, Kim ES, Lee MW, Choi JH, Sung KJ, Moon KC, et al. Two cases of secondary syphilis accompanied by acquired immunodeficiency syndrome. Korean J Dermatol 2002;40 (4):428−32.

261. Kaplowitz LG, Baker D, Gelb L, Blythe J, Hale R, Frost P, et al. Prolonged continuous acyclovir treatment of normal adults with frequently recurring genital herpes simplex virus infection. The Acyclovir Study Group. JAMA 1991;265:747−51.

262. Katusic D, Petricek I, Mandic Z, Petric I, Salopek−Rabatic J, Kruzic V, et al. Azithromycin vs doxycycline in the treatment of inclusion conjunctivitis. Am J Ophthalmol 2003;135:447−51.

263. Kaul R, Kimani J, Nagelkerke NJ, Fonck K, Ngugi EN, Keli F, et al; Kibera HIV Study Group. Monthly antibiotic chemo−prophylaxis and incidence of sexually transmitted infections and HIV−1 infection in Kenyan sex workers: a randomized controlled trial. JAMA 2004;291:2555−62.

264. KCDC, KFAP. HIV/AIDS knowledge, attitudes, belief, and behaviors survey. 2011.

265. KCDC, SNU. Prevalence of sexually transmitted diseases in high risk population of Korea. 2008.

266. KCDC, The catholic university of Korea. Guideline de−velopment of sexually transmitted infections (STIs) and prevalence survey of STIs in older people. 2010.

267. KCDC, The catholic university of Korea. Surveillance study for the prevalence and epidemiologic characteristics of viral sexually transmitted diseases. 2009.

268. KCDC, Yonsei university. Population−based study of chlamydial and gonococcal infections in Korea. 2007.

269. KCDC. 2008 Communicable diseases surveillance yearbook. PHWR 2009;2:421−8.

270. KCDC. Guideline for sexually transmitted infections. Korean J UTII. 2011.

271. KCDC. Surveillance system and current status of sexually transmitted infections in Korea. 2008.

272. Kent CK, Chaw JK, Wong W, Liska S, Gibson S, Hubbard G, et al. Prevalence of rectal, urethral, and pharyngeal Chlamydia and gonorrhea detected in 2 clinical settings among men who have sex with men: San Francisco, California, 2003. Clin Infect Dis 2005;41:67.

273. Kilmarx PH, Limpakarnjanarat K, Supawitkul S, Korattana S, Young NL, Parekh BS, et al. Mucosal disruption due to use of widely- distributed cemmercial vaginal product: Potential to facilitate HIV transmission. AIDS 1998;12:767-73.

274. Kim BG, Lee NW, Kim SC, Kim YT, Kim YM, Kim CJ, et al. Recommendation guideline of Korean society of gyne-cologic oncology and colposcopy for quadrivalent human papillomavirus vaccine. J Gynecol Oncol 2007;18(4):259-83

275. Kim CJ, Kim BG, Kim SC, Kim YT, Kim YM, Park SY, et al. Sexual behavior of Korean young women: preliminary study for the introducing of HPV prophylactic vaccine. J Gynecol Oncol 2007;18(3):209-18.

276. Kim HS, Lee HS, Lee MG, Lee JB. Recent trends of syphilis prevalence in the normal population in Korea - 1995. Korean J Dermatol 1997;35(3):514-9.

277. Kimberlin DW, Lin CY, Jacobs RF, Powell DA, Corey L, Gruber WC, et al. Natural history of neonatal herpes simplex virus infections in the acyclovir era. Pediatrics 2001;108:223-9.

278. Kinnunen A, Molander P, Morrison R, Lehtinen M, Karttunen R, Tiitinen A, et al. Chlamydial heat shock protein 60--specific T cells in inflamed salpingeal tissue. Fertil Steril. 2002;77(1):162-6.

279. Kinnunen A, Paavonen J, Surcel HM. Heat shock protein 60 specific T-cell response in chlamydial infections. Scand J Immunol 2001;54(1-2):76-81.

280. Kinnunen AH, Surcel HM, Lehtinen M, Karhukorpi J, Tiitinen A, Halttunen M, et al. HLA DQ alleles and interleukin-10 polymorphism associated with Chlamydia trachomatis-related tubal factor infertility: a case-control study. Hum Reprod 2002;17(8):2073-8.

281. Kiviat NB, Wølner-Hanssen P, Peterson M, Wasserheit J, Stamm WE, Eschenbach DA, et al. Localization of Chlamydia trachomatis infection by direct immunofluorescence and culture in pelvic inflammatory disease. Am J Obstet Gynecol 1986;154(4):865-73.

282. Kiviat NB, Wølner-Hanssen P, Eschenbach DA, Wasserheit JN, Paavonen JA, Bell TA, et al. Endometrial histopathology in patients with culture-proved upper genital tract infection and laparoscopically diagnosed acute salpingitis. Am J Surg Pathol 1990;14(2):167-75.

283. Klausner JD, Wolf W, Fischer-Ponce L, Zolt I, Katz MH. Tracing a syphilis outbreak through cyberspace. JAMA 2000;284:447-9.

284. Klebanoff SJ, hillier SL, Eschenbach DA, Waltwrdorph AM. Control of the microbial flora of the vagina by H2O2-generating lactobacilli. J Infect Dis 1991;164:94-100.

285. KOCH ML. A study of cervical cultures taken in cases of acute gonorrhea with special reference to the phases of the menstrual cycle. Am J Obstet Gynecol 1947;54(5):861-6

286. Kohl S, Adam E, Matson DO, Kaufman RH, Dreesman GR. Kinetics of human antibody responses to primary genital herpes simplex virus infection. Intervirology 1982;18:164-8.

287. Korea centers for disease control and prevention(KCDC). Sexually transmitted diseases treatment guidelines. KCDC;2009.

288. Korea Centers for Disease Control and Prevention. 2009 STI guideline. 2009.

289. Korenromp EL, Bakker R, Gray R, Wawer MJ, Serwadda D, Habbema JD. The effect of HIV, behavioural change, and STD syndromic management on STD epidemiology in sub-Saharan Africa: simulations of Uganda. Sex Transm Infect 2002;78(Suppl 1):i55-63.

290. Korenromp EL, Sudaryo MK, de Vlas SJ, Gray RH, Sewankambo NK, Serwadda D, et al. What proportion of episodes of gonorrhoea and chlamydia becomes sym-ptomatic? Int J STD AIDS 2002;13:91-101.

291. Koskiniemi M, Happonen JM, Jarvenpaa AL, Pettay O, Vaheri A. Neonatal herpes simplex virus infection: a report of 43 patients. Pediatr Infect Dis J 1989;8:30-5.

292. Koutsky L. Epidemiology of genital human papillomavirus infection. Am J Med 1997;102:3-8.

293. Koutsky LA, Galloway DA, Holmes KK. Epidemiology of genital human papillomavirus infection. Epidemiol Rev 1988;10:122-63.

294. Kreiss J, Ngugi E, Holmes K, Ndinya-Achola J, Waiyaki P, Roberts PL, et al. Efficacy aof nonoxynol-9 contraceptive sponge use in preventing heterosexual acquisition of HIV in Nairobi prostitutes. JAMA 1992;268:477-82.

295. Krieger J. Urethritis: Etiology, diagnosis, treatment, and complications. In: Gillenwater JY, Grayhack JT, Howards SS, Mitchell ME, editors. Adult and Pediatric Urology. vol. 2. Chicago: Mosby; 1996. p.1879-918.

296. Krieger JN, Jenny C, Verdon M, Siegel N, Springwater R, Critchlow CW, et al. Clinical manifestations of tricho-moniasis in men. Ann Intern Med 1993;118:844-9.

297. Krieger JN. Trichomoniasis in men: Old issues and new data. Sex Transm Dis 1995;22:83.

298. Kropp RY, Wong T, Cormier L, Ringrose A, Embree J, Steben M, Canadian Paediatric Surveillance Program(CPSP). Epidemiology of neonatal herpes simplex viruus infections in Canada. Presented at the International Society for STD Research (ISSTDR) conference 2005, Amsterdam.

299. KSPM. Preventive medicine and public health. Seoul: Gyechuk Munwhasa. 2010.

300. Lafferty WE, Coombs RW, Benedetti J, Critchlow C, Corey L. Recurrences after oral and genital herpes simplex virus infection. Influence of site of infection and viral type. N Engl J Med 1987;316: 1444-9.

301. Lafort Y, Sawadogo Y, Delvaux T, Vuylsteke B, Laga M. Should family planning clinics provide clinical services for sexually transmitted infections? A case study from Cote d'Ivoire. Trop Med Int Health 2003;8:552-60.

302. Lai W, Chen CY, Morse SA, Htun Y, Fehler HG, Liu H, et al. Increasing relative prevalence of HSV-2 infection among men with genital ulcers from a mining community in South Africa. Sex Transm Infect 2003;79:202-7.

303. Lanes SF, Poole C, Dreyer NA, Lanza LL.Toxic shock syndrome, contraceptive methods, and vaginitis. Am J Obstet Gynecol 1986;154(5):989-91.

304. Langenberg AG, Corey L, Ashley RL, Leong WP, Straus SE. A prospective study of new infections with herpes simplex virus type 1 and type 2. N Engl J Med 1999;341:1432-8.

305. Larson HJ, Narain JP. Beyond 2000 responding to HIV/AIDS in the new millennium. WHO. Available from: http://www. who.int/hiv/pub/en.

306. Larsson PG, Platz-Christensen JJ, Thejls H, Forsum U, Påhlson C. Incidence of pelvic inflammatory disease after first-trimester legal abortion in women with bacterial vaginosis after treatment with metronidazole: a double-blind, randomized study. Am J Obstet Gynecol 1992;166(1 Pt 1):100-3.

307. Lauharanta J, Saarinen K, Mustonen MT, Happonen HP. Single-dose oral azithromycin versus seven day doxycycline in the treatment of non-gonococcal urethritis in males. J Antimicrob Chemother 1993;31:177.

308. Laurent C, Seck K, Coumba N, Kane T, Samb N, Wade A, et al. Prevalence of HIV and other sexually transmitted infections, and risk behaviours in unregistered sex workers in Dakar, Senegal. AIDS 2003;17:1811-6.

309. Lautenschlager S, Eichmann A. Urethritis: An underestimated clinical variant of genital herpes in men? J Am Acad Dermatol 2002;46:307.

310. Leblanc MM. When to refer an infertile mare to a therio-genologist. Theriogenology 2008;70(3):421-9.

311. Lee CB, Choe HS, Hwang SJ, Lee SJ, Cho YH. Epidemiological characteristics of genital herpes and condyloma acuminata in patients presenting to urologic and gynecologic clinics in Korea. J Infect Chemother 2011;17:351-7.

312. Lee JK. Report from a Korea Centers for Disease Control and Prevention 2007. KCDC 2008;98:127-30.

313. Lee SH, Suh DH, Cho KH, Eun HC. Two cases of unusual manifestations of secondary syphilis accompanied by human immunodeficiency virus infection. Korean J Dermatol 2003;41(3):354-9.

314. Lee SJ, Cho YH, Kim CS, Shim BS, Cho IR, Chung JI, et al. Screening for chlamydia and gonorrhea by strand displacement amplification in homeless adolescents attending youth shelters in Korea. J Korean Med Sci 2004; 19:495–500.

315. Lee SJ, Ha US, Kim SW, Cho YH, Yoon MS. Prevalence of chlamydial and gonococcal infections and sexual behavior in university students in Korea. Korean J Urol 2004;45(7): 707–13.

316. Lee YH, Rankin JS, Alpert S, Daly AK, McCormack WM. Microbiological investigation of Bartholin's galnd abscesses and cysts. Am j Obstet Gynecol 1977;129(2):150–3.

317. Leitich H, Bodner–Adler B, Brunbauer M, Kaider A, Egarter C, Husslein P. Bacterial vaginosis as a risk factor for preterm delivery: a meta–analysis. Am J Obstet Gynecol 2003;189: 139–147.

318. Levine WC, Revollo R, Kaune V, Vega J, Tinajeros F, Garnica M, et al. Decline in sexually transmitted disease prevalence in female Bolivian sex workers: impact of an HIV pre–vention project. AIDS 1998;12:1899–906.

319. Li HX, Zhu WY, Xia MY. Detection with the polymerase chain reaction of human papillomavirus DNA in condylomata acuminate treated with CO2 laser and microwave. Int J Dermatol 1995;34:209–11.

320. Liaw KL, Hildesheim A, Burk RD, Gravitt P, Wacholder S, Manos MM, et al. A prospective study of human papilloma–virus (HPV) type 16 DNA detection by polymerase chain reaction and its association with acquisition and persistence of other HPV types. J Infect Dis 2001;183:8–15.

321. Lind K, Kristensen GB, Bollerup AC, Ladehoff P, Larsen S, Marushak A, et al. Importance of Mycoplasma hominis in acute salpingitis assessed by culture and serological tests. Genitourin Med 1985;61(3):185–9.

322. Lip J, Burgoyne X. Cervical and peritoneal bacterial flora associated with salpingitis. Obstet Gynecol 1966;28(4):561–3.

323. Liu H, Jamison D, Li X, Ma E, Yin Y, Detels R. Is syndromic management better than the current approach for treatment of STDs in China? Evaluation of the cost–effectiveness of syndromic management for male STD patients. Sex Transm Dis 2003;30:327–30.

324. Lopez C, Arvin AM, Ashley R. Immunity to herpesvirus infections in humans. In: Roizman B, Whitley RJ, Lopez C, editors. The Human Herpesviruses. New York, NY: Raven Press; 1993.

325. Low N, Broutet N, Adu–Sarkodie Y, Barton P, Hossain M, Hawkes S. Global control of sexually transmitted infections. Lancet 2006;368:2001–16.

326. Lush L, Walt G, Ogden J. Transferring policies for treating sexually transmitted infections: what's wrong with global guidelines? Health Policy Plan 2003;18:18–30.

327. Mackay IM, Harnett G, Jeoffreys N, Bastian I, Sriprakash KS, Siebert D, et al. Detection and discrimination of herpes simplex viruses, Haemophilus ducreyi, Treponema pallidum, and Calymmatobacterium (Klebsiella) granulo–matis from genital ulcers. Clin Infect Dis 2006;42:1431–8.

328. Magnuson HJ, Eagle H, Fleischman R. The minimal infectious inoculum of Spirochaeta pallida (Nichols strain) and a consideration of its rate of multiplication in vivo. Am J Syph Gonorrhea Vener Dis 1948;32:1–18.

329. Majewski S, Jablonska S. Human papillomavirus–associated tumors of the skin and mucosa. J Am Acad Dermatol 1997;36:659–85;quiz 686–8.

330. Manhart LE, Koutsky LA. Do condoms prevent genital HPV infection, external genital warts, or cervical neoplasia? A meta–analysis. Sex Transm Dis 2002;29:725–35.

331. Mårdh PA, Baldetorp B, Håkansson CH, Fritz H, Weström L. Studies of ciliated epithelia of the human genital tract. 3: Mucociliary wave activity in organ cultures of human Fallopian tubes challenged with Neisseria gonorrhoeae and gonococcal endotoxin. Br J Vener Dis 1979;55(4):256–64.

332. Mårdh PA, Møller BR, Ingerselv HJ, Nüsler E, Weström L, Wølner–Hanssen P. Endometritis caused by Chlamydia trachomatis. Br J Vener Dis 1981;57(3):191–5.

333. Mårdh PA, Ripa T, Svensson L, Weström L. Chilamydia trachomatis infection in patients with acute salpingitis. N Engl J Med 1977;296(24):1377–9.

334. Mårdh PA, Weström L, Colleen S, Wølner-Hanssen P. Sampling, specimen handling, and isolation techniques in the diagnosis of Chlamydial and other genital infections. Sex Transm Dis 1981;8(4):280-5.

335. Mårdh PA, Weström L. T-mycoplasmas in the genito-urinary tract of the female. Acta Pathol Microbiol Scand B Microbiol Immunol 1970;78(2):269.

336. Mårdh PA, Weström L. Tubal and cervical cultures in acute salpingitis with special reference to Mycoplasma hominis and T-strain mycoplasmas. Br J Vener Dis 1970;46(3):179-86.

337. Mårdh PA. An overview of infectious agents of salpingitis, their biology, and recent advances in methods of detection. Am J Obstet Gynecol 1980;138(7 Pt 2):933-51.

338. Markowitz LE, Sternberg M, Dunne EF, McQuillan G, Unger ER. Seroprevalence of human papillomavirus types 6, 11, 16, and 18 in the United States: national health and nutrition examination survey 2003-2004. J Infect Dis 2009;200:1059-67.

339. Marra CM, Maxwell CL, Smith SL, Lukehart SA, Rompalo AM, Eaton M, et al. Cerebrospinal fluid abnormalities in patients with syphilis: association with clinical and laboratory features. J Infect Dis 2004;189:369-76.

340. Marrazzo JM, Wiesenfeld HC, Murray PJ, Busse B, Meyn L, Krohn M, et al. Risk factors for cervicitis among women with bacterial vaginosis. J Infect Dis 2006;193(5):617-24. Epub 2006 Feb 2.

341. Martin DH. Urethritis in males. In: Holmes KK, Sparling PF, Stamm WE, Piot P, Wasserheit JN, Corey L, et al. editors. Sexually Transmitted Diseases. New York: McGraw Hill; 2008. p.1107-26.

342. Martin HL, Richardson BA, Nyange PM, Lavreys L, Hillier SL, Chohan B, et al. Vaginal lactobacilli, microbial flora, and risk of human immunodeficiency virus type 1 and sexually transmitted disease acquisition. J Infect Dis 1999;180:1863-1838.

343. Martin JE, Armstrong JH, Smith PB. New system for cultivation of Neisseria gonorrhoeae. Appl Microbiol 1974;27:802-5.

344. Martin JE, Lester A. Transgrow: a medium for transport and growth of Neisseria gonorrhoea and Neisseria meningitidis. Health Serv Ment Health Admin Rep 1971;86:30-3.

345. Mathews C, Coetzee N, Zwarenstein M, Lombard C, Guttmacher S, Oxman A, et al. Strategies for partner notification for sexually transmitted diseases. Cochrane Database Syst Rev 2001;(4):CD002843.

346. Matsukura T, Koi S, Sugase M. Both episomal and integrated forms of human papillomavirus type 16 are involved in invasive cervical cancers. Virology 1989;172:63-72.

347. Mauro E. Le syndrome abdominal droit superieur au cours des annexites gonococciques (syndrome de Fitz-Hugh). Presse Med 1938;46:1919.

348. May M, Dong XP, Beyer-Finkler E, Stubenrauch F, Fuchs PG, Pfister H. The E6/E7 promoter of extrachromosomal HPV16 DNA in cervical cancers escapes from cellular repression by mutation of target sequences for YY1. EMBO J 1994;13(6): 1460-6.

349. McClelland RS, Lavreys L, Katingima C, Overbaugh J, Chohan V, Mandaliya K, et al. Contribution of HIV-1 infection to acquisition of sexually transmitted disease: a 10-year prospective study. J Infect Dis 2005;191:333-8.

350. Mcclelland RS, Wang CC, Mandaliya K, Overbaugh J, Reiner MT, Panteleeff DD, et al. Treatment of cervicitis is associated with decreased cervical shedding of HIV-1. AIDS 2001;15: 105-10.

351. McCormack WM, Braun P, Lee YH, Klein JO, Kass EH. The genital mycoplasmas. N Engl J Med 1973;288:78.

352. McCormack WM, Lee YH, Zinner SH. Sexual experience and urethral colonization with genital mycoplasmas. A study in normal men. Ann Intern Med 1973;78:696.

353. McCredie MR, Sharples KJ, Paul C, Baranyai J, Medley G, Jones RW, et al. Natural history of cervical neoplasia and risk of invasive cancer in women with cervical intraepithelial neoplasia 3: a retrospective cohort study. Lancet Oncol 2008;9:425-34.

354. McCrory DC, Matchar DB, Bastian L, Datta S, Hasselblad V, Hickey J, et al. Evaluation of cervical cy-

tology. Evidence Report/Technology Assessment No. 5. (Prepared by Duke University under Contract No. 290-97-0014.) AHCPR Publication No. 99-E010. Rockville, MD: Agency for Health Care Policy and Research; 1999.

355. McGuire LS, Guzinski GM, Holmes KK. Psychosexual functioning in symtpomatic and asymtomatic women with and without signs of vaginitis. Am J Obstet Gynecol 1980;137:600-3.

356. McNeil ET, Gilmore CE, finger WR, Lewis JH, Schellstede WP. The Latex Condom: recent Advances, Future Directions. North Carolina: Family Health International 2007. Available from: http://www.fhi.org/en/RH/Pubs/books Reports/ latexcondom/index.htm.

357. Meites E, Szilagyi PG, Chesson HW, Unger ER, Romero JR, Markowitz LE. Human Papillomavirus Vaccination for Adults: Updated Recommendations of the Advisory Committee on Immunization Practices MMWR. 2019;68(32);698-702.

358. Merck USA. Highlights of prescribing information: GARDASIL [human papillomavirus quadrivalent(Types 6, 11, 16, and 18) vaccine, Recombinant], 2008. Whitehouse Station, NJ, 2007. Available from: http://www.merck.com/product/usa/ pi_circulars/g/gardasil_pi.pdf.

359. Mertz GJ, Benedetti J, Ashley R, Selke SA, Corey L. Risk factors for the sexual transmission of genital herpes. Ann Intern Med 1992;116:197-202.

360. Mertz GJ, Critchlow CW, Benedetti J, Reichman RC, Dolin R, Connor J, et al. Double-blind placebo controlled trial of oral acyclovir in the first episode genital herpes simplex virus infection. JAMA 1984;252:1147-51.

361. Mesurolle B, Mignon F, Gagnon JH. Fitz-Hugh-Curtis syndrome caused by Chlamydia trachomatis: atypical CT fi ndings. AJR Am J Roentgenol 2004;182(3):822-4; author reply 824.

362. Miettinen A, Saikku P, Jansson E, Paavonen J. Epidemiologic and clinical characteristics of pelvic inflammatory disease associated with Mycoplasma hominis, Chlamydia trachomatis, and Neisseria gonorrhoeae. Sex Transm Dis 1986;13(1):24-8.

363. Miller RL, Gerster JF, Owens ML, Slade HB, Tomai MA. Imiquimod applied topically: a novel immune response modifier and new class of drug. Int J Immunopharmacol 1999;21:1- 14.

364. Mindel A, Faherty A, Carney O, Patou G, Freris M, Williams P. Dosage and safety of long term suppressive acyclovir therapy for recurrent genital herpes. Lancet 1988;1(8591): 926-8.

365. Mishell DR Jr, Moyer DL. Association of pelvic inflammatory disease with the intrauterine device. Clin Obstet Gynecol 1969;12(1):179-97.

366. Møller BR, Freundt EA, Black FT, Frederiksen P. Experimental infection of the genital tract of female grivet monkeys by Mycoplasma hominis. Infect Immun 1978;20(1):248-57.

367. Møller BR, Freundt EA. Monkey animal model for study of mycoplasmal infections of the urogenital tract. Sex Transm Dis 1983;10(4 Suppl):359-62.

368. Møller BR, Mårdh PA, Ahrons S, Nüsler E. Infection with Chlamydia trachomatis, Mycoplasma hominis and Neisseria gonorrhoeae in patients with acute pelvic inflammatory disease. Sex Transm Dis 1981;8(3):198-202.

369. Møller BR. The role of mycoplasmas in the upper genital tract of women. Sex Transm Dis 1983;10(4 Suppl):281-4.

370. Moncada J, Donegan E, Schachter J. Evaluation of CDC-recommended approaches for confirmatory testing of positive Neisseria gonorrhoeae nucleic acid amplification test results. J Clin Microbiol 2008;46:1614-9

371. Monis PT, Giglio S. Nucleic acid amplification-based techniques for pathogen detection and identification. Infection, Genetics and Evolution 2006;6:2-12.

372. Moran JS, Levine WC. Drugs of choice for the treatment of uncomplicated gonococcal infections. Clin Infect Dis 1995;20:S47-S65.

373. Moran JS. Treating uncomplicated Neisseria gonorrhoeae infections: is the anatomic site of infection important? Sex Trans Dis 1995;22:39-47.

374. Morris M, Kretzschmar M. Concurrent partnerships and the spread of HIV. AIDS 1997;11:641−8.

375. Moscicki AB, Ellenberg JH, Farhat S, Xu J. Persistence of human papillomvirus infection in HIV-infected and-uninfected adolescent girls: risk factors and differences, by phylogenetic types. J Infect Dis 2004;190:37−45.

376. Moscicki AB, Hills N, Shiboski S, Powell K, Jay N, Hanson E, et al. Risks for incident human papillomavirus infection and lowgrade squamous intraepithelial lesion development in young females. JAMA 2001;285(23):2995−3002.

377. Moscicki AB, Schiffman M, Kjaer S, Villa LL. Chapter 5: updating the natural history of HPV and anogenital cancer. Vaccine 2006;24(Suppl 3)S3/42−51.

378. Moscicki AB. Updating the natural history of HPV and anogenital cancer. Vaccine 2006;24(Suppl 3):42−51

379. Moses S, Ngugi EN, Costigan A, Kariuki C, Maclean I, Brunham RC, et al. Response of a sexually transmitted infection epidemic to a treatment and prevention programme in Nairobi, Kenya. Sex Transm Infect 2002;78(Suppl 1):i114−20.

380. Mullis KB, Faloona FA. Specific synthesis of DNA in vitro via a polymerase-catalysed chain reaction. Meth Enzymol 1987;155:335−50.

381. Muñoz N, Bosch FX, de Sanjosé S, Herrero R, Castellsagué X, Shah KV, et al; International Agency for Research on Cancer Multicenter Cervical Cancer Study Group. Epidemiologic classification of human papillomavirus types associated with cervical cancer. N Engl J Med 2003;348(6):518−27.

382. Muñoz N, Mendez F, Posso H, Molano M, van den Brule AJ, Ronderos M, et al. Incidence, duration, and determinants of cervical human papillomavirus infection in a cohort of Colombian women with normal cytological results. J Infect Dis 2004;190:2077−87.

383. Naber KG, Schaeffer AJ, Heyns CF, Matsumoto T, Shoskes DA, Johansen TE. Urogenital Infections. ICUD Consultations, 2010.

384. Nagot N, Ouéraogo A, Foulongne V, Konaté I, Weiss HA, Vergne L, et al; ANRS 1285 Study Group. Reduction of HIV-1 RNA levels with therapy to suppress herpes simplex virus. N Engl J Med 2007;356:790−9.

385. Nahmias AJ, Roizman B. Infection with herpes-simplex viruses 1 and 2. N Engl J Med 1973;289(15):781−9.

386. National Center for Immunization and Respiratory Diseases. General recommendations on immunization-recommen-dations of the Advisory Committee on Immunization Practices (ACIP). MMWR Recomm Rep 2011;60(2):1−64.

387. Newhall WJ, Johnson RE, DeLisle S, Fine D, Hadgu A, Matsuda B, et al. Head-to-head evaluation of five chlamydia tests relative to a quality-assured culture standard. J Clin Microbiol 1999;37:681−5.

388. Newman LM, Moran JS, Workowski KA. Update on the Management of Gonorrhoea in Adults in the United States. Clin Infect Dis 2007;44:S84−101.

389. Nishino M, Hayakawa K, Iwasaku K, Takasu K. Magnetic resonance imaging findings in gynecologic emergencies. J Comput Assist Tomogr 2003;27(4):564−70.

390. Nonnenmacher B, Kruger Kjaer S, Svare EI, Scott JD, Hubbert NL, van den Brule AJ, et al. Seroreactivity to HPV16 virus-like particles as a marker for cervical cancer risk in high-risk populations. Int J Cancer 1996;68:704−09.

391. Notkins AL. Immune mechanism by which the spread of viral infections is stopped. Cell Immunol 1974;11:478−83.

392. Nuwaha F, Kambugu F, Nsubuga PS, Höjer B, Faxelid E. Efficacy of patient-delivered partner medication in the treatment of sexual partners in Uganda. Sex Transm Dis 2001;28:105−10.

393. O'Farrell N. Increasing prevalence of genital herpes in developing countries: implications for heterosexual HIV transmission and STI control programmes. Sex Transm Infect 1999;75:377−84.

394. O'Mahoney C. Adenoviral non-gonococcal urethritis. Int J STD AIDS 2006;17:203.

395. Ohlemeyer CL, Hornberger LL, Lynch DA, Swierkosz EM. Diagnosis of Trichomonas vaginalis in adolescent females: InPouch TV culture versus wet-mount microscopy. J Adolesc Health 1998;22:205−8.

396. Oram C, Beck J. The tampon: investigated and challenged. Women Health 1981;6(3-4)105-22.

397. Oriel JD. Natural history of genital warts. Br J Vener Dis 1971;47:1-13.

398. Orroth KK, Korenromp EL, White RG, Changalucha J, de Vlas SJ, Gray RH, et al. Comparison of STD prevalences in the Mwanza, Rakai, and Masaka trial populations: the role of selection bias and diagnostic errors. Sex Transm Infect 2003;79:98-105.

399. Orroth KK, Korenromp EL, White RG, Gavyole A, Gray RH, Muhangi L, et al. Higher risk behaviour and rates of sexually transmitted diseases in Mwanza compared to Uganda may help explain HIV prevention trial outcomes. AIDS 2003;17: 2653-60.

400. Orroth KK, White RG, Korenromp EL, Bakker R, Changalucha J, Habbema JD, et al. Empirical observations underestimate the proportion of human immunodeficiency virus infections attributable to sexually transmitted diseases in the Mwanza and Rakai sexually transmitted disease treatment trials: Simulation results. Sex Transm Dis 2006;33:536-44.

401. Over M, Piot P. HIV infection and sexually transmitted disease. In: Jamison DT, Mosley WH, Meashem AR, Bobadilla JL, editors. Disease Control Priorities in Developing Countries. New York: Oxford University Press; 1993. p. 455-527.

402. Paavonen J, Jenkins D, Bosch FX, Naud P, Salmeron J, Wheeler CM, et al; HPV PATRICIA study group. Efficacy of a prophylactic adjuvanted bivalent L1 virus-like-particle vaccine against infection with human papillomavirus types 16 and 18 in young women: an interim analysis of a phase III double-blind, randomised controlled trial. Lancet 2007;369(9580):2161-70.

403. Paavonen J, Kiviat N, Brunham RC, Stevens CE, Kuo CC, Stamm WE, et al. Prevalence and manifestations of endometritis among women with cervicitis. Am J Obstet Gynecol 1985;152(3):280-6.

404. Paavonen J, Naud P, Salmerón J, Wheeler C, Chow SN, Apter D, et al; HPV PATRICIA Study. Human Papillomavirus (HPV)-16/18 AS04-adjuvanted vaccine against cervical infection and precancer caused by oncogenic HPV types (PATRICIA): final analysis of a double-blind, randomised study in young women. Lancet 2009;374(9686):301-14.

405. Paavonen J, Teisala K, Heinonen PK, Aine R, Laine S, Lehtinen M, et al. Microbiological and histopathological findings in acute pelvic inflammatory disease. Br J Obstet Gynaecol 1987;94(5):454-60.

406. Pabich WL, Fihn SD, Stamm WE, Scholes D, Boyko EJ, Gupta K. Prevalence and determinants of vaginal flora alterations in postmenopausal women. J Infect Dis 2003;188:1054-8.

407. Padian NS, van der Straten A, Ramjee G, Chipato T, de Bruyn G, Blanchard K, et al; MIRA Team. Diaphragm and lubricant gel for prevention of HIV acquisition in southern African women: a randomised controlled trial. Lancet 2007;370:251-61.

408. Park HJ. Clinical observation and statistical consideration of syphilis (2000~2007). Korean J Dermatol 2008;46(10):1344~52.

409. Park JS, Hwang ES, Park SN, Ahn HK, Um SJ, Kim CJ, et al. Physical status and expression of HPV genes in cervical cancers. Gynecol Oncol 1997;65:121-9.

410. Park JS. Management of sexually transmitted disease during pregnancy. J Korean Med Assoc 2008;51:897-904.

411. Parker J, Bantalval J. Herpes genitalis: Clinical and virological studies. Br J Vener Dis 1967;43:212-6.

412. Parkin DM, Bray F. Chapter 2: the burden of HPV-related cancers. Vaccine 2006;24(Suppl 3) S3/11-25.

413. Parkin DM, Whelen SL, Ferlay J, Storm H. Cancer incidence in five continents, vol. I to VIII, IARC CancerBase 7. Lyon: International Agency for Research on Cancer; 2005.

414. Parry J. Controversial new vaccine to prevent cervical cancer. Bull World Health Organ 2006;84:86-7.

415. Paster BJ, Dewhirst FE. Phylogenetic foundation of spirochetes. J Mol Microbiol Biotechnol 2000;2:341-4.

416. Patton DL, Askienazy-Elbhar M, Henry-Suchet J, Campbell LA, Cappuccio A, Tannous W, et al. Detection of Chlamydia trachomatis in fallopian tube tissue in women with post-infectious tubal infertility. Am J Obstet Gynecol 1994;171(1): 95-101.

417. Patton DL, Wolner-Hanssen P, Zeng W, Lampe M, Wong K, Stamm WE, et al. The role of sperma-tozoa in the patho-genesis of Chlamydia trachomatis salpingitis in a primate model. Sex Transm Dis 1993;20(4):214-9.

418. Paz-Bailey G, Meyers A, Blank S, Brown J, Rubin S, Braxton J, et al. A case-control study of syphilis among men who have sex with men in New York City: association With HIV infection. Sex Transm Dis 2004;31:581-7.

419. Paz-Bailey G, Rahman M, Chen C, Ballard R, Moffat HJ, Kenyon T, et al. Changes in the etiology of sex-ually transmitted diseases in Botswana between 1993 and 2002: implications for the clinical management of genital ulcer disease. Clin Infect Dis 2005;41:1304-12.

420. Pebody RG, Andrews N, Brown D, Gopal R, De Melker H, Francois G, et al. The seroepidemiology of herpes virus type 1 and type 2 in Europe. Sex Transm Infect 2004;80(3):185-91.

421. Peeling RW, Mabey D, Fitzgerald DW, Watson-Jones D. Avoiding HIV and dying of syphilis. Lancet 2004;364:1561-3.

422. Peipert JF, Boardman L, Hogan JW, Sung J, Mayer KH. Laboratory evaluation of acute upper genital tract infection. Obstet Gynecol 1996;87(5 Pt 1):730-6.

423. Peipert JF, Ness RB, Blume J, Soper DE, Holley R, Randall H, et al. Clinical predictors of endometritis in women with symptoms and signs of pelvic inflammatory disease. Am J Obstet Gynecol 2001;184(5):856-63; discussion 863-4.

424. Peipert JF, Ness RB, Soper DE, Bass D. Association of lower genital tract inflammation with objective evidence of endometritis. Infect Dis Obstet Gynecol 2000;8(2):83-7.

425. Perl TM, Haugen TH, Pfaller MA, Hollis R, Lakeman AD, Whitley RJ, et al. Transmission of herpes sim-plex virus type 1 infection in an intensive care unit. Ann Int Med 1992;117: 584-6.

426. Perry CM, Lamb HM. Topical imiquimod: a review of its use in genital warts. Drugs 1999;58:375-390.

427. Persson G, Andersson K, Krantz I. Symptomatic genital papillomavirus infection in a community. Inci-dence and clinical picture. Acta Obstet Gynecol Scand 1996;75:287-90.

428. Petaja T, Keranen H, Karppa T, Kawa A, Lantela S, Siitari-Mattila M, et al. Immunogenicity and safety of human papillomavirus (HPV)-16/18 AS04- adjuvanted vaccine in healthy boys aged 10-18 years. J Adolesc Health 2009;44: 33-40.

429. Peto J, Gilham C, Deacon J, Taylor C, Evans C, Binns W, et al. Cervical HPV infection and neoplasia in a large population-based prospective study: the Manchester cohort. Br J Cancer 2004;91:942-53.

430. Pettifor A, Walsh J, Wilkins V, Raghunathan P. How effective is syndromic management of STDs?: A review of current studies. Sex Transm Dis 2000;27:371-85.

431. Pilcher CD, Price MA, Hoffman IF, Galvin S, Martinson FE, Kazembe PN, et al. Frequent detection of acute primary HIV infection in men in Malawi. AIDS 2004;18:517-24.

432. Pilcher CD, Tien HC, Eron JJ Jr, Vernazza PL, Leu SY, Stewart PW, et al; Quest Study; Duke-UNC-Em-ory Acute HIV Consortium. Brief but efficient: acute HIV infection and the sexual transmission of HIV. J Infect Dis 2004;189:1785-92.

433. Pinto AP, Crum CP. Natural history of cervical neoplasia: defining progression and its consequence. Clin Obstet Gynecol 2000;43:352-62.

434. Pisani E, Girault P, Gultom M, Sukartini N, Kumalawati J, Jazan S, et al. HIV, syphilis infection, and sexual practices among transgenders, male sex workers, and other men who have sex with men in Jakar-ta, Indonesia. Sex Transm Infect 2004;80:536-40.

435. Porter DD, Wimberly I, Benyesh-Melnick M. Prevalence of antibodies to EB virus and other herpesviruses. JAMA 1969;208:1675-9.

436. Prevalence of syphilis in Korea. Korea centers for disease control and prevention. Available from: http://cdc.go.kr/ kcdchome/jsp/observation/stat/sot/STATSOT7302List.jsp. Accessed Apr 10. 2011.

437. Price MA, Zimba D, Hoffman IF, Kaydos-Daniels SC, Miller WC, Martinson F, et al. Addition of treatment for tricho-moniasis to syndromic management of urethritis in Malawi: a randomized clinical trial. Sex Transm Dis 2003;30:516-22.

438. Public Health Agency of Canada. Reported Infectious Syphilis Cases and Rates in Canada by Province/ Territory and Sex, 1993-2002. Available from: www.phac-aspc.gc.ca/std-mts/stddata_pre06_04/ tab3-2_ e.html. Accessed July 14, 2005.

439. Pue MA, Benet LZ. Pharmacokinetics of famciclovir in man. Antivir Chem Chemother 1993;4(S1):47-55.

440. Puranen M, YliskoskiM, Saarikoski S, Syrjanen K, Syrjanen S. Vertical transmission of human papillomavirus from infected mothers to their newborn babies and persistence of the virus in childhood. Am J Obstet Gynecol 1996;174:694-99.

441. Quinn TC, Stamm WE, Goodell SE, Mkrtichian E, Benedetti J, Corey L, et al. The polymicrobial origin of intestinal infections in homosexual men. N Engl J Med 1983;309:576-82.

442. Radolf JD, Lukehart SA, editors. Pathogenic Treponema. Norfolk, England: Caister Academic Press; 2006.

443. Radolf JD, Norgard MV, Schulz WW. Outer membrane ultrastructure explains the limited antigenicity of virulent Treponema pallidum. Proc Natl Acad Sci U S A 1989;86: 2051-5.

444. Radolf JD. Role of outer membrane architecture in immune evasion by Treponema pallidum and Borrelia burgdorferi. Trends Microbiol 1994;2:307-11.

445. Rao GG, Bacon L, Evans J, Dejahang Y, Michalczyk P, Donaldson N; Lewisham Chlamydia and Gonoccoccus Screening Programme. Prevalence of Neisseria gonorrhoeae infection in young subjects attending community clinics in South London. Sex Transm Infect 2007;84:117-21.

446. Rawls WE, Gardner HL, Flanders RW, Lowry SP, Kaufman RH, Melnick JL. Genital herpes in 2 social groups. Am J Obstet Gynecol 1971;110:682-9.

447. Rawls WE, Iwamoto K, Adam E, Melnick JL. Measurement of antibodies to herpes virus types 1 and 2 in human sera. J Immunol 1970;104:599-606.

448. Ray K, Bala M, Gupta SM, Khunger N, Puri P, Muralidhar S, et al. Changing trends in sexually transmitted infections at a Regional STD Centre in north India. Indian J Med Res. 2006;124:559-68.

449. Reljic M, But I. Monitoring parameters in the management of patients with tubo-ovarian complexes. Int J Gynaecol Obstet 1999;64(3):273-9.

450. Reljic M, Gorisek B. C-reactive protein and the treatment of pelvic inflammatory disease. Int J Gynaecol Obstet 1998; 60(2):143-50.

451. Reyn A, Bentzon MW. Comparison of a selective and a non selective medium for the diagnosis of gonorrhoea to ascertain the sensitivity of Neisseria gonorrhoeae to vanco-mycin. Br J Vener Dis 1972;48:363-8.

452. Reyn A. Laboratory diagnosis of gonococcal infections. Bull World Health Organ 1965;32:449-69.

453. Rice PA, Schachter J. Pathogenesis of pelvic inflammatory disease. What are the questions? JAMA 1991;266(18):2587-93.

454. Riedner G, Hoffmann O, Rusizoka M, Mmbando D, Maboko L, Grosskurth H, et al. Decline in sexually transmitted infection prevalence and HIV incidence in female barworkers atten-ding prevention and care services in Mbeya Region, Tanzania. AIDS 2006;20:609-15.

455. Righarts AA, Simms I, Wallace L, Solomou M, Fenton KA. Syphilis surveillance and epidemiology in the United Kingdom. Euro Surveill 2004;9:15-6.

456. Risk factors for early syphilis among gay and bisexual men seen in an STD clinic: San Francisco, 2002-2003. Wong W, Chaw JK, Kent CK, Klausner JD Sex Transm Dis. 2005;32(7):458.

457. Roddy RE, Cordero M, Cordero C, Fortney JA. A dosing study of nonoxynol-9 and genital irritation. Int J STD AIDS 1993;4:165-70.

458. Rojanapithayakorn W, Hanenberg R. The 100% condom program in Thailand. AIDS 1996;10:1-7.

459. Rolfs RT, Joesoef MR, Hendershot EF, Rompalo AM, Augenbraun MH, Chiu M, et al. A randomized trial of

enhanced therapy for early syphilis in patients with and without human immunodeficiency virus infection. The Syphilis and HIV Study Group. N Engl J Med 1997;337:307-14.

460. Romanowski B, Sutherland R, Fick GH, Mooney D, Love EJ. Serologic response to treatment of infectious syphilis. Ann Intern Med 1991;114:1005-9.

461. Ross JDC. British Association for Sexual Health and HIV (BASHH). United Kingdom National Guideline for the Management of Pelvic Inflammatory Disease. London: BASHH; 2005.

462. Rothenberg RB, Wasserheit JN, St Louis ME, Douglas JM. The effect of treating sexually transmitted diseases on the transmission of HIV in dually infected persons: a clinic-based estimate. Ad Hoc STD/HIV Transmission Group. Sex Transm Dis 2000;27:411-6.

463. Rowhani-Rahbar A, Mao C, Hughes JP, Alvarez FB, Bryan JT, Hawes SE, et al. Longer term efficacy of a prophylactic monovalent human papillomavirus type 16 vaccine. Vaccine 2009;27(41):5612-9. Epub 2009 Jul 30.

464. Rowley J, Berkley S. Sexually transmitted disease. In: Murray CJL, Lopez AD, editors. Health Dimensions of Sex and Reproduction: the Global Burden of Sexually Transmitted Disease, HIV, Maternal Conditions, Perinatal Disorders, and Congenital Anomalies. Boston: Harvard School of Public Health, World Health Organization and World Bank; 1998. p. 19-110.

465. Ryan CA, Courtois BN, Hawes SE, Stevens CE, Eschenbach DA, Holmes KK. Risk assessment, symptoms and signs as predictors of vulvovaginal and cercial infections in urban U.S. STD clinic: Implications for use of STD algorithms. Sex Transm Infect 1998;74(Suppl 1):S59-S76.

466. Sacks SL, The Truth about Herpes. 4th ed. Vancouver, BC: Gordon Soule Book Publishers; 1997.

467. Saslow D, Runowicz CD, Solomon D, Moscicki AB, Smith RA, Eyre HJ, Cohen C; American Cancer Society. American cancer society guidelines for the early detection of cervical neoplasia and cancer. CA Cancer J Clin 2002;5:342-62.

468. Schaeffer HJ, Beauchamp L, de Miranda P, Elion GB, Bauer DJ, Collins P. 9-(hydroxyethoxymethyl)guanine activity against viruses of th Herpes group. Nature 1978;272(5654):583-5.

469. Schiffman M, Herrero R, Desalle R, Hildesheim A, Wacholder S, Rodriguez AC, et al. The carcinogenicity of human papillomavirus types reflects viral evolution. Virology 2005;337(1):76-84.

470. Schiffman M, Kjaer SK. Chapter 2: natural history of anogenital human papillomavirus infection and neoplasia. J Natl Cancer Inst Monogr 2003;(31):14-9.

471. Schmid G, Narcisi E, Mosure D, Secor WE, Higgins J, Moreno H. Prevalence of metronidazole-resistant Trichomonas vaginalis in a gynecology clinic. J Reprod Med 2001;46:545-549.

472. Schmid G. Economic and programmatic aspects of congenital syphilis prevention. Bull World Health Organ 2004;82:402-9.

473. Schmidt H, Hansen JG. Bacterial vaginosis in a family practice population. Acta Obstet Gynecol Scand 2000;79:999-1005.

474. Schwab L, Teferra T. Destructive epidemic Neisseria gonorrhoeae keratoconjunctivitis in African adults. Br J Ophthalmol 1985;69:525-8.

475. Schwebke JR, Hook EW 3rd. High rates of Trichomonas vaginalis among men attending a sexually transmitted diseases clinic: implications for screening and urethritis management. J Infect Dis 2003;188:465-8.

476. Selling B, Kibrick S. An outbreak of herpes simplex among wrestlers (herpes gladiatorum). N Engl J Med 1964;170:979-82.

477. Sellors JW, Mahony JB, Chernesky MA, Rath DJ. Tubal factor infertility: an association with prior chlamydial infection and asymptomatic salpingitis. Fertil Steril 1988;49(3):451-7.

478. Setia MS, Lindan C, Jerajani HR, Kumta S, Ekstrand M, Mathur M, et al. Men who have sex with men and transgenders in Mumbai, India: an emerging risk group for STIs and HIV. Indian J Dermatol Venereol Leprol 2006;72:425-31.

479. Shafer MA, Vaughan E, Lipkin ES, Moscicki BA, Schachter J. Evaluation of fluorescein-conjugated monoclonal antibody test to detect Chlamydia trachomatis endocervical infections in adolescent girls. J Pediatr 1986;108:779-83.

480. Shepard MK, Jones RB. Recovery of Chlamydia trachomatis from endometrial and fallopian tube biopsies in women with infertility of tubal origin. Fertil Steril 1989;52(2):232-8.

481. Shin BS, Song JY, Chung BS, Choi KC. A clinical study of cases of syphilis referred to our dermato- logic clinic (2002~2007)-clinical presentation and changes in symptomatic stage. Korean J Dermatol 2008;46(9):1179~85.

482. Shin HR, Jung KW, Won YJ, Kong HJ, Yim SH, Seo SW, et al. National Cancer Incidence for the Year 2002 in Korea. Cancer Res Treat 2007;39(4):139-49.

483. Simmons PD. Evaluation of the early morning smear investigation. Br J Vener Dis 1978;54:128.

484. Simms I, Fairley CK. Epidemiology of genital warts in England and Wales: 1971 to 1994. Genitourin Med 1997;73:365-67.

485. Simms I, Warburton F, Westrom L. Diagnosis of pelvic inflammatory disease: time for a rethink. Sex Transm Infect 2003;79(6):491-4.

486. Sirivongrangson P, Bollen LJ, Chaovavanich A, Suksripanich O, Jirarojwat N, Virapat P, et al. Sexually transmitted infection services as a component of HIV care: findings of a demonstration project among HIV-infected women in Thailand. J Acquir Immune Defic Syndr 2006;41:671-4.

487. Skerk V, Krhen I, Lisić M, Begovac J, Roglić S, Skerk V, et al. Comparative randomized pilot study of azithromycin and doxycycline efficacy in the treatment of prostate infection caused by Chlamydia tracho- matis. Int J Antimicrob Agents 2004;24:188-91.

488. Skerk V, Krhen I, Lisić M, Begovac J, Cajić V, Zekan S, et al. Azithromycin: 4.5-or 6.0-gram dose in the treatment of patients with chronic prostatitis caused by Chlamydia trachomatis-a randomized study. J Chemother 2004;16:408-10.

489. Slade BA, Leidel L, Vellozzi C, Woo EJ, Hua W, Sutherland A, et al. Postlicensure safety surveillance for quadrivalent human papillomavirus recombinant vaccine. JAMA 2009: 302:750-757.

490. Slavinsky J 3rd, Kissinger P, Burger L, Boley A, DiCarlo RP, Hagensee ME. Seroepidemiology of low and high oncogenic risk types of human papillomavirus in a predominantly male cohort of STD clinic patients. Int J STD AIDS 2001;12:516-23.

491. Sloan NL, Winikoff B, Haberland N, Coggins C, Elias C. Screening and syndromic approaches to identify gonorrhea and chlamydial infection among women. Stud Fam Plann 2000;31:55-68.

492. Smith E, Ritchie J, Yankowitz J, Swarnavel S, Wang D, Haugen TH, et al. Human papillomavirus prev- alence and types in newborns and parents: concordance and modes of trans-mission. Sex Transm Dis 2004;31:57-62.

493. Smith JS, Lindsay L, Hoots B, Keys J, Franceschi S, Winer R, et al. Human papillomavirus type distri- bution in invasive cervical cancer and high-grade cervical lesions: a meta-analysis update. Int J Cancer 2007;121:621-32.

494. Smith KP, Christakis NA. Association between widowhood and risk of diagnosis with a sexually transmit- ted infection in older adults. Am J Public Health 2009;99:2055-62.

495. Smith PP, Bryant EM, Kaur P, McDougall JK. Cytogenetic analysis of eight human papillomavirus im- mortalized human keratinocyte cell lines. Int J Cancer 1989;44:1124-31.

496. Smotkin D, Prokoph H, Wettstein FO. Oncogenic and nononcogenic human genital paillomaviruses gen- erate the E6 and E7 mRNA by different mechanism. J Virol 1989;63: 1441-7.

497. SNU. Prevalence of sexually transmitted diseases in high risk population of Korea. KCDC;2007.

498. Sobel JD. Management of patients with recurrent vulvovaginal candidiasis. Drugs 2003;63:1059-1066.

499. Sobel JD. Vaginitis. N Engl J Med 1997;337:1896-1903.

500. Solomon AR, Rasmussen JE, Varani J, Pierson CL. The Tzanck smear in the diagnosis of cutaneous herpes simplex. JAMA 1984;251:633-5.

501. Soper DE, Brockwell NJ, Dalton HP, Johnson D. Observations concerning the microbial etiology of acute salpingitis. Am J Obstet Gynecol 1994;170(4):1008-14; discussion 1014-7.

502. Sorvillo F, Smith L, Kerndt P, Ash L. Trichomonas vaginalis, HIV, and African-Americans. Emerg Infect Dis 2001;7:927-932.

503. Soul-Lawton J, Seaber E, On N, Wootton R, Rolan P, Posner J. Absolute bioavailability and metabolic disposition of valaciclovir, the L-Valyl ester of acyclovir, following oral administration to humans. Antimicrob Agents Chemother 1995;39:2759-2764.

504. Sparling PF, Handsfield HH. Neisseria Gonorrhoeae. In: Mandell GL, Bennett JE , Dolin R, editors. Mandell, Douglas, and Bennett's Principles and Practice of Infectious Diseases. 5th ed. Philadelphia: Churchill Livingstone; 2000. p.2242-58.

505. Spruance SL, Trying SK, Degregorio B, Miller C, Beutner K, Valacylovir HSV Study Group. A large scale, placebo-controlled, dose-ranging trial of peroral valacyclovir for episodic treatment of recurrent herpes genitalis. Arch Intern Med 1996;156:1729-35.

506. St. Louis ME, Holmes KK. Conceptual framework for STI/HIV Prevention and Control. In: Holmes KK, Sparling PF, Mardh P-A, et al., editors. Sexually Transmitted Disease. 3rd ed. New York: McGraw-Hill; 1999. p. 1239-1253.

507. Stamm WE, Hicks CB, Martin DH, Leone P, Hook EW 3rd, Cooper RH, et al. Azithromycin for empirical treatment of the nongonococcal urethritis syndrome in men. A randomized double-blind study. JAMA 1995;274:545.

508. Stamm WE. Azithromycin in the treatment of uncomplicated genital chlamydial infections. Am J Med 1991;91:19S.

509. Stanley M. Immune response to human papillomavirus. Vaccine 2006;24(1):S16-22.

510. Stanley M. Pathology and Epidemiology of HPV infection in females. Gynecologic Oncology 2010;117:S5-10.

511. Stanley M. Prophylactic HPV vaccines: prospects for eliminating ano-genital cancer. Br J Cancer 2007;96:1320-1323.

512. Stanley MA. Human papillomavirus and cervical carcino-genesis. Best Pract Res Clin Obstet Gynaecol 2001;15:663-76.

513. Steen R, Dallabetta G. Sexually transmitted infection control with sex workers: regular screening and presumptive treatment augment efforts to reduce risk and vulnerability. Reprod Health Matters 2003;11:74-90.

514. Steen R, Mogasale V, Wi T, Singh AK, Das A, Daly C, et al. Pursuing scale and quality in STI interventions with sex workers: initial results from Avahan India AIDS Initiative. Sex Transm Infect 2006;82:381-5.

515. Steen R, Vuylsteke B, DeCoito T, Ralepeli S, Fehler G, Conley J, et al. Evidence of declining STD prevalence in a South African mining community following a core-group inter-vention. Sex Transm Dis 2000;27:1-8.

516. Stern H, Elek SD, Millar DM, Anderson HF. Herpetic whitlow, a form of cross-infection in hospitals. Lancet 1959;2(7108): 871-4.

517. Stone KM, Karem KL, Sternberg MR, McQuillan GM, Poon AD, Unger ER, et al. Seroprevalence of human papillomavirus type 16 infection in the United States. J Infect Dis 2002;186: 1396-402.

518. Stoneburner RL, Low-Beer D. Population-level HIV declines and behavioral risk avoidance in Uganda. Science 2004;304: 714-8.

519. Straus SE, Takiff HE, Seidlin M, Bachrach S, Lininger L, DiGiovanna JJ, et al. Suppression of frequently recurring genital herpes: A placebo-controlled double blind trial of oral acyclovir. N Engl J Med 1984;310:1545-50.

520. Surveillance and Epidemiology Section, Community Acquired Infections Division, Public Health Agency of Canada, 2006.

521. Svare EI, Kjaer SK, Nonnenmacher B, Worm AM, Moi H, Christensen RB, et al. Seroreactivity to human papilloma-virus type 16 virus-like particles is lower in highrisk men than in high-risk women. J Infect Dis 1997;176:876-83.

522. Svensson L, Weström L, Ripa KT, Mårdh PA. Differences in some clinical and laboratory parameters in acute salpingitis related to culture and serologic findings. Am J Obstet Gynecol 1980;138(7 Pt 2):1017-21.

523. Swartz SL, Kraus SJ, Herrmann KL, Stargel MD, Brown WJ, Allen SD. Diagnosis and etiology of non-gonococcal urethritis. J Infect Dis 1978;138:445.

524. Sweat M, Kerrigan D, Moreno L, Rosario S, Gomez B, Jerez H, et al. Cost-effectiveness of environmental-structural communication interventions for HIV prevention in the female sex industry in the Dominican Republic. J Health Commun 2006;11(Suppl 2):123-42.

525. Sweet RL, Blankfort-Doyle M, Robbie MO, Schacter J. The occurrence of chlamydial and gonococcal salpingitis during the menstrual cycle. JAMA 1986;255(15):2062-4.

526. Sweet RL, Draper DL, Schachter J, James J, Hadley WK, Brooks GF. Microbiology and pathogenesis of acute salpingitis as determined by laparoscopy: what is the appropriate site to sample? Am J Obstet Gynecol 1980;138(7 Pt 2):985-9.

527. Sweet RL, Mills J, Hadley KW, Blumenstock E, Schachter J, Robbie MO, et al. Use of laparoscopy to determine the microbiologic etiology of acute salpingitis. Am J Obstet Gynecol 1979;134(1):68-74.

528. Teisala K, Heinonen PK. C-reactive protein in assessing antimicrobial treatment of acute pelvic inflammatory disease. J Reprod Med 1990;35(10):955-8.

529. Telles Dias PR, Souto K, Page-Shafer K. Long-term female condom use among vulnerable populations in Brazil. AIDS Behav 2006;10:S67-75.

530. Terris-Prestholt F, Vyas S, Kumaranayake L, Mayaud P, Watts C. The costs of treating curable sexually transmitted infections in low- and middle-income countries: a systematic review. Sex Transm Dis 2006;33:S153-66.

531. The FUTURE II Study Group. Quadrivalent vaccine against human papillomavirus to prevent high-grade cervical lesions. N Engl J Med 2007;356(19):1915-27.

532. Thompson DL, Douglas JM Jr, Foster M, Hagensee ME, Diguiseppi C, Barón AE, et al; Project RESPECT Study Group. Seroepidemiology of infection with human papillomavirus 16, in men and women attending sexually transmitted disease clinics in the United States. J Infect Dis 2004;190:1563-74.

533. Thompson SE. Treatment of disseminated gonococcal infections. Sex Transm Dis 1979;6:181-84.

534. Timmerman MM, Shao JQ, Apicella MA. Ultrastructural analysis of the pathogenesis of Neisseria gonorrhoeae endometrial infection. Cell Microbiol 2005;7(5):627-36.

535. Tjiam KH, van Heijst BY, de Roo JC, de Beer A, van Joost T, Michel MF, et al. Survival of Chlamydia trachomatis in different transport media and at different temperatires: Diagnostic implications. Br J Vener Dis 1984;60:92-4.

536. Toth A, O'Leary WM, Ledger W. Evidence for microbial transfer by spermatozoa. Obstet Gynecol 1982;59(5):556-9.

537. Trottier H, Franco EL. The epidemiology of genital human papillomavirus infection. Vaccine 2006;24(Suppl.1):S4-15.

538. Trottier H, Mahmud S, Prado JC, Sobrinho JS, Costa MC, Rohan TE, et al. Type-specific duration of human papillomavirus infection: implications for human papillomavirus screening and vaccination. J Infect Dis 2008;197(10):1436-47.

539. Tully JG, Taylor-Robinson D, Cole RM, Rose DL. A newly discovered mycoplasma in the human urogenital tract. Lancet 1981;1:1288.

540. Turner TB, Hardy PH, Newman B. Infectivity tests in syphilis. Br J Vener Dis 1969;45:183-95.

541. Twickler DM, Setiawan AT, Evans RS, Erdman WA, Stettler RW, Brown CE, et al. Imaging of puerperal septic thrombo-phlebitis: prospective comparison of MR imaging, CT, and sonography. AJR Am J Roentgenol 1997;169(4):1039-43.

542. Tyndall MW, Patrick D, Spittal P, Li K, O'Shaughnessy MV, Schechter MT. Risky sexual behaviours among injection drugs users with high HIV prevalence: implications for STD control. Sex Transm Infect 2002;78(Suppl 1):i170-5.

543. Ueda H, Togashi K, Kataoka ML, Koyama T, Fujiwara T, Fujii S, et al. Adnexal masses caused by pelvic inflammatory disease: MR appearance. Magn Reson Med Sci 2002;1(4): 207-15.

544. UNAIDS. Practical Guidelines for Intensifying HIV Prevention: Towards Universal Access. Joint United Nations Programme on HIV/AIDS, 2005. [UNAIDS/07.07E]

545. UNAIDS. Intensifying HIV prevention: UNAIDS Policy Position Paper. Joint United Nations of Programme on HIV/AIDS, 2005. [UNAIDS/05.18]

546. UNAIDS. National AIDS programmes: A guide to monitoring and evaluation. UNAIDS/00.17E. Joint United Nations Programme on HIV/AIDS, July 2003. [UNAIDS/03.36E].

547. UNAIDS. The Public Health Approach to STD Control: UNAIDS Technical Update. Joint United Nations Program on HIV/AIDS, 1998.

548. UNAIDS/WHO. Guidelines for Sexually Transmitted Disease Surveillance. World Health Organization/Joint United Nations Program on HIV/AIDS, 1999. [WHO/CHS/HIS/99.2].

549. Update to CDC's Treatment Guidelines for Gonococcal Infection, 2020 MMWR Morb Mortal Wkly Rep. 2020 Dec 18;69(50):1911-1916.

550. Valenton MJ, Abendanio R. Gonococcal conjunctivitis. Complication after ocular contamination with urine. Can J Ophthalmol 1973;8:421-5.

551. Valicenti JF Jr, Pappas AA, Graber CD, Williamson HO, Willis NF. Detection and prevalence of IUD-associated Actinomyces colonization and related morbidity. A prospective study of 69,925 cervical smears. JAMA 1982; 247(8):1149-52.

552. Van Damme P, Olsson SE, Block S, Castellsague X, Gray GE, Herrera T, et al. Immunogenicity and Safety of a 9-Valent HPV Vaccine. Pediatrics 2015;136(1):e28-39.

553. Van Dyck E, Meheus AZ, Piot P. Laboratory Diagnosis of Sexually Transmitted Diseases. World Health Organization, 1999.

554. Van Dyck E, Piot P, Meheus E. Bench-level laboratory manual for sexually transmitted diseases. WHO/VDT/89. Geneva: World Health Organisation, 1989:443.

555. Vickerman P, Terris-Prestholt F, Delany S, Kumaranayake L, Rees H, Watts C. Are targeted HIV prevention activities cost-effective in high prevalence settings? Results from a sexually transmitted infection treatment project for sex workers in Johannesburg, South Africa. Sex Transm Dis 2006;33:S122-32.

556. Viens LJ, Henley SJ, Watson M, Markowitz LE, Thomas CC, Thompson TD, et al. Human papillomavirus-associated cancers - United States, 2008-2012. MMWR Morb Mortal Wkly Rep 2016;65:661-6.

557. Vijayakumar G, Mabude Z, Smit J, Beksinska M, Lurie M. A review of female-condom effectiveness: patterns of use and impact on protected sex acts and STI incidence. Int J STD AIDS 2006;17:652-9.

558. Villa LL, Costa RL, Petta CA, Andrade RP, Ault KA, Giuliano AR, et al. Prophylactic quadrivalent human papillomavirus (types 6, 11, 16, and 18) L1 virus-like particle vaccine in young women: a randomised double-blind placebo-controlled multicentre phase II efficacy trial. Lancet Oncol 2005;6:271-8.

559. Villa LL, Costa RL, Petta CA, Andrade RP, Paavonen J, Iversen OE, et al. High sustained efficacy of a prophylactic quadrivalent human papillomavirus types 6/11/16/18 L1 virus-like particle vaccine through 5 years of follow-up. Br J Cancer 2006;95(11):1459-66.

560. Von Knebel Doeberitz M. New markers for cervical dysplasia to visualise the genomic chaos created by aberrant oncogenic papillomavirus infections. Eur J Cancer 2002;38: 2229-42.

561. Von Krogh G, Lacey CJN, Gross G, Barrasso R, Schneider A. European course on HPV associated pathology: guidelines for primary care physicians for the diagnosis and manage-ment of anogenital warts. Sex Transm Infect 2000;76:162-8.

562. Wald A, Zeh J, Selke S, Ashley RL, Corey L. Virologic characteristics of subclinical and symptomatic genital herpes infections. N Engl J Med 1995;333:770-5.

563. Wald A, Zeh J, Selke S, Warren T, Ashley R, Corey L. Genital shedding of herpes simplex virus among men. J Infect Dis 2002;186(suppl 1):S34-S39.

564. Wald A, Langenberg AG, Krantz E, Douglas JM Jr, Handsfield HH, DiCarlo RP, et al. The relationship between condom use and herpes simplex virus acquisition. Ann Intern Med 2005;143:707-13.

565. Wald A, Selke S, Warren T, Aoki FY, Sacks S, Diazmitoma F, et al. Comparative efficacy of famciclovir and valacyclovir for suppression of recurrent genital herpes and viral shedding. Sex Transm Dis 2006;33(9):529-33.

566. Wald A, Zeh J, Selke S, Warren T, Ryncarz AJ, Ashley R, et al. Reactivation of genital herpes simplex type 2 infection in asymptomatic seropositive persons. N Engl J Med 2000; 342:844-50.

567. Wald A, Langenberg AG, Krantz E, Douglas JM Jr, Handsfield HH, DiCarlo RP, et al. The relationship between condom use and herpes simplex virus acquisition. Ann Intern Med 2005;143(10):707-13.

568. Walker CK, Wiesenfeld HC. Antibiotic therapy for acute pelvic inflammatory disease: the 2006 Centers for Disease Control and Prevention sexually transmitted diseases treatment guidelines. Clin Infect Dis 2007;44 Suppl 3: S111-22.

569. Walker EM, Zampighi GA, Blanco DR, Miller JN, Lovett MA. Demonstration of rare protein in the outer membrane of Treponema pallidum subsp. pallidum by freeze-fracture analysis. J Bacteriol 1989;171:5005-11.

570. Washington AE, Aral SO, Wølner-Hanssen P, Grimes DA, Holmes KK. Assessing risk for pelvic inflammatory disease and its sequelae. JAMA 1991;266(18):2581-6.

571. Wasserheit JN, Bell TA, Kiviat NB, Wølner-Hanssen P, Zabriskie V, Kirby BD, et al. Microbial causes of proven pelvic inflammatory disease and efficacy of clindamycin and tobramycin. Ann Intern Med 1986;104(2):187-93.

572. Watts DH, Koutsky LA, Holmes KK, Goldman D, Kuypers J, Kiviat NB, et al. Low risk of perinatal transmission of human papillomavirus: results from a prospective cohort study. Am J Obstet Gynecol 1998;178:365-73.

573. Wawer MJ, Sewankambo NK, Serwadda D, Quinn TC, Paxton LA, Kiwanuka N, et al. Control of sexually transmitted diseases for AIDS prevention in Uganda: a randomised community trial. Rakai Project Study Group. Lancet 1999; 353:525-35.

574. Weaver BA, Feng Q, Holmes KK, Kiviat N, Lee SK, Meyer C, et al. Evaluation of genital sites and sampling techniques for detection of human papillomavirus DNA in men. J Infect Dis 2004;189:677-85.

575. Weinberg A, Bate BJ, Masters HB, Schneider SA, Clark JC, Wren CG, et al. In vitro activities of penciclovir and acyclovir against herpes simplex virus types I and II. Antimicrob Agents Chemother 1992;36:2037-8.

576. Weiss HA, Thomas SL, Munabi SK, Hayes RJ. Male circumcision and risk of syphilis, chancroid, and genital herpes: a systematic review and meta-analysis. Sex Transm Infect 2006;82:101-9.

577. Wendel KA, Erbelding EJ, Gaydos CA, Rompalo AM. Use of urine polymerase chain reaction to define the prevalence and clinical presentation of Trichomonas vaginalis in men attending an STD clinic. Sex Transm Infect 2003;79:151.

578. Wentworth BB, Alexander ER. Seroepidemiology of infectious due to members of the herpesvirus group. Am J Epidemiol 1971;94:496-507.

579. Weström L, Märdh PA. Chlamydial salpingitis. Br Med Bull 1983;39(2):145-50.

580. Weström L. Decrease in incidence of women treated in hospital for acute salpingitis in Sweden. Genitourin Med 1988;64(1):59-63.

581. Weström L. Diagnosis, Aetiology, and pathogenesis of Acute Salpingitis (Thesis). Lund, Sweden: Studentlitterature; 1977.

582. Weström L. Incidence, prevalence, and trends of acute pelvic inflammatory disease and its consequences in industrialized countries. Am J Obstet Gynecol 1980;138(7 Pt 2):880-92.

583. Wheeler CM. Natural history of human papillomavirus infections, cytologic, and histologic abnormalities, and cancer. Obstet Gynecol Clin North Am 2008;35:519-36.

584. Whitley RJ, Corey L, Arvin A, Lakeman FD, Sumaya CU, Wright PF, et al. Changing presentation of herpes simplex virus infection in neonates. J Infect Dis 1988;158:109-16.

585. Wikstrom, A. and J.S. Jensen, Mycoplasma genitalium: a common cause of persistent urethritis among men treated with doxycycline. Sex Transm Infect, 2006. 82(4): p. 276-9.

586. WHO Human papillomavirus and HPV vaccines: technical information for policy-makers and health professionals. Geneva, WHO, 2007. Available from: http://whqlibdoc.who.int/hq/2007/WHO_IVB_07.05_eng.pdf.

587. WHO. Guidelines for the Management of Sexually Transmitted Infections. World Health Organization, 2003.

588. WHO. Report on globally sexually transmitted infection surveillance, 2015. http://apps.who.int/iris/bitstream/handle/10665/249553/9789241565301-eng.pdf;jsessionid=25DA348EE7CDFC387C271F7767AFD756?sequence=1a (Accessed on May 16, 2018).

589. WHO. The global strategy for the prevention and control of sexually transmitted infections 2006-2015. 2007.

590. WHO. Vaccines against human papillomavirus. Available from: http://www.who.int/vaccines/en/hpvrd.shtml/shtml/shtml. Accessed January 19, 2010.

591. WHO. WHO Global Strategy for Containment of Antimicrobial Resistance. World Health Organization, 2001. [WHO/CDS/ CSR/DRS/2001.2]

592. WHO/UNAIDS. Using the workbook method to make HIV/ AIDS estimates in countries with low level or concentrated epidemics. 2007. Available from: http://data.unaids.org/ pub/Presentation/2007.

593. Wi T, Ramos ER, Steen R, Esguerra TA, Roces MC, Lim-Quizon MC, et al. STI declines among sex workers and clients following outreach, one time presumptive treatment, and regular screening of sex workers in the Philippines. Sex Transm Infect 2006;82:386-91.

594. Wideroff L, Schiffman MH, Nonnenmacher B, Hubbert N, Kirnbauer R, Greer CE, et al. Evaluation of seroreactivity to human papillomavirus type 16 virus-like particles in an incident case-control study of cervical neoplasia. J Infect Dis 1995;172:1425-30.

595. Wikstrom A, Jensen JS. Mycoplasma genitalium: A common cause of persistent urethritis among men treated with doxycycline. Sex Transm Infet 2006;82:276.

596. Wiley DJ, Douglas J, Beutner K, Cox T, Fife K, Moscicki AB, et al. External genital warts: diagnosis, treatment, and prevention. Clin Infect Dis 2002:35(Suppl. 2):S210-224.

597. Winer RL, Hughes JP, Feng Q, O'Reilly S, Kiviat NB, Holmes KK, et al. Condom use and the risk of genital human papillomavirus infection in young women. N Engl J Med 2006;354:2645-54.

598. Winer RL, Hughes JP, Feng Q, O'Reilly S, Kiviat NB, Koutsky LA. The effect of consistent condom use on the risk of gential HPV infection among newly sexually active young women. 16th biennial meeting of the International Society for Sexually Transmitted Disease Research. Amsterdam, The Netherlands; 2005[abstract MP-120].

599. Winer RL, Kiviat NB, Hughes JP, Adam DE, Lee SK, Kuypers JM, et al. Development and duration of human papilloma-virus lesions, after initial infection. J Infect Dis 2005;191(5): 731-8.

600. Winer RL, Lee SK, Hughes JP, Adam DE, Kiviat NB, Koutsky LA. Genital human papillomavirus infection: incidence and risk factors in a cohort of female university students.AmJ Epidemiol 2003;157:218-26.

601. Wølner-Hanssen P, Eschenbach DA, Paavonen J, Kiviat N, Stevens CE, Critchlow C, et al. Decreased risk of sympto-matic chlamydial pelvic inflammatory disease associated with oral contraceptive use. JAMA 1990;263(1):54-9.

602. Wølner-Hanssen P, Eschenbach DA, Paavonen J, Stevens CE, Kiviat NB, Critchlow C, et al. Association between vaginal douching and acute pelvic inflammatory disease. JAMA 1990;263(14):1936-41.

603. Wølner-Hanssen P, Mårdh PA. In vitro tests of the adherence of Chlamydia trachomatis to human sper-matozoa. Fertil Steril 1984;42(1):102-7.

604. Wølner-Hanssen P, Svensson L, Weström L, Mårdh PA. Isolation of Chlamydia trachomatis from the liver capsule in Fitz-Hugh-Curtis syndrome. N Engl J Med 1982;306(2):113.

605. Woods CR. Gonococcal infections in children and adolescents. Semin Pediatr Infect Dis 1993;4:94-101.

606. Workowski KA, et al. Sexually transmitted diseases treatment guidelines, 2015 MMWR Recomm Rep. 2015.

607. Workshop summary: Scientific Evidence on Condom Effectiveness for Sexually Transmitted Diseases (STD) Prevention. National Institutes of Allergy and Infectious Disease. July 20, 2001.

608. World Bank. Confronting AIDS: Public Priorities in a Global Epidemic. New York: Oxford University Press; 1997.

609. Wright TC Jr, Massad S, Dunton CJ, Spitzer M, Wilkinson EJ, Solomon D. 2006 American Society for Colposcopy and Cervical Pathology-sponsored consensus conference. published in Am J Obstet Gynecol 2007;197(4):346-55.

610. Wright TC, Van Damme P, Schmitt HJ, Meheus A. Chapter 14: HPV vaccine introduction in industrialized countries. Vaccine 2006;24(3):S122-31.

611. Yager P, Edwards T, Fu E, Helton K, Nelson K, Tam MR, et al. Microfluidic diagnostic technologies for global public health. Nature 2006;442:412-8.

612. Yoo JS, Yoo CK, Cho YJ, Park HJ, Oh HB, Seong WK. Antimicrobial resistance patterns(1999-2002) and characteri-zation of ciprofloxacin-resistant nisseria gonorrhoeae in Korea. KCDC;2003.

613. Yoshida T, Ishiko H, Yasuda M, Takahashi Y, Nomura Y, Kubota Y, et al. Polymerase chain reac-tion-based subtyping of Ureaplasma parvum and Ureaplasma urealyticum in first-pass urine samples from men with or without urethritis. Sex Transm Dis 2005;32:454.

614. Young EJ, Weingarten NM, Baughn RE, Duncan WC. Studies on the pathogenesis of the Jarisch-Herx-heimer reaction: development of an animal model and evidence against a role for classical endotoxin. J Infect Dis 1982;146:606-15.

615. Yudin MH, Hillier SL, Wiesenfeld HC, Krohn MA, Amortegui AA, Sweet RL. Vaginal polymorphonuclear leukocytes and bacterial vaginosis as markers for histologic endometritis among women without symptoms of pelvic inflammatory disease. Am J Obstet Gynecol 2003;188(2):318-23.

616. Yzer MC, Siero FW, Buunk BP. Can public campaigns effectively change psychological determinants of safer sex? An evaluation of three Dutch campaigns. Health Educ Res 2000;15:339-52.

617. Zhai L, Tumban E. Gardasil-9: a global survey of projected efficacy. Antiviral Res 2016;130:101-9.

618. Zikic A, Schünemann H, Wi T, Lincetto O, Broutet N, Santesso N. Treatment of Neonatal Chlamydial Con-junctivitis: A Systematic Review and Meta-analysis. J Pediatric Infect Dis Soc. 2018 Aug 17;7(3):e107-e115.

619. Zur Hausen H. Human papillomavirus in the pathogenesis of anogenital cancer. Virology 1991;184:9-13.

620. Zur Hausen H. Papillomaviruses and cancer: from basic studies to clinical application. Nat Rev Cancer 2002;2:342-50.

요로생식기 특수 감염

조인창, 최귀복, 정경진, 양승옥

| 개요

호흡기로 전파되는 결핵은 현재 우리나라에서 심각하게 고려되는 질환은 아니지만, 아직도 상당수의 환자가 발생하고 있다. 세계적으로도 아시아와 아프리카에서 많은 환자가 발생하고 있는데, 이는 후천성면역결핍증후군_AIDS_의 유행과도 관련이 깊다. 요로생식기의 결핵은 호흡기를 통하여 몸에 들어온 결핵균이 혈행성으로 요로생식기에 도착했다가 활성화되어 발병한다. 과거보다는 그 빈도가 줄었지만, 요로생식기 결핵의 진단과 치료를 다시 한 번 짚어보는 것은 의미 깊은 일로 생각된다.

푸르니에괴저_Fournier gangrene_는 감염을 통해 주로 남성 외부생식기 주변에 발생하는 괴사근막염의 일종이며, 혈당이 제대로 조절되지 않는 당뇨 환자에서 비교적 많이 발생한다. 푸르니에괴저는 요로생식기의 괴사를 동반할 수 있고 전신감염을 통한 사망률도 상당하므로 조기에 적절히 치료하는 것이 무엇보다 중요하다.

칸디다로 대표되는 요로생식기의 진균 감염은 면역력이 저하된 당뇨 환자에서 흔히 관찰되며, 요도 카테터를 장기간 유치하는 경우에도 흔히 발견된다. 이 장에서는 비교적 흔하지 않은 원인으로 일어나는 요로생식기 특수 감염에 대해 알아보고자 한다.

II 요로생식기 결핵

1. 요로결핵

1) 역학 및 병태생리

(1) 국외 현황

세계보건기구WHO의 2020년도 보고 자료에 따르면 2019년에 전세계적으로 천만명의 결핵 환자가 발생하였으며, 그 수는 점진적으로 천천히 줄고 있는 것으로 알려져 있다. 지역적으로는 동남아시아(44%)와 아프리카(25%)에서 많이 발생했다고 보고되었다. 국가별로는 인도, 인도네시아, 중국, 필리핀, 파키스탄, 나이지리아, 방글라데시 순으로 발생한 것으로 조사되었다. 2018년부터 2022년 총 약 3천만 명의 환자가 결핵 예방 치료를 받았는데, 이 중 약 20%의 환자가 사람면역결핍바이러스HIV 양성 소견을 보였다. 요로결핵의 경우, 폐결핵 환자의 2~20% 정도의 환자가 발생하며, 남녀 간 발병 비율은 2:1 정도로 남성에서 많이 발생하였다. 결핵의 발병에 관여하는 요소는 사회경제적 취약함, 미흡한 건강관리체계, AIDS의 만연 및 부족한 결핵관리 등이 있다. 최근 연구 보고에 따르면 유럽지역에서 발생하는 결핵 환자 중 2.6% 가량은 HIV 공통감염에 의해 나타났으며, 이들 중 1/3 이상이 결핵으로 인해 사망까지 이르는 것으로 조사되었다. 한편 유럽과 미국에서는 림프절병증, 결핵성 흉막 삼출 이후 세 번째로 가장 흔한 폐외결핵의 형태가 요로생식기 결핵인 것으로 보고되었다.

(2) 국내 현황

2019년 국내 결핵 신환자수는 23,821명(10만 명당 46.4명)으로, 전년 대비 9.9% 감소하였다. 2011년 결핵 신환자 최고치(39,557명)를 기록한 이후 8년 연속으로 감소하고 있으며, 2019년의 감소폭은 2011년 이후 가장 큰 폭이었다(그림 14-1). 결핵 종류별 결핵 신환자 신고현황을 살펴보면(표 14-1), 2019년 23,821명(10만 명당 46.4명)의 신환자 중 폐결핵 환자는 18,765명(10만 명당 36.6명)으로 78.8%를 차지하였으며, 전년(20,883명) 대비 2,118명 (10.2%) 감소하였다. 도말양성 폐결핵 환자는 6,497명(10만 명당 12.7명)으로 전년(7,330명) 대비 833명(11.4%) 감소하였다. 폐외결핵 신환자수는 5,056명(10만 명당 9.8명)으로 신환자 중 21.2%를 차지하였다.

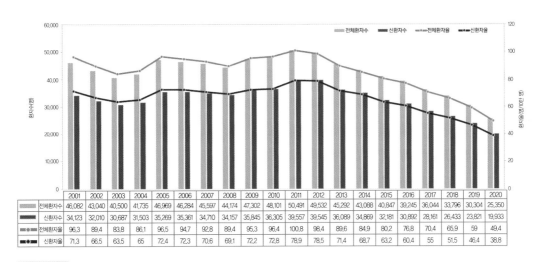

	2001	2002	2003	2004	2005	2006	2007	2008	2009	2010	2011	2012	2013	2014	2015	2016	2017	2018	2019	2020
전체환자수	46,082	43,040	40,500	41,735	46,969	46,284	45,597	44,174	47,302	48,101	50,491	49,532	45,292	43,088	40,847	39,245	36,044	33,796	30,304	25,350
신환자수	34,123	32,010	30,687	31,503	35,269	35,361	34,710	34,157	35,845	36,305	39,557	39,545	36,089	34,869	32,181	30,892	28,161	26,433	23,821	19,933
전체환자율	96.3	89.4	83.8	86.1	96.5	94.7	92.8	89.4	95.3	96.4	100.8	98.4	89.6	84.9	80.2	76.8	70.4	65.9	59	49.4
신환자율	71.3	66.5	63.5	65	72.4	72.3	70.6	69.1	72.2	72.8	78.9	78.5	71.4	68.7	63.2	60.4	55	51.5	46.4	38.8

그림 14-1 연도별 국내 신고 결핵 (신)환자수 및 율, 2001~2019

표 14-1 연도별 국내 신고 결핵 신환자수 및 율, 2010~2019   단위: 명(명/인구 10만 명)

연도	2010	2011	2012	2013	2014	2015	2016	2017	2018	2019
전체										
신환자수	36,305	39,557	39,545	36,089	34,869	32,181	30,892	28,161	26,433	23,821
신환자율(%)	72.8	78.9	78.5	71.4	68.7	63.2	60.4	55.0	51.5	46.4
폐결핵										
신환자수	28,176	30,100	31,075	28,720	27,906	25,550	24,696	22,314	20,883	18,765
신환자율(%)	56.5	60.1	61.7	56.8	55.0	50.1	48.3	43.6	40.7	36.6
(도말양성)										
신환자수	10,776	11,714	12,137	11,100	10,446	9,309	8,812	7,701	7,330	6,497
신환자율(%)	21.6	23.4	24.1	22.0	20.6	18.3	17.2	15.0	14.3	12.7
폐외결핵										
신환자수	8,129	9,457	8,470	7,369	6,963	6,631	6,196	5,847	5,550	5,056
신환자율(%)	16.3	18.9	16.8	14.6	13.7	13.0	12.1	11.4	10.8	9.8

2) 원인 및 병태생리

요로생식기의 결핵은 결핵균 복합체에 의해 유발되는 것으로 알려져 있다. 일반적으로 두 단계를 거쳐 발생하는데, 첫 단계가 초기 감염이며, 두 번째 단계는 재활성화이다. 초기 폐 감염 시 25% 정도에서 결핵균이 미만성 혈행성 전파를 통해 사구체 주변 혈관에 도달하며, 이후 항결핵 치료 시 다발성육아종 형태로 신장실질에 존재하게 된다. 이러한 육아종들은 석회화되지 않으면 영상의학적으로 발견하기 어렵다. 이렇게 신장실질에 남아 있던 결핵균은 숙주가 면역학적 이상이 없는 경우 약 5년에서 25년 이후에 재활성화되며, 대개의 경우 일측성으로 나타나지만 사후 부검 결과 양측성으로 확인되기도 한다.

신장결핵의 진행은 크게 조직 파괴 과정과 섬유화 및 육아종 형성의 치유 과정으로 나눌 수 있는데, 실제로 신장은 감염에 의한 신장실질 파괴뿐 아니라 섬유화로 인한 2차적인 폐색에 의해 기능을 소실하게 된다.

3) 진단(표 14-2)

일반적으로 요로생식기 결핵은 증상이 모호하기 때문에 진단이 용이하지 않다. 그럼에도 불구하고 진단에 가장 중요한 것은 병력 청취이다. 많은 요로생식기 결핵 환자들(4~50%)이 이전에 결핵에 감염된 병력을 갖고 있다. 초기 감염과 이후의 요로생식기 결핵 사이에는 일정한 잠복기가 존재하는데, 일부 보고에 따르면 초기 폐결핵 이후 요로생식기 결핵 발생까지 30년 이상의 잠복기를 거친다.

표 14-2 요로생식기 결핵의 진단법(ICUD 권고안, 2010)

기본검사	확진검사
병력 청취(초기 폐결핵 혹은 폐외결핵 병력 유무) 증상 신체검사 피부반응검사 소변검사 영상검사 　　정맥신우조영술 　　컴퓨터단층촬영 방광내시경(감별 진단용)	미세현미경 검사(Ziehl-Neelson acid-fast stain) 황난 배양 배지(소변, 분비물, 사정액, 채취된 조직) 중합효소연쇄반응법 병리검사(채취된 조직) Ziehl-Neelson acid-fast stain 혹은 중합효소연쇄반응법과 병행

(1) 증상 및 징후

요로결핵 환자가 가장 흔히 호소하는 증상은 배뇨 증상과, 항생제에 반응하지 않는 요절박 증상이다. 이외에 측복통이나 상치골 불편감, 혈뇨, 빈뇨, 야간뇨 등의 다양한 증상이 나타나며, 드물지만 열감, 체중 감소, 식은땀 등을 호소하기도 한다.

(2) 신체검사

일반적으로 신장결핵이나 요관결핵, 방광결핵 등의 진단에서 신체검사의 역할은 제한적이다. 그러나 남성생식기 결핵의 신체검사 소견은 다른 염증성 질환이나 악성 종양 등과의 감별에 중요하므로 고환, 부고환, 전립선 등에 대한 생식기 결핵의 동반 여부를 반드시 확인할 필요가 있다.

(3) 영상의학적 검사

전체 요로결핵 환자 중 약 3분의 1가량이 흉부 X선 검사에서 이상 소견을 보인다. 일반적으로 요로결핵을 진단하는 데 유용한 영상의학적 검사로는 배설요로조영술과 컴퓨터단층촬영이 있으며, 이 검사들을 통하여 요로결핵 조기 진단과 적절한 시점의 조속한 치료가 가능해졌다.

① 배설요로조영술

배설요로조영술은 이전까지 요로결핵의 표준 검사법이었다. 신장 내 결핵 병변의 경우 신배 입구의 협착으로 인해 신배의 소실이 특징적으로 관찰되며(그림 14-2), 요관방광 연결 부위의 협착으로 인해 그 상방의 요관 확장 소견이나 요관의 다발성 협착 소견이 관찰되기도 한다. 또한 방광 충만 영상을 통해 방광의 섬유화에 의한 구축 소견을 보일 수도 있다.

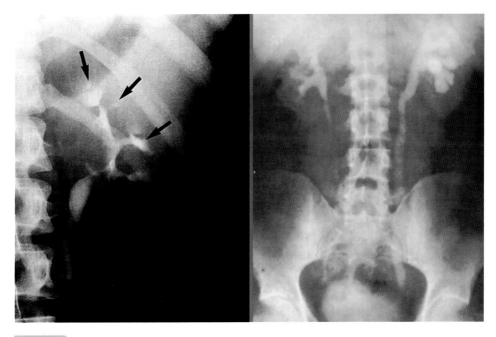

그림 14-2 요로생식기 결핵 환자의 배설요로조영술 사진

좌측: 곤봉 모양의 신배(화살표), 우측: 하부요관 말단부의 협착 및 상부요관의 수신증

② 컴퓨터단층촬영

최근 컴퓨터단층촬영 영상에서 3차원 재구성이 가능해짐에 따라 컴퓨터단층촬영은 요로생식기 결핵 진단에서 배설요로조영술과 대등하거나 더 나은 진단적 가치를 갖게 되었다(그림 14-3). 또한 컴퓨터단층촬영은 배설요로조영술에서는 확인하기 어려운 전립선이나 정낭, 부신 등의 괴사 소견도 확인할 수 있어 여러모로 장점이 많다. 일반적으로 컴퓨터단층촬영과 배설요로조영술을 통해 확인할 수 있는 소견들은 표 14-3과 같다.

표 14-3	요로결핵의 방사선학적 소견
신배 이상	
수신증 혹은 수뇨관	
자가신장절제	
신장 깔때기 절단	
요로계 석회화	
신장실질 공동화	

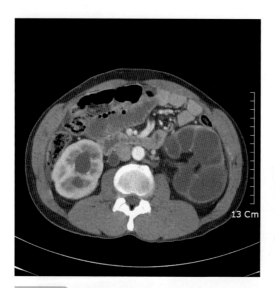 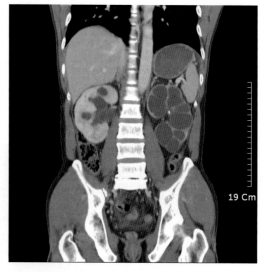

그림 14-3 **신장결핵 환자의 컴퓨터단층촬영 사진** 우측 신장의 수신증 및 좌측 신장의 신장실질 공동화 소견

③ 초음파검사

초음파검사의 경우 신배의 확장이나 다른 요로계의 폐색 소견을 확인할 수 있으나, 배설요로조영술이나 컴퓨터단층촬영에 비하여 진단적 가치가 제한적이다. 그러나 치료 기간 중 신장의 크기 혹은 방광의 부피를 추적하거나 중재적 시술 시행 시에 유용하게 사용할 수 있다.

④ 기타 영상검사

자기공명영상은 컴퓨터단층촬영과 마찬가지로 신장실질 질환이나 신장흉터 등 영상 소견의 감별 진단에 유용한 정보를 제공한다.

그 밖에 방광경검사나 역행성신우조영술 등을 시행하기도 하나 적극적으로 권장되지는 않으며, 요관협착의 범위를 확인하거나 요관 카테터 삽입과 같은 중재적 시술 시에 보조적으로 이용된다. 이 외에도 동위원소를 이용한 검사법 등이 시도되고 있다.

(4) 검사실검사

요로생식기 결핵의 원인균은 결핵균*Mycobacterium tuberculosis*과 소결핵균*Mycobacterium bovis*으로 알려져 있다. 결핵 진단에 관한 검사실 검사로는 투베르쿨린검사*tuberculin test*가 널리 사용되며, 요로생식기 결핵에 관한 검사로는 소변배양검사나 최근 각광받는 중합효소연쇄반응법 등이 있다. 다만 확진은 양성 배양검사 결과나 조직검사 검체에 대한 현미경적 소견, 중합효소연쇄반응법의 결과를 통해 이루어진다.

① 투베르쿨린검사

투베르쿨린의 정제단백질 유도체를 피내 주입하여 48시간에서 72시간 사이에 경화의 직경을 측정한다. 미국 질병통제예방센터의 자료에 따르면 경화 반응의 정도에 따라 5 mm, 10 mm, 15 mm 이상의 세 구간으로 나누어 진단한다. 다만 이러한 피부반응검사에서 음성으로 나오더라도 요로생식기 결핵 같은 폐외결핵을 배제할 수는 없다.

② 소변배양검사

신장결핵 초기나 불완전 요로폐색을 보이는 신장결핵의 경우에는 소변을 통한 결핵균 배출이 가능하므로 임상적으로 환자가 방광 자극 증상을 호소하면서 소변배양검사 결과 양성 소견을 나타내지만, 신장결핵의 진행 정도가 심하고 완전요로폐색이 동반된 경우에는 소변을 통한 균배출 경로가 차단되므로 소변배양검사 결과 음성으로 보고되기도 한다. 실제로 국내의 연구 결과 결핵성 무기능신의 소변배양 양성률은 21~38.7%로 낮게 보고되었다. 따라서 임상적으로 소변배양검사 결과 음성 소견을 보이더라도 요로생식기 결핵 진단 과정에서 다른 영상의학적 검사 등을 통한 감별이 필요하다.

③ 중합효소연쇄반응법

중합효소연쇄반응법은 핵산 중합 방법의 한 형태로, 검체 내 결핵균 복합체(*M. tuberculosis*,

M. bovis, M. microti, M. africanum) 등의 존재를 확인하는 데 중요하다. 아직 요로생식기 결핵의 진단에 관하여 많은 연구 결과가 보고되지는 않았으나 현재까지의 연구에 따르면 중합효소연쇄반응법은 진단의 민감도와 특이도가 높은 것으로 보고되었다. 또한 중합효소연쇄반응법은 HIV와 관련된 속립 결핵의 경우 소변 내 결핵균 DNA를 검출하는 데 유용하다.

4) 치료

(1) 약물치료

① 초기 치료

WHO의 권고안에 따르면 초기 2개월간 이소니아지드*isoniazid*, INH, 리팜핀*ripampicin*, RFP, 피라진아미드*pyrazinamide*, PZA, 에탐부톨*ethambutol*, EMB의 4제 요법과, 추가로 4개월간 INH, RFP 2제 요법을 시행하는 6개월간의 치료가 요로생식기 결핵에 대한 약물치료로 권장된다(표 14-4). 다만 재발성 결핵, 면역억제 중인 환자, HIV/AIDS 환자의 경우에는 9~12개월간의 연장치료가 권장된다.

표 14-4 **항결핵 치료의 표준요법**(WHO 권고안, 2017)

집중치료기간	유지치료기간
2개월간 HRZE	4개월간 HR

• H: isoniazid, R: rifampicin, Z: pyrazinamide, E: ethambutol, S: streptomycin.

일반적으로 1차 치료에서 성인에게 투약하는 용량은 표 14-5와 같다. 신장기능이 손상된 환자의 경우 INH, RFP, PZA, 프로치온아마이드*prothionamide*, PTH, 에티오나미드*ethion-amide* 등의 약제는 신장을 통해 배설되지 않기 때문에 안전하게 투약할 수 있으나, 스트렙토마이신*strepto-mycin*, SM과 EMB는 모두 신장을 통해 배설되므로 투약에 유의해야 한다. 또한 EMB는 비가역적 시신경염을 유발할 수 있으므로 반드시 신장기능에 따라 용량을 조절해야 하며, SM의 경우 귀독성과 신독성이 있으므로 신장이식 환자의 투여에 주의가 요구된다. INH은 드물게 뇌병증이 생길 수 있으므로 예방적으로 피리독신*pyridoxine* (25~50 mg/일)을 병용하는 것이 좋다.

표 14-5　1차 항결핵 치료의 성인 권장 용량

약제	치료 권장 용량			
	매일 복용		주 3회 복용	
	용량 및 범위 〔mg/체중(kg)〕	최대 용량(mg)	용량 및 범위 〔mg/체중(kg)〕	최대 용량(mg)
이소니아지드 *isoniazid*	5(4~6)	300	10(8~12)	900
리팜핀 *rifampicin*	10(8~12)	600	10(8~12)	600
피라진아미드 *pyrazinamide*	25(20~30)	–	35(30~40)	–
에탐부톨 *ethambutol*	15(15~20)	–	30(25~35)	–
스트렙토마이신 *streptomycin**	15(12~18)	–	15(12~18)	1,000

* 60세 이상의 경우 하루 500~750 mg 이상의 용량 투여는 무리가 있으므로 몇몇 지침에서는 10 mg/kg을 제시.

결핵 치료에 대한 국가의 지침은 항결핵 약제들의 여러 부작용을 감안하여 약물치료 전에 간기능검사, 신장기능검사, 안과검사를 시행하도록 권장하고 있다. 몇몇 지침은 추가로 혈소판검사 및 간기능이상 시의 간염바이러스검사 시행도 추천하고 있다.

② 재치료

재발 시에는 초기 치료에 사용했던 약제를 그대로 사용한다. 질병관리본부 지침은 모든 재발 환자에게 3개월의 연장치료를 권장하고 있으며, WHO 지침은 재발의 경우 2SHREZ/1HREZ/5HRE로 8개월간 치료하도록 권고하고 있다.

③ 약제내성 결핵의 치료

WHO 지침에 따르면 INH, RFP에만 내성을 보인 경우 SM+PTH+퀴놀론+PZA±EMB로 치료할 것을 추천하였으며, 만일 INH, RFP, PZA, EMB 등의 모든 1차 치료약제에 내성을 보이는 경우 주사제+퀴놀론+para-amino-salicylic acid나 cycloserinie 혹은 PTH 중 2가지로 6개월간 치료한 후 주사제를 제외한 나머지 약제로 18개월간 지속 치료할 것을 권장하고 있다.

④ 기타 고려 사항

대상 환자가 임신부인 경우 1차 약제인 INH, RFP, EMB는 태아 기형을 유발하지 않는 것으로 알려져 있으므로 안전하게 사용할 수 있다. 다만 WHO 지침은 PZA도 임신부에서 사용 가능한 것으로 권고하고 있으나, 미국의 지침에서는 PZA의 안전성이 입증되지 않았다고 보고하고 있다. SM의 경우 귀독성이 있으므로 임신부의 사용은 권장되지 않는다. 모유 수유 중인 환자의 경우 즉각적인 약물치료와 함께 모유 수유를 지속하는 것이 좋으며, 만약 수유 중인 아기에게 활동성 결핵이 없음이 확인되면 즉시 BCG 접종과 함께 6개월간의 INH 치료가 권장된다.

(2) 수술적 치료

요로결핵의 경우 신장절제술 등의 수술적 치료는 현재 보편적으로 시행되지 않으나 요로폐색, 신장농양, 신우신염이나 신장결석과 같은 합병증이 동반된 경우에는 선택적으로 시행된다. 그러나 항결핵치료로 인한 요관협착으로 나타날 수 있는 신장기능 손상을 방지하기 위하여 경우에 따라 요관카테터삽입술과 같은 중재적 시술이 필요하다고 생각한다. 실제로 결핵균에 의한 직접적인 신장실질의 파괴보다는 요관협착에 의해 유발된 요로폐색을 통한 신장손상이 더욱 심각한 문제이며, 대개 이러한 요관협착은 항결핵치료로 각 조직의 섬유화가 진행되면서 발생하게 된다. 더욱이 이러한 섬유화는 비가역적 변화 양상을 보이기 때문에 요관확장술 및 요관 카테터 삽입을 통해 신장기능을 보존하는 방법이 시도되고 있으나 이 방법들이 실제로 요관의 기능을 보존하는지에 대해서는 향후 더 많은 연구가 필요하다. ICUD (International Consultation on Urological Disease) 권고안은 요로생식기 결핵의 수술적 치료 방법을 제시하였다(표 14-6).

표 14-6 ICUD에서 제시한 요로생식기 결핵의 수술적 치료 방법(2010)

수신증에 대한 배액술(요관카테터설치술, 경피신루설치술)
배농술(심한 염증이 동반된 경우)
부분 혹은 전체 신장절제술
상부요관재건술
방광확장술
요도재건술
고환–부고환절제술

5) 추적관찰

일반적으로 요로생식기 결핵의 약물치료 후 5년간의 추적관찰이 권장된다. 소변검사의 경우 첫 2년간은 6개월마다, 이후 3년간은 해마다 시행하는 것이 좋으며, 재발 및 합병증의 조기 발견을 위하여 정기적인 혈액검사, 흉부 X선검사, 초음파검사 및 컴퓨터단층촬영 시행이 필요하다.

2. 남성생식기 결핵

1) 역학

현재까지 국내 및 국외적으로 남성생식기 결핵의 발생 빈도 및 분포를 상세하게 분석한 자료는 부족한 상황이다. Kulchavenya 등은 신장결핵 환자의 50%가량이 생식기 결핵을 동반하고 있으며, 역으로 결핵성부고환염 진단 환자의 61.9%, 전립선결핵 환자의 79.8%가 신장결핵 동반 소견을 보였다고 보고한 바 있다. 또한 지역적으로는 아프리카와 유럽이 AIDS의 확산 및 인구 이동 등의 요인으로 증가 추세에 있는 것으로 조사되었다. 그러나 일반적으로 남성생식기 결핵은 빈도 면에서 드문 질환에 속한다.

2) 원인 및 병태생리

신장결핵의 발생에서 결핵균의 전파가 주로 혈행성인 것과 달리 결핵균의 생식기계 전파 경로는 여러 가지인 것으로 알려져 있다. 상행성(전립선에서 방광) 또는 하행성(신장에서 방광, 전립선에서 부고환) 전파를 통해 다른 요로생식기관을 침범한다. 부고환감염으로부터 고환으로의 직접 전파도 가능하다.

남성생식기계에서 결핵 감염이 가장 호발하는 부위는 부고환과 전립선이며, 그 다음은 정낭과 고환인 것으로 나타났다. 부고환의 경우 주로 혈류 분포가 풍부한 부고환의 미부에서 전파가 시작되는 것으로 추정되며, 인접 장기인 고환의 경우 고환염 증상이 없더라도 잠복된 고환염이 있을 것으로 예측할 수 있다. 실제로 고환은 부고환에 의한 2차 감염이 호발하나, 부고환염이 없는 결핵성고환염은 아주 드문 것으로 보고되고 있다. 전립선결핵의 경우 주로 경요도전립선절제술 결과 우연히 발견되는 경우가 많으며, AIDS 환자들에서 전립선 내 결핵성 농양 발생이 보고되기도 했다. 음경결핵은 매우 드문데, 주요 전파 경로는 감염 여성과의 성관계 혹은 음경 수술 시의 직접적인 세균 침범으로 알려져 있다.

3) 진단

(1) 병력 청취

남성생식기 결핵의 진단이 지연되는 가장 큰 이유로는 이러한 질환군에 대한 의료진의 간과를 꼽을 수 있다. 그만큼 세심한 병력 청취가 정확한 진단을 위해 가장 필수적이다. 환자의 결핵 감염력 및 치료 병력, 신장이식 혹은 AIDS 등 면역력이 저하될 수 있는 병력을 반드시 문진을 통해 확인해야 한다.

(2) 증상 및 징후

남성생식기 결핵의 경우 감염된 부위에 따라 증상이 다양하게 발현된다. 결핵성부고환염의 경우 음낭 통증 및 음낭 팽만의 소견과 함께 간혹 농양루가 관찰된다. 전립선결핵은 빈뇨와 야간뇨 증상이 가장 흔하고, 이외에 혈뇨나 배뇨통, 혈정액증 등을 나타내기도 한다. 방광결핵이 동반되면 요절박 증상을 보일 수 있다.

(3) 신체검사

남성생식기 결핵 환자의 11~50%에서 신체검사 소견을 통해 단단하고 확장된 부고환 소견이나 염주알처럼 만져지는 정관, 직장항문수지검사에서 경화나 결절처럼 만져지는 전립선, 압통이 없는 고환 이물, 음낭 피부의 농양루 등을 확인할 수 있다고 알려져 있다. 드물게 음낭수종이나 서혜부 림프절 병변이 관찰되기도 한다. 다만 소변검사 후 가양성 농뇨 결과를 피하기위해서는 직장항문 수지검사를 가급적 소변검사 이후 시행하는 것이 바람직하다.

(4) 영상의학적 검사

① 초음파검사

남성 생식기의 염증 소견을 보이는 모든 환자들을 대상으로 부고환이나 고환, 전립선 부위의 초음파검사 시행이 권장된다. 초음파검사 결과 다양한 소견이 관찰될 수 있으며, 건락괴사나 조직의 섬유화 및 과립 형성 소견이 나타나기도 한다. 결핵성부고환염의 경우 부고환 미부의 현저한 크기 증가 소견과 현저한 음영의 불균질성이 특징적이다(그림 14-4). 전립선결핵의 경우 경직장전립선초음파검사에서 전립선 말초대에 불규칙한 저음영이 나타난다.

② 컴퓨터단층촬영

남성생식기 결핵의 경우 요로결핵에 비해 컴퓨터단층촬영의 진단적 가치가 다소 떨어진다.

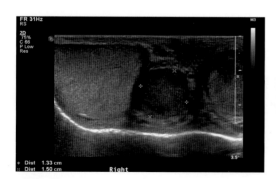
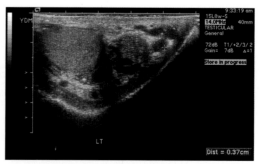

그림 14-4 **부고환결핵 환자의 초음파 소견** 부고환의 부종 소견

컴퓨터단층촬영 영상을 통하여 전립선과 정낭의 저밀도 병변이나 괴사, 건락으로 인한 공동화 혹은 석회화 소견을 관찰할 수 있다.

③ 기타 영상검사

결핵성부고환염의 경우 자기공명영상의 T2 강조 영상에서 부고환의 비대 및 저신호 강도 소견을 보이는 것으로 보고된 바 있다. 한편 역행성요도조영술이나 배뇨방광요도조영술을 통해 전립선이나 전립선 주위의 농양 형성을 관찰할 수도 있다. ICUD 권고안에 따르면 이러한 전립선농양 형성을 감별하기 위하여 남성생식기 결핵 환자를 대상으로 반드시 역행성요도조영술을 시행할 것을 권장하고 있다.

(5) 검사실검사

90%의 환자군에서 소변검사 이상 소견이 관찰되는 것으로 보고되고 있다. 신장결핵의 경우 무균성 농뇨가 특징적이며, 75%가량의 남성생식기 결핵 환자에서 비특이적 신우신염이 관찰되었다. 또한 64%의 환자에서 Acid-fast bacillus 균배양검사나 핵산중합 방법 등을 통하여 소변 내 결핵균을 확인할 수 있다는 보고도 있으나, 최근 퀴놀론계 항생제의 사용이 늘면서 이러한 균의 확인은 점차 적어지고 있다. 그러나 남성생식기 결핵 의증 환자를 대상으로 전립선 분비물과 사정액의 균배양검사를 반드시 시행하도록 권장되고 있다. 이러한 검체의 현미경적 확인은 가급적 40분 이내에 하는 것이 좋다.

소변검사의 경우 '3배분법'이라고 명명된 방법을 이용하는 것이 권장된다. 이 방법은 배뇨 시 과정을 3단계로 나누어 소변검체를 채취한다. 3등분된 검체의 첫 번째 검사 결과 농뇨가 관찰된다면 이는 요도의 염증을 시사한다. 두 번째 검체에서 농뇨가 발견되면 방광 및 상부요로의 염증을 의심해볼 수 있으며, 마지막 세 번째 검체에서 농뇨가 발견되면 전립선의 염증을 의심해볼 수 있다.

4) 치료

남성생식기 결핵의 약물치료에서는 전립선에 도달할 수 있는 약제들이 선호되기 때문에 다른 장기의 결핵 감염 치료와는 다르다는 연구도 있다. Kulchavenya 등은 INH 10 mg/kg+RFP 10 mg/kg+PZA 200 mg/kg+SM 15 mg/kg+para-amino-salicylic acid 150 mg/kg(혹은 오플록사신*ofloxacin* 800 mg 또는 레보플록사신*levofloxacin* 500 mg)을 2~4개

월간 투약하는 요법과 이후 6~8개월간 INH+RFP을 투약하는 치료법을 제시했다.

다만 합병증을 동반하지 않은 폐외결핵에 대해 WHO가 제시한 표준치료는 앞에서 언급한 바와 같이 6개월 요법을 권장한다(표 14-4). 수술적 치료법은 농양 배액과 부고환절제술 등이 있으며, 반드시 수술에 앞서 4주간 항결핵 치료를 시행해야 한다.

5) 추적관찰

ICUD 권고안에 따르면 전립선 내 공동의 소실이 치료 후 쉽게 사라지지 않기 때문에 남성 생식기 결핵 치료 후 최소 3년 이상의 추적관찰이 필요하다. 가급적 정기적인 초음파검사 및 소변검사를 통하여 재발을 조속히 확인하고 치료하는 것이 중요하다.

Ⅲ 푸르니에괴저

푸르니에괴저는 회음부, 외부 생식기, 항문주변의 복합 미생물 감염에 의해 발생하는 괴사 근막염의 일종이다. 주로 남성에서 발생하지만 여성이나 소아에서도 발생한 사례가 보고되었 다. 이 질환은 1883년 프랑스의 성병학자 Jean-Alfred Fournier가 젊은 남성의 성기와 음 낭에 발생한 전격적인 괴저를 소개하면서 지금의 이름이 붙었지만, 1764년에 Baurienne가, 1877년에 Avicenna가 먼저 보고한 바 있다. 초기의 개념은 이전에 건강했던 젊은 남성에서 갑자기 발생한 특발성 외부생식기 괴사를 의미하였으나, 오늘날 주로 사용되는 정의는 Smith 등이 제안한 '감염성 원인에 의한 회음, 외부생식기 또는 항문 주변의 괴사근막염'이다. 과거 에는 푸르니에괴저 외에 음낭의 특발성 괴저, 요도 주위 연조직염, 연쇄구균음낭괴저, 상조적 괴사피부염 등으로 불리기도 했다.

1. 병인

푸르니에괴저는 예전에는 원인을 찾지 못하는 경우가 많아 특발성이라고 알려졌으나 최근 에는 대부분 원인이 밝혀지고 있다. 푸르니에괴저는 항문 주변, 요도, 회음 피부에서 시작된 다. 가장 흔한 원발병소는 대장 항문(30~50%), 비뇨생식기(20~40%), 피부 상처(20%)로 알 려져 있다. 선행 요인이 동반되는 경우가 매우 흔한데, 여기에는 당뇨, 만성알코올중독, 영양 결핍 등의 감염 취약성이나 감돈포경, 도뇨관 삽입, 항문 주변 감염, 환상절제술(포경수술)이나 중부요도슬링 등의 비뇨의학 시술이 해당된다. 특히 푸르니에괴저 환자의 20~70%가 당뇨를, 25~50%가 만성알코올중독증을 가지고 있는데, 이들은 매우 흔한 동반 질환이다. 최근에는 HIV 감염이 유행지역에서 매우 중요한 위험 인자로 부각되고 있다. 국내에서는 음낭에 기생한 스파르가눔증 감염에 동반된 푸르니에괴저도 보고된 바 있다.

2. 발병 기전

푸르니에괴저는 화농성 세균 감염을 통해 피하의 작은 혈관에 미세혈전증을 유발하여 해당 부위의 피부 괴저를 유발한다. 병소에 대한 균배양에서 대부분 호기균과 혐기균을 포함하여 다수의 세균이 동시에 발견된다. 주요 균주는 대장균*Escherichia coli*, 프로테우스*Proteus*, 클레브시엘라*Klebsiella*, 연쇄구균*Streptococci*, 포도구균*Staphylococci*, 클로스트리디아*Clostridia*, 박테로이드*Bacteroids*, 코리네박테리아*Corynebacteria* 등이다. 한 환자에서 평균적으로 3개 이상의 균주가 동정된다. 특히 혐기균과 중복 감염인 경우에는 괴저 물질에서 매우 심한 악취가 나며, 호기균과 혐기균 사이에 상호 상승작용이 일어나 임상 경과의 진행에 중요한 영향을 미친다.

3. 임상양상

푸르니에괴저는 서서히 시작하여 천천히 진행하기도 하지만 갑작스럽게 시작되어 전격적인 경과를 보이는 경우가 대부분이다. 처음에는 감염원에 따른 침입구 주변의 연조직염처럼 시작된다. 국내의 보고에 따르면 절반가량의 환자가 특별한 원인이 없는 회음부 둔통과 같은 전구 증상을 호소했다고 한다. 초기에는 주로 침범 부위의 부종, 홍반, 동통 등이 발생하며, 깊은 근막으로 침범하고 괴저가 진행되면서 심한 통증, 발열 및 전신적 증상이 급속히 진전된다(그림 14-5). 이후 적극적으로 치료하지 않는 경우에는 패혈증 및 다발성 장기부전으로 진행하여 사망에 이른다. 경우에 따라 초기에는 급성고환염/부고환염 등의 증상과 구분되지 않는 경우도 있다. 특이하게 가스 발생 세균에 의해 침범 부위 피부에서 마찰음이 흔히 나타난다. 감염의 전파는 근막을 따라 진행되며, 이에 따라 정상적으로 보이는 피부 밑에서도 이미 진행된 경우가 많다. 주로 Colles 근막이 회음에 부착하는 부위에서부터 음낭, 음경, 앞 복벽을 지나 쇄골까지 진행되기도 한다. 그러나 심한 괴저에도 고환이 침범되는 경우는 드문데, 이는 고환이 복강에서부터 별도의 혈류를 공급받고, 백막에 의하여 주위 조직과 완전히 분리되어 있기 때문이다.

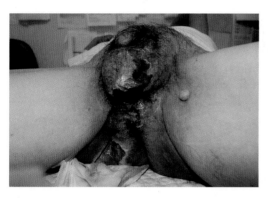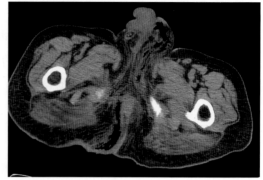

그림 14-5 푸르니에괴저의 신체 소견 및 컴퓨터단층촬영 사진
좌측: 음낭 및 회음부 전반의 피부 괴사 및 부종, 우측: 음낭 및 회음부 피하의 공기 음영

4. 진단

환자의 과거력과 임상양상을 확인하고 전신적 증상이 동반된 연조직 감염 환자에서 마찰음이나 심한 통증이 동반되거나 질환이 빠르게 진행될 경우 푸르니에 괴저를 의심해야 한다. 검사실 소견에서는 백혈구증가증이 나타나며, 빈혈이 패혈증 정도에 따라 나타나기도 한다. 또한 혈청 크레아티닌 상승, 저나트륨혈증, 저칼슘혈증 등도 흔히 동반된다. 영상의학적 진단법으로 컴퓨터 단층촬영이 가장 유용하다. 가장 흔히 보이는 소견은 연조직 내의 공기 음영으로 가장 특이적이며 즉각적인 수술 치료의 근거가 된다. 그 외 삼출액과 조영의 결손 등이 보일 수 있다. 자기공명영상은 공기 음영의 확인이 떨어지고 근막염과 심부 염증의 감별이 어려워 상대적으로 덜 유용하다. 초음파는 관측자의 역량에 좌우되는 문제가 있지만 국소적인 염증이나 농양 소견, 조직 내 공기 음영을 확인할 수 있다. 이러한 진단법으로 질환이 의심되면 수술적 탐색으로 확진한다. 수술 소견으로 비후되고 변색된 근막, 삼출물, 쉽게 박리되는 조직면 등을 확인할 수 있다.

Laor 등이 일반적인 신체 계측 및 검사실 소견을 이용하여 푸르니에괴저 정도 지수를 제안한 바 있다(표 14-7). 이 지수가 9를 넘을 경우 사망 가능성이 75%라고 하며, 질병에 의한 사망과 예후를 예측하는 인자라고 한다. 이후 이 지수를 이용하는 것이 임상적으로 도움이 된다는 연구 결과들이 보고되었다.

표 14-7 푸르니에괴저 정도 지수

	높음				정상	낮음			
점수	+4	+3	+2	+1	0	+1	+2	+3	+4
체온	>41	39~40.9	–	38.5~35.9	36~38.4	34~35.9	32~33.9	30~31.9	<29.9
심박수	>180	140~179	110~139	–	70~109	–	55~69	40~54	<39
호흡수	>50	35~49	–	25~34	12~24	10~11	6~9	–	<5
혈중 나트륨	>180	160~179	155~159	150~154	130~149	–	120~129	111~119	<110
혈중 칼륨	>7	6~6.9	–	5.5~5.9	3.5~5.4	3~3.4	2.5~2.9	–	<2.5
혈중 크레아티닌	>3.5	2~3.4	1.5~1.9	–	0.6~1.4	–	<0.6	–	–
적혈구 용적률	>60	–	50~59.9	46~49.4	30~45.9	–	20~29.9	–	<20
백혈구	>40	–	20~39.9	15~19.9	3~14.9	–	1~2.9	–	<1
혈중 중탄산염	>52	41~51.9	–	32~40.9	22~31.9	–	18~21.9	15~17.9	<15

5. 치료

푸르니에괴저는 진행이 매우 빠르고 치명적이기 때문에, 빠르고 적절한 진단과 적극적이고 다각적인 접근이 치료에서 중요하다. 치료의 주축은 혈액학적 안정, 광범위 항생제 사용과 광범위 외과적 절제술이다. 외과적 치료가 늦어지는 경우 예후가 좋지 않다는 보고들이 많다. 국내 연구에서도 내원 24시간 이내에 수술을 시행한 경우 사망한 증례가 없었지만, 이후에 시행한 경우는 28.6%가 사망했다고 하였으므로 24시간 이내의 적극적인 수술이 강조된다. 검사 진행이나 결과 대기로 인해 수술적 치료가 늦어져서는 안 된다. 수술적 치료의 목표는 건강한 조직이 보일 때까지 괴사된 조직을 완전히 제거하는 것이다. 특히 근막을 따라 파급되므로, 설령 피부가 정상적으로 보이더라도 곧 괴저가 발생하기 때문에 과감한 피부 절제가 필요하다. 대개 반복적인 절제술이 필요하며, 소변이나 대변에 의한 오염이 문제되는 경우 요로 또는 대장의 전환술을 시행하면 사망률과 합병증을 줄일 수 있다.

항생제는 경험적으로 가능성 있는 균주들을 모두 치료하기 위해 광범위하게 사용할 필요가 있다. 일반적으로 연쇄구균에 대응하여 페니실린 계열 항생제, 그람음성균에 대응하여 3세대 세팔로스포린과 아미노글리코시드, 혐기균에 대응하여 메트로니다졸 등을 사용한다(표 14-8). 또한 곰팡이가 병소에서 동정된 경우는 반드시 암포테리신 B를 사용해야 한다.

최근에는 고압산소 요법이 사망과 합병증을 줄일 수 있다는 연구 결과들이 보고되었으나 근거가 부족한 실정이다. 그 배경으로는 고압산소를 이용하면 혐기균을 억제하고 세포 대사와 숙주 방어기제를 활성화시키며 조직의 재생에 도움이 된다고 보고되었다.

전신상태가 호전되고 충분히 치료가 시행된 다음에는 단계적인 피부 재건이 필요하다. 광범위 외과적 절제술은 환자의 사망률을 낮출 수는 있지만 음낭, 고환, 회음, 복부 등의 피부가 남지 않는다는 단점이 있기 때문이다. 이런 광범위한 면적의 재건에는 식피술이나 피판술 등의 술식이 많이 이용되고 있다.

| 표 14-8 | 푸르니에 괴저 치료를 위한 권장 항생제 요법(EAU guideline, 2020) |

항생제	용량
Piperacillin-tazobactam + Vancomycin	4.5 g, 6~8시간마다 정주 15 mg/kg, 12시간마다 정주
Imipenem-cilastatin	1 g, 6~8시간마다 정주
Meropenem	1 g, 8시간마다 정주
Ertapenem	1 g, 1일 1회
Gentamicin	5 mg/kg, 1일 1회
Cefotaxime + metronidazole, 또는 clindamycin	2 g, 6시간마다 정주 500 mg, 6시간마다 정주 600~900 mg, 8시간마다 정주
Cefotaxime + fosfomycin + metronidazole	2 g, 6시간마다 정주 5 g, 8시간마다 정주 500 mg, 6시간마다 정주

6. 예후

초창기의 연구들에 따르면 높게는 80%까지 사망률이 보고되었다. 그러나 최근에는 많은 진전이 나타나, 일반적으로 40% 이내, 평균 20% 정도의 사망률이 보고된다. 이러한 발전은 질병에 대한 이해도가 높고 사용 가능한 항생제가 많아졌으며 신속한 진단과 수술적 치료가 가능해졌기 때문이지만, 비교적 높은 사망률이 지속되는 현상은 푸르니에괴저가 그만큼 대단히 파괴적인 질환이라는 사실을 반증한다. 일반적으로 알려진 사망률과 관련된 부정적인 예후인자들은 당뇨, 만성알코올중독, 대장항문질환, 지연된 치료, 넓은 침범 부위, 고령 등이다.

생존자들에게는 장기적인 합병증이 동반된다. 장기간의 통증이 흔히 나타나며, 약 절반만 통증에서 벗어나게 된다. 음경의 회전 및 변형 등에 의한 성기능장애 및 발기 시 통증 등도 흔히 호소하게 된다. 광범위한 흉터에 대한 불만에도 불구하고 대부분의 환자가 재건 이후 미용적 측면과 삶의 질의 측면에서 비교적 만족하는 것으로 알려져 있다.

Ⅳ 요로계의 진균 감염

요로계의 진균 감염은 임상적으로 매우 흔히 볼 수 있는 요로감염의 형태이다. 다양한 종류의 진균이 요로계에 감염을 일으킬 수 있으나 95% 이상의 진균 감염이 칸디다종에 의해 발생한다(표 14-9). 진균에 의한 요로감염이 크게 늘고 있는 이유는 면역억제 환자의 증가와 더불어 광범위한 항생제 및 스테로이드 사용, 당뇨의 증가, 장기간의 요도 카테터 유치, 각종 선천성 기형, 신경성 방광, 회장루 설치 등 기회 감염의 위험 인자가 증가하면서 정상 균주와 비정상 균주의 균형이 깨지기 때문인 것으로 생각한다. 최근 이를 치료하기 위한 효과적인 항진균제가 많이 개발되었으나, 진균 감염의 진단 및 치료의 적응증 등에 대해서는 다소 이견이 있다.

표 14-9 │ 요로계의 진균 감염

진균 감염	전립선	방광	신장	음경 및 피부
Blastomycosis	+++	±	+	+
Histoplasmosis	++	+	++	++
Coccidiomycosis	+	+	++	+
Aspergillosis	+	+	+++	+
Cryptococcosis	+++	+	+++	+
Candidiasis	+++	++++	++++	++

1. 칸디다뇨증

1) 역학

칸디다종은 흔히 외부생식기와 요도에서 부생균saprophytes으로 존재하며, 청결하게 채취한 소변검체에서 효모는 1% 미만에서 발견된다. 그러나 병원에 입원 중인 환자의 소변배양검사 결과를 보면 칸디다뇨증이 5~10%에 이르며, 특히 중환자실에 입원 중인 환자에서 보다 흔하게 발생하는 것으로 알려져 있다. 중환자실에 일주일 이상 입원 중인 환자의 22%에서 칸디다뇨증이 발생한다고 보고된 바 있으며, 이는 대장균 감염에 이어 두 번째로 흔한 요로감염 형태이다. 그러나 칸디다뇨증은 진성 감염이라기보다는 일시적으로 집락 형성을 하고 있는 경우가 많다. 칸디다뇨증의 약 10%는 증상이 동반된 요로감염 및 칸디다혈증을 일으키기 때문에 중요한 병원감염의 하나로 대두되고 있다.

2) 원인균

요로계 진균 감염의 가장 흔한 원인은 칸디다 알비칸스*Candida albicans*이다. 요로계 진균 감염의 52%가 *C. albicans*에 의해 발생하며, 25~35%가 *Candida glabrata*, 8~28%가 *Candida tropicalis, Candida krusei, Candida parapsilosis* 등에 의해 발생한다. 그러나 최근의 역학 조사 연구에 따르면 *Candida albicans* 이외의 칸디다종에 의한 칸디다뇨증이 급속도로 증가하고 있으며, 특히 당뇨 환자나 요로 카테터를 오랫동안 하고 있는 환자에서 많이 발생하는 것으로 보고되고 있다. 또한 한 가지 이상의 칸디다종이나 세균과 혼합 감염을 일으키는 경우도 드물지 않게 보고된다.

3) 발생 기전

칸디다뇨증은 유발인자가 없는 정상 숙주에서는 거의 발생하지 않는다. 대부분의 칸디다뇨증은 요로 카테터(50~70%), 요관 카테터, 경피적 신루 등과 연관되어 있다. 당뇨, 특히 잘 조절되지 않는 당뇨는 자율신경병증에 의한 요정체 및 폐쇄, 잦은 기구 조작으로 인해 칸디다뇨증의 위험을 증가시킨다. 칸디다뇨증에 세균 감염이 동반되는 경우도 흔한데, 세균의 방광상피세포 부착은 칸디다뇨증 발생에 중요한 역할을 하는 것으로 알려져 있다. 항생제 치료(50~100%)도 칸디다뇨증의 발생에 결정적인 역할을 하는데, 특히 광범위 항생제를 오랫동안 사용하면 위험이 높아진다. 항생제를 사용하면 위장관과 하부요로에 존재하는 정상세균무리를 억제하여 칸디다종의 집락 형성을 유발하기 때문이다. 중환자실 입원 환자에서 흔히 발생하는 병원 내 칸디다뇨증은 남성보다 여성 환자에서 흔한데, 이는 칸디다질염의 역행성 감염과 관계가 있을 것으로 생각된다.

대부분의 하부요로감염은 요로 카테터 혹은 생식기나 회음의 집락에 의한 역행성 감염에서 비롯된다. 대부분의 신장칸디다증은 상행성 감염보다는 대개 신장실질로의 혈행성 전파로 인해 발생한다. 역행성 감염으로 인한 상부요로감염은 드문데, 요로폐쇄, 방광요관역류, 혹은 당뇨가 동반된 경우에 발생할 수 있다. 칸디다종은 특히 신장 친화성을 갖고 있어서 신장칸디다증이 선행성 칸디다뇨증을 유발하게 된다.

4) 임상 소견

칸디다뇨증은 무증상인 경우가 많다. 특히 요로 카테터를 하고 있는 환자에서 칸디다종이 배양된 경우 진성 감염보다는 집락 형성을 우선적으로 생각해야 한다. 그러나 무증상이라 하더라도 중환자실 환자에서는 칸디다뇨증 동반 여부가 사망률의 증가와 관련 있는 것으로 보고되고 있으므로 주의해야 한다.

칸디다뇨증의 임상증상은 감염 부위에 따라 달라진다. 칸디다방광염은 빈뇨, 배뇨 시의 통증, 요절박, 혈뇨, 농뇨 등의 다양한 증상을 동반할 수 있으며, 칸디다신우신염은 열이나 오한, 측복부 통증, 백혈구증가증 등 세균성 신우신염과 유사한 증상을 동반한다. 배설요로조영술이나 컴퓨터단층촬영에서 신우에 곰팡이 덩어리나 유두 모양의 괴사가 보이기도 한다. 혈행성 신장칸디다증은 발열 등 패혈증의 증상이 나타나지만, 증상이 나타날 시점에는 혈액 배양이 대부분 음성이므로 진단이 어려운 경우가 많다. 특히 신생아에서 설명할 수 없는 신장기능저하가 동반된 경우에는 반드시 혈행성 신장칸디다증을 생각해봐야 한다.

5) 진단

소변에서 칸디다종이 분리되는 경우, 오염, 집락 형성, 진성 감염의 가능성이 모두 있으므로 임상적 중요성을 판단하기 어려운 경우가 많다. 칸디다종에 의한 소변검체 오염은 외음부에 집락 형성이 있는 여성 환자에서 주로 발생한다. 의심되는 경우에는 무균술로 소변배양검사를 조심스럽게 시행하여 배제할 수 있다. 집락 형성과 진성 감염을 감별하는 것은 대단히 어려우며, 카테터를 하고 있는 환자에서는 더욱 어렵다. 동반된 임상양상에 의존하는 경우가 많지만, 이 또한 비특이적인 경우가 많다. 중환자실 입원 환자에서는 다른 원인에 의해 발열이나 백혈구증가증이 나타나는 경우가 흔하므로 감별에 큰 도움이 되지 않는다.

정량소변집락측정법도 요로 카테터를 하고 있는 환자에서는 큰 도움이 되지 않으므로 치료 여부 결정을 위해 사용하기는 어렵다. 요로 카테터를 하지 않은 환자에서는 진성 감염인 경우 집락 수가 10^4 CFU/mL 이상이며, 신장, 신우, 방광의 침습적 칸디다증이 있는 경우에는 집락 수가 10^3 CFU/mL 이상인 경우가 대부분이다. 칸디다뇨증이 있는 환자의 대부분이 소변검사에서 다수의 백혈구를 보이지만, 요로 카테터를 하고 있거나 호중구감소증이 있는 환자에서는 임상적 중요성이 감소한다.

감염에 의한 칸디다뇨증을 치료하기 위해서는 감염 부위 파악이 대단히 중요하나, 신장과 하부요로의 감염을 감별하는 것 또한 매우 어렵다. 신장칸디다증의 특이 소견은 유리질원주 또는 과립원주에서 칸디다의 균사나 가성균사를 발견하는 것이지만 흔히 볼 수 있는 소견은 아니다. 초음파나 컴퓨터단층촬영이 도움이 될 수는 있으나, 감염 부위 확인에는 한계가 있다. 5일간 암포테리신 B로 방광 세척을 해도 칸디다뇨증이 계속되면 방광 상부가 감염 부위라는 의미이므로 신장칸디다증을 의심할 수 있다. 그러나 암포테리신 B 방광세척검사는 5일이라는 긴 시간이 필요하므로 실제적으로 발열을 동반한 중증 환자에게 시행하기는 어렵다.

6) 치료

진균 감염에 유용하게 사용되던 암포테리신 B 외에 아졸*azole*이나 echinocandin 계열의 여러 새로운 항진균제가 최근 개발되어 사용되고 있다(표 14-10). 그러나 이러한 신약들 중 칸디다뇨증의 치료에 플루코나졸*fluconazole*보다 유용하다고 보고된 것은 아직 없다. 약제를 선택할 때는 신독성 등의 부작용 여부, 항진균제의 작용 범위, 소변에서의 적절한 농도 유지 여부 등을 고려해야 한다.

선행 요인이 동반되지 않은 무증상 칸디다뇨증은 대부분 치료 없이 경과 관찰만 해도 충분하다. 선행 요인이 동반된 경우에도 특별히 항진균제를 사용하지 않고 이러한 요인을 제거하는 것만으로도 칸디다뇨증의 호전을 기대할 수 있다. 저출생체중아나 심한 면역억제 환자에서 열을 동반한 칸디다뇨증이 있는 경우는 파종성 칸디다증을 반드시 고려해 치료 방침을 세워야 한다. 요로 카테터를 하고 있는 무증상의 병원 내 칸디다뇨증 환자에서 치료가 필요하지 않은

표 14-10 요로계의 진균 감염에 사용하는 항진균제

분류		소변 내 치료 농도 도달 여부
Polyene	Amphotericin B desoxycholate	예
	Liposomal A(Ambisome®)	아니오
	Liposomal A(Abelcet®)	아니오
	Nystatin	아니오
Azoles	Ketoconazole	아니오
	Itraconazole	아니오
	Fluconazole	예
	Voriconazole	아니오
	Posaconazole	아니오
Echinocandin	Caspofungin	아니오
	Micafungin	아니오
	Anidulafungin	아니오
Flucytosine		예 (신장기능부전이 아닌 경우)

이유는 하부요로의 칸디다뇨증이 상행성 감염이나 칸디다혈증을 유발하는 경우가 거의 없기 때문이다. 그러나 요로계의 조작이 필요하거나 요로폐쇄가 동반된 경우에는 치료가 필요하다.

증상이 동반된 칸디다방광염의 경우에는 플루코나졸이 1차 약제로 투여된다. 다른 아졸 계열 항진균제와 달리 플루코나졸은 소변을 통해 배설되므로 소변에서 대부분의 칸디다종 치료에 충분한 최소 억제 농도를 유지할 수 있어 임상 효과가 높기 때문이다. 플루코나졸에 과민반응이 있거나 플루코나 졸 치료에 실패한 환자에 대해서는 플루시토신flucytosine 경구 투여, 암포테리신 B의 전신 투여 혹은 방광 세척을 고려할 수 있다. 플루시토신은 대부분의 칸디다종, 특히 C. glabrata에서 항진균 효과가 우수하나, 단독 사용 시 부작용이 심하고 약제내성이 발생할 수 있기 때문에 1차 약제로는 선택되지 않는다. 암포테리신 B 방광 세척(50 mg/L)을 5~7일간 시행하면 90% 이상의 칸디다뇨증을 호전시키는 것으로 알려져 있으나 재발률이 높으므로 C. glabrata나 C. krusei와 같은 아졸 계열의 항진균제에 잘 반응하지 않는 칸디다방광염의 치료를 제외하고는 추천되지 않는다.

칸디다신우신염에도 플루코나졸이 1차 약제로 추천되나, 약 20% 정도에서 동정되는 C. glabrata는 플루코나졸에 자주 내성을 보이므로 주의해야 한다. 암포테리신 B는 칸디다신우신염에서 우수한 임상 효과를 보여, 특히 중환자에서 우선적으로 사용된다. 그러나 암포테리신 B 지질 제제는 신독성 등의 부작용은 적은 반면 신장실질로의 투과성이 떨어져서 효과적이지 않다. 칸디다전립선염이나 고환염/부고환염은 드물게 발생하나, 대부분의 환자가 항진균제의 투여 및 농양 등에 대한 수술적 배농을 필요로 하는 경우가 있으므로 주의가 필요하며, 이 경우에도 플루코나졸이 1차 치료 약제로 선택된다. 그 외 보리코나졸, 포사코나졸 등의 타 항진균제는 소변에서 치료에 필요한 최소 억제 농도가 유지되지 않아 치료에 대안이 없을 경우에만 고려한다.

곰팡이 덩어리는 요로계의 어디에서든 생길 수 있다. 대부분의 경우 효과적 치료를 위해 적극적인 수술적 제거를 시행해야 하며, 암포테리신 B 단독 혹은 플루시토신이나 플루코나졸과의 병용 투여가 추천된다. 경피적 신루가 설치되어 있는 경우에는 암포테리신 B를 사용한 세척이 고려될 수 있으나, 적절한 용량이나 기간은 정해지지 않았다. 그 밖에 간헐적인 생리식염수 세척, 스트렙토키나아제streptokinase 세척, 경피적 신루를 통해 혈전절제술 기구를 사용하는 곰팡이 덩어리제거술 등이 시행될 수 있다.

2. 비뇨기계의 드문 진균 감염

1) 아스페르길루스증

아스페르길루스증*Aspergillosis*은 면역억제 환자에서 중요한 합병증 및 사망의 원인으로, 주로 폐에 감염되는 경우가 많다. 흔한 원인균으로는 아스페르길루스푸미가투스*Aspergillus fumigatus*, 아스페르길루스플라부스*Aspergillus flavus*, 아스페르길루스테레우스*Aspergillus terreus*, 아스페르길루스니게르*Aspergillus niger* 등이 있다. 아스페르길루스종은 전 세계 어디에서나 토양, 음식, 대기에서 흔히 발견되는 균주이다. 파종성 아스페르길루스증은 악성 종양, 당뇨, AIDS, 각종 면역억제제 복용 환자 등에서 발생하는 심각한 기회 감염이며 임상적으로 중요하다.

신장의 아스페르길루스증은 측복통과 고열을 동반할 수 있으며, 영상검사에서 집뇨계에 충만결손 소견을 보일 수 있다. 전립선의 아스페르길루스증은 매우 드물게 보고되고 있으며, 대개 장기간의 항생제나 스테로이드 복용력, 당뇨, 장기간의 폴리도뇨관 유치 등의 병력이 있는 환자에서 방광출구폐쇄 증상으로 나타난다.

비뇨기계의 아스페르길루스 감염은 소변 및 제거된 조직에 대한 methenamine silver 염색이나, acid-Schiff (PAS) 염색을 통한 진균 확인을 통해 확진할 수 있다. 아스페르길루스종의 배양이 진단에 도움이 될 수 있으나, 혈액배양검사 결과가 종종 음성으로 나올 수 있으니 주의해야 한다. 방사면역측정법이나 중합효소연쇄반응 등을 이용한 검사가 소변 및 혈액에서 아스페르길루스종 검출의 민감도를 다소 높일 수 있다.

침윤성 아스페르길루스증은 사망률이 40%에 이를 정도로 치명적이다. 일반적으로 암포테리신 B가 치료에 사용되지만, 최근에는 암포테리신 B 지질 제제나 새로운 아졸 계열(voriconazole, itraconazole) 및 echinocandin 계열의 진균제(caspofungin)가 추천된다.

2) 크립토코쿠스증

크립토코쿠스증*cryptococcosis*은 주로 크립토코쿠스네오포르만스*Cryptococcus neoformans*에 의하여 발병하며, 1차적으로 폐나 중추신경계를 침범하는 것으로 알려져 있다. 1차적으로 폐를 통해 감염된 크립토코쿠스증은 건강한 환자에서는 대개 증상이 없거나 바이러스성 폐렴과 유사한 임상 경과를 거치지만, 면역억제 환자에서는 파종성 크립토코쿠스증이 발생할 수 있다. 신장의 크립토코쿠스증은 피질에 국한된 농양 형태로 나타나며, 대개 증상이 없다. 전립선의 크립토코쿠스증은 AIDS, 당뇨, 알코올중독 환자에서 주로 발생하며, 만성전립선염부터 건락 변성을 동반한 육아종에 이르기까지 매우 다양하게 나타날 수 있다. 그 밖에 고환염 및 부고환염, 음경의 궤양성 병변 등의 드문 형태의 감염이 있으므로 주의해야 한다.

크립토코쿠스증은 소변, 뇌척수액 등의 배양검사를 통해 확진할 수 있으며, 인디언 잉크 염색을 통해 직접 육안적으로 균사를 관찰하여 확인할 수도 있다. 크립토코쿠스네오포르만스는 PAS 및 methenamine silver 염색을 통해 확인할 수 있다. 라텍스 응집검사나 효소면역분석법 등은 크립토코쿠스종의 항원을 검출하는 데 매우 높은 민감도 및 특이도를 나타낸다고 알려져 있다. 크립토코쿠스증의 치료에는 암포테리신 B 및 플루코나졸이 추천된다.

- 요로생식기계 결핵은 주로 초기 감염 후 재감염에 의해 증상이 발현되며, 환자가 배뇨 증상, 측복통, 혈뇨 및 환부 통증을 호소할 수 있다.
- 소변검사에서 농뇨를 보이며, 소변배양검사 음성 환자의 경우 추가로 중합효소연쇄반응법 등의 검사를 시행하는 것이 고려되며, 영상의학검사로는 컴퓨터단층촬영이 보다 정밀한 진단 및 치료 방침 설정에 중요하다.
- 일반적으로 6개월간의 약물치료로 요로생식기 결핵의 완치가 가능하다고 알려져 있으나, 최근 약제내성 결핵균 등이 나타남으로 인해 치료 기간이 연장될 수 있다.
- 요로폐색이나 신장농양, 신장결석 등의 합병증이 동반된 경우에는 신장절제술이나 중재적 시술 등의 수술적 치료가 함께 요구되기도 한다.
- 요로생식기 결핵의 치료에 있어 의료진의 세심한 병력 청취는 아무리 강조해도 지나치지 않다.
- 푸르니에괴저는 감염성 원인에 의한 회음, 외부생식기 또는 항문 주변의 괴사근막염으로, 적극적으로 치료하지 않는 경우 패혈증 및 다발성 장기부전으로 진행하여 사망에 이르는 드물지만 중한 감염성 질환이다.
- 치료에서 중요한 점은 빠르고 적절한 진단과 적극적이고 다각적인 접근법이며, 혈액학적 안정과 광범위 항생제 사용, 광범위 외과적 절제술이 필요하다.
- 선행 요인이 동반되지 않은 무증상 칸디다뇨증은 경과 관찰만 해도 충분하며, 선행 요인이 동반된 경우에도 이러한 요인을 제거하는 것만으로 칸디다뇨증의 호전을 기대할 수 있다.
- 저체중출생아나 심한 면역억제 환자 및 파종성 칸디다증이 의심되는 경우에는 전신적 항진균제를 사용해 치료해야 한다.
- 그 밖에 흔하지 않은 진균 감염은 주로 면역억제 환자에서 발생 가능하며, 전신적 항진균제 투여가 필요하다.

![참고문헌]

1. 보건복지부 질병관리본부. 2018 감염병 감시연보. 2019.
2. 보건복지부 질병관리본부. 2019 결핵환자 신고현황 연보. 2020.
3. Abbas F, Kamal MK, Talati J. Prostatic aspergillosis. J Urol 1995;153:748-50.
4. Agustin J, Lacson S, Raffalli J, Aguero-Rosenfeld ME, Wormser GP. Failure of a lipid amphotericin B preparation to eradicate candiduria: preliminary findings based on three cases. Clin Infect Dis 1999;29:686-7.
5. Ahn SS, Lee SK, Cho SH, Kim JY, Lee SH, Kang I. Clinical characteristics of genitourinary tuberculosis in children. Korean J Urol 2002;43:776-80.
6. Alvarez-Lerma F, Nolla-Salas J, Leon C, Palomar M, Jorda R, Carrasco N, et al. Candiduria in critically ill patients admitted to intensive care medical units. Intensive Care Med 2003;29:1069-76.
7. Ang BS, Telenti A, King B, Steckelberg JM, Wilson WR. Candidemia from a urinary tract source: microbiological aspects and clinical significance. Clin Infect Dis 1993;17: 662-6.

8. Baetz-Greenwalt B, Debaz B, Kumar ML. Bladder fungus ball: a reversible cause of neonatal

9. Bartone FF, Hurwitz RS, Rojas EL, Steinberg E, Franceschini R. The role of percutaneous nephrostomy in the management of obstructing candidiasis of the urinary tract in infants. J Urol 1988;140:338-41.

10. Benizri E, Fabiani P, Migliori G, Chevallier D, Peyrottes A, Raucoules M, et al. Gangrene of the perineum. Urology 1996;47:935-9.

11. Cek M, Lenk S, Naber KG, Bishop MC, Johansen TE, Botto H, et al. EAU guidelines for the management of genitourinary tuberculosis. Eur Urol 2005;48:353-62.

12. Chang AH, Black BG, Hsieh MH. Tuberculosis and parasitic infections of the genitourinary tract. In: Wein AJ, Navoussi LR, Partin AW, Peters CA, editors. Campbell-Walsh urology. 11th ed. Philadelphia: Elsevier; 2016. p. 421-46.

13. Chawla SN, Gallop C, Mydlo JH. Fournier's gangrene: an analysis of repeated surgical debridement. Eur Urol 2003;43:572-5.

14. Chitale SV, Shaida N, Burtt G, Burgess N. Endoscopic management of renal candidiasis. J Endourol 2004;18:865-6.

15. Cho YH. Urinary tract infection-sexually transmitted disease and lower urinary tract infection. Korea Association of Urogenital Tract Infection and Inflammation. Seoul: Soo moon Inc.; 2001.

16. Cho YH. Urinary tract infection-upper urinary tract infection. Korea Association of Urogenital Tract Infection and Inflammation. Seoul: Kook jin Inc.; 2005.

17. Chuck SL, Sande MA. Infections with Cryptococcus neoformans in the acquired immunodeficiency syndrome. N Engl J Med 1989;321:794-9.

18. Chung BH, Chang SY, Kim SI, Choi HS. Successfully treated renal fungal ball with continuous irrigation of fluconazole. J Urol 2001;166:1835-6.

19. Chung MK, Yonn JB, Shin SJ, Choi SH, Kang JG, Han BH, et al. Acute necrotizing fasciitis of the male genitalia (Fournier's gangrene). Korean J Urol 1991;32:593-8.

20. Colodner R, Nuri Y, Chazan B, Raz R. Community-acquired and hospital-acquired candiduria: comparison of prevalence and clinical characteristics. Eur J Clin Microbiol Infect Dis 2008;27:301-5.

21. de Repentigny L, Reiss E. Current trends in immunodiagnosis of candidiasis and aspergillosis. Rev Infect Dis 1984;6:301-12.

22. Eke N. Fournier's gangrene: a review of 1726 cases. Br J Surg 2000;87:718-28.

23. Elem B, Ranjan P. Impact of immunodeficiency virus (HIV) on Fournier's gangrene: observations in Zambia. Ann R Coll Surg Engl 1995;77:283-6.

24. Elliott D, Kufera JA, Myers RA. The microbiology of necrotizing soft tissue infections. Am J Surg 2000;179:361-6.

25. Febre N, Silva V, Medeiros EA, Wey SB, Colombo AL, Fischman O. Microbiological characteristics of yeasts isolated from urinary tracts of intensive care unit patients undergoing urinary catheterization. J Clin Microbiol 1999;37:1584-6.

26. Figueiredo AA, Lucon AM, Srougi M. Urogenital Tuberculosis. Microbiol Spectr 2017;5:1-16.

27. Fisher J, Mayhall G, Duma R, Shadomy S, Shadomy J, Watlington C. Fungus balls of the urinary tract. South Med J 1979;72:1281-4, 7.

28. Fisher JF, Woeltje K, Espinel-Ingroff A, Stanfield J, DiPiro JT. Efficacy of a single intravenous dose of amphotericin B for Candida urinary tract infections: further favorable experience. Clin Microbiol Infect 2003;9:1024-7.

29. Flechner SM, McAninch JW. Aspergillosis of the urinary tract: ascending route of infection and evolving patterns of disease. J Urol 1981;125:598-601.

30. Gallis HA, Berman RA, Cate TR, Hamilton JD, Gunnells JC, Stickel DL. Fungal infection following renal transplantation. Arch Intern Med 1975;135:1163-72.

31. Gubbins PO, McConnell SA, Penzak SR. Current management of funguria. Am J Health Syst Pharm 1999;56:1929-35; quiz 36.
32. Gustafson TL, Schaffner W, Lavely GB, Stratton CW, Johnson HK, Hutcheson RH Jr. Invasive aspergillosis in renal transplant recipients: correlation with corticosteroid therapy. J Infect Dis 1983;148:230-8.
33. Hwang EC, Na SW, Kim YJ, Kim JS, Kim SO, Jung SI, et al. Fournier's gangrene: six years of experience with 33 patients and validity of the Fournier's gangrene severity index score in Korean patients. Korean J UTII 2010;5:199-206.
34. Hyun G, Lowe FC. AIDS and the urologist. Urol Clin North Am 2003;30:101-9.
35. Irby PB, Stoller ML, McAninch JW. Fungal bezoars of the upper urinary tract. J Urol 1990;143:447-51.
36. Jallali N, Withey S, Butler PE. Hyperbaric oxygen as adjuvant therapy in the management of necrotizing fasciitis. Am J Surg 2005;189:462-6.
37. James CL, Lomax-Smith JD. Cryptococcal epididymo-orchitis complicating steroid therapy for relapsing polychondritis. Pathology 1991;23:256-8.
38. Jaye DL, Waites KB, Parker B, Bragg SL, Moser SA. Comparison of two rapid latex agglutination tests for detection of cryptococcal capsular polysaccharide. Am J Clin Pathol 1998;109:634-41.
39. Jenkin GA, Choo M, Hosking P, Johnson PD. Candidal epididymo-orchitis: case report and review. Clin Infect Dis 1998;26:942-5.
40. Jenks P, Brown J, Warnock D, Barnes N. Candida glabrata epididymo-orchitis: an unusual infection rapidly cured with surgical and antifungal treatment. J Infect 1995;31:71-2.
41. Jeong YB, Kwon MH, Bae J, Jeong HJ, Kim SI. A case of Fournier's gangrene associated with Sparganosis in the scrotum. Korean J Urol 2000;41:1141-3.
42. Jung CL, Kim MK, Seo DC, Lee MA. Clinical usefulness of real-time PCR and Amplicor MTB PCR assays for diagnosis of tuberculosis. Korean J Clin Microbiol 2008;11:29-33.
43. Kabaalioglu A, Bahat E, Boneval C. Renal candidiasis in a 2-month-old infant: treatment of fungus balls with streptokinase. AJR Am J Roentgenol 2001;176:511-2.
44. Kapoor R, Ansari MS, Mandhani A, Gulia A. Clinical presentation and diagnostic approach in cases of genito-urinary tuberculosis. Indian J Urol 2008;24:401-5.
45. Kauffman CA, Vazquez JA, Sobel JD, Gallis HA, McKinsey DS, Karchmer AW, et al. Prospective multicenter surveillance study of funguria in hospitalized patients. The National Institute for Allergy and Infectious Diseases (NIAID) Mycoses Study Group. Clin Infect Dis 2000;30:14-8.
46. Kauffman CA. Candiduria. Clin Infect Dis 2005;41 Suppl 6:S371-6.
47. Kim BH, Chang HS, Park CH, Kim CI, Kim KS. Necessity of aggressive management in Fournier's gangrene. Korean J Urol 2004;45:793-9.
48. Kim DR, Choi HC, Choi SH. Significance of nephrectomy in renal tuberculosis patients with negative urine (AFB) culture and asymptomatic nonfunctioning kidney. Korean J Urol 2002;43:723-6.
49. Kim NK, Kim DH. A clinical observation on urinary tract tuberculosis. Korean J Urol 1982;32:327-33.
50. Kim SH. Urogenital tuberculosis. In: Pollack HM, McClennan BL, editors. Clinical urography. 2nd ed. Philadelphia: Saunders; 2000. p. 1193-1228.
51. Kovacs JA, Kovacs AA, Polis M, Wright WC, Gill VJ, Tuazon CU, et al. Cryptococcosis in the acquired immunodeficiency syndrome. Ann Intern Med 1985;103:533-8.
52. Kulchavenya E. Tuberculosis of urogenital system in urology. In: Lopatkin N, editor. National manual. Mosow: Geotar-Media; 2009. p. 584-601.
53. Laor E, Palmer LS, Tolia BM, Reid RE, Winter HI. Outcome prediction in patients with Fournier's gangrene. J Urol 1995;154:89-92.
54. Lazar JD, Hilligoss DM. The clinical pharmacology of fluconazole. Semin Oncol 1990;17:14-8.
55. Levani A, Pareek M. A 100 year update on diagnosis of tuberculosis infection. Br Med Bull 2010;93:69-84.

56. Levenson RB, Singh AK, Novelline RA. Fournier gangrene: role of imaging. Radiographics 2008;28:519-28.

57. Morello FA, Jr., Mansilla AV, Wallace MJ. Removal of renal fungus balls using a mechanical thrombectomy device. AJR Am J Roentgenol 2002;178:1191-3.

58. Morpurgo E, Galandiuk S. Fournier's gangrene. Surg Clin North Am 2002;82:1213-24.

59. Naber KG, Schaeffer AJ, Heyns CF, Matsumoto T, Shoskes DA, Bjerklund Johansen TE, editors. Urogenital Infections. 1st ed. Arnhem, the Netherlands: European Association of Urology-International Consultation on Urological Diseases; 2010. p. 862-902.

60. Nathan B. Fournier's gangrene: a historical vignette. Can J Surg 1998;41:72.

61. O'Flynn D. Surgical treatment of genitourinary tuberculosis. A report on 762 cases. Br J Urol 1970;42:667-71.

62. Pappas PG, Kauffman CA, Andes D, Benjamin DK, Jr., Calandra TF, Edwards JE Jr., et al. Clinical practice guidelines for the management of candidiasis: 2009 update by the Infectious Diseases Society of America. Clin Infect Dis 2009;48:503-35.

63. Perfect JR, Seaworth BA. Penile cryptococcosis with review of mycotic infections of penis. Urology 1985;25:528-31.

64. Perraud M, Piens MA, Nicoloyannis N, Girard P, Sepetjan M, Garin JP. Invasive nosocomial pulmonary aspergillosis: risk factors and hospital building works. Epidemiol Infect 1987;99:407-12.

65. Richards MJ, Edwards JR, Culver DH, Gaynes RP. Nosocomial infections in combined medical-surgical intensive care units in the United States. Infect Control Hosp Epidemiol 2000;21:510-5.

66. Rippon JW, Larson RA, Rosenthal DM, Clayman J. Disseminated cutaneous and peritoneal hyalohyphomycosis caused by Fusarium species: three cases and review of the literature. Mycopathologia 1988;101:105-11.

67. Rivett AG, Perry JA, Cohen J. Urinary candidiasis: a prospective study in hospital patients. Urol Res 1986;14: 183-6.

68. Salyer WR, Salyer DC. Involvement of the kidney and prostate in cryptococcosis. J Urol 1973;109:695-8.

69. Shih MC, Leung DA, Roth JA, Hagspiel KD. Percutaneous extraction of bilateral renal mycetomas in premature infant using mechanical thrombectomy device. Urology 2005;65: 1226.

70. Shim TS. Comparison of guidelines for the management of tuberculosis: Korea, United States, and World Health Organization. J Korean Med Assoc 2006;49:781-9.

71. Silva V, Hermosilla G, Abarca C. Nosocomial candiduria in women undergoing urinary catheterization. Clonal relationship between strains isolated from vaginal tract and urine. Med Mycol 2007;45:645-51.

72. Simpson C, Blitz S, Shafran SD. The effect of current management on morbidity and mortality in hospitalised adults with funguria. J Infect 2004;49:248-52.

73. Smith GL, Bunker CB, Dinneen MD. Fournier's gangrene. Br J Urol 1998;81:347-55.

74. Sobel JD, Kauffman CA, McKinsey D, Zervos M, Vazquez JA, Karchmer AW, et al. Candiduria: a randomized, double-blind study of treatment with fluconazole and placebo. The National Institute of Allergy and Infectious Diseases (NIAID) Mycoses Study Group. Clin Infect Dis 2000;30:19-24.

75. Stephens BJ, Lathrop JC, Rice WT, Gruenberg JC. Fournier's gangrene: historic (1764-1978) versus contemporary (1979-1988) differences in etiology and clinical importance. Am Surg 1993;59:149-54.

76. Stevens DL, Bisno AL, Chambers HF, Dellinger EP, Goldstein EJ, Gorbach SL, et al. Practice guidelines for the diagnosis and management of skin and soft tissue infections: 2014 update by the infectious diseases society of America. Clin Infect Dis 2014;59:147-59.

77. Tambyah PA, Maki DG. Catheter-associated urinary tract infection is rarely symptomatic: a prospective study of 1,497 catheterized patients. Arch Intern Med 2000;160:678-82.

78. Thwaini A, Khan A, Malik A, Cherian J, Barua J, Shergill I, et al. Fournier's gangrene and its emergency management. Postgrad Med J 2006;82:516-9.

79. van Etten EW, van den Heuvel-de Groot C, Bakker-Woudenberg IA. Efficacies of amphotericin B-desoxy-

cholate (Fungizone), liposomal amphotericin B (AmBisome) and fluconazole in the treatment of systemic candidosis in immunocompetent and leucopenic mice. J Antimicrob Chemother 1993;32:723-39.

80. Wise GJ, Kozinn PJ, Goldberg P. Amphotericin B as a urologic irrigant in the management of noninvasive candiduria. J Urol 1982;128:82-4.

81. Wise GJ, Shteynshlyuger A. How to diagnose and treat fungal infections in chronic prostatitis. Curr Urol Rep 2006;7:320-8.

82. World Health Organization. Global tuberculosis report 2018. 2019. Geneva: World Health Organization.

83. World Health Organization. Guidelines for treatment of drug-susceptible tuberculosis and patient care 2017. Geneva: World Health Organization.

84. Yaghan RJ, Al-Jaberi TM, Bani-Hani I. Fournier's gangrene: changing face of the disease. Dis Colon Rectum 2000;43: 1300-8.

85. Yeniyol CO, Suelozgen T, Arslan M, Ayder AR. Fournier's gangrene: experience with 25 patients and use of Fournier's gangrene severity index score. Urology 2004;64:218-22.

비뇨기질환에서 마이크로바이옴

이광우, 김영호, 배재현

| 개요

마이크로바이옴*microbiome*은 인체에 서식하는 "미생물*microbe*"과 "생태계*biome*"를 합친 말로 우리 몸에 사는 미생물과 그 유전정보를 말하며 마이크로바이오타*microbiota*는 미생물들의 집합을 의미한다. 인간의 몸에는 인간의 세포보다 적게는 1.3배, 많게는 10배에 가까운 숫자의 미생물이 살고 있다고 믿어진다. 따라서 미생물을 빼놓고 인간의 유전자를 논할 수 없을 정도이기에 제2의 게놈*Second Genome*이라 부르기도 한다.

인체 내에 존재하는 미생물은 주로 세균*bacteria*이지만 바이러스*virus*, 곰팡이*fungi*, 원생동물*protozoa*까지 다양하게 존재하며 그 분포에 있어 소화기관이 95%로 대부분을 차지하지만, 호흡기, 구강, 피부, 생식기 등 모든 신체 부위에 다양한 종류와 구성으로 존재한다. 많은 신체부위에 존재하는 미생물들은 숙주의 생리와 건강을 보존하는 데 중요한 역할을 하는 것으로 알려져 있으며 비교적 균형을 이루며 안정적인 군집을 유지하지만 음식물 섭취, 생활방식, 위생상태, 약물복용, 스트레스 등 외부적 요인에 따라 변화하며 위와 같은 외부적 요인들에 의한 인체 마이크로바이옴의 불균형*dysbiosis*은 다양한 질병의 위험성을 높이게 된다.

현재 다양한 질병에 인체 내의 미생물이 관여한다는 많은 연구들이 보고되면서 미생물들과 그 유전정보인 마이크로바이옴에 대한 관심이 집중되고 있다. 이러한 마이크로바이옴에 대한 연구가 가능한 것은 인체 내 미생물을 확인할 수 있는 진단 기술의 발전이 수반되었기 때문이라 할 수 있다. 요로감염이 없는 환자에서도 세균을 검출하게 되면서 이제까지 소변은 무균상태라는 정설이 무너지게 되었고, 현재는 장내, 질내, 그리고 요로 내 마이크로바이옴이 비뇨기 질환에서 어떠한 역할을 하는 지에 대한 연구가 활발히 이루어지고 있다.

II 미생물의 검출

미생물은 배양 의존적 방법과 배양 독립적인 방법으로 검출 할 수 있다. 배양 의존적 방법에는 일반적인 요로병원균을 식별하는 데 사용되는 표준 소변배양검사와 더 많은 양의 소변을 사용하여 다양한 조건과 확장된 배양 시간으로 표준배양에서 배양하기 어려운 유기체를 검출하고자 하는 확장된 정량적 소변배양검사*expanded or enhanced quantitative urine culture*, EQUC가 있다. 배양 독립적인 방법에는 차세대 염기서열분석*Next-Generation Sequencing*, NGS 기술을 이용한 16S rRNA sequencing이 있다.

1. 표준 소변배양검사

표준 소변배양검사는 0.001 mL의 소변을 혈액한천배지(blood agar plate) 및 MacConkey 한천배지에 접종한 후 배지를 35℃에서 24시간 및 48시간 배양한 후 자란 세균의 집락 수를 산정하고 동정한다. 통상 임상적 세균뇨의 기준은 집락수가 10^5 CFU/mL 이상인 경우로 하지만, 절대적인 것은 아니며 환자의 증상과 분리된 균종과 분리수, 채뇨방법 등을 고려하여 해석하여야 한다. 소변배양검사는 여전히 우수한 진단 정확도를 가진 표준검사로 여겨지고 있으나, 일반적인 배양기술은 *Corynebacterium*이나 *Ureaplasma*와 같이 천천히 자라거나, 혐기성인 병원체는 잘 검출하지 못한다.

2. 확장된(향상된) 정량적 소변배양검사(expanded or enhanced quantitative urine culture, EQUC)

EQUC는 보다 많은 소변샘플을 이용하여 호기성 및 혐기성 모두를 포함하는 다양한 대기조건으로 다양한 배양온도 및 배지에서 보다 긴 배양시간으로 시행한다. 구체적으로 기술하면 0.1 mL의 소변을 혈액한천배지, MacConkey 한천배지, chocolate 한천배지 및 colistin-nalidixic acid (CNA) 한천배지에 접종하고 35℃, 때로는 30℃에서 48시간 동안 배양한다. 또한 0.1 mL의 소변을 혐기성 혈액한천배지에 넣고 혐기성 조건과 5% 산소, 10% 이산화탄소 및 85% 질소의 혼합조건에서 35℃로 48시간 동안 배양한다.

Hilt 등은 EQUC로 표준 소변배양검사에서 음성이었던 환자의 92%에서 세균을 검출하였으며, *Lactobacillus*, *Corynebacterium*, *Streptococcus*, *Actinomyces* 그리고 *Staphylo-coccus*의 빈도순이었다고 보고하였다.

3. 차세대 염기서열분석(Next-Generation Sequencing, NGS)

하나의 유전체를 무수히 많은 조각으로 분해하여 각 조각을 동시에 읽어낸 뒤, 전산기술을 이용하여 조합함으로써 방대한 유전체 정보를 빠르게 해독하는 방법을 차세대 염기서열분석 (NGS)이라 한다. NGS 기술로 배양에 의존하지 않고 특정 미생물 군집 내에 존재하는 유전자들의 전체 염기서열에 대한 정보를 얻는 것이 가능해졌다. 미생물 군집을 알기위해 sequencing에 사용되는 부위가 16S rRNA인데, 16S rRNA는 보존영역*conserved regions* 사이사이에 9개의 서로 다른 가변영역*variable regions*, V1-V9이 있는 섞여 있는 구조로 이루어져 있다. 특히 가변영역은 동일 종*species* 내에서는 차이가 없지만 다른 종과는 특징적인 차이를 보이기 때문에 미생물 동정에 유용하게 사용된다. 배양 독립적인 방법의 단점은 세균의 존재만을 알 수 있으며 세균이 현재 생존해 있는 것인지는 알 수 없다는 것과 다른 가변영역을 사용하면 결과도 다를 수 있다는 것이다.

미국국립보건원(NIH)은 인체 마이크로바이옴을 특성화하고 인간의 건강 및 질병에서의 역할을 분석하고자 2007년도에 인체 마이크로바이옴 프로젝트*Human Microbiome Project*, HMP를 시작하였다. 처음엔 인체의 다섯 부위(위장관, 코, 입, 피부 및 질)에서 진행되었으며 요로계는 포함되지 않았다. 그 이유는 전통적으로 소변은 무균상태라고 생각했기 때문이다. 그러나 건강한 사람의 소변에서도 마이크로바이옴이 존재하고 비뇨기계 질환에서 변화된다는 증거들이 보고되면서 요로 마이크로바이옴의 역할에 대한 관심을 갖게 되었다.

급성방광염 증상이 있는 환자를 대상으로 표준 소변배양검사와 NGS DNA sequencing을 비교한 연구에 따르면 44명의 환자 모두(100%)에서 세균에 대한 DNA sequencing 결과가 양성으로 나온 반면 표준 소변배양검사에서는 30%(13명/44명)만이 양성으로 나왔다.

현재까지 요로계에는 50개 이상의 속*genus*과 100개 이상의 종*species*이 존재하는 것으로 보고되고 있으나 그 구성과 분포에 대해서는 아직 정립되지 않았으며, 비뇨생식기계의 건강과 질병에서의 역할 또한 완전히 이해되지 않은 상태이다.

III 비뇨기질환과 마이크로바이옴

1. 요로감염과 마이크로바이옴

요로감염의 발병기전은 흔히 장내 세균의 상행으로 설명되는데 최근 연구들은 요로감염 질병 활성도의 조절에 질, 요로, 그리고 장내 미생물의 중요한 역할을 보고하고 있다. 공생균은 병원균을 능가하기도 하고, 억제 또는 살균물질을 분비함으로써 요로병원균에 대한 장벽으로써 작용한다. 도뇨관을 가지고 있는 환자를 대상으로 한 연구에서는 미생물의 다양성이 요로감염 발생에 대한 보호역할을 하며, 공생균들의 불균형에 의해 요로감염이 발생할 수 있다고 하였다.

일반적으로 단순 방광염이 의심되는 환자는 소변배양검사없이 경험적인 항생제로 치료하는 경우가 많다. 소변배양검사를 시행하더라도 대부분의 경우 항생제 치료에 잘 반응하여 소변배양검사가 나올 때쯤엔 치료가 종결되기도 한다. 증상이 지속되거나 재발성 요로감염의 경우엔 효과적인 치료를 위해 세균의 균종과 항생제 감수성을 결정하기 위해 표준 소변배양검사를 시행한다.

요로감염의 치료는 일반적으로 항생제 치료에 의존하여 감염균을 제거하는 것이다. 항생제는 오랜 기간 인간에게 매우 유용한 세균감염 치료제로써 사용되어 왔으나, 최근 항생제 내성뿐만 아니라 마이크로바이옴 구성에도 매우 큰 영향을 미치는 등의 문제점이 대두되고 있다. 항생제의 경우 일반적으로 특정 세균을 대상으로 투여하지만 대부분의 항생제가 광범위하게 작용하게 된다. 항생제의 복용으로 인해 직접적으로는 마이크로바이옴의 다양성을 감소시키고, 간접적으로는 군집 구조를 파괴하여 미생물 종간의 상호작용과 영양분 대사 경로의 상호보완 시스템을 교란시켜 장내 환경에 광범위한 이상을 발생시킨다. 이러한 항생제에 의한 마이크로바이옴 군집의 불균형은 면역 시스템에 영향을 미쳐, 장 관련 질환과 다양한 면역 관련 장애가 발생할 확률을 높인다. 항생제 복용을 중단하더라도 수개월 동안 장내 환경에 영향을 미치며, 완벽하게 원상태로의 회복은 어려워 신중한 항생제 처방과 올바른 항생제의 복용이 매우 중요하다. 무증상 세균뇨를 가진 699명의 젊은 여성을 대상으로 항생제 치료를 받은 군과 치료를 받지 않은 군으로 나누어 12개월 추적관찰한 연구에서 항생제 치료를 받은 군에서 오히려 요로감염의 재발율이 높게 나타났다고 보고되었다. 항생제로 인해 요로감염을 억제할 수 있는 유익균까지 영향을 받아 결과적으로는 오히려 요로감염의 재발을 초래한다는 것이다.

요로감염은 장내 미생물 그리고 여성의 경우 질내 미생물과도 연관성이 있어 장내 미생물과 질내 미생물의 불균형을 개선하여 요로감염을 치료하고 예방하고자 하는 연구들이 보고되고 있다. Paalanne 등은 요로감염이 있는 소아환자는 건강한 대조군과 장내 미생물의 차이를 보였는데 가장 두드러진 것은 *Enterobacter*가 보다 풍부하였으며, 이는 장내 마이크로바이옴이 요로감염발생과 관련이 있음을 의미한다고 주장하였다.

Lactobacillus 균주의 항균효과는 점막의 산성화, 병원균의 부착억제, 비타민이나 면역조절물질 생산, 그리고 숙주 면역계와의 상승작용으로 설명할 수 있다. 또한, *Lactobacillus* 균주는 과산화수소*hydrogen peroxida*와 박테로이신*bacteriocin*을 포함한 항균 대사물질들을 생산한다. 이러한 성질 때문에 *Lactobacillus* 균주로 연구들이 진행되었고, *L. rhamnosus* GR-1, *L. fermentum* RC-14, *L. reuteri* B-54와 같은 균주가 요로감염의 치료와 예방에 효과적이라는 보고들이 있다. 그러나 용량, 기간, 투여경로 등에 대한 정립이 되어 있지 않고, 효과 또한 증거가 아직은 부족한 실정이다.

건강한 폐경전 여성의 질에는 젖산을 생성하는 *Lactobacillus*가 군집화되어 있어 다른 세균을 억제하여 감염을 예방하고 균형적인 질 마이크로바이옴을 유지시킨다.

Koradia 등은 크랜베리 추출물에 두 가지 유산균(*Lactobacillus acidophilus* PXN 35, *Lactobacillus plantarum* PXN 47)을 포함하는 프로바이오틱스 제품의 경구 투여로 폐경전 여성에서 재발성 요로감염을 효과적으로 줄였다고 보고하였다. 그리고 최근엔 재발이 많은 세균성 질염을 치료하고자 개발한 Lactin-V(*Lactobacillus crispatus* CTV-05)의 효능에 대한 무작위 이중맹검 위약대조 임상시험결과가 보고되었는데, 12주 후 30%의 재발율을 보여 위약을 받은 여성의 45%와 비교하여 의미있는 결과를 보고하며 질내 프로바이오틱스를 활성화하여 항생제 치료를 줄이고자 하는 마이크로바이옴 치료제의 가능성을 보여주었다.

재발성 요로감염의 발병기전에서 장내 미생물의 영향을 조절하기 위한 방법으로 분변미생물군이식*Fecal Microbiota Transplantation*, FMT이 시도되고 있다. 재발성*Clostridium difficile* 감염증 환자에서 분변미생물군이식 후 1년 동안 요로세균의 항생제 내성과 재발성 요로감염의 감소가 보고되었으며, 신장이식 수혜자에서 분변미생물군이식으로 재발성 요로감염을 치료한 연구도 있다.

NGS는 요로감염에서 원인 병원체를 식별하고 항생제에 대한 내성 패턴을 식별하는 데 사용될 수 있으며, 항생제 치료 동안 요로 마이크로바이옴이 변한다는 것은 의심할 여지가 없는 사실로 방광 또는 질에 단일 균주를 주입하거나 또는 분변미생물군이식으로 재발성 요로감염을 예방하거나 치료하는 연구는 지속될 것이다.

2. 과민성방광/절박성요실금과 마이크로바이옴

절박성요실금은 주로 여성과 노인에서 환자의 삶의 질에 상당한 영향을 미치는 질환으로 과민성방광 또는 신경성 배뇨근 과반사의 동반 증상일 수 있다. 진단을 위해서는 요로감염을 배제해야한다고 여겨졌지만, 최근 요로 마이크로바이옴과의 관련성에 대한 연구들이 보고되고 있다. 건강한 대조군과 절박성요실금 여성환자의 요로 마이크로바이옴에 대한 연구는 두 군 간에 소변내 세균구성의 의미있는 차이를 보이며 증상의 정도와 치료에도 영향을 미친다고 보고하고 있다. 60명의 절박성요실금 환자와 58명의 대조군을 대상으로 카테터를 이용하여 얻은 소변검체를 분석하였는데, 대조군에 비해 절박성요실금 환자군에서 높은 *Gardnerella*와 낮은 *Lactobacillus*의 구성을 특징으로 보였으며, EQUC를 이용한 배양검사에서 9개의 속*genus* (*Actinobaculum, Actinomyces, Aerococcus, Arthrobacter, Corynebacterium, Gardnerella, Oligella, Staphylococcus, and Streptococcus*)이 절박성요실금 환자의 소변에서 보다 자주 배양되었다. *Lactobacillus*는 두 군 모두에서 검출되었는데, 흥미롭게도 종*species* 수준에서는 차이를 보여, *Lactobacillus gasseri*가 절박성요실금 환자에서 더 자주 배양되었고, *Lactobacillus crispatus*는 대조군에서 흔하게 검출되었다. 다른 연구에서는 미생물의 다양성이 낮은 환자에서 절박성요실금 증상의 정도가 더 높았다고 하였다.

Thomas-White 등은 체질량지수(BMI)가 높은 환자에서 요로 마이크로바이옴의 다양성이 많았으며 절박성요실금 증상이 증가되었고, 다양성의 증가는 호르몬을 복용하지 않는 폐경여성에서 *Lactobacillus*의 낮은 빈도와 관련이 있다고 보고하였다. 하지만 복압성요실금 환자에서는 요로 마이크로바이옴과 복압성요실금 증상과는 상관관계가 없다고 하였다.

절박성요실금 환자에서 보이는 이러한 높은 다양성은 항콜린제 치료에 대한 반응과도 상관관계가 있어서 절박성요실금에 대한 경구약제의 치료반응을 요로 마이크로바이옴으로 치료전에 예측할 수 있다. 74명의 절박성요실금 환자와 60명의 대조군을 대상으로 약물치료(solifenacin) 전, 후에 카테터를 이용하여 얻은 소변검체를 분석하였는데 요로 마이크로바이옴의 다양성과 풍부도가 높을수록 *solifenacin*에 잘 반응하지 않고, 더 많은 용량이 필요했다고 보고하였다.

Fok 등은 요실금/골반장기탈출증 수술을 받은 126명의 여성환자에서 *Atopobium vaginae*와 *Finegoldia magna*가 수술전 과민성방광 증상 설문지를 통한 배뇨증상 정도와 관련이 있어 과민성방광 증상에 영향을 미치는 인자로 생각된다고 하였다.

Wu 등은 30명의 과민성방광 환자와 25명의 대조군을 대상으로 카테터를 이용하여 얻은 소변검체를 분석하였는데, 정상 대조군에 비해 과민성방광 환자에서 요로 마이크로바이옴의 다양성이 더 낮았으며 우울증이 있는 과민성방광 환자에서 세균의 다양성과 풍부도의 감소가 더욱 심하다고 하였다. 또한 과민성방광 환자에서 불안이나 우울증의 동반유무에 따라 일부 세균 속genus의 차이가 보이며, 이것은 뇌-방광-마이크로바이옴 축brain-bladder-microbiome axis이 존재한다는 소견이라고 하였다.

3. 간질성방광염/방광통증후군(IC/BPS)과 마이크로바이옴

간질성방광염/방광통증후군은 요로감염이나 다른 명백한 병인이 없으며 방광 충만과 연관된 치골상부의 통증성 불편감이 있고 주간 빈뇨와 야간뇨를 호소하는 만성질환이다. 따라서 진단을 위해서는 감염을 배제해야 한다. 하지만 무증상의 건강한 대조군과 간질성방광염 여성 환자의 미생물 군집의 특성화를 위한 고 처리량 시퀀싱 기술(high-throughput sequencing technique)은 그룹 간 차이를 보였으며 요로 마이크로바이옴이 관여할 수 있음을 시사하였다. 간질성방광염 환자에서 종의 풍부함과 생태적 다양성은 상당히 낮았으며, 대조군의 60%에 비해 간질성방광염 환자에서는 90%이상으로 Lactobacillus가 의미있게 높은 풍부도를 보였다. 또 다른 연구에서는 방광통증후군 환자의 소변에서 Corynebacterium이 적고, Lactobacillus gasseri가 많다고 하였다. Meriwether 등은 O'Leary-Sant 설문지를 이용하여 방광통증후군 그룹과 비-방광통증후군 그룹으로 나누어 소변내 미생물 군집을 비교분석하였는데, 두 그룹 간에 의미 있는 차이는 없었다고 보고하였다. 그러나 위 연구들은 중간뇨를 이용하였는데, 이는 질내 마이크로바이옴이 오염되었을 가능성이 높다. 카테터로 채취한 소변검체를 이용한 연구에서는 위 연구와 마찬가지로 미생물의 다양성은 감소하였지만 Lactobacillus acidophilus 의 풍부도는 오히려 낮게 나타났다. 이처럼 논란의 여지가 있는 결과들에 비추어 볼 때 간질성방광염의 원인에 세균이 관여한다는 직접적인 증거는 아직 부족하며 추가적인 연구가 필요하다. 하지만 병인이 명확하지 않은 간질성방광염 환자의 진단, 평가 그리고 치료에 있어 NGS와 EQUC의 이용은 병태 생리학에 대한 이해를 더욱 발전시킬 수 있을 것이다.

4. 만성골반통증후군(CP/CPPS)과 마이크로바이옴

남성에서 만성골반통증후군의 원인은 아직까지 명확하게 규명되지 않았으며, 해부학적 이상이 없으면서, 요로감염, 종양, 간질성방광염 등 유사한 증상을 나타내는 질환을 배제함으로써 진단된다.

많은 연구들이 만성골반통증후군 환자의 소변과 장내 미생물의 다양성을 대조군과 비교하였다. 16S rRNA sequencing을 이용하여 25명의 만성골반통증후군 환자와 25명의 대조군의 중간뇨 검체로 요로 마이크로바이옴을 분석한 결과, 대조군보다 만성골반통증후군 환자군에서 미생물의 다양성이 높게 나타났다. 또한 미생물의 구성에 있어서 만성골반통증후군 환자군에서 *Clostridia*와 *Bacteroides*가 많게 나타났고, *Bacilli*는 적게 나타났으며, 혐기성 세균의 유병률이 의미있게 높았다. Mandar 등은 21명의 만성골반통증후군 환자와 46명의 대조군 남성의 정액을 채취하여 16S rRNA sequencing을 이용하여 정액내 마이크로바이옴을 비교하였는데, 만성골반통증후군 환자군에서 미생물의 다양성이 높았으며 *Lactobacilli*(특히 *Lactobacillus iners*)는 적었다고 보고하였다. Shoskes 등은 만성골반통증후군 환자군에서 장내 마이크로바이옴의 다양성이 적고, 분포가 대조군과 차이를 보였으며, 항염증 역할이 있는 *Prevotella*의 수가 의미있게 적어 생체표지자로 이용될 수 있다고 하였다.

IV 결론

요로계는 무균환경이 아니며, 복잡하고 뚜렷한 요로 마이크로바이옴이 존재한다는 사실로 이제까지 미생물학적 병인이 없는 것으로 여겨졌던 비뇨기계 질환들을 새로운 시선으로 보게 되었다. 마이크로바이옴은 현재 건강기능식품, 화장품 및 헬스케어 분야 등에 걸쳐서 광범위하게 응용되고 있으며 대부분이 장내 마이크로바이옴에 관련하여 연구 개발되고 있다.

요로 마이크로바이옴 또한 비뇨생식기계의 건강에 미치는 역할에 대한 지식이 증가함에 따라 요로감염 치료의 패러다임은 단순히 항생제로 병원균을 죽이는 개념에서 이제는 유익한 미생물의 역할을 도와주고 요로계의 건강한 미생물환경을 회복시키는 방향으로 바뀌고 있다. 현재 요로감염성 질환뿐만 아니라 비뇨기종양, 과민성방광, 요로결석 등의 분야에서도 요로 마이크로바이옴의 역할에 대한 많은 연구들이 보고되고 있다.

요로 마이크로바이옴 영역에서 NSG 검사는 비용적인 면과 검사결과의 해석에 있어서 임상적으로 보편화하기에는 아직 부족한 부분이 많다. 하지만 비뇨기질환과 요로 마이크로바이옴의 관계를 바라보는 새로운 관점과 경향에 관심을 가질 필요가 있으며, 보다 많은 데이터베이스가 구축된다면 요로 마이크로바이옴은 비뇨기질환에 대한 진단, 치료, 예후, 예방에 있어서 많은 중요한 역할을 할 것이다.

- 소변내 미생물을 검출하는 방법에는 표준적인 소변배양검사와 확장된 정량적 소변배양검사(EQUC), 그리고 차세대 염기서열분석법이 있다.
- 차세대 염기서열분석(NGS) 기술의 발전으로 '소변은 무균상태이다'라는 정설이 무너지고 요로 마이크로바이옴에 대한 관심과 연구가 많아지고 있다.
- 표준적인 소변배양검사에서는 알지 못했던 미생물들을 검출하게 되면서 요로감염뿐만 아니라 과민성방광, 간질성방광염, 만성골반통증후군, 요로결석, 비뇨기종양 등의 비뇨기계 질환과 요로 마이크로바이옴과의 상관관계 및 역할에 대한 연구가 활발히 보고되고 있다.
- 장내, 질내, 그리고 요로 마이크로바이옴은 많은 질환에 관여하고 있으며, 그 질환의 진단, 치료 및 예방에 있어서 일정부분 중요한 역할을 기대할 수 있을 것이다.

![참고문헌]

1. Abernethy MG, Rosenfeld A, White JR, Mueller MG, Lewicky-Gaupp C, Kenton K. Urinary microbiome and cytokine levels in women with interstitial cystitis. Obstet Gynecol 2017;129:500-6.
2. Antunes-Lopes T, Vale L, Coelho AM, Silva C, Rieken M, Geavlete B, et al. The role of urinary microbiota in lower urinary tract dysfunction: a systematic review. Eur Urol Focus 2020;6(2):361-9.
3. Aroutcheva A, Gariti D, Simon M, Shott S, Faro J, Simoes JA, et al. Defense factors of vaginal lactobacilli. Am J Obstet Gynecol 2001;185:375-9.
4. Barrons R, Tassone D. Use of Lactobacillus probiotics for bacterial genitourinary infections in women: a review. Clin Ther 2008;30:453-68.
5. Biehl LM, Cruz Aguilar R, Farowski F, Hahn W, Nowag A, Wisplinghoff H, et al. Fecal microbiota transplantation in a kidney transplant recipient with recurrent urinary tract infection. Infection 2018;46:871-4.
6. Brubaker L, Wolfe AJ. The female urinary microbiota, urinary health and common urinary disorders. Ann Transl Med 2017;5(2):34.
7. Cai T, Mazzoli S, Mondaini N, Meacci F, Nesi G, D'Elia C, et al. The role of asymptomatic bacteriuria in young women with recurrent urinary tract infections: to treat or not to treat? Clin Infect Dis 2012;55(6):771-7.
8. Cohen CR, Wierzbicki MR, French AL, Morris S, Newmann S, Reno H, et al. Randomized trial of Lactin-V to prevent recurrence of bacterial vaginosis. N Engl J Med 2020;382(20):1906-15.
9. Dani C, Biadaioli R, Bertini G, Martelli E, Rubaltelli FF. Probiotics feeding in prevention of urinary tract infection, bacterial sepsis and necrotizing enterocolitis in preterm infants. A prospective doubleblind study. Biol Neonate 2002;82:103-8.
10. Flores-Mireles AL, Walker JN, Caparon M, Hultgren SJ. Urinary tract infections: epidemiology, mechanisms of infection and treatment options. Nat Rev Microbiol 2015;13:269-84.
11. Fok CS, Gao X, Lin H, Thomas-White KJ, Mueller ER, Wolfe AJ, et al. Urinary symptoms are associated with certain urinary microbes in urogynecologic surgical patients. Int Urogynecol J 2018;29:1765-71.
12. Gaffney RA, Venegas MF, Kanerva C, Navas EL, Anderson BE, Duncan JL, et al. Effect of vaginal fluid on adherence of type 1 piliated Escherichia coli to epithelial cells. J Infect Dis 1995;172(6):1528-35.

13. Gasiorek M, Hsieh MH, Forster CS. Utility of DNA next-generation sequencing and expanded quantitative urine culture in diagnosis and management of chronic or persistent lower urinary tract symptoms. J Clin Microbiol 2019;58(1):e00204-19.

14. Grice EA, Segre JA. The human microbiome: our second genome. Annu Rev Genomics Hum Genet 2012;13:151-70.

15. Hanson L, VandeVusse L, Jermé M, Abad CL, Safdar N. Probiotics for treatment and prevention of urogenital infections in women: a systematic review. J Midwifery Womens Health 2016;61:339-55.

16. Hilt EE, McKinley K, Pearce MM, Rosenfeld AB, Zilliox MJ, Mueller ER, et al. Urine is not sterile: use of enhanced urine culture techniques to detect resident bacterial flora in the adult female bladder. J Clin Microbiol 2014;52:871-6.

17. Horwitz D, McCue T, Mapes AC, Ajami NJ, Petrosino JF, Ramig RF, et al. Decreased microbiota diversity associated with urinary tract infection in a trial of bacterial interference. J Infect 2015;71:358-67.

18. Iannitti T, Palmieri B. Therapeutical use of probiotic formulations in clinical practice. Clinical Nutrition 2010;29:701-25.

19. Karstens L, Asquith M, Davin S, Stauffer P, Fair D, Gregory WT, et al. Does the urinary microbiome play a role in urgency urinary incontinence and its severity? Front Cell Infect Microbiol 2016;6:78.

20. Koradia P, Kapadia S, Trivedi Y, Chanchu G, Harper A. Probiotic and cranberry supplementation for preventing recurrent uncomplicated urinary tract infections in premenopausal women: a controlled pilot study. Expert Rev Anti Infect Ther 2019;17(9):733-40.

21. Kwon SI, Next generation sequencing (NGS), a key tool to open the personalized medicine era. Korean J Clin Lab Sci 2012;44(4):167-77.

22. Lee KW, Song HY, Kim YH. The microbiome in urological diseases. Investig Clin Urol 2020;61(4):338-48.

23. Li JKM, Chiu PKF, Ng CF. The impact of microbiome in urological diseases: a systematic review. Int Urol Nephrol 2019;51(10):1677-97.

24. Magistro G, Stief CG. The urinary tract microbiome: the answer to all our open questions? Eur Urol Focus 2019;5:36-8.

25. Malik RD, Wu YR, Christie AL, Alhalabi F, Zimmern PE. Impact of allergy and resistance on antibiotic selection for recurrent urinary tract infections in older women. Urology 2018;113:26-33.

26. Mändar R, Punab M, Korrovits P, Türk S, Ausmees K, Lapp E, et al. Seminal microbiome in men with and without prostatitis. Int J Urol 2017;24:211-6.

27. McDonald M, Kameh D, Johnson ME, Johansen TEB, Albala D, Mouraviev V. A head-to-head comparative Phase II study of standard urine culture and sensitivity versus DNA next-generation sequencing testing for urinary tract infections. Rev Urol 2017;19:213-20.

28. Meriwether KV, Lei Z, Singh R, Gaskins J, Hobson DTG, Jala V. The vaginal and urinary microbiomes in premenopausal women with interstitial cystitis/bladder pain syndrome as compared to unaffected controls: a pilot cross-sectional study. Front Cell Infect Microbiol 2019;9:92.

29. Mouraviev V, McDonald M. An implementation of next generation sequencing for prevention and diagnosis of urinary tract infection in urology. Can J Urol 2018;25:9349-56.

30. Mundy A, Fitzpatrick J, Neal D, George N. The scientific basis of urology. Ann R Coll Surg Engl 2001;83:370.

31. Nickel JC, Stephens-Shields AJ, Landis JR, Mullins C, van Bokhoven A, Lucia MS, et al. A culture-independent analysis of the microbiota of female interstitial cystitis/bladder pain syndrome participants in the MAPP research network. J Clin Med 2019;8:E415

32. Paalanne N, Husso A, Salo J, Pieviläinen O, Tejesvi MV, Koivusaari P, et al. Intestinal microbiome as a risk factor for urinary tract infections in children. Eur J Clin Microbiol Infect Dis 2018;37(10):1881-91.

33. Pearce MM, Hilt EE, Rosenfeld AB, Zilliox MJ, Thomas-White K, Fok C, et al. The female urinary microbiome: a comparison of women with and without urgency urinary incontinence. mBio 2014;5(4):e01283-14.

34. Price TK, Hilt EE, Thomas-White K, Mueller ER, Wolfe AJ, Brubaker L. The urobiome of continent adult women: a cross-sectional study. BJOG 2020;127(2):193-201.

35. Reid G, Bruce AW. Selection of Lactobacillus strains for urogenital probiotic applications. J Infect Dis 2001;183(Suppl 1):S77-80.

36. Reid G, Bruce AW. Probiotics to prevent urinary tract infections: the rationale and evidence. World J Urol 2006;24:28-32.

37. Reid G, Bruce AW, Taylor M. Influence of three-day antimicrobial therapy and lactobacillus vaginal suppositories on recurrence of urinary tract infections. Clin Ther 1992;14:11-6.

38. Reid G, Bruce AW, Taylor M. Instillation of Lactobacillus and stimulation of indigenous organisms to prevent recurrence of urinary tract infections. Microecol Ther 1995;23:32-45.

39. Reid G, Charbonneau D, Erb J, Kochanowski B, Beuerman D, Poehner R, et al. Oral use of Lactobacillus rhamnosus GR-1 and L. fermentum RC-14 significantly alters vaginal flora: randomized, placebo-controlled trial in 64 healthy women. FEMS Immunol Med Microbiol 2003;35:131-4.

40. Shoskes DA, Altemus J, Polackwich AS, Tucky B, Wang H, Eng C. The urinary microbiome differs significantly between patients with chronic prostatitis/chronic pelvic pain syndrome and controls as well as between patients with different clinical phenotypes. Urology 2016;92:26-32.

41. Shoskes DA, Wang H, Polackwich AS, Tucky B, Altemus J, Eng C. Analysis of gut microbiome reveals significant differences between men with chronic prostatitis/chronic pelvic pain syndrome and controls. J Urol 2016;196:435-41.

42. Siddiqui H, Lagesen K, Nederbragt AJ, Jeansson SL, Jakobsen KS. Alterations of microbiota in urine from women with interstitial cystitis. BMC Microbiol 2012;12:205.

43. Siddiqui H, Nederbragt AJ, Lagesen K, Jeansson SL, Jakobsen KS. Assessing diversity of the female urine microbiota by high throughput sequencing of 16S rDNA amplicons. BMC Microbiol 2011;11:244.

44. Stamm WE, Norrby SR. Urinary tract infections: disease panorama and challenges. J Infect Dis 2001;183(Suppl 1):S1-4.

45. Suez J, Zmora N, Zilberman-Schapira G, Mor U, Dori-Bachash M, Bashiardes S, et al. Post-antibiotic gut mucosal microbiome reconstitution is impaired by probiotics and improved by autologous FMT. Cell 2018;174(6):1406-23.

46. Tariq R, Pardi DS, Tosh PK, Walker RC, Razonable RR, Khanna S. Fecal microbiota transplantation for recurrent Clostridium difficile infection reduces recurrent urinary tract infection frequency. Clin Infect Dis 2017;65:1745-7.

47. Thomas-White KJ, Hilt EE, Fok C, Pearce MM, Mueller ER, Kliethermes S, et al. Incontinence medication response relates to the female urinary microbiota. Int Urogynecol J 2016;27:723-33.

48. Thomas-White KJ, Kliethermes S, Rickey L, Lukacz ES, Richter HE, Moalli P, et al. Evaluation of the urinary microbiota of women with uncomplicated stress urinary incontinence. Am J Obstet Gynecol 2017;216:55.

49. Ursell LK, Metcalf JL, Parfrey LW, Knight R. Defining the human microbiome. Nutr Rev 2012;70(Suppl 1):S38-S44.

50. Whiteside SA, Razvi H, Dave S, Reid G, Burton JP. The microbiome of the urinary tract-a role beyond infection. Nat Rev Urol 2015;12(2):81-90.

51. Wolfe AJ, Toh E, Shibata N, Rong R, Kenton K, Fitzgerald M, et al. Evidence of uncultivated bacteria in the adult female bladder. J Clin Microbiol 2012;50(4):1376-83.

52. Wu P, Chen Y, Zhao J, Zhang G, Chen J, Wang J, et al. Urinary microbiome and psychological factors in women with overactive bladder. Front Cell Infect Microbiol 2017;7:488.

찾아보기

국문 찾아보기

영문 찾아보기